*Directeur de collection*
Philippe GLOAGUEN
*Cofondateurs*
Philippe GLOAGUEN et Michel DUVAL
*Rédacteur en chef*
Pierre JOSSE
*assisté de*
Benoît LUCCHINI, Yves COUPRIE,
Florence BOUFFET, Solange VIVIER,
Olivier PAGE et Véronique de CHARDON

# LE GUIDE DU ROUTARD

## 1993/94

# ÉTATS-UNIS (côte Est et Sud)

Hach

**Hors-d'œuvre**

Le G.D.R., ce n'est pas comme le bon vin, il vieillit mal. On ne veut pas pousser à la consommation, mais évitez de partir avec une édition ancienne. D'une année sur l'autre, les modifications atteignent et dépassent souvent les 40 %. Chaque année, en juin ou juillet, de nombreux lecteurs se plaignent de voir certains de nos titres épuisés. A cette époque, en effet, nous n'effectuons aucune réimpression. Ces ouvrages risqueraient d'être encore en vente au moment de la publication de la nouvelle édition. Donc, si vous voulez nos guides, achetez-les dès leur parution. Voilà.

Nos ouvrages sont les guides touristiques de langue française les plus souvent révisés. Malgré notre souci de présenter des livres très réactualisés, nous ne pouvons être tenus responsables des adresses qui disparaissent accidentellement ou qui changent tout à coup de nature (nouveaux propriétaires, rénovations immobilières brutales, faillites, incendies...). Lorsque ce type d'incidents intervient en cours d'année, nous sollicitons bien sûr votre indulgence. En outre un certain nombre de nos adresses se révèlent plus « fragiles » parce que justement plus sympa ! Elles réservent plus de surprises qu'un patron traditionnel dans une affaire sans saveur qui ronronne sans histoires.

***Spécial copinage***

– *Restaurant Perraudin :* 157, rue Saint-Jacques, 75005 Paris. ☎ 46-33-15-75. Fermé le dimanche. A deux pas du Panthéon et du jardin du Luxembourg, il existe un petit restaurant de cuisine traditionnelle. Lieu de rencontre des éditeurs et des étudiants de la Sorbonne, où les recettes d'autrefois sont remises à l'honneur : gigot au gratin dauphinois, pintade aux lardons, pruneaux à l'armagnac. Sans prétention ni coup de bâton. D'ailleurs, c'est notre cantine, à midi.

– Un grand merci à Hertz, notre partenaire, qui facilite le travail de nos enquêteurs, en France et à l'étranger.

IMPORTANT : les routards ont enfin leur banque de données sur Minitel : 36-15 (code ROUTARD). Vols superdiscount, réductions, nouveautés, fêtes dans le monde entier, dates de parution des G.D.R., rencards insolites et... petites annonces. Et une nouveauté, le QUIZ DU ROUTARD ! 30 questions rigolotes pour – éventuellement – tester vos connaissances et, surtout, gagner des billets d'avion. Alors, faites mousser vos petites cellules grises !

***Hôtels, pensions, restos... mode d'emploi***

En raison de l'inflation galopante dans une majorité de pays, il n'est plus possible d'indiquer les prix des hôtels et des restos. Souvent, en moins d'un an, la différence entre les prix relevés et ceux en vigueur au moment de la première diffusion du guide peut être très importante. Aussi avons-nous adopté le système des fourchettes de prix en instituant des catégories : bon marché, prix moyens et plus chic. Ces catégories varient selon les pays. Si les hôtels pas chers d'un pays se situent autour de 15 F, ceux qui s'affichent à 50 F appartiendront bien sûr à la rubrique « Prix moyens », et ceux qui coûtent 100 F et au-delà à celle « Plus chic ». Il est évident que pour un pays débutant à 100 F pour ses hôtels les moins chers, les autres rubriques seront décalées d'autant.

Avantage : l'inflation étant la même pour tout le monde, s'il y a élévation globale du coût de la vie, les prix augmentent simultanément. La seule chose imprévisible, c'est qu'un hôtel ou un restaurant change de standing (en bien ou en mal) et passe donc dans une autre catégorie. Dans ce cas de figure, assez rare il faut le dire, nous sollicitons bien sûr l'indulgence légendaire de nos lecteurs.

# TABLE DES MATIÈRES

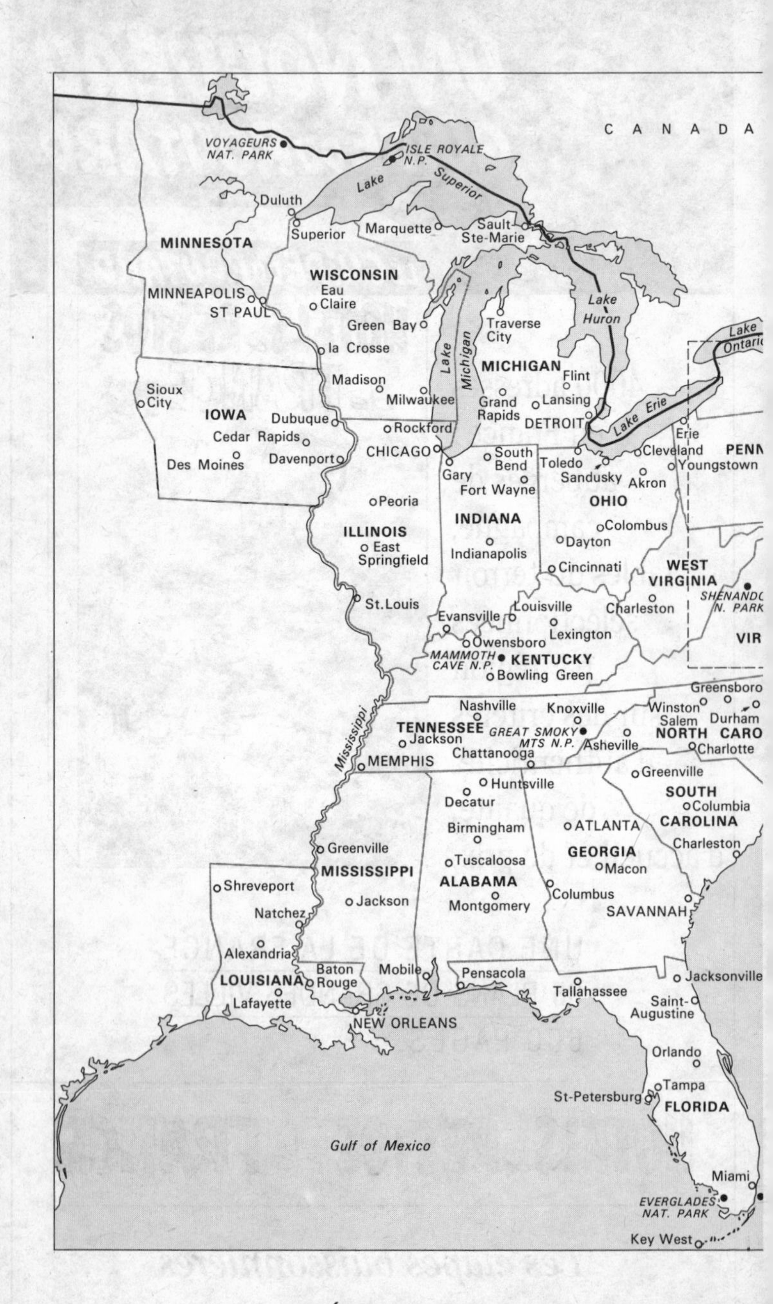


LES ÉTATS-UNIS

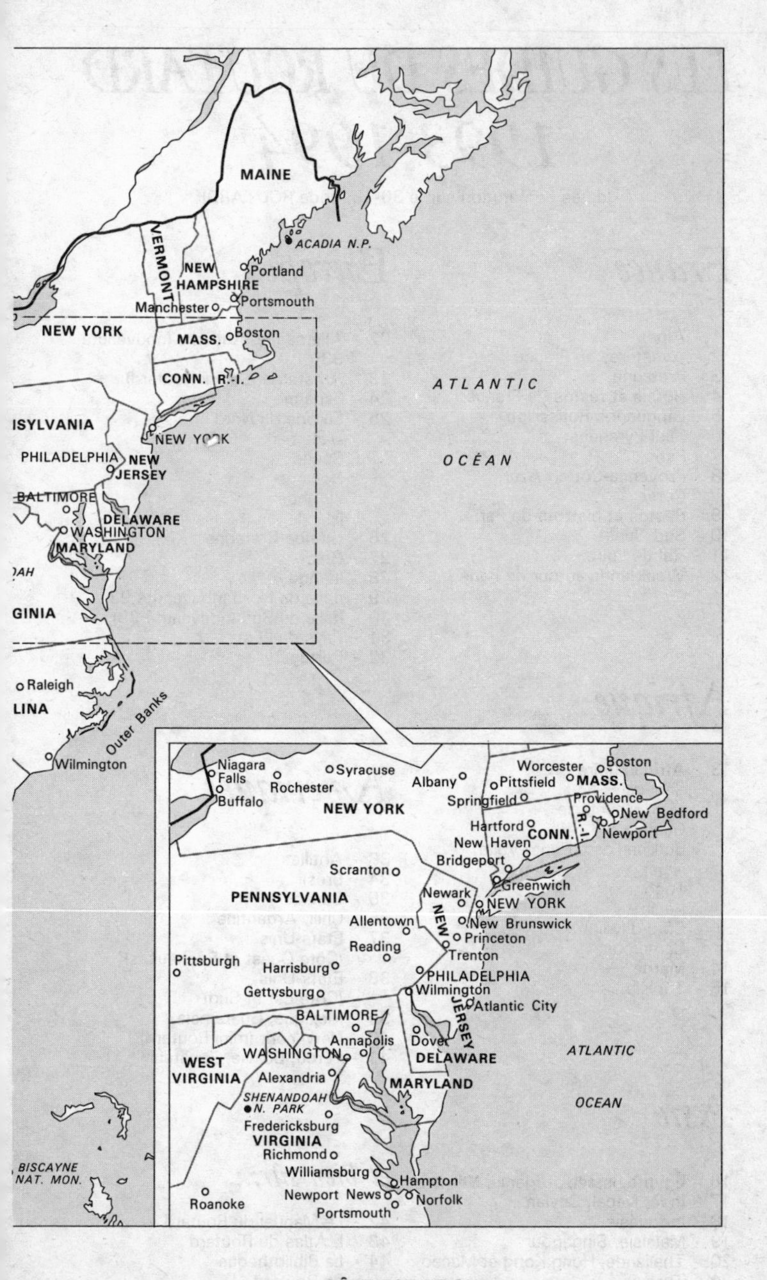


CÔTE EST ET SUD

# *LES GUIDES DU ROUTARD*
# *1993-1994*

(dates de parution sur le 36-15, code ROUTARD)

## *France*

1 - Alpes
2 - Aventures en France
3 - Bretagne
4 - Hôtels et restos de France
5 - Languedoc-Roussillon
6 - Midi-Pyrénées
7 - Paris
8 - Provence-Côte d'Azur, Corse
9 - Restos et bistrots de Paris
10 - Sud-Ouest
11 - Val de Loire
12 - Week-ends autour de Paris

## *Afrique*

13 - Afrique noire
Sénégal
Mali, Mauritanie
Gambie
Burkina Faso (Haute-Volta)
Niger
Togo
Bénin
Côte-d'Ivoire
Cameroun
14 - Maroc
15 - Tunisie

## *Asie*

16 - Égypte, Israël, Jordanie, Yémen
17 - Inde, Népal, Ceylan
18 - Indonésie
19 - Malaisie, Singapour
20 - Thaïlande, Hong Kong et Macao
21 - Turquie

## *Europe*

22 - Allemagne, Autriche (nouveauté 93)
23 - Amsterdam (mini-Routard)
24 - Espagne
25 - Europe du Nord
Danemark
Suède
Norvège
Finlande
Islande
26 - Grande-Bretagne
27 - Grèce
28 - Irlande
29 - Italie du Nord (nouveauté 93)
30 - Italie du Sud (nouveauté 93)
31 - Pays de l'Est
32 - Portugal

## *Amériques*

33 - Antilles
34 - Brésil
35 - Canada
36 - Chili, Argentine
37 - États-Unis (Côte Ouest et Rocheuses)
38 - États-Unis (Côte Est et Sud)
39 - Mexique, Guatemala
40 - New York (mini-Routard)
41 - Pérou, Bolivie, Équateur

## *et bien sûr...*

42 - Le Manuel du Routard
43 - L'Atlas du Routard
44 - La Bibliothèque du Routard

## NOS NOUVEAUTÉS PARUES ET A PARAITRE

ALLEMAGNE-AUTRICHE : deux pays aux personnalités bien différentes. En Allemagne, efficacité, travail, et prospérité. Les performances du système ont bizarrement amené sa contestation : écologie, refus du nucléaire, droits de la femme... L'Allemagne n'est décidément plus ce qu'elle était, mais une nation qui s'interroge devient tout à coup passionnante. L'Autriche, ambivalente, ne l'est pas moins. Ici, musique et romantisme cohabitent. Des hauts lieux historiques pleins de fastes et de mystère. Le tout dans une nature toujours somptueuse.

ITALIE DU NORD et ITALIE DU SUD : un pays si riche mérite bien deux guides. Des vestiges à n'en plus finir et des paysages qui respirent l'éternité. Et aussi le vin de Frascati, les courses en Vespa (sans casque), le cappuccino, la siesta, les gelati, et les musées « chiuso ». Mais n'oubliez surtout pas les Italien(ne)s. Ils ont choisi la folie des passions.

HÔTELS ET RESTOS DE FRANCE : notre best-seller absolu. Pour cette 2e édition : 500 nouvelles adresses, un guide qui sent bon la France.

## LES MINI-ROUTARDS

Mini-prix, mini-format : adresses, conseils, visites et renseignements utiles.

AMSTERDAM : une ville étonnante à guère plus de 500 km de Paris. Son visage change nonchalant au gré des canaux et de la lumière du jour. Perchés sur des milliers de pilotis, les édifices se serrent les uns contre les autres comme de vieux copains. Calme trompeur.

NEW YORK : une ville suffisamment exceptionnelle pour mériter son propre guide.

NOUVEAU : depuis le temps qu'on en rêvait... On a enfin notre disque ! LE DISQUE DU ROUTARD est désormais disponible chez tous les disquaires, sous forme de CD 17 titres (avec livret de 28 pages) ou de K7 (avec trois titres en prime). Nous avons voulu ce disque éclectique (rock, blues, reggae, new wave) pour satisfaire toutes les générations de routards, tout en vous faisant partager nos passions (Marley, Clash, La Mano Negra, Leonard Cohen, etc.). Les titres sélectionnés ont en tout cas un point commun : ils chantent la route et évoquent le voyage, on s'en serait douté !... A vos bacs ! (Sony Music.)

**Et pour cette chouette collection, plein d'amis nous ont aidés :**

Albert Aidan
Véronique Allaire
Catherine Allier
Bertrand Aucher
Aneta Bassa
René Baudoin
Jean-Louis de Beauchamp
Lotfi Belhassine
Nicole Bénard
Cécile Bigeon
Alexandre Blanzat et Sophie Delahaye
Philippe Bordet
Hervé Bouffet
Francine Boura
Pierre Brouwers
Jacques Brunel
Justo Eduardo Caballero
Danièle Canard
Daniel Célerier
Jean-Paul Chantraine
Bénédicte Charmetant
Pascal Chatelain
Sandrine Couprie
Marjatta Crouzet
Roger Darmon
Marie-Clothilde Debieuvre
Olivier Debray
Jean-Pierre Delgado
Éric Desneux
Stéphane Diederich
Luigi Durso
Sophie Duval
François Eldin
Henri Escudier
Éric et Pierre-Jean Eustache
Alain Fisch
Leonor Fry
Jean-Luc Furette
Bruno Gallois
Carl Gardner
Alain Garrigue
Carole Gaudet
Cécile Gauneau
Michèle Georget
Gilles Gersant
Michel Girault
Florence Gisserot
Hubert Gloaguen
Jean-Pierre Godeaut
Vincenzo Gruosso
Jean-Marc Guermont
Florence Guibert
Patrick Hayat
Philippe Heim
François Jouffa
Jacques Lanzmann
Alexandre Lazareff
Denis et Sophie Lebègue
Ingrid Lecander
Patrick Lefèbvre
Raymond et Carine Lehideux
Martine Levens
Astrid Lorber
Kim et Lili Loureiro
F.X. Magny et Pascale
Jenny Major
Fernand Maréchal
Alain Marx
Constance Mathieu et Agathe Laurent
Francis Mathieu
Emmanuel Mellier
Corine Merle
Jean-Paul Nail
José Emanuel Naugueira-Ramos
Pierre Pasquier
Odile Paugam et Didier Jehanno
Francisco Pena-Torre
Bernard Personnaz
Jean-Pierre Picon
Jean-Alexis Pougatch
Michel Puyssegur
Antoine Quitard
Edmond Richard et Sophie Bayle
Catherine Ronchi
Frédérique Scheibling-Seve
Roberto Schiavo
Patricia Scott-Dunwoodie
Patrick Ségal
Julie Shepard
Jean-Luc et Antigone Schilling
Charles Silberman
Isabelle Sparer
Régis Tettamanzi
Stéphane Thibaut
Jean-Claude Vaché
Yvonne Vassart
Marc et Shirine Verwhilgen
Axel Villette
François Weill

Nous tenons à remercier tout particulièrement **Patrick de Panthou** pour sa collaboration régulière.

**Direction :** Adélaïde Barbey
**Secrétariat général :** Michel Marmor
**Édition :** Isabelle Jendron et François Monmarché
**Secrétariat d'édition :** Yankel Mandel et Christian Duponchelle
**Préparation lecture :** Frédérique Payen
**Cartographie :** René Pineau et Alain Mirande
**Fabrication :** Gérard Piassale et Françoise Jolivot
**Direction des ventes :** Marianne Richard, Lucie Satiat et Jean-Loup Bretet
**Direction commerciale :** Jérôme Denoix et Anne-Sophie Buron
**Informatique éditoriale :** Catherine Julhe et Marie-Françoise Poullet
**Relation presse :** Catherine Broders, Danielle Magne, Caroline Lévy, Cécile Dick et Martine Leroy
**Service publicitaire :** Claude Danis et Marguerite Musso

# COMMENT ALLER AUX ÉTATS-UNIS ?

## LIGNES RÉGULIÈRES

▲ **AIR FRANCE** propose des « vols-vacances » sur New York et Montréal. La baisse du prix est justifiée par une simplification du service à bord et par l'augmentation du nombre de sièges. Attention aux durées de séjour obligatoires : de 14 à 60 jours. AIR FRANCE dessert aussi Chicago, Washington, Los Angeles, Miami, San Francisco, Boston et Houston à raison de 3 à 7 vols hebdomadaires suivant la période et la destination.

Une nouvelle ligne relie Paris à New York (aéroport de Newark) chaque jour à 10 h 30 au départ de Paris-Orly, arrivée Newark à 12 h 35 (heure locale). Dans l'autre sens, il quitte Newark tous les jours à 18 h (heure locale) pour arriver à Orly-Sud le lendemain à 7 h. Sur ce vol, le tarif « super Apex » est applicable.
AIR FRANCE propose désormais des vols directs sur New York au départ de Lyon et Nice.

Nouveau et intéressant : AIR FRANCE (y compris les vols-vacances) offre la possibilité d'« open jaw ». Ce mot barbare signifie que l'on peut par exemple arriver par New York et repartir par Los Angeles.

– *AIR FRANCE :* 119, Champs-Élysées, 75008 Paris. ☎ 45-35-61-61. M. : George-V. Et dans les agences de voyages.

▲ **SABENA**, la compagnie nationale belge, propose des tarifs super Apex sur New York, Boston, Chicago, Detroit et Atlanta.
– *SABENA :* 19, rue de la Paix, 75002 Paris. ☎ 47-42-76-00. M. : Opéra.

• Plusieurs grandes compagnies américaines desservent aussi Paris, soit de New York pour *American Airlines, Continental Airlines, Pan Am, Tower Air et TWA*. Ou encore au départ de Chicago ou Washington pour *United Airlines*, Detroit pour *Northwest Airlines* et Atlanta ou Cincinnati-Orlando pour *Delta Airlines*.

▲ **AMERICAN AIRLINES** : 109, rue du Faubourg-Saint-Honoré, 75008 Paris. ☎ 42-89-05-22 ou 03-46. Numéro vert province : ☎ 05-23-00-35. M. : Saint-Philippe-du-Roule. Ouvert de 9 h à 18 h.

▲ **CANADIAN AIRLINES INTERNATIONAL** : 24, avenue Hoche, 75008 Paris. ☎ 49-53-07-07. Fax : 49-53-04-81. La compagnie régulière canadienne propose des tarifs vacances et Apex très intéressants sur Montréal et Toronto avec des liaisons sur les États-Unis. Également un pass Canada - États-Unis - Hawaii.

▲ **DELTA AIRLINES** : 4, rue Scribe, 75009 Paris. ☎ 47-68-92-92. Numéro vert province : ☎ 05-35-40-80. M. : Opéra. Ouvert de 9 h à 18 h.

▲ **NORTHWEST AIRLINES** : 16, rue Chauveau-Lagarde, 75008 Paris. ☎ 42-66-90-00. Numéro vert province : ☎ 05-00-02-80. M. : Madeleine. Ouvert de 9 h à 18 h.

▲ **TOWER AIR** : renseignements et réservations : ☎ 40-13-80-80. De 9 h à 18 h.

▲ **TWA** : 101, Champs-Élysées, 75008 Paris. ☎ 47-20-62-11. M. : George-V. Ouvert du lundi au vendredi de 9 h à 18 h, le samedi jusqu'à 17 h.

▲ **UNITED AIRLINES** : 34, avenue de l'Opéra, 75002 Paris. ☎ 48-97-82-82. Numéro vert province : ☎ 05-01-91-38. M. : Opéra. Ouvert de 9 h à 18 h.

## ORGANISMES DE VOYAGES

### ▲ ACCESS VOYAGES

– *Paris*, 6, rue Pierre-Lescot, 75001. ☎ 40-13-02-02 et 42-21-46-94. Fax : 45-08-83-35. M. : Châtelet-Les Halles.
– *Lyon :* Tour Crédit Lyonnais, 129, rue Servient, 69003. ☎ 78-63-67-77.
Vendu aussi dans les agences de voyages.
Le spécialiste des Amériques pour les billets d'avion à prix réduit sur vols réguliers avec réservation, desservant plus de 70 destinations aux États-Unis (25 villes en direct), au Canada, et en Amérique du Sud. Un nouveau système de coupons d'hébergement permet de se loger dans 1 800 hôtels aux États-Unis, au Canada et au Mexique. Une nouveauté : Access offre de nombreux départs de province, sur vols réguliers également. Le transit par Paris n'est plus nécessaire. Pour la plupart, ces vols sont sans supplément de tarif (départs de Lyon, Nice, Marseille, Toulouse, Bordeaux et même Genève). Très intéressant pour les provinciaux qui utilisent le service « paiement à la carte ». Également des tarifs très intéressants pour la location de voitures sur le continent américain.
Le service « paiement à la carte » permet à tous les détenteurs d'une carte bancaire des réseaux carte bleue VISA ou Master Card de réserver et de payer leur billet par téléphone.

▲ **AMERICOM :** 208, avenue du Maine, 75014 Paris. ☎ 40-44-81-29. Fax : 45-41-73-30. M. : Alésia. Spécialiste des États-Unis, comme son nom l'indique. D'excellents circuits individuels (donc sans dépendre d'un groupe) et des voyages individuels sur mesure : vols transatlantiques et vols intérieurs, voitures de location, minivans, camping-cars, gamme complète d'hôtels et de motels. Également des circuits accompagnés de 1 ou 2 semaines (avec ou sans le vol) avec guide francophone. Des séjours linguistiques en université, intensifs ou semi-intensifs, jeunes et adultes, des circuits jeunes.

▲ **AMERICAN ADVENTURES :** Spécialisé dans l'organisation des circuits organisés en minibus pour les jeunes de 18 à 35 ans ; aux États-Unis, Canada et Mexique. Accompagnateurs locaux. Logement en camping ou motels dans les grandes villes. Prix très abordables. Ces circuits permettent de pratiquer certains sports tels que le rafting, le canoë-kayak, l'équitation, le jet-ski, etc... Brochures et réservations chez Americom (voir adresse et téléphone ci-dessus).

▲ **ANY WAY :** 46, rue des Lombards, 75001 Paris. ☎ 40-28-00-74. Fax : 42-36-11-41. M. : Châtelet. Ouvert du lundi au vendredi, de 10 h à 19 h et le samedi de 11 h à 18 h. Une équipe sympathique dirigée par 3 jeunes Québécois. Rompus à la déréglementation et l'explosion des monopoles sur l'Amérique du Nord, leurs ordinateurs dénichent les meilleurs tarifs. Des prix charters sur vols réguliers. Les tours-opérateurs leur proposent leurs invendus à des prix défiant toute concurrence.
Any Way permet de réserver à l'avance vols, séjours, hôtels et voitures. Assurance rapatriement incluse. Possibilité d'achat à crédit (Cetelem). Recherche et commande par téléphone, éventuellement avec paiement par carte de crédit.
*Intéressant :* « J-7 » est une nouvelle formule qui propose des vols secs à des prix super discount, 7 jours avant le départ. Tarifs par téléphone ou par Minitel (36-15 code Routard).

▲ **CAMINO :** ☎ 44-92-80-00. Fax : 44-92-80-05 ou 06. Brochure disponible dans les agences de voyages.
Voyagiste connu depuis 30 ans comme spécialiste de l'Amérique du Nord (États-Unis, Canada, Bahamas et Hawaii). Propose depuis 1991 trois autres brochures spécialisées sur Israël, l'Italie et l'Europe en général.
Sur ces quatre destinations : des circuits accompagnés avec guide spécialisé français, des circuits autonomes avec le vol aller-retour, des hôtels réservés et une voiture pour voyager en toute liberté, des week-ends et une formule Express qui permet de confirmer une réservation de chambre dans la même journée.
Enfin, les « Must » : le système exclusif « Early Bird » qui donne droit à d'importantes réductions sur les circuits accompagnés pour toute réservation faite à

l'avance, et l'option « prix garantis » en échange de 70 % d'acomptes versés au moment de l'inscription, révisables seulement en cas de baisse du dollar.

▲ **CASE DÉPART**
– *Paris* : 66, bd de Strasbourg, 75010. ☎ 42-05-55-55. M. Gare-de-l'Est.
– *Paris* : 15, rue du Grenier-Saint-Lazare, 75003. ☎ 42-77-25-40. M. : Rambuteau.

Spécialisé sur les États-Unis depuis une dizaine d'années. Circuits en minibus ou campings dans l'Ouest ou possibilité de construire soi-même un périple individuel. Intéressant : location de grosses motos au départ de Los Angeles et Miami (réserver le plus tôt possible). Descente du Colorado.

▲ **CHARTERS ET COMPAGNIE** : ☎ 45-15-15-15. Brochure dans les agences de voyages. Le nouveau et grand spécialiste du vol sec sur toutes destinations (4 000 en tout), notamment États-Unis, Antilles et Méditerranée. Un bon truc pour les malins, SOS charters, un répondeur qui fonctionne 24 h/24 et 7 jours sur 7. Toutes les promotions y sont indiquées, la mise à jour est faite les lundi et jeudi. Sur Minitel, 36-15 code SOS CHARTERS.

▲ **COMPAGNIE DES VOYAGES** : 28, rue Pierre-Lescot, 75001 Paris. ☎ 45-08-44-88. Fax : 45-08-03-69. Infos sur répondeur 24 h sur 24 au 45-08-00-60. M. : Étienne-Marcel. Spécialiste du long-courrier, tout particulièrement Asie et Amériques. Les prix font pâlir les plus gros, et ils sont garantis à l'inscription si le voyage est payé en totalité. Pas de rallonge donc... Destinations phares : Bangkok, Indonésie et Amériques. Très vaste choix de vols secs. Sur la brochure, chaque vol se voit attribuer des étoiles (de 1 à 4), en fonction du nombre d'escales, du prix et du confort. Pour les provinciaux, vente par correspondance. Brochure « tour du monde » en kit : formule très souple qui permet d'additionner plusieurs modules que l'on choisit soi-même.

▲ **COUNCIL TRAVEL (C.I.E.E.)**
– *Paris* : 31, rue Saint-Augustin, 75002. ☎ 42-66-20-87. Fax : 40-17-05-17. M. : 4-Septembre.
– *Paris* : 16, rue de Vaugirard, 75006. ☎ 46-34-02-90. Fax : 40-51-89-12. M. : Odéon.
– *Paris* : 51, rue Dauphine, 75006. ☎ 43-25-09-86 ou 43-26-79-65. Fax : 43-29-97-29. M. : Odéon.
– *Paris* : 49, rue Pierre-Charron, 75008. ☎ 45-63-19-87 ou 42-89-09-51. Fax : 42-56-65-27. M. : George-V.
– *Aix-en-Provence* : 12, rue Victor-Leydet, 13100. ☎ 42-38-58-82. Fax : 42-38-94-00.
– *Lyon* : 36, quai Gailleton, 69002. ☎ 78-37-09-56. Fax : 78-38-05-51.
– *Montpellier* : 20, rue de l'Université, 34000. ☎ 67-60-89-29. Fax : 67-60-41-26.
– *Nice* : 37 *bis*, rue d'Angleterre, 06000. ☎ 93-82-23-33. Fax : 93-82-25-59.
Créée en 1947, c'est la plus ancienne des associations de voyages. Vols quotidiens sur les États-Unis, continuations et forfaits aériens intérieurs les plus avantageux du marché. Locations de voitures, de motos et camping-cars, et réservations d'hôtels toute catégorie et d'appartements en Amérique du Nord et ailleurs dans le monde. Vend les pass Greyhounds et Amtrak. Sélection de voyages en minibus et de produits camping aux États-Unis. Circuits auto + hôtel, bus + hôtel, vélo + hôtel. Ouvert à tous. Vend aussi la carte internationale d'étudiant. Tarifs aériens spéciaux vers le monde entier pour jeunes et étudiants. Département spécial pour études et « summer sessions » en université, stages et jobs d'été aux États-Unis et au Canada.
Réservations et informations possibles par Minitel : 36-15 code COUNCIL. Sinon, numéro vert pour la province : 05-14-81-48.

▲ **DÉSERTS** : 6-8, rue Quincampoix, 75004 Paris. ☎ 48-04-88-40. Fax : 48-04-33-57. M. : Châtelet-Les Halles. Une équipe de mordus inconditionnels de sable, de glace et de tout ce que l'on appelle les « déserts ». A leur actif, déjà plus de 50 destinations proposées dans leur brochure, mais aussi leur capacité de monter « sur mesure » n'importe quel type de voyage dans les espaces qu'ils maîtrisent. Leur agence est exclusivement tournée vers le voyage dans les déserts : cartographie, salle de projection, bibliothèque et, de ce fait, une

équipe de véritables professionnels est là pour vous aider à construire vos rêves.
Destinations : Sahara algérien, Niger, Mali, Maroc, Namibie, Israël, Égypte, Jordanie, Yémen, Pakistan, États-Unis, Mexique, Bolivie-Chili, Inde, Australie, Islande, Groenland, Aragon, Turquie, Argentine, Russie, Kazakhstan, Canada, Spitzberg, Tunisie.

▲ **DISCOVER AMERICA MARKETING :** 85, avenue Émile-Zola, 75015 Paris. ☎ 45-77-10-74. Fax : 45-77-78-51. M. : Charles-Michels.
Représente plusieurs chaînes d'hôtels américaines et effectue des réservations à la carte :
– avec le *Discover America Hotel Pass : Vagabond Inn* (39 motels situés principalement en Californie), la *Quinta Inns* (200 motels dans le sud), et *Hampton Inn* (200 motels dans l'est) ;
– avec le *Discover America Budget Hotel Pass :* la chaîne de motels Econo Lodge, nombreux établissements situés en Floride.
Particularité de ces deux systèmes uniques de coupons : aucune surcharge à payer sur place et valable pour une chambre de 1 à 4 personnes.
– Location de voitures *Hertz,* avec le *Discover America Car Pass* aux États-Unis, sauf à New York et dans l'État d'Illinois, avec les avantages suivants : chaque coupon est valable pour la location d'une voiture pour une durée de 24 h, et inclut le prix de la location et de l'assurance obligatoire (LDW). Sans supplément de saison, sans obligation d'utilisation consécutive des coupons. Kilométrage illimité.
– Les *Studios Universal Hollywood et Floride* (vente de tickets d'entrée).
– *Scenic Airlines* et *Grand Canyon Airlines* [survols, excursions (avec ou sans hébergement) du Grand Canyon, de Monument Valley et du Lake Powell] et la compagnie aérienne *US Air.*

▲ **ESPACES DÉCOUVERTES VOYAGES**
– *Paris :* 38, rue Rambuteau, 75003. ☎ 42-74-21-11. Fax : 42-74-76-77. M. : Rambuteau ou Châtelet.
– *Paris :* 14, rue Vavin, 75006. ☎ 40-51-80-80. Fax : 44-07-22-05. M. : Vavin.
– *Paris :* 3, rue des Gobelins, 75013 Paris. ☎ 43-31-99-99. Fax : 45-35-14-70. M. : Gobelins.
Cette jeune agence est animée par une équipe de professionnels amoureux du voyage qui prennent toujours le temps de vous conseiller utilement pour la réussite de votre voyage.
Long ou moyen-courriers, vols réguliers ou charters, sur plus de 400 destinations, Espaces Découvertes offre un vaste choix de tarifs aériens parmi les plus compétitifs. Propose également un éventail de circuits et séjours sélectionnés pour leur bon rapport qualité-prix.
En province, vente par correspondance.

▲ **EXPERIMENT (Expérience de Vie Internationale) :** 89, rue de Turbigo, 75003 Paris. ☎ 42-78-50-03. Fax : 42-78-01-40. M. : Temple ou République. Ouvert du lundi au vendredi de 9 h à 18 h sans interruption.
Partager en toute amitié la vie quotidienne d'une famille pendant une à quatre semaines, à la période et aux dates que vous souhaitez, c'est ce que propose l'association Experiment. Cette formule existe également dans une trentaine d'autres pays à travers le monde. N'accepte pas les enfants de moins de 16 ans.
Autres possibilités de séjour aux États-Unis : suivre des cours intensifs d'anglais sur campus de 4 semaines à 1 an ou en vivant au sein d'une famille américaine (de 4 à 24 semaines). Ces différentes formules existent pour les adultes et les adolescents.
Par ailleurs, E.V.I. offre la possibilité, pour les 18-25 ans, de partir un an « au pair » aux États-Unis (billet A/R offert, rémunération de 100 US $ environ par semaine, formulaire d'obtention de visa fourni, etc.), en toute légalité.

▲ **EXPLORATOR :** 16, place de la Madeleine, 75008 Paris. ☎ 42-66-66-24. Fax : 42-66-53-89. M. : Madeleine. Le spécialiste le plus ancien et le plus célèbre des voyages à caractère d'expédition : à pied, en voiture tout-terrain, bateau, radeau, etc. Plus qu'une agence, une solide équipe de spécialistes qui vous emmèneront par petits groupes, dans la plus pure tradition du voyage,

découvrir l'authenticité des hommes et des sites demeurés à l'écart du tourisme.
Sahara (de l'Atlantique à la mer Rouge ; Mauritanie, Maroc, Algérie, Niger, Soudan, Égypte), continent africain (Zimbabwe, Mali, Rwanda, Zaïre, Tanzanie, Éthiopie, Kenya, Botswana, Namibie), Explorator vous entraîne aussi vers l'Amérique sauvage (descente du Colorado-Rocheuses canadiennes), au Moyen-Orient (Yémen, Jordanie) et en Asie (Inde, Népal, Chine, Pakistan, Indonésie). N'oublions pas la Bolivie, le Guatemala, l'Argentine (la Terre de Feu, la cordillère des Andes), le Chili (le désert de l'Atacama, une expédition Sud-Chili) et deux extrêmes en prime : le pôle Nord et le cap Horn. Que vous faut-il de plus ? Pas de vol charter ni de vols secs.

### ▲ FORUM-VOYAGES

– *Paris :* 49, avenue Raymond-Poincaré, 75116. ☎ 47-27-89-89. Fax : 47-55-94-44. M. : Victor-Hugo.
– *Paris :* 140, rue du Faubourg-Saint-Honoré, 75008. ☎ 42-89-07-07. Fax : 42-89-26-04. M. : Saint-Philippe-du-Roule.
– *Paris :* 1, rue Cassette (angle avec le 71, rue de Rennes), 75006. ☎ 45-44-38-61. Fax : 45-44-57-32. M. : Saint-Sulpice.
– *Paris :* 75, avenue des Ternes, 75017. ☎ 45-74-39-38. Fax : 40-68-03-31. M. : Ternes.
– *Paris :* 11, avenue de l'Opéra, 75001. ☎ 42-61-20-20. Fax : 42-61-39-12. M. : Palais-Royal.
– *Paris :* 39, rue de la Harpe, 75005. ☎ 46-33-97-97. Fax : 46-33-10-27. M. : Saint-Michel.
– *Paris :* 81, bd Saint-Michel, 75005. ☎ 43-25-80-58. Fax : 44-07-22-03. M. : Luxembourg.
– *Paris :* 55, avenue Franklin-Roosevelt, 75008. ☎ 42-56-84-84. Fax : 42-56-85-69. M. : Franklin-Roosevelt.
– *Amiens :* 40, rue des Jacobins, 80000. ☎ 22-92-00-70. Fax : 22-91-05-72.
– *Caen :* 90-92, rue Saint-Jean, 14000. ☎ 31-85-10-08. Fax : 31-86-24-67.
– *Lyon :* 10, rue du Président-Carnot, 69002. ☎ 78-92-86-00. Fax : 78-38-29-58.
– *Melun :* 17, rue Saint-Étienne, 77000. ☎ 64-39-31-07. Fax : 64-39-86-12.
– *Metz :* 10, rue du Grand-Cerf, 57000. ☎ 87-36-30-31. Fax : 87-37-35-69.
– *Montpellier :* 41, bd du Jeu-de-Paume, 34000. ☎ 67-52-73-30. Fax : 67-60-77-34.
– *Nancy :* 77, rue Saint-Dizier, 54000. ☎ 83-36-50-12. Fax : 83-35-79-46.
– *Nantes :* 20, rue de la Contrescarpe, 44000. ☎ 40-35-25-25. Fax : 40-35-23-36.
– *Reims :* 14, cours J.-B.-Langlet, 51072. ☎ 26-47-54-22. Fax : 26-97-78-38.
– *Rouen :* 72, rue Jeanne-d'Arc, 76000. ☎ 35-98-32-59. Fax : 35-70-24-43.
– *Strasbourg :* 49, rue du 22-Novembre, 67000. ☎ 88-32-42-00. Fax : 88-75-99-39.
– *Toulouse :* 23, place Saint-Georges, 31000. ☎ 61-21-58-18. Fax : 61-13-76-49.

Et depuis juin 1992, les brochures de vols discount et toutes les brochures de circuits et séjours de Forum-Voyages sont en vente dans les 72 agences Club Med Voyages (agences du Club Méditerranée).
Conformément à son slogan « la Terre moins chère », Forum-Voyages est le spécialiste du vol discount sur ligne régulière (pas de charter) ; il offre près de 500 destinations sur 44 compagnies.
Une fois sur place, c'est « le Luxe moins cher » : une vaste gamme de séjours et de circuits qui vont du camping au plus grand palace et du rafting aux circuits en voiture privée avec chauffeur et guide.
Ses destinations privilégiées : les États-Unis (New York, tout l'Ouest, Chicago, la musique rock avec des séjours à Memphis et à Nashville, l'art lyrique avec le festival de Santa Fe, les lieux branchés avec le District Art Deco de South Miami Beach), le Canada, le Mexique et aussi le Guatemala.
Plusieurs services clientèle : possibilité de payer en 4 fois sans intérêts, liste de mariage (avec un cadeau offert par Forum-Voyages), vente par téléphone (règlement par carte bleue, sans vous déplacer) et aussi un serveur vocal interactif au (1) 47-27-36-37 vous donnant 24 h sur 24 et 7 jours sur 7 toutes les informations sur les promotions, les brochures de Forum-Voyages et la possibilité de vous inscrire par carte bleue.

Enfin, le Club Forum-Voyages qui offre des assistances dans le monde entier et des centaines de réductions. De plus, les membres reçoivent à domicile le journal bimestriel du club.

### ▲ GO VOYAGES

– *Paris :* 97 *bis,* boulevard Latour-Maubourg, 75007. ☎ 47-53-05-05. M. : Latour-Maubourg.
– *Paris :* 22, rue de l'Arcade, 75008. ☎ 42-66-18-18. M. : Madeleine.
– *Lyon :* forum C, 33, rue Maurice-Flandin, 69003. ☎ 78-53-39-37.
Dans les agences Fnac et dans les 3 500 agences de voyages du réseau.
Avec sa célèbre grenouille verte, Go Voyages repose sur un principe simple : le voyage au moindre coût et en toute liberté. Chacun construit ses vacances selon son désir et ses moyens, à l'aide de deux brochures indépendantes. Le catalogue « Vols charters et vols réguliers » offre plus de 300 destinations sur le monde entier à des tarifs discountés. Les billets sont avec réservation. Le catalogue des prestations conseillées présente des hôtels, des locations d'appartements et villas, des locations de voitures et motorhomes sur 17 destinations (Antilles, Baléares, Canada, Canaries, Crète, Espagne, États-Unis, Grèce, Irlande, Maroc, île Maurice, Portugal, Réunion, Sénégal, Sri Lanka, Thaïlande, Tunisie).

**▲ JETSET :** 32, rue de Washington, 75008 Paris. ☎ 42-89-18-00. Fax : 45-63-68-33. M. : George-V. Et dans les agences. Tour-operateur avec les États-Unis et le Canada comme destination vedette, Jetset propose une gamme très large de circuits accompagnés, autotours (voiture + hôtels réservés). Avec notamment plusieurs spécialités : les parcs, le Sud, la Nouvelle-Angleterre et l'Alaska. Choix d'hôtels et de prestations à la carte à des prix très compétitifs. D'autre part, avec Jetset'Air, Jetset propose toute l'année des vols (réguliers) à prix réduits vers plus de 40 villes des États-Unis et du Canada.

### ▲ JEUNES SANS FRONTIÈRE (J.S.F.) - WASTEELS

– *Paris :* 5, rue de la Banque, 75002. ☎ 42-61-53-21. M. : Bourse.
– *Paris :* 8, bd de l'Hôpital, 75005. ☎ 43-36-90-36. M. : Gare-d'Austerlitz.
– *Paris :* 113, bd Saint-Michel, 75005. ☎ 43-26-25-25. M. : Luxembourg.
– *Paris :* 6, rue Monsieur-le-Prince, 75006. ☎ 43-25-58-35. M. : Odéon.
– *Paris :* 12, rue Lafayette, 75009. ☎ 42-47-09-77. M. : Le Peletier.
– *Paris :* 91, bd Voltaire, 75011. ☎ 47-00-27-00. M. : Voltaire.
– *Paris :* 58, rue de la Pompe, 75016. ☎ 45-04-71-54. M. : Pompe.
– *Paris :* 150, avenue de Wagram, 75017. ☎ 42-27-29-91. M. : Wagram.
– *Paris :* 3, rue Poulet, 75018. ☎ 42-57-69-56. M. : Château-Rouge.
– *Paris :* 146, bd de Ménilmontant, 75020. ☎ 43-58-57-87. M. : Ménilmontant.
– *Nanterre :* 200, av. de la République, 92000. ☎ 47-24-24-06.
– *Versailles :* 4 *bis,* rue de la Paroisse, 78000. ☎ 39-50-29-30.
– *Aix-en-Provence :* 5 *bis,* cours Sextius, 13100. ☎ 42-26-26-28.
– *Angoulême :* 49, rue de Genève, 16000. ☎ 45-92-56-89.
– *Béziers :* 66, allée Paul-Riquet, 34500. ☎ 67-28-31-78.
– *Bordeaux :* 65, cours d'Alsace-Lorraine, 33000. ☎ 56-48-29-39.
– *Chambéry :* 17, faubourg Reclus, 73000. ☎ 79-33-04-63.
– *Clermont-Ferrand :* 69, bd Trudaine, 63000. ☎ 73-91-07-00.
– *Dijon :* 20, av. du Maréchal-Foch, 21000. ☎ 80-43-65-34.
– *Grenoble :* 50, av. Alsace-Lorraine, 38000. ☎ 76-47-34-54.
– *Lille :* 25, place des Reignaux, 59000. ☎ 20-06-24-24.
– *Lyon :* 5, place Ampère, 69002. ☎ 78-42-65-37.
– *Marseille :* 87, la Canebière, 13001. ☎ 91-95-90-12.
– *Metz :* 3, rue de l'Australie, 57000. ☎ 87-66-65-33.
– *Montpellier :* 6, rue de la Saunerie, 34000. ☎ 67-58-74-26.
– *Mulhouse :* 14, av. Auguste-Wicky, 68100. ☎ 89-46-18-43.
– *Nancy :* 1 *bis,* place Thiers, 54000. ☎ 83-35-42-29.
– *Nantes :* 6, rue Guépin, 44000. ☎ 40-89-70-13.
– *Nice :* 32, rue de l'Hôtel-des-Postes, 06000. ☎ 93-92-08-10.
– *Reims :* 24, rue des Capucins, 51100. ☎ 26-40-22-08.
– *Roubaix :* 11, rue de l'Alouette, 91000. ☎ 20-70-33-62.
– *Rouen :* 111 *bis,* rue Jeanne-d'Arc, 76000. ☎ 35-71-92-56.
– *Saint-Étienne :* 28, rue Gambetta, 42000. ☎ 77-32-71-77.
– *Strasbourg :* 13, place de la Gare, 67000. ☎ 88-32-40-82.

– *Thionville :* 21, place du Marché, 57100. ☎ 82-53-35-00.
– *Toulon :* 3, rue Vincent-Courdouan, 83000. ☎ 94-92-93-93.
– *Toulouse :* 1, bd Bonrepos, 31400. ☎ 61-62-67-14.
– *Tours :* 8, place du Grand-Marché, 37000. ☎ 47-64-00-26.
Repris par le puissant réseau Wasteels (170 agences en Europe dont 70 en France). Vols secs sur le monde entier, vacances organisées, billets B.I.G.E. Assistance assurée dans certaines gares et aéroports.
Wasteels est aussi implanté à Orlando (Floride), ce qui permet la programmation des États-Unis à la carte.

▲ **JUMBO AMERICA** : 38, avenue de l'Opéra, 75002 Paris. ☎ 47-42-06-92. M. : Opéra. Et dans les agences de voyages. Filiale d'Air France. Important tour-opérateur français sur les États-Unis et le Canada. Assure le transport transatlantique sur vols réguliers d'Air France ou affrétés auprès d'Air Charter et de transporteurs américains. Destinations : New York, Los Angeles, Boston, Toronto, Montréal, Québec.

En vacances à construire :
– Des hôtels dans 11 villes américaines plus les parcs nationaux.
– Des bons d'hébergement valables aux États-Unis et au Canada.
– Locations de motor-homes, de voitures.
– Des voyages en cars Greyhound et des vols intérieurs.
En vacances construites :
– Séjours libres ou combinés.
– Circuits avion plus hôtel et voiture.
– Ou encore des circuits accompagnés ou camping, formule plus économique.
Un tout nouveau circuit individuel en voiture, « Mississipi Blues », à côté d'une large gamme de circuits, soit de 15 jours très complets (transaméricaine, Patchwork Tropical), soit de week-ends à New York et de séjours à Orlando et Miami.

▲ **NOUVEAU MONDE**
– *Paris :* 8, rue Mabillon, 75006. ☎ 43-29-40-40. M. : Mabillon.
– *Bordeaux :* 57, cours Pasteur, 33000. ☎ 56-92-98-98. Fermé le samedi.
– *Marseille :* 8, rue Bailli-de-Suffren, 13001. ☎ 91-54-31-30. Fermé le samedi.
– *Nantes :* 6, place Édouard-Normand, 44000. ☎ 40-89-63-64. Fermé le samedi.
Toujours passionnée par l'Amérique latine, en particulier par la Bolivie, l'équipe de Nouveau Monde s'intéresse également à l'Amérique du Nord, essentiellement au Canada, aux Caraïbes, et aussi au Pacifique et à l'Asie, avec une prédilection pour la Chine. Proposant vols à tarifs réduits, hôtels et circuits sur toutes ces destinations, il était inévitable qu'elle devienne une référence pour les globe-trotters en mal de tours du monde.
Sa vocation de découvreur s'affirme encore lorsqu'il s'agit de dénicher sur la planète les « spots » les plus rares pour passionnés de planche à voile ou bien des virées d'enfer pour motards aux 4 coins du monde, des États-Unis à l'Australie.

▲ **NOUVELLES FRONTIÈRES**
– *Paris :* 87, boulevard de Grenelle, 75015. ☎ 42-73-10-64. M. : La Motte-Picquet.
– *Aix-en-Provence :* 52, cours Sextius, 13100. ☎ 42-26-47-22.
– *Ajaccio :* 12, place Foch, 20000. ☎ 95-21-55-55.
– *Bordeaux :* 31, allée de Tourny, 33000. ☎ 56-44-60-38.
– *Brest :* 8, rue Jean-Baptiste-Boussingault, 29200. ☎ 98-44-30-51.
– *Clermont-Ferrand :* 8, rue Saint-Genès, 63000. ☎ 73-90-29-29.
– *Dijon :* 7, place des Cordeliers, 21000. ☎ 80-31-89-30.
– *Grenoble :* 3, rue Billerey, 38000. ☎ 76-87-16-53.
– *Le Havre :* 137, rue de Paris, 76600. ☎ 35-43-36-66.
– *Lille :* 1, rue des Sept-Agaches, 59000. ☎ 20-74-00-12.
– *Limoges :* 6, rue Vigne-de-Fer, 87000. ☎ 55-32-28-48.
– *Lyon :* 34, rue Franklin, 69002. ☎ 78-37-16-47.
– *Marseille :* 83, rue Sainte, 13007. ☎ 91-54-18-48.
– *Metz :* 33, En-Fournirue, 57000. ☎ 87-36-16-90.
– *Montpellier :* 4, rue Jeanne-d'Arc, 34000. ☎ 67-64-64-15.
– *Mulhouse :* 5, rue des Halles, 68100. ☎ 89-46-25-00.
– *Nancy :* 4, rue des Ponts, 54000. ☎ 83-36-76-27.

– *Nantes :* 2, rue Auguste-Brizeux, 44000. ☎ 40-20-24-61.
– *Nice :* 24, avenue Georges-Clemenceau, 06000. ☎ 93-88-32-84.
– *Reims :* 51, rue Cérès, 51100. ☎ 26-88-69-81.
– *Rennes :* 10, quai Émile-Zola, 35000. ☎ 99-79-61-13.
– *Rodez :* 26, rue Béteille, 12000. ☎ 65-68-01-99.
– *Rouen :* 15, rue du Grand-Pont, 76000. ☎ 35-71-14-44.
– *Saint-Étienne :* 9, rue de la Résistance, 42100. ☎ 77-33-88-35.
– *Strasbourg :* 4, rue du Faisan, 67000. ☎ 88-25-68-50.
– *Toulon :* 503, avenue de la République, 83000. ☎ 94-46-37-02.
– *Toulouse :* 2, place Saint-Sernin, 31000. ☎ 61-21-03-53.

## ▲ NOUVELLE LIBERTÉ

– *Paris :* 24, avenue de l'Opéra, 75001. ☎ 42-96-14-12. Fax : 49-27-05-81. M. : Pyramides.
– *Paris :* 13, rue des Pyramides, 75001. ☎ 42-60-35-98. M. : Pyramides.
– *Paris :* 108, rue Montmartre, 75002. ☎ 42-21-03-65. M. : Bourse ou Sentier.
– *Paris :* 3, rue des Filles-Saint-Thomas, 75002. ☎ 42-96-10-00. M. : Bourse.
– *Paris :* 26, rue Soufflot, 75005. ☎ 43-25-43-99. M. : Luxembourg.
– *Paris :* 106, rue de Rennes, 75006. ☎ 42-96-10-00. M. : Rennes.
– *Paris :* 14, rue Lafayette, 75009. ☎ 47-70-58-58. M. : Chaussée-d'Antin.
– *Paris :* 68, boulevard Voltaire, 75011. ☎ 48-06-79-65. M. : Saint-Ambroise.
– *Paris :* 49, avenue d'Italie, 75013. ☎ 44-24-38-38. M. : Tolbiac.
– *Paris :* 29, avenue du Général-Leclerc, 75014. ☎ 43-35-37-38. M. : Mouton-Duvernet.
– *Paris :* 109, rue Lecourbe, 75015. ☎ 48-28-32-28. M. : Sèvres-Lecourbe.
– *Saint-Germain-en-Laye :* 60, rue au Pain, 78100. ☎ 34-51-08-08.
– *Aix-en-Provence :* 28, cours Mirabeau, 13100. ☎ 42-38-97-79.
– *Angers :* 15, boulevard Foch, 49100. ☎ 41-87-98-17.
– *Avignon :* 29, rue Saint-Agricol, 84000. ☎ 90-85-50-50.
– *Bordeaux :* 53, cours Clemenceau, 33000. ☎ 56-81-28-30.
– *Brest :* 7, rue Boussingault, 29200. ☎ 98-43-44-88.
– *Caen :* 117, rue Saint-Jean, 14000. ☎ 31-79-05-50.
– *Cannes :* 15, rue des Belges, 06400. ☎ 93-99-49-00.
– *Dijon :* 20, rue des Forges, 21000. ☎ 80-30-77-32.
– *Grenoble :* 12, place Victor-Hugo, 38000. ☎ 76-46-01-37.
– *Lille :* 7-9, place du Théâtre, 59000. ☎ 20-55-35-45.
– *Lyon :* 2, place Bellecour, 69002. ☎ 78-92-90-22. Fax : 78-37-54-55.
– *Marseille :* 10, rue du Jeune-Anacharsis, 13001. ☎ 91-54-11-10. Fax : 91-54-11-26.
– *Montpellier :* 24, Grand-Rue-Jean-Moulin, 34000. ☎ 67-60-99-99.
– *Mulhouse :* 42, rue des Boulangers, 68100. ☎ 89-66-14-15. Fax : 89-42-86-38.
– *Nantes :* 1, place Delorme, 44000. ☎ 40-35-56-56.
– *Nice :* 85, boulevard Gambetta, 06000. ☎ 93-86-33-13.
– *Orléans :* 1, rue d'Illiers, 45000. ☎ 38-81-11-55. Fax : 38-62-89-32.
– *Reims :* 61, place Drouet-d'Erlon, 51100. ☎ 26-40-56-10.
– *Rennes :* 3, rue Nationale, 35000. ☎ 99-79-12-12.
– *Rouen :* 47, rue Grand-Pont, 76000. ☎ 35-70-50-50. Fax : 35-15-15-65.
– *Toulouse :* 1 *bis,* rue des Lois, 31000. ☎ 61-21-10-00.
– *Tours :* 1, rue Colbert, 37000. ☎ 47-20-49-50.

Il ne faut pas confondre charter et bétaillère : en effet toutes les compagnies ne sont pas fréquentables. D'où une sélection sévère ! Les prix du monde ont changé ! Grâce à sa compagnie *Air Liberté,* Nouvelle Liberté vous permet de bénéficier de tarifs avantageux. Au total, près de 400 destinations sont proposées aux meilleurs rapports qualité-prix.
Les voyages sont « en kit », donc modulables en fonction de vos moyens : pour les fauchés, des vols secs ; pour les autres, des voitures, hôtels (plusieurs catégories de prix), appartements ou villas, du trekking, des excursions en bateaux... Le bonheur.
Et en exclusivité, le « contrat confiance » avec l'U.A.P. :
– si l'avion a plus de 2 h de retard, on vous rembourse 200 F par heure de retard (avec un maximum de 70 % du prix du billet) ;
– s'il y a surbooking, on vous rembourse votre billet et vous voyagez gratuitement sur un autre vol ;

**▲ TOURS 33 – ATOLL VOYAGES**
– *Paris :* 85, boulevard Saint-Michel, 75005. ☎ 43-29-69-50. M. : Luxembourg.
– *Montpellier :* 1, rue de l'Université, 34000. ☎ 67-66-03-65.
– *Nice :* 30, avenue Georges-Clemenceau, 06000. ☎ 93-88-95-95.
– *Toulouse :* 33, rue Boulbonne, 31000. ☎ 61-22-49-49.
Tours 33, agence de voyages au service de tous ceux qui veulent découvrir le monde. Sélection de vols à tarif réduit toute l'année. Édite toute une brochure sur la Nouvelle-Zélande et l'Australie (vols et circuits). Deux vols sur Sydney par semaine à prix très avantageux, pass en kilométrage illimité de 14 jours en train, pass dans 350 hôtels australiens. D'ailleurs, Tours 33, vrai spécialiste de l'Australie, peut répondre à toutes vos questions. Un Australien qui connaît bien son pays et qui parle le français comme vous.
Une salle, Maison du Pacifique, avec un numéro de téléphone spécifique (☎ 43-29-36-50), propose tous les renseignements sur les îles du Pacifique.
Une brochure spéciale sur les États-Unis pour ceux qui veulent organiser eux-mêmes leur voyage : charters, forfaits intérieurs, location de voitures... Également une brochure Nouvelle-Calédonie. Plusieurs vols par semaine à des prix intéressants.

**▲ TRAFIC TOURS** : brochures dans les agences de voyages. Grossiste revendu dans toutes les agences de voyages. Cette importante agence canadienne a désormais son propre bureau à Paris. Évidemment, les produits qu'ils vendent sur le Canada sont bons et d'un excellent rapport qualité-prix. Location de voitures et de camping-cars, forfaits de bus. Nombreux circuits « Aventure » au Québec : descente de rivières en canoë ou en radeau, observation des baleines dans l'estuaire du Saint-Laurent, visite de la baie James, le plus grand complexe hydroélectrique du monde.
Enfin, Trafic Tours possède sa propre compagnie aérienne, Air Transat (avions Tristar et Boeing), qui assure les liaisons avec Montréal, Québec, Toronto, Vancouver et, cette année, pour la première fois dans l'histoire des charters aériens, Calgary. Les prestations terrestres sont assurées par la maison mère à Montréal. Trafic Tours, c'est aussi les États-Unis, avec des vols formules week-end à New York, des circuits « fly and drive », est-ouest, des hôtels, des forfaits Floride et Mexique.

**▲ UNICLAM 2000**
– *Paris :* 11, rue du 4-Septembre, 75002. ☎ 40-15-07-07. Fax : 42-60-44-56. M. : Opéra.
– *Paris :* 63, rue Monsieur-le-Prince, 75006. ☎ 43-29-12-36. M. : Odéon.
– *Paris :* 51, rue de Clignancourt, 75018. ☎ 42-59-00-23 ou 02-08. Fax : 42-52-82-52. M. : Château-Rouge.
– *Grenoble :* 16, rue du Docteur-Mazet, 38000. ☎ 76-46-00-08.
– *Lille :* 157, route Nationale, 59800. ☎ 20-30-98-20.
– *Lyon :* 19, quai Romain-Rolland, 69005. ☎ 78-42-75-85.
– *Mulhouse :* 13, rue des Fleurs, 68100. ☎ 89-56-10-21.
– *Strasbourg :* 6, rue Pucelles, 67000. ☎ 88-35-30-67.
UNICLAM s'est d'abord fait connaître pour ses charters sur l'Amérique latine, et tout particulièrement le Pérou. Aujourd'hui, UNICLAM propose des formules de « découvertes en liberté » aux États-Unis avec des forfaits aériens pour les lignes intérieures. Système très appréciable dans ces pays : le possibilité de réserver, avant de partir, des nuits d'hôtel. Des circuits organisés comme « Far West » et « Chemin des Indiens » en Californie. Puis des « Fly and drive » dans les parcs nationaux. Quelques activités plus insolites : festival du vélo tout-terrain dans le Colorado, marathon de New York.

**▲ VACANCES FABULEUSES** : 6, rue de la Chaussée-d'Antin, 75009 Paris. ☎ 42-46-14-30. Fax : 42-46-97-98. M. : Opéra ou Chaussée-d'Antin. Dans toutes les agences de voyages.
Ce voyagiste, spécialiste des États-Unis à la carte, vous propose des prix charter sur les principales compagnies : Air France, Delta, United Northwest et Usair. Un vaste choix de services, des locations de voitures ou de motorhomes, une grande sélection d'hôtels, des mini-séjours à New York, Los Angeles et San Francisco, des mini-croisières au départ de Miami et Port Canaveral, des circuits individuels ou accompagnés, des formules « aventure » et insolites (ranches, raft, Jeep, etc.). Également des séjours dans les Caraïbes (Bahamas,

Jamaïque, Saint-Domingue, etc.). Et surtout, une équipe de professionnels des États-Unis.

▲ **V.O. VOYAGES :** 181, boulevard Pereire, 75017 Paris. ☎ 40-53-07-11. Fax : 40-53-00-75. M. : Pereire ou Porte-Maillot. Ouvert du lundi au vendredi de 9 h à 18 h 30 (le samedi, de 10 h à 13 h et de 14 h à 17 h 30). Une équipe spécialisée pour construire avec vous tous vos projets de voyages en fonction de votre budget. Les destinations fortes : États-Unis, Canada, Thaïlande et Antilles.

▲ **VOYAG'AIR – BALAD'AIR :** 55, rue Hermel, 75018 Paris. ☎ 42-62-45-45. Fax : 42-62-49-00. M. : Simplon ou Jules-Joffrin.
Plusieurs brochures à l'actif de ce jeune tour-opérateur glouton dans sa production et dans le choix de ses destinations.
Sous la marque Voyag'air : une brochure spécifique « vols secs » qui regroupe en deux parties distinctes, d'une part, une importante production en charters ou en blocs sièges à destination des États-Unis et du Canada entre autres et, d'autre part, le monde en technicolor avec des tarifs négociés sur vols réguliers sur plus de 200 destinations.
Sous la marque Balad'air : deux brochures pour les prestations terrestres – à ajouter ou pas aux vols cités plus haut – « American Breakfast » (États-Unis et Canada) et « Exotic Delights » (les DOM-TOM et l'Asie) et, dans les deux cas, des formules en liberté : les « Balad'n Drive », des circuits accompagnés ou pas, des séjours et une sélection d'« Insolites » pour ceux qui veulent sortir des sentiers battus.

▲ **VOYAGES ET DÉCOUVERTES**
– *Paris :* 21, rue Cambon, 75001. ☎ 42-61-00-01. M. : Concorde.
– *Paris :* 58, rue Richer, 75009. ☎ 47-70-28-28. M. : Cadet.
Voyagiste proposant d'excellents tarifs sur lignes régulières à condition d'être étudiant ou jeune de moins de 26 ans. Difficile de trouver des vols moins chers sur Israël et les États-Unis. Grâce à ses accords avec Kilroy, tarifs assez exceptionnels sur plus de 200 destinations mais réservés aux jeunes de moins de 26 ans titulaires de la carte Jeunes et aux étudiants de moins de 35 ans titulaires de la carte internationale d'étudiant.
Agent général pour la France de la compagnie israélienne *ARKIA* qui propose des vols charters au départ de Paris, tous les dimanches, sur Tel-Aviv. Évidemment à des prix défiant toute concurrence. Également une brochure Tour du monde.

▲ **VOYAGES POUR TOUS**
– *Paris :* 220, rue Saint-Jacques, 75005. ☎ 43-26-06-88. M. : Luxembourg. Fax : 43-26-65-13.
– *Paris :* 243, boulevard Voltaire, 75011. ☎ 43-73-76-67. Fax : 43-73-96-97. M. : Nation.
– *Aix-en-Provence :* 26, place des Tanneurs, 13100. ☎ 42-26-58-38.
– *Annecy :* 55 *bis,* rue Carnot, 74000. ☎ 50-57-00-49. Fax : 50-57-14-81.
– *Avignon :* 21, rue des Trois-Faucons, 84000. ☎ 90-82-77-58. Fax : 90-82-76-45.
– *Bordeaux :* 54, cours Pasteur, 33000. ☎ 56-91-45-29.
– *Brive :* 4, rue de Lestang, 19100. ☎ 55-23-41-43.
– *Chambéry :* 128, rue Croix-d'Or, 73000. ☎ 79-75-08-50. Fax : 79-85-00-04.
– *Limoges :* 1, rue Basse-de-la-Comédie, 87000. ☎ 55-33-50-00. Fax : 55-33-73-95.
– *Lyon :* 128, avenue du Maréchal-de-Saxe, 69003. ☎ 78-60-36-54. Fax : 72-61-13-80.
– *Marseille :* 26, rue des Trois-Mages, 13006. ☎ 91-42-34-04. Fax : 91-92-33-69. Ouverture de 12 h à minuit.
– *Montélimar :* 15, boulevard Aristide-Briand, 26200. ☎ 75-01-67-46.
– *Perpignan :* 29, rue du Maréchal-Foch, 66000. ☎ 68-34-97-17.
– *Reims :* 25, rue de Cères, 51100. ☎ 26-50-01-01.
– *Soissons :* 8 *bis,* rue du Beffroi, 02200. ☎ 23-59-06-10. Fax : 23-59-06-60.
– *Toulouse :* 14, rue du Taur, 31000. ☎ 61-21-15-00. Fax : 61-21-23-83.
– *Toulon :* 55, rue Jean-Jaurès, 83000. ☎ 94-22-10-89.

Ouvert du lundi au vendredi de 9 h à 19 h sans interruption. Le samedi à partir de 10 h. Des circuits originaux et d'un bon rapport qualité-prix. Brochure spéciale pour les vols secs.
L'agence propose désormais des circuits « sur mesure » aux Amériques, grâce à un service informatique, très performant. En fonction de vos goûts, vos moyens et votre durée de séjour, Voyage pour Tous vous fabrique « VOTRE » voyage.

▲ **VOYAGEURS AUX ÉTATS-UNIS** (ex-Carrefour des Voyages) : 5, place André-Malraux, 75001 Paris. ☎ 42-86-17-30. Fax : 42-60-35-44. M. : Palais-Royal. L'équipe de Voyageurs aux États-Unis est constituée d'Américains et de Français ayant longtemps vécu aux U.S.A. Ils sauront vous guider dans vos choix, concevoir pour vous un itinéraire sur mesure pour faire de votre voyage une réussite totale. Voyageurs aux États-Unis vous propose toutes les formes de voyages vers les U.S.A. à des conditions très avantageuses : tarifs réduits sur vols réguliers et nombreuses formules à la carte.

### *EN BELGIQUE*

▲ **ACOTRA WORLD** : rue de la Madeleine, 51, Bruxelles 1000. ☎ (02) 512-86-07. Fax : (02) 512-39-74. Ouvert de 10 h à 18 h (18 h 30 le jeudi) et le samedi de 10 h à 13 h. Acotra World, filiale de la Sabena, offre aux jeunes, étudiants, enseignants et stagiaires des prix spéciaux dans le domaine du transport aérien. Prix de train (B.I.G.E. - Inter-Rail) et de bus intéressants. Le central logement-transit d'Acotra permet d'être hébergé aux meilleurs prix, en Belgique et à l'étranger.
Un bureau d'accueil et d'information « Acotra Welcome Desk » est à la disposition de tous à l'aéroport de Bruxelles-National (hall d'arrivée). Ouvert tous les jours, y compris le dimanche, de 7 h à 14 h.

▲ **C.J.B.** (Caravanes de Jeunesse Belge ASBL) : chaussée d'Ixelles, 216, Bruxelles 1050. ☎ (02) 640-97-85. Fax : (02) 646-35-95. Ouvert de 9 h 30 à 18 h tous les jours de la semaine. C.J.B. organise toutes sortes de voyages, individuels ou en groupes, de la randonnée au grand circuit. Vacances sportives ou séjours culturels. Recherchent pour vous, dans la jungle des tarifs de transport (avion, train, bus ou bateau), les prix les plus intéressants. Pour les détenteurs de la carte Jeunes, réduction sur la carte C.J.B. et 5 % sur les billets B.I.G.E. Vend la carte ISIC (International Student Identity Card).

▲ **CONNECTIONS**
– *Bruxelles :* rue Marché-au-Charbon, 13, 1000. ☎ (02) 512-50-60. Fax : (02) 512-94-47.
– *Bruxelles :* avenue Adolphe-Buyl, 78, 1050. ☎ (02) 647-06-05. Fax : (02) 647-05-64.
– *Anvers :* Korte Koepoortstraat, 13, 2000. ☎ (03) 225-31-61. Fax : (03) 226-24-66.
– *Gand :* Nederkouter, 120, 9000. ☎ (091) 23-90-20. Fax : (091) 33-29-13.
– *Louvain :* Tiensestraat, 89, 3000. ☎ (016) 29-01-50. Fax : (016) 29-06-50.
– *Liège* (nouvelles destinations) : rue Sœurs-de-Hasque, 1b, 1348. ☎ (041) 22-04-60. Fax : (041) 21-11-45.
– *Liège :* rue Sœurs-de-Hasque, 7, 4000. ☎ (041) 22-04-44 ou (041) 23-03-75. Fax : (041) 23-08-82.
– *Louvain-la-Neuve :* place des Brabançons, 6a, 1348. ☎ (010) 45-15-57. Fax : (010) 45-14-53.
Le spécialiste du voyage jeune, estudiantin, fait partie d'un groupement international implanté en Europe dans environ 70 villes stratégiques.
Grâce à une consolidation des pouvoirs d'achat, Connections offre une gamme importante de produits, à savoir le billet SATA (billet d'avion pour jeunes et étudiants, en exclusivité pour le marché belge), les tarifs aériens ouverts à tous (avec spécialisation sur l'Europe et les États-Unis), les formules « Rail », incluant l'Eurodomino, le B.I.G.E. et toute autre formule, des séjours « City » (Prague, Budapest, Séville, etc.), une gamme de services terrestres aux États-Unis (location de voitures et de mobilhomes, séjour en campings et à l'hôtel, des self drive tours, des expéditions à départ garanti, etc.), des circuits, des cartes de réductions (International Student Identity Card, la carte Jeunes), l'assurance voyage I.S.I.S. Bref, le monde en toute liberté aux meilleures conditions.

▲ **JOKER :** boulevard Lemonnier, 37, Bruxelles 1000. ☎ (02) 502-19-37. « Le » spécialiste des voyages aventureux, travaille en principe avec le nord du pays mais il peut être intéressant d'y faire un tour. Voyages pas chers et intéressants. Vols secs aller simple ou aller-retour. Circuits et forfaits.

▲ **NOUVELLES FRONTIÈRES**
– *Bruxelles :* boulevard Lemonnier, 2, 1000. ☎ (02) 513-76-36. Fax : (02) 513-16-45.
– *Bruxelles :* chaussée d'Ixelles, 147, 1050. ☎ (02) 513-68-15.
– *Bruxelles :* chaussée de Waterloo, 690, 1180. ☎ (02) 646-22-70 ou (02) 648-35-94.
– *Liège :* boulevard de la Sauvenière 32, 4000. ☎ (041) 23-67-67.

▲ **NOUVEAU MONDE :** 226, chaussée de Vleurgat, Bruxelles 1050. ☎ (02) 649-55-33.

▲ **PAMPA EXPLOR :** chaussée de Waterloo, 735, Bruxelles 1180. ☎ (02) 343-75-90 ou répondeur 24 h/24 au (010) 22-59-67. Fax : (02) 346-27-66.
L'insolite et les découvertes « en profondeur » au bout des Pataugas ou sous les roues du 4 × 4. Grâce à des circuits ou des voyages à la carte entièrement personnalisés, conçus essentiellement pour les petits groupes, voire les voyageurs isolés. Des voyages originaux, pleins d'air pur et de contacts, dans le respect des populations et de la nature. Pratiquement dans tous les coins de la « planète bleue ».
Également un club des voyageurs Harmattan dont le siège est : avenue de Chérémont, 1300 Wavre. ☎ (010) 22-59-67. Toutes sortes de voyages réservés aux membres, une boutique et des activités prévues pour ceux qui s'y inscrivent.

▲ **SERVICES VOYAGES ULB :** campus ULB, avenue Paul-Héger, 22, Bruxelles, et hôpital universitaire Erasme. Ouvert de 9 h à 17 h sans interruption du lundi au vendredi. Le voyage à l'université, accueil évidemment très sympa. Ticket d'avion de compagnie régulière à des prix hyper compétitifs.

▲ **TAXISTOP :** la carte de membre Taxistop donne droit à des vols charters à prix réduits :
– *Airstop :* rue Marché-aux-Herbes, 27, Bruxelles 1000. ☎ (02) 512-10-15 et 511-69-30. Fax : (02) 514-41-11.
– *Taxistop Gand :* 51 Onderbergen, Gand 9000. ☎ (091) 23-23-10. Fax : (091) 24-31-44.
– *Taxistop-Airstop :* place de l'Université, 41, Louvain-la-Neuve 1348. ☎ (010) 45-14-14. Fax : (010) 45-51-20.

## *EN SUISSE*

C'est toujours cher de voyager au départ de la Suisse, mais ça s'améliore. Les charters au départ de Genève, Bâle ou Zurich sont de plus en plus fréquents ! Pour obtenir les meilleurs prix, il vous faudra être persévérant et vous munir d'un téléphone. Les billets au départ de Paris ou Lyon ont toujours la cote au hit-parade des meilleurs prix. Les annonces dans les journaux peuvent vous réserver d'agréables surprises, spécialement dans le *24 Heures* et dans *Voyages Magazine*.
Tous les tours-opérateurs sont représentés dans les bonnes agences : Kuoni, Hotelplan, Jet Tours, le TCS et les autres peuvent parfois proposer le meilleur prix, ne pas les oublier !

▲ **ARTOU**
– *Genève :* 8, rue de Rive. ☎ (022) 311-02-80.
– *Lausanne :* 18, rue Madeleine. ☎ (021) 23-65-56.
– *Sion :* 44, rue du Grand-Pont. ☎ (027) 22-08-15.
– *Neuchâtel :* 1, chaussée de la Boine. ☎ (038) 24-64-06.
Demandez leur documentation (très bien faite) et leurs tarifs spéciaux sur les billets d'avion. Une librairie du voyageur complète les prestations de chaque agence.

**NOS NOUVEAUTÉS PARUES ET A PARAITRE**

ALLEMAGNE-AUTRICHE : Deux pays aux personnalités bien différentes. En Allemagne, efficacité, travail, et prospérité. Les performances du système ont bizarrement amené sa contestation : écologie, refus du nucléaire, droits de la femme... L'Allemagne n'est décidément plus ce qu'elle était, mais une nation qui s'interroge devient tout à coup passionnante. L'Autriche, ambivalente, ne l'est pas moins. Ici, musique et romantisme cohabitent. Des hauts lieux historiques pleins de fastes et de mystère. Le tout dans une nature toujours somptueuse.

ITALIE DU NORD et ITALIE DU SUD : un pays si riche mérite bien deux guides. Des vestiges à n'en plus finir et des paysages qui respirent l'éternité. Et aussi le vin de Frascati, les courses en Vespa (sans casque), le cappuccino, la siesta, les gelati, et les musées « chiuso ». Mais n'oubliez surtout pas les Italien(ne)s. Ils ont choisi la folie des passions.

HÔTELS ET RESTOS DE FRANCE : notre best-seller absolu. Pour cette 2e édition : 500 nouvelles adresses, un guide qui sent bon la France.

### ▲ S.S.R.

– *Genève :* 3, rue Vignier, 1205. ☎ (022) 329-97-33.
– *Lausanne :* 22, boulevard de Grancy, 1005. ☎ (021) 617-58-11.
– *Neuchâtel :* 1, rue Fausses-Brayes. ☎ (038) 24-48-08.
– *Fribourg :* 35, rue de Lausanne. ☎ (037) 22-61-62.

Le S.S.R. est une société coopérative sans but lucratif dont font partie les employés S.S.R. et les associations d'étudiants. De ce fait, il vous offre des voyages, des vacances et des transferts très avantageux, et tout particulièrement des vols secs. Délivre les cartes internationales d'étudiants et les cartes Jeunes.
Ses meilleures destinations sont : l'Extrême-Orient, les États-Unis, l'Amérique du Sud, l'Angleterre, la Yougoslavie, la Grèce, la Turquie, le Maroc, la Sardaigne et le Canada. Et aussi le transsibérien de Moscou à la mer du Japon, la descente de la rivière Kwai... Billets Euro-Train (jusqu'à 26 ans non compris).

### ▲ NOUVELLES FRONTIÈRES

– *Genève :* 10, rue des Chantepoulet, 1201. ☎ (022) 732-03-52.
– *Lausanne :* 3, avenue du Rond-Point, 1006. ☎ (021)-26-88-91.

## *AU QUÉBEC*

### ▲ TOURBEC

– *Montréal :* 3419, rue Saint-Denis, H2X-3L2. ☎ (514) 288-4455. Fax : (514) 288-1611.
– *Montréal :* 3506, avenue Lacombe, H3T-1M1. ☎ (514) 342-2961. Fax : (514) 342-8267.
– *Montréal :* 595, Ouest de Maisonneuve, H3A-1L8. ☎ (514) 842-1400. Fax : (514) 287-7698.
– *Montréal :* 1454, rue Drummond, H3G-1V9. ☎ (514) 499-9930. Fax : (514) 499-9616.
– *Montréal :* 1887 Est, rue Beaubien, H2G-1L8. ☎ (514) 593-1010. Fax : (514) 593-1586.
– *Laval :* 155-E, boulevard des Laurentides, H7G-2T4. ☎ (514) 662-7555. Fax : (514) 662-7552.
– *Québec :* 1178, avenue Cartier, G1R-2S7. ☎ (418) 522-2791. Fax : (418) 522-4536.
– *Saint-Lambert :* 2001, rue Victoria, J4S-1H1. ☎ (514) 466-4777. Fax : (514) 499-9128.
– *Sherbrooke :* 1578 Ouest, rue King, J1J-2C3. ☎ (819) 563-4474. Fax : (819) 822-1625.

Cette association, bien connue au Québec, organise des charters en Europe mais aussi des trekkings au Népal, des cours de langues en Angleterre, Italie, Espagne ou Allemagne. Vols long-courriers sur l'Asie, l'Afrique ou l'Amérique. Sa spécialité : la formule avion + auto.

nouveau
monde
VOYAGES

# GÉNÉRALITÉS

## ADRESSES UTILES, FORMALITÉS

### Adresses utiles en France

– ***Office du tourisme des États-Unis et ambassade des États-Unis :*** renseignements par courrier : 75382 Paris Cedex 08 ; ou par téléphone : 42-60-57-15 (de 10 h à 12 h et de 13 h à 17 h du lundi au vendredi) ; ou par Minitel : 36-15 code USA.
– ***Ambassade des États-Unis :*** 2, avenue Gabriel, 75008 Paris. ☎ 42-96-12-02. M. : Concorde.
– ***American Express :*** 11, rue Scribe, 75009 Paris. ☎ 47-77-77-07. M. : Opéra.

### Formalités d'entrée

– *Passeport* en cours de validité.
– Bonne nouvelle : le visa n'est plus nécessaire pour les Français qui se rendent aux États-Unis pour tourisme ou affaires. Cependant, votre séjour ne doit pas dépasser 90 jours.
*Attention :* le visa reste indispensable pour les diplomates (catégorie socio-professionnelle assez rare chez les routards...), étudiants poursuivant un programme d'études, journalistes en mission.
– Pas de vaccination obligatoire.
– *Carte internationale d'étudiant :* assez précieuse, vu l'importance des réductions accordées.
– Impératif d'avoir son permis de conduire, même si on ne conduit pas. Il est beaucoup plus souvent demandé, comme preuve d'identité, que le passeport.

### Obtention d'un visa

Pour ceux qui n'en sont pas exemptés, il faut :
– Un passeport en cours de validité.
– Une photographie récente.
– Un formulaire de visa (si le conjoint ou un enfant, quel que soit l'âge, sont sur un même passeport, il leur faudra remplir un formulaire séparé).
– Avec la demande de visa, il faut donner les raisons du voyage.

### Consulats américains en France

– *Paris :* 2, rue Saint-Florentin, 75001. ☎ 42-96-14-88. M. : Concorde. Ouvert de 8 h 45 à 11 h du lundi au vendredi (pour la nationalité française ; autres nationalités, de 14 h à 15 h). 2 h d'attente en juillet-août.
Il existe un photomaton à proximité, dans la bouche de métro, à l'angle de la rue de Rivoli et de la rue Saint-Florentin.
– *Bordeaux :* 22, cours du Maréchal-Foch, 33000. ☎ 56-52-65-95. Répondeur pour les renseignements sur les visas : ☎ 56-44-82-22. Ouvert de 10 h à 12 h du lundi au vendredi.
– *Marseille :* 12, boulevard Paul-Peytral, 13280, Cedex 6. ☎ 91-54-92-00. Ouvert de 9 h à 12 h et de 13 h 30 à 15 h.
– *Nice :* 31, rue du Maréchal-Joffre, 06000. ☎ 93-88-89-55. Ouvert de 9 h à 11 h 30 et 13 h 30 à 16 h 30. N'ont pas de service de visas, mais donnent des informations.

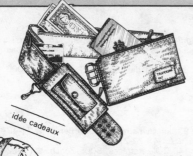

– *Strasbourg :* 15, avenue d'Alsace, 67000. ☎ 88-35-01-04. N'ont pas de service de visas.

## Adresses utiles en Belgique

– ***Pour obtenir le visa en Belgique :*** boulevard du Régent, 25, Bruxelles 1000. ☎ (02) 513-38-30. Le visa n'est pas obligatoire pour les Belges. Le passeport en cours de validité suffit.
– ***Ambassade des États-Unis :*** boulevard du Régent, 27, Bruxelles 1000. ☎ (02) 511-51-82.

## Adresses utiles en Suisse

– ***Ambassade des États-Unis :*** 93 Jubilaumstrasse, 3000 Berne. ☎ 31-43-70-11. ***Consulat :*** même adresse. ☎ 31-43-72-27.
– ***Ambassade des États-Unis :*** 141 Zollikerstrasse, 8008 Zurich. ☎ (1) 22-25-66.
– Le visa n'est pas nécessaire pour les Suisses qui se rendent aux États-Unis.
– *Le consulat des États-Unis* de Genève n'a pas de service de visas. Se renseigner à l'ambassade à Berne.

## Adresses utiles au Québec

– ***Consulat des États-Unis :*** 1155 St Alexandre, Montréal. ☎ 398-96-95.
– ***Consulat des États-Unis :*** 2, place Terasse-Dufferin. Québec. ☎ 692-20-95.
– Le visa n'est pas nécessaire pour les Canadiens qui se rendent aux États-Unis.

## Argent, banque, change

***Un conseil primordial :*** avoir presque tout son argent sous forme de chèques de voyage, car aux États-Unis, comme partout ailleurs, le vol existe. En cas de perte ou de vol, les banques remboursent assez facilement. Le remboursement sera d'autant plus facile que vous aurez les chèques de voyage d'une banque américaine (First National, Chase Manhattan, American Express et Bank of America sont les quatre plus importantes). Sachez enfin que vous n'êtes pas obligé, comme en Europe, d'aller dans une banque pour les échanger contre de l'argent liquide. En effet, la plupart des grands magasins, restaurants et motels les acceptent.
Une combine particulièrement intéressante quand les banques sont fermées : achetez un hamburger ou une babiole avec un chèque de voyage. On vous rendra la monnaie en liquide.
Il est préférable de se munir de chèques de voyage en petites coupures (20 $ par exemple) car ils sont acceptés partout, même chez les commerçants.
Il est conseillé enfin d'être membre du *A.A.A.* avant même de respirer : grâce à votre adhésion, qui ne coûte annuellement que 30 $, vous aurez des remises partout, notamment 10 % sur la plupart des locations faites sur le compte. De plus, dans toutes les agences, vous obtiendrez des cartes à plus ou moins grande échelle, guides, listes des terrains de camping et magazine *S.E.E.* gratuit.

***Attention !***

– Acheter OBLIGATOIREMENT ses dollars avant de partir, car peu de banques aux États-Unis acceptent de changer l'argent étranger, à l'exception de la Bank of America. Même les dollars canadiens sont difficilement acceptés.
– Les billets de banque ont une taille et une couleur identiques ; seuls les chiffres changent (of course !). Éviter donc de confondre 1 $ avec 1 000 $.
– Pour reconnaître un vrai dollar, humecter légèrement le côté vert du billet et le frotter sur du papier. La couleur verte doit légèrement déteindre. Éviter de le faire dans une banque...

– Les banques sont généralement ouvertes de 9 h à 15 h, du lundi au vendredi.
– *Les cartes de crédit* : ici, on les appelle « plastic money ». Bien qu'étant américaines, certaines cartes de crédit comme la *Diners Club* sont relativement peu acceptées par les commerçants (en effet, ces organismes prennent une commission de 7 % sur chaque achat !). Une des cartes les plus efficaces aux États-Unis est, chose étonnante, la *carte bleue internationale* VISA. Ne pas confondre avec la carte bleue simple, valable en France uniquement. Sachez que c'est votre banquier qui décide de son attribution. Si vous n'êtes pas salarié (étudiant...), il est bon de solliciter un rendez-vous auprès du directeur de votre banque afin de le convaincre. Ça aide souvent. Indispensable aux États-Unis pour louer une voiture.
La carte de crédit permet aussi d'avoir du liquide *(cash advance)* en s'adressant aux banques. Avantage et inconvénient : on n'est débité qu'une semaine plus tard, minimum, au taux du jour. Intéressant si le dollar baisse. La carte VISA n'est pas acceptée par tous les distributeurs automatiques de billets.
Attention : si vous utilisez une carte de crédit, reprenez les deux parties de votre reçu et déchirez le carbone (quand il existe encore) qui peut servir pour imiter votre signature.
Lorsque vous réglez avec une carte, **n'oubliez jamais** de remplir la case *Tips* (pourboire) et d'inscrire le total en bas. Sinon, vous risquez d'avoir des surprises au retour. Le commerçant aura lui-même rempli cette case et vous devrez un pourboire dont il aura établi le montant...
Les titulaires d'un compte au Crédit Agricole peuvent obtenir la carte de crédit *Eurocard*. Acceptée par le réseau *Master Card,* fort étendu.
En cas de perte, téléphonez immédiatement au centre pour faire opposition, soit sur place si vous avez le numéro, sinon en France : ☎ 42-77-45-45 pour les cartes VISA Premier, ou 42-77-11-90 pour les VISA, Master Card et Eurocard.
– Les chèques de voyages sont changés à l'achat en France à un cours plus intéressant que l'argent papier.
– Une dernière chose : dans la conversation courante, un dollar se dit souvent *a buck*. L'origine de ce mot remonte au temps des trappeurs lorsqu'ils se faisaient payer les peaux de daim (= *bucks*) avec des dollars.

## Boissons

Sachez que l'alcool est très mal vu aux États-Unis. La société américaine, conservatrice et puritaine, autorise la vente libre des armes à feu mais réglemente de manière délirante tout ce qui touche aux plaisirs « tabous » (sexe, marijuana, alcool, voire même certains disques rock jugés dangereux !). L'héritage de la prohibition et bien sûr les lobbies religieux n'y sont pas pour rien. Vous pouvez acheter une Kalachnikov et des caisses de munitions sans aucun permis mais, paradoxalement, on vous demande souvent votre carte d'identité si vous voulez acheter une simple bière ! Ils sont fous ces Américains... Dans les bars et dans certaines épiceries, on ne vous servira donc pas d'alcool si vous n'êtes pas majeur. Le *drinking age* est 21 ans. Mais il suffit que vous ne compreniez pas très bien lorsqu'on vous demande votre âge et on vous servira peut-être normalement. Certains bistrots exigeront votre carte d'identité.
De même, il est strictement interdit de boire de l'alcool dans la rue. Vous serez frappé à New York par le nombre de gens cachant leur canette de bière dans des sachets en papier. Fortement déconseillé d'avoir des bouteilles décapsulées en voiture en cas de contrôle par les flics. N'oubliez pas non plus que la vente d'alcool est en principe interdite dans les réserves indiennes.
On trouve de bons petits vins californiens, c'est un cadeau qui fait toujours plaisir.
– Tout le monde sait que le *cocktail* est une invention américaine. Toutefois, peu de gens connaissent l'origine du mot qui signifie « queue de coq ». Autrefois, on apposait sur les verres des plumes de coq de couleurs différentes afin que les consommateurs puissent retrouver leur breuvage. Pour la petite histoire : en 1779, à Yorktown, dans l'État de Virginie, pendant la guerre d'Indépendance, officiers américains et français de l'armée révolutionnaire se retrouvent tous les jours dans l'estaminet de Betsy Flanagan. Un soir, elle dit qu'elle aura la peau du coq d'un Anglais qu'elle déteste. Chose promise... elle revient quelques heures plus tard avec la queue du coq (traduction littérale : *cocktail)*. Pour fêter l'événement, ils font un banquet au cours duquel les plumes

dorées de la tête viennent décorer les verres. En France, au XVII^e siècle dans le Bordelais et les Charentes, existait une boisson à base de vins et d'aromates appelée coquetel ! Qui des deux fut le premier ?... Ne soyons pas trop chauvin. Quelques grands cocktails : *Manhattan* (vermouth rouge et bourbon), *Screwdriver* (vodka et jus d'orange), *Dry Martini* (vermouth et gin), *Bloody Mary* (vodka et jus de tomate ; créé en 1921 par Pete Petiot, barman au *Harris Bar*), *Black Velvet* (champagne et bière forte).
– Les Américains boivent sans arrêt : Coca-Cola, Seven-Up, Dr Pepper, Fresca, Tab... et compagnie... C'est vraiment pas terrible. Essayez le thé glacé *(iced tea),* les jus de légumes (tomates, V8...), de fruits et même la bière extra-légère qui ne fait pas de mal.
– Dans les restaurants, ils ont également l'habitude de donner un verre d'eau glacée à tout consommateur. Si vous êtes fauché, entrez dans n'importe quel building, vous trouverez des fontaines où l'eau est très fraîche.
– Le matin, il est préférable de commander un breakfast avec du café et non avec du thé ; car, en principe, on peut redemander du café autant de fois qu'on le désire (mais on s'en lasse vite, car il est généralement imbuvable). Une combine bête comme chou : achetez du Nescafé. Vous compléterez votre tasse à votre goût.
– Si vous voulez faire une expérience intéressante, goûtez à la *root-beer,* vous verrez qu'il y a moyen de faire pas mal de choses avec un goût de chewing-gum. Oui, c'est une expérience culturelle à ne pas manquer, à condition de ne pas la renouveler souvent. Ce sinistre breuvage est adoré des kids américains. Exercez-vous longtemps pour prononcer le mot (dire bien « rout bir »), sinon le visage profondément déconcerté de la serveuse vous fera reporter votre choix sur un Coke banal.
– Et puis il est impossible d'oublier le *bourbon,* ce whisky américain, dont le Kentucky fournit une bonne moitié de la production. Cette région s'appelait autrefois le Bourbon County, dont le nom fut choisi en l'honneur de la famille royale française. C'est ainsi, depuis 1790 (en pleine Révolution française !), que le célèbre whisky américain porte le nom de bourbon. Pas étonnant non plus que la capitale du bourbon s'appelle Paris (7 820 habitants).

## Budget

Difficile de prévoir un budget précis dans ce vaste pays. Pourtant une chose est sûre : en slalomant entre les pièges de la surconsommation, on peut s'en tirer très honorablement. Que ce soit pour le logement, la nourriture ou le transport, il existe toujours des solutions économiques. A vous de les trouver (avec notre aide évidemment).
– Première inconnue : le prix du dollar. C'est tout bête, mais on fait deux fois plus de choses avec un dollar à 5 F qu'avec un billet vert à 10 F. Et ça, quand on prépare son voyage en mars pour partir en juillet, c'est imprévisible. Globalement, il faut savoir que la vie est relativement moins chère aux États-Unis qu'en France pour un salaire comparable. Avec un dollar à prix « normal », c'est-à-dire aux environs de 6 F, vous vous en rendrez compte : par exemple, un lit en A.J. coûte 10 $ (60 F), un hamburger-frites 5 $ (30 F), un trajet en bus 1 $ (6 F), et l'essence est entre 2 et 3 fois moins chère que chez nous... En maniant la calculette avec doigté, vous pourrez éviter l'Armée du Salut.
– Pour le moyen de locomotion, bien réfléchir. Votre choix dépendra en fait de deux paramètres : combien vous êtes et où vous désirez aller. Schématisons : si vous êtes 4 ou 5 et que vous faites les grands parcs de l'Ouest américain, la voiture est indispensable et vous fera économiser un temps et un argent fous. Si vous êtes 2 et que vous vous contentez de New York (impossible d'y circuler en voiture), Boston et Chicago, à l'évidence la voiture est inutile : avion ou bus pour les grands trajets et transports locaux dans les villes. Tout ça pour dire que le choix de votre mode de locomotion est extrêmement important et peut peser lourd sur votre budget.
– Pour le logement, il est également difficile de faire une moyenne chiffrée. Ceux qui circulent en camping-cars ou en voiture et campent dans les parcs nationaux s'étonneront de la modicité des prix (de 6 à 8 $ pour l'emplacement). Ceux qui souhaitent dormir dans les motels et les hôtels devront compter entre 40 et 60 $ la nuit pour 2, sans le petit déjeuner. Dans la rubrique « Hébergement », nous indiquons une fourchette de prix pour chaque mode de logement.

– Petit avertissement pour ceux qui sont ric-rac côté finances : vous n'avez pas beaucoup de sous, vous pensez pouvoir « faire avec » quand vous additionnez les postes budgétaires. Très bien. Mais n'oubliez pas une chosse. Les sirènes de la consommation ont plus d'un tour dans leur sac pour vous y faire mettre la tête (dans le sac). Comment résister, par un après-midi de canicule, au « Big Splash » qui vous tend les bras (sorte de foire du trône avec uniquement de gigantesque jeux d'eau) ? Comptez entre 10 et 15 $. Si vous passez par Las Vegas, même en chaussant votre air intello et dédaigneux de celui qui vient « pour analyser la décadence d'un modèle en faillite », comment résister à l'envie de glisser quelques piécettes dans la machine à sous ? Comptez au moins 10 $. En Floride ou en Californie, comment éviter les « Marineland » où de superbes orques vous éclaboussent avec le sourire ? Comptez 25 $. A New York, ne pas visiter les musées relève du crime culturel ! Comptez entre 3 et 5 $ par musée. A La Nouvelle-Orléans, vos oreilles vous en voudront toute leur vie si vous ne les emmenez pas faire le tour des boîtes de jazz. Comptez entre 30 et 100 $ la soirée selon les clubs visités. Bref, lors de la préparation budgétaire de votre futur merveilleux voyage, ne vous serrez pas trop la ceinture côté plaisir. « S'éclater sans état d'âme », c'est aussi ça l'Amérique. Pour mieux comprendre cet esprit, il faut accepter, ne serait-ce que quelques semaines, de rentrer un peu dans le moule.

## Cigarettes

*Attention,* les cigarettes sont souvent plus chères dans les machines automatiques. Le prix des cigarettes varie du simple au double suivant les États et les magasins.
Peu de routards savent qu'il est interdit, dans une trentaine d'États, de fumer dans les lieux publics (magasins, bus, cinémas, théâtres, musées, etc.). On ne rigole pas. Les amendes peuvent aller de 10 à 100 $. Interdiction de fumer sur les vols intérieurs.
La guerre antitabac s'étend à bien d'autres domaines : certains restos, motels et B & B interdisent désormais la cigarette. Mais, le plus souvent, on vous demande (histoire de ne pas perdre trop de client) si vous voulez une chambre ou une table « smoking or no smoking ?... ».

## Climat

Du fait de l'immensité du territoire, les climats sont très variés. N'oubliez pas qu'il fait frais en été à San Francisco, tandis que le soleil frappe fort en Floride. New York est étouffant l'été. Il est difficile de transformer de tête les degrés Fahrenheit en degrés Celsius. Aux degrés Fahrenheit, soustraire 30, diviser par 2 et ajouter 10 % – ou enlever 32 et diviser par 1,8. Pour ceux qui n'ont rien compris, voici un tableau :

● ***Tableau d'équivalences***

| Celsius | Fahrenheit | Celsius | Fahrenheit |
|---|---|---|---|
| 100 | 212 | 16 | 60,8 |
| 40 | 104 | 14 | 57,2 |
| 38 | 100,4 | 12 | 53,6 |
| 37 | 98,6 | 10 | 50 |
| 36 | 96,2 | 8 | 46,4 |
| 34 | 93,2 | 6 | 42,8 |
| 32 | 89,6 | 4 | 39,2 |
| 30 | 86 | 2 | 35,6 |
| 28 | 82,4 | 0 | 32 |
| 26 | 78,8 | – 2 | 28,4 |
| 24 | 75,2 | – 4 | 24,8 |
| 22 | 71,6 | – 6 | 21,2 |
| 20 | 68 | – 8 | 17,6 |
| 18 | 64,4 | | |

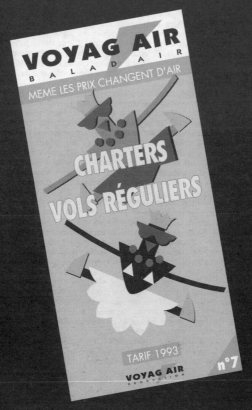

## Courant électrique

Généralement : 110 volts et 60 périodes (en France : 50 périodes).
Attention, aux États-Unis, les fiches sont plates. Achetez l'adaptateur en France, difficile à trouver sur place.

## Cuisine

Chacun sait qu'on trouve une foule de snacks vendant hamburgers, hot-dogs... Ils ne sont pas chers (les moins chers sont les MacDonald's), mais guère nourrissants. D'ailleurs certains hamburgers sont pensés pour aiguiser la faim : aussitôt vous en achetez un second... C'est donc payer pour pas grand-chose de pas très bon. Si vous restez quelques jours dans un endroit, achetez votre nourriture dans les supermarchés, c'est tellement plus sain et tellement meilleur marché. Parmi les supermarchés intéressants, citons *Safeway, Ralf, K Mart, Ralley's.*
Vous avez, sur les routes, d'autres chaînes telles que *Howard Johnson's* et *Holiday Inn,* où vous trouverez une carte plus variée, plus chère que les *hamburgers joints* (maisons de hamburgers), et une nourriture plus agréable.
Si vous commandez un œuf, la serveuse vous demandera comment vous le désirez. Brouillé *(scrambled)* ou sur le plat *(fried).* Sur le plat, il peut être ordinaire *(up)* ou retourné et cuit des deux côtés comme une crêpe *(over).* Dans ce cas, pour éviter que le jaune ne soit trop cuit, demandez-le *over easy* (légèrement). Ils peuvent également être mollets *(boiled)* ou durs *(hard boiled).* On peut aussi y ajouter du jambon, du bacon, des saucisses, beaucoup de ketchup, quelques *buttered toasts,* des *French fries* (frites françaises, s'il vous plaît !).
La viande de bœuf est de premier ordre. Comme les animaux sont de plus petite taille que les nivernais ou les charolais, on peut s'attaquer à un *T-bone,* c'est-à-dire la double entrecôte avec l'os en « T ». Quand on souhaite un steak « bien cuit », on le demande *well done.* En revanche *medium* signifie à point, et saignant se dit *rare.* Enfin, ça c'est la traduction littérale car, en fait, les Américains cuisent beaucoup plus la viande que les Français : souvent *well done* signifie carbonisé et *rare* très cuit. Si vous aimez la viande saignante, insistez lourdement sur *rare,* ou, mieux encore, demandez l'animal vivant...
L'Ouest des cow-boys et des *cattlemen* a donné à l'Amérique et au reste du monde la recette indispensable : le barbecue, accompagné de son cortège de sauces en flacons. Le poulet frit du Kentucky (ou d'ailleurs) est également une des bases du menu américain, et la gamme de *sea-food,* c'est-à-dire les fruits de mer, une de ses attractions.
Soyez méfiant vis-à-vis du mot « sandwich ». Le sandwich que nous connaissons en Europe s'appelle en américain *cold sandwich.* A ne pas confondre avec les *hot sandwiches,* qui sont de véritables repas chauds avec hamburgers, frites et salade, donc bien plus chers.
On trouve toujours du pain qui a la consistance du marshmallow, mais on peut acheter du pain d'orge, complet, ou de seigle... Choisir son pain quand on vous propose un sandwich est du domaine du possible. Les *submarines* sont des sandwiches un peu plus élaborés que les autres.
Un bon truc pour les affamés qui veulent garder la ligne : les *salad-bars* dans les restaurants style *Bonanza ;* un choix de crudités, de salades à volonté pour un prix raisonnable. Vous pouvez vous resservir autant de fois que vous le désirez ; repas diététique et copieux. Exemple d'un menu salad-bar : melon, tomates, céleri, radis, carottes, chou râpé, salade verte, salade de fruits, haricots, salade de spaghetti (!), et parfois gelée, gâteaux et fruits... avec toutes sortes de gadgets pour l'assaisonnement.
Il faut parler aussi des *delicatessen* que vous trouverez surtout à New York. C'est un type de restaurant qui regroupe toutes les spécialités juives d'Europe centrale, importées en même temps que leur culture, par les immigrants au début du siècle. Mais un Juif américain vous affirmera que le *delicatessen* est une invention typiquement américaine ; le mot « deli » est d'ailleurs passé dans la langue à New York. C'est là que l'on goûte les meilleurs sandwiches au pastrami, au corned-beef ou à la dinde, servis sur du pain au cumin avec le cornichon et le sempiternel petit pot en carton de *cole slow.*

Et voilà un autre chapitre de la gastronomie américaine qui vaut la peine qu'on s'y arrête. Il y a des milliers de glaciers comme *Dairy Queen,* une chaîne nationale, dont tous les noms sont une variante de ce dernier. Vous allez à la fenêtre de la petite maison avec un grand cornet dessus commander vos délices et payer, puis vous allez manger dans la voiture, la seconde maison des Américains ! L'*ice cream* y est blanche, molle, crémeuse, parfumée à la vanille. Vous pouvez l'avoir en cornet, ou bien dans un petit bol en carton avec, par-dessus, des fruits frais sucrés de toutes sortes... cela s'appelle un *sundae*... à la fraise, à la noix de coco râpée, avec des ananas, au caramel, ou au *hot fudge :* un chocolat fondu, épais et chaud (plus des noix ou des cacahuètes) ; et puis il y a des *banana splits* et des *malts.* Sachez que chez *Baskin Robbins* vous pourrez choisir entre 31 glaces délicieuses...
Si vous achetez du *pop-corn,* précisez si vous le voulez avec du sucre, sinon ils vous le serviront salé. On peut aussi le demander avec du beurre fondu.
Enfin, dernière spécialité américaine : le *peanut butter,* beurre de cacahuètes, le Nutella des petits Américains, des grands aussi.

● ***Remarques***

– En général, les restos les moins chers sont ceux tenus par des familles immigrées. Les origines varient selon les régions, à vous de chercher les groupes prédominants dans les États (restos indiens et asiatiques à New York, restos mexicains dans le sud-ouest, restos asiatiques sur la côte ouest).
– Les samedis et dimanches matin, il est bon de prendre un *brunch.* Après la grasse matinée, il est trop tard pour le petit déjeuner mais on a trop faim pour attendre l'heure du déjeuner. Ainsi, bon nombre de restaurants servent, vers 11 h, le brunch, formule bâtarde entre le *breakfast* et le *lunch.*
– *Les petits restes :* si dans un restaurant vos yeux ont vu plus grand que votre estomac, n'ayez pas de scrupules à demander un sachet plastique pour emporter le reste de vos plats. Jadis on disait pudiquement « C'est pour mon chien », et il était alors question de *doggy-bag.* Aujourd'hui, n'hésitez pas à demander : « *Would you wrap this up for me ?* »
– Dans certains restaurants, en particulier dans les grandes villes, les mêmes repas coûtent beaucoup plus cher le soir qu'à midi, surtout si le cadre est joli. Il est donc conseillé de bien manger à midi, quitte à prendre des toasts le soir.
– Dans de nombreux journaux paraissant le mercredi, il existe des coupons publicitaires offrant de substantielles réductions, notamment pour les restaurants, supermarchés... Les économies sont réelles.
– De nombreux restaurants proposent un menu enfant, même pour le petit déjeuner.
– Certains restaurants proposent des *happy hours* (généralement de 16 h à 18 h). Pendant ces heures creuses, les repas sont moins chers. Sur la côte californienne, ce type de repas est souvent appelé *early birds special.*
– Pour manger dans « les endroits chic », tenir sa fourchette dans la main droite et poser la main gauche sur le genou, sans quoi vous passerez pour un véritable plouc ! On vous aura prévenu.
– Hormis dans les routiers *(truck stops)* ou les cafétérias, en arrivant dans un restaurant on ne s'installe pas à n'importe quelle table, sauf si l'écriteau « Please seat yourself » vous invite à le faire.

## Fêtes, jours fériés

Ils varient suivant les États. Mais voici sept jours fériés sur l'ensemble du territoire. Attention, presque toutes les boutiques sont fermées :
– ***Memorial Day :*** le dernier lundi de mai.
– ***Independence Day :*** 4 juillet.
– ***Labor Day :*** 1er lundi de septembre.
– ***Colombus Day :*** 2e lundi d'octobre.
– ***Thanksgiving Day :*** 4e jeudi de novembre.
– ***Christmas Day :*** 25 décembre.
– ***New Year Day :*** 1er janvier.

## Hébergement

Le problème de l'hébergement est le plus important des problèmes que l'on rencontre aux États-Unis, car c'est le plus onéreux. Pour chaque ville, quelques adresses vous seront données, mais voici quelques tuyaux qui ont fait leurs preuves et qui sont valables pour tous les États.
D'abord, l'Américain est très accueillant. Si vous liez connaissance avec lui, soyez certain qu'il vous invitera car il a bien souvent la possibilité matérielle de le faire. Il n'est pas rare que l'on vous prête un appartement pour le week-end... Si vous appartenez à une communauté (raciale, religieuse...), allez trouver vos homologues américains. En effet, un Breton sera fort bien accueilli par les Bretons de tel bled, un Arménien par la confrérie arménienne de tel autre bled. Sachez qu'il y a beaucoup de familles de souche française dans la Louisiane de l'ouest, en particulier autour de Lafayette.
Si vous êtes jeunes mariés, n'oubliez pas de le mentionner dès que possible. Pour les Américains, les *honeymooners* sont à traiter avec le plus grand soin. C'est une tradition très tenace par là-bas.
Le prix du petit déjeuner n'est pratiquement jamais inclus dans le prix de la chambre.

● ***Les YMCA*** (hommes) ***et les YWCA*** (femmes) ont des prix très variables. Certaines ont des dortoirs peu onéreux (assez rares toutefois). Les YMCA sont relativement chères et peuvent atteindre facilement 20 $ par personne à New York ou à Chicago. A remarquer que les YMCA sont généralement mixtes, tandis que les YWCA sont toujours réservées aux filles exclusivement. Les « Y » sont en général très centrales. Beaucoup d'étudiants et de jeunes de la localité ou des travailleurs en déplacement y résident ; c'est donc un moyen de se faire des connaissances sur la ville, sûr et rapide. Le seul problème des « Y » est qu'elles sont souvent complètes, surtout le week-end. Pour y remédier, plusieurs solutions : d'abord possibilité de réserver, ensuite on peut acheter à New York des *vouchers* (à Sloane House) pour « X » nuits, et on est mieux placé pour avoir une chambre en cas d'affluence. Dans tous les cas de figures, la meilleure solution consiste à toujours se pointer vers 11 h, heure du *check-out*. Vous serez donc le premier ou dans les premiers à bénéficier des quelques chambres qui seront libérées. A signaler que dans beaucoup de villes de « province », s'il ne reste pas de place à la « Y », vous pouvez vous rabattre sur les hôtels du Downtown qui sont parfois moins chers que la « Y », la propreté en moins, bien sûr.
Avantage des YMCA et YWCA, on peut réserver à partir de la France :
– *Rencontre et Voyage :* 5, place de Vénétie, 75643 Paris Cedex 13. ☎ 45-83-62-63. M. : Porte-de-Choisy. Bien vérifier les dates et le prix à payer. On nous signale des erreurs.

● Il existe aussi une centaine d'***auberges de jeunesse*** *(Hostelling International).* Les prix sont en général plus abordables. Elles se trouvent rarement dans les grandes villes, la plupart sont isolées dans la campagne, sauf quelques exceptions (San Francisco, Boston, Washington, Denver, Phoenix, San Diego, par exemple). On y obtient souvent des tas de tuyaux (jobs, etc.). Aucune limite d'âge. La carte internationale des auberges de jeunesse n'est pas obligatoire pour être admis à dormir, mais vous paierez plus cher. Cette carte coûtant environ 100 F en France, il est indispensable de l'acheter avant votre départ (deux fois plus chère aux États-Unis). Pour plus de renseignements, voir le « Manuel du Routard », toujours aussi indispensable. Dans certaines A.J. (renseignez-vous) on peut « échanger » son séjour contre quelques heures de travail.
Parallèlement aux A.J. régies par la fédération officielle, *Hostelling International* (autrefois appelée *American Youth Hostels*), se sont développées les *American Independant Hostels.* Avantage de ces dernières : ouvertes toute la journée, le voyageur n'est pas mis à la porte de 10 h jusqu'à 16 h.
– *Hostelling International* est représenté à Paris par la *Fédération des Auberges de Jeunesse :* 27, rue Pajols, 75018. ☎ 46-07-00-01. M. : Porte-de-la-Chapelle. Ouvert du lundi au vendredi de 9 h 30 à 18 h et le samedi de 9 h 30 à 12 h 30 et de 14 h à 18 h. On peut s'y procurer la liste des A.J. aux États-Unis.

● Il est facile de dormir dans une ***université.*** Les *Residence Halls* dépendent d'un collège ou d'une université. Les étudiants étrangers peuvent y être hébergés hors de la période scolaire, mais ce n'est pas systématique.

– Un organisme américain présent en France vend des carnets de bons pour dormir en université. Il s'agit d'*Apple Accommodations*, c/o Campus Holidays Inc, représenté par la *Commission franco-américaine*, 9, rue Chardin, 75016 Paris. ☎ 45-20-46-54. M. : Passy.

• ***Les campings :*** près des endroits touristiques. Bon marché et assez bien aménagés. Il est fort utile d'acquérir le *Rand MacNally's Campground and Park Guide.* C'est en deux volumes. Le mieux est de se procurer la brochure de l'A.A.A. (gratuite pour les adhérents), avec tous les tarifs. Il est possible de réserver pour camper dans les parcs nationaux à ce numéro, Mistix : 365 – CAMP. Aux États-Unis, avec le 1-800. La réservation peut s'effectuer jusqu'à 8 semaines à l'avance.
Quelques tours-opérateurs proposent plusieurs itinéraires en camping-tours particulièrement bien conçus. Voir les adresses dans « Comment aller aux États-Unis ? ».
A notre avis, le camping est la meilleure solution pour voyager aux États-Unis. Situés en pleine nature, les campings n'ont rien de commun avec leurs homologues européens. Cette économie sur l'hébergement vous permettra de vous payer une voiture, si vous êtes plusieurs. De toute façon, pour faire du camping, il est pratiquement obligatoire d'en avoir une. En effet, les terrains sont souvent difficiles d'accès avec les transports en commun. Certains *trailer-parks* n'acceptent pas les tentes. Il existe deux types de campings :
– Les *campings nationaux et d'États (campgrounds)* sont les moins chers. On les trouve partout dans les National Parks, National Monuments, National Recreation Areas, National Forests et State Parks. Généralement, dans les *campgrounds* nationaux, il faut déposer une enveloppe avec 6 $ dans une urne avec, notifiés sur l'enveloppe, votre nom et adresse, et le numéro minéralogique de la voiture. Peut-être ne verrez-vous personne contrôler si oui ou non vous avez payé, ceci parce que la Constitution américaine est basée sur l'honneur et la confiance, ce qui est plutôt sympathique quand on y pense. A part le fait d'être bon marché, ils sont le plus souvent situés dans les meilleurs endroits, en général boisés. L'espace entre l'emplacement de chaque tente est très grand (on peut faire du bruit sans déranger les autres). Chaque emplacement possède une table et un barbecue. Donc, rien à voir avec les campings concentrationnaires français. Il y a toujours des lavabos, mais pas toujours de douches. Arrivez entre 10 h et 12 h pour réserver votre emplacement dans les parcs nationaux. Pensez à effectuer vos courses dans un supermarché avant d'entrer dans les parcs. Les boutiques sont rares ou alors assez chères et peu fournies. Enfin, n'oubliez pas d'emporter des vêtements chauds. Beaucoup de parcs sont en altitude, et il arrive qu'en septembre il gèle la nuit. Dans les parcs, en été, les campings étant souvent complets, on vous propose la combine suivante : trouver des gens qui ne se sont installés qu'avec une tente (on a généralement droit à trois par « site »), prendre son air le plus avenant, innocent et perdu, et demander si, moyennant le partage de la somme, bien sûr, on peut se mettre à côté d'eux. On y gagne sur tous les plans : on fait des rencontres, on n'attend pas et c'est moins cher. De toute façon, même si c'est écrit « full » (complet), tentez votre chance, car il y a souvent des gens qui n'honorent pas leur inscription du matin.
– *Les terrains de camping privés* vous offrent un certain nombre de commodités, comme la distribution d'eau courante, l'électricité et des installations sanitaires, mais aussi des tables de pique-nique et des grils pour vos barbecues. Il y a aussi des chaînes de terrains de camping telles que *KOA* (Campgrounds of America) qui sont très luxueuses au niveau des services et pas si chères que cela : aménagements pour caravanes et *campers,* machines à laver, self-service, épicerie, douches, aires d'amusement pour les enfants, tables de pique-nique et même des piscines ! La chaîne KOA édite une brochure (disponible dans tous ses campings) où figure la liste de ses installations, leur emplacement précis dans les 50 États et une carte routière desdits États. Procure également une carte d'abonnement qui donne 10 % de réduction.
Donc, les campings privés bénéficient d'installations exemplaires, ce qui n'est pas toujours le cas des campings gouvernementaux *(campgrounds).* Les prix s'en ressentent : 13 à 20 $ pour deux personnes dans un *KOA*, beaucoup plus cher que dans un campground.

• ***Les terminaux de bus :*** il est toujours possible d'y dormir, surtout lorsque vous arrivez en bus en pleine nuit. Guère tranquille toutefois, car beaucoup de

monde, donc beaucoup de bruit... Mais les stations d'autocars sont intéressantes pour dormir quand on est fauché (à condition d'avoir un billet de bus). De plus, bon nombre de routards voyagent en Greyhound. La nuit, ces endroits sont gardés et il y a des distributeurs de boissons et de nourriture. On y voit des gens étranges. Bon nombre de fauteuils dans les terminaux possèdent une T.V. incorporée. Agréable en cas d'insomnie, mais peu pratique en tant qu'oreiller... Il est bon de signaler que les stations de bus sont souvent situées dans des quartiers sinistres. Moralité, il est préférable de dormir dans les stations plutôt que de s'évertuer à trouver un hôtel minable dans les environs. Si l'on espère dormir dans un terminal, il vaut mieux dépenser 75 cents pour mettre ses bagages à la consigne, car il y en a trop qui se réveillent le matin avec plus grand-chose.
Se méfier des propositions de logement que l'on vous fait dans les endroits très fréquentés par les touristes (terminaux de bus, surtout) : ce sont souvent des moonistes qui recrutent... Dans l'ensemble, faites attention, ça peut être dangereux.

● ***Les motels :*** ils sont d'autant plus intéressants que l'on peut prendre une chambre à un lit et y loger à plusieurs, à condition de ne pas trop se faire remarquer. Les deux chaînes d'hôtels et motels les plus importantes aux États-Unis sont *Holiday Inn* et *Howard Johnson.* Howard Johnson possède 470 hôtels surtout implantés sur la côte est. Certains de ces hôtels proposent la réduction « Freedom U.S.A. », à condition d'effectuer ses réservations plusieurs mois à l'avance.
Il existe aussi des chaînes de motels économiques : *Econo-Lodge* (surtout sur la côte est) et *Motel 6* (surtout sur la côte ouest, notamment en Californie) sont les meilleur marché. La plupart d'entre eux disposent de piscine, TV couleur (des films sont proposés dans les chambres), air climatisé, sanitaires privés. Les communications locales sont gratuites. Les enfants jusqu'à 18 ans ne paient pas. Parking gratuit. Dans le premier *Motel 6* où vous descendrez, demandez la liste des autres *Motel 6* des États-Unis. Les *Motel 6* étant d'un bon rapport qualité-prix (environ 25 $ pour deux, 29 $ pour quatre ; 4 $ par personne supplémentaire), ils sont souvent complets. On peut réserver de Paris en écrivant longtemps à l'avance et par fax au 19 (1) 505-892-8667. Il existe plus de 400 motels.
*Econo-Lodge* est représenté en France, uniquement pour la Floride, par *Discover America Marketing :* 85, avenue Émile-Zola, 75015 Paris. ☎ 45-77-10-74. M. : Charles-Michels.
Les motels bon marché, souvent plus convenables que les hôtels de même catégorie, ont quand même l'inconvénient d'être éloignés du centre ville.
Le jour où vous êtes très fatigué, offrez-vous une nuit dans un motel avec *jacuzzi* (bain chaud avec bulles), sauna et machine à laver le linge, à sécher... on s'en souvient encore !
Le petit déjeuner n'est jamais compris dans le prix. Voici ce qu'il faut savoir :
*Single :* chambre simple.
*Twin :* chambre à 2 lits.
*Double :* chambre pour deux avec 1 lit.
*European Plan :* chambre seulement.
*American Plan :* pension complète.
*Modified American Plan :* demi-pension.
*Room service :* repas.
*Maid service :* ménage.
N'hésitez jamais à demander un *discount,* surtout si l'hôtel n'est pas complet. Les Américains le réclament souvent et le patron, même s'il refuse, ne vous cassera pas la tête à coups de pioche.
Enfin, faites attention au *check-out time,* heure au-delà de laquelle vous devez payer une nuit si vous n'êtes pas encore parti. C'est généralement 12 h.
Attention aux aires de repos *(rest areas)* sur les autoroutes. Dangereux parfois la nuit because les rôdeurs, à moins que vous ne dormiez dans une voiture fermée. Mais le lendemain, vous pourrez bénéficier des toilettes, des lavabos, qui équipent les stations-service.

● ***Échange d'appartements :*** des organismes vous permettent d'utiliser une formule de vacances originale, très pratiquée outre-Atlantique. Il s'agit pour ceux qui possèdent une maison, un appartement ou un studio d'échanger leur logement avec un adhérent de l'organisme du pays de leur choix, pendant la période des vacances. Cette formule offre l'avantage de passer des vacances

à l'étranger à moindres frais et plus spécialement pour les jeunes couples ayant des enfants.
– *Contacts Intervac :* 55, rue Nationale, 37000 Tours. ☎ (16) 47-20-20-57. International. Représentant en France d'*International Home Exchange.*
– *Séjours :* le Bel Ormeau, 409, av. Jean-Paul-Coste, 13100 Aix-en-Provence. Correspondant en France de *D.G.A. Vacation Exchange Club.*

• ***Louer un appartement :*** beaucoup d'universitaires partent pour les vacances et sous-louent leur appartement, pour une durée très variable, allant de 3 semaines à 3 mois ou plus. On trouve des annonces dans les universités avec la mention « Sublet ». Ne vous faites pas d'illusions, c'est cher mais, si vous êtes à plusieurs, cette formule peut être intéressante.
Autre formule intéressante : les « room-mates » : on partage un appartement avec d'autres étudiants, et on obtient ainsi un loyer assez bas. Valable surtout en été. Permet de rencontrer des Américains.

• ***Vivre dans une famille américaine***
Si vous partez à la découverte des États-Unis, du Canada ou du Mexique, *Experiment* vous suggère de commencer votre voyage par une expérience en profondeur consistant à vivre dans une famille qui vous propose son amitié et son rythme quotidien. N'acceptent pas les enfants. Séjours individuels de 1 à 4 semaines toute l'année et séjours d'études (cours intensifs de 1 à 3 mois ; séjours au pair 1 an).
– *Experiment :* 89, rue de Turbigo, 75003 Paris. ☎ 42-78-50-03. M. : Temple. Ouvert de 9 h à 18 h. Téléphonez avant de vous déranger.

## Histoire

### • *Le Nouveau Monde*

Tout au bout de nos rêves d'enfant se trouve un pays, un pays dont on partage les clichés et les mythes avec le monde entier. Des bidonvilles asiatiques aux intellectuels occidentaux, en passant par les hommes d'affaires japonais et les apparatchiks de l'Union soviétique, nous avons tous bien plus que « Quelque chose de Tennessee » en nous ! Certains s'élèvent contre un impérialisme culturel et/ou politique tout en dénonçant les dangers. D'autres vont boire à ces sources qui leur inspirent des œuvres telles que « Paris, Texas » qui sont tellement américaines qu'elles ne peuvent être qu'européennes !
Cette fascination assez extraordinaire que nous éprouvons pour ce pays ne peut être expliquée seulement par sa puissance industrielle ou son dollar... Peut-être avons-nous tous, imprimés dans notre subconscient, ce désir, ce rêve d'un nouveau monde... La preuve, Mickey et les westerns ont fini par appartenir à notre culture. C'est un comble !

### • *Le détroit de Béring*

Les premiers colons nommèrent les Indiens Peaux-Rouges, non en raison de la teinte naturelle de leur peau (qui est d'ailleurs plutôt jaune), mais de la teinture rouge dont ils s'enduisaient en certaines occasions. Venue d'Asie en l'an 50 000 avant J.-C. environ, cette toute première vague d'immigration dura jusqu'au XIe ou Xe millénaire avant J.-C. Ces premiers migrants franchirent le détroit de Béring à pied sec car à cette époque lointaine les grandes glaces du Nord retenaient d'immenses masses d'eau, asséchant le détroit. Suivant la côte ouest, le long des Rocheuses, ces hordes d'hommes préhistoriques pénétrèrent peu à peu le nord et le sud du continent américain. La migration dura 25 000 ans puis, le climat se modifiant, le détroit de Béring fut submergé. La superficie de ce continent et les vastes étendues d'eau qui le séparent du reste du monde font que les Indiens tant au nord qu'au sud imaginèrent longtemps être seuls au monde.
Si au Mexique et en Amérique du Sud d'autres types de civilisations se sont développés, en Amérique du Nord – peut-être grâce à l'abondance des ressources du pays – les Indiens étaient, à quelques exceptions près, des nomades. Qui dit nomadisme dit évolution lente, car il a été constaté que pour inventer et évoluer l'homme doit non seulement être confronté à des obstacles, mais aussi être sédentaire (conservation et développement de l'acquis). En revanche, si, à l'arrivée des premiers colons, les Indiens furent

une fois pour toutes catalogués de « sauvages » (il faut dire que les Indiens de la côte est avaient à peine dépassé le stade du néolithique), notre ignorance à leur sujet aujourd'hui, quoique moins profonde, demeure impressionnante.
Contrairement à une certaine imagerie populaire, il n'y a jamais eu de « nation indienne », mais une multitude de tribus réparties sur l'ensemble du territoire nord-américain. Le continent était si vaste qu'on estime qu'avant l'arrivée de l'homme blanc il y avait plus de mille langues indiennes, chacune étant inintelligible aux membres d'un autre groupe linguistique. Isolés les uns des autres, ils n'ont jamais mesuré l'étendue de leur diversité. Depuis l'arrivée des Blancs, plus de 300 langues ont disparu. Aujourd'hui, le tagish n'est connu que d'une seule femme... de 86 ans.
Les modes de vie variaient selon les tribus, certaines sédentaires comme les Pueblos (baptisés ainsi par les Espagnols parce qu'ils habitaient dans des villages), mais la plupart vivaient de chasse, de pêche et de cueillette, se déplaçant au gré du gibier et des saisons. Quant à leur nombre avant l'arrivée de l'homme blanc, certains ethnologues avancent le chiffre de 10 à 12 millions de sujets !

### • *La découverte*

Leif Eriksson (le fils d'Éric le Rouge), un Viking, se lança dans l'exploration du Nouveau Monde. En 1003, avec un équipage de 35 hommes, il partit du sud du Groenland puis explora toute la côte de Terre-Neuve à la Nouvelle-Angleterre et passa l'hiver sur une île nommée Vinland (on pense qu'il s'agit de Martha's Vineyard). D'autres expéditions suivirent et il y eut des tentatives de colonisation, puis les Vikings rentrèrent chez eux. Ceci se passait plus de 100 ans avant que Christophe Colomb ne « découvre » l'Amérique ! A notre avis, son attaché de presse état plus efficace que celui des Vikings.
Colomb, lui, cherchait un raccourci pour les Indes. La plupart des hommes cultivés de son époque étant arrivés à la conclusion que la terre était ronde, il y avait donc forcément une autre route vers les trésors de l'Orient que celle de Vasco de Gama, même si paradoxalement elle se trouvait à l'ouest. D'origine génoise, Colomb vivait au Portugal, et c'est donc vers le roi Jean du Portugal qu'il se tourna pour financer son expédition. Le roi Jean n'était pas intéressé, et finalement c'est grâce à un moine espagnol, Perez, confesseur de la reine Isabelle d'Espagne (il est aujourd'hui question de la canoniser pour avoir rendu possible la christianisation des Amériques), que Colomb put approcher la reine et monter son expédition. Son bateau, la *Santa Maria,* ainsi que deux autres petites caravelles, partirent le 3 août 1492. La *Santa Maria* n'était pas le bateau idéal pour ce genre d'expédition, lourde, peu maniable et lente... Mais deux mois plus tard, le 12 octobre 1492, Colomb débarque aux Bahamas, muni d'une lettre d'introduction... pour le Grand Khan de Chine ! Tout le monde sait que les premiers habitants des États-Unis s'appellent « Indiens » parce que Christophe Colomb ne connaissait pas le Guide du Routard. De vous à moi, il aurait pu se rendre compte rapidement de son erreur : l'Empire State Building ne ressemble guère à un temple hindou !
Les récits de la découverte de Colomb firent très vite le tour de l'Europe, et la grande vogue vers le Nouveau Monde était lancée. Plus importante que ce nouveau continent était l'idée de trouver un passage vers la Chine, et tous les géographes de l'époque étaient unanimes sur ce point : un tel passage devait exister ! Le roi François Ier envoya Jacques Cartier qui, lui, fit trois voyages entre 1534 et 1541. Cartier remonta le Saint-Laurent jusqu'au Mont-Royal où des rapides arrêtèrent son entreprise, lesquels rapides furent d'ailleurs nommés Lachine, puisque la Chine devait être en amont ! Puis Fernand de Magellan trouva un passage – le seul possible bien sûr à l'époque : celui du cap Horn – en 1520. Le malheur des Indiens et la colonisation de l'Amérique n'eurent pour origine que la volonté de trouver un autre accès plus facile vers l'Asie !

### • *Les premières tentatives de colonisation*

En 1513, Juan Pons atteint la Floride, qu'il croit être une île ; le 7 mars 1524 le Florentin Giovanni Da Verrazzano, envoyé lui aussi par François Ier, débarque au Nouveau Monde – alors baptisé *Amérique* en souvenir de l'explorateur et géographe Amerigo Vespucci – et promptement le rebaptise *Francesca* pour honorer sa patrie d'adoption et son maître. De 1539 à 1543,

Hernando de Soto découvre et explore des cours d'eau comme la Savannah, l'Alabama et le majestueux Mississippi, mais il est finalement vaincu par la jungle ; au même moment, Francisco Vasquez de Coronado part du Mexique, franchit le Rio Grande et parcourt l'Arizona. En même temps, la première tentative de christianisation par les moines de Santa Fe reçoit le salaire du martyre... Ils sont massacrés par les Indiens Pueblos, et petit à petit le cœur n'y est plus. L'or, les richesses des civilisations sophistiquées qui pourraient dissiper les hésitations ne sont pas découverts, et les milliers de volontaires nécessaires à une véritable colonisation ne se concrétisent pas. Et puis, finalement, pourquoi étendre encore un empire déjà si vaste, se dit la couronne espagnole ?

### • *L'arrivée des Anglais*

Le premier Anglais, John Cabot, n'est pas un Anglais d'origine mais un Génois habitant la ville de Bristol. Lui aussi est à la recherche d'un passage vers l'Orient en 1497 et fait de la navigation côtière. Faute de trouver ce fameux passage, il laissera son nom à la postérité avec la pratique du... cabotage ! Son fils, Sébastien, pousse ses recherches jusqu'en Floride et au Brésil. Puis, tout comme l'avaient fait les Vikings avant eux, l'Amérique est de nouveau abandonnée...
Pas pour longtemps : trois quarts de siècle passent, l'Angleterre est plus prospère, les querelles religieuses s'apaisent, et Élisabeth Ire est sur le trône depuis 1558. L'heure américaine a sonné. Martin Frobisher tente de contourner le Canada par le nord pour le compte de la Compagnie Cathay (toujours la route de la Chine !) et ramène quelques pauvres Indiens à Londres. Sir Humphrey Gilbert propose d'installer une colonie en Amérique qui fournirait, l'heure venue, les vivres aux marins en route pour la Chine. Élisabeth lui accorde une charte, mais la colonie ne se matérialise pas.
Une nouvelle charte est accordée, cette fois à son demi-frère sir Walter Raleigh. Il serait à l'origine de deux tentatives d'implantation. Il jeta l'ancre près de l'île Roanoke et baptisa la terre Virginia (Virginie) – le surnom de la reine Élisabeth : la Vierge –, mais après le premier hiver les colons préfèrent rentrer en Angleterre. La seconde tentative aura lieu un an plus tard, et, le 8 mai 1587, 120 colons débarquent. Il y a un événement qui aura marqué cette 2e tentative : la naissance sur le sol du Nouveau Monde – d'après le carnet de bord du bateau avant qu'il ne reprenne la mer – de la première « Américaine », une petite fille nommée Virginia Dare (nom lourd de sous-entendus, Dare signifiant en anglais : ose !). Mais c'est encore un échec, tragique cette fois-ci, car, quand le bateau revient en 1590, les colons ont disparu sans laisser de traces.
Malgré ces échecs successifs, le virus du Nouveau Monde s'empare de l'Angleterre, mais il faudra attendre le successeur d'Elisabeth, Jacques Ier, pour un véritable début de colonisation.
Le 26 avril 1607, après 4 mois de traversée, 144 hommes et femmes remontent la rivière James dans 3 navires et choisissent un lieu de mouillage qu'ils baptisent James-Town. C'est un aventurier-marchand de 27 ans, le capitaine John Smith, qui a combattu en Europe et sait maintenir une discipline (essentielle pour ne pas sombrer dans le désespoir), qui dirige les colons. Il s'enfonce dans le pays, fait des relevés topographiques... Le rôle d'un chef était primordial dans ce genre de situation, et l'anecdote suivante illustre bien à quel point. John Smith fut capturé par les Indiens et il eut la vie sauve grâce à la fille du roi Powhatan, Pocahontas. Il comprendra, ayant vécu avec cette tribu, que les colons ne survivront que par la culture du « blé indien » : le maïs. A son retour parmi les siens, et sur son ordre, les colons (très réticents car ils voulaient bien chasser, chercher de l'or, ou faire du troc avec les indigènes, mais pas se transformer en agriculteurs) cultivèrent le maïs à partir de grains offerts par les Indiens. Le maïs contribua pour beaucoup à la culture américaine, toutes époques confondues.

### • *La Nouvelle-Angleterre*

En 1620, une nouvelle colonie est fondée par les pèlerins – *Pilgrims* – arrivés sur le *Mayflower*. Ces immigrants protestants transitèrent par la Hollande, fuyant les persécutions religieuses en Angleterre. Ils aspirent à un christianisme plus pur, sans les concessions dues selon eux aux séquelles du papisme que l'Église anglicane charrie dans son organisation et ses rites. Ce

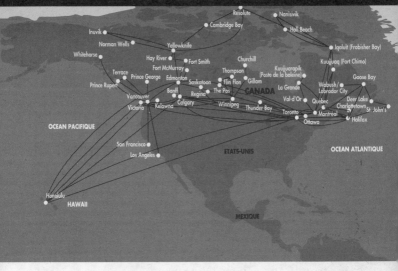

sont au total 100 hommes et femmes avec 31 enfants qui arrivent au cap Cod (cap de la Morue). Rien n'a préparé ces hommes à l'aventure américaine. Il faudrait pêcher, mais ils ne sont pas pêcheurs, de plus ils sont de piètres chasseurs et se défendent difficilement contre les Indiens qu'ils jugent sauvages et dangereux. Plus grave encore, voulant atteindre la Virginie et sa douceur, les voilà en Nouvelle-Angleterre, une région éloignée, avec un climat rude et une terre ingrate. La moitié d'entre eux meurent le premier hiver. Pourtant l'année suivante, ils célèbrent le tout premier Thanksgiving – une journée d'action de grâces et de remerciements – symbolisé par la dégustation d'une dinde sauvage. Ces immigrants austères et puritains incarnent encore dans l'Amérique d'aujourd'hui une certaine aristocratie, et nombreux sont ceux qui se réclament – ou voudraient bien se réclamer ! – d'un aïeul venu sur le *Mayflower !* La ténacité, la volonté farouche et une implication religieuse proche de l'hystérie (voir l'épisode de la chasse aux sorcières à Salem en 1692, pour ne citer que la plus célèbre illustration de leur fanatisme religieux) va garantir le succès de cette nouvelle colonie qui compte déjà 20 000 âmes en 1660 !
La différence essentielle entre ces deux premières colonies est que celle de la Virginie est une colonie de rapport et celle de la Nouvelle-Angleterre un « havre » spirituel.

### • *Les Français et le Nouveau Monde*

C'est grâce à René-Robert Cavelier de La Salle, un explorateur français né à Rouen en 1643, que la France elle aussi eut pendant une courte période une part du « gâteau » nord-américain. Après avoir obtenu une concession en amont de Montréal au Canada et appris plusieurs langues indiennes, il partit explorer tour à tour les Grands Lacs, puis il descendit le Mississippi jusqu'au golfe du Mexique. Il prit possession de ces nouvelles contrées pour la France et tenta d'y implanter une colonie en 1684. Il périt assassiné au Texas en 1687 par un de ses compagnons. En l'honneur du roi Louis XIV, cette terre prit le nom de Louisiane.
Cette nouvelle colonie s'avéra être une catastrophe financière, doublée en plus d'un climat très malsain. La couronne française céda la concession à Antoine Crozat qui ne la trouva pas plus rentable, et qui à son tour vendit ses parts à un Écossais que l'histoire de France a bien connu puisqu'il s'agit de John Law, contrôleur général des Finances en France sous Louis XV, inventeur probable du crédit, du papier-monnaie... et de la banqueroute !
Grâce à l'aide de la Banque Générale en France, il fonda en août 1717 la Compagnie de la Louisiane. Le succès fut fulgurant mais de courte durée. Devant la montée spectaculaire des actions, beaucoup prirent peur et l'inévitable krach s'ensuivit, probablement le premier de l'histoire de la finance. John Law quitta la France secrètement et mourut à Venise quelques années plus tard, le 21 mars 1729. Law fut sans aucun doute un génie financier et l'on peut considérer son rôle dans la prospérité de la Louisiane comme primordial ; mais il faut bien reconnaître que son « employeur », l'impopulaire roi Louis XV, fit tout pour lui mettre des bâtons dans les roues...
La ville de La Nouvelle-Orléans fut fondée en 1717 par Jean-Baptiste Le Moyne de Bienville, le frère du gouverneur Pierre Le Moyne d'Iberville. Un premier lot de 500 eslaves noirs fut importé en 1718 et la culture du coton commença en 1740. Puis, par un traité secret, une partie de la Louisiane fut cédée aux Espagnols en 1762, et l'autre aux Britanniques ! Les 5 552 colons français de la Louisiane de l'époque ne goûtèrent guère ce tour de passe-passe, mais dans l'ensemble le règne dit « espagnol » fut calme et prospère. C'est d'ailleurs à ce moment que les exilés d'Acadie, persécutés par les Anglais, arrivèrent en Louisiane. Après une nouvelle distribution des cartes politiques, la Louisiane « espagnole » redevint française en 1800. A peine le temps de dire ouf, et Napoléon – à court d'argent pour combattre l'ennemi héréditaire – revendit la colonie aux États-Unis le 30 avril 1803.
La Louisiane est très fière de ses origines françaises. Et c'est bien cet esprit « vieille Europe » qui différenciera le Sud du reste des États-Unis et qui fut à l'origine de la guerre de Sécession. D'un côté la Confédération voulait continuer son bout de chemin sans ingérence de la part du Nord dans ses affaires, et de l'autre côté l'Union rêvait de devenir une grande puissance, ambition qui passait aussi par la mainmise sur les richesses du Sud et une unité d'esprit de l'ensemble du pays.

● ***William Penn et les quakers***

La plus sympathique implantation de l'homme blanc en Amérique fut sans conteste celle des quakers. Avec son principe de non-violence, son refus du pouvoir des Églises quel qu'il soit, et son doute quant à la nécessité des prêtres en tant qu'intermédiaires entre l'homme et Dieu, le quaker est appelé à une liberté radicale, irrépressible puisqu'elle se fonde sur Dieu lui-même. George Fox, qui fut à l'origine de ces thèses révolutionnaires et subversives, naquit en 1624. « Songez qu'en vous il y a quelque chose de Dieu ; et ce quelque chose existant en chacun le rend digne du plus grand respect, qu'il soit croyant ou pas. » Pour mieux mesurer l'extravagance de cette déclaration de George Fox, il faut se souvenir qu'à cette époque l'Inquisition espagnole battait son plein. « Quakers » signifie « trembleurs » (devant Dieu), et ce surnom leur fut donné par moquerie, leur véritable appellation étant *Society of Friends* (Société des Amis).
Hormis le célèbre paquet de céréales, c'est surtout le nom de William Penn qui vient immédiatement à l'esprit dès qu'on prononce le mot « quaker ». (Les deux sont d'ailleurs liés car l'emblème de la marque est effectivement un portrait de Penn, la compagnie – à sa fondation, en 1901 – ayant choisi ce créneau de marketing pour souligner la pureté de ses produits ! Cela dit, cette compagnie n'avait rien à voir avec la Société des Amis, et un procès fut intenté contre eux en 1915 par les vrais quakers, sans succès.)
William Penn, né en 1645, était un fils de grande famille extrêmement aisée, avec moult propriétés en Irlande comme en Angleterre. A l'âge de 13 ans, il rencontre pour la première fois celui qui allait marquer sa vie, Thomas Loe, quaker et très brillant prédicateur. L'influence quaker indispose sa famille qui le reniera un temps. Quittant rubans, plumes et dentelles, William ne conserve de sa tenue de gentilhomme que l'épée qu'il déposera aussi par la suite, soulignant ainsi publiquement son refus de la violence et l'égalité entre les hommes. A partir de 1668, ses vrais ennuis vont commencer ; il a alors 24 ans. De prisons (la tour de Londres entre autres) en persécutions, Penn publiera rien moins que 140 livres et brochures, plus de 2 000 lettres et

documents. *Sans croix, point de couronne,* publié en 1669, sera un classique de la littérature anglaise. A la mort de son père, Penn devient lord Shanagarry et se retrouve à la tête d'une fortune considérable. Il met aussitôt sa richesse au service de ses frères. Les quakers avaient déjà tourné leurs regards vers le Nouveau Monde afin de fuir la persécution, mais les puritains de la Nouvelle-Angleterre ressentent la présence des quakers sur leur territoire comme une invasion intolérable. Des lois anti-quakers sont votées. En 1880, après avoir visité le Nouveau Monde, William Penn obtient du roi Charles II (en remboursement des sommes considérables que l'État devait à son père) le droit de fonder une nouvelle colonie sur un vaste territoire qui allait devenir la Pennsylvanie (« forêt de Penn », une terre presque aussi grande que l'Angleterre).
Les Indiens qui occupent cette nouvelle colonie sont les Lenni Lenape (ou Delaware), parlent l'algonquin et sont des semi-nomades. Penn et les quakers vont établir avec eux des relations d'amour fraternel, et le nom de leur capitale, Philadelphie, fut choisi pour ce qu'il signifie en grec (« ville de la fraternité »). Penn apprendra leur langue ainsi que d'autres dialectes indiens. Dans sa maison de Pennsbury Park, il y avait souvent une foule étrange : les Indiens arrivaient par dizaines, voire même parfois par centaines ! Les portes de la maison leur étaient grandes ouvertes. Le fait qu'ils étaient peints et armés n'effrayait personne. Ils réglaient les questions d'intérêts communs avec Onas, c'est-à-dire avec Penn (« Onas » veut dire plume en algonquin, « Penn » signifiant plume en anglais). La non-violence étant une des pierres d'angle des principes quakers, les Indiens auraient pu massacrer toute la colonie en un clin d'œil. Mais tant que les principes quakers ont dominé, les deux communautés vécurent en parfaite harmonie.
Les anecdotes sur les rapports entre les quakers et les Indiens sont nombreuses et c'est certainement aussi « l'esprit » des deux communautés qui les a rapprochées. Car si d'un côté les Indiens étaient très primitifs matériellement parlant, leur art de vivre et leur spiritualité étaient très raffinés. Une histoire illustre bien ce point. Un jour, des Indiens féroces firent irruption dans une réunion des Amis (les quakers se réunissent – sans prêtre, bien sûr – pour se recueillir ensemble devant Dieu). Les Indiens étaient armés et prêts à massacrer tous ceux qui bougeraient. Impressionnés, mais aussi mesurant le recueillement et la non-violence de ces gens, les Indiens s'assirent et assistèrent au service. A la fin de la réunion, le chef tira une plume blanche d'une de ses flèches et l'accrocha au-dessus de la porte afin de faire savoir à tous les Indiens que ce lieu abritait des amis.

### • *La « Boston Tea Party » et l'indépendance*

Dès 1763, une crise se dessine entre l'Angleterre et les nouvelles colonies qui sont de plus en plus prospères. Son aboutissement allait être l'indépendance. Le 16 décembre 1773, après une série très impopulaire de taxes et de mesures imposées par la Couronne et une nette montée nationaliste, se produisit ce qu'on appelle la « Boston Tea Party ». Des colons, déguisés en Indiens, montèrent sur trois navires anglais dans le port de Boston, et jetèrent par-dessus bord leur cargaison de thé.
Au-delà de la péripétie, l'événement fera date. En effet, le recours aux armes se fera en 1775 et, le 4 juillet 1776, la déclaration d'indépendance rédigée par Thomas Jefferson est votée par les 12 colonies. Le fondement de la déclaration est la philosophie des droits naturels qui explique que Dieu a créé un ordre, dit naturel, et que, grâce à la raison dont il est doué, tout homme peut en découvrir les principes. De plus, tous les hommes sont libres et égaux devant ces lois. En 1778, les Français signent deux traités d'alliance avec les « rebelles » ; en 1779, l'Espagne entre en guerre contre l'Angleterre. Mais il faudra attendre le 3 septembre 1783 pour la signature d'un traité de paix entre l'Angleterre et les États-Unis, qui sera conclu à Paris. Les États-Unis par la suite s'étendent et les Indiens sont rejetés de plus en plus vers les terres désertiques de l'Ouest tandis que la France vend la Louisiane et qu'un nouveau conflit se dessine : la guerre civile.

### • *L'esclavagisme et la guerre de Sécession*

Durant plus de trois siècles, le Noir américain fut tour à tour esclave, métayer, domestique, chansonnier, et amuseur public. Il a donné à cette

jeune nation beaucoup plus qu'il n'a jamais reçu, lui qui fut un immigrant forcé.
L'idée même de l'esclavagisme remonte à la nuit des temps, et même les Grecs les plus humanistes, durant l'âge d'or de leur civilisation, n'ont jamais douté du fait que l'humanité se divisait naturellement en deux catégories : ceux qui devaient assumer les tâches lourdes afin que l'élite puisse cultiver les arts, la littérature et la philosophie. L'aspect immoral qu'est la vente d'un homme ne fut pas la vraie raison de la guerre de Sécession, contrairement à une certaine imagerie populaire. Abraham Lincoln n'avait que peu de sympathie pour la « cause noire », la libération des esclaves ne s'inscrivant alors que dans le cadre du combat contre le Sud. Il déclara à ce sujet : « Mon objectif essentiel dans ce conflit est de sauver l'Union... Si je pouvais sauver l'Union sans libérer aucun esclave, je le ferais... » L'histoire a évidemment oublié cette phrase. D'ailleurs, ce n'était pas si difficile pour les Nordistes d'être contre l'esclavage (ils n'avaient que 18 esclaves contre 4 millions au sud !).
Les Sudistes portent l'uniforme gris tandis que les Nordistes sont bleus. Bien qu'ils soutiennent les Noirs, les Nordistes n'hésiteront pas à massacrer les Indiens. Tout ça pour dire que les Bleus n'étaient pas si blancs et les Gris pas vraiment noirs.
Pour être juste, cette guerre civile devrait être présentée comme une guerre culturelle, un affrontement entre deux types de société. L'une – celle du Sud –, aristocratique, basée sur l'argent « facile », très latine dans ses racines française et espagnole, qui était une société très typée avec une identité forte, très attachée à sa terre. L'autre – celle du Nord –, laborieuse, austère, puritaine, extrêmement mobile, se déplaçant au gré des possibilités d'emploi, avec des rêves de grandeur nationale, mais dépourvue de ce sentiment d'appartenir profondément à « sa » terre.
Ce grave conflit fut l'accident le plus grave dans l'histoire de l'Amérique et continue d'être un traumatisme national. Ses origines peuvent s'analyser rationnellement, mais son déclenchement relève de l'irrationnel.
Le détonateur fut l'élection de Lincoln. Le conflit dura de 1861 à 1865, faisant en tout 630 000 morts et 400 000 blessés. Ce fut aussi la première guerre « moderne » – mettant aux prises des navires cuirassés, des fusils à répétition, des mitrailleuses et des ébauches de sous-marins. Deux profonds changements dans la société américaine sont issus de cette guerre civile : le premier est l'abolition de l'esclavage le 18 décembre 1865, et le second sera la volonté de l'Union de symboliser et de garantir désormais une forme de démocratie. Lincoln en sort grandi, devient un héros national, et son assassinat le 14 avril 1865 par John Wilkes – un acteur qui veut par son geste venger le Sud – le « canonise » dans son rôle de « père de la nation américaine ».
Il reste que presque 150 ans plus tard, les Noirs américains et les « natifs », c'est-à-dire les Indiens, sont toujours en marge du « grand rêve américain ». La drogue, les ghettos, le manque d'éducation, la misère sont leur lot quotidien ; et il y a peu d'exceptions qui confirment cette règle qui hante et culpabilise maintenant « l'autre Amérique ».

### • *L'immigration massive*

L'appel du Nouveau Monde à travers tout le XIXe siècle et le début du XXe attira des immigrants en provenance du monde entier, mais principalement d'Europe. En 1790, on pouvait compter 4 millions d'habitants, puis en 1860, 31 millions, mais entre 1865 et 1914 la population va tripler pour atteindre les 95 millions. Il y a autant de raisons historiques pour cette vaste immigration que de peuples et de pays concernés. Mais c'est toujours la persécution – qu'elle soit religieuse ou politique – et la misère qui furent les facteurs principaux de cette immigration, qu'elle soit juive, russe, d'Europe centrale, italienne ou allemande. En 1973, quand le jeu des mariages interraciaux était moins prononcé, la mosaïque ethnique était la suivante : 88 % de Blancs, 10,5 % de Noirs, et 1,5 % de natifs (Indiens autochtones) et de Jaunes. Les souches d'origine étaient les suivantes : 22 millions de Noirs, 15 millions de descendance britannique, 7 millions d'Allemands, 5,5 millions d'Italiens, 4,4 millions d'Austro-Hongrois, 3,4 millions de Russes, 2,5 millions de Scandinaves, puis plus ou moins 1 million de Polonais, 300 000 Japonais et 250 000 Chinois.
Aujourd'hui, on peut encore trouver des « bastions », comme la « Bible belt » – la ceinture biblique – qui s'étend à travers le centre des États-Unis et est

essentiellement germano-britannique de confession protestante, ou des petites minorités dures et pures qui « annexent » des quartiers précis dans les grandes métropoles. Mais, de plus en plus, l'arbre généalogique des Américains devient un kaléidoscope ethnique complexe. Et il est probable que, dans un avenir relativement proche, naîtra de ce *melting pot* une nouvelle « race » unique dans l'histoire de l'homme.

### • *L'arrivée dans le club des Grands*

Dès le lendemain de la guerre de 1914-1918, la suprématie de la Grande-Bretagne est en déclin, et les États-Unis sont désormais présents sur l'échiquier mondial. Une image précise de cette ascension vers la puissance se dégage quand on observe les dates d'un certain nombre d'inventions. 1831 : mise au point de la moissonneuse McCormick ; 1835 : invention du revolver à barillet (Samuel Colt) ; 1843 : invention de la machine à écrire ; 1844 : invention du télégraphe (Morse) ; 1874 : invention du fil de fer barbelé ; 1876 : invention du téléphone (Graham Bell) ; 1878 : invention de la lampe à incandescence et du phonographe (Thomas Edison), etc. Puis la fin de la Première Guerre mondiale engendra un état d'esprit proche de l'hystérie, certainement en exutoire des horreurs vécues.
Les années 20 furent donc... les années folles. Pendant que les intellectuels américains se produisaient dans les bars parisiens, la spéculation boursière s'envolait, et l'Amérique dansait sur la nouvelle musique qui allait ouvrir la voie à d'autres musiques populaires : le jazz. Les femmes, grâce aux efforts de suffragettes, obtiennent le droit de vote. Mais cette grande euphorie se termine tragiquement en octobre 1929 avec le krach de Wall Street. Le monde fut choqué par les images d'hommes d'affaires ruinés sautant par les fenêtres des gratte-ciel, ou les concours de danse-marathon (les participants dansaient jusqu'à épuisement pour une poignée de dollars), fait illustré par le film admirable *On achève bien les chevaux...*
Cette époque fut aussi très noire pour les petits exploitants agricoles durant le « Dust Bowl » : ils durent quitter leurs terres par milliers, fuyant la sécheresse associée à l'effondrement de l'économie. L'auteur-compositeur-interprète Woody Guthrie nous en laissa des témoignages discographiques poignants. Devenu clochard *(hobo)* par la force des circonstances, il passa la Grande Dépression à voyager clandestinement sur les longs et lents trains qui sillonnent les États-Unis en compagnie de sa guitare, narrant le quotidien des gens à cette période. Porté vers la renommée par le climat social autant que par son talent, il fut le porte-parole de l'Amérique paysanne. Activiste politique d'extrême-gauche (communiste bien que le parti refusât son adhésion car il était aussi profondément croyant), il ne fut guère apprécié du gouvernement américain car la peur du « Rouge » pointait déjà son nez. Guthrie fut le père du folksong et inspira le mouvement contestataire et le renouveau folk des années 60 (il était, entre autres, l'idole de Dylan).

### • *McCarthy et les listes noires*

Le « New Deal » de Franklin D. Roosevelt fut – dans le contexte malheureux de la Seconde Guerre mondiale – le remède qui guérit l'économie des États-Unis, et une ère de prospérité s'ouvrit avec la paix. Les années 50 furent aussi celles de Joseph McCarthy et de ses listes noires. Le communisme représentait l'antithèse de l'esprit de libre entreprise et des valeurs fondamentales américaines. L'Amérique craignait d'autant plus le communisme que les intellectuels de l'époque étaient fascinés par cette doctrine qui semblait humaniste et généreuse. Les listes noires frappèrent essentiellement le milieu du cinéma et instaurèrent un climat de peur et de malveillance. Le grand Cecil B. De Mille fut, entre autres, un grand délateur.

### • *Le mal de vivre*

La « beat generation », autour de 1960 – avec en tête des écrivains tels que Jack Kerouac (d'origine québécoise, issu d'ancêtres bretons) et des poètes comme Allen Ginsberg –, prit la route à la recherche d'un mode de vie alternatif. L'opulence de la société liée à un cortège d'injustices avait créé un refus, chez les jeunes, du monde dit « adulte ». Pendant que les premiers beatniks rêvaient de refaire un monde plus juste en écoutant les héritiers de Woody Guthrie (Joan Baez et Bob Dylan), le rock'n roll avait déjà pris ses

# Jeunes ou Etudiants

# LE MONDE

## à votre portée

- **Tarifs spéciaux sur compagnies régulières**
- **Billets valables 6 mois/1 an**
- **Dates modifiables ou retour open**
- **Aller simple possible (ou retour)**

### Prix Aller/Retour*

| | | | |
|---|---|---|---|
| Londres | 780 F | New York | 2 600 F |
| Dublin | 1 510 F | Boston | 2 600 F |
| Athènes | 2 100 F | Chicago | 3 460 F |
| Manchester | 870 F | Los Angeles | 4 300 F |
| Nice | 800 F | Miami | 3 460 F |
| Madrid | 1 610 F | San Francisco | 4 300 F |
| Tel Aviv | 2 740 F | Washington | 2 900 F |
| Caracas | 5 180 F | Hong Kong | 6 895 F |
| Buenos Aires | 7 540 F | Tokyo | 9 640 F |
| Bogota | 6 180 F | Singapour | 6 430 F |
| Mexico | 5 180 F | Pekin | 6 850 F |
| Rio | 6 425 F | Colombo | 6 200 F |
| Santiago | 8 210 F | Melbourne | 8 525 F |
| Bangkok | 5 190 F | Perth | 8 155 F |
| Djakarta | 6 970 F | Sydney | 8 525 F |

* Prix au départ de paris en vigueur au 1/11/91 — LIC. 1850
Départ des villes de province nous consulter.

# VOYAGES ET DECOUVERTES

21, rue Cambon
75001 PARIS
Tél. 42.61.00.01

58, rue Richer
75009 PARIS
Tél. 47.70.28.28

marques. Il fit irruption dès 1956 dans la musique populaire avec Elvis Presley.
Lui aussi se voulait le symbole d'une révolte, mais très différente de celle des beatniks. Le rock'n'roll exprimait certes un refus des valeurs institutionnelles, mais sans offrir de solutions, se contentant de condamner le monde adulte.
C'est James Dean – dans ce qui était au départ un petit film en noir et blanc au budget insignifiant : *Rebel without a cause* (chez nous *la Fureur de vivre,* un beau contresens) – qui exprima peut-être le mieux le malaise de l'ensemble de la jeunesse. Jimmy Dean devint, après sa mort violente et prématurée, l'incarnation même du fantasme adolescent de « faire un beau cadavre » plutôt que de mal vieillir, c'est-à-dire le refus des compromis immoraux de la société.
Les années 60 marqueront aussi l'apparition de la musique noire enfin chantée par des Noirs dans ce qu'on peut appeler le « Top blanc ». Auparavant, il y avait des radios « noires » et des radios « blanches », et les succès « noirs » ne traversaient la frontière culturelle que quand des chanteurs blancs reprenaient à leur compte ces chansons. Une anecdote illustre bien les quiproquos qui en résultaient : Chuck Berry se vit refuser l'entrée d'une salle où il devait donner un concert. L'organisateur du concert ne s'était pas imaginé une seconde que les chansons décrivant si bien la jeunesse américaine pouvaient avoir été écrites et chantées par un Noir. Le concert eut lieu sans lui, avec un orchestre blanc (inconnu) jouant et chantant ses chansons ! Il est intéressant de noter que Presley doit une partie de son succès au fait qu'il était un Blanc chantant avec une voix « noire », et Chuck Berry a franchi le premier la barrière noir/blanc du Top parce qu'il puisait dans la culture blanche Country & Western.
Il est bon de signaler que, en gros, le C & W – de loin la musique la plus populaire encore aujourd'hui – trouve ses racines dans les chansons traditionnelles d'Europe, notamment d'Irlande. Chanté avec un accompagnement à la guitare, c'est la nostalgie de la conquête de l'Ouest et un esprit très « feu de camp » qui le caractérise. D'ailleurs, dans le Far West, les cow-boys irlandais étaient particulièrement prisés car ils chantaient la nuit en montant la garde sur les troupeaux, et ça calmait les vaches !

### • *La ségrégation*

Les barrières de la ségrégation commencent officiellement à s'estomper dès 1953, date de la décision de la Cour Suprême de mettre fin à la ségrégation au sein du système scolaire, mais il fallut le mouvement des Droits civiques avec Martin Luther King (assassiné en 1968) pour qu'une prise de conscience nationale prenne forme. Le chanteur blanc Pete Seeger – disciple de Guthrie – fit beaucoup pour la cause noire en chantant des comptines pleines d'humour dénonçant la ségrégation.
Les années 60 furent presque partout dans le monde des années de contestation. L'assassinat du président John F. Kennedy à Dallas, en 1963, marqua la fin d'une vision saine, jeune, et dynamique de la politique pour un aperçu bien plus machiavélique du pouvoir. La mort suspecte de Marilyn Monroe ne fit qu'amplifier cette perception. Poupée fragile, meurtrie par sa propre image, elle eut le tort d'être la maîtresse cachée d'un président consommateur de femmes dans un pays puritain. « Who killed Norma Jean ? » (Norma Jean était le vrai prénom de Marilyn), telle fut la question que chanta Pete Seeger, qui au fond n'avait plus rien à perdre : n'était-il pas sur la liste noire de McCarthy ?
Les beatniks laissèrent la place aux hippies, et le refus du monde politique fut concrétisé par le grand retour à la campagne afin de s'extraire d'une société dont les principes devenaient trop contestables. Tout le monde rêva d'aller à San Francisco avec des fleurs plein les cheveux et, en attendant, les appelés brûlaient leur convocation militaire pour le Viêt-nam sous l'œil encourageant du mari de Joan Baez.
L'échec américain dans la guerre du Viêt-nam fut aussi une des conséquences de cette prise de conscience politique de la jeunesse. La soif de « pureté » et de grands sentiments eut sa part dans la chute de Richard Nixon qui, en somme, n'avait fait que tenter de couvrir ses subordonnés dans une affaire de tables d'écoute... la plupart des hommes politiques français ont agi de même sans jamais avoir été inquiétés. Le président Jimmy Carter fut l'in-

carnation de la naïveté et du laxisme... notamment au Moyen-Orient au moment de l'affaire des otages. L'Amérique montrait alors au monde le visage d'une nation victime de ses contradictions, affaiblie par sa propre opinion publique, et en pleine récession économique.
Les années 80 marquèrent un profond renouveau dans l'esprit américain. L'élection de l'acteur (Ronald Reagan) à la place du clown (Carter), comme le prônaient les slogans, redonna au pays l'image du profil « cow-boy ». De nouvelles lois sur les taxes eurent pour effet d'élargir le fossé entre les pauvres et les riches. Superficiellement, la récession se résorba et l'industrie fut relancée. Mais, plus présente que jamais, reste l'Amérique des perdants, avec un nombre scandaleux de sans-domicile-fixe vivant en dessous du seuil de pauvreté mondial dans un pays manquant de préoccupations sociales. L'« Autre Amérique », en harmonie avec Reagan, est devenue obsédée par l'aérobic et la santé. L'apparition du SIDA marqua la fin des années de liberté sexuelle et cette maladie fut brandie comme l'ultime châtiment divin envers une société qui avait perdu ses valeurs traditionnelles.

- ***Ordre mondial et désordre national***

La guerre du Golfe, censée juguler la récession, n'a fait que l'aggraver. Et en jouant au petit marionnettiste (avec « l'épouvantail » Saddam Hussein), Bush n'a pas l'air de s'attendre à un retour de bâton ! Avant tout préoccupée par son image extérieure (« gardons le leadership mondial ! ») et par sa stratégie de « nouvel » ordre mondial (les États-Unis jouant évidemment le rôle des Starsky et Hutch interplanétaires), l'administration républicaine en oublie les électeurs de son pays... Comment peut-on prôner la démocratie dans le tiers-monde tout en négligeant son propre « quart-monde » ?
Car pendant que les soldats américains interviennent en Irak, les conditions de vie aux États-Unis continuent à se détériorer : chômage galopant, aides sociales supprimées, violence accrue, propagation des drogues dures et du SIDA, etc. ! Un an après le relatif triomphe des Alliés au Moyen-Orient, le territoire américain est lui-même sujet à la violence. Les émeutes de Los Angeles (et d'ailleurs) révèlent au monde entier, mais surtout aux Américains eux-mêmes (étaient-ils donc aveugles ?), le fiasco total des Républicains, dont la politique s'avère pour le moins réactionnaire, égoïste et cynique. Le peuple américain, déçu, sanctionne Bush comme il se doit aux présidentielles de novembre 92.
Le démocrate Bill Clinton, héros de ce suffrage, est à l'opposé de tout ce que pouvaient représenter Reagan et Bush : jeune, proche des petites gens, il incarne dans la vague démocrate cette génération du Viet-Nam soucieuse d'écologie qui se veut pacifiste et qui à tous les niveaux et échelons politiques et sociaux tend à donner plus de responsabilités aux femmes et aux représentants des minorités ethniques ; en un mot, une nouvelle race de président. Espérons qu'il parviendra à tenir ses nombreuses promesses, contrairement à ses prédécesseurs.

## Les Indiens

Comprendre ne veut pas dire forcément pardonner. La majorité des immigrants défavorisés, démunis, croyants fanatiques et sans éducation, débarquaient avec l'espoir comme seul bagage, ayant pour la plupart été persécutés dans leurs terres d'origine. Or qui dit persécuté dit persécuteur en puissance. Cette ambivalence de la nature humaine n'est plus à démontrer. Le Nouveau Monde était si dur que seuls les plus forts pouvaient survivre.
Les Indiens n'avaient aucune notion de propriété, et la terre était leur « mère ». Ils ne possédaient aucune notion non plus de la mentalité, ni des lois, ni des règles de la société européenne d'où venaient ces nouveaux arrivants. Il fut enfantin, dans un premier temps, de déposséder les Indiens de leurs terres contre quelques verroteries. Ces derniers s'en amusaient, un peu comme l'escroc qui vend la tour Eiffel : ils obtenaient des objets inconnus, donc fascinants, en échange de ce qui ne pouvait en aucun cas être vendu dans leur esprit. Avide de nouveaux espaces et de richesse, le Blanc ne chercha pas à s'entendre avec l'Indien. Le fusil étant supérieur aux flèches, il s'empara de ses terres sans aucune mauvaise conscience. On tua l'Indien économiquement, en exterminant les bisons (ça devint même un sport avec Buffalo Bill, un

des personnages les plus abjects de l'histoire américaine), puis physiquement et culturellement.
Les Indiens auraient pu au début – et sans aucun problème – rejeter ces nouveaux venus à la mer. L'inverse se produisit. Malgré les différences et les ignorances, les Indiens permirent aux colons d'échapper à la mort. Tous les témoignages concordent. Le « bon sauvage » servait d'intermédiaire avec un monde inconnu et hostile ; il était donc envoyé par Dieu afin de faciliter l'installation des Blancs en Amérique ! Quand il fut chassé de ses terres qui, à ses yeux, étaient les terres de chacun, il se fâcha ; et très vite un bon sauvage devint un sauvage mort. Il est difficile d'imaginer un autre scénario, seuls les quakers respectèrent les autochtones, et encore, le temps aidant et les grands principes quakers s'estompant, eux aussi luttèrent contre les Indiens.

### • *Les guerres indiennes : 1675-1915*

Elles s'étalent sur près de trois siècles. Les Indiens ne sont pas assez armés et ne font preuve d'aucune cohésion. A peine 50 ans après l'arrivée du *Mayflower,* le chef Massassoit (également appelé le roi Philippe), mesurant le danger que représente la multiplication des navires venus d'Europe avec leur cortège de violences, de rapts, de saisie de territoires et de meurtres, lève une confédération de tribus de sa région et part en guerre contre les puritains. Ce premier conflit coûtera la vie à 20 000 Peaux-Rouges et 50 000 colons. Un massacre ! Les survivants indiens seront vendus comme esclaves aux Indes occidentales. Cette guerre et toutes celles qui suivirent seront des guerres perdues. Seule la bataille de Little Big Horn, le 25 juin 1876, où le général Custer, de sinistre réputation, trouva la mort ainsi que les 260 *blue coats* de la cavalerie, fut une victoire... Victoire bien coûteuse débouchant sur la boucherie inexcusable de Wounded Knee, le 29 décembre 1890, où le 7e de cavalerie massacra – malgré la protection du drapeau blanc – des centaines de Sioux, y compris femmes et enfants.
Toujours divisées, souvent rivales, les tribus galopent malgré tout comme un seul homme au combat. Mais quand ce n'est pas la guerre, l'homme blanc trouve d'autres moyens perfides d'exterminer l'Indien. La liste des horreurs est longue. Par exemple, des officiers de Fort Pitt distribuèrent aux Indiens des mouchoirs et des couvertures provenant d'un hôpital où étaient soignés des malades atteints de la petite vérole. Le « grand et bon » Benjamin Franklin déclara : « Le rhum doit être considéré comme un don de la Providence pour extirper ces sauvages et faire place aux cultivateurs du sol... »

### • *Un Indien assimilé est un Indien mort*

A l'aube du XXe siècle survivent à peine 250 000 Indiens, et c'est l'oubli. En 1920, l'État américain s'en préoccupe de nouveau et décide de faire fonctionner le *melting pot,* c'est-à-dire de pratiquer une politique d'assimilation. On favorise et subventionne les missions chrétiennes, et on lutte contre les langues indiennes pour imposer l'anglais. On tente par tous les moyens de sortir les Indiens de leurs réserves pour les intégrer à l'*American way of life.* L'aigle américain est le seul symbole indien utilisé par la nation américaine ; il est iroquois et les flèches qu'il tient dans ses serres représentent les 6 nations indiennes.
En 1924, on leur octroie même la nationalité américaine, ce qui ne manque pas d'ironie ! Pour supprimer les réserves, mettre fin à leurs hiérarchies, leurs privilèges, on partage la propriété tribale collective entre toutes les familles afin de faciliter l'assimilation. Ce fut une erreur de plus dans l'histoire indienne. Une erreur sociologique, car l'Indien dans sa large majorité ne peut vivre coupé de ses racines et de sa culture. De la même façon que l'Indien est extrêmement vulnérable face aux maladies importées par l'homme blanc, il est perdu économiquement et socialement lorsque isolé dans la société blanche.
Un des plus grands bienfaiteurs des Indiens allait se révéler être le président tant décrié de l'affaire Watergate : Richard Nixon (n'oublions pas au passage que les Américains lui doivent, entre autres, l'ouverture vers la Chine). C'est lui qui, d'un coup de stylo, a tiré un trait sur la politique désastreuse de tentative d'assimilation des Indiens.
Une réserve indienne peut paraître à nos yeux comme un ghetto, et l'est sous maints aspects, mais c'est aussi un territoire réservé, une propriété privée appartenant aux Indiens où ils peuvent s'organiser en respectant leur culture et

leurs traditions. Ils en profitent parfois pour ouvrir des casinos, dans des États où cette activité est prohibée.
L'Indien du XXe siècle ne rejette pas le progrès, mais il refuse les structures d'une société dans laquelle il ne s'intègre pas. On dénombre à ce jour 400 réserves correspondant aux 310 tribus survivantes. Cela dit, à peine 10 % du budget du bureau des Affaires indiennes parvient aux réserves (le FBI enquête !). La population indienne progresse assez rapidement, et approche les 2 millions d'individus. Il existe aujourd'hui 14 stations de radio indiennes que vous pourrez facilement capter avec votre auto-radio : navajo en Arizona, zuni au Nouveau-Mexique...

- ***L'Indien, multi-racial mais non multi-culturel***

Les populations indiennes, trop mobiles pour leur grand malheur entre le XVIIe et le XXe siècle, furent placées et déplacées par l'homme blanc au fur et à mesure du non-respect des traités. Cette mobilité fut à la source d'un brassage entre les tribus, mais aussi la cause de nombreux mariages interraciaux. Par exemple, la tribu Shinnecock qui possède sa réserve au beau milieu de Southampton – la ville balnéaire la plus chic, la plus snob de Long Island près de New York – est aujourd'hui (par le jeu des mariages interraciaux) une tribu d'Indiens noirs ! Les Cherokees, eux, gèrent leur « race » grâce au grand sorcier électronique, l'ordinateur. La consultation avant chaque mariage est gratuite et fortement conseillée car il ne faut pas descendre sous la barre de deux seizièmes de sang indien pour l'enfant issu du mariage sous peine de perdre sa « nationalité » indienne, et donc ses droits dans la réserve ! Les « droits » sont parfois importants : les Indiens Osages en Oklahoma ont découvert du pétrole sur leur territoire. De 1906 à 1972, les « royalties » de l'or noir rapportèrent 800 millions de dollars. Les parts étant indivisibles et se transmettant par héritage, un « héritier » cherche toujours à épouser une « héritière » afin d'éviter un nouvel apport de sang non indien. D'autres, comme les Mohawks de l'État de New York, s'en tirent aussi : n'étant pas sujets au vertige, ils sont très recherchés pour la construction des gratte-ciel.
Mais malgré cela, et dans l'ensemble, l'Indien demeure aujourd'hui le groupe ethnique disposant du plus bas revenu par habitant. Jusqu'à 40 % des individus de certaines tribus sont alcooliques, et les 700 avocats de race indienne sont continuellement en procès avec le gouvernement pour parfois des questions aussi choquantes que la violation de cimetières indiens...

## Magasins, achats

- ***Tableau comparatif entre les tailles***

| *HOMMES* | | | | | | | | |
|---|---|---|---|---|---|---|---|---|
| Complets | U.S.A.<br>Métrique | 36<br>46 | 38<br>48 | 40<br>50 | 42<br>52 | 44<br>54 | 46<br>56 | 48<br>58 |
| Chemises | U.S.A.<br>Métrique | 14<br>36 | 14 ½<br>37 | 15<br>38 | 15 ½<br>39 | 16<br>41 | 16 ½<br>42 | 17<br>43 |
| Chaussures | U.S.A.<br>Métrique | 6 ½<br>39 | 7<br>40 | 8<br>41 | 9<br>42 | 10<br>43 | 10 ½<br>44 | 11<br>45 |
| *FEMMES* | | | | | | | | |
| Blouses et cardigans | U.S.A.<br>Métrique | 32<br>40 | 34<br>42 | 36<br>44 | 38<br>46 | 40<br>48 | 42<br>50 | 44<br>52 |
| Tailleurs et robes | U.S.A.<br>Métrique | | 10<br>38 | 12<br>40 | 14<br>42 | 16<br>44 | 18<br>46 | 20<br>48 |
| Chaussures | U.S.A.<br>Métrique | | 5 ½<br>36 | 6<br>37 | 7<br>38 | 7 ½<br>39 | 8 ½<br>40 | 9<br>41 |

### • *Achats*

Certains achats sont particulièrement intéressants aux États-Unis. Les prix sont parfois 30 à 60 % inférieurs au tarif français. Voici quelques exemples (attention aux prix : ils varient parfois énormément d'une boutique à l'autre).
– Appareils photo et surtout les accessoires.
– Bouteilles de vins californiens.
– *Newman's Own* : l'acteur aux « plus beaux yeux du monde » est aussi un industriel des sauces. On trouve donc dans les supermarchés des vinaigrettes *(dressing)* ou pop-corn avec sa tête sur l'étiquette. Cadeau sympa et pas cher. De plus, vous ferez une bonne action car les bénéfices sont reversés à des œuvres caritatives. Ses petits copains (Redford, Sinatra et Coppola) s'y sont mis aussi.
– *Les lunettes de vue* : si vous devez vous faire refaire vos verres correcteurs ou acheter une nouvelle monture, allez chez votre opticien vous faire faire un devis. Arrivé aux États-Unis, vous vous rendrez compte que cela vous coûtera presque deux fois moins cher, même en tenant compte du remboursement de la Sécurité sociale (idem pour les lentilles). Enfin, pensez aux Ray-ban !
– *Jeans* (pour les branchés, le Levi's 501 bien sûr).
– Les célèbres *salopettes Osh K'osh* pour vos chers bambins. De 60 à 70 % moins chères qu'en France.
– Tous les articles en cuir et particulièrement les chaussures, et bien sûr les boots (*Frye*, évidemment) ainsi que les chaussures de sport Nike.
– Téléphones à touches, téléphones sans fil, calculatrices.
– Répondeurs téléphoniques : n'oubliez pas de demander un transfo qui fonctionne avec prise française.
– Cigares : pas de Cuba, bien sûr, mais on rappelle que la Floride n'est qu'à une centaine de kilomètres de La Havane et qu'il faut être très fort pour trouver une différence entre le cigare cubain et le cigare américain, bien moins cher.
– Compact Discs : bien moins chers qu'en France.
– Presque tous les Français rapportent des *draps* américains, si originaux, et sont parfois désagréablement surpris par leurs dimensions. Pour les lits d'une place, pas de problèmes : achetez 2 *Twins*, l'un *fitted* (drap housse) et l'autre *flat* (drap de dessus). Pour les grands lits de 1,40 m de large, prenez un *full fitted* et un *queen flat*. En principe, les taies ne conviennent pas du tout aux oreillers français standard, vérifiez la taille.
– *L'artisanat indien* : souvent beau, mais presque toujours très cher. Acheter de préférence aux Indiens eux-mêmes. Les produits des boutiques sont généralement importés (les tapis, du Mexique, et les porte-monnaie, de... Chine !).
– Évitez d'acheter des transistors (car pas de grandes ondes) et faites attention au matériel hi-fi, car la fréquence n'est pas la même en France et un transformateur ne change que la tension ; il y a cependant beaucoup de modèles adaptables (cassettes, lecteurs digitaux...) sans problèmes.
– Évitez également d'acheter des consoles de jeux vidéo, elles ne fonctionnent pas en France (même si le vendeur vous affirme le contraire). Le système électronique est différent. Idem pour les cassettes de jeux.
*Attention*, ne pas acheter de cassettes enregistrées pour magnétoscope ni de T.V. Le système américain est incompatible avec le procédé Secam, à moins que vous ne possédiez un magnétoscope tri-standard (PAL-Secam-système américain). Les cassettes vierges fonctionneront sur un magnétoscope français.
Tous vos achats (y compris les nuits d'hôtel) sont soumis à une taxe (de 0 à 15 % selon les États). Les prix affichés ne sont donc pas nets. Dans les restaurants, n'oubliez jamais de l'ajouter ; sinon le serveur vous le réclamera.

#### *Photo*

Adeptes du *Kodachrome*, attention : aux États-Unis, les films sont vendus développement non compris. En revanche très difficile de trouver des Ektachrome.

## Mesures

- ***Longueur***
  *1 yard* = 0,914 mètre
  *1 foot* = 30,48 centimètres
  *1 inch* = 2,54 centimètres
  *0,62 mile* = 1 kilomètre
  ou *1 mile* = 1,6 kilomètre
  *1,09 yard* = 1 mètre
  *3,28 feet* = 1 mètre
  *0,39 inch* = 1 centimètre

- ***Poids***
  *1 pound* = 0,4536 kilogramme
  *1 ounce* = 28,35 grammes

- ***Capacité***
  *1 gallon* = 3,785 litres
  *1 quart* = 0,946 litre
  *1 pint* = 0,473 litre

## Parcs nationaux

Il y a l'Océan, la montagne, le désert, la forêt. La chaleur est permanente en certains endroits, d'autres régions sont connues pour leur fraîcheur constante. L'extrême diversité physique et climatique du pays en fait, tout au long de l'année, un lieu de prédilection pour des excursions de tous genres.

Les Américains l'ont compris et ont aménagé dans ce but des dizaines de parcs, d'itinéraires, voire des régions entières originellement privilégiées par la nature.

Ces parcs sont des endroits rigoureusement protégés par l'État, et des réglementations très strictes les préservent de toute dégradation d'origine humaine. Le résultat est fabuleux : le *Yosemite*, par exemple, est sans doute l'un des plus merveilleux enclos de beauté naturelle de l'univers (voir G.D.R. *États-Unis côte ouest et Rocheuses*).

Pourtant, les Américains ont réussi à y intégrer toutes les commodités possibles en matière de logement champêtre : il est possible d'y passer la nuit en cabane (bains, douche, kitchenette, T.V...), sous une tente ou dans une caravane. Pour dormir dans un parc en été, il est bon de réserver ou de s'y prendre tôt le matin.

Tous ces parcs proposent des programmes de visite en groupe pour les amateurs de nature à l'état pur, mais si vous possédez une voiture, procurez-vous de bonnes cartes, une gourde et quelques sandwiches, et n'hésitez pas à vous enfoncer dans ces forêts de rêve, ces canyons dont les cartes postales ne seront jamais que le piètre reflet, ces vallées dont le cinéma ne restituera jamais la vraie grandeur.

Le *Golden Eagle Passport*, 25 $ par an environ pour une voiture et tous ses passagers, permet un nombre d'entrées illimitées dans certains parcs nationaux et autres sites régis par l'administration des parcs. Attention, c'est valable pendant l'année du calendrier et non pas à partir de la date à laquelle vous l'achetez. Ce passeport est vendu à l'entrée des parcs. L'entrée pour une voiture dans chaque parc étant en moyenne de 5 $, votre pass est rentabilisé à partir de 5 visites. Il n'est pas nécessaire de l'acheter à l'arrivée de l'hiver, car les parcs sont alors gratuits.

Dans tous les parcs naturels, il existe un *Visitors' Center* où l'on trouve le plan du parc, de superbes cartes postales et des livres splendides.
Les chèques de voyage en dollars sont acceptés très facilement dans les boutiques et les restos (même pour des petites sommes).

## Orientation

Il faut savoir un truc, les numéros des rues sont très longs... par exemple, le n° 3730 se situe entre le 37ᵉ bloc, ou rue, et le 38ᵉ ; ça peut ensuite passer de 3768 à 3800. C'est pas compliqué.
D'autre part, sachez que traverser hors des clous ou au feu rouge peut être passible d'une amende (environ 30 $), on vous aura prévenu !

## Poste, télécommunications

### • *Courrier*

Vous pouvez vous faire adresser des lettres à la poste principale de chaque ville par la poste restante. Exemple : Harry Cover, General Delivery, Main Post Office, ville, État. Ou à l'American Express. Les postes restantes ne gardent pas toujours le courrier plus de la durée légale : 10 jours.
Attention si vous achetez des timbres. Vous pouvez en avoir dans les guichets de poste (US Mail), mais on peut également s'en procurer dans les *automats :* là, ils valent un peu plus cher.
Les bureaux de poste sont ouverts de 9 h à 17 h en semaine et le samedi matin pour les achats de timbres, dépôts de lettres ou paquets. Ils ne se chargent pas de l'envoi des télégrammes ; ce sont des compagnies privées qui le font. De plus, ils sont souvent bigrement difficiles à trouver.

### • *Télégrammes*

Aux États-Unis, c'est la *Western Union* qui se charge d'envoyer les télégrammes. Durée : 8 h environ pour arriver en Europe. Cherchez la rubrique Western Union dans l'annuaire, et faites le numéro correspondant au service qui vous intéresse. Il est tout à fait possible de télégraphier de l'argent.
Pour une cinquantaine de dollars, vous pouvez demander un *singing telegram* (télégramme chanté) ou un *bellygram* (télégramme donné par une danseuse du ventre) ou encore un *stripgram.* C'est ça l'Amérique.
En général, les Américains utilisent assez peu le télégramme, car les tarifs longues distances du téléphone ne sont pas très élevés, surtout la nuit et le week-end.

### • *Téléphone*

*États-Unis → France*

011 + 33 + numéro du correspondant.
Pour téléphoner en PCV *(collect call),* on peut le faire de toutes les cabines. Où que vous soyez aux États-Unis, en composant le 1-800-537-2623 (ou, pour le retenir facilement : 1-800-5 FRANCE) – appel gratuit – vous obtenez une opératrice française qui établira pour vous vos communications en France soit en PCV, soit facturables grâce à votre carte PASTEL internationale. Il n'est même pas nécessaire, comme pour tous les numéros « 1-800 », d'introduire une pièce dans les postes publics. Donc, plus de problème de langue ni de pièces de monnaie grâce à FRANCE DIRECT.
Pratique, le téléticket AT & T (10, 25 ou 50 unités téléphoniques) donne accès à de nombreux services proposés en français : bulletins météo, interprète français-anglais, communications locales ou internationales. Une opératrice francophone peut vous aider en cas de difficulté. Compter 6 dollars la carte de 10 unités. Pour l'obtenir en France, demander en PCV (19-33-11) le : 408-428-27-35 et aux États-Unis composer le : 1-800-537-551 (appel gratuit).

*France → États-Unis* (environ 9,40 F la minute)

19 (tonalité) + 1 + indicatif de la ville + numéro du correspondant.

*Indicatif des villes*

| | | | | | |
|---|---|---|---|---|---|
| Atlanta (Geo) | **404** | Honolulu (Haw) | **808** | Oklahoma City | **405** |
| Baltimore | **301** | Houston | **713** | Orlando | **407** |
| Birmingham | **205** | Indianapolis | **317** | Philadelphia | **215** |
| Boston | **617** | Kansas City (Mo) | **816** | Pittsburgh | **412** |
| Charlotte | **704** | Los Angeles | **213** | Portland | **503** |
| Chicago | **312** | Miami | **305** | Providence | **401** |
| Cincinnati | **513** | Milwaukee | **414** | Sacramento | **916** |
| Cleveland (Ohio) | **216** | New Haven | **203** | Saint Louis | **314** |
| Columbia (DC) | **803** | New Orleans | **504** | Salt Lake City | **801** |
| Columbus (Ms) | **601** | New York : | | San Francisco | **415** |
| Dallas | **214** | . Manhattan | **212** | Seattle | **206** |
| Denver | **303** | . Brooklyn, Queens | **718** | Washington | **202** |
| Detroit | **313** | . Long Island | **516** | Youngstown | **216** |

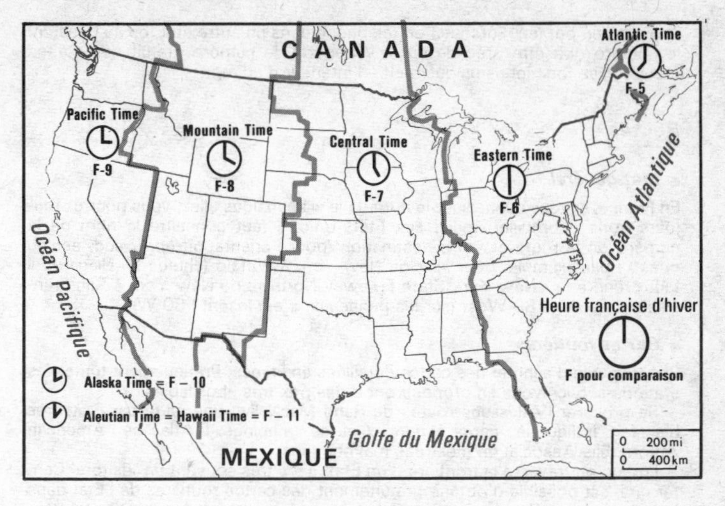


FUSEAUX HORAIRES

*États-Unis → Suisse*

Pour téléphoner en PCV vers la Suisse, composer le 01-41 + indicatif sans le 0 + numéro du correspondant. Quand l'opératrice américaine vous répond, vous lui demandez un *collect call to Switzerland* et vous donnez votre nom.

*Tuyaux*

– Pour les appels longue distance, 35 % de réduction du dimanche au vendredi de 17 h à 23 h et 60 % de rabais toutes les nuits de 23 h à 8 h, ainsi que toute la journée le samedi et le dimanche jusqu'à 18 h. Mais malheureusement ça ne change rien pour la France.
– Renseignements pour Overseas : composez 0-0. Appel gratuit.
– Le réseau téléphonique est divisé en de très petites régions ; pour appeler d'une région à l'autre, il faut composer le 1 puis le code de la région (ex. : 212 pour New York). Chaque région a son opératrice. Donc en composant le 0 dans une région, on ne pourra pas obtenir des renseignements sur les abonnés d'une autre région. Mais si vous voulez quand même un renseignement concernant une autre région, composez le 1, puis le code de la région concernée, puis le 0.
– Il y a des cabines publiques partout, ce n'est pas cher et, surtout, ça fonctionne. Généralement, une communication coûte 25 cents. Si c'est plus, la voix charmante d'une opératrice vous dira combien de piécettes vous devez encore introduire dans l'appareil. Dès qu'elle dit : *Thank you,* il y en a assez. Si vous parlez plus longtemps que le temps prévu, on ne vous coupera pas le sifflet, mais, après avoir raccroché, la même demoiselle vous rappellera aussitôt pour vous demander un supplément. Supplément qu'il vaut mieux payer : sinon la cabine va sonner et ameuter le quartier. Vous pouvez vous faire appeler dans les cabines publiques (elles ont des numéros) et même y téléphoner en Europe en PCV, ce qui est beaucoup plus simple qu'autrement. Pour téléphoner en France directement sans PCV, par l'intermédiaire d'une cabine, il faut un minimum de 7 dollars en quarters (soit donc environ 28 pièces minimum, qu'il est bien difficile de rassembler).
– Utilisez le téléphone au maximum, cela vous fera gagner pas mal de temps. Par exemple, si vous êtes perdu ou complètement ivre, entrez dans une cabine téléphonique et faites le 0, l'opérateur vous renseignera sur l'endroit où vous vous situez...
– Tous les numéros de téléphone commençant par 800 sont gratuits (compagnies aériennes, chaînes d'hôtels, locations de voitures...). On appelle ça les *call free :* demandez-les toujours, ça vous fera des économies pour vos réservations d'hôtels et vos demandes de renseignements (la plupart des offices de

tourisme en ont un). Lorsque l'on téléphone dans un autre état (ou au Canada), le numéro doit être précédé du 1. Attention, le numéro gratuit des petites compagnies fonctionne uniquement à l'intérieur d'un état.

## Routes

### • *État général*

En France, si vous connaissez le nom de la ville où vous allez, vous pourrez toujours vous débrouiller, mais, aux États-Unis, il faut connaître le nom ou le numéro de la route et votre destination (pour l'orientation nord, sud, est ou ouest) ; par exemple, pour aller de New York à Buffalo (chutes du Niagara), il faut prendre le « New York State Freeway North » ; de New York à San Francisco : Interstate 80 West (sur les panneaux, c'est inscrit I 80 W).

### • *Cartes routières*

Pas très utile d'acheter des cartes détaillées en France. Pratiquement toutes les stations-service vous en proposeront à des prix très abordables.
– Se procurer l'Atlas des routes de Rand MacNally : une page par État, très bien fait. Indique les parcs nationaux et les campings. L'Atlas de l'American Automobile Association n'est pas mal non plus.
– Lorsqu'on traverse la frontière d'un État, il y a très souvent un Visitors' Center où il est possible d'obtenir gratuitement des cartes routières de l'État dans lequel on entre. De plus, on vous distribuera aussi moult brochures et autres prospectus.
Pour se procurer un plan de ville : demander dans une agence de location de voitures. Il y en a toujours sur le comptoir, et ils font rarement des difficultés (gratuit).

## Santé

### • *Soins médicaux*

Il n'y a pas de Sécurité sociale aux États-Unis. Les frais médicaux et d'hospitalisation sont donc à la charge des particuliers. Les tarifs pratiqués étant fort élevés, nous conseillons vivement à ceux qui se rendent aux États-Unis de prendre une assurance pour la durée de leur séjour, du genre Mondial-Assistance ou AMI (formulaire dans les banques et assurances).

## Savoir-vivre

### • *Toilettes*

Toilettes publiques rarement gratuites mais souvent bien entretenues. Vous en trouverez dans les *bus stations*, dans les stations-service (demander la clef à la caisse) ou, au culot, dans les buildings et les cafétérias, ou aussi dans les halls des grands hôtels. Pour quelque réminiscence de puritanisme, on demande *the restroom* ou *the powder room* (et même *the little girls' room*). Une autre expression amusante : « The John » !

## Transports intérieurs

Pour ceux qui n'ont pas bien appris leur géographie à l'école, qu'ils sachent que les États-Unis sont un très grand pays, donc que les distances sont longues, très longues. N'oubliez pas que voyager à plusieurs (4 est le nombre d'or) est le moyen le plus économique pour découvrir les États-Unis.
D'abord, louer ou même acheter une voiture à plusieurs ne coûte pas une fortune. Voyager en voiture permet de faire sa popote soi-même (matériel de camping-gaz dans le coffre), à moins que vous ne vous lassiez pas de vos hamburgers quotidiens. Pour dormir, préférez les petits motels des bleds perdus. Louez une chambre double et dédoublez le lit (deux sur les matelas et deux sur le sommier). C'est peut-être le seul moyen pas cher de découvrir le pays.

● *Distances entre les grandes villes*

| Distances en km | Washington | Seattle | San Francisco | Saint Louis | New York City | New Orleans | Minneapolis | Miami | Los Angeles | Detroit | Denver | Dallas | Cleveland | Chicago | Boston | Atlanta |
|---|---|---|---|---|---|---|---|---|---|---|---|---|---|---|---|---|
| **Albuquerque** | 3 006 | 2 344 | 1 821 | 1 691 | 3 253 | 1 850 | 1 998 | 3 170 | 1 286 | 2 518 | 672 | 1 046 | 2 584 | 2 080 | 3 608 | 2 248 |
| **Atlanta** | 1 010 | 4 419 | 4 069 | 896 | 1 390 | 789 | 1 781 | 1 059 | 3 534 | 1 192 | 2 267 | 1 301 | 1 120 | 1 125 | 1 718 | |
| **Boston** | 708 | 4 877 | 5 067 | 1 902 | 342 | 2 507 | 2 245 | 2 474 | 4 691 | 1 150 | 3 182 | 2 907 | 1 037 | 1 589 | | |
| **Chicago** | 1 118 | 3 290 | 3 493 | 469 | 1 352 | 1 538 | 656 | 1 184 | 3 366 | 474 | 1 629 | 1 501 | 552 | | | |
| **Cleveland** | 578 | 3 842 | 4 026 | 893 | 811 | 1 723 | 1 208 | 2 106 | 3 870 | 270 | 2 134 | 1 912 | | | | |
| **Dallas** | 2 198 | 3 390 | 2 867 | 1 032 | 2 566 | 801 | 1 518 | 2 123 | 2 250 | 1 859 | 1 258 | | | | | |
| **Denver** | 2 707 | 2 152 | 2 022 | 1 371 | 2 933 | 2 059 | 1 355 | 3 326 | 1 786 | 1 253 | | | | | | |
| **Detroit** | 830 | 3 763 | 3 947 | 827 | 1 064 | 1 766 | 1 130 | 2 251 | 3 800 | | | | | | | |
| **Los Angeles** | 4 293 | 1 842 | 667 | 2 978 | 4 539 | 3 029 | 3 140 | 4 373 | | | | | | | | |
| **Miami** | 1 765 | 5 478 | 4 990 | 1 955 | 2 133 | 1 418 | 2 840 | | | | | | | | | |
| **Minneapolis** | 1 774 | 2 634 | 3 211 | 904 | 2 008 | 2 034 | | | | | | | | | | |
| **New Orleans** | 1 798 | 4 192 | 3 669 | 1 130 | 2 166 | | | | | | | | | | | |
| **New York City** | 368 | 4 586 | 4 826 | 1 562 | | | | | | | | | | | | |
| **Saint Louis** | 1 336 | 3 478 | 3 384 | | | | | | | | | | | | | |
| **San Francisco** | 4 592 | 1 330 | | | | | | | | | | | | | | |
| **Seattle** | 4 408 | | | | | | | | | | | | | | | |

- ***L'auto-stop (hitch-hiking)***

Il n'est pas facile à pratiquer, et on n'en fait presque plus dans de nombreux endroits. C'est dans les États du Sud (le « Deep South ») que vous aurez le plus de difficultés : les gens, là-bas, ont une aversion viscérale pour tous les marginaux et ceux qui affichent un air bohème.
Le stop est autorisé dans la plupart des États mais pas dans tous. En principe, tout le monde s'en fiche à l'exception de Washington (D.C.), de la Caroline et de la Virginie où le risque de prison est vraiment trop grand. C'est arrivé à des copains.
On le déconseille pour les filles non accompagnées. La protection de se dire V.D. *(venereal disease)* est bien mince.
Le fait de se munir d'une pancarte « French » facilite le stop et évite des ennuis possibles, en particulier avec les flics. Écrire aussi sur la pancarte la direction, ça rassure tout le monde. De plus, vous avez quelques chances d'être pris par des types qui ne prennent jamais de stoppeurs, mais qui ont visité, en voyage organisé, la France en juin 44. Dites-leur que vous faites du stop pour l'expérience et pour rencontrer des Américains, non pas par souci d'économie (ils n'aiment pas du tout).
Si vous traversez la frontière Canada-États-Unis, ne dites pas que vous êtes un stoppeur. On pourrait vous refouler.
Dans les foyers *(Student Centers* ou *Unions)* des universités, il y a toujours en principe un panneau *(Driving Board)* réservé aux *rides with sharing expenses* (avec partage des frais). Il y a aussi des *sharing driving* et des « sharing rien du tout, sauf la compagnie » (filles, attention !).
Il est rare de pouvoir se faire transporter dans un autre État, sauf si on s'adresse aux grandes universités (Harvard, Columbia, etc.). Pour trouver des campus moins connus, acheter une carte de la série « buckle-up U.S.A. » où ils sont signalés en rouge. Enfin, sachez qu'un étudiant n'a pas le droit de vous héberger plus de 4 jours dans sa chambre universitaire.
Sur la route, apportez de l'eau et un peu de nourriture (biscuits, etc.) car vous pouvez tomber dans un coin paumé. N'oubliez pas non plus qu'une bonne partie des États-Unis est désertique (en particulier New Mexico, Arizona et Nevada). Essayez d'être à peu près propre. Ça rassure.
En ce qui concerne les *trailers,* c'est le moyen de déplacement favori des *red necks.* Bon à savoir quand on est sur le bord de la route car ils ne prennent jamais de stoppeurs, ou quand ils s'arrêtent c'est pour vous injurier. Si vous n'êtes pas convaincu, allez revoir *Easy Rider.*
Les routiers prennent rarement les stoppeurs. Ils sont peu à être couverts par l'assurance en cas de pépin. Évitez les *truckstops* (ce sont les relais pour routiers), il y a des pancartes partout : interdit aux stoppeurs. Même faire du stop à la sortie d'un truckstop est interdit.
Dans certaines villes, surtout sur la côte ouest et pas tellement à New York, l'auto-stop urbain est devenu très courant. Quand vous sentez que ça peut se faire, et que la direction est suffisamment claire, n'hésitez pas à lever le pouce en attendant le bus, c'est généralement beaucoup plus rapide.
Le stop présente de réelles difficultés dans les parcs nationaux. Quand on les visite, c'est avec toute sa petite famille, alors les stoppeurs...
– *Stop sur autoroutes :* en principe, c'est interdit sur l'autoroute même et sur les grandes stations d'autoroutes, mais vous pouvez stopper sur les bretelles d'entrée. Si les flics *(cops)* vous surprennent à stopper sur l'autoroute, oubliez tout ce que vous savez de la langue de Steinbeck. Pas plus bêtes que les autres, ils ne tarderont pas à comprendre que vous êtes étranger. Le risque d'amende en sera diminué et vous aurez même une chance qu'ils vous conduisent au prochain bled (très confortable, leur voiture, croyez-nous !). Il arrive de tomber sur des flics vicieux *(vicious cops),* comme ça nous est arrivé dans le Vermont.
*Attention :* quand un flic (re-*cop*) s'arrête pour vous demander de ne pas stopper, obéissez car il y a de grandes chances qu'il revienne ou qu'il avertisse par radio un copain. Et là, les ennuis commencent.
Mais quand le flic vous avertit que c'est interdit, il faut avoir le réflexe de lui demander où l'on peut faire du stop, et préciser où l'on veut aller (tout ça dans un anglais des plus déplorables bien sûr). Il est généralement bien embêté et il vous emmène jusqu'à la limite de sa zone de patrouille. Le fait de se retrouver entre deux zones de patrouille élimine le risque qu'un autre flic ne s'arrête.

### • *Le train*

Le réseau est assez réduit. C'est un moyen de transport agréable et très confortable. Le paysage est différent et on y rencontre des tas de gens sympa. Possibilité, en réservant, de se concocter un petit parcours chouette. On y dort bien et les repas « à bord » ne sont pas trop chers. Dans certains convois, il y a même un cinéma ou une boîte ! La vitesse est plutôt lente, mais ça peut être un atout pour une traversée est-ouest.

Aux États-Unis, il y a deux classes de train : *coach* (le plus souvent avec des sièges individuels réglables), où la réservation n'est pas nécessaire, et *club car*, où il faut réserver ; les wagons en service sont des *Metroclub*, avec des fauteuils indépendants et pivotants (tarif première classe), des *lounge cars* ou voitures-salons avec bar, des *footrest coaches* dont les sièges sont équipés d'un repose-pieds, et, pour les wagons-lits, des *roomettes*, petits compartiments (literie escamotable) en single, des *slumbercoaches*, plus petits que les précédents en single ou double, des *bedrooms*, véritables compartiments de wagons-lits (literie escamotable) en double et des *drawing rooms*, compartiments à trois lits avec lavabo et w.-c. Il existe également des *voitures panoramiques* avec un bar en étage *(Vistadome)*, et de nouvelles voitures à étage avec un restaurant ou des sièges à l'étage supérieur, les *Superliners*.

Les étrangers bénéficient de forfaits de 45 jours (nationaux ou régionaux) très intéressants en les achetant en Europe. *AMTRAK* est représenté à Paris par *Wingate Travel :* 7, rue Rouget-de-Lisle, 75001. ☎ 44-77-30-16. M. : Concorde. Ouvert de 9 h à 12 h et de 13 h à 18 h du lundi au vendredi et un samedi sur deux de 9 h à 12 h. Les autres samedis, de 9 h à 12 h à l'agence *Wingate Travel :* 19 *bis*, rue du Mont-Thabor, 75001. ☎ 44-77-30-28. M. : Concorde. Numéro aux États-Unis (gratuit) : ☎ 800-872-7245. Apporter son passeport.

En conclusion, le train américain est super-confortable. C'est plus cher que les forfaits bus (sauf si on prend un forfait de 45 jours), mais on y dort beaucoup mieux (sièges larges, et s'allongeant presque complètement dans certaines voitures). De plus, on distribue gratuitement des oreillers et il y a un wagon-fumoir, un wagon-salon... Gratuit pour les enfants de moins de 2 ans et demi-tarif jusqu'à 12 ans.

### • *L'autocar*

Le réseau couvre la quasi-totalité du pays et il existe même des accords entre sociétés régionales, qui permettent de l'élargir encore. Greyhound, lui, dessert 4 000 villes et villages.

*Les forfaits*

Greyhound propose des forfaits *Greyhound pass* pour 4, 7, 15 jours et un mois, le délai prenant date le jour de la première utilisation du billet. Attention, le forfait 4 jours n'est pas valable les vendredi, samedi et dimanche. La distance est illimitée. L'affrètement et les consignes des bagages sont inclus. Il existe également des possibilités pour utiliser ces forfaits au Canada (supplément dans certains cas). Attention, ces forfaits ne peuvent pas s'acheter aux États-Unis si vous n'avez pas la carte internationale d'étudiant. Si vous l'avez, adressez-vous aux bureaux des renseignements internationaux situé dans les terminaux Greyhound de New York (à la Port Authority, au sous-sol), Miami, L.A. et San Francisco.

Il est beaucoup plus intéressant d'acheter l'*Ameripass* en Europe. Vous ne paierez pas de taxe fédérale. Greyhound est représenté en France par :

– *Americom :* 208, avenue du Maine, 75014 Paris. ☎ 40-44-81-29. M. : Alésia. Ouvert du lundi au vendredi de 9 h 30 à 13 h et de 14 h à 18 h 30 ; le samedi jusqu'à 17 h 30. On peut obtenir auprès d'eux tous renseignements utiles sur le fonctionnement des bus Greyhound.

On peut également se procurer les forfaits auprès d'agences possédant un stock. La liste est disponible auprès d'Americom qui vous indiquera le point de vente le plus proche de votre domicile.

L'*Ameripass* se présente sous la forme d'un carnet à souches. Avant la fin du carnet, réclamez un nouveau *booklet* dans un bureau Greyhound d'une ville importante. Ce 2ᵉ carnet sera remis gratuitement, mais n'augmentera pas la durée. Les périodes sont consécutives, à compter de la première utilisation.

Vous pouvez donc commander votre billet longtemps à l'avance, sans avoir besoin de connaître vos dates de voyage.
Aucun billet de point à point n'est en vente depuis la France. Ils doivent être achetés directement sur place, mais les grands trajets reviennent plus cher que les forfaits qui sont très vite amortis. Enfin, 120 petites compagnies de bus acceptent les forfaits Greyhound.

Greyhound dessert le Grand Canyon moyennant un supplément et dépose les passagers aux entrées des parcs.

Les routards pédestres ne doivent pas systématiquement cracher sur les excursions organisées, notamment par la compagnie *Graylines Tours*. Plusieurs circuits sont organisés sur une ville ou un site touristique. Pour quelques dollars, l'excursion vous donne une bonne vue d'ensemble, sans perte de temps, quitte à revenir par vos propres moyens dans certains coins qui vous ont particulièrement plu.

*Les bagages en bus*

Faites attention à vos bagages, car il y a parfois des pertes ou plutôt des égarements : vous vous trouvez à San Francisco et vos bagages se dirigent vers La Nouvelle-Orléans ! Cela arrive un peu trop fréquemment. Si nous avions un conseil à vous donner, ce serait de prendre vos bagages avec vous chaque fois que c'est possible et de les mettre dans les filets...

Pour éviter de payer la consigne, dans les grandes villes, ne récupérez pas vos bagages dès la sortie du bus, ils seront gardés gratis au guichet bagages. On peut faire enregistrer ses bagages trois jours à l'avance. Attention, les consignes automatiques Greyhound sont vidées au bout de 24 h, et les bagages mis dans un bureau fermé la nuit et le week-end.

Le système *package express service* permet de transporter des objets d'une ville à une autre, par bus direct, même si vous ne prenez pas le bus vous-même. Intéressant pour les dingues du shopping qui ne veulent pas s'encombrer. A déconseiller toutefois pour les marchandises de valeur. Les bagages attendront au lieu de destination, à raison de 50 cents par jour à partir du 3e jour. Attention en achetant votre sac à dos, même de marque américaine : pour entrer dans les consignes automatiques, il ne faut pas qu'il dépasse 82 cm. Avec cette taille, on peut juste le rentrer en biais.

*Confort*

Outre leur rapidité, ces bus offrent un certain confort, avec toilettes « à bord ». Ils sont à air conditionné, ce qui veut dire qu'il peut y faire très frais. Vous avez donc intérêt à vous munir d'un pull, surtout si vous avez l'intention de dormir. D'ailleurs, ces bus sont particulièrement intéressants de nuit car ils permettent de couvrir des distances importantes tout en économisant une nuit d'hôtel ! Mais les sièges ne s'inclinent que faiblement.
On peut acheter un petit oreiller pneumatique dans les terminaux Greyhound. Il a même l'insigne Greyhound et fait sac de plage une fois dégonflé...
En principe, quand un bus est plein dans les grandes stations, un deuxième prend le restant des voyageurs. C'est moins évident dans les petites stations. Même si cela apparaît plus intéressant de voyager dans le second bus à moitié vide (pour s'étendre), sachez que parfois, dès qu'il y a de la place dans le premier, on transfère les voyageurs et, en pleine nuit, c'est pas marrant ! Ne pas se mettre à l'avant (on est gêné par la portière), ni à l'arrière (because les relents des toilettes, et la banquette du fond ne s'abaisse pas).

*En vrac*

– Faites attention aux diverses formes de trajet : *express, non-stop, local*... Comparez simplement l'heure de départ et l'heure d'arrivée, vous saurez ainsi quel est le plus rapide. Enfin, les gares routières sont les meilleurs points de rendez-vous quand vous ne connaissez pas un bled. D'autant plus que vous pouvez y faire votre toilette. Le seul problème est qu'elles sont souvent loin du centre et que les navettes s'arrêtent à 22 h.
– Si vous achetez un pass aux États-Unis, sachez qu'il est parfois moins cher en fonction de l'endroit où vous êtes (moins cher à Washington qu'à New York, par exemple).

### • *La voiture*

*Règles de conduite*

– La priorité à droite ne s'impose que si deux voitures arrivent en même temps à un croisement. La voiture de droite a alors la priorité. Dans tout autre cas, le premier arrivé est le premier à passer ! Imaginez un tel système en France...
– Contrairement à la circulation dans certains pays, dont la France, un tournant à gauche, à un croisement, se fait au plus court. Autrement dit, si une voiture vient en sens opposé et tourne sur sa gauche, vous passerez l'un devant l'autre, au lieu de tourner autour d'un rond-point imaginaire situé au centre de l'intersection.
– A une intersection, à condition d'être sur la ligne de droite, vous pouvez tourner à droite au feu rouge après avoir observé un temps d'arrêt et vous être assuré que la voie est libre. Attention ! dans certains États seulement, dont la Californie. Bien entendu, on ne le fait pas si une pancarte indique *No Red Turn.*
– Pour aborder une autoroute, mêlez-vous au trafic aussi rapidement que possible. Ne jamais s'arrêter sur la voie d'accès. Si vous avez une panne, stationnez à la droite du véhicule, ouvrez votre capot et attendez. La police routière vous aidera. Sur certaines autoroutes, des téléphones sont installés pour des appels d'assistance. De nombreux parkings longent les autoroutes ; vous pouvez vous y détendre et vous reposer.
– Sur les routes nationales et les autoroutes, les voies venant de la droite ont soit un STOP, soit un YIELD (attention à gauche), et la priorité à droite n'est pas obligatoire.
– Les ronds-points sont rares, sauf dans les États de la Nouvelle-Angleterre et l'État de New York. La première voiture engagée a priorité.
– C'est une règle générale : la vitesse est toujours limitée, aux États-Unis. Elle ne dépasse pas 55 mph (88 km/h) sur de nombreuses routes. Mais sur les Interstates, elle peut atteindre 65 mph. Ces limites doivent toujours être respectées car la police, très vigilante, aime beaucoup faire mugir ses sirènes. Dans les États du Sud, les policiers prennent un malin plaisir à arrêter les voitures immatriculées dans un autre État. Sachez aussi que les voitures de police, même si elles vous croisent, ont la possibilité de déterminer votre vitesse.
– Arrivé à votre ville de destination, faites attention où vous garez la voiture. Des panneaux « No Parking » signalent les stationnements interdits. Ne vous arrêtez jamais devant un arrêt d'autobus, ni devant une arrivée d'eau pour l'incendie *(fire hydrant).* Quand la voiture est en stationnement, notez votre rue pour la retrouver. Le problème du parking est crucial dans les grandes villes. Assez cher, il vaut mieux trouver un *Park and Ride,* grand parking aux terminaux et grandes stations de bus et métro. Ils sont généralement indiqués sur les plans des villes. Arriver tôt car assez vite complets.
– Il faut savoir que lorsqu'un bus d'école (on ne peut pas les louper, ils sont toujours jaunes) s'arrête et qu'il met ses feux clignotants, l'arrêt est obligatoire. Il faut stopper son véhicule avant de le croiser (pour laisser passer les enfants qui en descendent) et si on le suit, ne surtout pas le doubler. Ne l'oubliez pas : beaucoup de lecteurs se sont fait piéger. C'est l'une des pénalités les plus gravement sanctionnées aux États-Unis.
– Utile, le petit guide réalisé par Hertz, « Conduire aux U.S.A. ». Nombreux conseils pour faciliter la conduite sur place.

*Essence*

Faites votre plein avant de traverser des zones inhabitées, certaines stations-service (*gas stations*) sont fermées la nuit et le dimanche. Parfois, sur les autoroutes, on peut rouler pendant des heures sans en trouver une. Le prix de l'essence (*gas*) varie selon les régions, les marques et les qualités. Sachez aussi qu'un *gallon* = 3,75 l. On trouve deux qualités d'essence : le super, dit *super, high test* ou *ethyl* (la plus chère) ; l'ordinaire, appelée *normal* ou *regular* (bon marché). N'hésitez pas à prendre du *regular,* sauf dans les grandes voitures américaines. Toutes les *gas stations* vous offrent une grande variété de services : des renseignements, des toilettes à votre disposition, ainsi que du café ou des cigarettes. Ils vendent aussi des cartes très précises de la localité où l'on se trouve et qui couvrent en général un peu plus que la localité (utile lorsqu'on cherche des adresses précises).
L'essence en libre-service est 10 % moins chère. Enfin, on ne donne pas de pourboire dans les stations-service.

*Permis de conduire*

Le permis français est valable aux États-Unis. Toutefois, il est conseillé de se faire faire un permis international, délivré dans les préfectures sur présentation du permis français, d'un certificat de domicile, d'une carte d'identité et de deux photos. Coût : 17 F. En effet, les policiers sont plus habitués au permis international qu'à un permis écrit dans une langue qu'ils ne connaissent pas. Mais emportez quand même le permis national, car certaines agences de location l'exigent.
En Belgique, pour obtenir le permis de conduire international, adressez-vous au *Royal Automobile-Club de Belgique* (R.A.C.B.).

*Les voitures de location*

Les voitures sont louées à la journée ou à la semaine. Certaines compagnies louent à l'heure, mais les agences importantes exigent un jour de location au minimum.

• *Location en Europe*

En France, vous pouvez acheter trois types de forfaits ; c'est le plus souvent moins cher que sur place. Passez par une grande agence.
– *Les coupons de location à la journée :* ils n'intéressent que les voyageurs qui ne veulent pas louer une voiture plus de deux jours consécutifs. A partir de trois jours, ces coupons sont inintéressants.
– *Forfaits valables sur tous les États-Unis, sauf la Floride :* il s'agit de locations pour trois jours minimum à une semaine et plus, suivant un tarif dégressif.
– *Forfaits spéciaux Floride :* cette région à vocation essentiellement touristique propose des forfaits similaires aux précédents, mais à des tarifs inférieurs d'environ 10 %.
Conseils :
– Exigez que sur le coupon figure la mention selon laquelle la location a été payée.
– Emportez la documentation où figurent les tarifs pratiqués en Europe.
– Vérifiez si les coordonnées de l'agence ou le numéro de téléphone de celle-ci aux États-Unis sont précisés pour chaque ville où la location se fait.
– Emportez l'adresse et le n° de téléphone de l'agence en France (qui ne figure pas sur le coupon) afin de pouvoir téléphoner en PCV en cas d'ennuis.

• *Location aux États-Unis*

Il faut choisir parmi les tarifs proposés le plus économique par rapport à votre utilisation. Si vous pensez faire peu de kilomètres, il vaut mieux prendre le tarif le plus avantageux à la journée, même si le coût au kilomètre est plus cher. Pour un très long parcours, choisissez les tarifs à la journée les plus onéreux, car le prix du kilomètre sera plus économique !
La formule « kilométrage illimité » est généralement la plus rentable, en tout cas à partir de 150 miles par jour. Les voitures de location les moins chères sont les *economy* et les *subcompact*.
Quand on réserve une compact, par exemple, on ne paie pas plus cher quand il n'y en a plus et que l'agence vous donne une voiture plus grosse.
Les compagnies proposent souvent des réductions week-end (*week-end fares*) : du vendredi midi au lundi midi. On paie 2 jours pour 3 jours d'utilisation.
Il s'agit également d'interpréter le prix annoncé par les compagnies : si l'on vous propose un tarif par jour pour une voiture moyenne, tenez compte de la taxe (en Californie : 6,2 %), de l'assurance tous risques et de l'essence, qui ne sont jamais comprises dans le prix affiché.
Dans de nombreuses compagnies, on peut rendre le véhicule dans un endroit différent de celui où on l'a pris *(one-way rental),* mais c'est beaucoup plus cher.

• *Quelques règles générales*

– Il est impossible de louer une voiture si on a moins de 21 ans, voire 25 ans pour les grandes compagnies.
– Si votre permis a moins de 3 ans ou si vous avez moins de 25 ans, les compagnies de location font payer un supplément par jour. Bien souvent le permis international ne suffit pas ; certaines agences refusent de louer une voiture sans le permis national.
– Évitez de louer dans les aéroports (bien plus cher qu'en ville, même s'il s'agit de la même société).

– Avoir absolument une carte de crédit (VISA ou Eurocard sont acceptées partout). Rares sont les compagnies qui acceptent le liquide. De plus, dans celles qui peuvent accepter, on doit laisser une grosse caution en liquide.
– Toujours faire le plein avant de rendre la voiture. Sinon, vous paierez plus cher. Si on réserve d'avance, on paie moins cher qu'en s'y prenant le jour même.
– Toujours demander une réduction. Ça peut marcher.
– En fait, il y a deux types de location : les locations bon marché dans la ville, mais on ne peut pas dépasser un rayon limité de X miles (sinon vous avez un supplément par km supplémentaire) ; les locations plus chères qui permettent de sillonner tous les États-Unis sans limitation de kilométrage (ex. : *Alamo*).
– Les franchises d'assurances voitures varient d'une compagnie à l'autre.
– Très souvent, les agences de location remboursent le taxi nécessaire pour se rendre à leur agence (demander une *bill* au taxi).
– Bon à savoir : assurance aux tiers (obligatoire) se dit : *P.D.W. (Physical Damage Waiver),* et assurance tous risques (facultative) : *F.C.W. (Full Collision Waiver).*

• *Les petites compagnies*

Thrifty Rent-a-Car, Greyhound Rent-a-Car, Compacts Only... et toutes les petites compagnies locales qui n'ont que 5 ou 10 voitures.
Si vous désirez faire seulement un « U-drive », c'est-à-dire partir pour revenir au même endroit, il est préférable de louer une voiture dans une petite compagnie locale : c'est nettement moins cher et, en principe, ils accepteront de l'argent en guise de caution. De toute façon, si vous reconduisez la voiture à l'endroit où vous l'avez louée, vous risquez de payer moins cher. Pratique pour visiter les parcs nationaux.
Voici quelques petites compagnies avec leurs numéros *toll free* (gratuit). Mais attention, on ne peut pas appeler ces numéros à partir de la France.
– ***Holiday Payless Rent-a-Car :*** ☎ (800) 237-28-04.
– ***Alamo Rent-a-Car :*** ☎ (800) 327-96-33. Une des rares qui acceptent les chèques de voyage comme caution. *Attention,* certains lecteurs ont eu des surprises à l'arrivée, concernant l'état des véhicules.
– ***Al Rent-a-Car :*** ☎ (800) 527-02-02.
– ***Rent-a-Wreck :*** ☎ (800) 421-72-53. Agences à Los Angeles : ☎ (213) 478-06-76. Attention, le dernier numéro est payant. Vous avez bien compris : « Louez une épave. » C'est une plaisanterie. Modèles vieux ou tout neufs, moins chers. Toutefois, les voitures sont de plus en plus neuves. Une des rares compagnies qui louent aux 23-25 ans ; dans les autres, il faut avoir 25 ans révolus.

• *Les grandes compagnies*

Hertz, Avis, National, Budget...
– *Inconvénient :* elles acceptent rarement une caution en liquide. Obligation d'avoir une carte de crédit.
– *Avantages :* elles sont moins exigeantes sur l'âge. Parfois 21 ans au lieu de 25. Surtout, les voitures sont généralement neuves, donc pas de pépins mécaniques !
– En cas de pépin mécanique, le représentant local de la compagnie vous changera la voiture.
– Possibilité (généralement) de louer dans une ville et de la laisser dans une autre. Mais il faut, dans ce cas, rester dans les limites de l'État où on a pris la voiture. Sinon, les frais de « rapatriement » vous coûteront cher.
– *National Car Rental :* pas besoin d'avoir 21 ans comme dans la plupart des cas (18 suffisent), ni de carte de crédit pour y louer une voiture. Mais ce n'est pas systématique, malheureusement.
– Les plus grandes compagnies de location de voitures ont des numéros de téléphone gratuits (*toll free*). Celui qui appelle pour avoir des renseignements ou réserver ne paie pas la communication à condition de faire le 1-800 (on ne peut utiliser ce numéro qu'à partir des États-Unis ou du Canada).

### • Location d'un « motor-home » ou d'un « camper »

C'est un véhicule issu de l'amour tendre entre une caravane et une camionnette. Cette progéniture est fort utilisée aux États-Unis.
Le *camper* est une camionnette équipée d'une unité d'habitation qui ne communique pas avec la cabine ; il faut donc utiliser la porte arrière pour pénétrer dans

la partie habitation de ce véhicule de taille moyenne – 3,50 m à 5 m –, où quatre personnes peuvent coucher confortablement.
Le *motor-home* est un vrai camion-caravane, très luxueux et très élaboré au niveau du confort. Il est même équipé d'une douche. C'est la plus grande des maisons roulantes (7 à 9 m), pouvant loger jusqu'à six personnes très confortablement. C'est aussi la plus chère des solutions, encore que, lorsque l'on a des gamins ou que l'on divise les frais par quatre ou six, cela devient beaucoup plus abordable.
La moins onéreuse des maisons roulantes est sans conteste le bus Volkswagen aménagé, modèle *camper*. Il est équipé d'un coin cuisine avec un petit réfrigérateur, d'une table et de lits repliables. On peut y loger jusqu'à cinq personnes.
A déconseiller : la caravane, car il vous faut louer une automobile pour la remorquer.
Pour choisir un *campground,* vous devez toujours prévoir deux ou trois endroits différents dans un rayon de 50 miles ; ainsi, si le premier terrain ne vous plaît pas, vous pouvez tenter votre chance plus loin, mais ne tardez pas trop dans la journée car il est interdit de stationner en dehors des *campgrounds* pour la nuit.

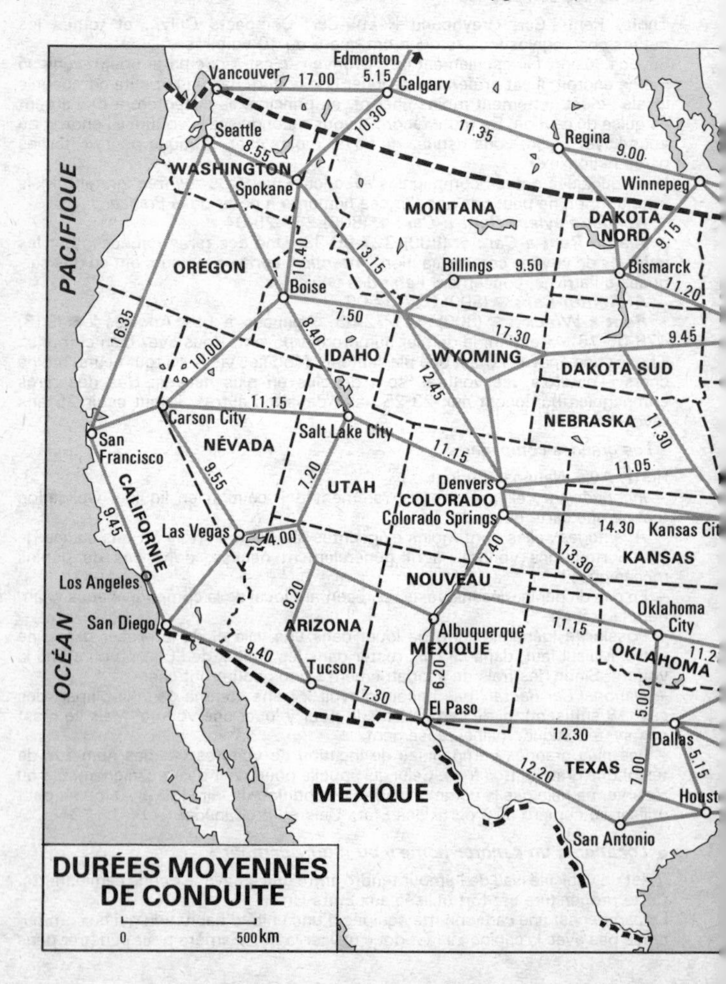

Essayez toujours les parcs nationaux ou les parcs d'États : c'est moins coûteux et le site est toujours intéressant.
Les réfrigérateurs sont en général à gaz et les bouteilles se rechargent dans les stations.
Sachez qu'en plus de tous ces accessoires nécessaires à l'habitation roulante, vous trouverez une hache, un seau, une pelle de camping, de la vaisselle, des chaises pliantes, un couchage complet et même un balai. Les *motor-homes* sont équipés de l'air conditionné, qui fonctionne sur le moteur en marche ou bien en se branchant sur le *hook-up* (branchement dans les campings).
Si vous êtes intéressé, mieux vaut le louer à Paris car, en été, il est très difficile de trouver sur place.
Pour parler franchement, on n'est pas très favorable à ces engins. Même si c'est la grande mode de louer un *trailer* pour visiter les États-Unis, cela comporte bien des inconvénients :
– C'est lent.
– Il faut le ramener au point d'origine ou, sinon, payer un supplément de 100 $.
– La consommation est extrêmement élevée : de 20 à 45 l aux 100 km selon les modèles !

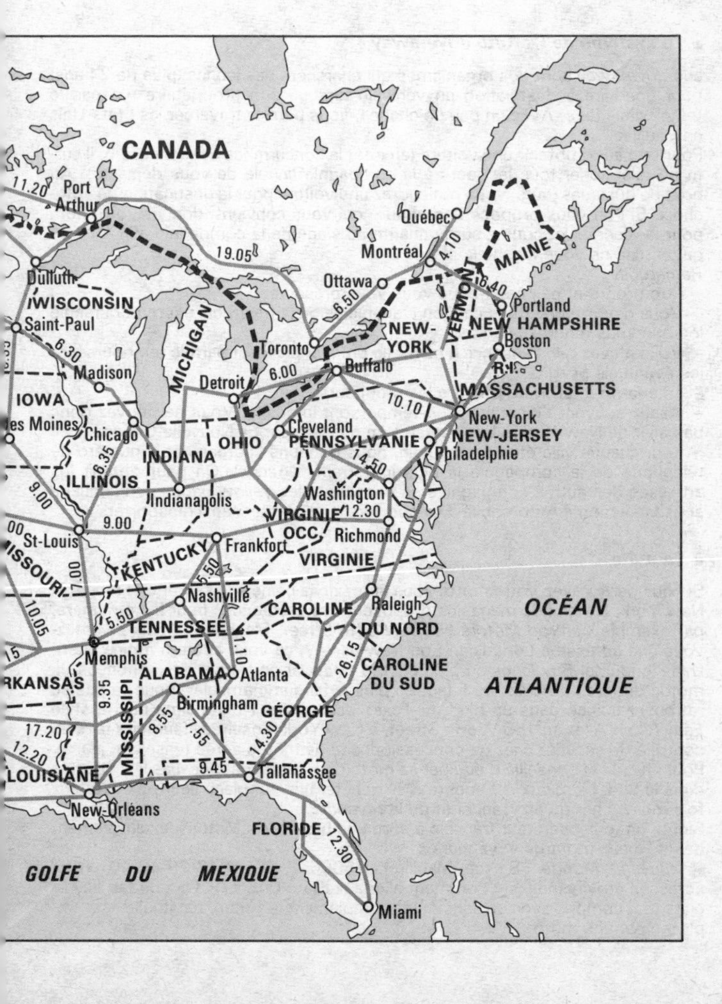

– En été, il est difficile de trouver des places de stationnement, surtout dans les parcs nationaux. Il est interdit de se garer n'importe où (dans les grandes villes, on vous met en fourrière sur l'heure). Vous devrez passer la nuit dans des emplacements réservés (un annuaire est fourni) : 5 à 12 $ la place + eau + électricité + gaz... Eh oui ! tous les branchements (eau, électricité) sont payants dans les terrains aménagés. Possibilité quand même de stationner sur les parkings des hypermarchés ou des magasins, à condition évidemment d'éviter tout déballage et de laisser les lieux propres.
Dans les parcs nationaux, pas de réservation. La durée du séjour est limitée ; arriver le matin pour avoir une bonne place. Mais, contrairement aux campings français hyper bondés l'été, les terrains aux États-Unis vous laissent des possibilités d'isolement.
– C'est cher : il est souvent moins onéreux de louer une voiture ordinaire et de coucher dans un motel.
On peut les réserver en France auprès d'un voyagiste, c'est souvent moins cher et le risque de ne pas trouver de véhicule en arrivant aux États-Unis est exclu.
– Par ailleurs, la ville de New York interdit l'accès aux camping-cars, ainsi que certaines régions comme la vallée de la Mort, interdites aux véhicules de loisirs durant l'été.

### • *Le système de l'« Auto drive-away »*

Les *drive-away* sont des organismes qui cherchent des jeunes (plus de 21 ans) pour conduire à destination un véhicule lorsque son propriétaire n'a pas le temps de le faire. Avec un peu de chance, vous pouvez traverser les États-Unis en Cadillac...
Pour être sûr d'obtenir une voiture (en effet la concurrence est sérieuse !), il suffit de téléphoner tous les jours à la compagnie (inutile de vous déplacer). Au bout de quelques jours, vous obtiendrez une voiture pour la destination de votre choix. Si l'on vous propose une voiture qui vous convient, donnez votre nom pour la réserver et courez sur-le-champ au siège de la compagnie afin d'éviter qu'un rusé ne vous fauche la place.
*Remarques :*
– Être propre et peigné lorsque vous vous présentez.
– Vous devrez verser une caution (variable selon le trajet) qui est remboursable lorsque vous rendrez la voiture.
– Vous n'avez que l'essence à payer (le premier plein est parfois remboursé) et les éventuels péages.
– Le contrat interdit de prendre les stoppeurs.
– Assez souvent l'itinéraire et le temps sont imposés. Vous ne pouvez donc pas aller de New York à Los Angeles en passant par La Nouvelle-Orléans...
– Pour chaque ville étudiée plus loin, nous donnons l'adresse et le numéro de téléphone de la compagnie la plus importante (*Aacon*). On peut obtenir les adresses des autres compagnies en consultant les *yellow pages* de l'annuaire sous la section « Automobile Transporters » ou « American Transporters ».

### • *La moto*

Si vous partez avec votre moto, vous aurez de la peine à l'assurer en France. A New York, les grands magasins proposent des assurances pour les étrangers, par exemple *Camrod Motors :* 610 W 57th Street, Manhattan (mais inventez-vous une adresse à Long Island ou New Jersey, ça vous coûtera moins cher). Dans le journal *Buy Lines* ou bien encore *Recycler* on trouve des annonces de motos et autos d'occasion. Il faut en plus la faire immatriculer, pour ne pas se retrouver coincé dans un bled du Texas par un shérif qui n'aime pas le style *Easy Rider*. Allez au 155 Worth Street, à New York. Ensuite, il faut faire faire un contrôle de sécurité chez un concessionnaire de motos agréé (enseigne jaune). Pour finir, il est conseillé d'équiper sa moto d'un carénage, *because* les insectes dans le Sud. Le mieux est encore d'en acheter une sur place (leur prix est deux fois moins cher qu'en France) et de la revendre.
Sinon, un tour-opérateur français a sorti une brochure « Motos » exclusivement destinée aux motards voyageurs :
– *Nouveau Monde :* 8, rue Mabillon, 75006 Paris. ☎ 43-29-40-40. (Voir adresses province dans « Comment aller aux États-Unis ? »). Tout un tas de circuits tout compris avec ou sans guide, simplement la voiture habituelle est remplacée par une moto.

• *L'avion*

Les compagnies desservant l'intérieur des États-Unis sont nombreuses. La plupart sont spécialisées sur une région. Depuis la dérégulation des tarifs, la concurrence est énorme. Ce qui est très bien. Les retards sont fréquents.
Le routard aura du mal à s'y retrouver (chaque jour de nouveaux tarifs apparaissent). Les forfaits coûtent bien moins cher pour qui les achète avant de partir. Voici quelques éléments qui l'aideront peut-être :

• *Tarif de nuit (night fare) :* sur certaines grandes lignes, il existe des compagnies intérieures qui accordent une réduction d'environ 20 % si vous voyagez de nuit (entre 21 h et 6 h). De plus en plus rare malheureusement.

• *Tarif « stand-by »* (sans réservation) : sur les lignes intérieures courtes et très fréquentées (exemple : New York-Boston ou San Francisco-Los Angeles...), vous pouvez obtenir une réduction de 30 à 35 % si vous embarquez uniquement quand il y a de la place. Heureusement, départs toutes les demi-heures environ. Cette solution s'avère avantageuse si vous réservez 7 ou 14 jours avant le départ. En effet, les prix sont alors bas.

• *Tarif « Visit U.S.A. »*
– Valable jusqu'à 2 mois (parfois 1 an). Très variable suivant les compagnies.
– Compagnies : *American, America Continental, Delta, Northwest, T.W.A., Pan Am, United* et *Western.*
– Suivant la compagnie, ce tarif est valable sur un aller simple, un aller-retour ou *open jaw* (avec interruption de parcours) avec nombre d'escales illimité, mais un seul arrêt par ville (sauf en cas d'escale).

• *Forfaits « Pass » :* en gros, c'est une fleur que font les compagnies aériennes aux passagers résidant en dehors des États-Unis et munis d'un billet transatlantique. Le prix des distances en est réduit. il est nécessaire de fixer l'itinéraire avant de partir. Inscrire le plus de villes possible. Si on ne va pas à un endroit, on peut le sauter, mais on ne peut pas ajouter d'escale, à moins de payer un supplément de 20 $.
Voici les conditions de quelques compagnies aériennes qui offrent des pass :
– ***Air France*** (adresse au début du guide) possède des accords avec US Air. Réduction de 100 $ par rapport aux autres compagnies. Passagers classe Club, surclassé en vol intérieur.
– ***American Airlines*** (adresse au début du guide) propose des forfaits de 3 coupons minimum sur les États-Unis avec extension sur Hawaï, le Mexique et les Caraïbes. Il faut être non-résident américain, rester au minimum 7 jours et au maximum 60 jours. Valable uniquement en conjonction avec un vol transatlantique. On peut acheter 5 coupons supplémentaire maximum.
– ***Delta Airlines*** (adresse au début du guide) vend le pass « Discover America ». Il faut acheter au minimum 3 coupons et au maximum 12 coupons. C'est valable s'il débute dans les 60 jours suivant un vol transatlantique effectué sur Delta, Air France ou UTA. Impératif de fixer l'itinéraire et de réserver le premier vol avant l'arrivée dans le pays. Les billets doivent être également émis et réglés avant l'arrivée.
– ***Northwest Airline*** (adresse au début du guide), en conjonction avec un vol transatlantique sur Northwest uniquement. Il faut acheter 3 coupons minimum. Le 1er coupon doit être réservé et le pass définitif émis au plus tard 7 jours avant l'arrivée aux États-Unis. Valable 60 jours. Un coupon par numéro de vol et 2 stops maximum sont autorisés par ville.
– ***TWA*** (adresse au début du guide) propose son Airpass réservé aux passagers non-résidents aux États-Unis et porteurs d'un billet transatlantique TWA. Valable 60 jours maximum, sur tout le réseau intérieur TWA. Un vol par coupon.
– ***United Airlines*** (adresse au début du guide), réservé aux passagers non-résidents aux États-Unis ou au Canada, ayant acheté un vol transatlantique United Airlines. Valable de 1 à 60 jours. Le 1er vol doit être réservé avant l'arrivée aux États-Unis. Le reste du parcours peut être laissé open mais l'ensemble de l'itinéraire doit être fixé avant le départ. 2 stops maximum sont autorisés par ville. Open-jaws autorisés.
– ***America West :*** ☎ 43-59-00-34. Pas de conditions particulières si ce n'est qu'il faut être non-résident américain.
– ***US Air :*** 23 *bis,* rue d'Anjou, 92100 Boulogne. ☎ 40-19-29-00. Ou chez *Discover America Marketing,* 85, avenue Émile-Zola, 75015 Paris.

☎ 45-79-68-68. M. : Charles-Michels. Ouvert de 9 h à 18 h. Propose des forfaits très intéressants sur l'ensemble de son réseau intérieur. 2 ou 3 coupons minimum selon la zone d'utilisation. Tarif préférentiel pour les passagers voyageant sur un vol transatlantique (régulier ou charter) US Air ou Groupe Air France.

– *IMPORTANT :* si vous avez une série de réservations aériennes à l'intérieur des États-Unis, que vous avez effectuée en France, avant votre départ, il est indispensable de les reconfirmer auprès du premier transporteur, retour y compris, au plus tard 72 h avant le départ.

– *ATTENTION :* il est désormais interdit de fumer dans les avions qui effectuent aux États-Unis des vols de moins de 2 h, ainsi que sur tout les vols de *Northwest Airline,* et cela en conformité avec une loi votée en 1987 par le Congrès. Une violation de cette règle entraîne une amende de 1 000 dollars (2 000 dollars pour ceux qui fumeraient dans les w.-c.).

● ***Transports de véhicules (auto ou moto) par cargo***

ATTENTION : SI VOTRE SÉJOUR NE DÉPASSE PAS 30-45 JOURS, LOUEZ PLUTÔT SUR PLACE ! Dans le cas contraire, un spécialiste confirmé pourra vous calculer un budget raisonnable aller-retour :
– ***Homeship :*** 62, rue Saint-Lazare, 75009 Paris. ☎ 42-81-18-81. Demander Charlie.

Voitures et camping-cars seront transportés par ferry transatlantique régulier (pas de possibilité passagers) à destination de la côte est (d' Halifax à Houston) aussi bien que de la côte ouest (de L.A. à Seattle). Les motos peuvent être prises telles quelles, c'est-à-dire sans emballage coûteux, sur les destinations Homeship comprises entre Jacksonville et côte ouest (le nord des États-Unis imposant un départ en conteneur donc un emballage préalable). Pour les retours, Homeship vous conseille plutôt d'embarquer côte est, c'est moins cher et plus fréquent. Et les motos peuvent en partir sans emballage, vers Le Havre !

## Travailler aux États-Unis

Le visa touristique interdit formellement tout travail rémunéré sur le territoire américain. C'est la théorie. En fait, il y a deux possibilités : le travail déclaré et le travail « au noir ».
– Pour effectuer n'importe quel travail déclaré, il faut se procurer absolument la *Social Security Card*, qu'il était facile d'obtenir jusqu'en 1973. Depuis, la « crise », l'inflation, la récession, le chômage et tout ça font qu'il est pratiquement impossible de l'obtenir actuellement sans visa de résident. De toute façon, cette carte ne légalisait pas votre situation, mais rendait plus aisée la recherche de boulot.
– On peut mettre son costume des dimanches et aller dans les motels expliquer que, question vin, on est imbattable. Avoir un serveur français donne un vieux coup de prestige à leur boîte.
Ceux qui connaissent un peu la cuisine française ont de sérieux atouts. On connaît aussi des acteurs amateurs qui font la tournée des Alliances françaises et écoles privées.
– Le travail « au noir » le plus courant est le baby-sitting (6 ou 7 dollars de l'heure plus le repas). Attention cependant à la concurrence des agences spécialisées. Il y a aussi la plonge, le ramassage du tabac, et la chanson pour les mélomanes. Il faut se faire payer à la semaine plutôt qu'au mois. Ne pas négliger non plus les cours particuliers de français. On peut demander tranquilou 15 ou 20 dollars de l'heure ; et ça marche fort car la langue française (peut-être par snobisme) est très appréciée des Américains. Vous pouvez même garder les enfants de parents qui apprennent le français. Alors là, c'est le jack-pot !

● ***Council Work and Travel U.S.A. :*** si vous êtes étudiant(e) de 18 ans au moins, le Council peut vous aider à trouver un job aux États-Unis. Le Council se charge de vous obtenir le visa de travail *(visa JI)* dont vous aurez besoin pour travailler légalement. Le C.I.E.E. demande au total 5 350 F, payables en trois fois. Il vous fournit tout d'abord une liste d'offres d'emplois. Lorsque vous avez trouvé quelque chose, vous payez le restant en 2 fois. En contrepartie, le C.I.E.E. fournit un billet aller-retour pour New York, la carte d'étudiant inter-

nationale, une réservation pour la nuit de votre arrivée, le visa JI pour travailler, plus une assistance en cas de problème, et plein d'autres petits trucs. Excellente solution pour un séjour de deux ou trois mois, car le fait de travailler permet de gagner assez d'argent pour rembourser une bonne partie, si ce n'est la totalité, des frais du voyage. Et surtout, travailler aux États-Unis est une expérience très intéressante ; très appréciée sur un C.V.
Pour tout renseignement, écrivez vite à :
– *Council (C.I.E.E.)* : 51, rue Dauphine, 75006 Paris. ☎ 43-25-09-86. M. : Odéon. Brochure sur demande au *Council Work and Travel,* 1, place de l'Odéon, 75006 Paris. Informations sur Minitel : 36-15 code COUNCIL.

• ***Moniteur(trice) de colonie de vacances :*** pour faire acte de candidature, il faut avoir entre 20 et 30 ans, être bilingue, et avoir déjà une expérience des jeunes (être instituteur, avoir animé un club, scoutisme...). Les demandes doivent être faites avant fin janvier pour l'été. L'inscription tourne autour de 1 000 F, selon l'association. Elle comprend le billet d'avion aller-retour et l'assurance. Une fois sur place, vous recevez de l'argent de poche pour 9 semaines. Vous êtes nourri et logé. Super ! On l'a fait. Renseignements :
– *Club des Quatre Vents :* 1, rue Gozlin, 75006 Paris. ☎ 43-29-60-20. M. : Saint-Germain-des-Prés. S'y renseigner aussi pour les emplois saisonniers autorisés.
– *Rencontres et Voyages :* 5, place de Vénétie, 75013 Paris. ☎ 45-83-24-97.
– *I.C.E.P.* (International Counselor Exchange Program) : 38 West 88th Street, New York, N.Y. 10024. ☎ 787-7706. On vous envoie pendant environ deux mois comme animateur de centre de vacances, puis on vous offre la possibilité de partir avec différents tours afin de visiter les États-Unis pendant un mois.

• ***Cueillette des fruits :*** de juin à octobre dans les États d'Oregon et de Washington. Citrons et oranges de fin janvier à début mars en Californie. Oranges de décembre à mars en Floride (mais grosse concurrence des Cubains). Près des chutes du Niagara, ramassage du tabac en juillet.

• ***Cours de français :*** nourri-logé, contrat 3, 6, 9 mois. S'adresser à : *Amity Institute,* P.O. BOX 118, Del Mar, CA 920 14 U.S.A. ☎ (619) 755-35-82. Pour les non-anglicistes titulaires d'un D.E.U.G., par exemple (ou d'un quelconque diplôme bac + 2), c'est un bon moyen de travailler légalement aux États-Unis. Logement et nourriture gratuits, le tout dans une *high school* (lycée), ce qui peut être très sympa. Cependant, mieux vaut le savoir, la majorité des postes se trouvent dans le Minnesota, surnommé la « petite Sibérie » américaine.

• ***Concordia :*** 38, rue du Faubourg-Saint-Denis, 75010 Paris. ☎ 45-23-00-23. M. : Strasbourg-Saint-Denis. En échange du gîte et du couvert, le travail est bénévole. Chantiers très variés, restauration de patrimoine, valorisation de l'environnement, travail d'animation, etc. Places très limitées, s'y prendre à l'avance. Attention, voyage à la charge du participant.

# LE NORD-EST

## NEW YORK

IND. TÉL. : 212

Une ville trop à l'étroit sur son île et qui craque de partout. Après s'être étalée, après avoir assimilé toutes les villes environnantes, New York a dû gagner en hauteur. Les grands mouvements, les modes, les innovations naissent et crèvent ici. Le choc est si fort quand on débarque que c'est dur d'apprécier. C'est une ville sous pression où tout est tellement démesuré que ça en devient violent, voire agressif. Vite, toujours plus vite, jusqu'à l'excès. New York méprise ceux qui se la coulent douce. Faire une pause, c'est régresser. Il faut brûler les étapes. De plus, il faut s'apprêter à souffrir à New York en été. Une chaleur moite, atteignant 33 °C, écrase Manhattan. Mais, après quelques jours, vous commencerez peut-être à ressentir une certaine fascination. Car ici tout bouge. New York, c'est plus qu'une ville, c'est une expérience.
Dans leur excellent guide sur New York, Gault et Millau nous apprennent l'origine du surnom *Big Apple :* les musiciens des « jazz bands » surnommaient une ville où ils venaient jouer pour la première fois la « pomme » ; ils avaient le trac, et donc une boule dans la gorge. C'était ça, la « pomme ». La première fois qu'ils venaient à New York, ils avaient la « grosse pomme » (Big Apple).

### L'arrivée

A notre avis, il vaut mieux quitter New York le plus vite possible et y séjourner au retour d'un voyage à travers les États-Unis. Vous apprécierez alors beaucoup mieux cette ville tentaculaire. Et la « claque » qu'infligera New York sera moins forte.
Si vous arrivez par New York, vous atterrirez certainement à *Kennedy International Airport*. Dans le grand hall d'accueil du bâtiment des arrivées internationales, vous trouverez le bureau d'information *(Information Desk)* avec parfois du personnel parlant le français.
Si vous avez une correspondance à prendre à Kennedy Airport, et que la compagnie que vous empruntez est installée dans un bâtiment autre que celui où s'effectuent les arrivées internationales (à noter que les grandes compagnies américaines possèdent leurs propres bâtiments), vous pouvez prendre une navette de couleur jaune (gratuite) qui assure la liaison. Vous n'aurez aucun problème pour trouver votre bâtiment car ils sont tous disposés en cercle.
S'il vous faut prendre un vol qui part des autres aéroports de New York (La Guardia et Newark), les autobus Carey vous y emmèneront. Pour La Guardia, délai de transit : 30 mn, et pour Newark International, comptez un délai de transit de 3 h 30.

### Liaisons avec le centre ville

En fait, il existe trois aéroports à New York. Ils sont tous aisément reliés au centre de la ville.

• ***De Kennedy Airport.*** Liaisons par :
– *Bus Carey :* toutes les 20 mn entre 6 h et minuit. ☎ (718) 632-0500 ou 632-0509. Le bus vous conduit au *Grand Central Terminal* (East 42nd Street, angle Park Avenue) ou au *Port Authority Bus Terminal* (42nd Street et 8th Avenue). Légèrement plus long que le train (ça dépend de la circulation). De plus, le terminal est assez éloigné des hôtels bon marché.
– *Gray Line Air Shuttle :* minibus qui dessert les trois aéroports de 7 h à 23 h tous les jours. Numéro gratuit : ☎ 1-800-451-0455 ou 757-6840.
– *Le métro : Shuttle Bus* (gratuit) de l'aéroport qui fait le tour des différents terminaux et finit sa course à la station de métro Howard Beach JFK Airport (lignes

A, C et H). Puis métro qui dessert Manhattan. Inversement, pour quitter Manhattan, prendre la ligne A, sortir à la station Howard Beach JFK Airport pour emprunter le Shuttle Bus (toujours gratuit !) jusqu'à JFK. Coût total : 1,25 $ (le prix du *token*). Qui dit mieux ?
– Pour les riches, *hélicoptère* (à Kennedy, départ du terminal TWA). On arrive à l'héliport situé au bout de East 34th Street. ☎ 1-800-645-3494. Cher, mais les étudiants de moins de 23 ans ont droit à 50 % de réduction. Durée : 18 mn.
– *Le taxi :* pas tellement plus cher que le train ou le bus quand on est trois. Un avantage : il vous dépose directement à l'hôtel. Faire attention à ce qu'il soit jaune et que le compteur fonctionne ! En effet, il existe des *gipsy taxis* qui ne mettent pas leur compteur et, une fois arrivés, n'hésitent pas à vous demander une somme vertigineuse. Dans ce cas, n'hésitez pas à appeler un policier.

• ***De l'aéroport de Newark.*** Liaisons par :
– *Bus New Jersey Transit* jusqu'au West Side Air Terminal (8th Avenue et 42nd Street), en plein centre de Manhattan. ☎ (201) 460-8444. Fonctionne 24 h sur 24. Toutes les 15-30 mn.
– *Bus Air Link* sur le même quai que la navette, pour 3,5 $, et aller jusqu'à la gare Newark Downtown. Là, prendre le métro « Path » au trock 1 qui, pour 1 $, traverse Manhattan. Circule 24 h sur 24. Arrêt à World Trade, 9th, 18th, 27th et 33rd Streets.
– *Olympia Trails Airport Express :* jusqu'à Grand Central Station (Park Ave. et 41st Street). ☎ 964-6233. De 5 h à 23 h, toutes les 30 mn.
– *Gray Line Air Shuttle.*

• ***De l'aéroport La Guardia.*** Liaisons par :
– Bus privé (Carey). Pour Manhattan. Ou bus Q 33 jusqu'au terminal de métro, puis ligne n° 7 jusqu'à Grand Central. Le bus fonctionne 24 h sur 24 h. 9,5 $.

• ***De La Guardia à l'aéroport de Newark :***
– *Salem Limousine :* ☎ 762-6700. Pour les un peu plus riches qui veulent éviter les tracas des bus. Durée du trajet : de 1 h à 1 h 30 en minibus de dix places.
– *Bus Carey* (comme les autres aéroports) : de 6 h à 1 h.
– *Pan Am Water Shuttle :* depuis Downtown, Pier 11 (près de Wall Street) et Midtown, 34th Street Pier. Renseignements : ☎ 687-6233 ou 1-800-54-FERRY.

## Orientation

Chose étonnante, il est facile de se repérer à Manhattan. D'abord, les avenues vont dans la direction nord-sud, tandis que les rues s'étirent de l'est vers l'ouest. Les rues et les avenues étant perpendiculaires, voilà pourquoi une adresse se compose souvent d'un numéro de rue et d'un numéro d'avenue (exemple : 2nd Avenue et 24th Street).
Les avenues sont numérotées de l'est vers l'ouest, tandis que les rues le sont du sud au nord.
Une rue est précédée de West (W) ou de East (E) selon qu'elle est située d'un côté ou de l'autre de la 5th Avenue. Exemple : 52 E 32nd Street.

## Informations

– ***Office du tourisme (Convention and Visitors' Bureau) :*** 2 Columbus Circle, à l'angle sud-ouest de Central Park (plan Uptown Sud B2). ☎ 397-8222. Ouvert du lundi au vendredi de 9 h à 18 h, samedi et dimanche de 10 h à 18 h.
– ***The Village Voice :*** de parution hebdomadaire (le mercredi), cette revue indique tout ce qui se passe à New York, aussi bien concerts pop, cinémas que boîtes de jazz. Sans compter les petites annonces, qui s'avèrent bien utiles. Si votre budget vous le permet, payez-vous également *SoHo News* et *The New Yorker* (mensuel) ; leurs infos sur la ville sont super.
– Tiens, pendant qu'on y est, il ne faut pas oublier le bimensuel ***Rolling Stone :*** très intéressant et pas seulement sur la musique. Enfin, pour les branchés, *Interview,* le journal d'Andy Warhol.
– ***Renseignements téléphoniques :*** 1 (+ *area code)* + 555-1212.

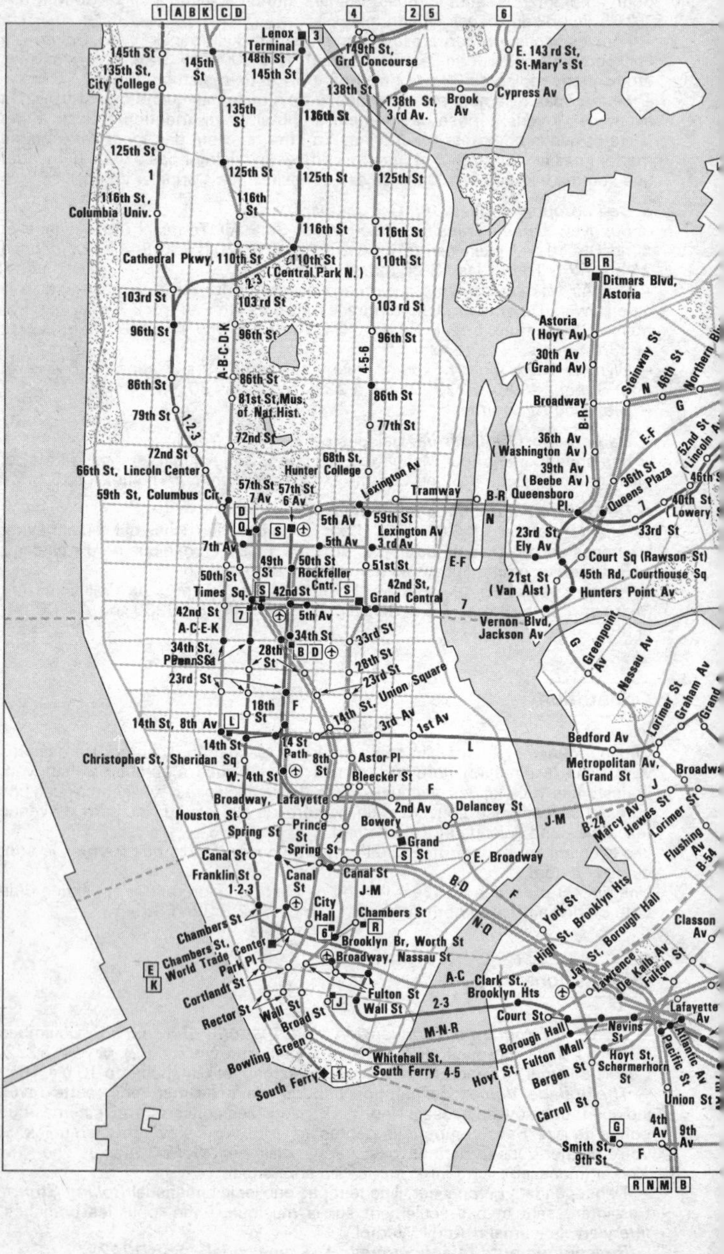

1 A B K C D
4
2 5
6
Lenox Terminal 3
148th St
145th St
149th St, Grd Concourse
E. 143 rd St, St-Mary's St
145th St
135th St, City College
145th St
138th St
138th St, 3 rd Av.
Brook Av
Cypress Av
135th St
135th St
125th St
1
125th St
125th St
125th St
116th St, Columbia Univ.
116th St
116th St
116th St
Cathedral Pkwy, 110th St
110th St (Central Park N.)
110th St
2-3
103rd St
103 rd St
103 rd St
96th St
96th St
96th St
A-B-C-D-K
4-5-6
86th St
86th St
86th St
81st St, Mus. of Nat. Hist.
79th St
77th St
1-2-3
72nd St
72nd St
68th St, Hunter College
66th St, Lincoln Center
Lexington Av
59th St, Columbus Cir.
57th St 7 Av
57th St 6 Av
Tramway
B-R
Queensboro Pl.
D Q
S
5th Av
59th St Lexington Av
N
5th Av
3 rd Av
7th Av
49th St
50th St Rockfeller Cntr.
51st St
E-F
50th St
Times Sq.
S
42nd St
S
42nd St, Grand Central
7
42nd St A-C-E-K
7
5th Av
34th St
33rd St
34th St, Penn St.
28th St
B D
28th St
23rd St
23rd St
23rd St, Union Square
18th St
F
14th St, 8th Av
L
14th St, Union Square
3rd Av
1st Av
14th St
14 St Path
8th St
Astor Pl
L
Christopher St, Sheridan Sq
W. 4th St
Bleecker St
Broadway, Lafayette
F
2nd Av
Delancey St
Houston St
Bowery
J-M
Spring St
Prince St
Spring St
Grand St
S
Canal St
Canal St
E. Broadway
Franklin St 1-2-3
Canal St
J-M
B-D
F
City Hall
Chambers St
N-Q
Chambers St
6
R
Chambers St, World Trade Center
Brooklyn Br, Worth St
E K
Park Pl
Broadway, Nassau St
A-C
Clark St., Brooklyn Hts
Cortlandt St
Fulton St
J
Wall St
2-3
Rector St
Wall St
Broad St
M-N-R
Bowling Green
Whitehall St, South Ferry 4-5
South Ferry
1
B R
Ditmars Blvd, Astoria
Astoria (Hoyt Av)
30th Av (Grand Av)
Steinway St
N
46th St
Northern Bl
Broadway
G
B-R
E-F
52nd St Lincoln Av
36th Av (Washington Av)
39th Av (Beebe Av)
36th St
Queens Plaza
46th St
7
40th St (Lowery St)
33rd St
23rd St, Ely Av
Court Sq (Rawson St)
21st St (Van Alst)
45th Rd, Courthouse Sq
Hunters Point Av
Vernon Blvd, Jackson Av
G
Greenpoint Av
Nassau Av
Lorimer St
Graham Av
Grand
Bedford Av
Metropolitan Av, Grand St
Broadwa
J
Marcy Av
Hewes St
Lorimer St
B-24
Flushing Av
B-54
York St
High St, Brooklyn Hts
Jay St, Borough Hall
Lawrence
De Kalb Av
Fulton St
Classon Av
Lafayette Av
Court St
Borough Hall
Nevins St
Atlantic Av
Pacific St
Hoyt St, Fulton Mall
Hoyt St, Schermerhorn St
Bergen St
Carroll St
Union St
G
4th Av
9th Av
Smith St, 9th St
F
R N M B

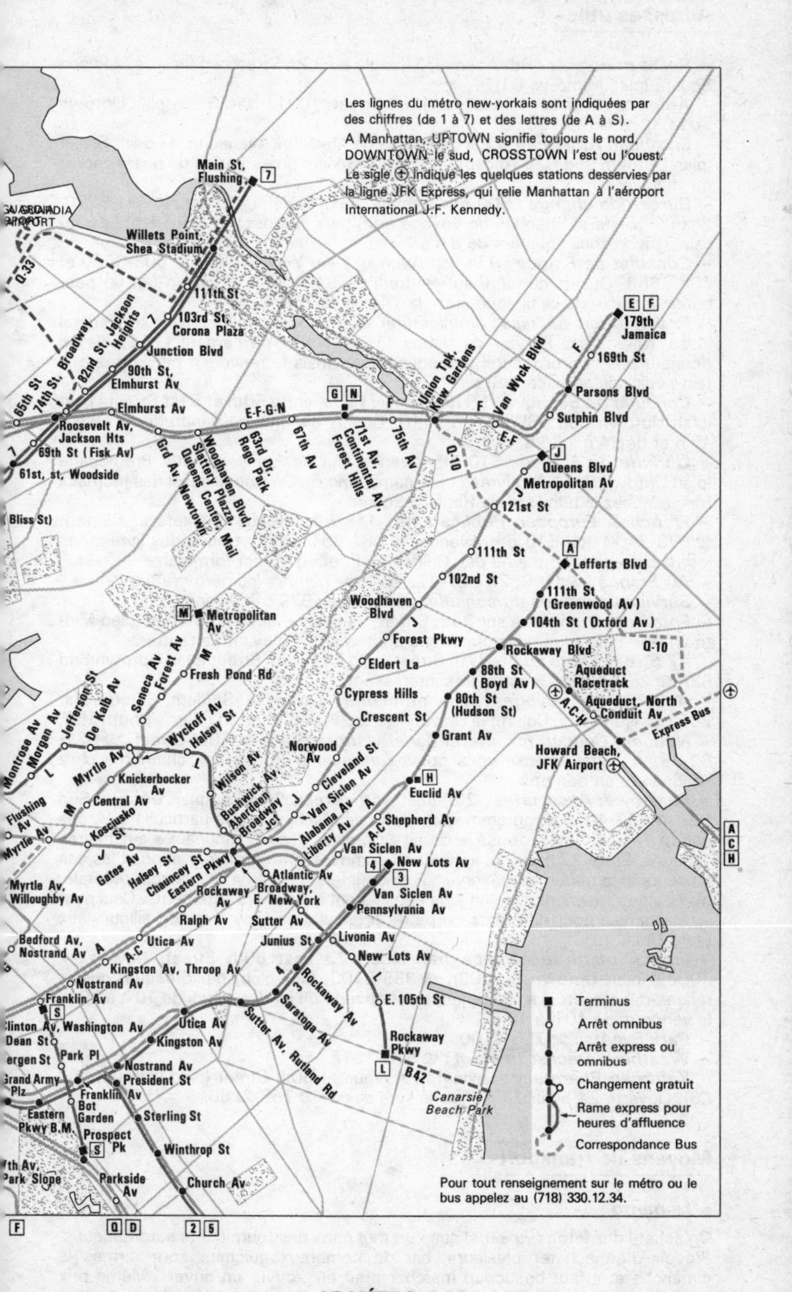
Les lignes du métro new-yorkais sont indiquées par des chiffres (de 1 à 7) et des lettres (de A à S).
A Manhattan, UPTOWN signifie toujours le nord, DOWNTOWN le sud, CROSSTOWN l'est ou l'ouest.
Le sigle ⊕ indique les quelques stations desservies par la ligne JFK Express, qui relie Manhattan à l'aéroport International J.F. Kennedy.
Main St, Flushing
7
Willets Point, Shea Stadium
111th St
103rd St, Corona Plaza
Junction Blvd
90th St, Elmhurst Av
82nd St, Jackson Heights
74th St, Broadway
65th St
Roosevelt Av, Jackson Hts
69th St (Fisk Av)
61st, st, Woodside
Elmhurst Av
Grd Av, Newtown
Woodhaven Blvd, Slattery Plaza, Queens Center, Mall
63rd Dr, Rego Park
67th Av
71st Av, Continental Av, Forest Hills
75th Av
Union Tpk, Kew Gardens
Van Wyck Blvd
E-F-G-N
G N
E F
179th Jamaica
169th St
Parsons Blvd
Sutphin Blvd
Queens Blvd
Metropolitan Av
121st St
111th St
102nd St
J
Woodhaven Blvd
Forest Pkwy
Eldert La
Cypress Hills
Crescent St
Norwood Av
Cleveland St
Van Siclen Av
Alabama Av
A
Lefferts Blvd
111th St (Greenwood Av)
104th St (Oxford Av)
Rockaway Blvd
88th St (Boyd Av)
80th St (Hudson St)
Grant Av
Aqueduct Racetrack
Aqueduct, North Conduit Av
A-C-H
Q-10
Express Bus
Howard Beach, JFK Airport
M
Metropolitan Av
Fresh Pond Rd
Forest Av
Seneca Av
Wyckoff Av
Halsey St
De Kalb Av
Jefferson St
Morgan Av
Montrose Av
L
Myrtle Av
Knickerbocker Av
Central Av
Wilson Av
Bushwick Av, Aberdeen
Broadway Jct
Liberty Av
Euclid Av
H
Shepherd Av
Van Siclen Av
New Lots Av
Flushing Av
Myrtle Av
Kosciusko St
Gates Av
Halsey St
Chauncey St
Eastern Pkwy
Atlantic Av
Rockaway Av
Broadway, E. New York
Van Siclen Av
Pennsylvania Av
Myrtle Av, Willoughby Av
Ralph Av
Sutter Av
Junius St
Livonia Av
New Lots Av
Bedford Av, Nostrand Av
Utica Av
Kingston Av, Throop Av
Nostrand Av
Franklin Av
S
Clinton Av, Washington Av
Dean St
Bergen St
Park Pl
Utica Av
Kingston Av
Rockaway Av
Saratoga Av
Sutter Av, Rutland Rd
E. 105th St
Rockaway Pkwy
B42
Canarsie Beach Park
Grand Army Plz
Nostrand Av
President St
Franklin Av
Bot Garden
Eastern Pkwy B.M.
Prospect Pk
Sterling St
Winthrop St
7th Av, Park Slope
Parkside Av
Church Av
Q-33
LA GUARDIA AIRPORT
(Bliss St)
F
Q D
2 5
Terminus
Arrêt omnibus
Arrêt express ou omnibus
Changement gratuit
Rame express pour heures d'affluence
Correspondance Bus
Pour tout renseignement sur le métro ou le bus appelez au (718) 330.12.34.

LE MÉTRO

## Adresses utiles

– ***Poste principale :*** 8th Avenue, à l'angle de 33th Street, en face de Madison Square (plan Midtown B1).
– ***American Express :*** 150 East 42nd Street, 10017 New York (plan Uptown Sud C3). ☎ 687-3700.
– ***European American Bank :*** à l'angle de Madison Avenue et de 54th Street (plan Uptown Sud C2). Accepte la carte VISA sur présentation du passeport et du chéquier.
– ***Bureau de change :*** 500 5th Avenue, au coin de la 42ᵉ rue. ☎ 391-5270. Change billets et chèques de voyage à un taux intéressant. Ils parlent le français. Ouvert tous les jours de 8 h à 20 h.
– ***Consulat de France :*** 934 5th Avenue, New York 10021. ☎ 606-3600 et 606-3688. Ouvert du lundi au vendredi de 9 h à 13 h. C'est en fait un petit bureau annexe de celui situé entre la 74th et la 75th.
– ***Prolongation de visa :*** *Immigration & Naturalization Service,* 26 Federal Plaza, New York. Prévoir du temps (3 ou 4 h) et de l'argent (15 $). Ils ne donnent pas la prorogation immédiatement, mais la renvoient par la poste (il faut avoir une adresse fixe).
– ***Consulat de Belgique :*** 50 Rockefeller Plaza, entre 50th et 51st Streets East (plan Uptown Sud C3). ☎ 586-5110. Ouvert du lundi au vendredi de 10 h à 13 h et de 14 h à 16 h.
– ***Librairie de France :*** 610 5th Avenue, sur Rockefeller Center Promenade (plan Uptown Sud C3). Livres et journaux français. On trouve aussi des journaux français chez le buraliste de Harvard Square.
– ***French & European Publications :*** 115 5th Avenue (Rockefeller Center). ☎ 673-7400 ; ou 610 5th Avenue. ☎ 581-8810. On y trouve des livres, des journaux français et même des Guides du Routard ! C'est formidable.
– ***Air France :*** ☎ (800) 237-27-47. *Toll free number* (numéro gratuit).
– ***Services culturels du consulat de France :*** 972 5th Avenue.
– ***Fotomat :*** Penn Plaza sur 34th Street, au-dessus de Penn Station (plan Midtown B1). Pour faire développer ses photos en 24 h avant de rentrer.
– ***47 Street Photo :*** 67 N 47th Street et 115 W 45th Street (plan Uptown Sud B3). ☎ 260-4410. Des prix très intéressants.
– ***Agences de voyages pour étudiants :*** Columbia Student Enterprises, 206 Lewisohn Hall, Columbia University. ☎ 280-4535 et 101 Ferris Booth Mall.
– ***National Council for international visitors :*** 119 W 40th Street. ☎ 921-82-05. A cette adresse vous pouvez essayer d'obtenir des chambres chez l'habitant à un bon prix.
– ***Passfey & Associates :*** 230 East 44th Street, Suite 9k (plan Uptown Sud D3). ☎ 697-4070. Programmes de visite de Manhattan très particuliers. A des puristes il peut être proposé le circuit « Crapules, flics et tribunaux » aux heures chaudes. Entre 22 h et 2 h, ils vont au commissariat où on leur expose les cas en cours et le traitement réservé aux prisonniers. Puis ils vont à la cour fédérale, où ils s'entretiennent avec un juge et assistent à plusieurs jugements. Ceci peut être organisé pour différents corps de profession à New York ou ailleurs aux États-Unis.
– ***French Institute/Alliance française :*** 22 East 60th Street, New York 10022 (plan Uptown Sud C2). ☎ 355-6100. Ciné-club, bibliothèque, conférences-débats, etc. La bibliothèque est ouverte du lundi au jeudi de 10 h à 20 h, le vendredi de 10 h à 18 h.
– ***Park Events :*** ☎ 755-4100.
– ***Weather Forecast (météo) :*** ☎ 976-1212.
– ***Kaufman Pharmacy :*** Lexington Avenue et 50th Street (plan Uptown Sud C3). Ouverte 24 h sur 24. On vous livre aussi : ☎ 755-2266.

## Moyens de transport

### • *Le métro*

On achète des jetons *(tokens)* que l'on met dans des tourniquets automatiques. Prévoir d'en acheter plusieurs, car de nombreux guichets sont fermés le dimanche et il faut beaucoup marcher pour en trouver un ouvert. Même prix quelle que soit la distance : 1,25 $. Deux sortes de rames : le *local* (omnibus) et

l'*express* (ne s'arrête qu'aux stations principales). Il n'y a pas de réduction de style « carte orange ».
Dans le métro, il y a quelques crimes (surtout sur les lignes traversant le Bronx, Queens et Brooklyn, beaucoup moins sur Manhattan) mais il ne faut rien exagérer (les New-Yorkais font grise mine : leur ville n'est plus que dans les dix premières au hit-parade de la criminalité). Il suffit d'être normalement prudent, sans sombrer dans la paranoïa. Surtout suivre quelques conseils élémentaires et de bon sens. Par exemple, quand on peut, éviter d'aller dans un wagon où il n'y a personne. Sur les quais, la nuit, il y a des zones de regroupement de passagers marquées par des bandes jaunes. Les gens y vont naturellement. De même dans les couloirs, il suffit de suivre un groupe de personnes. Quand il y a des agressions, ce sont surtout des vols de sacs à main ou de portefeuilles et ça se passe généralement dans les sorties secondaires. En conclusion, si cela peut rassurer nos lecteurs, parmi nos nombreux amis qui ont pris régulièrement le métro, aucun ne nous a rapporté de récit apocalyptique de son séjour.
Sinon, bien vérifier la lettre ou le numéro figurant sur la rame de métro. A la différence de Paris, d'un même quai, des rames peuvent aller dans divers endroits. N'oubliez donc pas que la direction de chaque rame est indiquée sur le devant du premier wagon.
Plan du métro à Penn Station (34th Street) et en fait, en principe, dans n'importe quelle station.
Les langues des minorités – espagnol, français (Haïtiens obligent) et chinois – ont droit de cité et c'est sans surprise que l'on peut lire le nom de la station Canal Street en mandarin. A quand un panneau arabe à Barbès ?

### • *L'autobus*

Prix unique quel que soit le trajet (1,25 $). La caisse automatique n'accepte que les jetons de métro *(tokens)* ou la somme exacte en pièces de monnaie. Bien vérifier que votre bus fait tout le parcours indiqué sur le plan ; plus pratique et bien sûr plus agréable que le métro.
Il est possible de prendre pour le même prix le bus puis une correspondance pour un autre bus ; il suffit de demander au chauffeur *a transfer ticket.*
Téléphone vert pour la compagnie Greyhound : ☎ 1-800-237-8211. Téléphone à New York : ☎ 971-6363.

### • *Le taxi*

Légèrement moins cher qu'à Paris. Intéressant les premiers jours pour s'habituer à New York si l'on est plusieurs. Une lumière sur le toit indique que le taxi est libre. Vous pouvez l'arrêter n'importe où. 15 % minimum de pourboire. Une page d'histoire est désormais tournée : le bon vieux taxi aux formes rondes souvent cabossées se classe définitivement dans les espèces en voie de disparition. Il n'en reste plus guère qu'une douzaine dans Manhattan. Autochtones et touristes regrettent déjà ses 5 confortables places à l'arrière (contre trois étriquées aujourd'hui !). Les chauffeurs sont en général sympa et bavards. Surtout, ils ne font jamais de difficultés pour vous prendre, même pour quelques blocs ! Le rêve pour tous les lecteurs parisiens en butte à l'arrogance des taxis de la capitale !

### • *A pied*

Le meilleur moyen pour découvrir New York. En allant d'un centre d'intérêt à un autre, vous tomberez toujours en cours de route sur quelque chose qui vous intéressera. Attention, on n'est pas en France : traversez les rues uniquement sur les passages cloutés et au feu rouge, sinon vous subiriez le même sort que les hérissons.

### • *En patins à roulettes*

– *Vollman Rink :* près du nouveau zoo, à Central Park. Leçons et location de patins à glace l'hiver, et à roulettes l'été. Aller aussi côté West, au niveau de 80th Street. Un peu à l'intérieur du parc. Voir les rollerfreaks à côté de Sheep Meadows, qui voisinent avec les joueurs de volley-ball.

### • *A vélo*

Donne une très grande liberté. C'est le meilleur moyen d'aller rapidement d'un endroit à un autre sans perdre trop de temps et bien sûr d'en voir un maximum en un temps réduit.

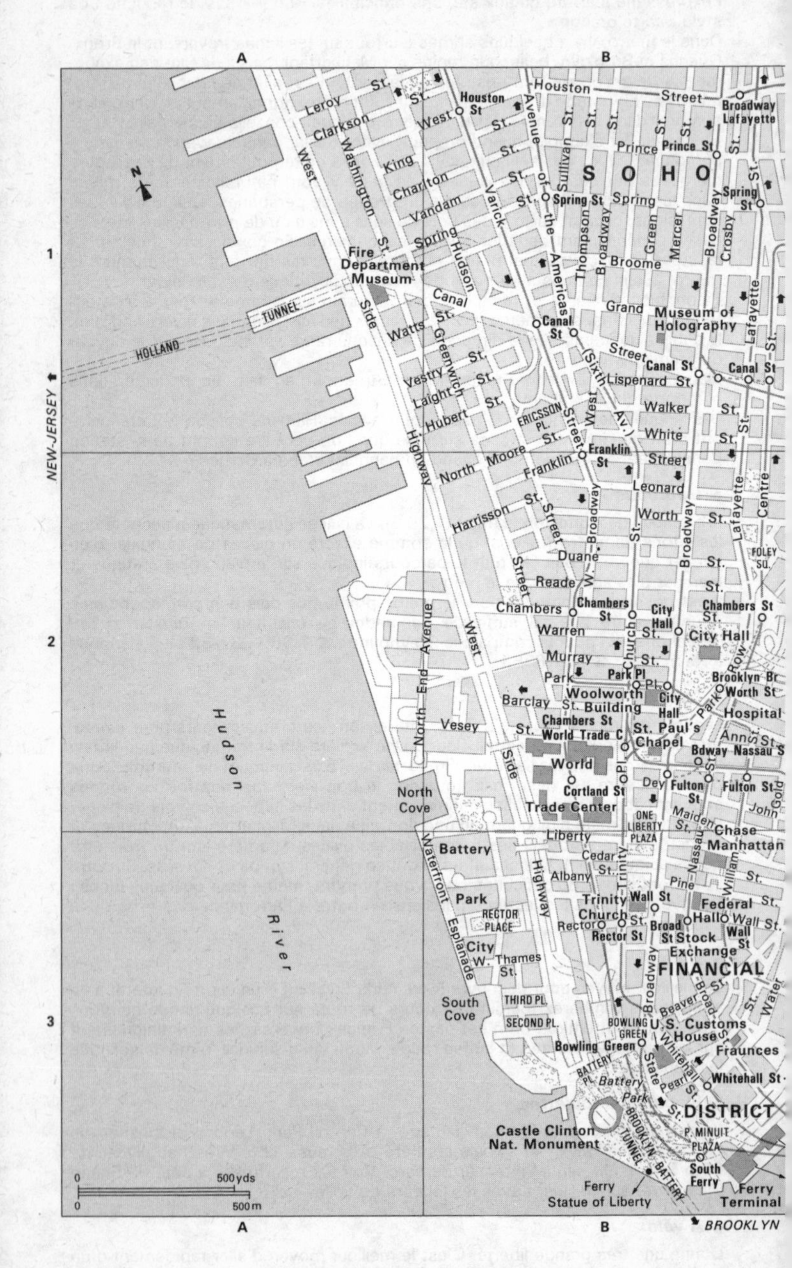


MANHATTAN DOWNTOWN

MANHATTAN DOWNTOWN

MANHATTAN MIDTOWN

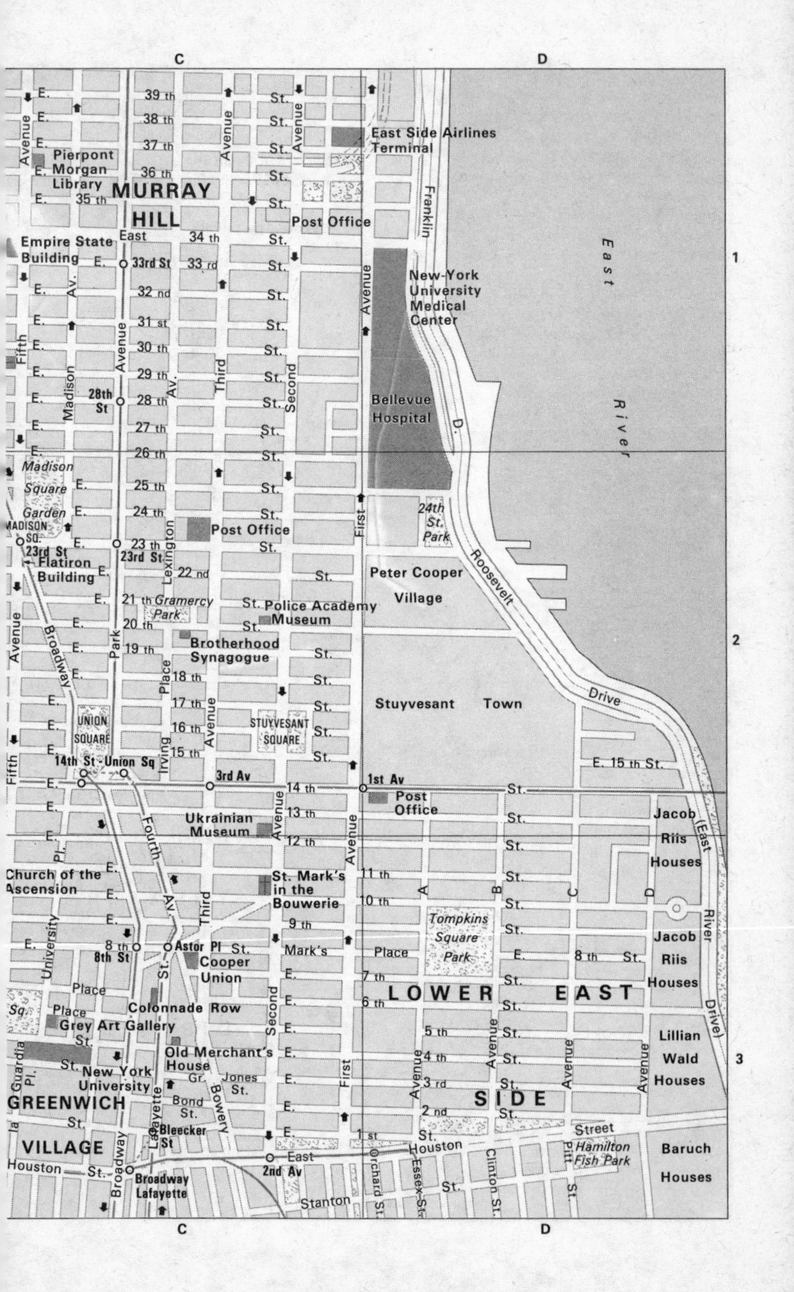


MANHATTAN MIDTOWN

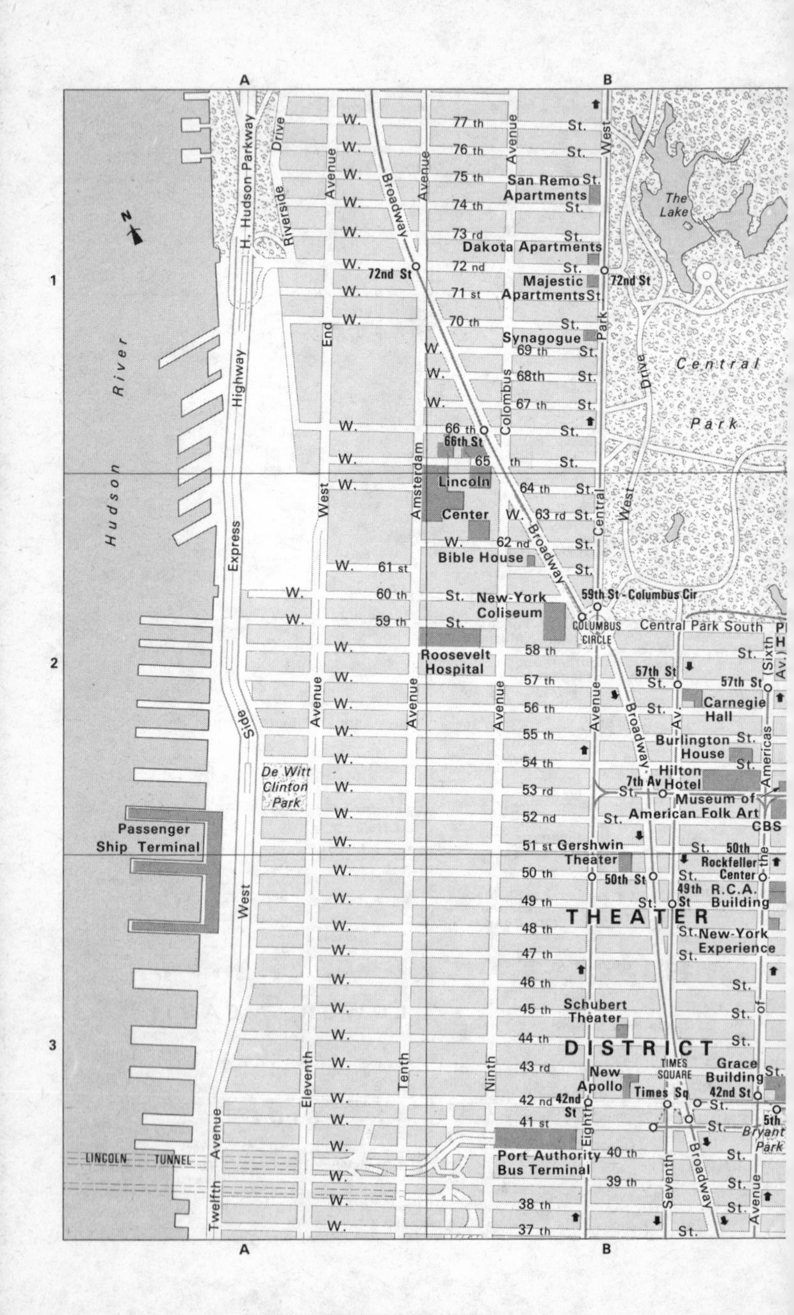


MANHATTAN UPTOWN SUD

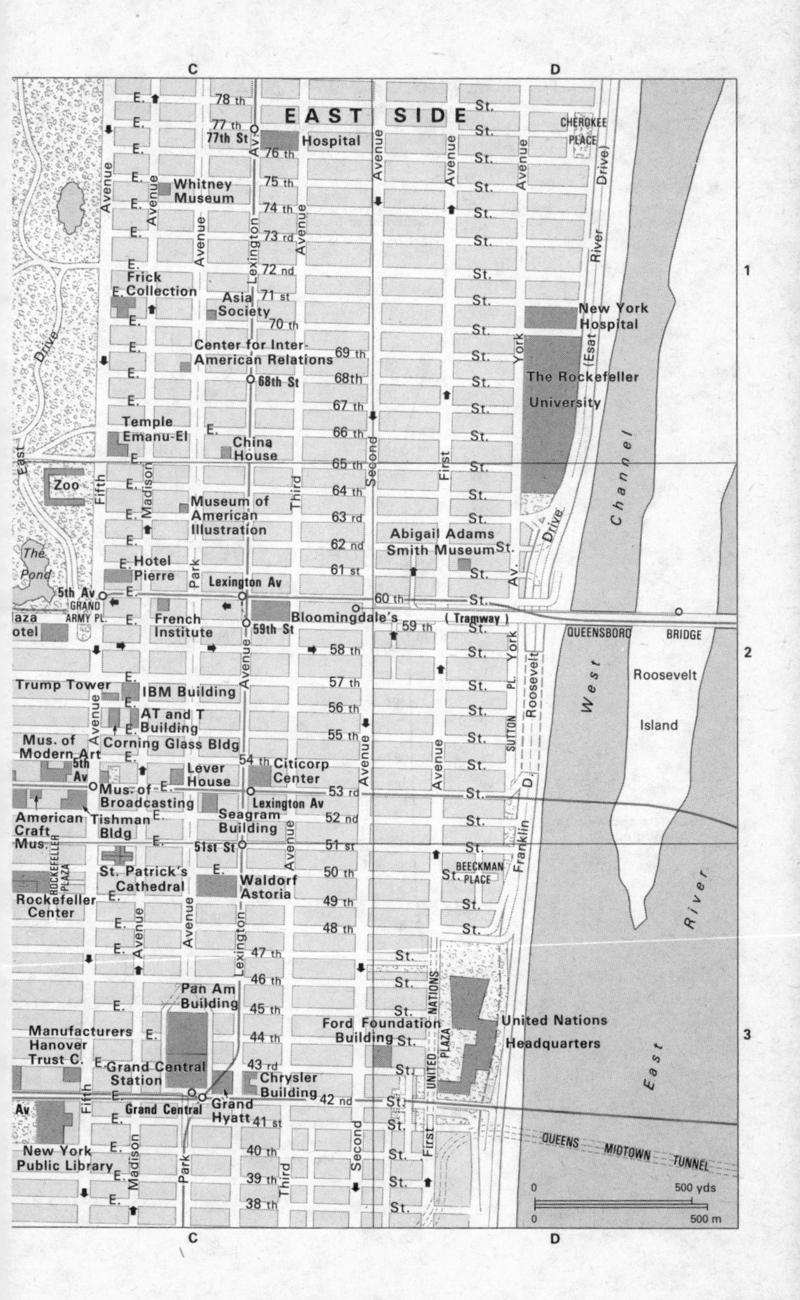
EAST SIDE
Hospital
Whitney Museum
Frick Collection
Asia Society
Center for Inter-American Relations
New York Hospital
The Rockefeller University
Temple Emanu-El
China House
Zoo
Museum of American Illustration
Abigail Adams Smith Museum
Hotel Pierre
French Institute
Bloomingdale's
(Tramway)
QUEENSBORO BRIDGE
Roosevelt Island
West Channel
Trump Tower
IBM Building
AT and T Building
Corning Glass Bldg
Mus. of Modern Art
Lever House
Citicorp Center
Mus. of Broadcasting
Seagram Building
American Craft Mus.
Tishman Bldg
St. Patrick's Cathedral
Waldorf Astoria
Rockefeller Center
BEECKMAN PLACE
SUTTON PL.
Pan Am Building
Ford Foundation Building
United Nations Headquarters
UNITED NATIONS PLAZA
Manufacturers Hanover Trust C.
Grand Central Station
Chrysler Building
Grand Hyatt
Grand Central
New York Public Library
East River
QUEENS MIDTOWN TUNNEL
CHEROKEE PLACE
0 500 yds
0 500 m

MANHATTAN UPTOWN SUD

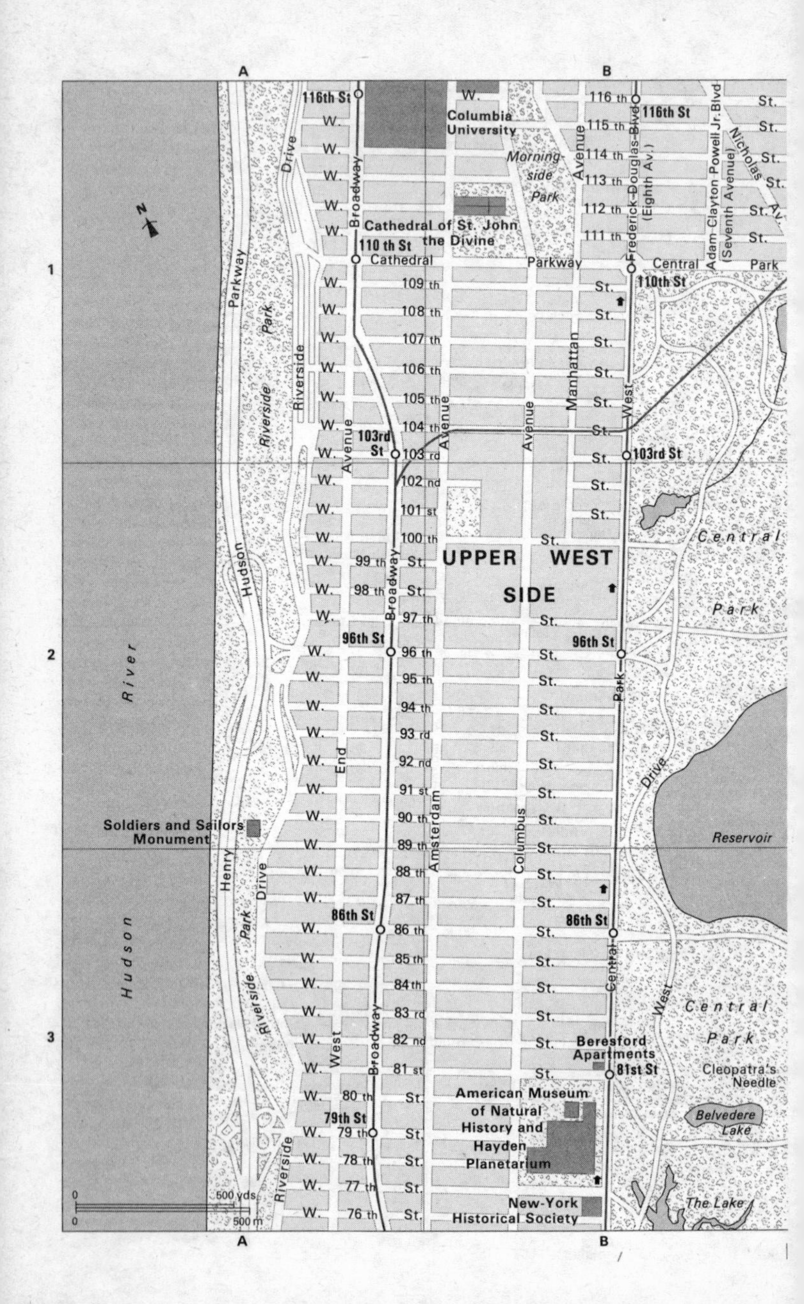


MANHATTAN UPTOWN CENTRE

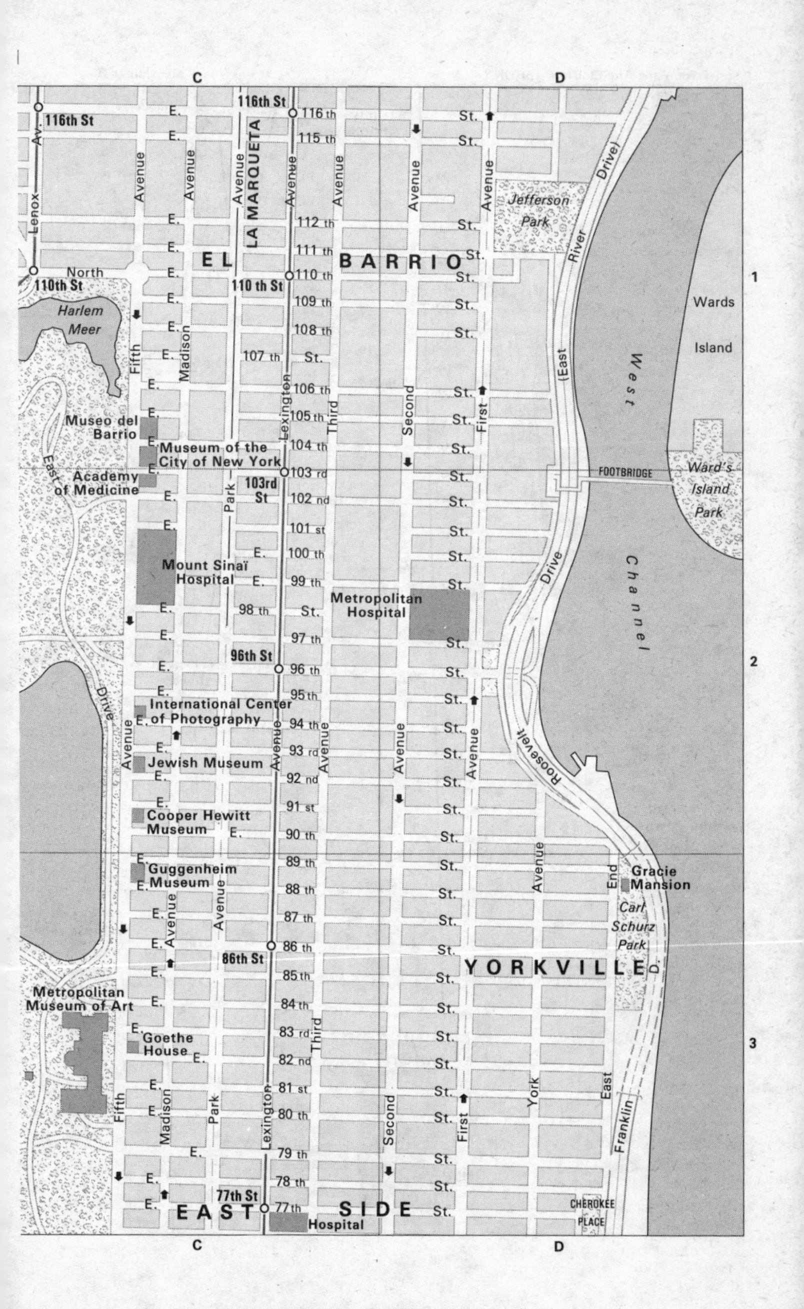


MANHATTAN UPTOWN CENTRE

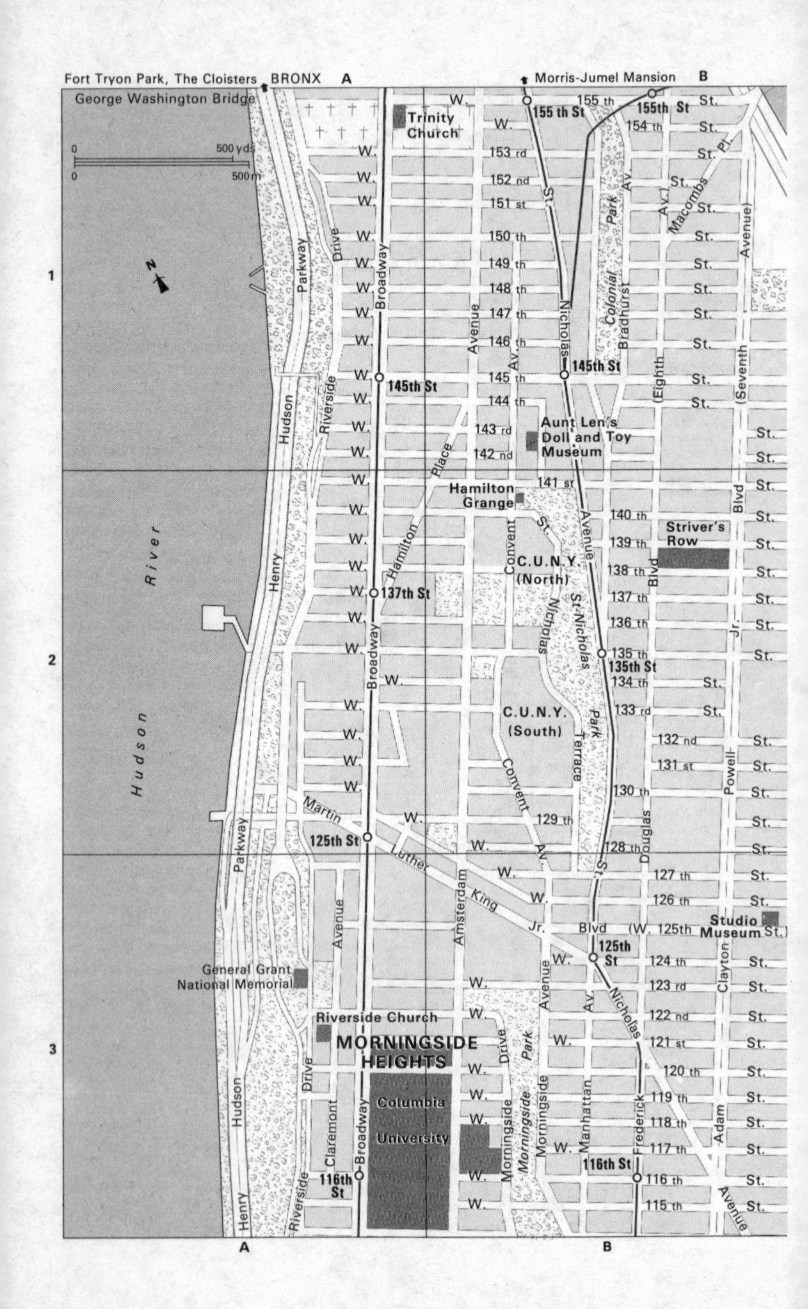


MANHATTAN UPTOWN NORD

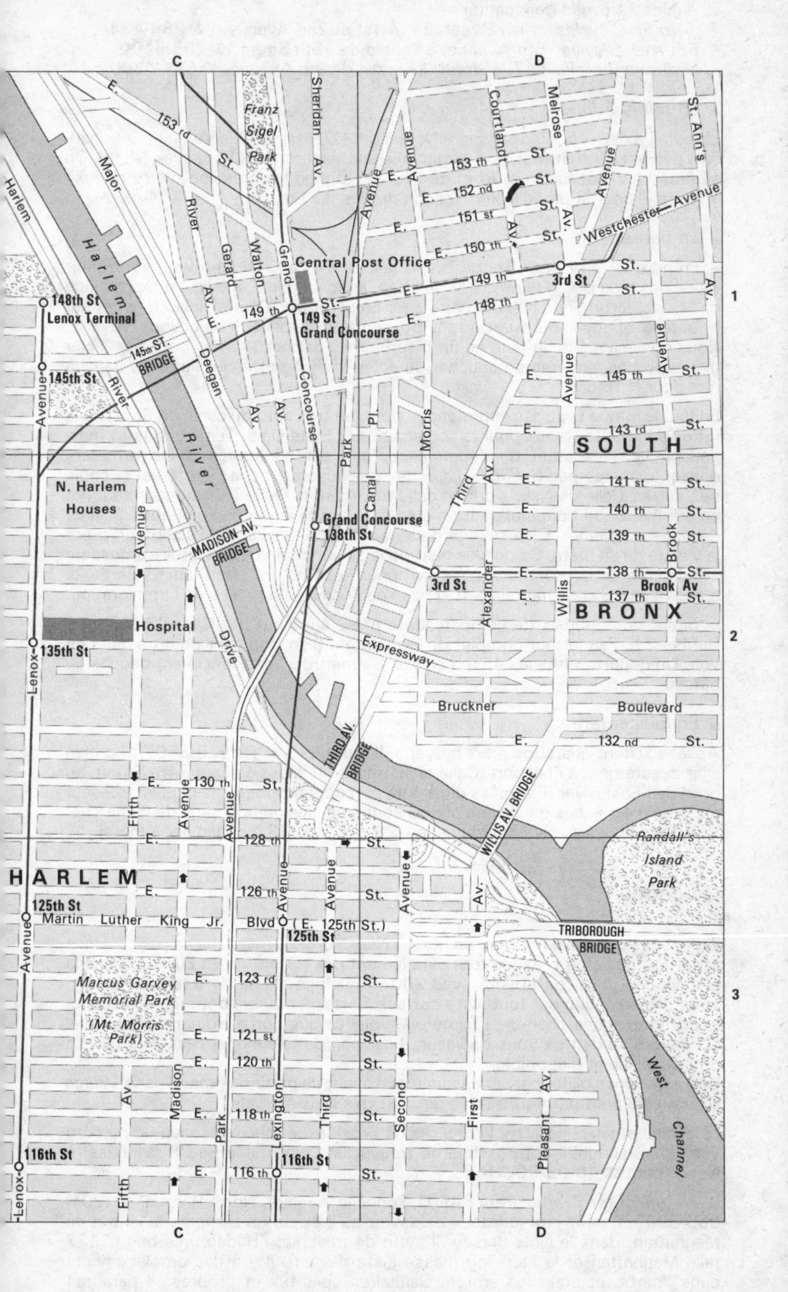


MANHATTAN UPTOWN NORD

Quelques adresses de location :
– *14th St. Bicycles :* 14th Street. Entre 1st et 2nd Avenues. ☎ 288-4344.
– *6th Ave. Bicyles :* 6th Avenue, à l'angle de 15th Street. ☎ 255-5100.
– *Midtown Bicycles :* 47th Street, à l'angle de 9th Avenue. ☎ 581-4500.

• ***En téléphérique***

Eh oui, il existe un téléphérique à New York ! Départ de 2nd Avenue, à la hauteur de East 60th Street. Vue magnifique sur Manhattan et Roosevelt Island. On surplombe l'East River, à 80 m de hauteur. Donne l'impression d'être en hélicoptère... pour le prix de deux tokens de bus. Le bon plan.

• ***En bateau***

– Prendre le ferry pour Staten Island (à Battery Park, Downtown), et profiter d'une des plus belles vues sur Manhattan, avec en prime une vision rapprochée de Miss Liberty. Si on ne veut pas visiter Snug Harbor à Staten Island, rester sur le bateau et revenir à Manhattan. 50 cents seulement pour chaque voyage. Nous conseillons de le faire en fin d'après-midi par beau temps pour bénéficier des superbes lumières du coucher de soleil et des gratte-ciel illuminés dans la nuit pour le retour.

En fait, la statue avait été commandée pour l'entrée nord du canal de Suez, mais fut offerte par la France pour le centenaire des États-Unis. Tenant dans sa main gauche la déclaration d'indépendance, elle est constituée d'une armature d'acier imaginée par *G. Eiffel.* Dilemme : quelle statue de la Liberté est la copie de l'autre ? Celle de New York ou celle regardant la Seine ? On tranche tout net en affirmant que l'original se trouve en fait dans le jardin du Luxembourg, près de la rue Guynemer. Elles se regardent, face à face. *Bartholdi,* le sculpteur, reprit le visage de sa mère. Ce que les historiens savent moins est l'histoire amusante et édifiante de la prostituée qui servit pour le corps. En effet, jamais Bartholdi n'osa déshabiller sa maman... A la base de l'édifice, un musée de l'Immigration.

– *Circle Line :* départ de l'embarcadère n° 83 au début de West 43rd Street. Durée : 3 h. Fait le tour complet de Manhattan. Bien trop cher pour ce que l'on voit. Un départ toutes les 45 mn en été. Se mettre à l'extrême avant-gauche du bateau.

• ***En hélicoptère***

Assez excitant quand on a les moyens. Il faut réserver (☎ 925-8807), ou bien aller directement à l'héliport. Celui-ci se trouve au début de East 34th Street, au bord de l'East River. Parmi les différents parcours proposés, le plus intéressant est celui à 45 $. Les meilleures places sont à gauche dans le sens de la marche. Vols tous les jours sauf le dimanche de 9 h à 21 h (18 h de janvier à mars).

## Où dormir ?

Il n'est pas difficile de trouver un hôtel à New York. En revanche, le petit 1 étoile propre et pas cher n'existe tout simplement pas ! Alors qu'en Europe, dans la plupart des pays, on obtient avec 200 FF quelque chose de très convenable, voire luxueux, ici c'est tout juste correct. Certains hôtels sont même réticents pour montrer une chambre. Toutefois, voici ce que l'on a trouvé d'abordable. Un conseil : avant de vous déplacer, il est bon de téléphoner pour être certain de trouver un lit disponible.
Une autre possibilité, passer une annonce avant de partir de France dans *Village Voice,* cela peut permettre de loger chez des New-Yorkais.

La chaîne américaine *New World Bed & Breakfast* a mis en service un numéro vert grâce auquel il est possible de trouver un confortable Bed & Breakfast à New York : ☎ 19-05-90-1148.

■ ***New Yorker Trailer Park :*** 4901 Tonnelle Avenue, North Bergen. ☎ (201) 866-0999. Il peut être judicieux de savoir qu'il existe un camping à 15 mn de Manhattan, dans le New Jersey. Il suffit de traverser l'Hudson. Le bus n° 127 relie Manhattan et le camping (passe juste devant). Il y a des emplacements dans l'herbe et sous les arbres. Sanitaires spacieux et propres. Il paraîtrait cependant qu'une gare de stockage fait un boucan d'enfer la nuit.

Les hôtels indiqués ci-après ne figurent pas dans l'ordre de nos préférences, mais en fonction d'un itinéraire qui permet de tous les voir sans faire trop de détours. Lisez attentivement : certains hôtels sont réservés aux étudiants ou à un seul sexe. Enfin, voici notre Top 50 des lieux pour dormir : *Carlton Arms Hotel, New York Bed & Breakfast, Sugar Hill Hostel, Leo House, Malibu Studios Hotel,* etc.

## DANS LE CENTRE DE MANHATTAN

■ ***The Chelsea Center Hostel :*** 313 West 29th Street, entre 8th et 9th Avenues (plan Midtown B1). ☎ 643-0214. Hostel sympa. Longue expérience. La patronne, Heidi, parle le français.

■ ***Carlton Arms Hotel :*** 160 East 25th Street (plan Midtown C2). ☎ 679-0680 (pour les réservations) ; ☎ 684-8337 (pour les *guests*). M. : 23rd Street (ligne nº 6). Pas mal situé. A mi-chemin de l'East Village et de la 42nd (Grand Central). Hôtel particulièrement original. Chambres, salles de bains, couloirs et cages d'escaliers ont été décorés par différents artistes. Quasiment « Artbreak Hotel », c'est-à-dire un hôtel à l'atmosphère qui plaira à beaucoup de nos lecteurs. Clientèle jeune, branchée, bohème de bon ton. Certaines chambres sont superbes, d'autres plus « classiques ». En tout cas chacune possède une personnalité. Au hasard de nos coups de cœur, les 4D, 4B, 9B, 6D, etc. Si vous arrivez à la mi-journée dans une période pas trop chargée, vous pouvez demander à en voir plusieurs. En outre, ce petit musée de peinture se révèle l'un des meilleurs rapports qualité-prix de la ville. Pour une chambre avec lavabo, compter 350 F pour deux et 400 F pour trois. Avec salle de bains privée, compter 300 F pour une personne, 390 F pour deux. Petite réduction quand on est étranger ou étudiant (sauf sur les « singles » avec bains). Si l'on paie 6 nuits d'avance, la 7e est gratuite. Réserver longtemps à l'avance (téléphone ou courrier) et confirmer toujours quinze jours avant. Conseillé d'envoyer des arrhes pour les arrivées tardives. Cartes de crédit acceptées. Une de nos meilleures adresses du Downtown.

■ ***Leo House :*** 332 West 23rd Street, entre 8th et 9th Avenues (plan Midtown B2). ☎ 929-1010. Fax : 366-6801. M. : ligne rouge nº 1, Station 23rd Street. Un sympathique hôtel, tenu par une institution catholique, où tout le monde est le bienvenu. Longue tradition d'hospitalité puisqu'elle commença à accueillir des immigrants allemands en 1889. Bien sûr, aujourd'hui on n'y débarque plus que ses baluchons. Bel immeuble, décor agréable et chambres remarquablement bien tenues. Là aussi, des prix forts modérés. Tout petit supplément pour l'air conditionné. Chambres avec salle de bains de 250 à 270 F pour une personne et de 350 à 400 F pour deux. « Family rooms » pour six personnes (avec salle de bains) à prix intéressants. Toutes sont « non-fumeurs ». Seuls les couples mariés sont acceptés (cependant ne pas se sentir obligés d'aller à la mairie pour économiser 10 $ !). Atmosphère calme et reposante pour compenser la fureur new-yorkaise. Cafétéria très clean proposant une bonne nourriture. Pain et gâteaux maison. Réservation de 8 h à 23 h (conseillé de s'y prendre à l'avance et de verser des arrhes). Principales cartes de crédit acceptées.

■ ***Gershwin Hotel :*** 7 East 27th Street (plan Midtown C1). ☎ 545-8000. M. : 28th Street. C'est nouveau, tout neuf et super sympa. Dans le quartier d'Union Square, Suzanne, une Québécoise vous accueillera dans sa maison de 12 étages où il y en a pour tous les goûts. Première formule, la moins chère et sûrement la plus sympa : pour 17 $ environ, vous serez logé dans une chambre de 4 avec salle de bains. C'est la formule auberge de jeunesse, mais oubliez ce que vous connaissez déjà. Ici, pas de couvre-feu, c'est ouvert 24 h/24. Deuxième formule : si vous tenez à votre intimité, demandez une single pleine de couleurs et ce pour 45 $. Troisième formule : les 3 derniers étages ont été décorés et aménagés par de jeunes designers new-yorkais. Les chambres n'inspirent donc pas la mélancolie ! Évidemment, c'est un peu plus cher. En plus, et pour le même prix : à chaque étage bibliothèque, réfrigérateur, petit salon avec café ou thé gratuit. L'été, barbecue sur le toit, en plein Manhattan. Le rêve...

■ ***Roger Williams Hotel :*** 28 East 31st Street. A l'angle de Madison Avenue. ☎ 684-7500. Fax : 576-4343. A 3 blocs de l'Empire State Building. Chambre de 1 à 4 lits avec kitchenette, salle de bains et T.V. couleur. 15 % de réduction pour les étudiants. Environ 60 $ pour 2, plus taxes.

■ ***International Student Hostel (ISH) :*** 154 East 33rd Street. Entre Lexington et 3rd Avenue (plan Midtown C1). ☎ 228-7470 et 228-4689. M. : ligne verte n° 6. Grande maison de brique. Propreté acceptable. Quartier agréable. Chambres de 2, 3 ou 4 personnes. Un peu plus cher que les autres hospices, mais possibilité de marchander en dehors des mois d'été et, en prime, vous avez droit au discours un peu sécurisant du patron.

■ ***The Parkside Evangeline :*** 18 Gramercy Park South (plan Midtown C2). Sous l'égide de l'Armée du Salut. Pour les femmes de 18 à 35 ans. Calme. Chambres avec douche ou bains. Forfait à la semaine, avec deux repas par jour, très bon marché pour New York. Un des endroits les plus agréables pour dormir. Pas de réservation par téléphone.

■ ***MacBurney YMCA :*** 215 West 23rd Street, à la hauteur de 7th Avenue (plan Midtown B2). ☎ 741-9226. Assez bruyant la nuit. Vient d'être refait. Piscine.

■ ***Vanderbilt YMCA :*** 224 East 47th Street (plan Uptown Sud C3). ☎ 755-2410. A côté de l'O.N.U. Filles et garçons acceptés, mais tout petits lits superposés dans des chambres minuscules. Finalement assez cher. En été, supplément pour l'air conditionné. Cafétéria tenue par des Indiens, très chère. Piscine.

■ ***Grand Union Hotel :*** 34 East 32nd Street (plan Midtown C1). ☎ 683-5890. Fax : 689-7397. Entre Madison Ave. et Park Ave. Près de l'Empire State Building. Refait à neuf récemment. Les chambres disposent de l'air conditionné, d'une T.V. couleur et d'un réfrigérateur. Évitez celles qui donnent sur la 32th St., bruyantes. Petite cafétéria avec un distributeur de Coca, chips et cigarettes. Compter en moyenne 500 F pour deux.

■ ***Hôtel Remington :*** 129 West 46th Street (plan Uptown Sud B3). ☎ 221-2600. Fax : 764-7481. Entre 6th Avenue et Broadway, tout près de Times Square. Chambres confortables et très bien tenues. Mêmes prix que le précédent.

### *DANS UPPER WEST SIDE*

Ce n'est quand même pas loin de Times Square, et si proche de Central Park pour les joggers.

■ ***New York International Youth Hostel :*** 891 Amsterdam Avenue, à la hauteur de 103rd Street (plan Uptown Centre B1). ☎ 932-2300. Pour s'y rendre : ligne rouge n° 1 ou AA-B et CC pour 103rd Street. En bus : les M7 et M11 (arrêt 102nd St. sur Amsterdam) ou M104 (arrêt sur Broadway à 103rd St.). Une immense auberge de jeunesse installée dans un joli immeuble de style victorien en brique rouge. Restaurée récemment. La plus grande des États-Unis. 480 lits en dortoirs agréables. Grande cafétéria. Également une cuisine à disposition pour faire ses repas. L'auberge possède l'un des rares jardins privés de Manhattan. Préférable de réserver. C'est probablement l'un des endroits les moins chers de New York.

■ ***Sugar Hill International Hostel :*** 722 Saint Nicolas Avenue (plan Uptown Nord B1). ☎ 926-7030. M. : 145th Street. Lignes A-AA-B-CC et D (importante station). Hostel à seulement 1 bloc. Situé dans un quartier middle class de Harlem. Assez excentré, mais quartier quasiment sûr et à 15 mn du centre de Manhattan avec le A express. Ouvert toute l'année. Surtout, une des adresses les moins chères de la ville. Dans un beau brownstone en grès. Petits dortoirs agréables. Avec, en prime, un superbe accueil. Les deux patrons, très sympa, ont effectué de gros travaux de rénovation. Excellente atmosphère. Plein de bons tuyaux.

■ ***International Student Center :*** 38 West 88th Street (plan Uptown Centre B3). ☎ 787-7706. M. : 86th Street. Lignes AA, B et CC. Rue résidentielle et calme, à deux pas de Central Park. Dans une maison particulière. C'est meublé de bric et de broc. Un peu de poussière de-ci de-là, mais c'est globalement assez bien tenu. Atmosphère très *fellow travellers.* Plus de 30 ans d'activité, ce qui en fait la plus ancienne A.J. privée. Réception ouverte de 8 h à 23 h (clé pour la nuit). Les dortoirs les moins chers de tout New York, la providence des budgets très serrés. Dernier étage réservé aux filles. Petite cuisine dans le basement.

■ ***New York Bed & Breakfast :*** 134 W 119th Street (plan Uptown Nord B3). ☎ 666-0559. M. : 116th Street (ligne rouge n^os^ 2 ou 3 et ligne verte n° 6). Bus

M7 et M102. Situé à Harlem donc, mais dans une rue résidentielle. Le quartier est assez sûr et connaît, petit à petit, un processus de rénovation sociale. Nul ne pourra mieux vous en parler d'ailleurs que Gisèle, une adorable Québécoise qui y habite depuis 15 ans. Elle a aménagé cette belle brownstone en B & B. Ouvert toute l'année. Chambres meublées et décorées à l'ancienne (pour les amoureux, il y en a une avec un grand lit King Size sur jardin). Beaucoup de charme. Salle de bains à l'extérieur. A 40 $ (petit déjeuner continental compris), c'est la chambre double la moins chère de New York ! Si c'est plein, Gisèle propose une autre maison, à deux pas. Mais là, les lieux sont délabrés : à éviter donc.

■ ***Malibu Studios Hotel :*** 2688 Broadway (plan Uptown Centre B1). ☎ 222-2954. Fax : 678-6842. M. : 103rd Street. Éminemment bien situé. Tout neuf, tout coloré, proposant d'agréables chambres avec ou sans salle de bains parmi les moins chères qu'on connaisse. De 320 à 380 F pour une double. Celles pour 3 ou 4 personnes à des prix imbattables pour la qualité proposée. Trois jours minimum. Réservation recommandée.

■ ***Herald Square Hotel :*** 19 West 31st Street (plan Midtown B1). ☎ 279-4017. Numéro gratuit : 1-800-727-1888. Fax : 643-9208. Entre 5th Avenue et Broadway. Situé dans les anciens locaux de *Life Magazine.* A côté de l'Empire State Building. Chambres propres avec salle de bains. Les murs sont décorés avec d'anciennes photos et croquis du magazine.

■ ***Riverside Tower Hotel :*** 80 Riverside Drive (plan Uptown Centre A3). ☎ 877-5200. M. : 86th Street. Quartier assez résidentiel. Gentil hôtel loin du *traffic* de Broadway. Vue sur l'Hudson River. Chambres pas trop grandes, mais impeccables et à fort bons prix pour la qualité offerte !

■ ***West Side YMCA :*** 5 West 63rd Street (plan Uptown Sud C2). ☎ 787-4400. Mixte. Tout près de Central Park. Piscine intérieure. Chambres minuscules et chères. Ouvert à tous. Beaucoup de *singles* ont été rénovées mais sont, bien sûr, plus chères ; supplément pour l'air conditionné.

■ ***Columbia University :*** 125 Livingston Hall (plan Uptown Nord A3). ☎ 280-2775. M. : 116th Street et Broadway. Ouvert uniquement de juin à début août. Pour obtenir une chambre, aller au « J.Jay Hall ». Chambres simples et quelques doubles pour couples mariés. Très abordable, mais réservé aux étudiants et assez loin du centre. Réserver à partir d'avril-mai.

## Chambres meublées (furnished apartments)

Si vous comptez rester quelque temps à New York, c'est de loin la meilleure solution. Lire les petites annonces du *Village Voice.* Valable si on reste plusieurs semaines. Aller aussi au bureau du logement de l'université de New York, 54 Washington Square. ☎ 598-2083. Ils louent des chambres l'été.

■ ***AAAh ! Bed & Breakfast nº 1, Ltd :*** P.O. Box 200, New York, NY 10108. ☎ 246-4000. Un numéro gratuit : ☎ 1-800-776-4001. William gère quelques dizaines d'appartements à Manhattan. En téléphonant 15 jours avant ou au dernier moment, il fera toujours son possible pour vous trouver un chouette appartement, en plein centre, tout confort, pour un prix finalement très abordable quand on est trois ou quatre.

## Plus chic

■ ***Paramount Hotel :*** 235 W 46th Street (plan Uptown Sud B3). ☎ 764-5500. Numéro gratuit : ☎ 1-800-225-7474. Fax : 354-5237. M. : 42nd Street. La nouvelle coqueluche de New York. Entièrement rénové et décoré par Starck. Cocorico ! Ça a coûté 70 millions de dollars. Conçu comme un paquebot, le lobby symbolisant le pont avec grand escalier. Chambres, meubles, lavabos sortent de l'imagination féconde du grand designer. Le proprio a plus joué sur la sensibilité, le goût artistique et esthétique de la clientèle que sur l'épaisseur du portefeuille. Chambres doubles à partir de 140 $, ce qui se révèle, pour le standing de l'établissement et la qualité de ses services, une véritable *bargain.* Cafétéria ouverte toute la nuit. Eh oui, c'est aussi ça l'Amérique ! Vendu par Forum Voyages.

■ ***Westpark Hotel :*** Saint Columbus Place, 308 West 58th Street (plan Uptown Sud B2). ☎ 246-6440. Numéro gratuit : ☎ 1-800-228-1122. Fax : 246-3131. C'est assez sympa. Ventilos, T.V., baignoire... Correct sans plus. Propose le « Park Special » (une réduction accordée tous les jours).
■ ***Chelsea Hotel :*** 222 West 23rd Street (plan Midtown B2). ☎ 243-3700. Construit en 1884. La façade, superbe, est de style gothique victorien avec balcons en fer forgé. Certaines chambres sont immenses, mais souvent les lits, le confort et la propreté ne sont pas à la hauteur de la notoriété de l'établissement. De même, le hall d'entrée se dégrade peu à peu et l'accueil est nul. De prestigieux locataires y séjournèrent : Dylan Thomas, Lenny Bruce, Brendan Behan, William Burroughs, Sarah Bernhardt, Thomas Wolfe, Arthur Miller, et... Sid Vicious qui y fut accusé de meurtre. Aujourd'hui, clientèle d'artistes, poètes, marginaux...

### Vraiment plus chic

■ ***Morgans :*** 237 Madison Avenue. ☎ 686-0300. Fax : 779-8352. A la hauteur de la 38th St. Un hôtel pour les « happy few », dessiné par Andrée Putman, la célébrissime papesse de la déco. Tout est sélect et raffiné avec ses fameux damiers noirs et blancs que l'on retrouve partout, y compris dans les salles de bains. On y est chic et on s'y retrouve entre soi.
■ ***Gramercy Park Hotel :*** 2 Lexington Avenue, 21st Street (plan Midtown C2). ☎ 475-4320. Numéro gratuit : ☎ 1-800-221-4083. Fax : 505-0535. Un peu cher, mais super dans le haut de gamme. Propose un « week-end rate » (réduction sur une ou deux nuits). C'est l'hôtel préféré des rock stars. Une légende quoi ! L'hôtel a une atmosphère vieillotte qui ne manque pas de charme. Humphrey Bogart y a fêté son premier mariage. De plus, il donne sur un jardin privé, bordé de belles maisons de la fin du XIXe siècle.
■ ***Algonquin Hotel :*** 59 West 44th Street (plan Uptown Sud C3). ☎ 840-6800. Numéro gratuit : 1-800-548-0345. Fax : 944-1419. Pour l'atmosphère littéraire de cet hôtel fréquenté par les éditeurs. Chambres décorées de vieux meubles. Le hall de l'hôtel, avec ses canapés vieillis, a beaucoup de charme. Tout confort, mais cher.

## Où manger ?

New York, superbe capitale gastronomique, vous vous en doutiez bien sûr. Et puis, la cuisine new-yorkaise est évidemment celle du monde entier. Ça se comprend quand on sait que se publient des journaux en 24 langues.
Vous trouverez en gros trois grandes zones pour prendre avec délectation quelques kilos : bien sûr, le coin traditionnel de Chinatown, Little Italy, SoHo et Greenwich Village. Au nord du Village, Chelsea se développe sérieusement. Ensuite, l'East Village (Avenue A, 1st et 2nd Avenues, entre East Houston et East 14th). Là, ça vibre drôlement, et beaucoup de restos ne commettront pas d'attentat contre votre portefeuille. Enfin, l'Upper West Side (Columbus, Amsterdam et Broadway, entre 65th et 80th). Midtown avance quelques établissements dignes d'intérêt, mais le quartier ne possède pas une vie nocturne terrible et, surtout, bien personnalisée. Les alentours de Times Square et de 42nd Street sont surnommés « Hell's Kitchen », c'est tout dire ! Quant à l'Upper East Side, c'est le fief des yuppies et autres « golden boys ». Restos chic et chers. Vie de quartier peu animée.
Enfin, vous tomberez sûrement amoureux d'une institution new-yorkaise : le « delicatessen ». La cuisine juive traditionnelle d'Europe centrale, avec ses multiples nuances suivant le pays d'origine (polonaise, ukrainienne, roumaine, etc.). Certains « deli » méritent presque le titre de « grand restaurant » en pratiquant des prix extrêmement raisonnables, en garantissant une cuisine de qualité et en assurant toujours une atmosphère chaleureuse et conviviale.
Sinon, New York fourmille évidemment de chaînes de snack-bars, de pizzerias, comptoirs à bagels, etc. On peut manger un hamburger, une pizza ou un bagel fourré au fromage blanc avec un coke pour quelques dollars. Ne quittez pas New York sans avoir goûté leur fameux « sirloin steak ». Goûtez aussi le « pastrami sandwich » dans les restos juifs et les delicatessen. Ça change du machinburger. La plupart de nos adresses dans la rubrique « Où boire un verre ? » servent quelques plats simples.

Cafétérias pas chères dans les lieux publics : musées, gares, etc. Les week-ends, essayez les *brunches* : pour un prix très raisonnable, on peut manger à volonté. Très fréquents à Manhattan.
Enfin, il est pratiquement impossible de mourir de faim si l'on a encore un jean repassé et une chemise propre. En effet, un certain nombre de pubs et restos pratiquent les *happy hours*. Entre 16 h 30 et 19 h, deux boissons au prix d'une ou buffet gratuit pour le prix d'une boisson. Tactique intelligente qui consiste d'abord à remplir les établissements aux heures creuses, mais surtout à gagner et à fidéliser ensuite la clientèle.

## *A SOHO ET GREENWICH VILLAGE* (plan Midtown B3)

### Bon marché

● ***Acme Bar and Grill :*** 9 Great Jones Street, à la hauteur de La Fayette Street. ☎ 420-1934. Fermé samedi midi et dimanche midi. On ne peut pas manquer sa façade rouge qui fait tache au milieu des façades grisouilles. Déco Formica dans le genre truckers. Les amateurs de cuisine cajun seront ravis : *jambalaya*, huîtres et crabes, à des prix dérisoires.
● ***John's Pizzeria :*** 278 Bleecker Street, à la hauteur de 7th Avenue. ☎ 243-1680. On y mange de bonnes pizzas sur de grandes tables. Le mieux est de prendre une *large* ou même une *regular* pour deux.
● ***Corner Bistro :*** 331 West 4th Street. ☎ 242-9502. M. : Christopher Street. Ouvert de midi à 4 h. Ancien café qui a conservé toute sa déco (noter le plafond ouvragé). Atmosphère sombre, tamisée, chaleureuse. L'un des meilleurs burgers de Manhattan (peut-être le meilleur !). Énorme morceau de viande hachée bien goûteux et « juicy », avec tout plein de bonnes choses. En prime, une excellente sélection de jazz et gospels au juke-box (à tue-tête).
● ***Abyssinia :*** 35 Grand Street (au coin de Thompson). ☎ 226-5959. M. : Spring ou Canal Street. Ouvert de 18 h à 23 h, mardi et mercredi (minuit vendredi et samedi, et 22 h le lundi). Ouvre à 13 h les samedi et dimanche. Pour ajouter une goutte d'exotisme à votre séjour et goûter une bonne cuisine éthiopienne. On mange assis sur des tables d'osier tressé, dans un cadre assez simple. Plats traditionnels : *kitfo* (plat national), version éthiopienne du tartare, *azefa wot* (lentilles-oignons-ail), *doro wot* (poulet mariné avec sauce épices), *minchet abesh* (bœuf aux oignons), etc. Serveurs haïtiens parlant le français. Ce n'est pas donné.
● ***Moondance :*** Grand Street et 6th Ave. (un bloc au nord de Canal Street). ☎ 226-1191. Ouvert de 8 h 30 à minuit (toute la nuit vendredi et samedi). Le « diner » le plus célèbre du coin. Assez petit et sympa. Pour les sandwiches au pain *garlic challah*, les bonnes omelettes, *pancakes, chili burgers, bagel and lux*, salades, B-B-Q chicken, etc.
● ***Lupe's :*** à l'angle de Watt's Street et de 6th Avenue. ☎ 966-1326. Un bloc au nord de Moondance. Sympathique petit resto populaire. Cuisine de East Los Angeles, c'est-à-dire cuisine d'origine mexicaine, du ghetto hispanique. Plats excellents et copieux. Pas de réservation nécessaire.

### De prix moyens à plus chic

● ***Kenn's Broome Street Bar :*** Broome Street et W Broadway (plan Downtown B1). ☎ 925-2086. M. : Spring Street. Un de nos préférés. Style vieux troquet parisien informel et décontracté. Tout est écrit au tableau noir : *burgers*, chili, salades, quiches et omelettes. La nuit, super ambiance. Ouvert tous les jours jusqu'à 4 h.
● ***Prince Street :*** 125 Prince Street et Wooster (plan Downtown B1). ☎ 228-8130. Ouvert tous les jours jusqu'à minuit. Une grande salle immense peinte en rouge, de vieux ventilos, chaises de moleskine, grand comptoir. Bonne musique. Toujours très animé, surtout le soir. Cuisine simple et pas trop chère : *pasta*, salades, *burgers*, aubergine parmigiana, poulet grillé, *carrot* et *chocolate cheese cake*, etc. Quelques-uns trouveront l'endroit un tantinet snob, d'autres aimeront la confrontation des genres.
● ***Lion's Head :*** 59 Christopher Street (Sheridan Square ; plan Midtown B3). ☎ 929-0670. M. : Christopher Street. Ouvert de 12 h à 4 h. Un des plus célèbres rendos de journalistes et d'écrivains du Village. On vient y étancher une vieille soif quand le canard est bouclé. Jessica Lange y a travaillé comme serveuse (l'histoire ne dit pas si King-Kong l'y avait repérée !). Bon, descendre les trois petites marches pour déguster le midi de bonnes salades et petits plats

chauds à prix modérés. Le soir, beaucoup plus élaboré et plus cher bien entendu : *agnoletti Bolognese sauce, provençal shellfish stew,* moules, canard en émincé, etc. Au fait, ne pas tenter d'y donner un coup de téléphone urgent (toujours occupé par un écrivain traqué par son éditeur et qui se voit réclamer ses derniers chapitres...).

● ***Fanelli Café :*** 94 Prince Street (plan Downtown B1). ☎ 226-9412. Dans la première salle, bar très animé. Petite salle au fond. Pasta, quiches, pizza, *chicken* et *buffalo wings,* moules, *burgers, New England clam chowder.* Nourriture traditionnelle moyennement chère. Le cadre plaira aux nostalgiques des vieux bars bien sombres. Les yuppies se sont évidemment emparé des lieux avec avidité.

● ***Bayamo :*** 704 Broadway (et 4th Street ; plan Midtown C3). ☎ 475-5151. Ouvert tous les jours. L'archétype du resto new-yorkais très mode en ce moment. Immense (profite des volumes des anciennes warehouses), mezzanines, colonnes à la grecque, fresques colorées sur une mer de blancheur, plantes vertes, etc. Honnête cuisine « chino-latino ». Goûter aux *ensaladas Miami, cubano torpedos, hamburgesas,* etc. Spécialité de *Bayamo's pollo chino* (demi-poulet mariné, gingembre, ail, sauce, sésame et soja).

● ***Cornelia Street Café :*** 29 Cornelia Street (donne sur W 4th Street ; plan Midtown B3). ☎ 989-9319. Ouvert tous les jours de 9 h à 2 h. Resto de Greenwich typique avec ses « cool west village people » et ses dix ans d'expérience. Cadre frais et agréable. Cheminée dans la salle du fond. Cuisine américaine avec une *French Flavour.* Prix raisonnables à la carte et menu pas cher. Dans la cave, à partir de 19 h ou 21 h, intéressante programmation culturelle tous les soirs (sauf le lundi) : jazz, comédie-cabaret, poésie, musique sud-américaine. Téléphoner pour les heures des spectacles. Ne pas oublier le *Sunday Brunch,* très populaire. Petite terrasse en été.

● ***Dean and Deluca :*** 121 Prince Street (plan Downtown B1). ☎ 254-8776. Ouvert tous les jours de 9 h à 21 h 30 (dimanche à 20 h). Un des salons de thé les plus courus par les branchés et yuppies de SoHo. Bel espace et décor tout blanc. Une bonne odeur de café flotte dans l'air. Atmosphère reposante. Quelques plats chauds. Excellents gâteaux, mais assez chers. Notamment les *pumpkin* ou *falafel pies, potatoes* et *cheddar strudels, cornbread,* etc. Boîtes de thé ou cadeaux *healthy food* à emporter.

● ***Potbelly Stove :*** 94 Christopher Street (au coin de Bleecker). ☎ 242-9652. Ouvert tous les jours 24 h sur 24. Un des restaurants les plus anciens du quartier (depuis 1953). Cuisine qui a donc fait ses preuves. Cadre intime et chaleureux. Décor genre colonial. Nombreuses photos et souvenirs du bon vieux temps. Agréable courette derrière pour les beaux jours. Soupes maison délicieuses, bons chilis (avec viande ou végétarien), gros choix de salades et « baked egg casserole » (dont le « Potbelly Special »), sandwiches variés, omelettes, *burgers,* steaks, crêpes, etc. Prix tout à fait raisonnables, qualité constante.

## Plus chic

● ***Tribeca Grill :*** 375 Greenwich Street. ☎ 941-3900. A la hauteur de Franklin Street. Non seulement De Niro est un acteur géant mais il réussit son coup quand il ouvre un resto. C'est rageant ! Immense salle en brique avec, au milieu, un gigantesque bar en bois. Peu de plats mais excellents. Réservation impérative. See you Bob !

● ***Cent'Anni :*** 50 Carmine Street et Bleecker. ☎ 989-9494. M. : Christopher Street ou W 4th Street. Ouvert tous les jours midi et soir jusqu'à 23 h. Réservation quasi obligatoire le soir. Cadre et décor d'une simplicité désarmante. Ici, pas de gondoles ni de fresques napolitaines. Murs blancs seulement, abritant parfois des expos de graphistes et peintres talentueux. Normal, car ici c'est la nourriture qui compte avant tout. Service impeccable, teinté d'une familiarité de bon ton. Clientèle assez chic, mais pas trop guindée le midi. Le soir, c'est résolument élégant. Goûter à l'assortiment de délicats antipasti, aux pâtes maison fondantes (ah, les *fettucine al salmone !*). Viandes tendres, plats copieux : *tortellini alla salvia, rognone triffolato, scampi and scallops al timo,* etc. Très belle carte de vins (dont certains à prix tout à fait acceptables !).

## *DANS LITTLE ITALY, CHINATOWN ET TRIBECA*

### Bon marché

• ***Luna :*** 112 Mulberry Street, près de Canal Street (plan Downtown C1). ☎ 226-8657. Ouvert le midi et le soir jusqu'à 23 h 45 (une heure de plus le week-end). Toujours bondé (impossible d'y entrer sans faire la queue), l'un des restos les plus populaires de New York. Si vous êtes plus en fonds, quelques excellentes spécialités de fruits de mer. Petites fresques vieillottes. Si vous n'avez pas la patience d'attendre, allez au resto ci-dessous, situé à proximité.
• ***The Puglia :*** 189 Hester Street, près de Mulberry Street (plan Downtown C1). ☎ 966-6033 et 966-6006. Ouvert jusqu'à 23 h 30 en semaine et 1 h le week-end. Fermé le lundi. Deux salles (celle de gauche est la plus sympa) composent ce resto italien ouvert depuis 1919 dans le cœur de Little Italy. Goûtez au vin de la maison. Sur les murs, de grandes fresques naïves. Expresso super, bien évidemment. Bonne nourriture dans une atmosphère le plus souvent rugissante. Ne convient pas d'évidence aux dîners d'amoureux. Parfois, on a droit à une chanteuse très couleur locale, accompagnée par un accordéoniste ou un concert d'orgue un peu ringard.
• ***He Seung Fung (HSF):*** 46 Bowery (plan Downtown C3). ☎ 374-1319. Y aller vers midi le samedi ou le dimanche pour y manger les *dim sum* de 7h 30 à 16 h 30. On paie au plat, les serveurs les apportent sur un chariot et on choisit ce que l'on veut. Ça tourne de façon efficace.
• ***Poenix Garden :*** 46 Bowery Arcade (plan Downtown C3). ☎ 962-8934. Situé dans la galerie. A côté du précédent. Ouvert de 12 h à 22 h. Fermé le lundi. Petit resto chinois au cadre très quelconque, mais sa cuisine cantonaise s'y révèle très prisée et bon marché. Goûter au poulet au citron et au bar cuit à la vapeur.
• ***Pho Bang :*** 117 Mott Street (plan Downtown C2). ☎ 966-3797. M. : Canal Street. Entre Canal et Hester Streets. Ouvert jusqu'à 22 h 30. Authentique cuisine vietnamienne et pas chère du tout. Le patron reçoit de façon affable et n'a pas oublié son français d'Indochine. Plats succulents et copieux, en particulier les grandes soupes à la viande *(pho)*, le porc et le bœuf grillé avec une délicate sauce aux carottes rapées, les *spring rolls,* etc. Cadre banal, preuve qu'on n'attire pas les clients par des trucs clinquants, mais plutôt par la qualité de la nourriture. Goûter au *yolk,* genre de mixture avec du lait, du jaune d'œuf, du sucre et de la glace pilée.
• ***69 Mott Street Restaurant :*** 69 Mott Street. ☎ 233-5877. Salle très clean, peu de décor. Bonne réputation. Quelques spécialités : *salt and pepper deep fried silver fish, ginger and scallion soft shelled crab, bamboo steamer with frog and ham on a lotus beaf,* etc.

### Prix moyens à plus chic

• ***Peking Duck House :*** 22 Mott Street (plan Downtown C2). ☎ 227-1810. Ouvert à midi et le soir jusqu'à 22 h 30 (23 h 30 le week-end). Spécialité de Peking Duck, l'un des meilleurs de Chinatown, dit-on. « Lunch special » du lundi au vendredi, pas cher du tout. En vitrine, une photo de Jacques Chirac, en compagnie d'Ed Koch, l'ancien maire de New York, qui semble ne pas démentir la chose. Grande salle au 1er un peu plus chaleureuse que celle du rez-de-chaussée.
• ***Riverrun :*** 176 Franklin Street (plan Downtown B2). ☎ 966-1894. M. : Franklin (ligne n° 1) ou Canal Street. Ouvert tous les jours jusqu'à 1 h et 2 h les vendredi et samedi. Situé dans un coin isolé de Tribeca, il est donc pour les « nouveaux » habitants l'unique luciole de ce quartier d'entrepôts et de lofts. Grande salle au décor peu recherché, mais atmosphère relax. Bonne cuisine à prix modérés : sandwiches multiples, salades, *chicken parmigiana,* truite fumée, moules, burgers, etc.

### Plus chic

• ***Odeon :*** 145 W Broadway (plan Downtown B2). ☎ 233-0507. Ouvert jusqu'à 2 h. Fut une adresse très branchée il y a quelques années déjà. Aujourd'hui, s'est largement institutionnalisé, en proposant une cuisine de qualité constante pour une clientèle middle class (et un peu plus). Élégant cadre art déco. C'est assez cher, mais on peut manger aussi des sandwiches ou une *country salad.* Très bien pour la sortie des théâtres.

## DANS L'EAST SIDE ET LE LOWER EAST SIDE

Pas mal d'adresses pour une exploration en profondeur du quartier le plus intéressant de Manhattan. En fait, une vraie mine. C'est le coin de New York où il s'en crée le plus. Avec, en prime, un brin de nostalgie et de tendresse parfois...

### Bon marché

• ***Veselka :*** 144 2nd Ave. et 9th Street (plan Midtown C3). ☎ 228-9682. M. : Astor Place (ligne n° 6) ou 1st Avenue (ligne L). Ouvert 24 h sur 24. Noter les fresques sur le mur extérieur. Elles changent régulièrement, comme en témoignent les belles cartes postales en vente à la caisse. D'ailleurs, ce resto-coffee shop se révèle un curieux mélange d'art et de gastronomie, à l'image de sa clientèle très diversifiée : vieux clients de toujours, N.P.B.U. (nouvelle petite bourgeoisie urbaine), artistes, margeos, etc., se pressant autour du comptoir de Formica en U. Sous les fiers Indiens de la fresque, tous unis pour vanter les bons produits, gâteaux et délicieux petits plats polonais et ukrainiens de Veselka : *blintzes* avec *sourcream* fondants, le *poppy seed strudel* (gâteau au pavot), *home-made brownies, bigos (Polish hunter stew), goulash,* le « today's special » pas cher (avec soupe et salade). On y trouve la meilleure *mush-room barley soup* du coin. Salle à manger au fond. Bref, une nourriture saine et familiale.

• ***Leshko's :*** au coin de E 7th Street et Avenue A (plan Midtown D3). Dans le Lower East Side. Décor assez insignifiant, mais ce sont les clients qui sont intéressants. Les vieux viennent y prendre leur brunch, en pantoufles, le dimanche matin, et côtoient les travelos qui sortent du *Pyramid Club.* Pas de ségrégation intergénérations. Cuisine américano-polonaise. Excellents *pirojki.* Très populaire. A deux pas, vers 10th Street, l'*Odessa.* A peu près le même genre, très bon marché.

• ***Kiev :*** 117 2nd Ave. et E 7th Street (plan Midtown C3). ☎ 674-4040. Ouvert toute la semaine 24 h sur 24. Y manger au moins une fois. Mixture incroyable de gens du quartier (ukrainien comme le nom du resto l'indique), de punks, margeos de tout poil, jeunes cadres se payant un bain de décadence mesurée. Prix très modérés. Goûtez absolument aux choux farcis et aux excellentes soupes ainsi qu'aux *apple pancakes, blintzes, kiev veal cutlet,* etc. Un régal. Café à volonté.

• ***Teresa's :*** 103 1st Ave. (entre 6th et 7th Streets ; plan Midtown C3). ☎ 228-0604. Ouvert de 6 h à minuit, tous les jours. Ici, pas de décor original ou de charme. Propre, clean et banal, mais vous y trouverez les meilleures *blintzes* du Lower East Side, et une excellente cuisine polonaise. Plats très bon marché, notamment les *veal balls, cutlets, liver, goulash,* etc. C'est l'opinion de Sophie, une bonne copine à nous qui habite le quartier depuis 1910 !

• ***Yonah Schimmel :*** 137 E Houston Street (entre 1st et 2nd Ave. ; plan Midtown C3). ☎ 477-2858. M. : 2nd Ave. (ligne F). Ici, petite balade dans l'histoire du vieux New York. Restaurant juif établi depuis bientôt 90 ans au même endroit. Le décor et le menu n'ont pas bougé d'un pouce. Nourriture pas trop légère, mais c'est avant tout un rapport intéressant cuisine-atmosphère-histoire. Goûter aux *knishes,* qui sont à la cuisine juive ce que la pizza est aux Napolitains (beignets fourrés à la pomme de terre, à la patate douce ou aux épinards), aux *cheese bagels,* au *strudel,* etc. Bon yaourt maison. Possibilité de *knishes* à emporter.

• ***Katz's :*** 205 E Houston Street, coin de Ludlow Street (plan Midtown C3). Un des plus anciens delicatessen (depuis 1888), souvenir de la grande immigration juive. Cadre typiquement américain. La salle a presque la taille d'un terrain de foot. Il ne faut pas y chercher de l'intimité, c'est vraiment la grande cantoche. Goûter absolument à la spécialité : *corned beef on rye* (la viande est délicieusement chaude). Il s'en vend en moyenne 5 000 par jour. Depuis un demi-siècle, il s'en est vendu très exactement 91 250 000 ! En vitrine, lettres des présidents Carter et Reagan ne tarissant pas d'éloges sur le salami maison. Envie d'un *bagel ?* La boutique juste à côté de Katz's en prépare de délicieux, notamment au fromage blanc aux herbes ou au paprika.

• ***Benny's Burritos :*** 93 Ave. A (et 6th Street ; plan Midtown D3). ☎ 254-2054. Ouvert tous les jours jusqu'à 1 h (1 h 30 le week-end). Vieux décor chaleureux. Clientèle margeo-branchée de quartier. Bonne musique de fond et atmosphère easy-going. Cuisine tex-mex traditionnelle et pas chère. Réputé pour avoir le meilleur *guacamole* du Downtown.

• ***Harry's :*** 91 E 7th Street. ☎ 477-0773. Ouvert du dimanche au jeudi de 12 h à minuit (le week-end, à 1 h). Salle minuscule, comme ses prix. La providence des petits budgets qui veulent une bonne et consistante nourriture mexicaine. Goûter au « Harry's Special », au « Mission burrito » ou au « Harry's Chi-Chi Chili ». Pas d'alcool. Apporter sa propre Bud ou Light Miller.
• ***Dojo :*** 24 Saint Mark's Place (entre 2nd et 3rd Avenues ; plan Midtown C3). ☎ 674-9821. Ouvert jusqu'à 1 h. Populaire resto de cuisine nippo-américaine. Prix d'avant-guerre (celle du Golfe). Bar et salle relax. Terrasse recherchée en été. Musique rock des 70's. Plats copieux et nourrissants.
• ***Yaffa Café :*** 97 Saint Mark's Place (entre 1st et Ave. A). ☎ 674-9302. Ouvert tous les jours de 10 h 30 à 1 h (le week-end, à 2 h). Nourriture sur le pouce très correcte : nombreuses salades et sandwiches avec une petite touche Middle East (*houmous, baba ganoush, tehina,* etc.), *vegetarian chili platter,* bonnes recettes de poulet et pâtes fraîches. L'été, un très agréable jardin derrière. *Live music* les mardi et jeudi de 21 h à 23 h.
• ***Boca Chica :*** 13 1st Avenue (et E 1st Street ; plan Midtown C3). ☎ 473-0108. Ouvert midi et soir jusqu'à 23 h tous les jours (minuit le week-end). Réservation recommandée le soir. Bonne et éclectique nourriture sud-américaine dans un décor coloré et agréable, sans prétention. Atmosphère d'ailleurs très « casual ». Goûter au *chicharones de pollo* (morceaux de poulet marinés et grillés), *vegetarian combo,* délicieux *asopao de pollo, chili verde, burritos,* sandwiches divers, etc. Bons jus de fruits exotiques. En général, musique le vendredi soir (sacrée ambiance !).
• La E 6th Street, entre 1st et 2nd Avenues, devient un Little India gastronomique. Nombreux restos bon marché, d'autres moins. On recommande *Mitali* (mais ce n'est pas vraiment donné). Grosse concurrence entre eux. Certains donnent des coupons avec des réductions importantes.

## De prix moyens à plus chic

• ***Second Avenue Deli :*** 156 2nd Ave. et 10th Street (plan Midtown C3). ☎ 677-0606. Ouvert jusqu'à 23 h. Un des meilleurs « deli » de New York. Curieusement, cadre et décor d'une banalité surprenante. Abondance de Formica et couleurs ternes. Est-ce pour mieux mettre en valeur la superbe nourriture kasher de l'établissement ? En tout cas, le Formica ne gêne pas les fans, c'est bondé depuis 30 ans ! Ne pas oublier de commencer par la soupe (la *mushroom and barley* par exemple). Grand choix de viande, poisson (*chicken cacciatore, broiled filet of sole, Roumanian tenderloin steak,* etc.), deli platters, sandwiches, burgers, etc. Délicieux *cheese-cakes* et autres *apple-strudels*... On peut y manger aussi des carpes farcies. Avant de partir, demander le menu souvenir. Une curiosité : sur le trottoir, les noms gravés des artistes célèbres qui jouèrent à la grande époque dans les huit théâtres yiddish de la 2nd Avenue.
• ***Ratner's :*** 138 Delancey Street et Norfolk Street. ☎ 677-5588. Là aussi, étape intéressante pour ceux qui font une thèse sur la gastronomie du Lower East Side. L'un des plus anciens et célèbres « Dairy Kosher ». Ouvert tous les jours de 6 h à minuit (samedi à 2 h). Les serveurs ont l'âge du lieu et sourient rarement. Grande salle au décor nul. Au menu, les grands classiques : *bortsch, broiled halibut (scallop style), Ratner Special Combo* (carpe farcie, saumon de Nouvelle-Écosse, poisson blanc fumé, fromage blanc, etc.), sandwiches divers, etc. Cuisine moins fine que le Second Avenue Deli (elle a même perdu pas mal de lustre) mais c'est de toute façon à visiter si vous venez faire votre shopping sur Delancey et Orchard.
• ***Cucina di Pesce :*** 87 E 4th Street (entre 2nd et 3rd Avenues ; plan Midtown C3). ☎ 260-6800. Ouvert le soir uniquement, tous les jours jusqu'à 22 h 30. La dernière coqueluche des jeunes et des étudiants du Downtown. C'est plein comme un œuf tous les soirs. Quasi obligatoire de réserver. Pas de décor (de toute façon, on ne le verrait pas avec la foule), mais un superbe rapport qualité-prix pour une cuisine italienne inspirée. Accueil sympa, service efficace et souriant. Long bar pour patienter. Très belle carte d'où l'on peut dégager une *cold strawberry soup* (avec des fraises fraîches, eh oui !) ; délicieuses pâtes : *linguine and sun dried tomato* (gorgonzola et câpres), *spinach penne,* (asperges, fromage et tomates) ; *seafood fettuccine, osso bucco,* filet de *blue fish,* coquilles Saint-Jacques aux *spaghetti marinara.* Excellent saumon grillé. Plats ne dépassant jamais 10 $. On comprend le succès !
• ***Sugar Reef :*** 93 2nd Avenue (plan Midtown C3). ☎ 47-SUGAR. Ouvert tous les soirs de 17 h à 23 h 45 (vendredi et samedi, à 1 h). Ouverture les samedi et

dimanche à 15 h. Dans un décor très exotique et coloré de fresques naïves, fruits en plastique et toiles cirées. Bonne nourriture caraïbe, cubaine et jamaïcaine. Accueil sympa et ambiance décontractée. Quelques spécialités : les *Tropical flantas de pollo* (poulet à la noix de coco et banane), les *Bismark Bajan chicken, chicharones de pollo, curried shrimp and seafood,* brochette d'espadon aux ananas, le *mahi-mahi* créole (filet de poisson grillé à la tomate, oignon, herbes et riz-légumes), le *Jerk seafood ensalata,* etc. Prix moyens. Musique *live* excellente le dimanche soir (sans *cover charge*) : chansons sud-américaines et *soul music.* Pas une adresse exceptionnelle mais formant un tout sympathique (surtout le dimanche soir). Ne pas manquer de boire un *red-stripe !*

## Les délicieuses pâtisseries du Lower East Side

– ***De Robertis :*** 176 1st Avenue (et 11th Street ; plan Midtown C-D3). ☎ 674-7137. Ouvert tous les jours jusqu'à 22 h. Cadre délicieusement vieillot. Salle au fond, faisant salon de thé. Gâteaux d'anniversaire et de mariage de toutes les couleurs, de toutes les formes. Glaces, espresso, cappuccino, spumoni, bons cookies, etc.
– ***Veniero's :*** 342 E 11th Street (entre 1st et 2nd Avenues ; plan Midtown C3). ☎ 674-4804. Ouvert tous les jours de 8 h à minuit (le week-end, 1 h). Dans cette 11th Street rendue célèbre par « Ragtime » de Milos Forman, une des plus anciennes pâtisseries de Manhattan (tenue par la même famille depuis 1894). A bâti sa réputation sur la fraîcheur de ses produits. Tout est fabriqué maison (sans *preservatives*). Superbes glaces crémeuses. Goûter aux *tartufo, tortoni, spumoni, cannoli,* etc. Salon de thé.

## ***DANS LE QUARTIER DE FULTON MARKET*** (plan Downtown C2)

Tout en bas de Manhattan, un coin à visiter obligatoirement. L'ancien marché au poisson possède le charme des pages d'histoire jaunies !
La rénovation de ce quartier est sur le point de s'achever. Architecture de brique et petites ruelles avec des enseignes anciennes. Très animé, mais assez cher. Le style architectural est bien sûr respecté, mais pour y caser une nouvelle bourgeoisie avide d'ancien.

## Bon marché à prix moyens

● ***Carmines :*** Beekman et Front Street. ☎ 962-8606. Ouvert midi et soir jusqu'à 22 h. Bar ouvert jusqu'à minuit. Né en 1903. Ancien bistrot de pêcheurs qui n'a pas trop changé. Vieille déco de bois. Atmosphère détendue et repas à prix raisonnables de poisson et crevettes. Et puis aussi *pasta, lasagne, manicotti,* calmars frits, salades, sandwiches et soupes (*clam chowder* « alla giula »), etc. Le midi, se pointer de bonne heure car c'est vite plein. A gagné l'année dernière le 1$^{er}$ prix pour le meilleur « spaghetti with clam sauce ».
● ***Jeremy's Ale House :*** Front et Dover Streets. ☎ 964-3537. Juste à l'ombre du pont de Brooklyn. Vieux rade au décor hétéroclite (cravates coupées, souvenirs divers) et mélange étrange de clientèle (jeunes amateurs de bière et yuppies). Possibilité de grignoter quelques plats dans une atmosphère bruyante et décontractée. Une bonne adresse.
● ***Fulton Market :*** Fulton et Front Streets. L'ancien marché au poisson, transformé en centre commercial et gastronomique, offre de nombreuses possibilités pour toutes les bourses. Au 2$^{e}$ étage, vous trouverez les bons burgers « Boys of Brooklyn », des B-B-Q, salad-bars, glaciers, etc. Au 1$^{er}$, le *Roebling's,* plus chic, possède une bonne réputation.
● ***MacDonald's :*** 160 Broadway (et Maiden ; plan Downtown B2-3). Nous l'indiquons car c'est le MacDonald's de Wall Street. Décor luxueux. Tout d'abord, un portier vous ouvrira la porte, ensuite des hôtesses charmantes vous placeront. Entre 11 h 30 et 14 h, il y a un ou deux pianistes qui jouent pour un public de golden boys pressés. Tellement pressés qu'il y a un panneau diffusant les cours de la Bourse en continu. A 17 h : espresso ou cappuccino et gâteaux. Sur la devanture, c'est écrit (comme pour Hermès ou Cartier) « New-York-Paris, Roma-Moscou ». A l'intérieur, la pancarte traditionnelle, « Wait to be seated ! » Incroyable, vraiment à voir (et tout ça, aux prix McDo...).

## Prix moyens à plus chic

● ***Bridge Café :*** 279 Water Street (et Dover). ☎ 227-3344. M. : Fulton Street (lignes n$^{os}$ 2 et 3). Ouvert tous les jours midi et soir jusqu'à 23 h 30. Au bout de

Water Street, au pied du pont de Brooklyn. Ancien troquet de marins qui a conservé en partie son décor. Le contraste n'en est que plus insolite avec tous les costumes sombres-cravates qui y mangent le midi en semaine. Le soir, clientèle chicos également. Bonne cuisine pas encore trop chère : bonnes soupes maison, omelettes copieuses, *stuffed breast of chicken,* canard rôti, *calamari, perciatelli pasta,* etc.

### Très chic

• ***Windows of the World :*** Church et Liberty Streets. Au 107ᵉ étage du World Trade Center. ☎ 938-1111. Plusieurs restos très différents, suivant vos goûts et fantasmes. Tenue correcte exigée (jean prohibé le midi, et veste et cravate le soir). Vue évidemment exceptionnelle. Buffet à prix raisonnables les samedi et dimanche midi.

## *A BROOKLYN*

A pied par le Brooklyn Bridge ou en métro, on y est en un battement d'aile. Ça vaut le coup d'aller prendre l'air là-bas, histoire de ne pas rester confiné à Manhattan. Le soir, quartier sans problèmes.

### Bon marché à prix moyens

• ***Junior's :*** Flatbush Avenue Extention (et Dekalb Avenue). ☎ 852-5257. M. : Jay Street-Borough Hall ou Dekalb Avenue. Ouvert tous les jours de 6 h 30 à 1 h 30 (samedi et dimanche, à 3 h). Au cœur du Downtown de Brooklyn. L'un des plus fameux *cheese-cake landmark* de New York. Régale les gourmands depuis 1929. Immense comptoir en U pour les pressés, éclairage meurtrier, clientèle populaire. Superbe carte pour les « 10 oz steakburgers », les salades, *blintzes,* soupes maison, spécialités du chef (*corned beef and cabbage, sauteed lemon chicken, Hungarian beef goulash,* etc.), *seafood entrées, delicatessen platters bagels,* etc. Mais ce pour quoi les gens se précipitent en salivant, c'est le célèbre « Famous n° 1 Pure Cream Cheese Cake ». C'est Daniel Levy, un ami à nous, journaliste à *Times* et « cheesecakoolic », qui nous a amenés là. Nous qui pensions que Lindy's et le Carnegie Deli fabriquaient le meilleur, ça nous a complètement bouleversés dans nos certitudes, quasiment déstabilisés même ! Et que dire du *blueberry cheese cake* et des succulentes glaces (dans le désert, Jésus aurait craqué, sûr !). Bien, c'est pas le tout, mais on y retourne...

### Plus chic

• ***Gage and Tollner :*** 372 Fulton Street (entre Red Hooklane et Smith Streets). ☎ (718) 875-5181. M. : Borough Hall. Ouvert de 12 h à 15 h et de 17 h à 22 h. Le samedi de 16 h à 23 h. Dimanche : brunch de 12 h à 16 h et dîner de 17 h à 21 h. Réservation recommandée. Voici une belle adresse pour les amoureux de la Grosse Pomme version ridée et patinée. Resto datant quasiment de la construction de l'immeuble (1879). Décor intérieur de 1892 de style typiquement victorien. Murs tendus de velours brun, immenses glaces, boiseries, mobilier d'acajou et éclairage au gaz (ce qui donne à l'ensemble une aura bien tamisée, un peu austère même). Apprenez d'abord à reconnaître les insignes des serveurs : petit aigle d'or (25 ans de maison), étoile d'or (plus de cinq ans), simple barrette (moins de cinq ans). Nourriture réputée. Spécialisé dans la *seafood* et les poissons. Nous recommandons le *clam chowder,* le *crab meat* au gratin, les *bay scallops.* Bonnes viandes. Assez cher, bien entendu, mais ça le mérite !

• ***Peter Luger :*** 178 Broadway et Driggs Ave. ☎ (718) 387-7400. Dans un cadre rustique style Tudor (vieilles boiseries, estampes, etc.), l'une des plus anciennes et réputées steak houses de New York. En opération depuis 1887. Ouvert tous les jours midi et soir jusqu'à 22 h. Assez cher. Plutôt un resto du midi, après la visite du vieux quartier juif orthodoxe de Williamsburg. De ses origines allemandes, il a conservé une atmosphère un peu compassée et sérieuse. Le soir, quartier peu sûr. Pour s'y rendre : bus B 39. Départ au coin nord de Pelancey et Allen. Aller jusqu'au terminus, juste de l'autre côté de l'East River.

## A LOWER MIDTOWN ET CHELSEA (plan Midtown B2)

De 14th à 30th Street, une zone intéressante de restos est en train de se développer. Chelsea est un quartier à l'atmosphère très provinciale, moins fréquenté que le Village. Beaucoup de restaurants latinos aux environs de 8th Avenue, 18th et 19th Streets. On peut y prendre un sandwich très bourratif ou un repas très économique. Nos préférés :

• ***Empire Diner :*** 210 10th Avenue et 22nd Street (plan Midtown A2). ☎ 243-2736. Dans Chelsea. Décor froid, blanc, noir et aluminium. Les *diners* sont en fait des wagons transformés en restaurant. Celui-ci est un chef-d'œuvre d'art déco, rendu célèbre par Andy Warhol qui y achetait ses sandwiches. Les remarques en bas du menu sont hilarantes. Le soir tard, très animé. Petits plats simples bon marché, genre *rib eye steak, roast turkey platter,* salades. Grande variété de sandwiches. Situé dans un quartier d'entrepôts et de garages, l'expédition quoi ! Plein de rades sympa dans le coin pour vous récompenser. Aux beaux jours, tables sur le trottoir. Cependant un peu surfait maintenant.

• ***Lox around the Clock :*** 676 6th Ave. et 21st Street. ☎ 691-3535. Ouvert du lundi au mercredi de 22 h 30 à 4 h. Du jeudi au samedi 24 h sur 24. Fermé le dimanche. Delicatessen très populaire. Décor original et coloré. Clientèle mélangée d'où émergent pas mal de jeunes trendies et apprentis yuppies. Excellentes musique et nourriture : omelette au saumon, *pasta,* sandwiches divers, poulet grillé, *fresh home made muffins (corn, apple raisin, blueberry*). Pas trop bon marché.

• ***Mi Chinita :*** 176 8th Avenue et 19th Street. Ouvert de 11 h 45 à 23 h. Vous en rêviez, ou vous l'avez vu au cinéma : un vrai *diner* roulotte argenté ; une carte double ; spécialités chinoises et portoricaines tout aussi délicieuses. Ambiance amusante. Un must ! Recommandés : *pernil asado, vaca frita, lengua* (de la langue aux épices), *ropa vieja* (ça veut dire vieux habits), viande très cuite effilochée, et les *combinaciones especiales* (riz jaune, saucisse, banane frite et salade), etc. Portions énormes, et ce n'est vraiment pas cher. Le midi, en plus, un menu spécial mini-budget.

### Plus chic

• ***Lola :*** 30 W 22nd Street (plan Midtown B1). ☎ 675-6700. Ouvert à midi et le soir jusqu'à minuit (le week-end, 1 h). Un des lieux les plus courus du Midtown en ce moment. Clientèle assez chico-branchée. Décor pourtant assez simple : expos photos ou dessins sur murs aux tons rosés. Bonne cuisine américano-exotique : *spice Carribean fried chicken, tuna steak, chilled poached shrimp.* Au lunch, un peu moins cher. Un truc assez fameux : le « gospel brunch » du dimanche matin (réservation obligatoire).

## DANS MIDTOWN

De 35th à 59th Street, sur le plan gastronomique, le coin ne possède pas une réputation excessive. On ne trouve carrément rien autour de Times Square et du terminal des bus, à part les habituels fast-foods. 47th Street, surnommée « Restaurant Row », est assez chère. Bon, voilà quand même quelques adresses.

### De bon marché à prix moyens

• ***Hard Rock Café :*** 223 57th Street, entre Broadway et 7th Avenue (plan Uptown Sud B2). ☎ 489-6565. M. : 57th Street (lignes B, N ou R). Ouvert tous les jours à midi et le soir jusqu'à 1 h 30 (week-end à 2 h 30). Facilement repérable : ils ont encastré l'arrière d'une Cadillac de 1960 (le modèle ailerons requin) au-dessus de la porte. Sur la plaque de la Cad, « God is my copilot »... Souvent très longue queue et ça se comprend. Venir de bonne heure car pas de réservation. Bar et resto, bonne musique. Décor dément qui donne le vertige aux fanas de rock : guitares de Jimmy Hendrix, Eric Clapton, batterie de Ringo

Star, disques d'or et costume blanc du King Elvis. Nourriture, en prime, tout à fait correcte à prix raisonnables : burgers, sandwiches, bons gâteaux et glaces (ah, le *outrageous hot-fudge brownie !*).

• ***Oyster Bar :*** 42nd Street et Vanderbilt Avenue (plan Uptown Sud C3). ☎ 532-3888 et 490-6650. Ouvert du lundi au vendredi de 11 h 30 à 21 h 30. Au sous-sol de Grand Central Station. Allez au snack à droite et non au restaurant, inabordable. Grandes salles voûtées. Bien sûr, spécialité de poisson. Quelques snacks abordables : « Po'Boy », bouillabaisse sandwiche. Goûtez à la soupe aux clams (les autres plats sont bien plus chers). Excellents vins californiens (choix de plus de 120). Fermé le week-end.
• Plein de petits restos populaires et de gargotes autour de *Sloane House* et *Penn Station.* Quartier assez décadent, crado et animé.

• ***Carnegie Deli :*** 854 7th Avenue et 55th Street (plan Uptown Sud B2). ☎ 757-2245. Le meilleur delicatessen de Midtown. Ouvert tous les jours de 6 h 30 à 4 h. Là aussi, un monument. Filmé par Woody Allen pour *Broadway Danny Rose.* Toujours bourré de monde. Garçons parfois assez rudes. Carte immense (ne pas oublier de demander le menu souvenir !). Fameuse soupe au poulet, le meilleur *pastrami* et *corned beef* de New York, nombreux sandwiches (on peut même créer le sien !), *blintzes,* burgers, steaks, salades, gâteaux (dont le savoureux *cheese cake*).

• ***Leo Lindy's :*** 1256 Ave. of the Americas et 50th Street (plan Uptown Sud B3). ☎ 586-8986. De l'autre côté de Radio City Music Hall. Patrie de l'un des plus célèbres cheese cake de la ville, le *Lindy's Famous Real New York Cheese Cake.* Hamburgers « juicy » et consistants, *Comic Combo Sandwiches* portant des noms de vedettes T.V., super sundaes, etc. Les serveurs, ici, ont toujours de l'humour. A un client qui se plaignait qu'un serveur trempait son pouce dans la soupe, celui-ci répondit : « Pas de problème, monsieur, ce n'est pas vraiment chaud ! » Ou bien celle-là : une dame demande à un serveur pendant la Seconde Guerre mondiale pourquoi il n'était pas à l'armée. Celui-ci répliqua : « Pour la même raison que vous-même n'êtes pas une Rockette ! » (une girl du Radio City en face). Bon, vous voulez en connaître d'autres ? Demandez donc leur menu souvenir...

• ***Trixies :*** 307 W 47th Street (plan Uptown Sud B3). ☎ 582-5480. Ouvert de 18 h à minuit (bar jusqu'à 1 h). A classer dans la catégorie « resto rigolo ». Bon, on le sait, moyenne d'espérance de vie : deux à trois ans, mais il n'est pas encore usé. Ambiance totalement *easy going* avec des pointes sublimes, clientèle branchée-givrée (à l'image du menu). Cuisine du Sud surtout. Carte assez courte mais belle sélection de vins. Prix acceptables. Quelques vedettes : les *hickory Holy smoked ribs,* le *Trixies blackened fish* (avec haricots noirs et bananes frites), le « I love New York Sirloin au Poivre » dans le texte !). Enfin, recommandé de laisser ses inhibitions au vestiaire et de chanter et de danser, si ça vous chante...

• ***Lone Star Roadhouse :*** 240 W 52nd Street (entre 8th Avenue et B'dway ; plan Uptown Sud B2). ☎ 245-2950 et 888-9000. L'entrée est un flan de bus. Resto proposant une nourriture tex-mex correcte. Mais c'est la possibilité de manger vers 22 h au son d'orchestres de rock, country blues et cajun qui attire surtout la clientèle. Les plus papie et mamie de nos lecteurs pourront y écouter, de temps à autre, *that good old* Leon Russell. Achat d'un ticket et réservation obligatoires. En revanche, formule sympa du lundi au vendredi : le « 5:30 Workout ». De bons orchestres et le B-B-Q gratuits à 17 h 30 si on va seulement y boire une Light Miller. Sinon, bons lunch et dinner. En particulier : le *lonestar chili,* le *jalapeño quesadilla,* les *nachos, burgers, carne asada, BBQ ribs* ou *chicken* et le *home-made Pecan pie.*

## Plus chic

• ***King Crab :*** 871 8th Ave. et 52nd Street (plan Uptown Sud B2). M. : 50th Street (lignes C, E et K). ☎ 765-4393. Ouvert midi et soir jusqu'à minuit. Toujours beaucoup de monde dans ce resto pas loin du quartier des théâtres. Un des rares à offrir une superbe *seafood,* et cela depuis de nombreuses années. Très recommandé de réserver. Cadre vieillot plein de charme : glaces, dorures et plantes vertes. Si vous êtes pressé, possibilité de déguster un copieux « Fisherman's Platter » à 17 $ au comptoir (un demi-homard, coquilles Saint-

Jacques, crevettes et filet de sole). Également un bon saumon à l'ail ou la sole farcie au crabe. Au resto, pas vraiment beaucoup de choix, mais c'est toujours frais : *daily fish,* homard à prix raisonnable, moules, *clams* et succulent *Manhattan clam chowder,* canard à l'orange, bouillabaisse « Atlantic », sole farcie au crabe, poulet teriyaki, etc.

***UPPER WEST SIDE*** (plan Uptown Sud B1)

Du Lincoln Center à 88th Street, dans l'ancien quartier qui servit de cadre au film *West Side Story,* la « gentrification » a achevé son œuvre. Résultat : ces dernières années, une floraison de restos et boutiques mode de toutes sortes. Cependant, avec la récession, les gens ne font plus l'effort de grimper Uptown. Commerces commençant à connaître des difficultés (baux prohibitifs en regard de la situation économique) et climat un peu désenchanté (à part quelques valeurs sûres) ont un peu réduit les ambitions du quartier de détrôner les autres.

## Bon marché à prix moyens

- ***Lucy's Home for Retired Surfers :*** 501 Columbus Ave. et 84th Street (plan Uptown Centre B3). ☎ 787-3009. M. : 84th Street (lignes B, C et K). Repas servi de 17 h à 23 h. Après, ça fait bar. Décor rigolo et coloré sur le thème du surf bien sûr. Long comptoir où s'agglutine la jeunesse branchée du coin. Salle au fond fraîche et pimpante (fresques naïves, posters, chaises en plastique, tables en Formica, néons assassins, etc.). Super musique. Au-delà de 25-30 ans, on se sent ici un peu décalé ! Au fur et à mesure de la soirée, l'âge moyen augmente cependant. Nourriture américano-mexicaine correcte : espadon grillé, *bonita bomber burrito,* « Dinner with Elvis et Hussongs » (*enchiladas* au fromage et poulet avec *burrito*), « Mix and Match » (fabriquez votre propre *combo*), etc. Mais on y vient autant pour le fun et les cocktails. Happy hours de 17 h à 19 h du lundi au vendredi.
- ***The Blue Nile :*** 103 W 77th Street et Columbus Ave. (plan Uptown Centre B3). ☎ 580-3232. M. : 81st Museum (lignes B, C et K). Ouvert du lundi au jeudi de 17 h à 23 h. Vendredi à minuit. Samedi et dimanche, de 12 h à 23 h. Au sous-sol, dans une grande salle plutôt agréable, on mange sur des petites tables en osier tressé et des tabourets rustiques. Cuisine éthiopienne traditionnelle : *azefa* (lentilles, oignons et piments verts), *kulalit* (rognons marinés au vin rouge et cuits aux herbes), *yé beg Alitcha* (mouton au gingembre et ail), *kitfo,* plat national (bœuf au *mit mita*), *yes om beyenatu* (plat végétarien), etc.
- ***The Erotic Baker :*** 582 Amsterdam Avenue, entre 88th et 89th Streets (plan Uptown Centre B3). ☎ 362-7557. Ouvert de 11 h à 19 h (vendredi-samedi à 20 h). Fermé le dimanche. Pâtisserie très coquine. Le jeu des couleurs sur les gâteaux peut lever un peu le cœur, mais pas leur goût ! D'autres petits gadgets amusants.
- ***Zabars :*** Broadway et 80th Street. M : 79th Street (ligne n° 1). Ouvert de 8 h à 19 h 30 (samedi à minuit et dimanche de 9 h à 18 h). Sûrement le meilleur « deli » d'Upper West Side. Amoncellement de pâtisseries, de charcuteries, de fromages et de deli. Tous plus délicieux les uns que les autres. Le pain afghan y est super. Une fête de formes, de couleurs et d'odeurs. Les thés rares cohabitent avec toute une quincaillerie d'articles de ménage. Vend tout ce qui est nécessaire pour brasser sa propre bière à la maison. Il tient, au jour le jour, la comparaison des prix pour tous ses produits avec les grands magasins de la ville, et arrive à établir qu'il est le moins cher. Snack pour déguster bonnes soupes, quiches et *frozen yogurt*. A renifler absolument.
- ***Café La Fortuna :*** 69 W 71st Street. ☎ 724-5846. Ouvert de 13 h à 0 h 30. Le vendredi jusqu'à 2 h. Le samedi de 12 h à 2 h. Le dimanche de 12 h à 1 h. Fermé le lundi. Quelques marches mènent à une salle distillant une chaleureuse intimité. Sur les murs de brique, un véritable petit musée pour les amateurs d'opéra : 78-tours de Caruso, programmes jaunis, vieux portraits de divas, divers souvenirs. Photo de John Lennon et Yoko Ono venant en voisins goûter les bonnes pâtisseries italiennes et allemandes du lieu. Excellents café et cappuccino.
- ***Burger Joint*** et ***Pizza Joint :*** 2175 Broadway et 76th Street. ☎ 362-9238 et 362-9444. Ouvert tous les jours jusqu'à 4 h 30 (et rouvre à 6 h 30 !). Les fans de bons hamburgers cuits au charbon de bois se retrouvent tous entre ces murs couverts de photos d'artistes. Toujours bourré, ça doit être pour une bonne raison. Atmosphère animée, bourdonnante et odorante. Et cela depuis

1962 que Big Nick régale l'Upper West Side. Carte longue comme le bras. Steaks à bons prix, salade grecque copieuse. Le *mug* de café le moins cher du West Side. En revanche, pizzas un peu anémiques. Dans l'ensemble, prix extrêmement modérés.

• ***Barney Greengrass the Sturgeon King :*** 541 Amsterdam Avenue et 86th Street (plan Uptown Centre B3). ☎ 724-4707. Ouvert de 8 h à 18 h. Fermé le lundi. Delicatessen spécialisé dans le saumon fumé *(lox)* et l'esturgeon à emporter. Fait aussi restaurant. Ne vous fiez pas au genre Formica, c'est bon. Y consommer le *lox* avec *cream cheese* et *bagels,* arrosé d'un *bortsch ;* voir aussi du côté du *chopped liver* (hachis de foie aux oignons). C'est une solide affaire de famille depuis le début du siècle. Shelley Winters et le violoniste Itshak Perlman en sont clients réguliers, comme l'était feu Groucho Marx.

A propos du téléphone, un supergag : une année, l'administration des téléphones fit une faute d'orthographe dans l'annuaire. Elle imprima Barney Greengrass the « Surgeon » King (le roi des chirurgiens). Jusqu'à l'édition suivante, le patron ne cessa donc de recevoir des appels de gens souhaitant se faire opérer... au lieu de l'habituelle commande d'esturgeon ! En revanche, sa maman était ravie, elle qui avait toujours rêvé que son fils soit médecin !

### De prix moyens à plus chic

• ***Good Enough to Eat :*** 483 Amsterdam Avenue et 83rd Street. ☎ 496-0163. M. : 79th Street (ligne n° 1) ou 81st Museum (lignes B, C ou K). Ouvert tous les jours jusqu'à 22 h. L'un des meilleurs restos de l'Upper West Side. Salle assez petite mais chaleureuse. Penser à réserver. Plats plutôt élaborés et copieux : *farmhouse chicken pot pie,* saumon grillé, truite au parmesan et au citron. Gros gâteaux bien appétissants.

• ***Genoa :*** 271 Amsterdam Avenue et 73rd Street. ☎ 787-1094. M. : 72nd Street. Ouvert le soir jusqu'à 22 h 30. Fermé le dimanche et le lundi. Réservation extrêmement recommandée. Un petit caboulot italien, l'un des derniers à offrir dans le quartier une cuisine de type familial, à prix modérés de plus. Salle pas très grande, c'est vite plein. Goûter bien sûr aux pâtes (*lasagne, carbonara, matriciana,* etc.). Bonne viande, plats consistants.

### Plus chic

• ***Honeysuckle :*** 507 Columbus et 83rd Street (plan Uptown Centre B3). ☎ 496-8095. Ouvert midi et soir jusqu'à minuit. Décor assez élégant, mur de brique, photos du vieux Sud. Bonne Southern cuisine à prix encore raisonnables : *B-B-Q spare ribs* ou *chicken, broiled shell steak, chicken creole, deep fried breated catfish, Mississippi Mud Cake,* etc. Excellent *corn bread.* Happy hours de 16 h à 19 h. Sunday *Brunch.* Musique du Sud chaque soir.

• ***Victor's café :*** 240 Columbus Avenue et 71st Street (plan Uptown Sud B1). ☎ 595-8599. Cuisine cubaine traditionnelle, servie dans un cadre frais et exotique. Beaucoup de monde, c'est bon signe. Réservation recommandée. Belle carte avec *rabo estofado* (queue de bœuf au vin blanc), *pescado en escabèche, vieiras a la cacerola* (coquilles Saint-Jacques), *zarzuela de mariscos, almejas* (palourdes), etc. Le soir, assez cher. En revanche, lunch à prix modérés (avec apéro et café).

• ***Tavern on the Green :*** dans Central Park, à la hauteur de W 67th Street (plan Uptown Sud B1). ☎ 873-3200. Ouvert tous les jours de 11 h 30 à minuit. Au moins six salles à manger, au style très différent. Très cher et très rupin. On peut y passer un bon moment quand il fait beau, entouré d'arbres et de fleurs. Les fauchés se contenteront d'une salade niçoise. Décor superbe.

## *AUTOUR DE COLUMBIA ET A HARLEM* (plan Uptown Nord A-B-C3)

### Bon marché à prix moyens

• ***The Hungarian Pastry Shop :*** angle W 111th Street et Amsterdam Avenue (plan Uptown Centre B1). Ouvert de 8 h à 23 h 30 (dimanche, à 22 h). Pour ceux qui logent ou sont de passage dans le coin (Columbia University et Saint John the Devine). A toute heure de la journée, une excellente adresse pour savourer un délicieux chocolat amer, servi avec un petit pot de chantilly. Bons croissants également, ainsi que les délicieux gâteaux au fromage parfumés à la cannelle, *strudel,* Forêt-Noire, *cherry linzer, berliner, Sacher torte,* etc. Fait aussi resto.

• ***Sylvia's :*** 328 Lenox Avenue et 126th Street (plan Uptown Nord B-C3). ☎ 996-0660. M. : 125th Street (lignes 2 et 3). Ouvert de 7 h 30 à 22 h 30. Le dimanche de 13 h à 19 h. Le restaurant de *soul food* (cuisine noire du Sud) le plus populaire de New York. Une véritable institution. Décor genre « lower middle class taste », avec de nombreux souvenirs et photos. Quatre grandes salles. Cela ne suffit pourtant pas pour empêcher la longue queue du dimanche. Sacrée animation et brunch fameux. Les familles noires viennent au complet et les Blancs sont de plus en plus nombreux à apprécier l'atmosphère du lieu et la bonne cuisine du Sud. Ils contribuent bien sûr au succès de Sylvia's. Servis du mercredi au dimanche, les *B.B.Q. ribs special* y sont fameux et les prix ici ne commettront pas d'attentat à votre portefeuille. Après votre messe avec gospel, essayez donc les brunches du dimanche. Un petit servi de 13 h à 15 h, et le gros de 13 h à 19 h (avec Bloody Mary et café compris). Les pressés mangeront au comptoir. Une de nos adresses les plus intéressantes.

• ***Wilson's :*** 980 Amsterdam Avenue, au coin de 158th Street (plan Uptown B1). ☎ 923-9821. M. : 155th Street (ligne B). Dans Harlem. Cafétéria style années 50. Comptoir Formica et tabourets de moleskine. Les gosses du quartier viennent piquer les pourboires aux serveuses, ce qui donne de l'animation. Y aller le dimanche pour voir la clientèle endimanchée, après la messe. Excellente *soul food* à prix fort modérés, servie avec de bons *corn muffins*. Très connu aussi pour ses desserts.

• ***African Fresh Food :*** 175 Lenox Avenue et 119th Street (plan Uptown Nord B3). ☎ 222-9566. M. : 2 et 3 (arrêt 116th Street). Ouvert tous les jours. Cadre très simple et nourriture africaine bien préparée à prix modérés. Bon accueil. Quelques plats : poisson à la braise, *foutou* banane et igname, riz avec sauce, *tho*, etc.

***UPPER EAST SIDE*** (plan Uptown C-D3)

### Très bon marché

• ***Mocca :*** 1588 2nd Avenue et 83rd Street (plan Uptown Centre D3). ☎ 734-6470. M. : 86th Street (ligne n° 45-6). Ouvert tous les jours midi et soir jusqu'à 23 h. Très sympathique restaurant hongrois. Longue tradition d'accueil et de bonne cuisine. Dans cette grande salle carrelée et au décor limité à quelques belles assiettes colorées, découvrez un des meilleurs rapports qualité-prix de la ville. Menu unique le midi à 7 $ avec choix de 4 ou 5 plats genre goulash, poivron farci ou le délicieux poulet au paprika. Le soir, à peine plus cher. Dans le genre, une de nos adresses préférées.

## Où boire un verre ?

Un rappel ! N'oubliez pas que la plupart des restos font également bar et qu'il faut aussi leur faire une petite visite. *Kenn's Broome Street Bar, Lucy's, Lion's Head* (voir « Où manger ? ») rassemblent aussi les noctambules fiévreux.

***DANS LE VILLAGE, SOHO ET CHINATOWN***

– ***Olive Tree Café :*** 117 MacDougal Street, dans le cœur de Greenwich Village (plan Midtown C3). ☎ 254-3630. Ouvert jusqu'à 3 h (le week-end, 5 h). On y sert un excellent café. Au fond, un écran projette toute la journée des courts-métrages muets. Le patron a un faible évident pour Chaplin et Keaton. On peut jouer au backgammon et aux échecs. Bons cocktails, burgers, salades et plats chauds *(bortsch, kebab)*.

– ***Café Reggio :*** 119 MacDougal Street (plan Midtown C3). ☎ GR5-9557. Ouvert tous les jours de 10 h à 2 h (week-end à 4 h). Fonctionne depuis 1927. Le meilleur café de New York, dit-on, dans un décor italien de la Belle Époque. De vieux tableaux patinés par les ans et la fumée. Un percolateur digne de figurer dans les musées. Possibilité de grignoter croissants farcis, yaourts, sandwiches, milk-shakes, thés aromatiques, gâteaux italiens, *tiramisu, cannoli, pasta*, etc. Décor vieillot et chaleureux, etc. Un peu cher.

– ***Café Borgia :*** 185 Bleecker Street, à l'angle de MacDougal Street (plan Midtown C3). ☎ 473-2290. Même genre d'endroit que le précédent. Ouvert tous les jours. Le midi, « specials » pas trop chers. Bon choix de cafés, chocolats frappés, quiches, pâtisseries italiennes. Il faut admirer la peinture murale montrant le pape Borgia écoutant sa fille installée sur son trône et jouant de la musique. Drôle d'époque.

– ***Le Figaro Café :*** 186 Bleecker Street (plan Midtown C3). Pour les Français nostalgiques. En plein centre du Village, les murs sont recouverts des numéros anciens du journal brunis par le temps. Expos de peintures. Bonne ambiance, et de la musique certains après-midi. Au fait, il fait de l'excellent café. Snacks, grosses salades, omelettes, *tuna grill*, jumbo hamburger, quiche, *fruit bowl* (fruits frais servis avec noix, raisins et yaourt).

– L'âme de SoHo possède des centaines de fans qui ont la mauvaise idée, certains soirs, de venir en même temps. Consolez-vous, South Broadway, de Houston à Canal Street, est une pépinière de petits bistrots tous très sympa. Vous aurez une pensée émue pour le cinéaste Nicholas Ray *(La Fureur de vivre)* qui les fréquenta un temps.

– ***Tom Milano :*** 51 E Houston Street (plan Midtown C3). Ce vieux bar devrait être classé monument historique. Créé juste au lendemain de la prohibition en 1933. Mélange de vieille clientèle de quartier, de branchés de la pub et des médias, et de vedettes du show-biz. Murs couverts de photos et souvenirs. Madonna, Matt Dillon, Tom Cruise et tant d'autres ont honoré les lieux de leur présence.

– ***White Horse :*** Hudson et 11th Street (plan Midtown B3). ☎ 243-9260. L'un des plus vieux pubs du Village. N'a pas changé depuis 1880. Bien patiné. Dylan Thomas le quitta plus d'une fois rond comme une queue de pelle. Possibilité d'y manger aussi.

– ***One Fifth Avenue :*** 1 5th Avenue, à côté de Washington Square (plan Midtown C3). Décor très réussi provenant d'un paquebot de luxe qui s'est abîmé en mer en 1974. Très B.C.B.G. et les plus jolies filles viennent y chercher de la compagnie. Restez au bar, le resto est inabordable.

– ***Lucky Strike :*** Grand Street (plan Downtown B1). ☎ 941-0479. A deux pas de West Broadway. Tous les soirs jusqu'à 4 h. Rivée au comptoir ou serrée sur trois rangs, une jeunesse folle (mais pas trop !) se donne rendez-vous pour créer une ambiance particulièrement animée. Musique à tue-tête. Possibilité d'y manger : *carpaccio, burgers, pasta of the day, calamari,* moules, etc. Service continu de 12 h à 4 h. Brunch le week-end de 12 h à 16 h.

– ***Chumley :*** 86 Bedford Street et Barrow Street (plan Midtown B3). ☎ 675-4449. Le bistrot littéraire le plus secret du Village. Autre speakeasy du temps de la prohibition. Ouvre à partir de 17 h 30. C'est une maison à un étage sans enseigne. Porte marron avec un grand judas grillagé. Steinbeck et Dos Passos y avaient leurs habitudes. Joyce y passait de temps à autre.

– Grove Street (plan Midtown B3) aligne d'autres lieux bien sympathiques. Notamment ***Arthur***, un piano-bar qui présente la particularité d'être décoré avec des guirlandes et les symboles de toutes les fêtes (Noël, Thanksgiving Day, etc.). Comme ça, on n'attend pas un an. Ouvert tous les jours de 20 h à 4 h (à 2 h le lundi). Au piano, toujours un vieux bluesman promenant son air désabusé, mais les yeux brillants, sur les 30-40 ans relax formant la clientèle.

– ***The Monster :*** Grore Street et 7th Avenue. Le bar gay le plus célèbre. Joli décor.

– ***Duplex :*** 61 Christopher Street (et 7th Ave. S). ☎ 255-5438. Café-comédie assez fameux. Toujours de bons spectacles. Chanteurs vers 20 h. Café-comédie samedi à 22 h. Vendredi et samedi, piano-bar à 23 h.

### *DANS L'EAST SIDE ET LE LOWER EAST SIDE* (plan Midtown D3)

Quelques bonnes adresses pour ceux qui ne supporteraient plus les bistrots et pubs trop clean, trop institutionnalisés, trop snobs, trop superficiels, trop... (rayez la mention inutile) de Greenwich Village ou de SoHo. Quelques nouveaux lieux qui vibrent vraiment.

– ***MacSorley's :*** 7th E Street, entre 2nd et 3rd Avenues (plan Midtown D3). Un pub irlandais, mais comme on n'en a jamais vu en Irlande. Le décor est vraiment extraordinaire. On y trouve de tout : des cannes et des chapeaux oubliés par les clients, des photos de tous les âges ornent les murs. Il faut aussi savoir que le bar a été pendant 116 ans interdit aux femmes, non par misogynie mais parce que seuls les hommes savent apprécier la bonne bière, nous a confié un vieil habitué... Cet endroit est fier de n'avoir jamais fermé... même pendant les 13 ans de prohibition (durant lesquels les Américains n'ont jamais eu tant soif). Visite obligatoire même pour ceux qui détestent la bière.

– ***Grass Roots Tavern :*** 20 Saint Mark's Place (plan Midtown D3). Vieux bistrot en sous-sol, très bas de plafond, typique de l'East Village. Le demi de bière le moins cher du coin. Atmosphère relax. Clientèle de vieux jeunes gens un peu désabusés. Écrivains off-off Broadway et artistes en tout genre. D'autres bars vous attendent en remontant vers Tompkins Square.
– ***Kings Tut's Wah-Wah Hut :*** E A Avenue et E 7th Street. Ouvert jusqu'à 2 h. L'archétype du nouveau bar East Village. Bien sombre et enfumé. Ne jamais venir avant 22 h. Clientèle indéfinissable : bohème, margeos, zonards...
– ***Sophie's :*** 507 E 5th Street et A Ave. Enseigne lumineuse « Rolling Rock » en vitrine. La lampe faiblarde qui éclaire le vieux billard sert à tout le monde. Bourré à craquer. Clientèle jeune, margeo, bohème, étudiante, souvent le tout à la fois. Malgré le taux d'accumulation de grisou dépassé depuis longtemps, pas trop de tensions, mais atmosphère rugissante garantie. Bière et alcools pas chers.
– ***Max Fish :*** 178 Ludlow Street (entre Houston et Stanton ; plan Midtown D3). Ouvert jusqu'à 4 h. Très bel espace. Un des troquets alternatifs les plus intéressants du Lower East Side. Ameublement complètement hétéroclite, ventilos de la guerre de Sécession, vieilles banquettes de moleskine où s'écroulent les rescapés des marches sur Washington et autres radicaux du quartier. Atmosphère extra. Billard et toujours d'insolites expos de photos.
– ***Ludlow Café :*** 165 Ludlow Street. ☎ 353-0536. Là aussi, très sympa. Aussi bas de plafond que Max Fish en est haut. Décor vieillot, atmosphère intime. Jazz tous les jours à 23 h avec d'excellents groupes. *No cover charge.*
– ***Continental Divide :*** voir chapitre « Boîtes ». Un bar, mais avant tout une superbe adresse pour la musique.
– ***Life Café :*** 10th Street et B Avenue. Café pittoresque d'« Alphabetville ». Pour observer le quartier en pleine restructuration et les fresques contre la guerre et la drogue. Décor assez original.
– ***Sin-é Café :*** 122 Saint Mark's Place (entre 1st et Avenue A). ☎ 982-0370. Petite salle, murs nus. Le soir, chanteurs-poètes déclament devant un public attentif. Parfois quelques solistes de jazz. Spectacle de 21 h à 2 h. Sans doute une adresse fragile, éphémère, mais qui témoigne de la pérennité de la vie culturelle du quartier.
– ***Café Mogador :*** 101 Saint Mark's Place. ☎ 677-2226. Ouvert tous les jours de 10 h à 1 h. Décor tout simple, brique peinte, quelques chromos et banquettes de moleskine. Dans un environnement musical très jazzy, possibilité de déguster sereinement un thé et de bons gâteaux. Également petite restauration (tendance cuisine moyen-orientale) à prix modérés : couscous, omelettes, *pasta*, soupes, salades, quelques grillades. Certains soirs, spectacle de « belly dancing ».

***UPPER WEST SIDE*** (plan Uptown au nord de A1)

Ce quartier situé à l'ouest de Central Park, entre 66th et 86th Streets, a fait longtemps une sérieuse concurrence à son pendant de l'East Side. Autour de Columbus, Amsterdam et Broadway, les anciens brownstones occupés par les Portoricains ont été investis par la N.P.B.U. (nouvelle petite bourgeoisie urbaine). Le quartier se transforme mais n'a pas encore été complètement normalisé. La présence de Columbia University et de ses nombreux étudiants, un peu plus haut, donne à l'Upper West Side une atmosphère bien particulière.

– ***Lucy's Home for Retired Surfers*** (voir chapitre « Où manger dans l'Upper West Side ? »).
– ***West End Café :*** 2911 Broadway et 114th Street (plan Uptown Centre A1). L'ancien QG de la *Beat Generation* vient de subir un sacré lifting et a perdu pas mal de son charme. Cela dit, toujours bourré d'étudiants de la Columbia University autour du grand comptoir en U. Le dimanche, à 14 h, musique folk (yiddish, russe, tzigane, latino, etc.). Attaché au café, un Comedy Club assez réputé. Spectacle à 21 h (le week-end, à 21 h 30 et 23 h 30). ☎ 662-6262.
– ***The Bear :*** B'Way et 76th Street (plan Uptown Sud A1). A côté de l'agence Avis. Ouvert tous les jours jusqu'à 2 h. Tout petit, tout étroit. A 20 h 30, c'est déjà plein comme un œuf. Très populaire, atmosphère très « college boys ». Vidéo avec les matches de basket ou de football américain. Ambiance rugissante les soirs de grands matches. Spécialités de bières régionales, une par ville : la « Cold Spring » du Minnesota, la « Rattlesnake » du Texas, la « Montaux Light » de Long Island, la « Dock Street » de Philadelphie, etc. A propos, les

lundi, mardi et mercredi, les filles ne paient pas leur bière. C'est pas un peu sexiste, ça ?
– ***Sports :*** B'Way et 77th Street. Immense café basé, là aussi, sur le sport. Écran géant au-dessus du bar où l'on peut suivre les matches du jour. Est-ce parce que l'établissement est nouveau ? Pas énormément d'ambiance. D'ailleurs clientèle et style assez frime. On sent le créneau investi par quelque financier avisé. Dans un coin, au lieu du flipper traditionnel, pour 50 cts, un lancer de ballon de basket. Possibilité de grignoter pizzas, burgers, salades et sandwiches.
– ***Le Museum Café :*** 77th Street et Columbus Avenue. ☎ 799-0150. Comme son nom l'indique, du côté du musée d'Histoire naturelle. Décor frais, murs de briques, plantes vertes, grande terrasse d'où l'on peut tout voir et être vu. Un des hauts lieux de la N.P.B.U. (voir préambule). La meilleure place, comme dans beaucoup d'autres lieux, est au comptoir, c'est là que tout peut se passer. Attention, après 20 h resto assez chic.
– ***Plaza Hotel :*** 5th Avenue et 59th Street. Dans un genre totalement différent, on peut jeter un œil au salon de thé le plus chic de la ville. Les vieilles milliardaires font la queue pour y manger des pâtisseries au son des violons. Attention, ne pas y aller en jean et baskets, les regards de désapprobation sont insoutenables. Hôtel qui eut ses hôtes célèbres tels Zelda et Scott Fitzgerald. En 1922, ils y restèrent un mois pour fêter la sortie de leur deuxième roman « The Beautiful Ful and Damned ». Le grand Franck Lloyd Wright aimait y descendre au point qu'il y loua de façon permanente la suite 233, à partir de 1953. Il y travailla sur les plans du Guggenheim Museum.
– ***Bedlam Bar Asylum and Café :*** 522 Columbus Avenue et 85th Street (plan Uptown Centre B3). ☎ 362-3004. Ouvert tous les jours de 17 h à minuit (le jeudi à 2 h, les vendredi et samedi à 4 h) et le dimanche de 12 h à 23 h. Décor original, clientèle jeune, bonne atmosphère. Surtout, des *happy hours* rigolos, genre tel jour bière gratuite pour les filles et moitié prix pour les jules, tel autre (souvent le jeudi) Beach Party où les demoiselles en bikini boivent à l'œil toute la nuit, le lundi et le mercredi, « all you can eat » de *buffalo chicken wings*, etc. Excellente musique avec les meilleurs D.J. de New York. Possibilité aussi d'y manger et c'est copieux : « Pete's Pan Pizza », *buckets of spaghetti, B-B-Q beef and sexy fries...*

***UPPER EAST SIDE*** (plan Uptown Sud et Centre)

Grosso modo, de 55th à 88th Street, sur 1st et 2nd Avenues s'étendaient, au temps béni des Drexel et Trump triomphants, nombre d'élégants et brillants *single bars*. La récession leur a ôté beaucoup de leur lustre. Un grand nombre ont disparu. Au-delà du désenchantement subsistent quelques valeurs sûres.

– ***Elaine's :*** 1703 2nd Avenue et 88th Street. ☎ 534-8103. On ne sait pas ce que les gens trouvent à cette boîte, mais tous s'y précipitent. Certains soirs, on peut y voir Woody Allen (mais c'est comme l'empreinte du pied du Bouddah, on le voit partout !). En tout cas, quand c'est bourré, pas difficile de lier connaissance. Tiens, au fait, il a servi de décor pour une scène de *Manhattan*.
– ***Michael's Pub :*** 211 E 55 th Street. ☎ 758-2272. Endroit un brin chic et décor nickel. Y aller le lundi soir pour voir Woody Allen souffler dans sa clarinette (quand il n'est pas invité à une conférence dans une université du Middle-West). En principe, à 19 h 30 (avec dîner). Puis à 21 h et 22 h. Woody joue pas mal, l'orchestre aussi, mais nourriture très décevante et accueil peu aimable. Et c'est très cher. Cela dit, pour Woody !... Les autres soirs, l'établissement présente vraiment peu d'intérêt : atmosphère chicos et snob assez pesante.

## Les boîtes

Que vous soyez fana de jazz, hard rock ou pop, vous devrez d'abord consulter le *Village Voice, Downtown* et *SoHo News* pour faire votre choix. En effet, c'est là que vous lirez les programmes des groupes et des chanteurs qui se produisent actuellement.
On trouve pas mal d'invitations gratuites pour disco, etc., sur le comptoir des boutiques de fringues, surtout dans SoHo, Greenwich et East Village.
A l'exception des boîtes de jazz, cruel dilemme pour les discos new-yorkaises : comment avoir du monde en ne laissant entrer personne, puisque lorsqu'on

laisse entrer tout le monde, il n'y a personne ! De toute façon, les nuits sont dingues à New York. Mais elles sont différentes selon que vous êtes noir ou blanc. Autre chose : les New-Yorkais consomment goulûment les boîtes. Certaines tiennent à peine un an, il est donc préférable de téléphoner avant de s'y rendre. En voici toutefois quelques-unes qui ont pris de la bouteille :

– ***Limelight :*** 20th Street et 6th Avenue (plan Midtown B2). ☎ 807-7850. Il vaut mieux réserver. Une église reconvertie en temple de la danse, avec une superbe holographie. Pas mal d'espaces sur plusieurs niveaux. Musique un peu trop disco. Pas vraiment sélectif. Le mercredi soir c'est la « gay night » à partir de 3 h. Ambiance garantie. Pour entrer, il faut demander un pass qu'il est très facile d'obtenir.

– ***C.B.G.B. :*** 315 Bowery, juste à la fin de Bleecker Street (plan Midtown C3). ☎ 982-4052. Le temple de l'underground, du new wave, du hard, du punk. C'est pas reluisant, même crassou, mais super. Les initiales signifient Country, Blue Grass and Blues. Ce qui n'a rien à voir avec la musique qu'on y joue. Voilà pourquoi ils ont rajouté OMFUG (*Other Music for Uplifting Gourmandizers*). Attention, le week-end, beaucoup de « touristes » ringards (venant du New Jersey pour la plupart) avec liquette blanche et cravate... Best sound system in town. Une des adresses les plus constantes en qualité de New York. A côté, le ***CB's***, une annexe théâtre, cabaret-comédie, poésie, impros, etc. Renseignements : ☎ 677-0455.

– ***Dezerland :*** 270 11th Ave. et 28th Street. ☎ 929-1285. Un immeuble de 5 étages destiné au culte des voitures des années 50 et du rock'n roll. Le promoteur Michael Dezer est un fou de cette époque. Ouvert seulement le samedi soir (très conseillé de téléphoner avant). La musique, plutôt disco l'été et années 50 l'hiver. Public très diversifié. Au rez-de-chaussée, immense salle. Le décor change assez souvent. Au 1er étage, une seconde disco aussi originale. Et une autre attraction surprenante : un drive-in où l'on regarde des James Dean et autres films « cultes »; assis dans de superbes Cadillac décapotables ou Chevy Impala. C'est ça, l'Amérique ! Et puis, aux étages supérieurs, une collection de 100 superbes voitures qui rappellent *American Graffiti*.

– ***The Palladium :*** 126 E 14th Street et 3rd Avenue (plan Midtown C2). ☎ 473-7171. Très connue en ce moment. Animée par Steve Rubell et Ian Schragger, créateurs du célèbre club new-yorkais *Studio 54*. Une entreprise démesurée : l'architecte a rénové pour une fortune cet ancien music-hall, et les stars de la peinture new-yorkaise, de Keith Haring à Francesco Clemente, l'ont décoré. 5 étages en folie. Du délire ! Entrée assez chère mais possibilité de se procurer un pass pour les nuits suivantes. Donne l'impression quelque temps d'avoir décliné, puis repart à nouveau. Intéressant pour nos lecteurs ados. Jeunes acceptés à partir de 16 ans (mais 21 ans pour boire). Beaucoup de monde le week-end. Les adultes y font un peu décalés ! Mais on peut encore aller au Palladium pour une « party » spécifique, comme Halloween Party. Attention, ce n'est ouvert que deux ou trois soirs par semaine s'il y a une soirée.

– ***Beowülf :*** 85 Avenue A et 6th Street (plan Midtown D3). ☎ 673-8585. Au sous-sol. Nouvelle boîte de l'East Village. Superbe énergie, bons groupes. Parfois des marathons de rock de 16 h à 4 h. On en a alors plein les oreilles pour quelques dollars seulement.

– ***Wetlands :*** 161 Hudson Street (plan Downtown B1). ☎ 966-4225. Dans Tribeca (3 rues au sud de Canal Street). Ouvert du dimanche au vendredi à 17 h. Samedi à 21 h. C'est « la » boîte du mouvement écolo et alternatif new-yorkais. Élu meilleur lieu pour la musique *live* il y a 2 ans. Cadre très sympa. Public très varié : vieux babas, jeunes radicaux, féministes, verts de toutes les nuances. On se balade du bar au coin des annonces et publications écologiques et politiques, en passant par la grande salle avec la scène centrale. Faites, bien sûr, moisson d'infos sur toutes les luttes menées à New York (environnement, logement, urbanisme, racisme, etc.), ainsi que de bonnes adresses alternatives dans tous les domaines existants. Programme musical assez éclectique. Ça va du protest song style Joan Baez au rock et blues, en passant par le reggae. *Happy hours* de 17 h à 19 h 30 avec buffet gratuit. Vous l'aviez deviné, une des boîtes les plus intéressantes de New York.

– ***Continental Divide :*** 25 3rd Avenue et Saint Mark's Place (plan Midtown C3). ☎ 529-6924. M. : Astor Place. Dans le Lower East Side. Là aussi, un de nos lieux musicaux préférés. D'abord, rarement de « cover charge ». Cadre sympa : mobilier années 50, vieux ventilos, fresques murales. Chouette programmation. Soirs de concerts, bourré à craquer et ça déménage salement.

– ***Delta 88 :*** 332 8th Avenue et 26th Street (plan Midtown B1-2). ☎ 924-3499. M. : 23rd Street. A Chelsea. D'abord bon resto de *soul food*. Endroit intéressant également pour la grande variété de musiques proposées. Jugez-en : ethnofunck, rockpel, bip-grinding soul, rythm and blues, zydéco, urban and country, houserockin blues, etc. Super Gospel brunch à 13 h 30 et 15 h (conseillé de venir bien avant). Très grande salle. Concerts à 21 h ou 22 h (et à 23 h en plus le week-end). Boissons et *cover charge* à prix très raisonnables.

– ***Pyramid :*** 101 Avenue A, à deux pas de Tompkins Square, dans le Lower East Side (plan Midtown D3). Depuis plus de 8 ans, c'est un de nos clubs préférés. Décadent à souhait et sympathique à merci. Réputation qui effectue parfois du yoyo, mais une adresse qui finalement tient toujours. Certains soirs, des jeunes hommes vêtus en femme (toutes leurs affaires doivent être à laver) se dandinent sur le comptoir. Toutes les extravagances qui n'ont pu se produire ailleurs trouvent refuge ici. Tous les combats aussi, contre les tabous, les interdits, la criminalisation du SIDA. La contre-culture militante la plus hard qu'on connaisse à New York. Entrée toujours à prix modique.

– ***Ritz :*** 54th Street (West of Broadway ; plan Uptown Sud B2). ☎ 307-7171 et 507-8900. Concerts réputés. Certains assez originaux genre « The Dinosaurs » avec Papa John Creach (ancien de Jefferson Airplane et Hot Tuna), Peter Albin (ancien de Janis Jophin et Big Brother) et Barry Melton (ex-Country Joe and the Fish).

– ***Marquee :*** 575 W 21st Street et 10th Avenue (plan Midtown A2). ☎ 929-3257 et 307-7171. Dans Chelsea. Dans le quartier des anciens warehouses, une nouvelle boîte de rock qui tient ses promesses. Salle pas trop gigantesque, avec mezzanine. Quasiment pas de sélection à l'entrée (à partir de 18 ans, alcool à 21 ans). Ici pas d'ostentation vestimentaire, clientèle de vrais rockers. Très bons groupes.

– ***Rock'n Roll Café :*** 149 Bleecker Street (plan Midtown B3). ☎ 677-7630. Dans Greenwich Village. L'un des cafés les plus rock qu'on connaisse. Excellents son et programmation. Atmosphère tamisée, long bar pour les assoiffés. Chouette décor de photos. En semaine, spectacle à 21 h 30. Les vendredi et samedi à 22 h 30 (4 shows en moyenne).

– ***Lone Star Café :*** 240 W 52nd Street (plan Uptown B2-3). ☎ 245-2950. Il ne s'agit pas d'une boîte, mais avant tout d'une atmosphère. Les meilleurs chanteurs et groupes de folk, folk-blues et country y passent. Possibilité de s'y restaurer (voir chapitre « Où manger dans Midtown ? »).

– ***The Bitter End :*** 147 Bleecker Street, dans Greenwich Village (plan Midtown B3). ☎ 673-7030. C'est ici que le public a découvert Curtis Mayfield, Eric Clapton, Stevie Wonder, Taj Mahal... Souvent bondé, parfois jusqu'à l'étouffement.

– ***S.O.B.'S (Sound of Brazil) :*** 204 Varick Street, dans SoHo. ☎ 243-4940 et 399-4444. Fait plutôt bar en semaine, mais comment résister à cette musique sud-américaine d'enfer : samba, bossa nova, etc. ? Possibilité d'y manger également, mais assez cher. Concerts en général à 21 h et 2 h 30.

– ***Roxy :*** 515 W 18th Street (et 10th Ave.). A Chelsea. Nuits à l'atmosphère parfois dingue ou décadente, ou les deux à la fois. Beau décor. Tenue vestimentaire originale recommandée. Le jeudi, soirée plutôt tendance gay.

– ***The Building :*** sur 26th Street (entre 6th Ave. et Broadway). ☎ 576-1890. Ancien entrepôt. Sur 4 étages. Nombreux bars et la piste en contrebas. Soirées amusantes le jeudi aussi.

– ***Save The Robot :*** East 3rd Street et B Ave. Attention, quartier qui craint la nuit. C'est un after-hours, c'est-à-dire n'ouvrant qu'à 4 h les nuits du vendredi et du samedi. Pour les acharnés des nuits blanches.

– ***The Back Fence :*** 155 Bleecker Street (et Thompson). ☎ 475-9221. Ouvert jusqu'à 2 h en semaine et 4 h le week-end. Salle vite remplie pour de bons concerts de folk, rock et blues.

– ***Kilimanjaro :*** 531 W 19th Street, entre 10th et 11th Avenues (plan Midtown A2). ☎ 627-2333. La grande boîte spécialisée dans la musique sud-américaine (reggae, salsa, calypso, etc.). Concerts renommés vers 23 h 30 (réservation très conseillée).

– ***Rex :*** 579 6th Avenue, entre 16th et 17th Streets. ☎ 741-0080. Au rez-de-chaussée, un restaurant nouvelle cuisine. Clientèle assez yuppie, mais pas trop trendy. Chanteurs assurant de temps à autre une petite partie musicale. Au premier étage, boîte traditionnelle avec musique funky et disco non moins traditionnelle.

– ***Eagle Tavern :*** 355 W 14th Street et 9th Avenue (plan Midtown A-B2). ☎ 924-0275. Pub réputé pour la qualité de sa musique folk irlandaise, dans la grande salle du fond, avec ses tables de bois et ses souvenirs de la mer. Le lundi, « seisun » où souvent les clients chantent et où une large part est accordée à l'impro. Le vendredi, à 22 h, concert plus formalisé. Atmosphère sympathique et chaleureuse.

## Où écouter du bon jazz ?

– ***Dan Lynch Blues Bar*** : 221 2nd Avenue et 14th Street (plan Midtown C2). ☎ 667-0911 et 473-8807. La Mecque du blues. Ouvert tous les jours. Petit *cover charge* le vendredi et le samedi. Atmosphère de mecs. Avec la bière et l'alcool, les filles seules peuvent connaître des moments délicats et l'atmosphère prend alors des couleurs d'Amérique profonde.
– ***Fat Tuesday*** : 190 3rd Avenue, au coin de 17th Street (plan Midtown C2), ☎ 533-7902. Un club fameux et des plus *hot*. Sessions à 20 h et 22 h (plus minuit le week-end). On peut y dîner ou boire un verre. Prix très raisonnables mais réservation téléphonique indispensable car l'endroit est connu.
– ***Village Vanguard*** : 178 S 7th Avenue et 11th Street (plan Midtown B3). ☎ 255-4037. Sa réputation n'est plus à faire. Lumières faiblardes, peintures écaillées, mais le Vanguard n'a point besoin de faire brillante figure, il distille depuis de nombreuses années un excellent jazz.
– ***Sweet Basil*** : 88 S 7th Avenue (et Bleecker Street). ☎ 242-1785. Un autre bastion inamovible dans le Village. Programmes de qualité. Chaque lundi, « Monday Night Orchestra ». « Original Jazz Brunch », le samedi de 14 h à 18 h et le dimanche de 15 h à 19 h.
– ***The Village Gate*** : 160 Bleecker Street et Thompson (plan Midtown B3). ☎ 475-5120. Souvent orchestres de jazz, parfois de rock. On y a vu Larry Corryel, Ray Baretto et Dizzy Gillespie.
– ***Showmans*** : 2321 Frederick Douglass Blvd, entre 124th et 125th Streets (plan Uptown Nord B3). ☎ 864-8941. M. : 125th Street (lignes A-AA-B-CC-D). A Harlem, une boîte-resto réputée pour la qualité de ses concerts de jazz. Fort peu de touristes, atmosphère authentique. Concerts le vendredi et le samedi à 22 h, minuit et 2 h. En semaine, téléphoner d'abord. Réservation très conseillée le week-end.
– ***The Blue Note*** : 131 W 3rd Street. ☎ 475-8592. Bonne boîte de jazz. Clientèle assez huppée. Entrée gratuite pour la session jazz à partir de 2 h jusqu'à 4 h. Généralement un quartet (sauf le lundi). Max Roach, Sarah Vaughan, Maynard Ferguson, Ray Charles, Milt Jackson, etc. Des célébrités viennent parfois y faire des bœufs. Les samedi et dimanche, de 14 h à 18 h, « show, brunch and drink » à bon prix.
– ***Saint Peter's Church*** : 619 Lexington Ave. et 54th Street (plan Uptown Sud C2). Sous la Citycorps Tower. C'est une église luthérienne friquée parce qu'elle vendit, il y a quelques années, son vaste terrain à la Citycorps à condition qu'une nouvelle église soit intégrée dans le complexe. Dans cette église, nombreux concerts gratuits, et les cérémonies religieuses sont ponctuées de « rafraîchissements musicaux ». Parfois, on peut obtenir des invitations gratuites pour des grands concerts de jazz.
– ***The Knitting Factory*** : 47 Houston Street. ☎ 219-3055. Souvent du jazz expérimental ou d'avant-garde. Cadre plaisant. Possibilité de grignoter. Snacks, burgers et bonnes salades. Session à 21 h et minuit.

## A voir

### *DOWNTOWN*

▶ ***La statue de la Liberté*** (plan Downtown B3)

Pour y aller, on prend les tickets au Fort Clinton dans Battery Park. En principe, départ toutes les heures de 8 h 30 à 16 h de Battery Park. Bateaux supplémentaires d'avril à octobre, week-end et jours fériés. En juillet-août, à partir de 10 h 30, un bateau de plus sur la demi-heure. Du bateau, superbe vue sur la pointe de Manhattan et sur la statue. Pour se rendre à Battery Park en métro : ligne n° 1 jusqu'à South Ferry ou ligne n° 4 jusqu'à Bowling Green. En bus, le n° 6 jusqu'au terminus South Ferry.
Un conseil pour ceux qui veulent aller dans la couronne : prendre le premier bateau, sinon queue interminable à l'ascenseur. On signale quand même que

l'ascension se fait par un étroit escalier en colimaçon. Il y fait très très chaud et, arrivé en haut, les deux petites vitres de la couronne ne permettent pas de voir grand-chose. A bon entendeur salut, on vous aura prévenu. On précise aussi que du piédestal on a la plus belle vue sur Manhattan. De plus, de là, on peut faire le tour de la statue et c'est là que s'arrête l'ascenseur !
Au pied de la statue, un petit musée très intéressant. Il concerne uniquement la statue et retrace les différentes étapes de sa construction et de sa restauration. Pendant deux ans, des centaines d'ouvriers ont nettoyé et poli la statue. Pour sa rénovation, les États-Unis ont fait appel à une entreprise française, située à côté de Reims (Bezannes), experte en ferronnerie d'art. Installés dans un atelier du New Jersey, les « Frenchies » ont eu un succès fou auprès des médias américains. Il a fallu recomposer pièce par pièce, dans un matériau non corrosif, le squelette de 120 t de fer forgé.

▶ ***Le musée d'Ellis Island*** (plan Downtown B3)

Prendre les tickets au Fort Clinton dans Battery Park. Les liaisons sont assurées par Circle Line qui relie également la Staten Island. Départs toutes les heures de 8 h 30 à 16 h. Renseignements : ☎ 269-5755. Ouvert tous les jours. Entrée gratuite.
Après trente ans d'abandon et huit années de restauration, un musée vient célébrer l'histoire de l'immigration au « Nouveau Monde ». Entre 1892 et 1924, 12 millions d'immigrants, candidats à la citoyenneté américaine, sont passés par Ellis Island. Plus de 16 millions, si l'on compte la période suivante jusqu'à la fermeture en 1954. Pour beaucoup d'Américains, c'est un lieu saint ; plus de 100 millions de personnes, soit 40 % de la population américaine, ont un parent qui serait passé par là !
L'histoire de l'immigration y est retracée non seulement pour Ellis Island, mais pour tous les États-Unis. 2 000 objets, brisés, usés, oxydés, trouvés sur place : ustensiles de cuisine, jouets d'enfants, etc. Plus de 1 500 photos. Une dizaine de familles témoignent pour les autres. Une exposition montre pourquoi, comment et pour quoi faire tous ces exilés sont venus et comment l'Amérique les a mis au travail.
Au rez-de-chaussée, les visiteurs peuvent (gratuitement) retrouver à l'aide d'ordinateurs les noms de leurs parents immigrés et la date d'immigration. Elia Kazan et Samuel Goldwyn y sont passés... Vous pouvez aussi faire des recherches généalogiques sur Capone Alfonso ou Kennedy John...
Les bâtiments ouverts permettent aux visiteurs de parcourir l'itinéraire des « arrivants ». Au rez-de-chaussée, la « salle des bagages » : amas de baluchons, malles, paniers et valises antiques. Le bruit et l'animation qui devaient régner à l'arrivée, tout y est. Puis la montée, vers la salle d'enregistrement au 2ᵉ étage, appelée aussi « les six secondes physiques ». C'était la 1ʳᵉ épreuve, à leur insu : des médecins postés en haut examinaient leur façon de gravir l'escalier et marquaient d'un signe à la craie sur les vêtements ceux qui semblaient mériter un contrôle. Un E pour les yeux *(Eyes),* H pour le cœur *(Heart),* L pour les poumons *(Lungs),* X pour les déficiences mentales. Se diriger ensuite vers les ailes du bâtiment pour suivre de salle en salle le chemin qui conduisait dans le meilleur des cas à un bureau de change et à un guichet pour le ferry. Les autres, les exclus, prenaient « l'escalier de la Séparation », le couloir central qui les conduisait vers les dortoirs ou l'hôpital. 250 000 personnes en tout sont retournées d'où elles venaient.
Les candidats à l'immigration devaient répondre à des questions du genre : « Êtes-vous anarchiste, polygame ? », « Avez-vous de la famille aux États-Unis ? », etc. A une question sur sa date de naissance que lui posait l'agent d'état civil, un homme répondit en allemand : « Vergessen » (« J'ai oublié »). Désormais lui et tous ses descendants s'appelleraient Fergusson.

▶ ***Lower Manhattan et le quartier financier*** (plan Downtown B3)

C'est là que l'on retrouve toutes les traces de la création de New York. Le gigantisme écrasant de la ville ne peut pas les faire disparaître. Par exemple, le petit *cimetière de Trinity Church* sur Broadway a un vrai côté campagnard et plein de gens viennent y chercher de l'ombre et un moment de paix. La tombe la plus ancienne remonte à 1681 et on y trouve celle de *Robert Fulton* qui inventa le premier bateau à vapeur. Un tas de petits écureuils y ont élu domicile. Plus bas, à l'intersection de Pearl Street et Broad Street, *Fraunces Tavern,* bâtiment

de brique au toit d'ardoise qui date de 1737, est tout étonné d'en avoir réchappé. A l'intérieur, petit musée ouvert de 10 h à 16 h.
Sur Wall Street, le siège des plus grandes banques du monde. The *New York Stock Exchange* (la Bourse) au 20 Broad Street. Il faut s'y rendre avant 12 h (parfois même 11 h) pour recevoir un ticket. Ouvert du lundi au vendredi, de 9 h à 16 h. Faire la queue devant le 20 Broad Street, à l'heure indiquée sur le billet, où l'on est conduit à l'ascenseur par groupes de vingt. Arrivé au 3ᵉ étage, il faut laisser sac et appareil-photo au vestiaire et enfin on peut commencer la visite. On peut observer la Bourse en pleine activité. Avec, bien sûr, une expo sur l'histoire du capitalisme (au cours de laquelle il est conseillé aux visiteurs d'acheter des actions !). Commentaire enregistré en plusieurs langues dont le français. Ça ne marche pas toujours. Alors n'hésitez pas à demander, dès le dépôt de l'appareil-photo, la notice en francais qui explique les différents types d'opérations et le rôle de chacun, si vous voulez comprendre l'activité de la « Main Room ». Devant la façade se tient toujours l'arbre sous lequel les courtiers négociaient autrefois les actions.
Il vaut mieux visiter le quartier vers 16 h, à la sortie des bureaux, car l'animation prend toute son ampleur, et vous comprendrez mieux ce que l'on appelle « le centre des affaires ».
Le lundi 19 octobre 1987 restera dans l'histoire sous le nom de « Lundi noir ». En effet, Wall Street connut sa plus brutale chute depuis le célèbre Jeudi noir de 1929. Seuls les nouveaux mécanismes de protection du marché empêchèrent un effondrement du même type !
C'est dans ce quartier que *Peter Stuyvesant,* débarquant à New York, roula sa première cigarette...
Battery Park est situé à l'extrême-pointe de Manhattan : devant la statue de la Liberté et le grand vent du large. Là où ont lieu les rendez-vous du film *Recherche Susan désespérément.*
Ne manquez pas le *Woolworth Building* (233 Broadway), construit en 1911 dans un style néogothique... Le hall d'entrée est incroyable avec ses plafonds à la feuille d'or, les voûtes de style byzantin et les ascenseurs en rococo-gothique. Regardez bien les figures peintes au plafond. Vous apercevrez parmi elles le milliardaire Frank Woolworth comptant des pièces de monnaie... Voilà le secret pour faire fortune. Le petit, tout petit musée au rez-de-chaussée montre comment, en 1911, une telle entreprise a pu être réalisée, ça paraît incroyable...

▶ ***Le World Trade Center*** (plan Downtown B3)

Impossible de le rater. Ce sont ces espèces de parallélépipèdes immenses (ils sont deux, ont les appelle les *twins*) posés l'un à côté de l'autre à la pointe sud de l'île de Manhattan.
Monter tout en haut, jusqu'à l'*observation deck* de la tour nº 2 (de 9 h 30 à 21 h 30). Là, à quelque 400 m d'altitude, on vous signalera, bien entendu, que l'ensemble compte 43 000 fenêtres, que la quantité de béton utilisé serait suffisante pour constituer le revêtement d'une grand-route à quatre voies conduisant de la Terre à la Lune, et on ne manquera pas non plus de vous faire remarquer la rapidité de l'ascenseur (les 107 étages en 58 s !). La vue est extraordinaire sur Manhattan de moins en moins dominé par l'Empire State Building, tout penaud.
Arriver vers 9 h, quand débarquent les 50 000 employés. Ça donne vraiment envie d'habiter à la campagne. Tous renseignements sur le World Trade Center : ☎ 66-4170.
Tout près du World Trade Center, à l'angle de Broadway et Fulton Street, Saint Paul's Chapel, la plus vieille église de Manhattan, bâtie entre 1764 et 1766. Washington y fut déclaré premier président des États-Unis d'Amérique.
Face au World Trade Center, au bord de l'Hudson, sur un remblai gagné sur l'eau et longtemps désaffecté, a été réalisé un quartier nouveau, *Battery Park City.* Au bord de l'eau, un grand jardin avec bancs et réverbères où il est agréable de se promener. A l'heure du déjeuner, vous y rencontrerez les hommes d'affaires mangeant leur sandwich sur un banc ou en marchant.

▶ ***Southstreet Seaport*** (plan Downtown C2)

C'est le berceau de l'empire américain, l'ancien cœur du port de New York. Hyperactif au XIXᵉ siècle et au début du XXᵉ. Pour s'y rendre : lignes 2, 3, 4, 5, J et M jusqu'à Fulton Street. Également les A et C jusqu'à Broadway-Nassau. En

bus, depuis Midtown, prendre le M15 (marqué South Ferry) tout au long de 2nd Ave. jusqu'à Fulton Street. Le quartier fut sauvé de la démolition par une importante mobilisation populaire, à caractère largement sentimental. En effet, c'est d'ici que, finalement, partit la richesse de l'Amérique, c'est là que se déroulait le ballet incessant des clippers. Enfin, c'est à Seaport que fut inaugurée par Thomas Edison lui-même, le 4 septembre 1882, la première station d'éclairage urbain à l'électricité.
Dans le bâtiment entièrement rénové (le tout assez réussi) renfermant l'ancien marché, on trouve aujourd'hui trois niveaux de restaurants. Évidemment très touristiques. Au dernier étage, un tas de petites échoppes de fast-food. On peut goûter des plats grecs, américains, italiens, etc. Attention, fermeture à 22 h. Tout autour, nombreuses boutiques. Ainsi, *Brookstone*, sur Fulton, au n° 18, propose des gadgets assez fous. Allez jeter un coup d'œil à l'intérieur de *Captain Hook's :* c'est un amoncellement dingue de matériel et d'équipement pour bateau. Une autre boutique étonnante : *The Sharper Image,* South Street Seaport, Pier 17.
Sur Fulton Street, le *Shermerhorn Row* est l'alignement de maisons le plus ancien de la ville. Le marché au poisson, tout au bord de l'eau, abrite encore quelques poissonniers et des stands de dégustation de fruits de mer.
Pour vous requinquer, allez boire un godet au *Carmine's Bar,* un vieux bistrot à l'intersection de Beekman Street et Front Street, tout à côté de Fulton Market. A l'intérieur, de jolies boiseries bien patinées par le temps et les coudes.
Sur Peck Slip, admirez le remarquable mural en trompe-l'œil. Entre Beekman Street et Peck Slip, les deux derniers blocs d'entrepôts non encore rénovés donnent une bonne idée du quartier au XIX^e siècle.
*South Street Seaport* est ouvert tous les jours de 10 h à 17 h (plus tard en été). Tickets vendus une heure avant la fermeture. Entrée 5 $. Réduction étudiants et enfants. Le ticket donne droit au *Children's Center*, aux gros bateaux *Peking* (le 2^e plus grand bateau à voile au monde encore en service), *Vavertree* (construit en 1885), *Ambrose* (qui guida les paquebots de 1908 à 1963) et à l'accès aux expos et projections de films (*Peking at Sea*). La visite du *Pioneer* nécessite un autre ticket. Renseignements : ☎ 669-9424.
Une idée de balade géniale, en fin de journée : prendre le métro à l'angle de Broadway et Nassau. Descendre à Brooklyn Bridge. Boire un verre au *River Café* (chic, mais vue splendide sur tout Manhattan). Puis rentrer sur Manhattan en traversant le Brooklyn Bridge, à pied. Au coucher du soleil, c'est super. Il y a une promenade pour piétons au-dessus des voitures. De là, on peut faire de superbes photos de Lower Manhattan.

▶ ***Chinatown*** (plan Downtown C2)

Station de métro : Canal Street. Moins spectaculaire que celui de San Francisco, mais intéressant quand même. Bien sûr, il y a une prépondérance de boutiques et de restaurants chinois ; téléphones publics en forme de pagode et journaux écrits en chinois. Mott Street est l'artère principale. Dans cette rue, vous trouverez des restaurants chinois bon marché (voir « Où manger ? »). Vous terminez votre repas par un *fortune cookie,* gâteau chinois dans lequel une phrase inscrite sur un mini-parchemin prédit votre avenir. L'implantation chinoise date de la fin du siècle dernier. Le quartier était rempli alors de tripots et de fumeries d'opium. Dans les nombreuses épiceries, achetez n'importe quoi : du thé aromatisé, des estomacs de poissons séchés, des potages aux ailerons de requins, et surtout des litchis frais.
Pour visiter Chinatown, préférez le dimanche, jour où les Chinois des environs viennent faire leurs achats et serrer la main à leurs copains.

▶ ***SoHo*** (plan Downtown B1)

C'est l'abréviation de *South of Houston Street.* Lorsque les loyers du Village sont devenus trop prohibitifs, les artistes ont émigré dans ce quartier d'entrepôts et de petites entreprises et ont converti les immenses hangars en ateliers et logements (les fameux *lofts*). Ce quartier est devenu à son tour très cher, mais il renferme des tas de merveilles architecturales, notamment des immeubles à armatures en fonte datant du siècle dernier. Les polards en archi les découvriront au gré de leurs balades à pied. En voici quelques-uns : le 112 Prince Street, le 469 Broome Street, le 101 Spring Street, le 28 Greene Street et le 488 Broadway. Plein d'autres dans les quartiers de Tribeca et de Chelsea. Vous en trouverez la liste complète dans n'importe quel bouquin sur l'archi

new-yorkaise. Ce nouveau quartier est aussi bourré de restos sympa et de boîtes de jazz. Beaucoup de galeries, notamment sur Greene Street, Spring Street et Prince Street. Essayez le samedi soir, l'été : les vernissages se bousculent et, avec un peu de chance, vous pourrez attraper au vol une coupe de champagne californien et quelques petits fours dans une ambiance mi-décontractée, mi-branchée.
– *Musée de l'Holographie :* 9 Mercer Street. M. : Canal Street. Ouvert tous les jours de 11 h à 18 h sauf dimanche et lundi. Expo d'hologrammes avec un film en plus.

▶ ***Little Italy*** (plan Downtown C1)

De Chinatown, traversez Canal Street et vous tombez dans Mulberry Street avec ses cafés italiens et ses pizzerias. Évitez de vous intéresser aux conversations des autres, surtout si elles sont en italien. Et n'oubliez pas qu'ici un mot ne se prononce jamais. C'est le mot « mafia ». D'ailleurs, celle-ci a réussi à faire interdire aux États-Unis toute utilisation officielle du mot « mafia », en prétendant qu'elle constitue une atteinte raciste à l'image des Italo-Américains...
Avec un peu de chance, vous trouverez un resto avec un accordéoniste et une chanteuse sicilienne, les cheveux teints en blond. Le week-end, vous pouvez demander au propriétaire où l'on peut jouer à la pétanque dans le coin, vous verrez alors de quelle manière l'Italo-Américain mêle le cappuccino et son sport favori dans un « bar-restaurant-bowling » new-yorkais. N'oubliez pas de consommer un *canoli* et un *espresso.*
Deux grandes manifestations très colorées animent les rues du quartier, en juin pour la *fête de Saint-Anthony,* et début septembre à l'occasion de la *fête de San Gennaro.*

▶ ***Greenwich Village*** (plan Midtown C3)

Station de métro : W 4th Street, 6th Avenue. New York est une ville tout en hauteur et tout en profondeur. Et le plus intéressant, c'est évidemment la vie qui est en dessous, celle qui est ignorée du grand public. Partez à la découverte de cette vie underground, vous ne serez pas déçu. Et c'est dans ce quartier que ça se passe.
Greenwich Village fut longtemps le quartier des artistes et des hippies, situé entre Houston Street et Hudson Street. Le quartier a connu ses heures de gloire dans les années 50, illustré à cette époque par les écrivains qui y vivaient. Depuis, le « Village », comme le Saint-Germain-des-Prés parisien, s'est largement embourgeoisé et est devenu un haut lieu touristique. On visite quand même, bien sûr.
Le coin abonde en boîtes de jazz, petits restaurants, magasins de vêtements à la mode, en particulier sur W 4th Street, et antiquaires sur Bleecker Street et W 10th Street. Washington Square est le centre du Village où, le soir, les jeunes se réunissent pour jouer de la musique et discuter.
Donnant sur Washington Square, *Christopher Street :* la rue la plus « gay » de NY. Elle se réveille le soir, fait la folle toute la nuit pour s'assoupir au petit matin.
Si vous êtes matinal (avant 8 h), allez faire un tour au *Gansevoort Meat Market* (W 14th Street et 10th Avenue), le marché aux viandes de New York. Impressionnant. Melville, l'auteur de *Moby Dick,* y travailla.
Au 55 W 8th St. (et 6th Ave.) résonnèrent d'étranges riffs de guitare. Jimmy Hendrix s'y installa en effet à la fin des années 60. Certaines chambres furent transformées en studio et il y enregistra quelques titres.
A remarquer un certain glissement de l'animation nocturne vers l'est. En effet, Greenwich devient de plus en plus cher, et les artistes préfèrent se retrouver vers l'East Village, du côté de Saint Mark's Place. Entre l'East Village et Greenwich s'étend *Bowery,* une des avenues les plus sordides de New York, où l'on rencontre tout ce qu'il y a de marginal dans l'American Way of Life (clochards, anciens du Viêt-nam, « hard drug addicts », ivrognes). Car vivre aux États-Unis c'est comme un grand jeu : il y a quelques gagnants, mais aussi beaucoup de perdants !

▶ ***Lower East Side*** (plan Midtown D3)

A l'est de Manhattan, c'est le pendant de Greenwich Village.
Tous ceux qui trouvent Greenwich trop aseptisé échouent à *Saint Mark's Place.* Ils en ont pour leur argent. Nulle part à New York les gens sont si différents et pourtant si proches. C'est le déclin, mais on cherche avant tout à vivre. Dans les

vieux cafés ukrainiens, les punks et marginaux de tout poil semblent s'entendre avec la vieille émigration d'Europe de l'Est. Les vagues de l'immigration ont amené dans le Lower East Side les Ukrainiens, les Polonais, les Juifs d'Europe centrale, les Irlandais, les Italiens et les Portoricains pour finir. A cette « immigration ethnique » est venue s'ajouter de tout temps celle des marginaux de la société américaine : musiciens de jazz, artistes en tout genre, poètes, écrivains (Kate Miller habite au 295 Bowery) puis, dans les années 60, les hippies. Les punks seront les derniers à venir s'installer.
Milos Forman a fait revivre le quartier pour son film *Ragtime* dans 11th Street. Les boutiques ont 30, 50, 80 ans. Leur aspect a à peine changé. Libraires aux riches collections, épiciers italiens aux étalages généreux, marchands de fripes d'occasion, petits artisans... Allez donc goûter aux délicieux gâteaux de *Veniero's* (342 E 11th Street) pour vous en convaincre. Beaucoup de boutiques restent ouvertes tard le soir. 1st et 2nd Avenues voient souvent leurs trottoirs encombrés par des puces sauvages.
Fidèle à sa tradition, le Lower East Side reste un creuset de la contre-culture. Dans l'église *Saint-Mark-in-the-Bowery* le pasteur organise, en dehors des offices, des spectacles, des récitals de poésie, au grand dam des bigotes du quartier qui vont prier ailleurs. Le *PS 122,* ancienne école convertie en espace de danse et de théâtre, est devenu l'un des lieux les plus créatifs de Manhattan. Les théâtres off-off produisent d'excellents spectacles. Le théâtre *La Mama* (74 E 4th Street ; ☎ 475-7710) représente ce qu'il y a de plus avancé en ce moment en matière de recherche théâtrale. De plus en plus de jeunes stylistes, couturiers, créateurs de mode viennent s'installer là. *Astor Place* est devenu le dernier salon où l'on se fait coiffer (voir plus loin « Les boutiques qu'on adore »). Tout le Lower East Side commence à être touché par le phénomène de réhabilitation.
A part le secteur encore très pauvre et assez ruiné, compris entre les avenues B et D, tout le quartier entre East Houston et 14th Street (et autour de Tompkins Square) est en pleine restructuration.
Ce quartier où déferlèrent de 1850 à 1950 toutes les grandes vagues d'immigration, ce quartier ouvrier et populaire est donc en train de changer. La spéculation immobilière connaît un développement invraisemblable. Dans le même immeuble, pour un studio minuscule de la même superficie, on peut payer 200 ou... 1 000 $ suivant qu'on est un vieux locataire irlandais, ukrainien, portoricain ou... yuppie nouvellement installé ! Pour quelques années encore, c'est cette cohabitation entre l'ancien et le nouveau mode de vie, ce sont les mélanges sociaux qui rendent donc le quartier intéressant.
Choc du fric et de la pauvreté, des cultures, dont l'art se révèle bien entendu le baromètre et la vitrine tout à la fois. A cet égard, une anecdote : dans leur frénésie d'avant-gardisme et de boulimie de nouveaux lieux, plusieurs dizaines de galeries d'art s'ouvrirent ces cinq dernières années. La plupart fermèrent. Les grosses galeries de Greenwich et de SoHo, les circuits traditionnels firent évidemment tout pour saboter cette extension. Mais, en vérité, c'était visiblement trop tôt : le quartier était loin d'être encore normalisé (insécurité, problèmes de drogue, etc.). Il y a même une certaine morale dans cette histoire. Des planificateurs, même très intuitifs, ne peuvent aller plus vite que le rythme normal des changements sociologiques ! En août 1988, cédant aux demandes des yuppies nouvellement installés, les autorités fermèrent Tompkins Square la nuit, virant les centaines de marginaux et de clochards qui s'y réfugiaient depuis des années. Leur résistance et la brutalité policière qui s'ensuivit radicalisèrent à nouveau la population locale contre le processus de « gentrification » de leur quartier. Bref, ça vibre, ça vit, c'est encore plein de bonnes contradictions !
Essayez de pénétrer au *Pyramid,* le « trou à rat » le plus célèbre du Lower East Side (à deux pas de Tompkins Square). A l'intérieur, ambiance indescriptible. Tous les genres, tous les styles, visages défaits, cadavériques ou ultra-chargés, tenues démentes, gays et straights, punks et petits bourgeois. Musique lourde de fin du monde dans la moiteur d'un bouge africain.
On peut toujours aller se reposer en buvant un verre au *Varzac,* au coin de 7th et B Avenue, un des bistrots les plus sympa du coin. Il n'a pas bougé depuis 1933, avec son grand comptoir en U, ses murs bruns rongés par la nicotine, sa clientèle de vieux du quartier et d'alcoolos pathétiques accrochés au demi le moins cher de New York. Au mur, une photo de Paul Newman avec le patron rappelle que le lieu sert parfois de décor pour des films.
Enfin, une pensée émue pour Emma Goldman, célèbre féministe et militante anarchiste new-yorkaise qui vécut au 210 E13th Street (et 3rd Ave.) de 1903 à

1913 (aujourd'hui marqué n° 208 !). Elle y publia son journal « Mother Earth ». Son compagnon, Alexander Beckman, se rendit célèbre pour avoir purgé près de 15 ans de prison pour une tentative d'assassinat sur Henry Clay Frick, non moins célèbre industriel (et dont vous visiterez l'incroyable et luxueuse demeure, aujourd'hui... musée Frick !).

▶ ***Chelsea*** (plan Midtown B2)

Quartier tranquille qui donne un avant-goût de Greenwich Village : rues calmes plantées d'arbres, maisons de brique rouge de 3 à 4 étages. Son nom vient du fameux quartier de Londres, qu'un certain Clement Clarke Moore tenta de reproduire à New York avec Chelsea Square. Une balade classique consiste à effectuer le quadrilatère allant de 22nd à 19th Street entre 9th et 10th Avenues. Ici s'implantèrent, dans les années 20, les premiers cinémas et une colonie d'artistes. Il en reste quelque chose dans l'atmosphère. Le quartier représente une bonne destination pour dîner un soir. De plus, gros avantage, comme c'est excentré, vous n'y rencontrerez pas les hordes touristiques. Ne pas manquer d'aller voir le *London Terrace Garden* au 425 W 23rd Street (et 9th Street). Remarquable immeuble de brique à la façade superbement dessinée. Les fans de Kerouac iront voir ce modeste édifice en brique au 454 W 20th Street (et 10th Ave.) où il vécut en 1951. Il y écrivit une grande partie de « On the Road ». Excédé d'avoir à changer de feuille sans cesse sur sa machine à écrire, il avait trouvé une combine extra : taper sur du papier à dessin en rouleau de 7 m de long. Il travailla ainsi au roman sur sa table de cuisine pendant 20 jours sans discontinuer et l'acheva en avril 1951.

## *MIDTOWN*

▶ ***L'Empire State Building*** (plan Midtown C1)

A l'intersection de 5th Avenue et de 34th Street. ☎ 736-3100. M. : 33rd Street. Ouvert de 9 h 30 à minuit (vente de tickets jusqu'à 23 h 30). En moins d'une minute, l'ascenseur vous monte au 80ᵉ étage. De là, on peut emprunter un autre ascenseur qui grimpe jusqu'au 86ᵉ étage. La nuit, le spectacle devient enfin extraordinaire. Juste avant les guichets, un écran indique la visibilité (si elle est inférieure à 10 miles, revenez un autre jour). Montez-y à la fin de l'après-midi. Cela vous permettra d'admirer New York de jour, puis au coucher de soleil (souvent fameux), et enfin *by night*, histoire de savoir un peu ce que King-Kong a dû éprouver tout là-haut...
Du 86ᵉ étage, il est possible de prendre un troisième ascenseur afin de parvenir au top, soit au 102ᵉ étage. Construit en 1929, en pleine dépression économique, ce gratte-ciel était un défi typique du capitalisme américain, un acte, comme on dit, d'optimisme et de confiance alors que l'on commençait à s'interroger. D'ailleurs, les affaires étaient dans un si grand marasme que les promoteurs eurent bien du mal à louer les bureaux. A tel point qu'on surnomma l'édifice l'« Empty State Building »... Il n'est plus le plus grand, il n'est pas le plus beau, mais c'est lui qu'on préfère. En y montant, n'ayez aucune crainte, le bâtiment est solide. Témoin la mésaventure du pilote d'un bombardier, perdu par un petit matin brumeux de juillet 1945, qui a fini par heurter de plein fouet le célèbre gratte-ciel à son 79ᵉ étage, au moment même où il lançait à la radio de la tour de contrôle : « Il y a tellement de brouillard que je ne vois même pas l'Empire State Building. » Pour avoir une impression forte, y arriver par le métro et prendre la sortie donnant dans le hall intérieur.
A l'origine, la pointe du bâtiment était conçue pour en faire un poste d'amarrage pour les zeppelins. Les passagers devaient donc atterrir en plein centre ville. Un seul problème : vu les nombreux accidents des zeppelins, le survol de Manhattan leur fut interdit.
Enfin, sachez qu'il y a souvent plusieurs files d'attente, alors pour ceux qui n'ont pas beaucoup de temps...
Au sous-sol, *musée du Livre des records*. Ouvert tous les jours de 9 h 30 à 22 h en été. On y trouve les éléments les plus étonnants évoqués dans le livre : la statue de l'homme le plus grand, la femme la plus avare, etc. Absolument ringard, avec ses records dédiés à la bêtise humaine. La visite n'est pas indispensable à votre culture générale et, de plus, l'entrée est très chère.
Quelques personnages célèbres honorèrent East Midtown de leur séjour, comme F. Scott Fitzgerald au 143 E 39th Street (et Lexington). Il était encore fiancé à Zelda. Aujourd'hui, le bâtiment porte le n° 145. Quant à Dashiell

Hammett, avant de vivre dans l'Upper Eastside, il habita le 133 E 38th Street (et Lexington), tout frais arrivé de Californie et sans un sou.

▶ ***Times Square*** (plan Uptown Sud B3)

Le centre se trouve à l'intersection de 44th Street et de Broadway. Quartier des cinémas et des théâtres, Times Square fut longtemps un des endroits les plus extraordinaires de New York, une espèce de symbole, passage obligé des visiteurs. Débauche de néons, de publicités scintillantes, agressives. Aujourd'hui, avec la rénovation urbaine et la mauvaise réputation du quartier, Times Square a hélas beaucoup perdu de son lustre. Le quartier continue cependant à attirer les laisser-pour-compte de l'Amérique. Sur 42nd Street, entre 7th et 8th Ave. et autour du Fort Authority Bus Terminal, tout un monde de Noirs en manque et de Blancs décavés, demi-sels, gogo girls, stripteaseuses et clients assoiffés. Vu de Times Square, Pigalle n'est plus qu'un paisible presbytère de basse Bretagne. Pour les amateurs, 42nd Street est renommée pour ses sex-shops et magasins d'électronique bon marché (mais accueil exécrable dans la plupart des boutiques et arnaque assurée). Déconseillé aux filles seules le soir et à n'importe qui après minuit, au-delà de 8th Avenue, à moins d'être un spécialiste de karaté.
A *Times Square*, il FAUT s'offrir une bière au bar panoramique du *Marriott* (45th Street) : une plate-forme tournante au 49ᵉ étage. Mode d'emploi : ne pas se pointer en jeans, prendre l'ascenseur jusqu'au 8ᵉ, puis l'escalator jusqu'au 9ᵉ étage. Là, passer le test vestimentaire. Reprendre l'ascenseur jusqu'au 49ᵉ. On remarque que la plupart des publicités sur Times Square sont... japonaises. Signe des temps très révélateur.
On ne peut plus visiter le *New York Times* (229 W 43rd Street, à la hauteur de Broadway). Dommage, un des journaux les plus célèbres du monde. Tire à plus d'un million d'exemplaires, fait une bonne centaine de pages en quotidien et 300 en édition du week-end (qui atteint parfois près de 1 kg !). A lire pour trouver de bonnes pubs discount.
Un gigantesque plan de rénovation de Times Square est donc en cours, alertant les associations de quartier qui ont relevé quelque 27 immeubles de cinquante étages. Pour les amadouer, on leur a garanti de sauvegarder quelques théâtres, mais Times Square vit ses dernières années et reste promis à devenir un nouveau parc à bureaux...
A propos, James Dean vécut dans le quartier en 1951. Il occupait la chambre 802 de l'hôtel *Iroquois,* au 49 N 44th Street, beaucoup moins classe que le célèbre Algonquin à côté. Ses amis racontent que le décor de la chambre consistait, entre autres, en une immense ombre de potence et corde, obtenue par un subtil jeu d'éclairage sur une maquette ! Pas net Jimmy, déjà !

▶ ***Grand Central Station*** (plan Uptown Sud C3)

Gare, 42nd Street et Lexington. Allez voir son immense salle des pas perdus où des millions de New-Yorkais transitent *(commuting)* chaque jour pour le Connecticut ou le nord de Manhattan. Ne faites pas comme les autres, levez la tête, et regardez le splendide plafond représentant les constellations. Si vous êtes en fonds, essayez l'*Oyster Bar* (voir la rubrique « Où manger ? »).

▶ ***Rockefeller Center*** (plan Uptown Sud C3)

Entre 5th Avenue et Avenue of the Americas, d'une part, W 48th Street et W 52nd Street, d'autre part. M. : 47th Street. Ensemble de vingt et un gratte-ciel. La Plaza en est le centre. On y trouve au rez-de-chaussée le fameux *Radio City Music Hall* avec son célèbre show. Pour ceux qui veulent humer un peu le parfum des années 30. Présentation des États-Unis par la musique et les chants. Du grand spectacle, mais malheureusement assez cher.
Papy Rockefeller avait une morale rigoureuse. Il avait même proposé à ses enfants le marché suivant : « Abstenez-vous de fumer et de boire jusqu'à 21 ans et je vous donnerai 2 500 dollars. » Dur, quand chacun des enfants savait qu'il hériterait de 50 millions de dollars...
En tout cas, cinquante ans après sa création, Rockefeller Center, réalisé en pleine dépression économique, constitue, avec ses rues, boutiques, équipements pétroliers, un modèle pour de nombreux architectes contemporains. Racheté il y a quelques années par les Japonais. Tout fiche le camp !

▶ ***Waldorf Astoria Hotel*** (plan Uptown Sud C3)

301 Park Avenue, à la hauteur de 49th Street. Cirez vos baskets et allez voir cet hôtel qui est le sommet de l'art déco. Il faut absolument visiter le hall central avec ses colonnes, ses velours et ses dorures. Entrée gratuite évidemment. Demandez à la réception la brochure gratuite qui vous guidera dans les trois premiers étages. Ne manquez pas le grand Ballroom ni le Silver Corridor. Le Waldorf Astoria se tenait autrefois à l'emplacement même de l'Empire State Building. Il fut détruit en 1929 pour être rebâti à sa place actuelle.
En 1935, il y eut une grande fête paysanne avec des pommiers (les pommes étaient accrochées une à une aux branches car ce n'était plus la saison). Il y avait aussi une vache mécanique dont le pis donnait du champagne d'un côté et du whisky de l'autre !

▶ ***United Nations*** (plan Uptown Sud D3)

Le long de l'East River, tout au bout de E 45th Street, se dresse la silhouette bien connue du gratte-ciel de l'O.N.U. Baladez-vous également dans les sous-sols, vous pourrez y acheter des objets artisanaux en provenance de tous les pays membres, et notamment des poupées typiques de chaque État. De plus, nombre de grands architectes, comme Le Corbusier, ont participé à sa réalisation. Et comme pas mal de pays ont apporté leur contribution à l'édifice sous forme de don d'une œuvre d'art (on n'a évidemment pas lésiné sur la qualité, public-relations obligent), l'immeuble se visite un peu aussi comme un musée. Cela dit, si vous êtes pris un peu de court pour visiter New York, shunter l'O.N.U. sans trop de regrets : la visite, à notre avis, est assez ennuyeuse. Ouvert de 9 h à 17 h. Réduction étudiants.
La combine pour ceux qui tiennent à visiter l'O.N.U., c'est d'aller voir les sessions gratuites ouvertes au public. Il y en a tous les jours.

▶ ***La nouvelle architecture*** (plan Uptown Sud C2)

Au sud de Central Park ; c'est là que les multinationales américaines font le concours du plus fastueux building. Derniers nés : *l'A.T.T. Building,* néoclassique, très original (Madison Avenue et 55th Street), mais pas vraiment remarquable ; il faut ajouter quand même que c'est le plus cher de New York, et qu'il fait face à celui d'I.B.M. La *Tour 49,* 49th Street, entre Madison et 5th Avenues, premier building « intelligent », entièrement câblé en fibre optique avec gestion contrôlée des communications, du chauffage, etc.
Un lieu de rendez-vous sympa dans Midtown : la serre de l'I.B.M. Building, pleine de fleurs et de gigantesques bambous. On n'est pas obligé de consommer et c'est calme. Au sous-sol de la tour, expos temporaires consacrées à l'ethnologie. On y trouve aussi des toilettes...

▶ ***Trump Tower*** (plan Uptown C2)

Angle 5th Avenue et 56th Street. C'est la folie architecturale de New York, le château de Citizen Kane accessible au quidam. Né de l'imagination et de la fortune de Donald Trump, le géant de l'immobilier qui voulait avoir son nom en lettres d'or sur la plus haute tour de la plus belle avenue de la plus belle ville du monde, il prouva que la crise économique ne frappait pas tout le monde. La nouveauté dans la conception de ce nouveau gratte-ciel réside dans la réalisation de l'Atrium, galerie marchande verticale qui offre aux badauds ses cinq étages de boutiques de luxe. Entièrement construite en marbre d'Italie « couleur pêche » avec des escaliers mécaniques à rampe de cuivre. Vous pourrez y acheter vos bottes en python ou tout simplement y déjeuner d'un sandwich et d'un excellent cappuccino en écoutant de vieux musiciens en smoking exécuter de grands airs classiques. Du lundi au samedi, de 10 h à 18 h. Et si jamais vous désiriez vous loger là-haut, comptez un petit million de dollars le deux-pièces.
La tour comporte 65 étages alors qu'au départ le permis de construire n'autorisait que 35 étages. En effet, à New York, on peut acheter « l'espace aérien » des immeubles voisins. Si un bâtiment mitoyen comporte 15 étages alors que la commission d'urbanisme autorise un immeuble de 20 étages, on peut racheter l'« espace aérien » des 5 étages non construits pour l'utiliser à surélever un autre immeuble. Voici pourquoi la *Trump Tower* et *ATT Building* sont bien plus hauts que leurs voisins. Pour la petite histoire, Donald Trump ne brille plus guère au firmament de New York. Une sordide histoire d'adultère et de divorce lui a coûté une fortune et a fortement ébranlé la confiance de ses banquiers. Les mil-

liards de dollars investis dans les casinos d'Atlantic City ne rapportent pas autant que Trump le souhaitait et il racle les tiroirs quotidiennement pour payer ses intérêts exorbitants et éviter la banqueroute.

• ***A la recherche de quelques fantômes !***

Tiens, dans le coin, au 53 W 57th Street (et 5th Avenue), les admirateurs de *Marlon Brando* auront une pensée pour lui. Il y habita de 1949 à 1951. A l'époque, il tourna *Un Tramway nommé Désir, The Men* et *Viva Zapata*. Pour l'anecdote, il partageait l'appartement avec un autre comédien, Wally Cox. Celui-ci finit par s'enfuir car le *pet* de Brando, un raton-laveur, lui dévorait tous ses costumes et chaussures !
Toujours sur 57th Street (et Park Ave.), vous trouverez la Ritz Tower, datant de 1927. Elle fut achetée par le célèbre magnat de la presse, *Randolf Hearst* (qui servit de modèle pour le « Citizen Kane » de O. Wells). Il y occupa un appartement avec sa maîtresse, l'actrice Marion Davies. Autres prestigieuses locataires : *Greta Garbo* et *Paulette Goddard*. Au 127 E 55th Street (et Park Ave.), *Montgomery Clift* vécut de 1944 à 1951. Ce qui est étonnant, c'est qu'à cette date Clift était une énorme star déjà et qu'il continuait à vivre dans ce très modeste édifice, dans un petit appartement à quelques dizaines de dollars par mois ! Au 111 E 56th Street (et Park Ave.) s'élève l'hôtel Lombardy. *Hemingway* y séjourna quelque temps, ainsi que *Sinclair Lewis* et *Henry Fonda*. Enfin, *Marilyn Monroe* laissa quelques souvenirs dans le quartier. Au 444 E 57th Street, elle s'installa en 1956 après son mariage avec Arthur Miller. Il y écrivit une partie des « Misfits ». L'appartement était leur point de chute à New York. Marilyn l'occupa jusqu'à la fin de sa vie, même après son divorce (Miller, quant à lui, retourna au Chelsea Hotel). Fin du pèlerinage Marilyn à l'angle nord-ouest du carrefour de E 52nd Street et Lexington Ave. En effet, c'est là qu'eut lieu la légendaire scène de « Sept Ans de réflexion » où l'air chaud du Subway lui soulève la jupe. La grille est toujours à la même place, pour les lectrices nostalgiques...

## *UPTOWN*

### ▶ ***East Side*** (plan Uptown Sud C2)

Le côté est, c'est les Champs-Élysées et la place Vendôme réunis. C'est ici, sur 5th Avenue, que Jackie Onassis avait son appartement et que Tiffany vend ses créations. Tout près, Madison Avenue se glorifie de ses loyers qui excèdent 2 000 $ par mois pour 25 m$^2$. Pour déguster ce luxe, commencez à 57th Street et 5th Avenue et marchez vers l'est. Entre 5th Avenue et Madison, arrêtez-vous dans ces galeries d'art qui s'attribuent le marché mondial de l'art moderne. Continuez vers Park Avenue avec ses immeubles prestigieux.
Upper East Side connut de nombreux prestigieux locataires : George Gershwin vécut de 1933 à 1936 au 132 E 72nd Street (et Lexington). Il y travailla sur « Porgy and Bess ». Au 140 E 63rd Street (et Lexington) s'élève le Barbizon Hotel qui fut un temps une résidence pour femmes seules. Grace Kelly y séjourna en 1947-1948 pendant qu'elle apprenait la comédie à l'American Academy of Dramatic Arts. Gene Tierney y résida également. En 1955, Grace Kelly revint habiter le quartier au 200 E (et 3rd Ave.). Elle eut comme voisin Benny Goodman, le grand jazzman (qui y mourut en 1986). Elia Kazan habita par deux fois l'East Side : de 1945 à 1955 au 167 E 74th Street (à l'époque, il réalisa « Viva Zapata », « Un tramway nommé Désir » et « Sur les quais »), puis de 1955 à 1960 au 212 E 72nd Street (époque du film « Baby Doll »). A quelques blocs, au 35 E 76th Street, s'élève le Carlyle, bel immeuble de 38 étages. Le président Kennedy y avait un duplex et s'en servait souvent (on dit qu'il y rencontra Marilyn Monroe, qui elle, habitait un peu plus bas !). C'est au 985 5th Ave. (et 81st Street), dans l'hôtel Stanhope, que mourut, à 34 ans, le génie du sax, Charlie « Bird » Parker (le 12 mars 1955). Les polards de polars iront au 63 E 82nd St. (et Madison). C'est ici que vécurent les écrivains Lillian Hellman et Dashiell Hammett (il y mourut en 1961). Quant à Henry Miller, il naquit au 450 E 85th St. (et York Ave.) en 1891. James Cagney passa quelque temps de sa jeunesse au 420 E 78th St. (et York Ave.), tandis que Kerenski (héros de la révolution russe de février 1917 et battu par Lénine en octobre) vint se réfugier au 109 E 91st St. (et Park Ave.). Il y mourut en 1970 (à 89 ans). Pour finir cette balade en riant, pèlerinage au 179 E 93rd St. (et Lexington). En 1895, Minnie et Sam Marx, une famille juive très pauvre s'y installa avec quatre garnements irré-

sistibles : Zeppo, Chico, Harpo et... Groucho. Elle y vécut jusqu'en 1910 avant de déménager vers l'ouest. Quand les quatre frangins revinrent à New York, ils étaient déjà célèbres !

▶ ***Central Park*** [plan Uptown Sud (B1-2) et Centre (B1-2-3)]

Central Park est un espace vert artificiel et entièrement aménagé par l'homme. Au départ, c'était un terrain vague, et un journaliste du *New York Post* eut l'idée de faire campagne pour l'aménager.
A ne pas manquer. Il est préférable d'y aller un dimanche, lorsque les Américains envahissent le parc, juchés sur des bicyclettes de location. Le dimanche après-midi, Central Park est le rendez-vous des musiciens amateurs ou professionnels qui mettent la musique au vert, l'espace d'un week-end : on danse la salsa au son des congas et des trombones portoricains autour de la fontaine, ou on se laisse transporter aux Caraïbes par le steel band qui joue le calypso ou la biguine devant la statue de Simón Bolívar. La musique trouve sa place partout à New York.
Nombreux shows en tout genre : musique, mime, marionnettes. Et tout ça gratuitement. Ne manquez surtout pas les concerts gratuits du Philharmonic de New York mi-juillet (voir à la fin le chapitre « Concerts en plein air »).
Les freaks se réunissent près de la grande fontaine et du Mall (endroit le plus intéressant de Central Park, car le plus animé). On peut louer une barque pour faire un tour sur le Central Park Lake. Dans le zoo, une cafétéria en plein air très agréable. Il est bien connu qu'il faut éviter de se promener le soir dans Central Park.
De l'autre côté du lac, essayez de dénicher cet endroit où les Bretons de New York se retrouvent le dimanche pour jouer aux boules. Certains d'entre eux ne sont jamais allés en France. Ils travaillent presque tous dans la restauration. Renommée oblige. On les reconnaît aisément parce qu'ils ne parlent pas comme nous et qu'en même temps ils ne parlent pas anglais. Donc, nos lecteurs bretons y rencontreront leurs compatriotes. Ils ont aussi leurs bistrots, notamment le *Café des Sports* : 329 W 51st Street, entre 8th et 9th Avenues. Dans cette taverne flotte « Gwenn ha du » et on trinque au Ricard. Fait aussi restaurant. Tous les vrais Bretons y sont les bienvenus. On s'y amuse. *Gast !*
Vous baladant au sud de Central Park, sur Central Park South, remarquez au n° 112 l'élégante *Hampshire House.* Frank Sinatra et Ava Gardner y vécurent de 1948 à 1951 (date de leur mariage). Ingrid Bergman y séjourna également en 1946, tandis qu'elle jouait *Jeanne d'Arc* à Broadway.

▶ ***Lincoln Center*** (plan Uptown Sud B1-2)

Broadway et Columbus Avenue. La vraie vedette, c'est peut-être cet ensemble de salles très modernes, inauguré en 1966, qui fait partie de l'un des plus grands centres culturels du monde, construit pour l'essentiel grâce à des dons privés. Moyennant la bagatelle de 1 000 $, les donateurs ont eu leur nom inscrit sur l'un des fauteuils, mais pas le droit de s'asseoir dessus.
Le Lincoln Center comprend le *Metropolitan Opera House,* le *New York City Ballet* (qui fut dirigé par George Balanchine) et le *New York Philharmonic Orchestra.* De plus, on y trouve un théâtre, une bibliothèque, une école de musique et le *Museum of Performing Arts.* Pour la petite histoire, c'est sur l'emplacement du Lincoln Center que fut tourné *West Side Story,* au temps où il n'y avait là que des quartiers pauvres habités par les Portoricains.
Possibilité de tours organisés. Tous les jours de 10 h à 17 h. Durée : 1 h environ. Renseignements : ☎ 877-1800. Le bureau pour les tickets se trouve aux coins intérieurs de la plaza.

▶ ***Quelques landmarks de l'Upper West Side !***

Au 115 Central Park West (et 72nd St.) s'élevait l'hôtel Majestic. Fred Astaire et la danseuse Isadora Duncan y résidèrent. Transformé en 1931 en appartements, l'immeuble abrita d'autres personnalités comme le gangster Frank Costello (au 18e étage). En 1957, il reçut une giclée de pruneaux dans le hall, mais survécut et mourut dans son lit en 1973. Son acolyte Lucky Luciano y vécut aussi quelque temps. Elia Kazan, infidèle à l'Upper East Side (voir plus haut) vint s'y installer à partir de 1960.
Ne pas rater le célèbre *Ansonia,* à notre avis le plus bel édifice de l'Upper West Side. Construit en 1903, il présente une façade démente dite de « style Beaux-Arts », avec multiples tourelles, gargouilles, décrochements bizarres. Réputé

insonorisé, il attira fatalement les musiciens : Yehudi Menuhin, Toscanini, Stravinski, Chaliapine y vécurent, ainsi que le célèbre showman Ziegfeld.

▶ ***The Dakota*** (plan Uptown Sud B1)

72nd Street, au coin de Central Park West. Il était déjà fort célèbre, cet incroyable immeuble de style gothique Tudor, bien avant que, par une sale nuit de décembre 1980, John Lennon y soit assassiné, juste devant la porte. Polanski l'a filmé dans *Rosemary's Baby,* et on ne compte plus les célébrités qui y ont vécu : Judy Garland, Leonard Bernstein, Lauren Bacall, Jason Robarts, Boris Karloff, José Ferrer... John Lennon, lui, vivait calmement au 7e étage, côté est. L'immeuble ne se visite pas.
A côté, au 15 W 72nd St., vécut quelques années le dramaturge Tennessee Williams (autour de 1965).

***AUTOUR DE COLUMBIA UNIVERSITY*** (plan Uptown Centre A-B-1 et Nord A-3)

▸ ***Columbia University :*** de 114th à 121st Streets, dominant le parc de Morningside, s'étend Columbia University, l'une des plus célèbres (et l'une des plus riches) des États-Unis. Produit de la fusion, en 1784, du King's College (créé en 1754) et de l'université de l'État de New York. Installée là depuis la fin du XIXe siècle, Franklin D. Roosevelt y fut étudiant. Balade libre dans l'enceinte de l'université. Possibilité de visite guidée également (☎ 280-2845). Entrée sur W 116th Street et Broadway. Dominée par le Low Memorial Library, genre d'énorme Panthéon romain (édifié en 1896).

▸ ***Saint John the Divine :*** à deux blocs, sur Amsterdam et 112th. La plus grande église de style néogothique du monde, mais aussi un vrai gag. Commencée en 1892 et... construite seulement aux deux tiers ! C'est aussi la troisième basilique du monde, après Saint-Pierre de Rome et N.-D.-de-la-Paix de Yamoussoukro. D'une longueur de 183 m, large de 44 m, avec un transept prévu de plus de 100 m ! Édifié en style byzantino-gothique français.
En sous-sol, grand nombre de services : boutiques de souvenirs, gymnase, salles de danse, studio d'art et un « coin des poètes ». D'ailleurs, la décoration de la cathédrale se révèle un vrai poème à la Prévert : autels sculptés, tapisseries flamandes sur des cartons de Raphaël, un cristal de roche d'une tonne, chaire en marbre, stalles en bois sculpté, transept gigantesque et chœur pharaonien avec colonnes énormes, primitifs religieux, baptistère au gothique hyper chargé, expos de peintures, de photos et de... mitres, monument aux pompiers de la ville, musée de la cathédrale, etc. Le soir, vers 20 h, concerts de jazz, lectures de poésie, etc. Renseignements : ☎ 662-2133. Pour ceux (celles) qui sont dans le coin, projet à la Gaudi qui mérite le détour !

▸ ***Riverside Church :*** angle de Riverside Road et de 120th Street (plan Uptown Nord A3). ☎ 222-5900. Ouverte de 11 h à 15 h. Dimanche, de 12 h 30 à 16 h. Visible de Columbia University. Fondée en 1896 par J. Rockefeller et construite en s'inspirant largement de Chartres. Une des particularités est son énorme carillon de 74 cloches, le plus gros du monde. Une des cloches, pesant 20 t, serait également la plus lourde qu'on connaisse. Ascenseur pour y monter. Puis accès à l'*observation deck*. Cafétéria pas chère.

***HARLEM*** (plan Uptown Nord B-C 2-3)

Aller jusqu'à Columbia University ou 125th Street en métro. Puis prendre le taxi pour visiter le quartier. Possibilité aussi de se concocter (si l'on est débrouillard) un petit itinéraire en bus (avec les transferts). 125th Street et 7th Avenue (Adam Clayton Powell Ave.) sont les artères principales. Très animées. Harlem n'est pas si sale qu'on le croit. C'est un quartier new-yorkais comme tant d'autres, mais déserté par les Blancs. Certaines avenues ont été rebaptisées avec les noms d'hommes politiques noirs. Ainsi, 6th Avenue, au-dessus de Central Park, devient-elle Lenox Avenue (d'après James Lenox, grand philanthrope). La 7th se transforme en Adam Clayton Powell (député et défenseur des droits civiques). La 125th Street est, quant à elle, devenue Martin Luther King Junior Blvd. La 8th Avenue s'appelle aujourd'hui Frederick Douglas Blvd.
Au départ, Harlem n'était pas peuplé de Noirs. Habité essentiellement par des Hollandais, c'était à l'origine un quartier très résidentiel. Il reste d'ailleurs quel-

ques vestiges de très jolies maisons. Tout le quartier fut ensuite l'objet d'une vaste opération immobilière. Bien trop vaste, et de nombreux logements restèrent vacants. C'est alors qu'un riche promoteur immobilier, un certain Payton, proposa ces logements à des prix cassés à une population modeste composée surtout de Noirs et d'Irlandais. Au fur et à mesure, les Noirs gagnèrent du terrain, chassant les derniers Blancs.
Même les anticléricaux garderont un grand souvenir de la messe du dimanche de 10 h 45 à l'*Abyssinian Baptist Church* située 132 W 138th Street, entre Lenox et 7th Avenues (Adam Clayton Powell). Pour y aller, prendre le bus M7 sur Amsterdam Avenue, ou le subway 2 ou 3 sur Broadway. Descendre à 135th Street. Chants superbes à trois chœurs. Les hommes ont des tenues impeccables et les femmes des chapeaux aussi tartes que ceux de la reine d'Angleterre. Ne pas oublier les quêtes, ils le méritent bien. Attention, la messe dure quelque 2 h 30.
En fait, se balader sur 125th Street et Adam Clayton Powell Ave. et écouter de la rue les chœurs des nombreuses églises du coin. C'est pratiquement à la carte ! Nous, on aime bien aussi la *Salem United Methodist Church* (2190 Adam Clayton Powell Avenue et 129th St.).
A la sortie de la messe, se rendre à deux pas de là, dans 125th Street. Certains rideaux de fer baissés (on est dimanche), des commerçants laissent apparaître des fresques à mi-chemin entre le naïf haïtien et l'allégorie du parti communiste chinois. La plus grande galerie en plein air du monde, d'après Franco, l'auteur de ces fresques.
Descendez à la station de la ligne A (Duke Ellington l'avait choisie pour indicatif : « Take the A train – It's the best way to go to Harlem »). Si vous décidez d'y aller à pied, suivez les avenues, essayez d'éviter les petites rues trop peu fréquentées. Amenez peu d'argent. Concernant la photo, ne choisissez pas une période de troubles raciaux récents, il y en a encore régulièrement. Lorsque vous voulez prendre une photo, toujours établir un contact avec les gens de la rue. Par exemple, dites qui vous êtes, demandez si ça ne pose pas de problème, etc. Même un simple immeuble avec une belle fresque peut être source de problèmes si... à l'intérieur se trouvent des dealers ! (expérience vécue). Gardez un équilibre entre un air sérieux et un sourire ; on vous sourira souvent si vous ne regardez pas trop indiscrètement. Si vous croyez voir d'autres Blancs, ce sont des Portoricains uniquement.
Cependant, depuis quelques années Harlem connaît un processus important de rénovation. Des Blancs avisés et peu paranoïaques commencent à y acheter de superbes *brownstones* à des prix défiant toute concurrence pour New York. Il ne serait pas étonnant qu'une grande partie de Harlem redevienne blanche dans un proche avenir. Un processus qui arriva aux quartiers de Georgetown (Washington) et Beacon Hill (Boston). Pour les trekkeurs urbains impénitents, voici quelques ensembles architecturaux intéressants dans Harlem : sur Lenox, entre 125th et 119th, succession de belle *townhouses* et *brownstones.* Sous la crasse et les planches en bois, on devine d'élégantes façades. Au 201 Lenox (et 120th), une église qui fut auparavant l'une des plus belles synagogues, au temps où le quartier était habité par une importante communauté juive allemande. Au coin de 7th Avenue et de W 125th, un pittoresque immeuble de brique blanche avec façade qui ondule et pignons sculptés. Au 140 W 125th Street, le « Koch », magasin de style « romano-corinthien ». Ne pas manquer ce qui fut l'un des plus élégants buildings de Harlem, le *Graham Court,* sur Adam Clayton Powell (7th Avenue) entre 116th et 117th Streets. Noter la monumentale porte d'entrée.

▸ ***Studio Museum in Harlem :*** 144 125th Street (et Adam C. Powell). ☎ 864-4500. Ouvert de 10 h à 17 h, samedi et dimanche de 13 h à 17 h 30. Fermé lundi et mardi. Musée d'art des Noirs américains. Créé il y a une vingtaine d'années. Cadre très agréable et lumineux pour d'intéressantes expos d'art. Le musée possède un gros fonds des œuvres des meilleurs artistes noirs. Excellentes présentations temporaires. Voir en particulier les superbes toiles de Romare Bearden, John Dowell, Moe A. Brooker, Nellie Mae Rove, les papiers froissés de Sam Gilliam, les gravures d'Elizabeth Catlett-Mora, les portraits insolites de William H. Johnson, etc.

▸ ***Schomburg Center for Research in Black Culture :*** 515 Lenox Ave. (et 135th Street). Ouvert de juin à août mardi, jeudi et vendredi de 10 h à 17 h 30, et lundi et mercredi de 12 h à 19 h 30 (fermé samedi, dimanche et fêtes). Avant tout une des plus importantes bibliothèques sur la civilisation noire, présentant également de belles œuvres d'art africaines.

▸ ***New York Big Apple Tours :*** réservations : ☎ 410-4190. Départ de 46th Street et 7th Avenue, au 1er étage du restaurant *Sbarro*. Propose le tour de Harlem, le dimanche, avec les chants de gospel. Le plus intéressant et surtout en français (en saison touristique), pour connaître et comprendre la culture des Noirs en Amérique ou pour découvrir l'histoire d'une époque passée. On propose aussi un « City Bus » pour les gens pressés, qui, en quelques heures, effectue un tour de ville assez complet. Réserver au moins la veille.

***AU NORD DE MANHATTAN*** (plan Uptown Nord : au nord de A1).

### ▶ *The Cloisters*

Près de Washington Bridge, au bord de l'Hudson, sur une hauteur, d'où la vue est superbe. Un cloître abritant un intéressant musée. Le Moyen Age et la Renaissance en plein New York ! C'est encore Rockefeller, homme illustre enrichi par ses gains au tiercé, qui acheta différents éléments architecturaux, datant du XIIe au XVe siècle, venant de cloîtres de monastères français du midi de la France, et les transporta pierre par pierre. Une des pièces les plus rares : la série de tapisseries de *La Dame à la Licorne.* Dans le jardin poussent plus de deux cents plantes que l'on cultivait alors. Tout est d'époque, en quelque sorte. On paie selon ses moyens, mais il est difficile d'entrer sans la *suggested donation* de 4 $. Entrée gratuite si l'on a le badge du Metropolitan du même jour. Ouvert du mardi au dimanche : de 9 h 30 à 17 h 15 de mars à octobre, et de 9 h 30 à 16 h 45 de novembre à février. Tours mardi et vendredi à 15 h. Fermé le lundi. Prendre le métro IND jusqu'à 190th Street. *Overlook Terrace* (sortie par l'ascenseur). Correspondance avec le bus qui mène aux Cloisters.
Si on n'est pas pressé, prendre plutôt le bus n° 4 (Fort Tryon Park-The Cloisters) qui remonte Manhattan depuis le bas, via Madison Avenue jusqu'aux Cloisters. On traverse Harlem. En 1 h 30, les jours sans circulation, on a une impression très contrastée de la ville, des quartiers les plus huppés aux coins crados.

## Musées

La carte d'étudiant permet de bonnes réductions.

▸ ***Metropolitan Museum of Art (MET) :*** dans Central Park, à l'intersection de 5th Avenue et de E 82nd Street (M. : 86th Street, Lexington Avenue ; plan Uptown Centre C3). ☎ 535-7710 et 570-3711. Ouvert du mardi au jeudi et le dimanche de 9 h 30 à 17 h 15. Vendredi et samedi jusqu'à 20 h 45. Fermé le lundi, à Thanksgiving, Noël et Jour de l'An. Un vrai supermarché de l'art. A peine centenaire, il rivalise déjà avec le Louvre. Son financement est à 75 % privé. Ses collections englobent l'histoire de l'art à travers le monde, des civilisations les plus anciennes à nos jours. Peut occuper tout votre week-end sans vous laisser un instant de répit. Prendre le plan, gratuit.

- *Au rez-de-chaussée* (First Floor)

Antiquités égyptiennes : à droite, en entrant. Sarcophages polychromes fort bien conservés. Ne manquez pas les maquettes qui exposent la vie quotidienne des Égyptiens au temps des pharaons. Plus loin, dans le jardin d'hiver, de superbes vitraux dessinés par Tiffany et une magnifique fontaine.
Dans la section art médiéval, reconstitution d'une jolie chapelle romane.
Au fond, reconstitution de la maison de Robert Lehman avec des Gauguin (dont le célèbre *Femmes au bain*) et plusieurs Renoir.
La collection Rockefeller rassemble divers objets africains (jolies portes dogons) et océaniens.
Dans le département des antiquités grecques, ceux qui ont visité Athènes apprécieront la maquette au 1/20 du Parthénon, notamment pour la surprenante reconstitution de l'intérieur avec la statue géante d'Athéna.

- *Au premier étage* (Second Floor)

Intéressant essentiellement pour sa célèbre collection de peintures européennes du XIXe siècle (des Renoir, 17 Cézanne dont *Les Joueurs de cartes,* 29 Gauguin, des Van Gogh dont un autoportrait...). Bref, des œuvres inouïes. D'ailleurs, la collection d'impressionnistes la plus importante se trouve au Metropolitan et non au Modern Art.
A cet étage, la fin de la collection Lila Acheson Wallace avec les artistes les plus récents : Pollock, Roy Lichtenstein, Gilbert and George...

En fin de parcours, allez vous reposer dans le jardin chinois. Pour terminer, allez au « roof garden » avec ses sculptures modernes. Vue superbe sur le « mur » de buildings entourant Central Park.
Récemment a été ouverte la section XXᵉ siècle, financée pour moitié par la fondatrice du *Reader's Digest*. Elle n'arrive pas, bien sûr, à concurrencer le MOMA, mais il y a quand même quelques chefs-d'œuvre, comme la *Gertrude Stein* de Picasso.

▶ ***Museum of Modern Art*** (***MOMA*** pour les amis) : 11 W 53rd Street (plan Uptown Sud C2). ☎ 708-9480 et 90. M. : 5th Avenue, 53rd Street. Ouvert de 11 h à 18 h (jusqu'à 21 h le jeudi). Réduction pour les étudiants. Le jeudi, on paie en principe selon ses moyens de 17 h à 21 h. Fermé le mercredi. Photographie autorisée dans les expos permanentes. Les peintures sont présentées de façon chronologique (depuis 1880) et groupées par tendances et affinités : impressionnisme et postimpressionnisme, expressionnisme, cubisme, école de Paris, futurisme, dadaïsme et surréalisme, abstraction géométrique et constructivisme. La plus importante et la plus riche collection de tableaux modernes du monde : les meilleurs Picasso, Matisse, Van Gogh, Chagall y sont, et on en passe. Pour ceux qui ne le savent pas encore, parmi les chefs-d'œuvre exposés, on trouve *Les Demoiselles d'Avignon* de Picasso, *La Persistance de la mémoire, La Nuit étoilée* de Van Gogh, *La Danse* de Matisse... Intéressants expressionnistes allemands et autrichiens (Kirchner, Kokoschka), Léger, Juan Gris, Max Ernst *(Napoléon in the Wilderness)*, Balthus, Magritte, Delvaux, Tanguy, Miró, Pavel Tchelitchew *(Cache-cache)*. De Marcel Duchamp, *Fresh Widow* et *Le Passage de la Vierge à la mariée*. Salles entières consacrées à Giorgio De Chirico et à Matisse. Et encore Klee, Kandinsky, Delaunay, etc.
Il fut un des premiers musées à consacrer des salles à la photographie, à l'architecture et au design. A voir ABSOLUMENT. Au sous-sol, une cinémathèque (pour quelques dollars, on peut acheter une carte d'entrée valable un an). On y passe les grands classiques du cinéma, ainsi que des films d'avant-garde. Et, pour finir, une cafétéria en plein air, très agréable en été.
N'oubliez pas, après vous êtes restauré, d'aller jeter un œil à la boutique du MOMA, qui vaut vraiment le détour. Vous y trouverez toutes sortes de gadgets design dont vous ne soupçonnez même pas l'existence... Un choix immense de livres, cartes, posters, jeux, etc.

▶ ***Whitney Museum :*** 975 Madison Avenue, au coin de 75th Street (plan Uptown Sud C1). ☎ 570-3676. Ouvert le lundi et du mercredi au samedi de 11 h à 17 h, dimanche et jours fériés de 12 h à 17 h. Le jeudi, nocturne jusqu'à 20 h. Fermé le mardi. Situé dans une étonnante pyramide inversée, ce musée est consacré à l'art contemporain américain. Nombreux peintres pop'art. Il possède plus de 10 000 sculptures, peintures et dessins d'artistes américains contemporains. Les expositions varient, mais vous aurez de grandes chances d'admirer quelques œuvres d'Andy Warhol, les mannequins étonnants de Duane Hanson, quelques mobiles de Calder... Allez du Whitney au Guggenheim par Madison Avenue : toutes les plus grandes galeries d'art sont là. Entre deux salles, laissez-vous tenter à la cafétéria par un *Whitney chocolate cake*, l'un des meilleurs que nous ayons jamais mangés.

▶ ***Guggenheim Museum :*** 5th Avenue et 89 th Street (plan Uptown Centre C2-3). ☎ 360-3500. Ouvert de 10 h à 20 h. Fermé le jeudi. Peintures modernes. Musée construit en 1951 par Frank Lloyd Wright : bâtiment tout aussi intéressant et célèbre que les œuvres exposées. Wright présentait sa maquette en 1946 comme « un truc conçu pour rebondir en cas d'explosion nucléaire ». Le musée est maintenant rénové et s'enrichit d'une nouvelle annexe dans un bel immeuble de SoHo au 575 Broadway. Les tableaux sont présentés tout le long d'une galerie grimpant en spirale, dominée par une coupole qui est la source de lumière. La combine est donc de prendre l'ascenseur qui conduit en haut de l'édifice afin de descendre sans fatigue le long de la galerie.
Nombreux peintres de la fin du XIXᵉ siècle et du XXᵉ : Chagall, Delaunay, Léger, Mondrian. Mais il est surtout célèbre pour posséder la plus importante collection de Kandinsky qu'on ait cataloguée (plus de 180 tableaux) ainsi qu'un très riche ensemble Paul Klee.
Une porte conduit à une galerie séparée qui abrite 75 tableaux de l'étonnante collection Thannhauser. Dans le cadre de cette collection, on peut admirer de nombreuses toiles d'impressionnistes et postimpressionnistes, parmi lesquelles des chefs-d'œuvre de Renoir, Cézanne, Pissarro, Picasso, etc. On n'a jamais vu autant de somptueux Modigliani réunis dans une même salle.

▸ ***International Center of Photography :*** 1130 5th Avenue et 94th (plan Uptown Centre C2). ☎ 860-1777. Un peu plus loin que le Guggenheim Museum. Ouvert du mercredi au vendredi de 12 h à 17 h. Samedi et dimanche de 11 h à 18 h. Mardi de 12 h à 20 h (de 17 h à 20 h gratuit). Fermé le lundi. Réduction étudiants. Expos et films sur l'histoire américaine. Bien.

▸ ***American Museum of Natural History :*** Central Park West et 79th Street (plan Uptown Centre B3). ☎ 769-5100 et 873-4225. Ouvert les lundi, mardi, jeudi et dimanche de 10 h à 17 h 45. Les mercredi, vendredi et samedi jusqu'à 21 h. Gratuit vendredi et samedi de 17 h à 21 h. C'est un des plus grands musées d'histoire naturelle du monde. Architecture triomphaliste et pompière du XIXe siècle. Les animaux naturalisés sont mis en scène dans un décor respectant leurs habitudes de vie. Très réussi. Importantes sections sur la biologie des oiseaux, des invertébrés et sur la vie des animaux (une baleine bleue de 30 m reproduite en fibre de verre : assez impressionnant) ; l'homme et la nature, une section de minéralogie, salles sur les civilisations africaines et asiatiques, et surtout les Indiens. On y passe facilement la journée. Projections sur écrans géants : *Living Planet*, les Merveilles de la Nature et aux dernières nouvelles *The King of fire*. Les programmations changent. Observez la statue particulièrement raciste de l'entrée. Theodore Roosevelt, le Blanc, est sur un cheval alors que les deux autres ethnies américaines, l'Indien et le Noir, sont à pied !

▸ ***Hayden Planetarium :*** W 81st Street, au bord de Central Park (plan Uptown Centre B3). ☎ 769-5921. Installations expliquant les phénomènes atmosphériques et spatiaux : représentation du système solaire, figuration de la surface de la lune, météorites de 34 t... Le plus intéressant est le show au laser le vendredi et le samedi : à 19 h, 20 h 30 ou 22 h avec musique de David Bowie ou Pink Floyd (« Dark Side of the Moon », bien sûr). Les rayons du laser se démultiplient en une sorte de feu d'artifice sur le plafond voûté, au rythme d'une musique pop ou classique. Réduction étudiants. Une séquence de *Manhattan*, de Woody Allen, y a été tournée. Voir la salle de l'Espace et celle du Planétarium, très intéressantes.

▸ ***New York Historical Society :*** 170 Central Park West et 76th Street (plan Uptown Centre B3). ☎ 873-3400. Ouvert du mardi au samedi de 10 h à 17 h (dimanche 13 h à 17 h). Fermé le lundi. C'est le plus ancien musée de New York. Fondé en 1804. Expositions temporaires sur l'histoire de la ville. Ameublement, vaisselle, objets d'art, aquarelles du grand ornithologue d'origine française Jean-Jacques Audubon, folklore, jouets, affiches, etc. Abrite jusqu'à fin 1992 le *Jewish Museum*.

▸ ***Frick Collection :*** 5th Avenue et 70th Street (plan Uptown Sud C1). ☎ 288-0700. M. : 88th Street. Bus : les M1 et M4 (vers le sud sur 5th Avenue, vers le nord sur Madison Avenue). Tous les jours de 10 h à 18 h. Le dimanche de 13 h à 18 h. Fermé le lundi et les jours fériés. Réduction étudiants. Dans l'incroyable hôtel particulier de Henry Clay Frick (le bien-nommé !), riche industriel de Pittsburgh (1849-1919). Construit en 1913 dans un mélange hybride de styles européens du XVIIIe siècle. Le musée présente une extraordinaire collection d'œuvres d'art, constituée par H.C. Frick pendant 40 ans. Impossible bien sûr de tout citer, en voici les principaux points forts, en partant à gauche de l'Entrance Hall :

• *Salle Boucher :* nombreuses œuvres réalisées pour Mme de Pompadour (notamment « The Arts and Sciences »). Porcelaines et meubles du XVIIIe siècle.

• *Anteroom :* salle des primitifs religieux. « Trois Soldats » de Brueghel l'Ancien (1568), « L'Expulsion du Temple » du Greco (1600), « Vierge et Enfant » de Jan Van Eyck (1440). Noter la finesse des détails de la ville en arrière-plan. Portrait de Hans Memling (1470) et deux belles pietà.

• *Dining Room :* peinture anglaise superbement représentée. « Mrs Elliott » de Gainsborough, George Romney, J. Reynolds, Hogarth.

• *South Hall :* de Vermeer, « Enfant à la musique » et « Officier et jeune fille » et leur légendaire lumière ; « Mère et enfant » (1870) de Renoir ; « Madame Boucher » de Boucher (1743).

• *Salle Fragonard :* une dizaine d'œuvres dont certaines furent commandées par Mme du Barry (« La Poursuite », « La Rencontre », etc.). Bel ameublement.

• *Living Hall :* « Sir Thomas Moore » et « Thomas Cromwell » (1532) de Hans Holbein le Jeune, « Saint Jérôme » du Greco, « Portrait d'homme » de Titien ; « Saint Francis » de Giovanni Bellini. Chouette paysage en arrière-plan.

• *Library :* splendide et romantique « Lady Pell » de Thomas Lawrence ; « Mort-lake Terrace » et « Le Port de Calais » de Turner, « Lady Innes » de

Gainsborough, portraits de Romney, Reynolds, Gilbert Stuart. Paysage de Constable. Grand portrait d'Henry Clay Frick *himself*.

• *North Hall :* « Duchesse d'Haussonville » d'Ingres (superbe rendu du drapé) : « Vetheuil en hiver » de Monet ; « Dame à l'oiseau et orgue » de Chardin.

• *West Gallery :* Corot, Van Dyck, Ruisdael ; extraordinaire « Port de Dieppe » de Turner, ainsi que « Cologne ». Frans Hals ; « Le Cheval blanc » de Constable ; Bronzino, Véronèse, « Cavalier polonais » de Rembrandt, ainsi que « Nicolae Ruts » et un autoportrait. Fantastique « Éducation de la Vierge » de La Tour (en fait le fils de l'artiste, paraît-il !), « Maîtresse et servante » de Vermeer ; « La Forge » de Goya ; Vélasquez, le Greco. Ravissants meubles sculptés.

• *Enamel Room :* dans cette petite salle prolongeant la West Gallery, découvrez le « Couronnement de la Vierge » de Veneziano, de superbes triptyques, Duccio, Piero Della Francesca, etc. Mais surtout une remarquable collection d'émaux de Limoges et de coffrets. Très beau portrait de Léonard Limousin.

• *Oval Room* (la Rotonde) : Van Dyck, « Mrs Peter William Baker » et « Frances Duncombe », magnifiques portraits en pied.

• *East Gallery :* James A. McNeil Whistler, Goya, « Anvers » de Turner, Van Dyck, Millet, Degas, Claude Lorrain, Corot, David, très délicate « Fileuse » de Greuze.

▸ ***Cooper Hewitt Museum :*** 5th Avenue et 91st Street (plan Uptown Centre C2). ☎ 860-6868. Ouvert de 10 h à 17 h (mardi 21 h). Dimanche de 12 h à 17 h. Gratuit le mardi de 17 h à 21 h. Fermé le lundi. C'est le musée du design lié à la Smithsoniam Institution de Washington. Abrité dans une magnifique demeure de 64 pièces de style néogéorgien, résidence d'Andrew Carnegie. Époustouflante richesse de la décoration intérieure : panneaux muraux, plafonds et escaliers en bois abondamment sculptés. Très intéressantes expos temporaires par thèmes sur tout ce qui touche le design et les arts décoratifs.

▸ ***Jewish Museum :*** abrité par la New York Historical Society, Central Park West et 77th Street jusqu'à fin 1992. ☎ 399-3430. Ouvert les dimanche, mardi, mercredi, jeudi de 10 h à 17 h. Vendredi de 10 h à 15 h. Fermé les lundi, samedi, et jours fériés. Reviendra ensuite au 1109 5th Ave. (et 92nd Street). Très beaux objets cultuels, orfèvrerie religieuse, peintures, pièces d'archéologie, arche de torah d'Urbino (XVᵉ siècle). Expos temporaires. Une poignante sculpture : *The Holocaust* de George Segal. Œuvre puissante et terrible dans sa démonstration. C'est le plâtre du monument installé à San Francisco, il y a quelques années.

▸ ***Museum of the American Indian :*** au carrefour de Broadway et 155th Street (plan Uptown Nord A1). ☎ 283-2420. Pour y aller, vous devez prendre la ligne A du métro (direction nord) jusqu'à 157th Street. La gare se trouve au carrefour. Le musée est situé 200 m plus bas. Ouvert du mardi au samedi de 10 h à 17 h, dimanche de 13 h à 17 h. Fermé lundi et jours fériés. Le musée abrite les collections les plus complètes au monde sur l'histoire culturelle des Indiens en Amérique du Nord, du Centre et du Sud. « Des objets appartenant aux tribus de chaque région nous éclairent sur l'environnement, l'économie, l'habitat, l'armement, les techniques de chasse, l'alimentation, la religion, l'organisation sociale et les divertissements. » (F.W. McDarrah, *Les Musées de New York*). Les Iroquois sont particulièrement bien représentés avec, entre autres, des masques de la « société des faux visages », censés favoriser l'incarnation de l'esprit guérisseur chez ceux qui les portaient ; collections de poupées « kachina » des Indiens du sud-ouest des États-Unis. Nombreux objets provenant des fouilles archéologiques sur tout le continent américain et importante collection d'art précolombien. On peut commander des casquettes de base-ball décorées de perles de verres. L'argent sert à aider les réserves de Rosebud et du Dakota (Sioux) où il y a de gros problèmes d'alcoolisme.
Au fait, vous avez bien lu l'adresse, c'est en plein Harlem, mais sur une avenue correctement fréquentée, tout près du métro ; courte promenade sans problème. Autour, superbes *brownstones* ; avant d'être envahi par des plus pauvres qui ont divisé les immenses appartements, c'était un quartier blanc très résidentiel. Il n'y a pas de cafétéria dans ce musée, mais on peut aller dans un super bistrot au niveau de 157th Street, nommé le *Metro Bar*. Très bonne ambiance.

▸ ***New York City Museum :*** 1220 5th Avenue et 103rd Street (plan Uptown Centre C1-2). ☎ 534-1672 et 534-1034. Ouvert du mardi au samedi, de 10 h à 16 h 50. Dimanche de 13 h à 17 h. Fermé le lundi. Tout sur l'histoire de la ville :

maquettes, photos, documents, mobilier, collections diverses (jouets, argenterie, etc.). Sur quatre étages. Visite intéressante pour les amoureux de New York.

▶ ***New York Public Library :*** 5th Avenue et 42nd Street (plan Uptown Sud C3). ☎ 221-7676. Bibliothèque où l'on peut voir de bonnes expos. Visite guidée gratuite du lundi au samedi à 11 h et à 14 h.

▶ ***Museum of American Folk Art :*** Columbus Ave., entre 65th et 66th Streets (plan Uptown Sud B1). ☎ 595-9533 et 977-7298. Ouvert tous les jours de 9 h à 21 h. Intéressantes expos d'art populaire et naïf américain, ainsi que les plus grands naïfs étrangers.

▶ ***Intrepid Museum*** (plan Uptown Sud A3) : situé sur l'Hudson River, au niveau de 46th W, pas loin du point de départ des bateaux de la Circle Line qui font le tour de Manhattan (Pier 86). ☎ 245-2533. Ouvert tous les jours, sauf les lundi et mardi, de 10 h à 17 h. C'est un porte-avions datant de 1943, long de 275 m et pesant 37 000 t. Pour s'y rendre en métro : 42nd Street (lignes A, C, E et K). Bus M42 et M27. On n'a jamais l'occasion de voir un porte-avions de près. Le visiter est sacrément impressionnant. Il abritait 3 300 hommes et 103 avions. Aujourd'hui, transformé en musée de l'Air et de l'Espace avec des avions de guerre, les hélicoptères du Viêt-nam et la navette spatiale qui a aluni.

## Shopping

Tout particulièrement dans les boutiques de radio, électronique... il est très possible de marchander. N'hésitez pas, vous n'irez pas en prison. On rappelle à ceux qui ont les yeux plus gros que le ventre que la YMCA (356 W 34th Street, à la hauteur de 9th Avenue) possède une consigne à bagages *(lockers)* au sous-sol, où l'on peut entreposer ses affaires de un jour à un mois, ouverte de 8 h à 19 h 30.
Un truc pour ceux qui veulent parachever leur victoire : après un âpre marchandage, dites au vendeur que vous êtes d'accord sur le prix à condition de payer avec une carte de crédit. S'il est d'accord, lui demander 2 % de réduction supplémentaire si vous payez en liquide (les 2 % correspondent à la commission versée par le commerçant à l'organisme diffusant la carte de crédit). Machiavélique, mais efficace ! Seul problème, cela nécessite de trimballer de grosses sommes sur soi : beaucoup de risques pour peu de profits... Comme toujours, évitez d'être trop bien habillé pour marchander et sachez exactement le prix que coûte en France l'objet convoité, afin de vous fixer une borne supérieure.

### • *Les boutiques qu'on aime bien*

– ***Trieste General Merchandise :*** 560 W 12th Avenue (au coin de 44th Street et du port ; plan Uptown Sud A3). ☎ 246-1548. Ouvert de 8 h à 17 h 30 (jusqu'à 16 h le dimanche). Fermé le samedi. Refuse les cartes de crédit. En fonction des arrivages, on peut trouver des appareils-photo japonais, Samsonites, jeans 501, chaussures Timberland, téléphone sans fil, fax, montres à quartz, draps imprimés, Ray-Bans, le tout à des prix imbattables. Les vendeurs sont capables de tondre un œuf pour vendre les poils ! Un conseil : il vaut mieux savoir à l'avance ce que l'on veut, car il est difficile de voir sur place, à cause de l'entassement du matériel. Fermé à 17 h 30 et le samedi.
– ***O.M.G. Inc. :*** 555 Broadway (entre Prince Street et Spring Street). ☎ 925-9513. On y trouve les jeans 501 les moins chers de New York.
– ***MacCreedy and Schreiber :*** 37 W 46th Street, entre 5th et 6th Avenues (plan Uptown Sud C3). Une boutique où l'on trouve un choix étonnant de bottes et tout particulièrement les fameuses *Frye.* Bien moins cher que chez Western House. Et, si vous avez les moyens, alors achetez les *Lucchese,* la Rolls-Royce des boots.
– ***Banana Republic :*** à l'intersection de Bleecker Street et 6th Avenue (plan Midtown B3). Assez cher, mais superbe collection de vêtements safari et brousse. Ils ont une autre boutique au South Street Seaport. Les vêtements sont de très bonne qualité. Demandez leur catalogue de vente par correspondance.
– ***A Photographer's Place :*** 133 Mercer Street. Dans SoHo (plan Downtown B1). Ouvert de 11 h à 18 h. Dimanche de 12 h à 17 h. La plus belle boutique d'albums photo de Manhattan. Des dizaines de vieux recueils, témoignages de

l'Amérique depuis la naissance de la photographie. Des albums qui valent souvent des fortunes à Paris. Un choix énorme de livres et d'ouvrages techniques sur la photo.
– ***Willoughby's :*** 110 W 32nd Street (plan Midtown B1). Le plus grand magasin de photo du monde. C'est certainement vrai. Grand rayon ordinateurs et électronique. On ne marchande pas. Vendeurs moins casse-pieds qu'à Grand Central Station et prix inférieurs dès le départ (mais Canal Street bat toujours les records). Tous les bains, papiers, émulsions les plus rares.
– ***Chess Shop :*** 230 Thompson Street, près de Washington Square. ☎ 475-9580. Ouvert tous les jours de 12 h à minuit. Le plus grand choix que l'on connaisse de jeux d'échecs de toutes tailles, formes et prix.
– ***Astor Place Barber :*** 2 Astor Place (plan Midtown C3). ☎ 475-9854. Ouvert tous les jours, de 8 h à 20 h ; dimanche, de 9 h à 18 h. Oui, c'est un coiffeur, mais pas n'importe lequel. Jusqu'à il y a trois ans, il faisait très ringard, mais depuis, la mode aidant, c'est devenu un salon de coiffure hyper branché, où tout le monde, du mannequin à l'étudiant et au businessman, se presse. Il faut faire la queue et prendre un ticket d'attente. Un des coiffeurs, assis sur un escabeau, vous appelle avec un mégaphone quand c'est votre tour. Alors, si vous hésitez, on vous fait choisir sur un catalogue la coiffure qui vous plaît. On y manie la tondeuse comme au bon vieux temps des années 50... Et, en plus, ce n'est pas si cher pour une coupe tellement « in ».
– ***Fiorucci :*** 125 E 59th Street, entre Lexington Avenue et Park Avenue (plan Uptown C2). Le célèbre couturier italien a aussi, en plein Manhattan, une boutique toujours aussi folle, aussi démente, dont certains vêtements et accessoires sont assez bon marché.
– ***Shackman :*** 85 5th Avenue, à l'angle de 16th Street (plan Midtown C2). Une boutique unique, spécialisée depuis 1898 dans le jouet miniature : petits meubles de la taille d'un paquet de cigarettes, poupées miniatures. Super.
– ***Canal Jean Co :*** 498 Broadway. Fringues sympa, tendance punk ou nouveau romantisme. Un ami à nous y a vu Catherine Deneuve.
– ***Charles Colin :*** 315 W 53rd Street (plan Midtown B2). Une excellente adresse pour les pros de la musique ou les vrais fanas. Éditeur de musique aussi et ils ont vraiment tout : les partitions pas possibles, les méthodes et bouquins introuvables ailleurs... Spécialiste de jazz, bien sûr.
– ***The Gazebo :*** 127 E 57th Street. ☎ 832-7077. Un choix magnifique de patchworks à des prix abordables.
– ***Star Magic :*** 743 Broadway. Ne vend que des articles ayant trait à l'astronomie : gadgets, disques, décoration lunaire, etc. Grand choix où le fluo domine. Souvent d'un mauvais goût raffiné.
– ***Kieh's Pharmacy :*** 109 3rd Avenue, au niveau de 10th. Pharmacie créée au début du siècle et installée dans un garage transformé. Kieh's fabrique tous ses produits : crèmes, cosmétiques, parfums, onguents, etc., à partir d'éléments naturels. Bonne musique de jazz d'ambiance.
– ***Tah-Poozie :*** 332 Bleecker Street (plan Midtown B3). ☎ 242-2715. Un tas de gadgets sympa.
– ***The Cockpit :*** 595 Broadway et W Houston (plan Midtown C3). ☎ 925-5455. Ouvert de 11 h 30 à 19 h. Dimanche de 12 h 30 à 18 h. Immense magasin spécialisé dans les vêtements et gadgets liés à l'aviation. Décor assez dingo avec des cockpits et bouts de carlingues. Pas spécialement bon marché, mais visite amusante (au fond, un vrai avion exposé) et beaucoup de choix (entre autres, superbe collection de blousons de cuir, notamment toute la gamme Avirex).
– ***X-Press :*** 240 W 125th Street (plan Uptown Nord B-C3). L'archétype du magasin de vêtements (sports, ville, randonnées) et de chaussures sur la célèbre 125e rue. Un choix énorme, articles de bonne qualité à des prix défiant toute concurrence. Une vraie mine !

● ***Électronique***

– Pour l'électronique, allez d'abord vous faire expliquer, et notez le modèle qui vous intéresse, autour de Grand Central Station. Même en marchandant toute la journée, vous n'obtiendrez jamais les prix de Canal Street (plan Downtown B1). A Canal Street, Houston Street (Downtown), le vendeur ne cherche pas à vous accrocher : donnez votre référence, on vous délivrera le paquet emballé avec garantie. Genre entrepôt, tout à fait légal. Choix limité, mais amplement suffisant. Boutiques de transfos, adaptateurs, qui sauront vous conseiller, juste à côté.

● ***Grands magasins***

Généralement ouverts de 10 h à 18 h avec une ou deux nocturnes par semaine (jusqu'à 20 h ou 21 h).
Sachez aussi que les grands magasins soldent en début d'année mais aussi fin juin-début juillet.

– ***Bloomingdale's :*** 59th Street, à l'angle de Lexington Avenue et de 3rd Avenue (plan Uptown C2). Vraiment notre magasin préféré. Les amateurs seront comblés par le rayon « matériel de cuisine » : on y trouve tous les gadgets et ustensiles, souvent fantastiques et toujours jolis. Il faut aller voir le resto *Train bleu,* un peu cher pour un routard, entièrement aménagé dans un wagon-lit de la Belle Époque. On entend même dans le haut-parleur un chef de gare s'exprimant en français... Mais le plus fantastique est encore le rayon « furniture ». Sur tout un étage, ils ont agencé dans leurs moindres détails des intérieurs américains. Tous les styles y sont : rustique, disco, exotique, espagnol !... Le plus ringard est encore l'intérieur « grec ancien » ! Pas toujours de très bon goût, mais fort intéressant pour comprendre le rêve américain. Ça reste quand même un magasin cher.
– ***Macy's :*** 34th Street et Broadway (plan Midtown B1). Le plus grand magasin du monde. Il n'y a pas de rayon vraiment fantastique, à l'exception de celui des « cosmetics ». Là, les demoiselles pourront se maquiller gratuitement, et s'en mettre vraiment de toutes les couleurs. *The Fountain,* un bien joli coffee-shop au 5ᵉ étage. Une anecdote : Macy's n'a jamais réussi à acheter la boutique située à l'angle de 34th Street et de Broadway. Cela fait bizarre de voir une petite échoppe entourée de toute part par un bâtiment colossal.
– ***Schwarz :*** 58th E Street et 5th Avenue (plan Uptown C2). C'est le magasin de jouets le plus grand du monde. Ils y sont tous, du moins cher à la voiture électrique. Schwarz propose un choix de maquettes de voitures phénoménal. Un des rares magasins de jouets où les gosses sont vraiment rois. Allez admirer, au dernier étage, la patience du coiffeur pour enfants. Un vrai sacerdoce !
– ***Tiffany's :*** 5th Avenue, à l'angle de 57th Street (plan Uptown C2). Imaginez une grande surface, genre « Prisunic », où, au lieu de vendre des chaussettes, petites culottes et shampooing, les rayons n'exposeraient que des bijoux. Pas des bijoux semi-précieux, comme on dit, mais vraiment des pièces de valeur, des pierres somptueuses. Même si vous n'avez ni les moyens ni l'envie d'acheter, allez y faire un tour. Pour le plaisir des yeux.
– ***Lord and Taylor :*** 5th Avenue, à l'angle de 39th Street (plan Midtown C1). Encore un magasin luxueux, dont le rez-de-chaussée est particulièrement réussi. Maquillage gratuit.

● ***Livres***

– ***Forbidden Planet :*** 821 Broadway (au coin de Broadway et de 12th Street). Pour les amateurs de fantastique, de fiction et de B.D. Vend aussi des jouets et des gadgets style *Guerre des étoiles.* Grand choix. Autre boutique : 227 E 59th Street. Ferme à 18 h.
– ***Strand :*** 828 Broadway (et 12th Street). ☎ 473-1452. Une immense librairie de livres d'occasion ou en solde : littérature, art... En face du Strand. Ferme à 22 h. 13 km de rayonnages ! Prix ridiculement bas. On craque.
– ***Barnes & Noble :*** 5th Avenue, entre 47th et 48th Streets, ou 18th Street. Immense librairie où ils soldent leurs invendus sur deux étages. Exemple de prix : gros bouquin 300 pages reliées sous jaquette, soldé 99 cents. A côté, une autre librairie : *Brentanos,* sur 47th, aussi bien.
– ***Shakespeare and Cº :*** 2259 Broadway et 81st Street (plan Uptown Centre A3). ☎ 580-7800. Ouvert toute la semaine (et tard le soir). Choix énorme, là aussi, dans le neuf et l'ancien.
– ***Coliseum Books :*** 1771 Broadway, à l'angle de 57th Street. Est encore plus fournie en bouquins que *Barnes & Noble.* Prix intéressants.
– ***Gryphon Bookshops :*** 2246 Broadway (entre 80th et 81st Streets). Occasions éclectiques, un peu cher. Grand choix de disques d'occasion à 1,50 $, bons titres.
– ***Books of Wonder :*** 132 7th Avenue, près de 18th Street (plan Midtown B2). La plus réputée des librairies pour enfants. Choix extraordinaire.
– ***Double Day :*** 724 5th Avenue (plan Uptown Sud C2). Bien fourni sur plusieurs étages. On y trouve aussi des disques et cassettes pour tous les goûts.
– ***Map and Travel Center :*** W 43rd Street, près de 6th Avenue. Parfait pour l'achat de cartes routières et touristiques.

• ***Quartiers spécialisés***

– ***Instruments de musique :*** 48th Street, entre 6th et 7th Avenues.
– ***Bagages et valises diverses :*** 14th Street. La Samsonite vendue en France coûte ici 3 fois moins cher.
– ***Antiquités et objets rustiques :*** Bleecker Street, entre 7th et 8th Avenues.
– ***Épices indiennes :*** Lexington Avenue, entre 27th et 30th Streets.
– ***Marché aux fleurs :*** 6th Avenue, entre 26th et 30th Streets.
– ***Diamants et bijoux d'occasion :*** 47th Street, entre 5th et 7th Avenues. Pour le plaisir des yeux.
– ***Vêtements :*** Orchard Street (ouvert le dimanche, fermé le samedi). Dans le Lower East Side.
– ***Articles de cuivre et de laiton :*** Allen Street, entre Delancey et Canal Streets.
– Sur *Canal Street,* un tas de boutiques où l'on vend n'importe quoi à des prix imbattables : vêtements démarqués, matériel de camping, échantillons de parfum... Visite obligatoire.
– ***Appareils-photo et hi-fi :*** 6th et 7th Avenues, entre 42nd et 55th Streets. Prix souvent incroyables. Vérifier la présence d'une garantie internationale et exiger un *bill of sale.* Concernant la photo, éviter sur 42nd Street, *Barnett's Electronics.* Des lecteurs ont eu de très gros problèmes avec eux.

• ***Disques***

Il est évident que les disques les plus intéressants à acheter sont ceux que l'on trouve en France avec l'étiquette « U.S.A. Import ». A New York, ils seront souvent au moins deux fois moins chers. Établissez une liste avant votre départ. En effet, il est très rare que les magasins acceptent de les faire écouter.
– ***Tower Record's :*** E 4th Street et Broadway. Un bon magasin de disques qui vend des billets pour la plupart des concerts rock à Manhattan. Ouvert tous les jours 24 h sur 24. Remarquables rayons jazz et disques classiques. Juste à l'entrée, il y a un présentoir avec des tonnes d'invitations et de *discounts* pour la plupart des boîtes de New York.
– ***Colony :*** 49th Street et Broadway. Plein de partitions. Des livres aussi.
– ***Disques pirates :*** on en trouve principalement à Greenwich Village, notamment dans Bleecker Street et les rues avoisinantes.
– ***Golden Disc :*** 239 Bleecker Street. Grand choix de vieux disques.
– ***J & R Music World :*** 23 Park Row, face au City Hall, près de Wall Street. Choix énorme de disques classiques, jazz, rock.
– ***The Record Hunter 507 :*** 5th Avenue et 42th Street. ☎ 533-4030. Fax : 533-1649. Ouvert du lundi au samedi de 9 h à 18 h 30. Très bien placé au niveau prix pour les C.D., il propose de surcroît toute une collection de « vieux C.D. » des débuts.

• ***Marchés aux puces*** (flea-markets)

– ***Flea-market :*** Avenue of the Americas, à l'angle de 26th Street. Le dimanche matin, sur l'emplacement d'un parking. Un tas de petits bibelots, vieilles fringues, occases diverses. Ne pas se faire trop d'illusions tout de même... De la mi-avril à la fin juillet.
– ***East Gate Market :*** 15 W 27th Street. C'est une adresse où il ne faut pas hésiter à fouiller dans tous les cartons entassés. On peut parfois dénicher une bonne occase.
– Dans l'Upper West Side, à l'angle de 76th Street et de Columbus Avenue.
– Sur Houston Street, près de chez Katz's, deux *thrift shops* vraiment bien.
– Enfin, un autre *flea-market* se tient sur Canal Street, près de Chinatown. Le dimanche toute la journée. Possibilité de dénicher des super affaires question fringues.

## Le théâtre et le music-hall à Broadway

Quand on voit ce qui se passe à New York, on peut dire que la plupart des spectacles de Bobino ou de l'Olympia sont des fêtes paroissiales. Pour savoir ce qui se joue, consulter les journaux dans la rubrique « On Broadway ». Pour les incultes, il faut préciser que *theater,* en américain, n'a pas la même sémantique (séman, quoi ?) qu'en français. Ça signifie plutôt « lieu où il y a un spectacle », ce qui peut être aussi bien du théâtre que du ciné, du music-hall ou des variétés.

Broadway, la seule transversale qui perce Manhattan et traverse New York de part en part, n'est consacrée au théâtre que sur une toute petite partie de son cours, autour de Times Square, et c'est souvent un peu en marge et non sur l'artère elle-même que se trouvent les théâtres. Machine à faire du spectacle, le petit quadrilatère du centre de New York, victime des mauvais garçons et de la haute concentration du commerce pornographique, subit aussi les effets d'un régime syndical fort éprouvant, qui augmente les frais dans des proportions jugées souvent scandaleuses. Ainsi, tous les décors et costumes doivent être détruits quand la pièce est retirée de l'affiche, pour le plus grand profit des corps de métier concernés ; l'interprète ne doit rien déplacer, fût-ce son propre piano, sur une scène, sans le concours d'une équipe de machinistes, etc.

Le coût du plateau est tel que, si la critique n'est pas bonne tout de suite, mieux vaut arrêter les frais aussitôt (et l'opinion est entre les mains de trois critiques).

– Au 47 Broadway, à Duffy Square, on vend des billets de théâtre à moitié prix. Ils soldent tous les billets non vendus. A l'extérieur sont affichés les spectacles pour lesquels il reste des places disponibles. La vente commence à midi pour les matinées et à 15 h pour les soirées. Faites la queue bien avant. Les billets sont vendus pour le jour même. Fermé le lundi. Succursale au *World Trade Center,* près de l'endroit où l'on vend les tickets pour l'observatory deck. Une autre adresse pour les billets pas chers : *TKTS* à Times Square et Broadway sur 43rd Street (en dessous de la célèbre pub Coca Cola). ☎ 354-5800. Mais là, il faut acheter son billet la veille en fonction des pièces proposées.

– ***Chippendales :*** 1110 1st Avenue (61st Street). ☎ 935-6060. Spectacle uniquement pour femmes. Striptease masculin de haut niveau effectué par de beaux mecs bronzés. Spectacle dans la salle aussi. Vaut le coup pour les lectrices sociologues qui ont 15 $ à perdre.
– ***Backstage on Broadway :*** 228 W 47th Street, suite 344 (plan Uptown Sud B3). ☎ 575-8065. Visite guidée pour les individuels afin de découvrir l'univers du spectacle de Broadway de l'intérieur, accompagnée généralement par un acteur, un directeur de scène ou parfois un critique. Souvent complété par une représentation le soir même ou le lendemain.

## Les concerts en plein air et les concerts gratuits

Dans le *Village Voice,* il existe une rubrique « Cheap thrills » qui annonce aux fauchés les spectacles pas chers.
Nombreux concerts de plein air en été, ce qui fait encore un des charmes de New York. Les plus renommés sont ceux patronnés par la bière Schaeffer (rien à voir avec le génial inventeur de la musique concrète). Ils se déroulent tous les soirs (programme dans le *Village Voice*) au ***Wollman Skating Ring Theater*** (dans Central Park, 5th Avenue, à la hauteur de 59th Street). Les meilleurs groupes pop américains et vraiment au meilleur prix. Autres endroits :

– ***New York Philharmonic Free Parks Concerts :*** tous les étés, les trois premières semaines de juillet, concerts gratuits en différents endroits de New York, notamment à Central Park (Great Lawn). Les gens viennent avec le repas du soir (étalé parfois sur des nappes blanches avec chandeliers, eh oui !). En général, vers 20 h. Atmosphère indescriptible et galerie de portraits assurée. Renseignements : ☎ 1-800-247-3030.
– ***Lincoln Center*** (Philharmonic Hall).
– ***Carnegie Hall :*** étudiants et *senior citizens* bénéficient d'un prix très intéressant pour les concerts du jour même. Se procurer le programme mensuel. Les artistes cités en caractères gras donnent droit, en principe, à la réduction. Tous renseignements : ☎ 247-7800. Se présenter entre 13 h et 13 h 30 pour les concerts de l'après-midi et de 18 h à 18 h 30 pour ceux du soir, afin de retirer le *voucher* à échanger immédiatement contre le ticket d'entrée.
– ***World Trade Center :*** sur la piazza, à l'heure du déjeuner. Jazz, classique, etc.
– ***World Financial Center :*** dans le nouveau complexe de Battery Park, en face du One World Trade Center. Pour s'y rendre : lignes 1 et 9 ou R et N jusqu'à Cortlands Street-World Trade Center. En bus : M9, M10 et M22 pour Battery Park City. Superbe animation culturelle dans le Winter Garden (entre le WFC 2

et 3). Danse, chanson, orchestre de chambre ou symphonique, troupes étrangères (genre « The Imperial Bells of China »). Spectacles gratuits en général à 18 h 30, 12 h 30, de 19 h à 21 h. Le dimanche à 15 h. Cadre magnifique (rotonde immense de glace, acier et marbre avec palmiers). Pour infos sur programme et horaires : ☎ 945-0505. Pendant l'été, concerts sur l'esplanade, bien entendu.

*Remarque :* les magnétophones sont strictement interdits dans les concerts publics. Ils en ont assez des disques « pirates ». Ils sont généralement confisqués.

## Cinémas

Cinéphile, si vous voulez découvrir les meilleures salles de cinéma, il faut flâner dans New York. Avec plus de 240 salles, Manhattan en a pour tous les goûts et pour toutes les bourses. Le prix moyen d'une place est de 6 $. En consultant la dernière page du *Village Voice*, on peut voir gratuitement chaque jour un ou deux bons films dans les musées, universités et centres culturels.
– *Remarque :* les Américains étant allergiques au sous-titrage, tous les films sont en anglais. La V.O. ça n'existe pas, tout simplement. Donc si vous allez revoir *Jean de Florette,* Yves Montand et les paysans du Midi parleront anglais avec l'accent du Bronx. C'est la vie !

– ***Rocky Horror Picture Show :*** les vendredi et samedi soir à minuit au *Playhouse* (919 3rd Avenue et 55th Street ; ☎ 755-3020 ou 3021). On peut acheter son billet soit l'après-midi soit à partir de 22 h 45, heure d'ouverture du guichet. Ensuite, faire la queue à 23 h 30. Un spectacle dingue. Le film est vécu par les spectateurs dans la salle. Quand il pleut à l'écran, tout le monde sort son parapluie. Lors de la scène du mariage, on jette des poignées de riz. C'est un crime d'être à New York et de ne pas voir ça.
– ***Le Thalia :*** 250 W 95th Street et Broadway. L'une de nos salles préférées. Pour la petite histoire, Woody Allen l'a filmée dans *Annie Hall.* Nouveau programme tous les jours.
– Si vous voulez voir les derniers films, allez, par exemple, sur 3rd Avenue, entre 59th Street et 70th Street : une dizaine de salles proposent des films en exclusivité. Ce sont les cinémas les plus chic et les plus chers de New York.
– Les amateurs de films d'art et d'essai doivent aller à l'*Anthology Films Archives* et au *Museum of Modern Art.* Sur W 53rd Street, au sous-sol de la bibliothèque municipale, sont projetés de très bons documentaires et courts-métrages (entrée gratuite).
– Les nombreux cinémas de quartier projettent des films spécialement adaptés à la population ethnique locale ; ainsi, dans East Harlem, beaucoup de cinémas jouent exclusivement des films en espagnol.

## Fêtes

– ***Saint Patrick's Day :*** le 17 mars. Fête des Irlandais de New York. C'est l'occasion d'une beuverie de masse. Chacun se promène avec un badge « Today I'm Irish ! ».
– ***Martin Luther King's Day :*** le dimanche le plus proche du 20 mai. Parade à la mémoire de Martin Luther King, qui remonte 5th Avenue entre 44th et 86th Streets. Début de la parade à 13 h. Variée et colorée, militaires, majorettes, pompiers, enfants des écoles, policiers, groupes de jazz qui jouent en dansant. Le cortège est essentiellement composé de Noirs.
– ***Festival de jazz (Newport Festival) :*** fin juin-début juillet (dates à vérifier). Le plus grand festival de jazz américain, avec les noms les plus célèbres.
– ***Gay Freedom Day*** *(jour de la liberté homosexuelle) :* aux alentours du 28 juin. Le défilé qui passe dans 5th Avenue est absolument époustouflant. Une fête folle (gag). Le 28 juin 1969, la police new-yorkaise fit une descente au *Stonewall Inn,* un bar de Greenwich Village. Deux cents gays en furent éjectés. Après quelques instants de confusion, un jeune Portoricain les injuria et lança une canette de bière. Les homosexuels contre-attaquèrent à coup de bouteilles et de pierres. La police, fort surprise, dut se réfugier dans le bar. Plusieurs policiers furent blessés. « Stonewall » est resté chez les gays américains le symbole

de leur revendication pour leur droit à la différence. C'est une date fêtée par des défilés, notamment à New York et à San Francisco. Des défilés nettement plus drôles que les parades militaires.
– ***Independence Day :*** 4 juillet. Commémoration de la signature de la déclaration d'indépendance de 1776, avec feu d'artifice sur l'Hudson River. Jour férié légal.
– ***Feast of Obon :*** le samedi de juillet le plus proche de la pleine lune. Fête bouddhique des Japonais dans Riverside Park (103rd Street).
– ***Saint Stephen's Day :*** le dimanche le plus proche du 28 août. Fête des catholiques hongrois avec cavalcade sur 5th Avenue.
– ***Grande cérémonie Hare-Krishna :*** dernier week-end de juillet ou premier week-end d'août (en principe !). Gigantesques chariots comme ceux des fêtes indiennes. Absolument étonnant. Beaucoup de couleurs, beaucoup de fleurs. Dates exactes au *Visitors' Bureau.*
– ***Harlem Day :*** dernier samedi d'août. Carnaval, danse et *soul food.* Ambiance super.
– ***Fiesta folklorica :*** dernier dimanche d'août. Le grand festival portoricain, dans Central Park. Caramba !
– ***Fête de San Gennaro :*** mi-septembre. Dans Little Italy, sur Mulberry Street. Nourriture à gogo, jeux... La statue de San Gennaro est entièrement recouverte de dollars.
– ***Thanksgiving Day :*** en général fin novembre. Fête américaine très vivante et familiale. Son origine remonte au temps des colons qui trouvaient ce jour-là l'occasion de remercier Dieu pour toutes les merveilles et les bonnes terres qu'il leur avait permis de découvrir. Depuis 50 ans, c'est l'occasion d'un immense défilé financé par le grand magasin *Macy's.* Il démarre de Central Park, descend Broadway et s'arrête au niveau du célèbre magasin. Des centaines de milliers de spectateurs. Le défilé symbolise en quelque sorte l'arrivée du père Noël dans la ville. Le tout est grandiose et très coloré : chars, Snoopy géants, fanfares, clowns, dragons, etc.

## A voir dans les autres « boroughs »

### *BROOKLYN*

« It'd take a guy a lifetime to know Brooklyn t'roo an t'roo. An'even den, yuh wouldn't know it all ! »

Thomas Wolfe.

Une énorme ville à elle toute seule (2 200 000 habitants). Si on compare Brooklyn à la partie de Manhattan au sud de Central Park, ça donne presque envie de faire cette dernière à pied. C'est tout dire ! D'ailleurs Brooklyn fut longtemps une ville indépendante. A l'origine, une colonie hollandaise de quelques villages au XVIIe siècle. Certains laissèrent leur nom à des quartiers connus : Vlake Bos devint Flatbush, Boswijck, Bushwick, etc. « Brooklyn » lui-même vient de Breukelen (petite ville près d'Utrecht). Les Anglais occupant surtout les rives, l'influence hollandaise se fit longtemps sentir (jusqu'au XIXe siècle) dans les fermes et les champs du centre de Brooklyn. Une première tentative de se joindre à New York échoua en 1833. Les quelque 30 000 habitants refusèrent. Puis la ville prit une énorme expansion réduisant peu à peu les terres agricoles. En 1898 seulement, Brooklyn rejoignit le grand New York après un vote de la population (à une infime majorité !). Beaucoup d'industriels s'y installèrent : raffineries de sucre, huileries, brasseries, imprimeries, métallurgie. Ce qui attira forcément les immigrants, qui représentaient dans les années 30 plus de la moitié des habitants. D'abord les communautés juive, russe, italienne, irlandaise, grecque, allemande, puis noire portoricaine. Avec la crise économique, de nombreux quartiers tombèrent dans la misère, dont les plus connus situés au nord de la ville : Browns ville et surtout Bedford-Stuyvesant où Spike Lee tourna son controversé (mais néanmoins intéressant) « Do the Right Thing ». Pour nos lecteurs vieux fans de New York et qui ont bien sillonné de long en large Manhattan, Brooklyn se révélera une remarquable découverte. Quartiers à la séduisante architecture (parfois d'une superbe homogénéité), atmosphère très différente, musées aux riches collections, etc. Bon, vous nous avez compris, ça vaut la peine de passer l'East River...

## A voir

▸ ***Brooklyn Museum :*** 200 Eastern Parkway. ☎ (718) 638-5000. M. : Eastern Parkway Brooklyn Museum. Ouvert de 10 h à 17 h. Fermé le mardi, à Thanksgiving, Noël et le Jour de l'An. Ce fut d'abord, à partir de 1823, une bibliothèque dont les initiateurs visaient à « arracher les jeunes gens à leurs mauvaises fréquentations ». La bibliothèque prit de l'importance et devint par la suite le Brooklyn Institute of Arts and Sciences. Sur le site, il fut décidé en 1897 d'élever un musée digne de la ville. Projet grandiose des architectes McKim, Mead et White sous la forme d'un bâtiment avec d'immenses façades de style néoclassique sur les quatre côtés. L'absorption de Brooklyn dans le grand New York, l'année suivante, cassa l'élan et l'enthousiasme des habitants pour « leur » musée et seulement un quart du projet fut réalisé. Aujourd'hui le Brooklyn Museum est réputé pour ses magnifiques collections d'art (surtout orientale, romaine, égyptienne) et ses programmes éducatifs. On y trouve aussi l'une des plus importantes Museum Shops des États-Unis, avec un choix incroyable dans les reproductions d'art et le matériel pédagogique. Nous recommandons, comme toujours, la visite en commençant par le haut, pour redescendre tranquillement.

• *4e étage :* art américain des XVIIIe et XIXe siècles et contemporain, d'une richesse stupéfiante. « Eleanor et Rosalba Peale » de Rembrandt Peale, « George Washington » de Gilbert Stuart, C. Dunham, R. Diebenkorn, Georgia O'Keeffe, Stella, William T. Willey, M. Hartley, John Singer Sargent, W.M. Chase, A.H. Thayer, « Tropical Scenery » de Frederic Edwin Church (superbe lumière).

• *3e étage :* ameublement art nouveau, verrerie, remontage de la maison Schench (de 1675) qui se trouvait dans les Faltlands, intérieur bourgeois du XVIIIe siècle. Belle collection de tiffanies.

• *2e étage :* antiquités égyptiennes, romaines et grecques. Sarcophages, bijoux en or, mosaïques. Une sélection particulièrement riche et une présentation impeccable.

• *1er étage :* arts orientaux, islamiques et asiatiques. Miniatures, céramiques, tissus, cuivres gravés, peintures iraniennes, bouddhas, sculptures indiennes.

• *Rez-de-chaussée :* intéressante section d'impressionnistes : Degas, Berthe Morizot, Cézanne, « Église à Vernon » de Monet, Odilon Redon, Bonnard, Matisse, Derain, Dufy, superbe « Scène de café » de Forain, Manet, Toulouse-Lautrec, « Le Palais des Doges » et « Chambres des Communes, effet de soleil » de Monet, « La Fille aux dindons » de Pissarro, « Les Vignes à Cagnes » de Renoir, Eugène Boudin.

Dans la galerie moderne : Paul Kelpe, Ilya Bolotowsky, Balcomb Greene.

Importante section d'art africain : splendides masques bolo et banda, couronne et sceptre en yoruba (Nigeria), bracelets, colliers, spectaculaire chapeau de cérémonie funéraire tikar (Cameroun). Magnifique portrait du roi Mishe mi Shyaang ma Mbul (peuple Kuba du Zaïre), « Figure du pouvoir » (Songye du Zaïre), ancre papou en bois sculpté, bouclier olo (Papouasie). Tissus, immenses totems, poteries des Andes, vases zoomorphes du Costa Rica, armes mélanésiennes, superbes ponchos « huari » (Pérou), armes et ivoires gravés esquimaux, etc.

Une curiosité : à l'extérieur, dans un petit jardin, une sorte de mémorial des bâtiments disparus à New York, sous la forme de quelques vestiges. Par exemple, un chapiteau de l'ancienne Penn-Sylvania Station, des sculptures de ponts démolis, pièces d'ornementation architecturale provenant de grands magasins et buildings disparus dans la tourmente immobilière. Parfois, assez émouvant ! Accès à ce jardin de sculpture par le grand parking jusqu'au renfoncement de deux ailes du nouveau bâtiment.

▸ ***Musée des Transports (N.Y. City Transit Exhibit) :*** coin nord-ouest de Boerum Place et Schermerhorn Street. ☎ (718) 330-3060. M. : Borough Hall (lignes 2, 3, 4 et 5), Jay Street Borough Hall (lignes A et F). Ouvert du lundi au vendredi de 10 h à 16 h, samedi de 11 h à 16 h. Fermé dimanche et jours fériés. C'est le musée des transports publics : tous les vieux bus, trams, trains, etc. Aux dernières nouvelles, pourrait être victime des restrictions budgétaires qui frappent New York.

▸ ***Brooklyn Children Museum :*** Brower Park, entrée au sud-est de Brooklyn Avenue et Saint Mark's Avenue. ☎ (718) 735-4400. M. : Kingston Avenue (lignes 3 et 4) ou Kingston-Throop (ligne A). Ouvert de 14 h à 17 h. Samedi, dimanche et jours fériés de 10 h à 17 h. Fermé le mardi. Considéré comme le premier musée des enfants jamais créé (1899). Parcours extrêmement ludique pour aborder la découverte de toutes les techniques et technologies auxquelles les enfants seront confrontés (machine à vapeur, moulin à vent et des dizaines d'autres intéressantes applications de phénomènes physiques).

▸ ***Brooklyn Botanic Garden :*** 1000 Washington Avenue, pas loin du Brooklyn Museum. ☎ (718) 622-4433. M. : Eastern Parkway-Brooklyn Museum. D'avril à octobre, ouvert du mardi au vendredi de 8 h à 18 h. Les samedi et dimanche de 10 h à 18 h. Fermé le lundi. En hiver, fermé à 16 h 30. Jardin créé en 1910. On y trouve plus de 13 000 variétés de plantes réparties en de superbes parcours, notamment les *Jardins japonais,* une des plus belles collections de bonsaïs au monde, le *jardin des Senteurs* (pour les non-voyants), le *Shakespeare Garden* (avec 80 plantes mentionnées dans ses œuvres), etc. Plus loin, le *Conservatory,* ouvert de 10 h à 16 h (week-end à 11 h). Fermé le lundi. Dans la *Tropical House,* vaste serre pour les plantes nécessitant une atmosphère humide et chaude (bambou, bananier, canne à sucre, etc.). Dans un autre bâtiment, les plantes du désert.

▸ ***Fulton Ferry District :*** suivre le Brooklyn Bridge à pied ou descendre à la station High Street-Brooklyn Bridge. Au pied du pont, vieux quartier d'entrepôts. On trouve encore d'anachroniques pontons et pieux en bois vermoulus émergeant de l'eau. C'est de là que partaient vers Manhattan les productions agricoles des fermes de Brooklyn. La construction du pont en 1883 porta, bien entendu, un coup d'arrêt au *traffic.* Le ferry passagers s'arrêta quant à lui en 1924. Très belle vue, bien sûr, sur Manhattan. Surtout depuis la terrasse du *River Café,* 1 Water Street : resto chic, mais on peut se contenter d'y prendre un verre. Gros projets d'aménagement du quartier. Vieille « Fire Station » près du River Café. *Harbor View,* restaurant niché dans une bâtisse de 1835 (au 1 Old Fulton Street). Au n° 28, le *Eagle Warehouse* (1893), transformé aujourd'hui en appartements et qui a conservé son entrée originale. En revanche, les témoins de Jéhovah n'ont pas attendu la rénovation officielle du coin : ils ont racheté nombre d'entrepôts du secteur, qui se révèle ainsi sur le point de devenir une sorte d'enclave de leur secte (et ne manque pas d'inquiéter nombre de libres-penseurs et agnostiques de tout poil !).

▸ ***Brooklyn Heights :*** au sud du Fulton Ferry District s'étend l'un des plus séduisants quartiers résidentiels de Brooklyn. Pour les trekkeurs urbains, une savoureuse balade dans l'architecture du XIXe siècle. C'est Robert Fulton, le célèbre inventeur du bateau à vapeur (et qui tenta vainement de vendre un sous-marin à Napoléon), qui ouvrit vers 1815 la colonisation de Brooklyn Heights, en favorisant les transports avec Manhattan. Impossible de décrire ici tous les « landmarks » du quartier, il vous faudra acheter un guide spécialisé (au moins 50 édifices dignes d'intérêt). Voici simplement quelques coups de cœur et directions :

- *Poplar Street :* au n° 57 (entre Hicks et Henry), l'ancien orphelinat de Brooklyn (1883), transformé en appartements.
- *Middagh Street :* au n° 24, la plus ancienne demeure de la ville (1824). Joli porche. Entre Willow et Hicks Streets, d'autres maisons de bois de la même époque (certaines ont subi quelques modifications postérieures).
- *Willow Street :* au n° 57, ancienne résidence de Robert White (1824). Nos 102 et 104 (entre Clark et Pierrepont, beaux *brownstones.* Au nos 108, 110 et 112, intéressants exemples du style Shingle, façades pleines de fantaisie (1880). Du n° 155 au n° 159, édifices de 1830, dit de style fédéral.
- *Pierrepont Street :* nombreuses pittoresques maisons et placettes. Au n° 128 (au coin de Clinton Street), la *Brooklyn Historical Society* (1881), l'un des immeubles les plus séduisants de Brooklyn Heights, par la richesse de l'ornementation. Possibilité de visiter.
- *Montague Street :* sur quelques blocs s'étend la rue commerçante des Heights. Avec l'invasion des yuppies, malheureusement, surtout des boutiques trendy ou de gadgets luxueux. Ce fut, au XIXe siècle, l'itinéraire principal pour rejoindre le Wall Street Ferry. Peu avant d'arriver à la Promenade, Montague Terrace au style très british.
- *The Promenade :* au bout de Montague Street, une très agréable allée piétonne dans un environnement paisible et verdoyant.
- *Columbia Heights :* du n° 210 au n° 220 (entre Pierrepont et Clark), l'un des plus beaux exemples d'alignement de *brownstones* (1855).

• *Joralemon Street :* au n° 135 (entre Henry et Clinton), fort gracieuse demeure en bois de 1833. Noter la véranda en fer forgé. Du 31 au 75 Joralem Street, une homogène succession de demeures de styles Greek Revival, de la moitié du XIX$^{e}$ siècle. Par Hicks Street, accès à Willow Place pour admirer, à partir du n° 43, l'une des dernières colonnades de Brooklyn (1880).

▸ ***Downtown Brooklyn :*** vous pouvez aussi attaquer un petit parcours Downtown, en commençant par le *Brooklyn Borough Hall* (209 Joralemon et Court Street). Style Greek Revival un peu lourd. Au 365 Jay Street (et Willoughby Street), très intéressante *caserne de pompiers* (1892) de style Romanesque Revival en granit et brique, typique de l'école de Chicago (Louis Sullivan). Par le Fulton Street Mall, voie commerçante agréablement rénovée, allez vous reposer les gambettes et déguster le fabuleux « cheese-cake » de *Juniors,* sur Extension Flatbush Avenue (voir chapitre « Où manger à Brooklyn ? »).
Un peu de forces encore, il vous reste la *Dime Savings Bank* (sur Dekalb Avenue et Fleet Street), énorme édifice de style Roman Revival. Aux heures d'ouverture, ne pas manquer d'aller admirer la fabuleuse décoration intérieure.

▸ ***Prospect Park :*** pour s'y rendre en métro, station Grand Army ou Prospect Park. Immense parc de 210 ha, créé à la moitié du XIX$^{e}$ siècle. On y trouve le *Brooklyn Botanic Garden* (voir plus haut). Sur Flatbush (et Empire Blvd), à la sortie du métro Prospect Park, la *Lefferst Homestead,* ravissante demeure de 1783 de style hollandais. A partir du zoo, suivre le *Prospect Park Walking Tour* qui longe lacs et pittoresques édifices (comme le Palladian Lullwater Boathse) dans un superbe et paisible environnement.

▸ ***Greenwood Cemetery :*** pour les fans de cimetières (et ils sont nombreux parmi nos lecteurs-trices). Ouvert en 1840. Ce fut le premier parc naturel de Brooklyn. Relief vallonné avec de belles échappées sur la ville et la baie. Samuel F.B. Morse et Lola Montès choisirent d'y reposer. Véritable petit musée des tombes et mausolées de style victorien, au milieu des étangs et des canards. Entrée principale sous la forme d'une immense arche de style gothique.

▸ ***Coney Island :*** faire aussi un tour à la célèbre plage. Eh ! les cinéphiles, vous vous rappelez, *Coney Island,* le film tourné avec Buster Keaton, le seul de toute sa carrière où on le voit rire aux éclats ? Vous aurez, vous aussi, l'occasion de sourire : parcs d'attractions, joyeuse animation, une galerie pittoresque de la classe moyenne et populaire américaine. N'oubliez pas votre appareil-photo.

▸ ***New York Aquarium :*** tout à côté de Coney Island, possibilité de visiter l'aquarium. ☎ 265-FISH et 265-3454. M. : W 8th Street, sur les lignes D et F. Pont pour les piétons du métro jusqu'à l'entrée. Ouvert tous les jours de 10 h à 16 h 45 (17 h 45 le week-end). Poissons exotiques rares, requins, bélugas, pieuvres géantes, etc.

### *LE BRONX*

▸ Symbole de la plus extrême pauvreté urbaine, renferme pourtant l'un des plus grands ***zoos*** du monde avec des animaux rares et un jardin botanique juste à côté. Informations : ☎ 367-1010. Ouvert tous les jours de 10 h à 17 h (17 h 30 week-end et jours fériés), et 16 h 30 tous les jours en novembre, décembre et janvier. Donation le mardi, le mercredi et le jeudi. Prendre la ligne de métro 2 ou 5 et descendre à East Tremont Avenue (West Farm Square). Puis gagner Boston Road Entrance, 400 m vers le nord environ. Ou bien le 2 Express jusqu'à Pelham Parkway ou le Lexington Express n° 5 pour E 180th Street et correspondance avec le n° 2 pour Pelham Parkway. Ensuite, marcher jusqu'à l'entrée Bronxdale. Bus (BM 11), Express (Liberty Lines) depuis Manhattan. Arrêt sur Madison Avenue, à 28th, 37th, 40th, 47th, 54th, 63rd, 84th et 99th. Arrêt à l'entrée Bronxdale du zoo (renseignements bus : ☎ 652-8400). A l'intérieur, possibilité de tours par monorail.

## A voir

▸ ***The New York Botanical Garden :*** Southern Kazimiroff Blvd. ☎ 220-8777. Superbe jardin botanique. Accès par le train depuis Grand Central Station. Descendre à Botanical Garden Station. Environ 20 mn de trajet (infos pour les horaires de train : ☎ 532-4900). Serres ouvertes de 10 h à 16 h. Fermé le lundi. Jardins ouverts de l'aube au crépuscule. A ne pas rater surtout : le *T.H. Everett Rock Garden,* la *Botanical Garden Forest,* le *Jane Watson Irwin Perennial Garden.* Serre tropicale de la fin du XIXe siècle.

### *STATEN ISLAND*

Pour ceux qui ont épuisé toutes les ressources de Manhattan et de Brooklyn, une intéressante découverte. D'abord, balade en bateau super (par le Station Island Ferry). Staten Island fut la première île découverte par Verrazzano en 1524. Aujourd'hui, l'île possède la plus petite densité d'habitants de New York (seulement 400 000 habitants). Les communautés grecque et italienne y dominent. Longtemps campagne, le désenclavement provoqué par le pont Verrazzano a entraîné une urbanisation rapide. Beaucoup de belles demeures et d'édifices historiques à admirer pour les amateurs.

## A voir

▸ ***Snug Harbor :*** 914 Richmond Terrace. Quelques kilomètres à droite de l'arrivée du ferry. Pour s'y rendre : le Snug Harbor Trolley, réplique d'un vieux trolley, fonctionne du mercredi au dimanche. Infos pour les horaires : ☎ (718) 448-2500. Un ensemble d'édifices du XIXe siècle (de style Greek Revival pour la plupart), fort bien restaurés. Fondé en 1801, Snug Harbor fut d'abord un hôpital maritime (le premier au États-Unis) et une maison de retraite pour vieux marins. Une trentaine de bâtiments ont été sauvés. Certains abritent d'intéressantes activités culturelles. A voir plus particulièrement :
• *New House Center for Contemporary Arts :* ☎ 448-2500. Ouvert du mercredi au dimanche de 12 h à 17 h.
• *Staten Island Children Museum :* 1000 Richmond Terrace. ☎ 273-2060. Ouvert du mercredi au vendredi de 13 h à 17 h. Week-end de 11 h à 17 h. En été, du mardi au dimanche de 11 h à 17 h. Ateliers de création, spectacles de danse et théâtre pour enfants, forêt magique avec les héros des enfants, etc. Bien réalisé. Nombreuses activités « interactives ».
• *Staten Island Botanical Garden :* ☎ 273-8200. Ouvert tous les jours de 9 h à 17 h.

▸ ***Richmondtown Restoration Historical Society :*** 411 Clark Avenue, Richmondtown. Dans le centre de l'île. Ville fondée par les Hollandais en 1685. Une trentaine de bâtiments historiques ont été restaurés dont la *Voorlezer's House* de 1695, la *Cake-Tysen House* de 1740 (bel exemple d'architecture coloniale), la *Stephens House and General Store* (de 1837) et tant d'autres. Musée local.

## Manifestations sportives

– ***Baseball :*** *Shea Stadium* à Flushing et le *Yankee Stadium,* 157th Street et River Avenue dans le Bronx. Sur ces stades, pratiquement un match chaque jour d'été.
– ***Boxe :*** les meilleurs matches se jouent évidemment au *Madison Square Garden Center,* 4 Penn Plaza. M. : 34th Street-Penn Station.
– ***Bowling :*** 1482 Broadway (dans Times Square) et au *Madison Square Garden.*

## Quitter New York

● ***En stop***

Impossible de trouver un lieu correct pour stopper à la sortie de New York. Pour les pressés, le plus simple est de prendre le train pour sortir complètement de l'agglomération. Il semblerait que le seul moyen pour s'échapper vers les grands espaces soit par le George Washington Bridge. Beaucoup d'attente. Le mieux, c'est d'aller en train jusqu'à Tairytown, à 10 km au nord, d'où partent les motorways pour le Nord et Boston.

On peut essayer de sortir par le Lincoln Tunnel et rejoindre très vite la 80 W. Consultez le tableau d'affichage au sous-sol de la New York University, près de Washington Square (entrée au début de La Guardia Street). Enfin, pensez à lire les petites annonces du *Village Voice.*

● ***En bus***

– ***Terminal Greyhound et de Trailways :*** 8th Avenue, à la hauteur de 41st Street. ☎ 971-6363.

● ***En train (Amtrak)***

Plus rapide et plus confortable que le Greyhound (sièges genre 1^re^ classe d'avion, lumière privée et air conditionné). Valable pour Boston, Washington ou Rochester (chutes du Niagara). Prix sensiblement plus chers (environ 40 %) que le bus. Évitez toutefois le *metroliner,* un peu plus rapide mais vraiment plus cher. Départ de Pennsylvania Station (à côté du Madison Square).

● ***En auto drive-away***

Un conseil : toujours appeler avant.
– ***Auto Drive-away C^o^ :*** 264 W 35th Street et 8th Avenue. Suite 500. ☎ 967-2344 et 696-1414. Au mois d'août, du fait que beaucoup de voyageurs arrivent par New York, les voitures *coast-to-coast* peuvent manquer. En revanche, à Washington, il y en a toujours plus.
– ***Dependable Car Travel :*** 1501 Broadway (suite 302). ☎ 840-6262. Sérieux.
– ***Drive-away Service :*** 3711 Prince Street, suite B, P.O. Box 1504, 11354 Flushing. Métro : Flushing. ☎ (718) 762-3800.

## BOSTON

IND. TÉL. : 617

Il est dommage que Boston soit oubliée sur l'itinéraire de bien des routards. C'est d'abord une jolie ville avec des rues parfois étroites et tortueuses, où l'électricité n'a pas encore remplacé les réverbères à gaz. Par bien des aspects, Boston rappelle San Francisco. Le nom de Boston est lié à toutes les grandes causes libérales de l'histoire américaine : révolution, indépendance, abolition de l'esclavage, émancipation des femmes. Ville phare de la Nouvelle-Angleterre, c'est avant tout la capitale historique des États-Unis. Ici règne une qualité de vie à l'européenne, des vieux quartiers qui s'apparentent plus au vieux monde qu'au nouveau. En même temps, Boston est une vieille dame bien américaine qui s'est fait une nouvelle jeunesse en devenant depuis 5 ans le deuxième centre des affaires du pays après New York. Paradoxalement, c'est aussi la ville de l'intolérance, la ville des puritains et des quakers où « les Cabot ne parlent qu'aux Lowell et les Lowell ne parlent qu'à Dieu ». C'est un endroit assez collet monté, mais c'est en même temps un port, où se bagarrent le soir les marins ivres, et la ville des grandes universités. Après tout, une ville qui existe depuis 350 ans a bien le droit d'être contradictoire.

### Un peu d'histoire

Berceau de l'Amérique puisqu'en 1620 le *Mayflower* débarqua dans les proches environs, à Plymouth, 102 colons dont 41 puritains fuyant l'Angleterre. A noter que si on tient compte, aujourd'hui, de tous ceux qui prétendent avoir eu un ancêtre sur le *Mayflower,* c'est plus de 3 000 passagers vers le Nouveau Monde qui auraient dû débarquer !
Bref, à partir de 1630, Boston se développe rapidement. En 1635 : première école américaine, la *Boston Public Latin School,* suivie d'une université de théologie qui devait devenir Harvard ; 1673 : premier chantier naval ; 1698 : première carte routière ; 1704 : impression du premier journal *(Boston News Letter).* Au milieu du XVIII^e^ siècle, Boston est la première ville de la Colonie et commence à bouger contre l'autoritarisme de Londres. En 1770, une révolte contre les nouvelles taxes est réprimée dans le sang *(Boston Massacre).* Puis, en 1773, pour protester contre les droits de douane exorbitants frappant les

importations du thé, les Bostoniens jettent à la mer les ballots de thé. C'est la *Boston Tea Party,* qui enclenche le processus menant à l'indépendance. En 1776, George Washington chasse les troupes anglaises de la ville.
Aux XIX^e et XX^e siècles, Boston perd de son importance mais continue à collectionner les premières places. Entre autres, 1810 : premier grand orchestre ; 1826 : premier chemin de fer ; 1845 : première machine à coudre ; 1846 : première opération sous anesthésie ; 1862 : première équipe de football ; 1873 : première université à ouvrir toutes ses sections aux femmes ; 1874 : premiers mots échangés par téléphone ; 1875 : naissance de la première carte de Noël ; 1897 : premier marathon ; 1929 : premier ordinateur opérationnel ; 1959 : première pilule contraceptive par voie orale, etc.
Nombre d'hommes célèbres et d'écrivains sont originaires de Boston ou y ont vécu. Citons, entre autres, Edgar Allan Poe, Hawthorne, Emerson, Longfellow, Henry James, Benjamin Franklin (qui vendit en une nuit tant de petits bouts de fer...), l'architecte Louis Sullivan (qui fit surtout carrière à Chicago), Samuel Morse (qui inventa le... morse), les présidents John Adams et John Quincy Adams et, dans les environs (au sud de Boston, à Cape Cod), un certain John Fitzgerald Kennedy...

## Arrivée à l'aéroport

L'*aéroport de Logan* est à peine à 5 km à l'est de la ville. Évitez ces grandes limousines (« limo ») qui sont bien chères et ne conduisent qu'aux grands hôtels.
– ***Le métro :*** une navette gratuite vous y conduit. Ensuite, très rapidement, il vous mène où vous voulez.
– ***Le bus :*** *Airport Shuttle Service.* ☎ 442-2700. Fonctionne de 8 h à 22 h, chaque heure.
– ***Shuttle-boat :*** il vous conduit au Rowe Wharf (débarcadère dans le centre ville).

## Transports

– ***Le métro (MBTA) :*** similaire au système français. Quatre lignes principales (Blue, Orange, Green et Red Lines). Le moyen de transport urbain le plus facile. Attention : sur les plans qui sont dans le métro il n'y a pas toujours toutes les stations intermédiaires.
– ***Le bus :*** assez difficile si l'on ne connaît pas le numéro, la destination et surtout l'arrêt. Les arrêts ne comportant pratiquement pas d'informations, seule la couleur différencie la compagnie. Pour se procurer les horaires, aller à Heymarket, North ou South Station ou Porter Square, et demander les *time-tables.*
Si vous restez quelque temps, intéressant de louer un vélo. Beaucoup d'étudiants l'utilisent donnant ainsi à la ville un air d'Oxford.

## Adresses utiles

– ***Office du tourisme :*** situé dans le Prudential Center (plan B3). Côté ouest de la Prudential Plaza. M. : Copley ou Prudential. Ouvert tous les jours de 9 h à 17 h. ☎ 267-6446 ou 1-800-858-0200. Bien pourvu en prospectus et brochures de toutes sortes. Petit bureau de tourisme (le Boston Common Information Center) au 146 Tremont Street. Ouvert tous les jours de 9 h à 17 h.
– ***Massachusetts Division of Tourism :*** 100 Cambridge Street (plan C2), 13^e étage. M. : Government Center. ☎ 727-3201 et 1-800-632-8038. Ouvert de 9 h à 17 h du lundi au vendredi. C'est l'office du tourisme du Massachusetts.
– ***National Park Service Visitors' Center :*** 15 State Street (plan C2), dans le quartier historique, de l'autre côté de l'Old State House. ☎ 242-5642. Ouvert tous les jours de 9 h à 17 h. Eau fraîche et w.-c. Propose un tour de la ville, guidé et gratuit. Un kiosque d'informations se trouve aussi sur Boston Common (côté Tremont Street).
– ***Terminal Greyhound :*** 10 Saint James Avenue. ☎ 423-5810.
– ***Aacon Drive-away :*** 25 Huntington Avenue. ☎ 536-0120.

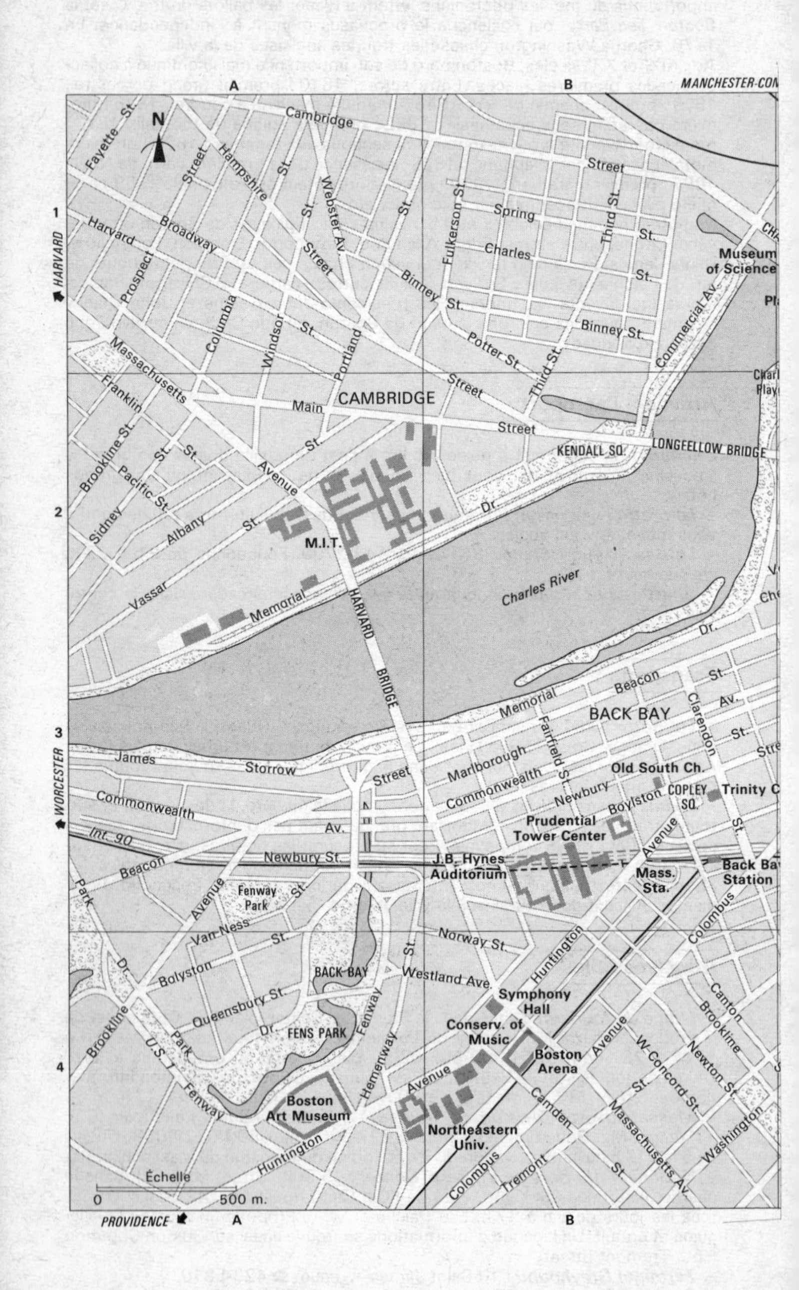
MANCHESTER-CON
HARVARD
WORCESTER
PROVIDENCE
A
B
1
2
3
4
N
CAMBRIDGE
M.I.T.
Charles River
HARVARD BRIDGE
LONGFELLOW BRIDGE
KENDALL SQ.
Museum of Science
BACK BAY
Old South Ch.
Trinity C
COPLEY SQ.
Prudential Tower Center
J.B. Hynes Auditorium
Mass. Sta.
Back Ba Station
Fenway Park
BACK BAY
FENS PARK
Symphony Hall
Conserv. of Music
Boston Arena
Boston Art Museum
Northeastern Univ.
Cambridge
Street
Hampshire
Broadway
Harvard
Fayette St.
Prospect
Webster Av.
Fulkerson St.
Spring
Charles
Third St.
Binney St.
Potter St.
Commercial Av.
Main
Massachusetts
Avenue
Franklin
Brookline St.
Pacific St.
Sidney
Albany
Vassar
Memorial
Dr.
Columbia
Windsor
Portland
Beacon
Clarendon
Fairfield St.
Marlborough
Commonwealth
Newbury
Boylston
James
Storrow
Int. 90
Newbury St.
Av.
Park
Van Ness
Norway St.
Bolyston
Queensbury St.
Westland Ave.
Fenway
Hemenway
Huntington
Colombus
Canton
Brookline
W-Concord St.
Newton St.
Washington
Camden
Tremont
Massachusetts Av.
U.S. 1
Échelle
0
500 m.

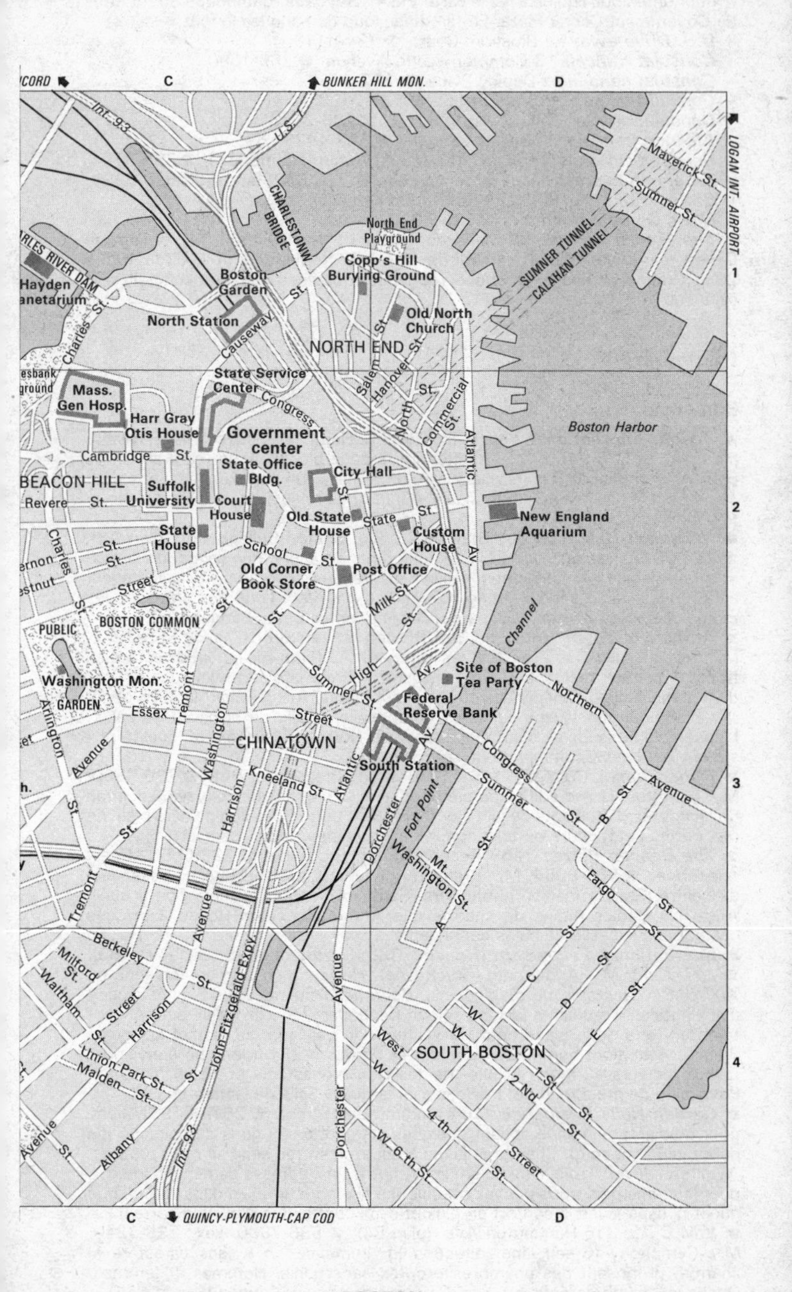
C
BUNKER HILL MON.
D
LOGAN INT. AIRPORT
Int. 93
U.S. 1
CHARLESTOWN BRIDGE
North End Playground
Copp's Hill Burying Ground
Boston Garden
North Station
Hayden Planetarium
Charles St.
Causeway St.
Old North Church
NORTH END
Salem St.
Hanover St.
North St.
Commercial St.
Atlantic Av.
SUMNER TUNNEL
CALAHAN TUNNEL
Maverick St.
Summer St.
Boston Harbor
State Service Center
Congress
Mass. Gen Hosp.
Harr Gray Otis House
Government center
Cambridge St.
State Office Bldg.
City Hall
BEACON HILL
Revere St.
Suffolk University
Court House
Old State House
State St.
Custom House
New England Aquarium
State House
School St.
Old Corner Book Store
Post Office
Milk St.
Street
BOSTON COMMON
PUBLIC GARDEN
Washington Mon.
Channel
Site of Boston Tea Party
Federal Reserve Bank
Northern Avenue
High St.
Summer St.
Essex Street
Tremont
Washington
CHINATOWN
South Station
Arlington
Avenue
Kneeland St.
Atlantic Av.
Harrison
Dorchester
Fort Point
Congress
Summer St.
B St.
Mt. Washington St.
A St.
Fargo St.
Tremont St.
Avenue
Berkeley St.
Milford St.
Waltham St.
Street
Harrison Avenue
John Fitzgerald Expy
C St.
D St.
E St.
W-
West
SOUTH BOSTON
1 St.
2 Nd St.
4 th Street
W-6 th St.
Union Park St.
Malden St.
Albany
Int. 93
Dorchester Avenue
C
QUINCY-PLYMOUTH-CAP COD
D
1
2
3
4

BOSTON

– Pour obtenir du liquide avec la carte VISA : ***Baybank,*** Cambridge Street, près de Government Center Plaza. En fait, beaucoup de banques le font.
– ***U.S. Drive-away :*** 1 Blossom Court. ☎ 734-8110.
– ***Consulat français :*** 3 Commonwealth Avenue. ☎ 266-1680.
– ***Consulat canadien :*** Copley Place. ☎ 262-3760.
– ***Consulat belge :*** 28 State Street. ☎ 523-7493.
– ***Consulat suisse :*** 535 Boylston Street. ☎ 266-2038.
– ***Alliance française :*** 15 Court Square. ☎ 523-4423.
– ***Services culturels français :*** 126 Mount Auburn, Cambridge. ☎ 354-3464.
– ***American Express :*** 10 Tremont Street. ☎ 723-8400 et 1-800-528-2121.
– ***Carte VISA :*** ☎ 1-800-227-6811 (n° d'urgence).
– ***Mass General Hospital :*** ☎ 726-2000.
– ***The French Library :*** 53 Marlborough Street. ☎ 266-4351. M. : Arlington. Ouvert mardi, vendredi et samedi de 10 h à 17 h. Mercredi et jeudi de 10 h à 20 h. Grande demeure de brique rouge. Nombreuses activités culturelles et ciné-club.

## Où dormir ?

### Bon marché

■ ***Boston International Youth Hostel :*** 12 Hemenway Street (et Haviland, plan A4). ☎ 536-9455. M. : Auditorium (à deux blocs). Assez central. On ne peut y rester plus de 3 nuits que s'il y a de la place. On peut faire des jobs pour payer sa nuit. Ouvert de 7 h à minuit. Accueil pas toujours agréable et réservation indispensable.
■ ***Northeast Hall :*** 204 Bay State Road. M. : Boston College (hors plan A3). ☎ 267-3042. Dans un quartier résidentiel très agréable. Rue calme. Belle maison bourgeoise. Ameublement vieillot et grandes chambres, mais l'intérieur aurait besoin d'un sérieux lifting. Cependant, ça reste l'une des adresses les moins chères de Boston, donc appréciable pour les petits budgets.
■ ***Anthony's Town House :*** 1085 Beacon Street, Brookline. ☎ 566-3972. M. : Greene Line « C », 2ᵉ arrêt après Kenmore. A 10 mn seulement du centre en trolley. Quartier résidentiel. Très élégante « brownstone townhouse ». Près d'un demi-siècle d'expérience comme guest-house. Accueil charmant. En général, chambres spacieuses au décor personnalisé. Salle de bains sur le palier. L'ensemble possède un charme authentique. Notre meilleur rapport qualité-prix sur la ville. Très recommandé de réserver.
■ ***Fisher Junior College :*** 116-118 Beacon Street (plan B2). ☎ 236-8800. M. : Arlington. Grand édifice de pierre grise avec une façade concave. Location de chambres d'étudiants de juin à octobre. Bien tenu. Occasion de faire plein de rencontres l'été. Écrire ou téléphoner impérativement pour réserver.
■ ***The Beacon Plaza :*** 1459 Beacon Street, Brookline. ☎ 232-6550. *Guest telephone :* ☎ 566-9254. M. : Brendan Hall (vers Cleveland Circle). Assez loin du centre. Grande maison particulière. Sans luxe mais bien tenu. Bon accueil. Aussi cher, mais moins de charme que Anthony's Town House. Quelques chambres avec salle de bains cependant.
■ ***International Fellowship House :*** 386 Marlborough Street (plan B3). ☎ 247-7248. M. : Auditorium (Green Line). Ancienne maison bostonienne du XIXᵉ siècle dans une rue résidentielle. Bel ameublement. Dans l'année, reçoit une vingtaine d'étudiants en long séjour. Cependant, en juin, juillet, août et septembre, il y a de la place pour les visiteurs de passage qui restent au moins 3 nuits. Attention, hommes seulement et *curfew* à 23 h (donc ne conviendra qu'aux lecteurs au mode de vie tranquille ou monastique et... non fumeurs). Possibilité de prendre le petit déjeuner et le dîner. Salle de lecture et T.V.
■ ***Garden Halls Residence :*** 164 Marlborough Street. ☎ 267-0079. Maison pour étudiants à l'année, louant quelques lits en été aux gens de passage (de début juin à mi-août). Chambres jusqu'à quatre lits, très simples mais propres. Avoir son duvet. Trois nuits minimum. A notre avis, adresse de dépannage car, pour le même prix, vous pouvez obtenir une chambre normale dans une de nos guest-houses (avec le confort en plus et sans contraintes d'aucune sorte !).
■ ***Y.M.C.A. :*** 316 Huntington Ave. (plan B4). ☎ 536-7800. Fax : 536-3240. M. : Symphony (Green Line, direction E). Immense « Y » sans caractère ni charme, proposant des chambres propres sans génie. Hommes et femmes. Quelques chambres pour couples. Cafétéria et piscine. Caution pour la clé.

■ ***Y.W.C.A. :*** 40 Berkeley Street, près de Appleton Street (plan B3). ☎ 482-8850. M. : Back Bay Station. Filles seulement. Un peu cher, mais fort bien tenu. Jardin intérieur. Possibilité d'y manger pas cher.
■ ***Beacon Inns & Guest-Houses :*** 248 Newbury Street (plan B3). ☎ 262-1771. Propose des chambres avec réfrigérateur, gazinière, évier, salle de bains, w.-c. Un vrai studio à un prix très correct. Une semaine minimum.
■ Enfin, n'oubliez pas que Boston a la plus forte concentration d'étudiants des États-Unis. Si vous êtes un tant soit peu débrouillard, vous n'aurez aucune difficulté à vous faire des amis qui vous logeront peut-être.

### Bon marché et un peu excentré

■ ***The Farrington Inn :*** Allston Station, P.O. Box 364. ☎ 787-1860. Numéro gratuit : ☎ 1-800-767-5337. Situé à l'ouest de la ville. Genre B & B proposant des chambres très correctes. On y parle le français. Téléphoner pour réserver. Petit déjeuner compris.

### Plus chic

■ ***Miss Florence Frances Guest-House :*** 458 Park Drive. ☎ 267-2458. M. : Green Line, arrêt Fenway (plan C4). Pour nos lecteurs artistes, pas loin du Gardner Museum et du Museum of Fine Arts. Ouvert toute l'année. Là aussi, une belle *brownstone* de 1865. Accueil chaleureux et intérieur de rêve (et non fumeur !). Tout est luxueux, délicat, adorable. Chambres personnalisées (certaines au décor étonnant) comme la « Spanish Room », la « Gold Stripe Room », la « Sport Room », etc. Superbe living room et cuisine agréable aux belles plantes. Un rapport qualité-prix-accueil tout à fait exceptionnel. Nécessité absolue de réserver (chèque pour au moins une nuit d'avance).
■ ***Chandler Inn Hotel :*** 26 Chandler Street et Berkeley (plan B3). ☎ 482-3450. Numéro gratuit : 1-800-842-3450. Un des hôtels gay les plus agréables, pas loin du centre. Toutes les chambres avec salle de bains, T.V., téléphone direct. Environ 360 F pour une personne et 420 F pour deux (petit déjeuner continental compris).
■ ***Milner Hotel :*** 78 S Charles Street (plan C3). ☎ 426-6220. Assez central. Au sud du Boston Common. L'hôtel traditionnel le moins cher de Boston. Chambres à la propreté acceptable. Même prix que Miss Florence Frances Guest-House.
■ ***Copley Square Hotel :*** 47 Huntington Avenue (et Copley Place ; plan B3). ☎ 536-9000 et (800) 225-7062. Fax : 267-3547. M. : Copley. Grand hôtel à l'architecture originale du XIX^e siècle et à la luxueuse décoration intérieure offrant d'agréables chambres à partir de 650 F. Romantique café *Budapest* avec son décor de bois. Le *Gypsy Lounge,* quant à lui, offre un cadre très sophistiqué.
■ ***Newbury Guest-House :*** 261 Newbury Street, entre Fairfield et Gloucester Street (plan B3). ☎ 437-7666. Dans un quartier résidentiel et commercial, très vivant la journée. Demeure bourgeoise de 1882 complètement rénovée et offrant 14 belles chambres et des suites tout confort à partir de 420 F.

## Où manger ?

### *DANS LE CENTRE ET A NORTH END*

### Bon marché à prix moyens

• ***Durgin Park Restaurant :*** 340 Faneuil Hall Market Place, Quincy Market (plan D2). ☎ 227-2038. Ouvert de 11 h 30 à 22 h ; fermé le dimanche et les jours fériés. Un des plus anciens établissements de la ville. Ce n'est pas trop cher et le décor vaut le coup. Bonnes viandes et poissons. Goûtez aux *steamed lobster, cumbaked stuffed clams,* au *scallops* maison. Service un peu rude, mais tout le monde semble l'accepter. Resto vraiment populaire à Boston. Bien que situé dans un endroit hyper touristique, il a su garder une âme, une atmosphère. A ne pas rater donc ! Pour les pressés, l'*Oyster Park* au sous-sol et pub au rez-de-chaussée.
• ***The Black Rose :*** 160 State Street. ☎ 523-8486 et 742-2286. M. : State (plan C-D2). C'est une bien sympathique « rose noire » dont il faut aller humer le

chaleureux parfum. C'est aussi une bien émouvante chanson imprimée au dos du menu, racontant la tragédie du peuple irlandais persécuté et contraint à l'exil par la méchante Albion. Ici, en plus de l'atmosphère de la vieille Irlande à travers portraits des héros de 1916 et nombreux souvenirs, vous trouverez une bonne nourriture à prix fort modérés. Délicieux « New England clam chowder » (primé plusieurs fois), « Boston Broiled Scrod », « T. Bone Sirloin Steak » pas cher du tout et les *deli-style sandwichs* (à propos, lire aussi la belle histoire du « Corned Beef Rebellion » de Mother Sweeney !), etc. Buffet le dimanche. Musique folk le soir à 21 h, sept jours sur sept (à partir de 16 h le week-end et parfois le midi en semaine). Sacrée ambiance !

• ***Carl's Pagoda :*** 23 Tyler Street (plan C3). ☎ 357-9837. Dans le petit Chinatown de Boston. Rue donnant dans Beach Street. Ouvert tous les jours jusqu'à 22 h. Cadre banal pour une bonne cuisine chinoise familiale de qualité constante. Excellente soupe à la tomate et plats cantonais copieux.

• ***Moon Villa :*** 19 Edinboro Street (plan C3). ☎ 423-2061. Ouvert tous les jours de 11 h à 4 h. Dans une des rues les plus ripoux du quartier chinois (la dernière donnant dans Essex Street avant d'arriver à la Southeast Expressway). L'un des restos chinois les moins chers de Boston. Nourriture correcte et abondante, mais pas d'une finesse exceptionnelle. Étudiants fauchés y échouent régulièrement.

• *Beach Street* (avec sa grande porte à toit de pagode) et *Tyler Street* sont les deux rues à restos et gargotes asiatiques pas chers.

## Prix moyens

• ***Jacob Wirth's :*** 33 Stuart Street, près de Washington Street (plan C2). ☎ 338-8586. Ouvert de 11 h 30 à 23 h (vendredi et samedi, minuit). Dimanche 12 h-20 h. Fondée en 1868, une gigantesque brasserie aux boiseries patinées et à l'atmosphère passablement surannée. On aime bien ! Nourriture de bonne qualité. Sa *dark beer* est la plus célèbre de Boston. On y mange aussi bien un sandwich qu'un repas complet. Célèbre également pour ses saucisses *(knockwurst, bratwurst, liverwurst, frankfurt)* et autres spécialités allemandes ainsi que les *potato skins* au fromage et bacon, son *clam chowder* onctueux, ses salades. Pain maison.

• ***Daily Catch :*** 323 Hanover Street (plan D1). Dans le quartier de North End. ☎ 523-8567. Ouvert midi et soir de 11 h 30 à 22 h 30 (23 h les vendredi et samedi). Dimanche, de 12 h à 22 h. C'est vraiment petit, genre gargote (carrelage, table en bois) mais tout le monde y va pour les meilleurs calmars frits de la ville (ou en salade, ou farcis, ou en boulettes). Aussi pour les moules à la sicilienne, les *clams*, etc. Produits frais et cuisinés sérieusement. Comme il n'y a pas de dessert, vous le prendrez en face, à *Mike's Pastry*. Délicieux gâteaux et, pour faire tout descendre, l'excellent espresso du café *Victoria* (296 Hanover Street). Le *Daily Catch* possède aussi une succursale au 261 Northern Avenue (sur le Fish Pier).

• ***European Restaurant :*** 218 Hanover Street (plan D1-2). ☎ 523-5694. Ouvert tous les jours jusqu'à 23 h. Le resto italien le plus ancien de la ville (1917). Beaucoup de succès, ce qui fait que de grandes salles se sont ouvertes au fond et que l'intimité du lieu en a pris un sale coup. La cuisine, cependant, demeure de qualité constante et à prix raisonnables. Un « Early Special Dinner » pas cher du tout même. Sinon, toutes les bonnes spécialités italiennes : pizza, *calzone*, poissons et *scampi*. Quelques spécialités : *tiell d'calamari* (pizza fourrée à la seiche) ou *d'spinacci, brogliamenti* pour deux (assortiment de raviolis, épinards, pâtes, *scallopine*, etc.). Ne pas manquer le *cannoli* (au fromage).

• ***Ocean Wealth :*** 8 Tyler Street (plan C3). ☎ 423-1338. Donne dans Beach Street. Ouvert de 11 h à 16 h et le soir jusqu'à minuit. Cadre clean, éclairage un peu meurtrier et clientèle assez chicos pour une cuisine chinoise réputée. Quelques spécialités : *tofu soup*, poisson cuit à la vapeur avec gingembre et *scallion, Ocean wealth noodles, fried squids* et plats de Hong-Kong.

• ***Las Brisas :*** 70 E India Row, Harbor Towers (plan D2). ☎ 720-1820. Pas loin du Quincy Market, en face du port, un excellent restaurant mexicain. Ouvert midi et soir jusqu'à 22 h 30 (pour le soir, conseillé de réserver). Grande salle au cadre assez moderne avec quelques éléments décoratifs mexicains. Le midi, très intéressant « eat as you can » bon marché, avec pas mal de choix. Le soir, un peu plus cher bien sûr (mais prix restant très acceptables). Spécialités : *pollo las Brisas* (poulet fourré au jambon et fromage), *chicken Oscar, mahi-mahi Bahia* (avec une délicieuse sauce au vin et ail), steak Laredo, *sizzling fajitas, fiesta plat-*

*ter (nachos, quessalidas, buffalo wings, guacamole, taquitos,* etc.) et toutes les spécialités traditionnelles *(tacos, enchiladas, burritos).* Vin au verre. Fameux Sunday Brunch Buffet !

## Plus chic

● ***Union Oyster House :*** 41 Union Street (plan C2). ☎ 227-2750. Dans le quartier historique, près de Faneuil Hall. Même s'il est hyper touristique, ce resto est incontournable pour sa charge d'histoire. C'est le plus vieil établissement de Boston (et, depuis 1826, le plus ancien des États-Unis en service continu). Il n'a connu que trois propriétaires. En 1771, au dernier étage, l'imprimeur Isaiah Thomas publia *The Massachusetts Spy ;* un des premiers signes de la révolution montante. En 1775, ce fut un centre de paiement des soldes de l'armée rebelle. En 1796, le futur roi Louis-Philippe en exil vécut au 2e étage et donna des cours de français pour subsister. Le premier cure-dent (importé d'Amérique du Sud) fut expérimenté ici. L'importateur offrit des repas à des étudiants fauchés de Harvard pour qu'ils le réclament à la fin du repas ! Kennedy y avait ses habitudes. Bref, un monument historique. A l'intérieur, belle déco ancienne, bien patinée par le temps. Salles nombreuses. Des recoins partout. Ça n'empêche pas d'attendre une à deux heures pour obtenir une table (nécessité de s'inscrire auprès de l'hôtesse d'accueil). La combine la plus sympa consiste plutôt à trouver une place autour du célèbre bar à huîtres semi-circulaire. Un qui l'avait compris fut Daniel Webster, homme politique du XIXe siècle, qui, pendant de nombreuses années, y engloutit quotidiennement au minimum six plâtrées d'huîtres arrosées de brandy ! Sinon, carte traditionnelle pour les fruits de mer, compter de 120 à 150 F pour un repas. Toutes les façons d'accommoder homards et coquillages. Le *ye olde seafood platter* est un mélange de poisson et de fruits de mer en beignets, servis avec une salade.

● ***57 Restaurant :*** 200 Stuart Street. ☎ 423-5700. Ouvert tous les jours midi et soir, jusqu'à 23 h (22 h le dimanche). Réservation quasi obligatoire. Réputé être le meilleur resto de Boston pour la viande.

● ***Legal Seafood :*** situé dans le Park Plaza Hotel, 50 Park Plaza (plan C3). ☎ 426-4444. Réservation hautement recommandée. Ouvert tous les jours à midi et le soir jusqu'à 22 h. Immense salle au décor sophistiqué. Le midi, atmosphère assez bourdonnante avec les employés et yuppies du quartier profitant du « special lunch » à prix très abordables. Ici, c'est le poisson qui domine, toutes les espèces, toutes les formes de cuisson et, dans ce domaine, le resto s'est assuré la place de premier de la classe. Une cascade de spécialités toutes plus savoureuses les unes que les autres : *clam chowder* classique, *fried oysters, seafood fra diavalo* (crevettes, coquilles Saint-Jacques, moules, *squid*), *poached salmon,* « Roger's Special » (homard, *clams-chowder,* etc.). Et puis cette curieuse « Shandong Seafood », cuisine d'il y a 2 500 ans, inspirée par Confucius. Goût délicat, haute qualité des ingrédients, belle présentation. Le soir, clientèle chic et prix plus élevés, ça va de soi.

### *DANS LE QUARTIER DU PORT*

## Bon marché

● ***No Name Restaurant :*** 15 1/2 Fish Pier (plan D3). ☎ 338-7539. M. : South Station. Ouvert de 11 h à 22 h tous les jours. Ce restaurant « sans nom » cache, derrière une modestie de bon aloi, le fait qu'il nourrit les petits budgets depuis 1917 avec une *seafood* fraîche, cuisinée et présentée sans sophistication. Ici, on ne paie pas pour le décor, mais pour les *fried clams, scallops, shrimps, broiled scrods, soles,* le *seafood plate,* le « daily special » au meilleur rapport qualité-prix de Boston. Nouvelle salle assez agréable au 1er étage. Un poil plus cher le soir. Réservation recommandée le week-end. Goûter surtout à son célèbre *seafood chowder.* Pour s'y rendre, les courageux peuvent marcher. Traverser le pont du Fort Point Channel et suivre Northern Avenue. Ce n'est pas loin du célèbre Anthony's. Sinon, taxi.

● ***The Daily Catch :*** 261 Northern Avenue. ☎ 338-3093. Sur le Fish Pier également. Ouvert de 11 h 30 à 22 h 30. Vendredi et samedi 23 h. Dimanche de 16 h à 22 h. Fermé le lundi. Calmars, *clams* et moules à prix très démocratiques. Même maison que sur Hanover Street.

## Plus chic

• ***Anthony's Pier 4 :*** 140 Northern Avenue. Sur le Fish Pier. ☎ 423-6363. Réservation très recommandée. Tenue correcte exigée. Ouvert tous les jours à midi et le soir jusqu'à 22 h 30. Près de 60 ans d'expérience. Le père d'Anthony Athanias, le patron, possédait une petite vigne dans les Balkans avant de tenter sa chance aux États-Unis. Aujourd'hui, il y a plus de 50 000 bouteilles dans sa cave. Resto-musée rempli de souvenirs de la mer. Véritable galerie de photos du patron en compagnie de célébrités (Nixon, Jean-Paul II, Kissinger, Steve McQueen, Gregory Peck, Judy Garland, Liz Taylor, Jimmy Carter, etc.). Montez au 1er étage, d'autres salons et salles superbement décorés. Au rez-de-chaussée, demandez à manger dans la première salle à l'atmosphère chaleureuse, plutôt que dans l'extension (beaucoup plus banale). Goûtez à l'*Anthony's Pier 4 clambake special,* genre de pot-au-feu de fruits de mer, au *baked shrimp Rockefeller,* au *fresh poached filet of salmon,* au *fisherman's platter,* au *baked stuffed lobster à la Hawthorne,* etc. Le seul problème d'Anthony's, c'est son succès. Trop de monde. Si le service reste toujours courtois, il est souvent fort lent. Si le *clambake special* est très bon, il arrive parfois sur la table carrément tiède (ou alors, nous étions tombés un mauvais jour). Bref, parmi les gourmets de Boston, Anthony's ne fait pas tout à fait l'unanimité... Restent le décor et l'atmosphère !

### *DANS LE COIN DE BACK BAY ET DE KENMORE*

## Bon marché

• ***Crossroads :*** 495 Beacon (plan B3). ☎ 262-7371. Dans Back Bay. La cuisine ferme à 1 h, le bar à 2 h. *Cocktail hours* de 17 h à 19 h. Bar-restaurant toujours bondé, pas mal d'étudiants. Décor chaleureux (brique et bois), joyeuse atmosphère. Cuisine américaine pas trop chère. Certains soirs, *specials* avec une pizza ou des snacks gratuits pour un pichet de bière commandé. Bons *Crossroad chicken, Mexican Plate,* burgers grillés au charbon de bois et *daily specials.*

• ***The Pour House :*** 907 Boylston Street (plan B2). ☎ 236-1767. Clientèle jeune. Bonne musique. Douce pénombre. Service et accueil impeccables dans une salle décorée de dessins, caricatures et peintures sur les murs. Véritables hamburgers américains de toutes sortes. Grosses portions. Avec le « Giant Burrito enchilada Style », vous êtes nourri pour moins de 6 $. En conclusion : très bon rapport qualité-quantité-prix.

• ***Souper Salad :*** 119 Newbury Street. ☎ 247-4983. Intéressant surtout pour le lunch. Réputé pour son très beau salad-bar (ingrédients d'une fraîcheur exquise) et son délicieux *frozen yogurt* (qu'on peut même obtenir *non fat*). Clientèle d'étudiants et employés du coin pour qui se restaurer sur le pouce ne signifie pas forcément mal manger ! Succursales dans le centre (103 State Street et 102 Water Street) ainsi qu'à Kenmore Square.

## Prix moyens

• ***Cornwall's :*** 510 Commonwealth Avenue et Kenmore Square (plan A3). ☎ 262-3749. M. : Kenmore. Ouvert de 11 h 30 à 2 h. Un resto qui tient une place un peu à part par une certaine originalité. D'abord, pas mal d'humour. Il n'y a qu'à lire le tableau d'honneur à l'entrée. Décor de jeux de société. Atmosphère chaleureuse. Cuisine appréciée localement : *New York Style chicken Pot Pie, B-B-Q Sheperd Pie, Pasta del Mar,* lapin, faisan, plats excentriques parfois. Fait également *English Provincial Pub.* Très belle sélection de bières (encore plus en bouteilles : Steinlager, Kirin, Red Stripe, Taj Maj, San Miguel, etc.).

• ***Sol Azteca :*** 914 A Beacon Street (plan A3). ☎ 262-0909. Ouvert le soir seulement, de 18 h à 22 h 30. Vendredi et samedi à 23 h. Dimanche, de 17 h à 22 h. Cadre agréable. Pour routard qui veut se payer une petite gâterie. Cuisine mexicaine excellente. C'est l'un de ces petits restos excentrés qui ont su bâtir une solide clientèle par une qualité constante de la nourriture et de l'accueil. Bénéficie, bien sûr, de la Boston University, toute proche. Il faut voir les queues du vendredi et du samedi soir. Très conseillé de réserver. Dans le décor résolument mexicain, goûtez aux *enchiladas verdes, combinación sol* ou *combinación azteca* pour deux, et à la longue liste d'*especialidades (mole poblano, pescado a la tampiqueña, camarones veracruzanos,* etc.).

• ***Bangkok Cuisine :*** 177 Massachusetts Avenue (plan B3). ☎ 262-5377. M. : Auditorium. Tout près de l'A.J. Ouvert le midi et le soir (jusqu'à 22 h 30), du lundi au samedi. Resto thaïlandais excellent et pas trop cher, dans un décor un peu clinquant disent les uns, orné de jolies peintures colorées diront les autres. L'unité se fait cependant sur le service un peu lent. Spécialités de *Masaman* et *Choo Chee curry,* de *Yum Hed* (crevettes, poulet avec champignons, oignons, gingembre, cacahuètes, etc.).

- ***Harward Bookstore Café :*** 190 Newbury et Darmouth. ☎ 536-0095. Ouvert midi et soir jusqu'à 22 h 30. Une formule qui a fait ses preuves depuis quelque temps déjà. Librairie-resto : association harmonieuse de la cuisine et des nourritures spirituelles. Cadre agréable et frais. Bonnes grillades, salades copieuses. Terrasse l'été.

Plus chic

- ***Papa-Razzi :*** 271 Darmouth. ☎ 536-6560. Ouvert à midi et le soir jusqu'à 22 h 30. Vendredi et samedi 23 h 30. Cadre sophistiqué, clientèle trendy pour une bonne cuisine italienne. Le midi, prix tout à fait acceptables. Longue liste de spécialités : entre autres, *antipasto Buongustaio* (assortiment de hors-d'œuvre), *carpaccio, pasta di Mare del Giorno, capelli dell'Angelo* (pâtes cheveux d'ange à la tomate et au basilic), *Valdostana* (poulet au jambon et champignons), pizzas, salades. Brunch le dimanche de 11 h 30 à 16 h, assez renommé.

## Où déguster le meilleur brunch ?

- ***Top of the Hub :*** Prudential Center, entre Boylston Street et Huntington Avenue (plan B3). ☎ 536-1775. Au dernier étage de ce prestigieux centre commercial. C'est habituellement un resto chicos et cher. En revanche, il propose le dimanche, à partir de 10 h, le brunch présentant l'un des meilleurs rapports prix-qualité de Boston. D'abord, cadre extrêmement frais et agréable et panorama absolument unique (venir le plus tôt possible pour bénéficier d'une table bien située). Ensuite, c'est l'un des brunches les plus abondants qu'on connaisse pour un prix tout à fait raisonnable (environ 120 F !). Superbes hors-d'œuvre, assortiment de délicieux poissons, viandes, jambon à l'os, etc. Objectivement, plus de place ensuite pour les très beaux desserts. Le brunch type qui vous ferait presque sauter le repas du soir !

## A voir

***LE FREEDOM TRAIL*** (chemin de la Liberté)

Ils font bien les choses à Boston. Pour visiter le quartier historique, il suffit de suivre une ligne rouge (peinte ou en brique) de 4 km, qui commence sur le trottoir devant le centre d'informations, au coin de Tremont Street et de Park Street. Cet itinéraire passe par tous les endroits importants de l'indépendance américaine. Se procurer absolument la brochure *Freedom Trail* de C. Bahne. Bon, voici les plus intéressantes étapes :

▸ ***The Massachusetts State House :*** construite en 1795. Reconnaissable de loin grâce à son dôme doré. Ouverte du lundi au vendredi de 10 h à 16 h. Entrée sur Beacon Street. Tour guidé de 45 mn environ. Un des premiers visiteurs fut Davy Crockett qui s'extasia sur la grande morue séchée (symbole de l'importance de la pêche pour le pays) qui pendait dans la salle des représentants à l'Assemblée. Il ajouta que lui-même conservait aussi les pattes d'ours dans sa cabane !

▸ ***Park Street Church :*** édifiée en 1809. Ouverte au public en juillet-août seulement, de 9 h à 15 h 30 (fermée dimanche et lundi). L'église connut quelques événements majeurs : en 1826, création de la première société de tempérance (un verre, ça va...), premier discours public antiesclavagiste (délivré le 4 juillet 1829). L'orateur avait commencé par « Je serai entendu », ce qui n'était pas évident au début ! En 1831, le 4 juillet, sur les marches de l'église, montèrent pour la première fois les notes de l'hymne national américain.

▸ ***Granary Burying Ground :*** Tremont Street. A deux pas de Park Street Church. Cimetière ouvert en 1660. Sur quelques dizaines de mètres carrés, la plus grande concentration d'hommes célèbres : les victimes du massacre de 1770, trois signataires de la déclaration d'indépendance, neuf gouverneurs du Massachusetts, les parents de Benjamin Franklin, Paul Revere, Peter Faneuil. Ce dernier, de descendance huguenote, possédait un nom difficilement prononçable pour l'Anglo-Saxon moyen. Aussi, le sculpteur qui exécuta la pierre tombale inscrivit-il d'abord : « P. FUNAL », de la façon dont il avait compris le nom ! Au fond à droite, on trouve même une certaine « Mother Goose », célèbre pour avoir élevé ses dix enfants, plus les dix de l'ancienne femme de son mari, plus tous ses petits-enfants... jusqu'à l'âge de 92 ans ! On lui attribue un certain nombre de comptines connues sous le nom de « Mother Goose's Melodies »... Vous y verrez un grand nombre d'écureuils qui paraissent être chez eux.

▸ ***King's Chapel et son cimetière :*** à l'angle de Tremont Street et School Street, site de la première église anglicane des États-Unis. Une anecdote : le roi d'Angleterre souhaitait la création d'une paroisse anglicane à Boston et chercha à acheter un terrain au centre de la ville. Il n'en trouva pas un mètre carré ; les puritains avaient précisément quitté l'Angleterre pour fuir l'Église anglicane, ils n'allaient donc pas s'amuser à lui faciliter la tâche. Le roi fit réquisitionner tout de même un coin du cimetière, soulignant que les morts ne protesteraient pas, eux ! L'édifice actuel remplace la première église en bois de 1754.
D'ailleurs, pour ne pas interrompre la célébration de l'office pendant les travaux qui durèrent quatre ans, on construisit la nouvelle église de granit autour de l'ancienne. Quand elle fut achevée, on n'eut plus qu'à démonter la première. Architecture et décoration intéressantes. Noter les *pews* (boxes) qui protégeaient les fidèles des rigueurs de l'hiver, et la *Governor's Pew* (boxe du gouverneur) utilisée par les gouverneurs du roi puis, en 1789, par Washington lors d'une visite officielle. Elle fut détruite en 1826 en tant que symbole infamant du passé (mais reconstruite au début de ce siècle). La plus vieille chaire sculptée du pays (1717). Le cimetière adjacent est le plus ancien de la ville (1630). Tout près de la porte d'entrée, très belle tombe sculptée de Joseph Tapping. Le tombeau bien plat de John Winthrop, le premier gouverneur de Boston, sert souvent pour la sieste des gens de passage. Au milieu, tombe de Mary Chilton, la première personne qui débarqua du *Mayflower* à Plymouth. Enfin, côté église, tombe d'Elizabeth Pain, dont la vie inspira Nathaniel Hawthorne et qui devint Hester, l'héroïne de son roman *La Lettre écarlate* (Wim Wenders en fit également un film). A noter que ce cimetière est fermé depuis très longtemps. Mais ceux qui y possèdent un ancêtre direct ont le privilège de pouvoir s'y faire enterrer. La dernière inhumation eut lieu il y a une dizaine d'années. Une foule de petits écureuils y ont élu domicile.

▸ Dans ***School Street*** s'élevait, en 1635, la première école des États-Unis, la Boston Latin School. Un peu plus bas, statue de l'un de ses élèves, Benjamin Franklin. Derrière la statue, l'ancien hôtel de ville construit en 1864, en style Second Empire, à la mode à l'époque (c'est aujourd'hui un restaurant).

▸ ***Old Corner Book Store :*** au coin de School Street et Washington Street. C'est l'une des plus anciennes maisons de Boston (1712). Tous les grands écrivains vinrent y acheter des bouquins : Longfellow, Emerson, Hawthorne, Dickens (quand il était de passage). Aujourd'hui, c'est toujours une librairie, avec une importante section sur le voyage.

▸ ***Old South Meeting House :*** de l'autre côté du Book Store. Ouverte tous les jours de 9 h 30 à 17 h (hiver, horaires réduits). Construite en 1729. Église utilisée tout à la fois pour la religion et la politique et qui, architecturalement, rompait pour la première fois avec la rigueur puritaine. Bâtiment le plus spacieux de Boston, il ne tarda pas à supplanter Faneuil Hall pour les grandes réunions populaires. La première s'y tint après le *Boston's Massacre.* C'est là aussi que, le 16 décembre 1773, se réunirent 7 000 Bostoniens en colère, attendant le résultat des ultimes négociations avec le gouverneur, à propos de la taxe sur le thé. Constatant leur échec, Samuel Adams déclara sur un ton résigné : « Gentlemen, cette réunion ne peut rien faire de plus pour sauver le pays ! » D'aucuns crurent que leurs dirigeants renonçaient à se battre. C'était en fait le signal de la *Boston Tea Party* ! Soudainement, une centaine de patriotes déguisés en Indiens Mohawks surgirent en criant : « Aux docks, aux docks, transformons le port en *tea-pot* ! ». La révolution américaine était en marche... Old South retrouva ensuite sa vocation religieuse, puis fut désaffectée en 1872 et vendue pour être démolie. Une souscription lancée par les amoureux du lieu permit de la racheter à l'ultime moment. C'est aujourd'hui un fabuleux musée sur la révolu-

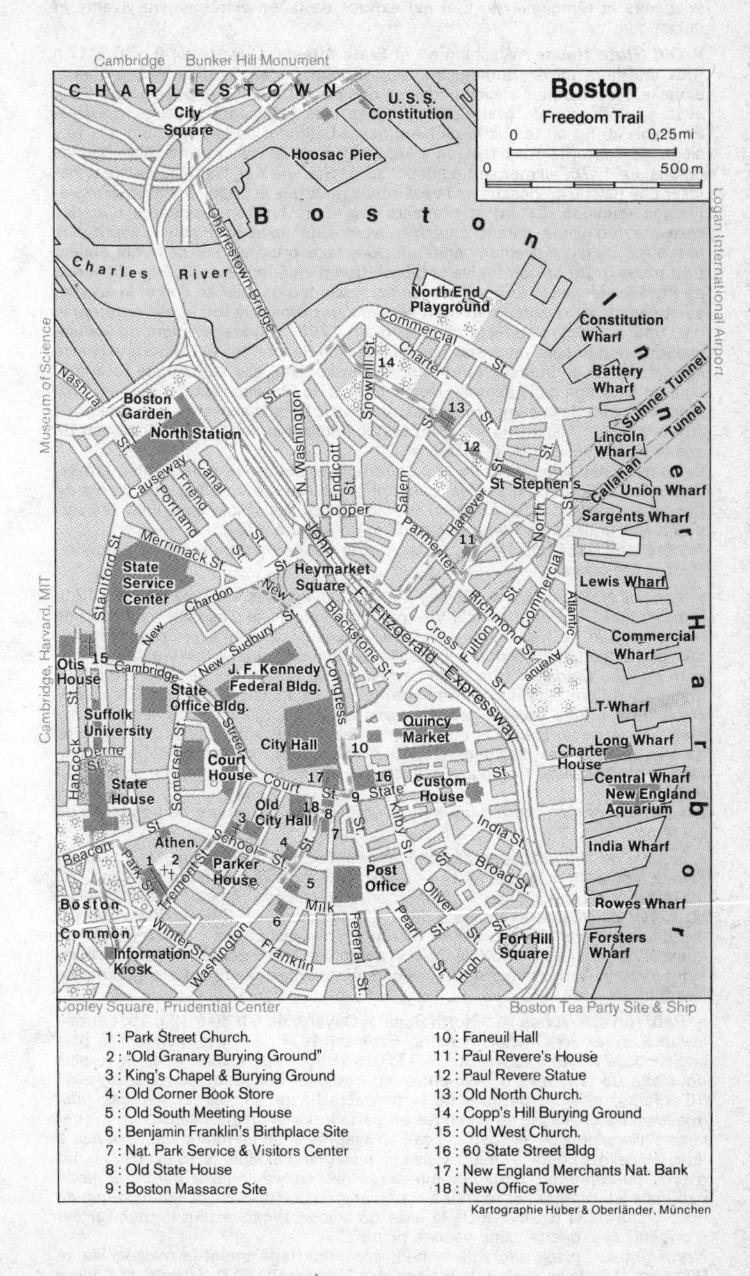
Boston
Freedom Trail
0 0,25 mi
0 500 m
Cambridge
Bunker Hill Monument
Museum of Science
Cambridge, Harvard, MIT
Logan International Airport
Copley Square, Prudential Center
Boston Tea Party Site & Ship
CHARLESTOWN
City Square
U.S.S. Constitution
Hoosac Pier
Boston Inner Harbor
Charles River
Charlestown Bridge
North End Playground
Constitution Wharf
Battery Wharf
Sumner Tunnel
Callahan Tunnel
Lincoln Wharf
Union Wharf
Sargents Wharf
Lewis Wharf
Commercial Wharf
T-Wharf
Long Wharf
Charter House
Central Wharf
New England Aquarium
India Wharf
Rowes Wharf
Forsters Wharf
Commercial St.
Charter St.
Snowhill St.
Hanover St.
St Stephen's
North St.
Salem St.
Parmenter St.
Richmond St.
Fulton St.
Atlantic Avenue
Cross St.
Nashua St.
Boston Garden
North Station
Causeway St.
Friend St.
Canal St.
Portland St.
N Washington St.
Endicott St.
Cooper St.
Merrimack St.
Heymarket Square
John F. Fitzgerald Expressway
Blackstone St.
New Chardon St.
State Service Center
Staniford St.
New Sudbury St.
Cambridge St.
Otis House
J. F. Kennedy Federal Bldg.
State Office Bldg.
Congress St.
Suffolk University
Hancock St.
Derne St.
Somerset St.
Court House
City Hall
Quincy Market
Custom House
State House
Court St.
State St.
Kilby St.
Old City Hall
India St.
Broad St.
Beacon St.
Athen.
School St.
Parker House
Park St.
Tremont St.
Post Office
Oliver St.
Pearl St.
Milk St.
Federal St.
Fort Hill Square
High St.
Boston Common
Winter St.
Washington St.
Franklin St.
Information Kiosk
1 : Park Street Church.
2 : "Old Granary Burying Ground"
3 : King's Chapel & Burying Ground
4 : Old Corner Book Store
5 : Old South Meeting House
6 : Benjamin Franklin's Birthplace Site
7 : Nat. Park Service & Visitors Center
8 : Old State House
9 : Boston Massacre Site
10 : Faneuil Hall
11 : Paul Revere's House
12 : Paul Revere Statue
13 : Old North Church.
14 : Copp's Hill Burying Ground
15 : Old West Church.
16 : 60 State Street Bldg
17 : New England Merchants Nat. Bank
18 : New Office Tower
Kartographie Huber & Oberländer, München

tion américaine. A l'aide de documents historiques, plans, estampes, multiples souvenirs et témoignages, tout est exposé de façon extrêmement vivante et didactique.

▸ ***Old State House :*** Washington et State Streets. Ouverte de 9 h 30 à 17 h tous les jours (hiver, horaires réduits). Construite en 1713, c'est, à l'heure actuelle, l'un des plus anciens édifices des États-Unis. Il compose aujourd'hui, avec sa couronne de gratte-ciel, l'un des plus fascinants paysages urbains. Pourtant, ce fut un temps le plus imposant bâtiment de la ville. Tout à la fois siège de l'autorité royale et de l'Assemblée du Massachusetts élue par les colons. En 1776, au moment du débat sur le *Stamps Act,* les députés firent installer une galerie au-dessus de l'assemblée pour que la population puisse assister aux réunions. Ce fut la première fois dans l'histoire moderne que des citoyens ordinaires purent contrôler leurs élus (bien sûr, dans l'esprit des patriotes, c'était également pratique pour faire pression sur ceux qui étaient trop mous !). Du balcon fut lue la déclaration d'indépendance dès qu'elle arriva de Philadelphie, et la foule alluma un immense feu de joie. Le lion et la licorne, symboles de la royauté – et dont les répliques ornent le toit –, alimentèrent le feu. Une anecdote : après la révolution, en 1798, le gouvernement du Massachusetts déménagea dans son nouvel édifice à Beacon Hill et l'Old State House se transforma en bureaux et entrepôts. Par la suite, elle se dégrada tellement qu'il fut envisagé de la démolir. Des habitants de Chicago, épris d'histoire, proposèrent alors de la démonter brique par brique pour la sauver et la reconstruire au bord du lac Michigan ! Très vexées, les autorités de Boston décidèrent de conserver l'édifice et de le restaurer...
Là aussi, c'est aujourd'hui un musée rempli de souvenirs émouvants : armes, drapeaux, uniformes, gravures, estampes, tableaux, etc. « Une » du *Liberator,* journal antiesclavagiste. Au premier étage, parmi les objets amusants, les sermons en « antisèches » du révérend Eliot de 1742 à 1778 !
A côté de l'Old State House, un cercle de pavés marque l'endroit précis du *Boston Massacre.*

▸ ***Faneuil Hall :*** en face du Quincy Market. Ouvert tous les jours de 9 h à 17 h. Construit en 1742 et offert à la Ville par Peter Faneuil, le plus riche marchand de la région, afin de faciliter le travail des paysans vendant leurs produits. Au-dessus du marché fut ajoutée une salle de réunion. Faneuil Hall y gagna le surnom de *The Cradle of Liberty* (le berceau de la liberté). Ici se tinrent tous les meetings de protestation contre l'autorité royale anglaise, puis, au XIXᵉ siècle, ceux des grandes causes (organisations antiesclavagistes, mouvement féministe, ligues de tempérance, etc.). Toutes les guerres américaines (jusqu'à celle du Viêt-nam) furent discutées ici. Au 3ᵉ étage, petit musée de l'*Ancient and Honorable Artillery Company* (ouvert de 10 h à 16 h ; fermé samedi et dimanche).
Les rénovations en ont fait un endroit un peu trop encombré de boutiques de souvenirs.

▸ Le long de ***Union Street*** subsiste un petit îlot très ancien avec *Union Oyster House* (voir « Où manger ? »). Les ruelles ont conservé leur tracé d'origine. Au 10 Marshall's Lane s'élève la *John Ebenezer Hancock House* (du XVIIIᵉ siècle) qui servit de trésorerie générale aux troupes insurgées. C'est ici qu'arrivèrent les deux millions de couronnes d'argent envoyés par le gouvernement de Louis XVI. De 1796 à 1963, la maison abrita une boutique de cordonnier. Transition bétonnée, sous l'autoroute, pour rejoindre maintenant le vieux quartier de North End.

▸ ***Paul Revere House :*** 19 North Square. Ouverte de 9 h 30 à 16 h 15. Fermée le lundi en janvier, février et mars. Bâtie en 1676, c'est la demeure la plus ancienne de Boston. Ici vécut, de 1770 à 1800, Paul Revere, le héros le plus populaire de la guerre d'indépendance. Fils d'un huguenot français, père de 16 enfants, orfèvre, patriote de la première heure et meilleur *express rider* (messager à cheval). Il se distingua en partant sur-le-champ, sans dormir, prévenir Philadelphie de la *Boston Tea Party* (après avoir lui-même passé la nuit à jeter les ballots de thé à l'eau). Mais son plus grand exploit, le 18 avril 1775, fut d'avoir pu apprendre l'attaque imminente de l'armée anglaise contre la garde nationale à Lexington, et réussir à la prévenir en une chevauchée fantastique de nuit. Visite de la cuisine et de la salle de séjour. Presque tout le mobilier est d'origine, ainsi que certains papiers peints.
*North Square,* place adorable la nuit, comprend également la maison Pierce Hichborn (1711) et, à côté, la maison des Mariniers (1847). Également l'*église*

*du Sacré-Cœur* (de 1833), en face. Dickens aimait y écouter les sermons du père Taylor, qui avait d'abord commencé à l'âge de 7 ans, comme beaucoup d'orphelins, une carrière de mousse puis de marin. Une anecdote : en 1673, le capitaine Kemble, qui habitait North Square, rentra d'un long voyage de trois ans plein de péripéties. Sa femme l'attendait sur le pas de la porte. L'embrassade fut, on s'en doute, émouvante et passionnée. Pas de chance, c'était dimanche : pour rupture du sabbat et conduite indécente, le brave capitaine fut immédiatement conduit au pilori en ville ! Dans la petite *Garden Court,* au nord de la place, au n° 4, naquit, en 1890, Rose Fitzgerald, petite-fille d'un immigré irlandais. Elle se rendit plus tard célèbre en donnant naissance à quatre fils (non moins célèbres) : un pilote mort en héros en 1944, un président des États-Unis assassiné, un ministre de la Justice qui connut le même destin et un sénateur démocrate, populaire certes, mais pas du tout nyctalope !

▸ ***Old North Church :*** Salem Street. Avant d'arriver à l'église, traversée du Paul Revere Mall : statue du valeureux messager et, sur les murs de la place, 14 plaques de bronze racontant l'histoire des héros de la révolution, du quartier et de ses habitants. Old North est la plus ancienne église de Boston encore en activité (1723). Ses promoteurs s'inspirèrent d'un style d'architecture trouvé dans un livre anglais acheté en librairie. La construction nécessita 513 654 briques (si, si). On y trouve les premières cloches importées en Amérique. Elles sonnèrent à toute volée la défaite de Cornwallis à Yorktown. Avant la nuit de sa fameuse chevauchée, redoutant un éventuel échec, Paul Revere avait chargé Robert Newman, le bedeau de l'église, de disposer des lanternes dans le clocher pour prévenir les gens de Charlestown de l'arrivée des troupes anglaises. L'intérieur de l'église a peu changé depuis deux siècles. Les *pews* sont toujours en place, ainsi que les chandeliers allumés le soir et l'orgue. Sur l'un des *pews,* on peut encore voir le nom de Paul Revere. Au 99 Salem Street s'ouvrit la première boulangerie d'Amérique.

▸ ***Le cimetière de Copp's Hill :*** Hull Street. Ouvert en 1660. Par beau temps, en fin d'après-midi, c'est l'un des endroits les plus romantiques de Boston. Prenez le temps de détailler les belles pierres tombales sculptées et leurs pittoresques épitaphes. On y trouve quelques personnages intéressants. Côté Snowhill Street, la colonne de Prince Hall, leader noir, ancien esclave engagé dans l'armée des patriotes, créateur de la première école pour gens de couleur. En face, la tombe la plus intéressante, celle de Daniel Malcolm. Épitaphe frappante : « Vrai fils de la liberté et ferme opposant au Revenue Act ». En effet, ce négociant patriote avait fait de la fraude fiscale un moyen de résistance. Les soldats anglais qui campèrent dans le cimetière pendant la guerre utilisèrent d'ailleurs sa pierre tombale comme cible pour s'entraîner !

▸ A ***Charlestown,*** de l'autre côté de l'embouchure de la Charles River, visite du *U.S.S. Constitution,* le plus ancien bateau de guerre du monde encore à flot. Il demeura invaincu pendant la guerre anglo-américaine de 1812. Ouvert tous les jours de 9 h 30 à 16 h. Gratuit.

▸ ***Bunker Hill :*** site de la première grande bataille (perdue) par les patriotes, le 17 juin 1775. Mais les troupes anglaises y perdirent plus de 1 000 hommes. En 1825 commença la construction d'une immense obélisque de granit pour commémorer l'événement (70 m de haut). La Fayette en posa la première pierre. Les travaux durèrent 18 ans. A 200 m du U.S.S. Constitution, montage audiovisuel sur la bataille, au Bunker Hill Pavilion (ouvert tous les jours de 9 h à 16 h). Gratuit.
Après avoir fait le *Freedom Trail,* on peut rentrer en bateau (beaucoup moins long). Prendre celui-ci au bout du quai, non loin de l'U.S.S. Constitution. Vue de Boston par la mer, sympa. Le ticket peut s'acheter sur le bateau ou au bureau d'information qui se trouve près du musée situé avant le départ.

## *A NORTH END, BEACON HILL ET DOWNTOWN*

▸ ***Quartier italien (North End) :*** M. : Haymarket (plan E1). North End fut d'abord un quartier de marins malfamé au début du XIXᵉ siècle, puis d'Irlandais à partir de 1850 (plusieurs dizaines de milliers fuirent la famine), rejoints ensuite par les Juifs d'Europe centrale. Les Italiens, dernière vague d'immigration, marquèrent définitivement le quartier. Aujourd'hui, celui-ci se branche tout doucement. Artistes et yuppies débarquent. A voir autant pour ses jolies rues que pour son animation. Traversé en grande partie par le *Freedom Trail.* Hanover

Street en est l'axe principal. Nombreuses fêtes religieuses pendant les week-ends d'été. On peut en profiter pour boire un espresso (rien à voir avec le café américain dont le goût rappelle celui de la tisane de camomille).

▶ ***Black Heritage Trail :*** il retrace les principales étapes de l'histoire des Noirs de Boston. Ils vécurent, tout au long du XIXe siècle, au nord de la colline de Beacon Hill (délimitée par Cambridge Street). Début de la balade sur Smith Court (donne dans Joy Street). Itinéraire dans *Boston,* le guide officiel du Greater Boston Convention Visitors' Bureau. Renseignements à l'office du tourisme ou : ☎ 742-1854 (tours guidés). Voir surtout le Museum of Afro-American History et l'African Meeting House sur Beacon Hill.

▶ ***Quincy Market :*** anciennes halles de Boston (datant de 1826), aujourd'hui transformées en restaurants et boutiques. Les magasins sont très chers, mais méritent vraiment le coup d'œil. Près de quinze millions de visiteurs par an. Certains soirs, on croirait que toute la ville s'y retrouve. Énorme animation. Penser à manger au Durgin Park.

▶ ***Boston Common*** (plan C2) : vaste parc au centre de la ville. Un des plus agréables que l'on connaisse. Grandes pelouses autour d'un petit lac, beaux arbres, « bateaux-cygnes » pour faire un tour avec les enfants. Aux beaux jours, il est amusant de voir les yuppies très *smart* tomber la veste et casser la croûte sur le tas, et d'élégantes femmes faire la sieste dans l'herbe... Un tas de trucs intéressants dans les rues environnantes et particulièrement Charles Street, avec ses antiquaires et ses petits restos. Le Boston Common était, comme tout Boston, la propriété d'un vieil ermite qui était seul sur la presqu'île. Quand les émigrants ont débarqué, il s'est d'abord cloîtré sur ce terrain, avant de partir vers l'Ouest. Les Bostoniens n'ont jamais osé construire sur le Boston Common.

▶ ***Marché aux fruits et aux légumes*** (plan E2) : les vendredi et samedi matin à l'angle de Hanover Street et Blackstone Street. Très animé (c'est normal, c'est plein d'Italiens) et très coloré.

▶ ***Beacon Hill*** (plan C-D2) : la plus haute des trois collines de Boston. Le « beacon » était un signal d'alarme installé au sommet autrefois. Le quartier s'urbanisa après la construction de la nouvelle State House. Le nord de la colline était habité par la communauté noire de Boston, centre du mouvement abolitionniste. Aujourd'hui, c'est le quartier résidentiel le plus recherché. Il faut se perdre dans les ruelles fleuries, les *lanes* croulant sous la verdure, entre d'adorables maisons victoriennes et des cottages. Le soir, quand l'horizon se teinte de mauve, les derniers rais du soleil embrasent les façades rouges et roses. Parcourir Mount Vernon ou Chestnut Street, c'est se croire un moment à Georgetown (quartier de Washington), Montmartre ou dans les coins les plus secrets de Chelsea (à Londres). Découvrez ces jardinets poétiques, les auvents à colonnades, les fenêtres vénitiennes cachant la vie feutrée des vieilles familles bourgeoises.

▶ ***Museum of Science*** (plan C1) : ☎ 723-2500. M. : Science Park. Ouvert du mardi au jeudi de 9 h à 16 h (jusqu'à 17 h en juillet et août), le vendredi de 9 h à 21 h, le samedi de 9 h à 17 h, le dimanche de 10 h à 17 h, fermé le lundi (sauf jours fériés). Un peu du genre « Palais de la découverte », en mieux. Visite d'une capsule Apollo, le corps humain, l'environnement, l'astronomie, l'électricité, planétarium...

▶ ***New England Aquarium*** (plan D2) : en bord de mer, derrière Quincy Market (Central Wharf). ☎ 742-8870. M. : Aquarium. Ouvert du 1er juillet au 10 septembre, les lundi, mardi et jeudi de 9 h à 18 h (mercredi et vendredi, 21 h, samedi, dimanche et jours fériés, 19 h). Ferme une heure plus tôt en basse saison et pas de nocturne le mercredi. Réduction étudiants. Assez cher, mais pas mal fait. Un plan incliné s'enroule en spirale autour d'un énorme aquarium cylindrique et permet d'accéder aux autres étages.

▶ ***Boston Harbor Hotel*** (plan D2) : Atlantic Avenue (entre Quincy Market et le Northern Avenue Bridge, sur le Rowe Wharf). C'est le nouveau complexe hôtelier géant ouvert depuis septembre 1987. Une superbe architecture s'élevant sur les anciens docks. Les riches sont amenés en bateau directement de l'aéroport. Passez la monumentale arche d'entrée (haute de six étages) pour aller déguster le thé et les *scones* du Harbor View Lounge...

▸ ***The Boston Tea Party Museum*** (plan D3) : Congress Street Bridge. ☎ 338-1773. Métro : ligne rouge jusqu'à South Station. Ouvert toute l'année de 9 h au crépuscule. Sur les lieux du célèbre « Midnight O'Clock Tea », petit musée retraçant l'événement à l'aide de souvenirs et documents. Visite du *Beaver II,* une réplique d'un des bateaux qui furent déménagés.

▸ ***Boston Children's Museum :*** 300 Congress Street (Museum Wharf). ☎ 426-8855. Pas loin du précédent. Ouvert tous les jours, du 1er juillet à début septembre, de 10 h à 17 h (vendredi à 21 h et entrée gratuite). Le reste de l'année, fermé le lundi (sauf vacances scolaires et jours fériés). De l'avis de beaucoup de mamans et de papas, l'un des musées pour enfants les plus sympa. Jeux, maison japonaise, initiation à l'informatique, etc.

▸ ***The Computer Museum :*** Congress Street. ☎ 426-2800 et 426-6758. Ouvert de 10 h à 18 h (vendredi 21 h). Basse saison, fermé le lundi (sauf vacances scolaires et jours fériés). Entrée payante. A côté du précédent. Tout, vraiment tout sur l'ordinateur. Il est vrai que c'est à Boston que fut créé le premier computer, au MIT. Voyage, donc, à travers l'histoire de l'informatique jusqu'au SAGE, le plus gros appareil jamais construit. Apprenez à peindre sur écran, inventez un nouvel air de musique, etc.

▸ ***Le vieux quartier chinois*** (plan C3) : dans le quadrilatère assez délabré de Beach, Tyler, Essex et Washington Streets, succession de restos, gargotes pas chères, boutiques exotiques, bars *topless* sordides. Atmosphère un peu interlope la nuit et couleurs expressionnistes assurées !

▸ ***Tour de Boston en bateau :*** assez intéressant. A la station de métro Aquarium (ligne bleue), guichet du « Bay State Cruise ». Superbe vue du port, visite du U.S.S. Constitution (vieux bateau), du Bunker Hill Monument et de son petit musée sur les batailles de l'indépendance, etc., retour en bateau. Départs de 10 h 30 à 17 h 30. Renseignements : ☎ 723-7800.

▸ ***La plage :*** prendre le métro et descendre à *Revere Beach.*

## *DANS LES QUARTIERS DE BACK BAY, COPLEY SQUARE ET DANS L'OUEST DE LA VILLE*

A l'ouest de Boston Common, *Back Bay* est un quartier extrêmement agréable. Vertébré par Beacon Street, Commonwealth Avenue et Newbury Street. Longues et verdoyantes voies, bordées de superbes maisons victoriennes qui prennent les soirs d'été de fascinants tons mordorés, parfois flamboyants. C'est là que vous trouverez les boutiques élégantes, cafés chicos avec terrasses, galeries d'art, etc. En revanche, pratiquement sans transition, le quartier de *Copley Square* et *Boylston Street* nous offre, la journée, animation et rythme forcené ; grands magasins et tout nouveaux gratte-ciel se disputent l'espace. Trinity Church (entre Boylston et Saint James Avenue), se reflétant dans le plan miroir de la John Hancock Tower, est devenue le symbole des chocs architecturaux de la ville.

▸ ***Boston Public Library*** (plan B3) : 666 Boylston, Copley Square. ☎ 536-5400. Ouverte le lundi de 13 h à 21 h. Du mardi au jeudi de 9 h à 21 h. Vendredi et samedi de 9 h à 17 h. Dimanche de 14 h à 18 h (mais fermée le dimanche en été). La façade intéressera ceux qui connaissent bien le Quartier latin. En effet, c'est une copie conforme de la bibliothèque Sainte-Geneviève. Sans carte, on ne peut consulter les livres, mais possibilité d'admirer les lions en marbre et les fresques de John Singer Sargent.

▸ ***John Hancock Observatory*** (plan B3) : 200 Clarendon Street, Copley Square. ☎ 247-1976. Ouvert de 9 h à 23 h (à partir de 10 h le dimanche). De novembre à avril, de 12 h à 23 h (dernier ticket à 22 h 15). Building qui permet d'avoir une vue sur toute la ville du haut du 60e étage. Construit par le génial Pei (auteur de la pyramide du Louvre). Remarquez l'église qui se reflète dans la façade de verre, contraste entre les deux visages de Boston. Réduction étudiants.

▸ ***The Skywalk :*** au 50e étage de la Prudential Tower (plan B3). ☎ 236-3318. M. : Prudential. Pour les *panorama's addicts,* une autre version de la ville.

▸ ***Christian Science Church Center*** (plan B4) : Huntington et Massachusetts. M. : Symphony. Complexe architectural d'une des congrégations religieuses les plus puissantes du pays. Regroupant son énorme église de style byzantino-Renaissance, son quotidien (le *Christian Science Monitor*), une immense librairie, une tour de 26 étages, un amphithéâtre signé, là encore, du grand I.M. Pei.

▸ ***Museum of Fine Arts*** (plan A4) : 465 Huntington Avenue. ☎ 267-9300. A 5 mn pour ceux qui logent à la Y.M.C.A. M. : Greenline E (Arborway). S'arrêter à « Museum ». Gratuit le samedi. Ouvert le mardi et du jeudi au dimanche de 10 h à 17 h, le mercredi de 10 h à 22 h. De plus, la « West Wing » ouvre les jeudi et vendredi de 17 h à 22 h. Fermé le lundi et la plupart des jours fériés. L'un des plus importants musées américains (5ᵉ). Architecture intérieure magnifique ; espace, clarté, plaisir de vagabonder dans la lumière, on a tout. Immense richesse des collections dont voici quelques points d'orgue :
• *Rez-de-chaussée :* collections d'arts décoratifs. Poteries indiennes. Beaux meubles coloniaux, argenterie, vitraux de John Lafarge.
• *Collections d'art contemporain américain :* A.G. Dove ; George L.K. Morris ; Sheeler ; Charles Demuth ; « Rose blanche », « Crâne de cerf », « Patio avec porte noire » de Georgia O'Keeffe ; Stuart Davis ; F. Kline ; Stella ; Jacob Lauwrence, etc.
• *Les symbolistes :* « Le Destin », merveilleuse palette de verts de Henry S. Mowbray ; « Venise nocturne en bleu » de Whistler ; « Moret » de William L. Pickwell ; « Rêverie » et « Mrs Fiske Warren et sa fille Rachel » de J. Singer Sargent.
• *Galerie Suzan M. Hiller :* « Five o'clock Tea » de Mary S. Cassatt ; Edmund C. Tarbell ; Ellen D. Hale, John F. Peto ; remarquable « Old Models » de William F. Harnett.
• *Salle des naturalistes :* « Lake George » de Martin J. Heade ; Albert Bierstadt ; délicates couleurs d' « Un après-midi d'automne » de Sanford R. Gifford ; Erastus S. Field qui dépeint la famille de bien curieuse façon.
• *Le XVIIIᵉ siècle :* Copley bien sûr, mais surtout Gilbert Stuart dont on peut admirer les superbes portraits, entre autres les deux célèbres œuvres inachevées : « Martha » et « George Washington ».
• *Salle William A. Coolidge :* Corot ; « La Seine », « Le Loing » de Sisley ; Signac ; « Le Postier Joseph Roulin », « Madame Augustine Roulin », « Ravine » de Van Gogh ; Renoir, Andrew Wyeth, Turner, Andrea del Sarto, Hans Memling ; « Sacrifice of the Old Covenant » de Rubens ; Jan Gossaert, dit Mabuse ; Philippe de Champaigne, Canaletto, Eugène Boudin, Toulouse-Lautrec, Gauguin, Cézanne, etc.
• Salle où l'on va découvrir une succession de chefs-d'œuvre : l'école de Barbizon, beaucoup de Millet, Daumier, Thomas Couture ; Corot ; Théodore Rousseau ; Courbet ; « Chasse aux lions » de Delacroix ; Constable ; extraordinaires « Bateau d'esclaves » et « Le Rhin à Schaffhausen » de Turner ; Romney ; Boucher ; Reynolds ; Gainsborough, « Procession de gondoles » de Guardi ; « San Marco » de Canaletto ; Watteau ; beaux portraits de Greuze ; le célèbre « Pestiférés de Jaffa » du baron Gros ; Tiepolo ; Vélasquez ; « Tête de Cyrus » de Rubens ; Frans Hals ; « Vieil Homme en prière » de Rembrandt.
• *Salle espagnole :* Goya ; Zurbarán ; Murillo ; « Sainte Catherine » et « Saint Dominique en prière » du Greco ; « Don Baltazar Carlos » et « L'Infante Marie-Thérèse » de Vélasquez.
• *Salle italienne et flamande :* « Le Martyre de saint Hippolyte », ravissant triptyque ; « La Lamentation » de Lucas Cranach le Vieux ; Carlo Crivelli ; petit triptyque de Duccio, remarquable « Saint Jérôme, Vierge-Enfant et sainte Catherine de Sienne » de Sano di Pietro ; retable de B. Vivarini.
Reconstitution d'une chapelle catalane de Martin de Soria.
• *Salle Matthew et Edna Goodrich :* « Cathédrale de Rouen, effet du matin » de Monet ; Degas ; « A l'opéra » de Mary Cassatt ; Manet ; Pissarro ; « Neige à Louveciennes » de Sisley ; « La Seine à Chatou » et, surtout, le fameux « Danse à Bougival » de Renoir ; « Camille Monet et enfant », « Les Nénuphars » et « La Japonaise » de Monet encore. « Paysage et deux Bretonnes » et l'universel « D'où venons-nous, que sommes-nous, où allons-nous ? » de Gauguin, etc.
• Le Fine Arts offre de plus une remarquable section d'arts décoratifs asiatiques (Chine et Japon surtout), ainsi que de nombreuses belles antiquités égyptiennes et grecques. Sarcophages étrusques, petits bronzes, bijoux en or, sceaux mésopotamiens, bas-reliefs assyriens, etc.

▸ ***Isabella Stewart Gardner Museum*** (plan A4) : 280 The Fenway. ☎ 566-1401. M. : Museum. A l'extrémité sud-ouest de Back Bay Fens. Ouvert du mercredi au dimanche de 12 h à 17 h (mardi de 12 h à 21 h). Fermé le lundi et les

jours fériés. Un musée dans un petit palais vénitien : un magnifique patio à colonnades avec mosaïques, une fontaine vénitienne. Isabella Stewart Gardner parcourut le monde, où partout elle avait un tas de copains célèbres parmi les artistes de l'époque. Cette femme richissime vécut jusqu'à sa mort, en 1924, dans ce palais insensé dont elle avait elle-même dessiné les plans, surveillé la construction et assuré la décoration. A voir donc pour les toiles exceptionnelles qu'envieraient bien des grands musées. Jugez-en : le *Sacra Conversazione* de Mantegna, *L'Assomption de la Vierge* de Fra Angelico, *Comte Tomaso Inghirami* de Raphaël, *La Tragédie de Lucrèce* de Botticelli. Portraits superbes de Holbein. Et puis Dürer, Van Dyck, Rubens, etc. Au 2e étage, le Tintoret, Guardi, Véronèse, Vélasquez, Titien. *Vierge et Enfant* de Botticelli et une admirable *Nativité* de son atelier (ah ! les merveilleux visages). Portrait de la proprio par John Singer Sargent.
Dans la « Yellow Room », Manet, Whistler, Degas, Matisse *(La Terrasse, Saint-Tropez)*, etc. Quand on vous disait que plus on a d'argent, plus on a de goût ! En 1990, 3 cambrioleurs déguisés en policiers, après avoir maîtrisé les gardiens, ont dérobé 11 toiles. Parmi les chefs-d'œuvre disparus : *Le Concert* de Vermeer, trois Rembrandt (un autoportrait, *Dame et un Monsieur en noir, Orage sur la mer de Galilée*), cinq Degas (dont *Sortie de pesage, Cortège aux environs de Florence, Trois Jockeys à cheval, Programme pour une soirée artistique*) et *Chez Tortini* de Manet. Et enfin une coupe chinoise en bronze de la dynastie Chang (1200 av. J.-C.).

### *DANS LE SUD DE LA VILLE*

▸ ***John F. Kennedy Memorial Library :*** dans le sud de Boston, en prenant Dorchester Avenue. ☎ 929-4523. Ouverte de 9 h à 17 h. Dernier film à 15 h 30. Assez excentrée. Le mieux est de prendre le métro ligne rouge, toutes les demi-heures de 9 h à 17 h, puis, de là, navette gratuite jusqu'à l'université (Ashmont) puis JFK/U Mass (anciennement Columbia). Là, une bibliothèque rassemble les archives du président assassiné. On y trouve aussi des photos officielles et familiales, des jouets, des lettres, des collections. Dehors, le voilier du président. Une admirable mise en scène organisée par la dynastie Kennedy (mise en scène par I.M. Pei, l'architecte de la pyramide du Louvre), et qui a coûté 12 millions de dollars.

▸ ***Museum of Transportation :*** 15 Newton Street, à Brookline. ☎ 522-6140. Ouvert du mercredi au dimanche de 10 h à 17 h (du 1er avril au 15 septembre). Situé dans le Larz Anderson PK. Difficile de s'y rendre, pas de transports en commun. Dommage, car ce musée a déménagé dans de beaux nouveaux locaux et présente d'intéressantes collections.

## Où sortir, où boire un verre ?

– ***Bill's :*** 7 Lansdowne Strett (plan A3). ☎ 421-9678. M. : Kenmore. En sortant du métro, emprunter la Brookline Avenue, passer le pont de l'autoroute, puis à gauche dans Landsdowne Street. Boîte sympa pour les concerts de rock et de blues. Salle ménageant une certaine chaleur et intimité. A côté, le *Venus de Milo* est plutôt du genre disco, funky et house music.
– ***Axis :*** 13 Lansdowne Street (plan A3). M. : Kenmore. Dans la même rue. Une des meilleures boîtes de Boston. Salle immense. Ici pas de chichi : bon rock, clientèle étudiante et margeo. Bonne sueur. Ça déménage dur la plupart du temps.
– ***Kenmore Bowling Ryan :*** Lansdowne Street. Un vrai, à l'ancienne. Ouvert de 9 h à 22 h 30. Le vendredi de 22 h à minuit un « all you can bowl » pour quelques dollars. Demi-tarif le dimanche de 9 h à 11 h.
– ***Channel :*** 25 Necco Street. ☎ 451-1905. La meilleure boîte de rock de Boston. Programmation superbe. Prix d'entrée raisonnable. Immense hangar aux magnifiques jeux de lumière.
– ***Friday :*** 26 Exeter Street (et Newbury). ☎ 266-9040. Dans le quartier de Back Bay, dans un édifice de style « néoromanesque » et Renaissance. Décor assez hétéroclite. Atmosphère colorée et chaleureuse. Bar toujours bourré de jeunes. Animation d'enfer le week-end. Fait aussi resto.

– ***Black Rose*** : 160 State Street. ☎ 523-8486. Pub irlandais organisant de temps à autre des « ceili » (soirées musicales et concerts). Téléphoner pour connaître dates et horaires. Fait aussi resto (voir chapitre « Où manger ? »).
– ***Cheers*** : Beacon Street, en face du Boston Common. ☎ 1-800-962-3333. Bar célèbre pour avoir inspiré « Cheers », un populaire sit com sur NBC. Au départ, il s'appelait Bull and Finch Pub, puis prit le nom du feuilleton et devint une destination de visite pour ses fans. Prétextant qu'ils lui piquaient tout (cendriers, napperons, verres, éléments du décor, voire même les briques du mur !), le patron ouvrit une boutique de souvenirs. Atmosphère commerciale et touristique donc, mais toujours bourdonnante et animée. Réputé pour élaborer le meilleur *Bloody Mary* de Boston.
– ***I.C.A.*** (*Institute of Contemporary Art*) : 955 Boylston Street (plan B3). ☎ 266-5152. M. : Auditorium. Situé dans un *brownstone* du XIXe siècle, l'un des centres culturels les plus fascinants que l'on ait jamais visités. Superbe aménagement intérieur. Expos temporaires de peinture, sculpture, photo, etc. Films, spectacles de danse, théâtre et poésie...
– ***The Nickelodeon Cinemas*** : 600 Commonwealth Avenue (plan A3). M. : Kenmore. En fait, c'est dans une petite ruelle parallèle, juste derrière le nº 600. Deux salles de cinéma dont les programmes rappellent ceux des Olympics à Paris. Tous les jeunes s'y retrouvent. Spécialisé dans les versions non coupées (ce qui est rare) et dans les « séances spéciales » qui offrent un choix de films non-stop sur le même thème : homosexualité, libération des femmes, films pop...
– ***The Commonwealth Brewing Company Ltd*** : 138 Portland Street (plan C1). ☎ 523-8383. Entre North Station et le Museum of Science. C'est un bar où ils servent 10 bières différentes, fabriquées par eux sur place. Beau cadre, dans lequel on peut aussi manger.
– Enfin, ne pas oublier nos bonnes adresses de Cambridge (voir pages suivantes).

## Concerts

L'été, Boston possède une incroyable diversité de concerts, festivals, fêtes, etc. Acheter *The Boston Phœnix Guide to Summer* et, au besoin, compléter avec le *Boston Globe* du jeudi.
– Tickets de spectacles demi-tarif pour le jour même au kiosque *Bostix*, près de Quincy Market. Renseignements : ☎ 723-5181. Ouvert de 11 h à 18 h.
– Les groupes parmi les plus prestigieux viennent à Boston pendant l'été. La liste des concerts du mois est affichée sur le kiosque à journaux, juste à la sortie de la station de métro Harvard. On peut acheter les billets dans le kiosque.
– Nombreux concerts dans la rue l'été, gratuits. Surtout les samedi et dimanche, à Government Center ou Copley Square. A Faneuil Square, il n'est pas rare non plus de voir des pianos à roulettes ou des vibraphones accompagnant des clowns, des magiciens ou tout simplement des chanteurs. Sur l'Esplanade (au métro Charles Station, sur la Red Line), concerts gratuits plusieurs soirs par semaine. Renseignements et programme dans le « calendar » du journal *Boston Globe* qui paraît tous les jeudis.
– Pour le pied, gratuit, rôdez entre 18 h et minuit dans les sous-sols de *Berklee College* (conservatoire de musique situé au 136 Massachusetts Avenue ; métro : Auditorium). ☎ 266-7455. Vingt salles différentes pour tous les goûts. Du bluegrass au free-jazz.

### *CAMBRIDGE*

De l'autre côté de Charles River. M. : Harvard. Universellement connu pour ses deux universités célèbres : *Harvard University* et *Massachusetts Institute of Technology (MIT)*.
Tout autour de Harvard Square s'étend un quartier fort agréable, plein de petits restos et de boutiques sympa, fréquenté par les étudiants.
Pour s'y rendre, métro bien sûr. Pour ceux résidant ou se trouvant vers la Y.M.C.A., bus sur Massachusetts, allant directement à Harvard Square.

## Où manger à Cambridge ?

• ***Middle East Restaurant*** : 472 Mass. Ave. ☎ 354-8238. Ouvert jusqu'à minuit. Fermé le dimanche. Populaire parmi les jeunes et les étudiants. Bon accueil et animation intéressante. Cuisine du Moyen-Orient, goûteuse, copieuse et à prix très démocratiques. Bon choix à la carte : *falafel,* yaourt maison, *kofté, shish kebab, lasanat* (langues d'agneau grillées au charbon de bois), *sheik il mi'hshi* (aubergines farcies à la viande de mouton) et d'excellents « specials » (couscous le lundi, *masbahet Darwish* – ragoût de mouton – le mercredi, etc.). Enfin, ne pas oublier que la nuit, à côté, c'est aussi une super boîte de rock !

• ***Bartley's Burger :*** 1246 Massachusetts Avenue. ☎ 354-6559. M. : Harvard. Ouvert jusqu'à 22 h. Fermé le dimanche. Les meilleurs hamburgers de Boston depuis plus de 20 ans. Dans un agréable cadre en bois (ambiance chaleureuse), on vous sert un nombre incroyable de burgers délicieux, 2 cm d'épaisseur, cuits comme vous le désirez. Un régal !

• ***Shalimar Restaurant :*** 546 Massachusetts Avenue. ☎ 547-9280. M. : Central Station. Ouvert tous les jours midi et soir jusqu'à 23 h. Grande salle à la décoration plutôt sobre pour une excellente cuisine indienne à prix raisonnables. Le midi, menu spécial pas cher du tout. Service diligent.

• ***Cantares :*** 11-15 Springfield Street. ☎ 547-6300. A deux pas de Mass. Ave., à Central Square (100 m de Fire Station). Bonne cuisine latino-américaine et excellent accueil. Atmosphère *casual,* relax. Musique *live* et dancing le soir du jeudi au samedi, et le dimanche à 15 h. Quelques spécialités : *pozole blanco* (soupe de maïs et bœuf au citron), *sudato de pescado* (poisson à la vapeur, sauce au vin et oignons), *salpicon de pollo y camaron* (sauté de poulet, crevettes, oignons, tomates, cherry et épices).

• ***Indian Pavilion :*** 17 Central Square. ☎ 547-7463. M. : Central Station. Ouvert tous les jours de 12 h à 15 h et de 17 h à 23 h. Là aussi, un bon resto indien.

• ***Pâtisserie française :*** J.F. Kennedy Avenue. ☎ 354-9850. Ouverte de 8 h à 22 h (lundi de 8 h à 17 h). Brunch le dimanche de 10 h à 17 h. Tenue par un Français. Juste en face du centre commercial Galeria. Bons gâteaux.

• ***Resto U Walker :*** Building n° 50, sur Memorial Drive. Dire à la caisse : « Student paying cash. » Très varié et bon marché.

• Deux bons restos thaïlandais, à deux pas de Harvard Square : le *Siam Garden* (45 Mount Auburn Street, ☎ 354-1718) et le *Bangkok House* (☎ 547-6666). Pour ce dernier, petite salle *clean* et fraîche. Ouvert midi et soir de 17 h à 22 h (week-end à 22 h 30). Dimanche de 13 h à 16 h.

• ***Coffee Connection :*** 36 JFK Street. A deux pas de Harvard Square. Le meilleur café de la ville. Bonne odeur d'espresso flottant dans l'air, et décor agréable. Bien entendu, boutique de café et possibilité de grignoter *muffins, bagels,* quiches, soupes. Seul problème, pas beaucoup de place pour la foule qui s'y presse !

## A voir à Cambridge

▸ Il faut visiter l'***Université Harvard,*** la plus ancienne et la plus célèbre du pays. Le cadre est magnifique (le jeune cadre ?). Avant la dernière guerre, il était fréquent de voir des étudiants s'installer avec leur valet personnel, qui les servait jusqu'au réfectoire. En ce qui concerne la statue très célèbre de J. Harvard au milieu du campus, il est intéressant de savoir que l'usage l'a surnommée « La statue des trois mensonges ». Le premier est que J. Harvard ne fonda pas l'université, il se contenta de la développer substantiellement. Ensuite, il semblerait que la date soit fausse. Le troisième mensonge réside dans le modèle qui ne fut pas J. Harvard, mais un brave inconnu.
On peut manger à petit prix au restaurant des étudiants dans le Kresge Hall. Ce n'est pas mauvais.

▸ ***Harry Elkins Widener Memorial Library :*** la bibliothèque Harvard est la plus grande du monde. La milliardaire qui a fait don de son argent pour faire construire cette bibliothèque a posé deux conditions, à savoir : qu'on n'en déplace jamais une brique (ce qui n'est pas évident quand on veut l'agrandir ; il a fallu déjà construire une passerelle qui passe par une ancienne fenêtre) ; que tous les étudiants entrant à Harvard sachent nager (ce qui est toujours obligatoire). La raison ? Son fils est mort sur le *Titanic...* Voir absolument, au 1er étage, une des 200 premières bibles de Gutenberg (il n'en reste que 22 au monde) et la première tentative de réunir les œuvres complètes de Shakespeare (1623), sans laquelle au moins 17 pièces n'auraient jamais été connues et auraient disparu.

▸ ***Memorial Hall for the Civil War :*** à 500 m de Harvard Square. Ressemble à une église. Une partie était un réfectoire, l'autre est subdivisée en petites salles de style vieillot où l'on donnait des cours. On y trouve les noms de tous ceux qui sont morts pour la préservation de l'Union (uniquement les noms des gens du Nord, bien entendu !). A voir.

▸ ***Fogg Art Museum :*** ☎ 495-4544. Facile à trouver. Vers la bibliothèque de l'université, tout près de Harvard Square. C'est la collection privée de Harvard. Ouvert du mardi au samedi de 10 h à 17 h. Entrée gratuite le samedi matin entre 10 h et midi. Dimanche de 13 h à 17 h. Ticket d'entrée valable aussi pour le Arthur M. Sackler Museum. Musée construit en forme de cloître. Magnifique collection de primitifs religieux dont une crucifixion de Fra Angelico et *Saint Jérôme, saint Jean et saint Ansanos dans le désert* de Fra Diamante. Superbe *Saint Jérôme* de Ribera. Du Lorrain, *Paysage pastoral.* Les Hollandais : Frans Hals, paysages de Ruysdael, *Portrait d'un vieil homme* de Rembrandt. Adorable et lumineuse *Adoration des bergers* d'un certain Adam Colonia.
Au premier étage : de Géricault, David, Ingres, Delacroix, Corot, Boudin, Gauguin, des toiles de grande qualité. Intéressants artistes américains comme Whistler *(Nocturne en gris et or),* Bierstadt (très beaux paysages), John Singer Sargent *(Le Petit Déjeuner),* W.L. Sonntag, Willem De Kooning, J. Pollock, etc. Enfin, plein de merveilleux impressionnistes.
A côté du Fogg, une annexe toute nouvelle, le *Arthur M. Sackler Museum,* présente d'intéressantes collections d'arts orientaux, asiatiques, indiens, islamiques, etc.

▸ ***MIT Museum :*** 265 Mass. Ave., près de Central Square. ☎ 253-4444. Ouvert du mardi au vendredi de 9 h à 17 h. Samedi et dimanche de 13 h à 17 h. Fermé le lundi. Le célèbre *Mass. Institute of Technology* présente un très intéressant musée sur son histoire depuis sa création et l'extraordinaire place qu'il a prise dans le domaine des sciences et de la recherche. Notamment en informatique, engineering, architecture, photo-micrographie, holographie, etc. Possibilité de visiter également la *Compton Gallery,* au bâtiment 10 du campus, quelques blocs plus bas (au 77 Mass. Ave ; ouverte du lundi au vendredi de 9 h à 17 h). Vous y verrez la fascinante confrontation de l'art et de la science. Enfin, l'*Art Nautical Gallery,* au bâtiment 5 (ouverte tous les jours de 9 h à 20 h), attirera les fans de navigation par ses expos sur le design des bateaux, les maquettes, la construction navale, etc. Ne pas manquer l'incroyable boutique du MIT avec ses livres et publications diverses (scientifiques et techniques).

▸ En outre, pour nos lecteurs botanistes, géologues, zoologues, ethnologues et autres logues, d'autres *musées* par spécialité, situés 24 Oxford Street et 11 Divinity Avenue. Renseignements : ☎ 495-3045 ou 495-1910.

▸ ***Carpenter Center for the Visual Arts :*** 24 Quincy Street. ☎ 495-3251. La seule grande réalisation de Le Corbusier aux États-Unis.

## Magasins à Cambridge

Deux centres commerciaux :
– ***The Garage :*** J.F. Kennedy Avenue, à l'angle de Mount Auburn.
– ***Galeria :*** J.F. Kennedy Avenue, à l'angle de Winthrop.

## Où sortir ? Où boire un verre à Cambridge ?

– D'abord, sacrée animation tout autour de Harvard Square (restos, cafétérias étudiantes, pubs, etc.).
– ***Middle East Café :*** 472 Mass. Ave. ☎ 354-8238. M. : Central Square. La meilleure boîte de rock de Cambridge. Belle programmation de groupes de musique (souvent d'avant-garde). Tous les genres. Petite salle, ce qui ménage intimité et ambiance. Entrée à prix modéré. Tente d'offrir une grande variété de musiques, régulièrement, les mêmes soirs. Ainsi, jazz le lundi, rock le mardi, latino le mercredi, reggae le jeudi, « Folk and greek music » le vendredi, « country and arabic » le samedi, et blues le dimanche.
– ***Ryles :*** Inman Square. ☎ 876-9330. Ouvert tous les jours de 21 h 30 à 1 h (week-end, 2 h). L'une des meilleures boîtes de jazz qu'on connaisse. Excellentes formations dans un chouette cadre.

## Quitter Boston

• ***En bus***

– ***Greyhound Bus Terminal :*** 10 Saint James Street. ☎ 423-5810. Situé près du Arlington « T » Stop, sur la ligne verte du métro.

• ***En train***

– ***Amtrak :*** South Station (sur la ligne rouge « T » du métro). ☎ 1-800-USA-RAIL.

• ***En stop***

– ***Vers le nord :*** descendre à la station de métro Haymarket. Prendre l'autoroute vers la gauche.
– ***Vers New York :*** aller en métro jusqu'à la station Riverside. Monter sur l'autoroute que l'on voit à droite en descendant du métro. Marcher 1 km jusqu'au péage de la Turnpike 90.

# LES CHUTES DU NIAGARA (Niagara Falls)

IND. TÉL. : 716

Pour commencer, la récupération par les magnats du tourisme est atroce. Ça vaut le coup sans plus, et il est préférable d'avoir sa tente car les hôtels c'est plutôt l'arnaque en couleur (tout est très cher). Faut dire aussi que c'est la capitale de la lune de miel : *water bed, adult movies...* C'est selon les goûts ! Pour le *honeymoon certificate,* allez au *City Hall* (mairie). Mais c'est quand même assez spectaculaire. Et puis, pour vous donner l'eau à la bouche, allez voir *Niagara,* avec Marilyn, bien sûr. Événement historique : les chutes ont gelé en 1936.
Pour les routards qui passent des États-Unis au Canada juste le temps de voir les chutes côté canadien en prenant un verre ou un repas, se munir d'une somme suffisante d'argent canadien. Sinon, c'est l'arnaque.

– ***Auto Drive-away de Buffalo :*** 599 Niagara Falls Boulevard. ☎ 833-8500.
– ***Aéroport de Buffalo :*** Greater Buffalo International Airport : ☎ 632-3155.
Pour aller aux chutes directement, prendre la navette « Niagara Scenic Bus Lines » mais c'est cher. Sinon, monter dans un bus pour la gare routière de Buffalo puis prendre le bus 40 qui s'arrête à la gare routière de Niagara Falls.
Avant la sortie (en face du contrôle des bagages), un guichet « Mutual of Omaha » qui vend des billets de bus navette (aller-retour) pour les chutes côté canadien.

### *DU CÔTÉ CANADIEN*

A noter que le Greyhound qui part de Buffalo vous emmène directement du côté canadien. Donc, ne pas oublier son passeport (on s'est fait avoir). Part aussi de l'aéroport. Trois départs en hiver (du 1er novembre au 31 mars) et huit en été.
Au risque de se faire un peu plus d'ennemis, on affirme qu'on préfère voir les chutes du côté canadien plutôt que du côté américain. Ne pas rater le *Scenic Tunnel.* On vous donne un maxi-capuchon. On se retrouve par groupe de 20 habillés de la même façon. Embarqués dans un ascenseur, on pénètre dans de mystérieux tunnels souterrains. Ça fait très clan secret !
Les chutes sont encore plus belles la nuit avec les jeux de lumière. L'animation nocturne commence vers 21 h 30.
Ne pas prévoir quand même de passer la journée là-bas, car vous aurez vu le plus intéressant en une ou deux heures. A moins de jouer à l'Américain moyen et de visiter le musée de cire et l'endroit où le pape a fait pipi. C'était notre quart d'heure d'anticléricalisme primaire.

– ***Téléphérique :*** Whirlpool Aerocar.

▸ ***Table Rock House :*** il y a un guichet au 2e étage où l'on peut changer son argent. Panorama génial. Intéressant surtout le soir quand les chutes sont éclairées.

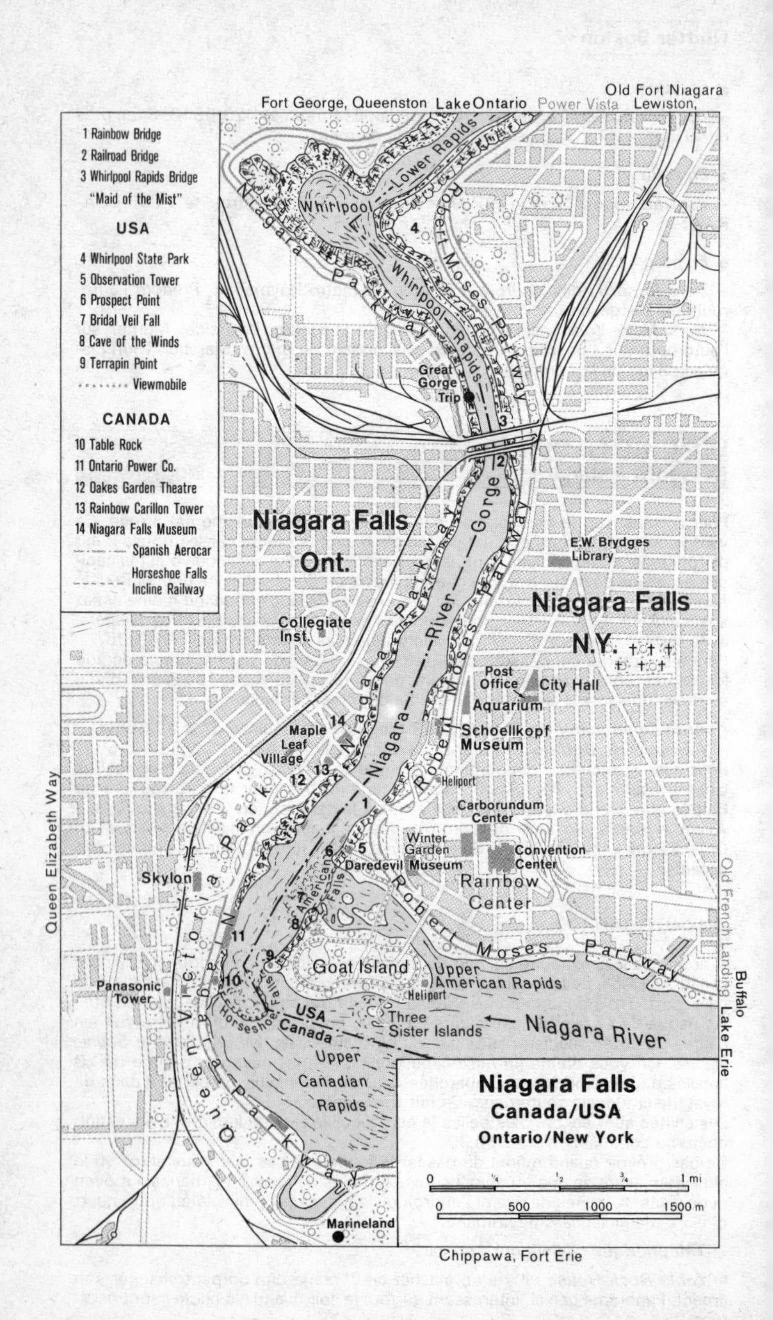

Fort George, Queenston
Lake Ontario
Power Vista
Old Fort Niagara
Lewiston,
1 Rainbow Bridge
2 Railroad Bridge
3 Whirlpool Rapids Bridge
"Maid of the Mist"
USA
4 Whirlpool State Park
5 Observation Tower
6 Prospect Point
7 Bridal Veil Fall
8 Cave of the Winds
9 Terrapin Point
Viewmobile
CANADA
10 Table Rock
11 Ontario Power Co.
12 Oakes Garden Theatre
13 Rainbow Carillon Tower
14 Niagara Falls Museum
Spanish Aerocar
Horseshoe Falls Incline Railway
Whirlpool
Lower Rapids
Robert Moses Parkway
Niagara Parkway
Whirlpool Rapids
Great Gorge Trip
Niagara Falls Ont.
Niagara River Gorge
E.W. Brydges Library
Niagara Falls N.Y.
Collegiate Inst.
Post Office
City Hall
Aquarium
Schoellkopf Museum
Maple Leaf Village
Heliport
Carborundum Center
Winter Garden
Convention Center
Daredevil Museum
Rainbow Center
Skylon
American Falls
Queen Elizabeth Way
Goat Island
Upper American Rapids
Panasonic Tower
Horseshoe Falls
USA
Canada
Three Sister Islands
Niagara River
Old French Landing
Buffalo
Lake Erie
Upper Canadian Rapids
Queen Victoria Park
Niagara Parkway
Niagara Falls
Canada/USA
Ontario/New York
0 1/4 1/2 3/4 1 mi
0 500 1000 1500 m
Marineland
Chippawa, Fort Erie

▸ Excursion de la *grande gorge* et des *rapides du Tourbillon* (pas terrible).

▸ ***Musée des Chutes :*** près du Rainbow Bridge. Paraît-il le musée le plus ancien d'Amérique du Nord. Peut-être est-ce pour cela que la poussière accumulée depuis ne permet guère de mettre en valeur les quelques rares pièces intéressantes. En outre, présentation trop fouillis et entrée chère.

▸ Pour les photographes, il est indispensable de monter à la *Skylon Tower.* Vue magnifique sur les deux chutes. Vaut la peine.

▸ Ne jamais enjamber le petit muret qui est en face des chutes américaines (côté canadien) pour s'allonger sur la pelouse.

▸ Tour en hélico au-dessus des chutes.

▸ ***Maid of the Mist :*** petit bateau qui s'approche du bas des chutes. Il démarre du côté canadien et ensuite se dirige vers les chutes.

### *DU CÔTÉ AMÉRICAIN*

▸ **Le belvédère du Prospect Park** (tour d'où on a une vue intéressante). Là, on peut prendre le *Maid of the Mist* (voir plus haut).

– Pour les amateurs de musique pop, on peut signaler que l'énorme pont qui traverse la rivière s'appelle le *Rainbow Bridge* (l'arc-en-ciel est visible par grand soleil), et qu'il a été chanté par Jimmy Hendrix. Il est à péage pour aller au Canada, même pour les piétons.

## Où dormir ? Où manger ?

### *CÔTÉ CANADIEN*

■ ***Niagara Falls Hostel :*** 4699 Zimmerman Avenue. ☎ (416) 357-0770. Près de l'arrêt Greyhound canadien et à 3 blocs de la gare (trains pour Toronto et New York). Pour y aller, bus 1 (ne fonctionne pas le dimanche). Fermé de 10 h à 17 h. 40 lits. C'est une auberge de jeunesse. Maison particulière, style faux Tudor. Agréable. Petits dortoirs pour 4 ou 6 avec lits superposés. Bon accueil. Location de vélos. On peut faire sa cuisine. A 2 miles environ des chutes, au bord du Niagara, en aval. Exige la carte des A.J.

■ Quelques ***campings*** abordables à proximité des chutes. Attention aux moustiques.

■ ***Niagara Glen View :*** 3950 Victoria Avenue. ☎ (416) 358-8689. A 3 km des chutes environ. Très cher. Il y a une épicerie, une piscine, et c'est au bord de la rivière (mais malheureusement bruyant à cause de la piste des hélicos toute proche).

● ***Round the Clock Family Restaurant :*** 829 Main Street. Dans le centre. Ouvert de 6 h à 2 h (sauf le vendredi, 18 h). Cafétéria style années 60, pas chère du tout. Bon *clams showder,* burgers, *pumpkin pie,* etc.

### *CÔTÉ AMÉRICAIN, A NIAGARA FALLS CITY*

■ ***Y.M.C.A. :*** 1317 Portage Road (Pierce Avenue). ☎ 285-8491. A côté de la Public Library. Mixte. Chambres propres, mais une seule salle de bains par étage. Piscine, salle de sport. Assez chouette.

■ ***Youth Hostel :*** 1101 Ferry Avenue. ☎ 282-3700 ou 285-9203. L'AJ est facile à repérer : il y a un mât portant un drapeau américain planté sur sa pelouse. Fermée de 9 h 30 à 17 h et de minuit à 6 h. Pas très loin du Greyhound. Belle maison mi-brique, mi-bois. Carte des A.J. exigée. Aubergiste très sympa. Offre le café gratis le matin. On vous donne un coupon de réduction pour le *Maid of the Mist.*

# CHICAGO

IND. TÉL. : 312

Capitale mondiale de l'architecture, Chicago a pratiquement définitivement liquidé sa mauvaise réputation. Il était temps, quand on pense au nombre de

touristes qui n'inscrivaient pas la ville dans leur programme. Au hit-parade des villes les moins sûres, Chicago n'est qu'au dix-septième rang, loin derrière Washington (1re) et Los Angeles. Elle fut même élue la ville la plus agréable à vivre par la conférence des maires des États-Unis en 1982. C'est vrai que si l'on arrive de New York, le contraste est frappant. Chicago apparaît délicieusement calme et étonnamment propre !
Mais Chicago est aussi la ville des superlatifs. Elle possède le plus vieux club d'échecs du Midwest, le plus grand hôtel du monde (*Conrad Hilton :* 2 345 chambres), le plus grand aéroport, le plus grand marché aux grains du monde, le plus grand aquarium du monde et, même, sur Clark Avenue, le MacDonald's qui débite le plus de hamburgers ! Également, depuis peu, le plus haut building du monde avec la Sears Tower : 443 m et 110 étages. Là aussi, Chicago a dépassé New York où les tours du World Trade Center n'atteignent que 412 m.
D'ailleurs, à Chicago plus rien n'étonne : quand on estime qu'une rivière ne coule pas dans le bon sens, eh bien, on inverse son cours ! Ainsi la *Chicago River* ne se déverse plus dans le lac Michigan mais vers le golfe du Mexique !
Chicago est aussi la *windy city* des États-Unis. Températures folles : jusqu'à – 60 °C en hiver, et + 40° en été...
Pour finir, une activité culturelle intense, beaucoup de concerts gratuits.

## Un peu d'histoire

Ancien point de passage et de liaison des Indiens, des explorateurs et missionnaires, entre le Canada et le bassin du Mississippi, puis poste permanent de traite de fourrures. En 1803, construction d'un fort à l'entrée de la Chicago River. Elle devient, lors de la conquête de l'Ouest, étape et point de départ obligé. Au milieu du siècle dernier, nœud ferroviaire très important d'où part la fameuse ligne « Union Pacific » vers San Francisco (terminée en 1869). Chicago bénéficie de la guerre civile en supplantant Saint Louis, trop proche des champs de bataille. La ville devient l'un des grands marchés à bestiaux du pays et développe parallèlement ses industries. Elle passe de 400 habitants en 1833 à 300 000 en 1870. Un million en 1890, elle atteint les 2 millions vingt ans plus tard (aujourd'hui Chicago approche, avec sa banlieue, les 8 millions d'habitants).
Incendie géant en 1871, qui donne le coup d'envoi définitif à la modernisation de la ville en imposant d'autres normes et matériaux de construction.
En 1886, grèves et émeutes ouvrières. Six leaders syndicaux, après une parodie de justice, sont pendus. Le 1er mai, date de leur exécution, sera d'ailleurs choisi, par la suite, comme fête internationale du travail. La célèbre « prohibition », établie de 1919 à 1933 et interdisant la vente de toute boisson contenant plus de 0,5° d'alcool, provoque une véritable industrie de la distillation illégale et le développement des *speakeasies* (débits de boissons clandestins). La guerre des gangs pour la possession de ce juteux marché fait des centaines de morts. L'argent coule à flots et, en grande partie, dans les poches des policiers et politiciens véreux.
Au cours de l'une des années les plus sanglantes, il n'y eut, sur 1 059 crimes de toutes sortes répertoriés, que 25 cas résolus ! Assassinats et corruption devaient donner pour longtemps cette image négative à Chicago.
En pleine guerre du Viêt-nam, en 1968, d'importantes manifestations d'étudiants et de pacifistes devant la Convention nationale démocrate sont violemment réprimées (l'événement marqua toute la génération des 40-45 ans d'aujourd'hui).
Actuellement, Chicago est le 2e centre industriel du pays et l'une des plus importantes places financières mondiales (c'est ici que l'on fixe le prix du blé et du soja). Les grands abattoirs émigrent à Kansas City en 1971. Son dynamisme a pourtant donné naissance à une pensée économique ultra-conservatrice dite « école de Chicago » (théories de Milton Friedman basées sur le libéralisme économique total). Surnommés « Chicago Boys », ses émules furent, entre autres, conseillers de Pinochet au Chili où ces théories ont d'ailleurs complètement fait faillite.
Heureusement, Chicago c'est une autre image. D'abord celle d'un certain succès du melting-pot. Plus que dans toute autre ville, on sent la volonté des communautés irlandaise, italienne, juive, polonaise (2e ville polonaise au monde) etc., de s'intégrer. Les habitants de Chicago ont également montré leur ouver-

ture d'esprit en mettant pour la première fois, en 1979, une femme (Jane Byrne) à la tête d'une grande ville, puis en élisant, en 1983, un maire noir (Harold Washington, alors que la communauté noire ne représente que 40 % et qu'elle vote peu). Le maire actuel est également noir. Depuis le Chicago d'Al Capone, l'Histoire a tourné bien des pages...

## Le drôle de destin d'un mur !

Voici une anecdote bien révélatrice de la volonté des Chicagoans d'exorciser leur passé. Personne n'a oublié ce fameux épisode de la guerre des gangs : le « massacre de la Saint-Valentin ». Ce 14 février 1929 où une dizaine de gangsters furent « fusillés » contre le mur d'un garage par les hommes d'Al Capone. Symbole d'un passé honteux, le garage fut démoli il y a une vingtaine d'années. Un riche businessman de Vancouver, George Patey, racheta cependant le fameux mur et voulut l'offrir à l'un de ses amis qui ouvrait justement un restaurant sur le thème de la prohibition. Celui-ci refusa, expliquant que cela couperait l'appétit aux clients. L'entrepreneur proposa donc aux autorités d'utiliser ces 417 briques démontées et numérotées pour édifier un monument anticrime sur une des places publiques. Les réactions furent vives contre le projet. Finalement, même un musée du crime refusa le mur maudit. Chicago ne voulant pas de son mur, l'entrepreneur l'emporta avec lui à Vancouver où il trouva enfin une place comme... urinoir dans les toilettes d'une boîte, le *Banjo Palace.* Là, ses tribulations n'étaient pas terminées pour autant, car les dames ne tardèrent pas à venir chez les hommes pour le contempler. Pour éviter toute confusion malsaine, il fallut donc instaurer des jours pour la gent féminine !
Aujourd'hui le *Banjo Palace* a fermé et le mur est encore à la recherche d'une nouvelle destination...

## Chicago et l'architecture

Un soir de l'année 1871, la vache de Mrs O'Heary donne un coup de pied dans une lampe à pétrole. Ainsi débuta le grand incendie qui ravagea un tiers de la ville et tout le quartier des affaires. Chicago lui doit son titre de « capitale mondiale de l'architecture » ! 300 morts et 20 000 maisons détruites. Les milliers de tonnes de gravats poussés dans le lac formèrent d'ailleurs le remblai de la future voie express « Lake Drive ». Le bois ayant fait faillite, ingénieurs, urbanistes et architectes se penchèrent donc sur les métaux. Ça tombait bien, les aciéries florissantes d'à côté venaient de mettre au point des aciers capables de résister à la traction comme à la compression. Découverte essentielle car l'armature des buildings avait besoin de répondre à divers problèmes d'importance : le poids des structures, le vent (très fort ici), le soleil qui dilate les façades pendant que du côté nord elles se rétractent, etc. Cette technique révolutionnaire allait donc permettre la naissance des premiers gratte-ciel. Trois architectes, trois périodes symbolisent l'architecture de Chicago : Sullivan, Wright et Mies Van der Rohe. Sir William Le Baron Jenney conçut le premier building à structures métalliques (le *Home Insurance*) en 1885, aujourd'hui disparu. Mais c'est à Louis H. Sullivan que Chicago doit vraiment ses premières œuvres d'art. Ce « poète des gratte-ciel », en déclarant « la forme doit suivre la fonction », ouvrit vraiment la porte à cette fantastique aventure.
Au début, on s'inspira avant tout de l'art européen, et les bâtiments s'ornèrent d'incroyables façades Renaissance, gothiques ou romanes, sans oublier l'Antiquité. Daniel H. Burham et son partenaire, John W. Root, excellèrent dans le genre. Enfin citons, comme éminents représentants de l'école de Chicago de ce dernier quart de siècle, William Holabird et Martin Roche (auteurs du célèbre Tacoma Building, en 1886). L'assistant de Sullivan (de 1887 à 1893), Franck Lloyd Wright, d'esprit plutôt anticonformiste, constatant un certain retour au néoclassicisme, voulut pousser plus loin. Pour lui, l'utilisation de techniques et de matériaux nouveaux montrerait vite ses limites si l'on ne repensait pas aussi l'espace intérieur, la place de l'individu dans l'architecture, ses rapports avec la nature. Ses principes s'appliquèrent d'abord aux maisons individuelles avant ses œuvres plus grandioses (type musée Guggenheim à N.Y.). Il chercha à éviter les cloisonnements oppressants, créa différents niveaux dans l'habitat,

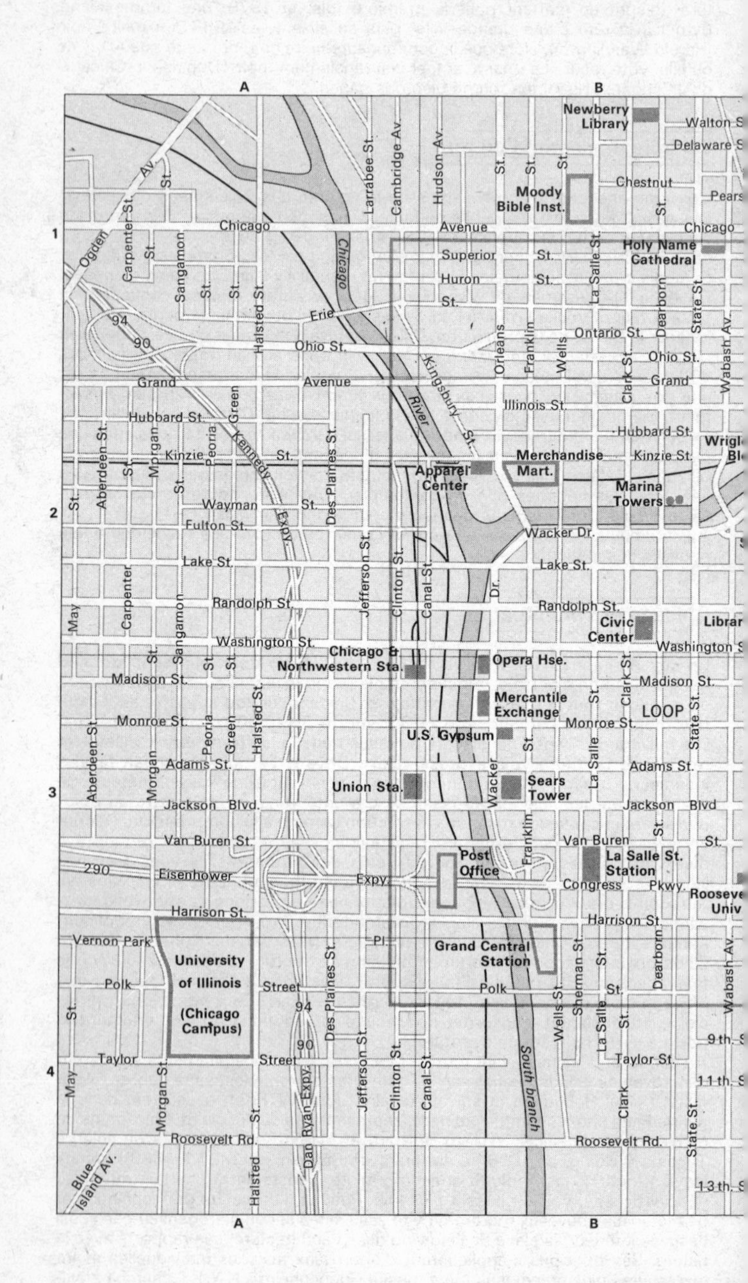
A
B
Newberry Library
Walton
Delaware
Moody Bible Inst.
Chestnut
Chicago Avenue
Holy Name Cathedral
Superior St.
Huron St.
Erie St.
Ohio St.
Ontario St.
Grand Avenue
Illinois St.
Hubbard St.
Kinzie St.
Merchandise Mart.
Apparel Center
Marina Towers
Wayman St.
Fulton St.
Wacker Dr.
Lake St.
Randolph St.
Civic Center
Washington St.
Chicago & Northwestern Sta.
Opera Hse.
Madison St.
Mercantile Exchange
LOOP
Monroe St.
U.S. Gypsum
Adams St.
Union Sta.
Sears Tower
Jackson Blvd.
Van Buren St.
Post Office
La Salle St. Station
290
Eisenhower Expy.
Congress Pkwy.
Harrison St.
Vernon Park
Grand Central Station
University of Illinois (Chicago Campus)
Polk Street
94
90
Taylor Street
9th
11th
Roosevelt Rd.
13th
Blue Island Av.
Ogden Av.
Chicago River
South branch
Kennedy Expy.
Dan Ryan Expy.
Carpenter St.
Sangamon St.
Halsted St.
Larrabee St.
Cambridge Av.
Hudson Av.
Orleans St.
Franklin St.
Wells St.
La Salle St.
Clark St.
Dearborn St.
State St.
Wabash Av.
Kingsbury St.
Aberdeen St.
Morgan St.
Peoria St.
Green St.
Des Plaines St.
Jefferson St.
Clinton St.
Canal St.
May St.
Sherman St.
1
2
3
4

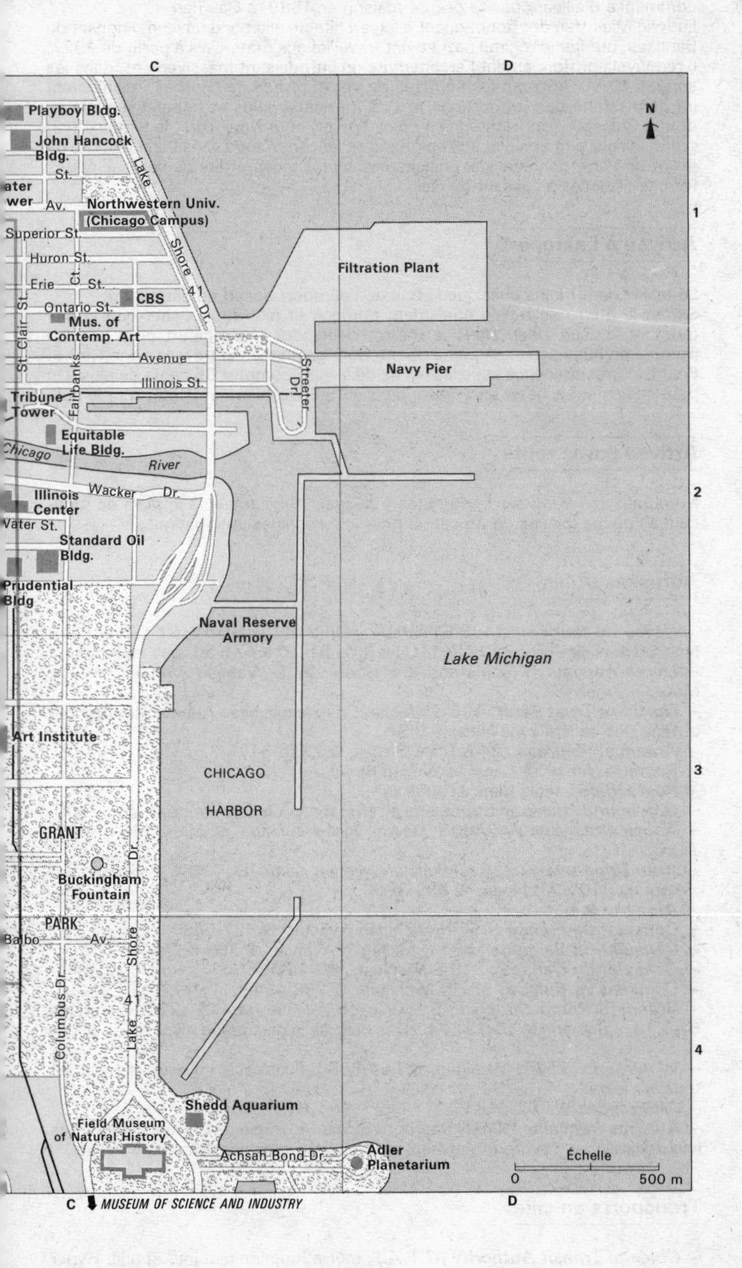

C
D
N
Playboy Bldg.
John Hancock Bldg.
St.
Lake Shore Dr.
Av.
Northwestern Univ. (Chicago Campus)
Superior St.
Huron St.
Erie St.
Ct.
41
Filtration Plant
Ontario St.
CBS
Mus. of Contemp. Art
St. Clair St.
Fairbanks
Avenue
Illinois St.
Streeter Dr.
Navy Pier
Tribune Tower
Equitable Life Bldg.
Chicago River
Illinois Center
Wacker Dr.
Water St.
Standard Oil Bldg.
Prudential Bldg
Naval Reserve Armory
Lake Michigan
Art Institute
CHICAGO HARBOR
GRANT PARK
Buckingham Fountain
Balbo Av.
Columbus Dr.
Lake Shore Dr.
41
Shedd Aquarium
Field Museum of Natural History
Achsah Bond Dr.
Adler Planetarium
Échelle
0
500 m
1
2
3
4
C
MUSEUM OF SCIENCE AND INDUSTRY
D


CHICAGO

s'articulant harmonieusement avec ouvertures et galeries extérieures. Il commença d'ailleurs par sa propre maison en 1889, à Oak Park.
Ludwig Mies Van der Rohe, quant à lui, architecte allemand, ancien dirigeant du Bauhaus, dut fuir le régime nazi et vint travailler aux États-Unis à partir de 1937. Il renouvela profondément l'architecture en introduisant massivement, dans les années 40-50, les grandes surfaces de verre, planes ou courbes, manifestant un goût raffiné des proportions et des formes simples et rigoureuses. On lui doit, à Chicago, l'ondulante Lake Point Tower, et, à New York, le fameux Seagram. Lui aussi fit école et ses épigones se lancèrent tous dans l'architecture de fer et de verre donnant aux édifices ces fantastiques effets de verticalité, ces formes élancées à l'assaut du ciel...

## Arrivée à l'aéroport

Le taxi revient moins cher que le bus de l'aéroport quand on est quatre.
Sinon, le métro se révèle également pratique et bien moins cher que le bus (prendre la *Blue Line*). Dans le métro, demandez un transfert pour pouvoir prendre un bus ensuite. A peine 35 mn pour gagner le centre ville pour 1,50 $. Pour la correspondance avec les lignes de la ville, comptez 35 cents de plus. On peut également acheter un *weekly pass* à 15 $ valable pour le métro et le bus.

## Arrivée par la route

Nombreux *toll freeways* (autoroutes à péage). Avoir toujours le plein de monnaie en poche (pièces de 25 cents) pour les machines automatiques.

## Adresses utiles

– ***Office du tourisme :*** 163 E Pearson (plan B1). Dans la Water Tower Pomping Station. ☎ 280-5740 et 41. Ouvert de 9 h 30 à 17 h 30 tous les jours.
– ***Livres français :*** Kroch's and Brentano's, 29 S Wabash Avenue, près de Monroe Street.
– ***Northern Trust Bank :*** 125 S Wacker Drive (angle avec Adams Street). Pour obtenir des dollars avec la carte VISA.
– ***American Express :*** 34 N Clark Street. ☎ 263-6617.
– ***Poste restante :*** S Canal et W Van Buren.
– ***Post Office :*** angle Clark et Adams.
– ***Greyhound :*** Harrison Street, entre Jefferson et Clinton Street. ☎ 781-2900.
– ***Aacon Drive-away :*** 2400 E Devon, Plains Avenue. ☎ 699-7300 et 462-7180.
– ***Auto Drive-away :*** 225 N Michigan Avenue, suite 1804. ☎ 477-5055. Également au 310 S Michigan. ☎ 939-3600.
– ***Amtrak :*** ☎ 558-1075.
– ***Consulat de France :*** 757 N Michigan Avenue. ☎ 787-5359.
– ***Consulat de Belgique :*** 333 N Michigan Avenue. ☎ 263-6624.
– ***Consulat du Canada :*** 310 S Michigan. ☎ 616-1860.
– ***Consulat de Suisse :*** 307 N Michigan. ☎ 782-4346.
– ***Standard Photo Supply :*** 43 E Chicago Avenue. ☎ 440-4920. Ouvert de 8 h à 18 h. Samedi de 10 h à 17 h. Très central, le plus grand magasin de photo de la ville.
– ***Walgreens :*** 757 N Michigan. ☎ 664-8686. Pharmacie ouverte 24 h sur 24 tous les jours.
– ***Air France :*** ☎ 782-6181.
– ***Alliance française :*** 810 N Dearborn Street. A l'angle de Chicago Street, pas loin de la Water Tower. Intéressant si vous séjournez longtemps à Chicago.

## Transports en ville

– ***Chicago Transit Authority (C.T.A.) :*** métro fonctionnant jour et nuit. Hyper pratique. Système de bus pas trop compliqué. Renseignements : ☎ 836-7000.

– ***Location de vélos :*** Village Cycle Shop, 1337 N Wells. ☎ 751-2488. Également, l'été, location de vélos et roller-skates au Navy Pier (Grand Avenue et Lake Shore Drive) et au Lincoln Park (Fullerton Avenue et Cannon).
– ***Attention :*** pas de bus en banlieue le samedi et le dimanche.

## Où dormir ?

Logement cher. Si vous le pouvez, planifiez votre passage le week-end pour pouvoir profiter des forfaits dans certains hôtels.

### Bon marché

■ ***Chicago International Hostel :*** 6318 N Winthrop Avenue, IL 60660. ☎ 262-1011. Pour y aller, prenez le métro jusqu'à la station Loyola (Howard Street N Bound Train). Prenez la sortie « Sheridan Road ». Entrez sur le campus de Loyola, vous êtes à quelques minutes. Depuis les terminus de bus Downtown, allez sur State Street, prenez soit le métro, soit le bus 151 « Sheridan-North Bound ». Descendez à « Sheridan Winthrop ». Marchez ensuite un demi-bloc vers le sud. Ouvert de 7 h à 10 h et de 16 h à 24 h. Couvre-feu à minuit et 1 h le week-end. L'adresse la moins chère de Chicago, sans doute.
■ ***Y.M.C.A. :*** 30 W Chicago Avenue, à la hauteur de Dearborn (plan B1). ☎ 944-6211. Près de 650 chambres à un lit et 15 doubles. Elle est reliée au téléphone du Greyhound. On ne peut pas plus central, mais chambres un peu tristes et sans air conditionné.
■ ***Tokyo Hotel :*** 19 E Ohio Street, près de Wabash Avenue (plan B2). ☎ 787-4900. En face d'un immeuble en forme de mosquée. Un hôtel avec de nombreuses chambres. Pas cher pour Chicago, mais pas terrible ! Pas d'air conditionné ni ventilo. Certaines chambres ont été repeintes et possèdent la T.V. (surtout dans les étages). Une adresse uniquement pour les tout petits budgets. Le sympathique garçon d'ascenseur vous indiquera comment faire des courants d'air bien rafraîchissants. Propreté inégale.
■ ***Ohio East Hotel :*** 15 E Ohio. ☎ 644-8222. A côté du précédent. Même genre, mais plus cher et moins bien.
■ ***Y.M.C.A. West Suburban :*** à Lagrange, dans la banlieue ouest. ☎ 352-7600. A deux pas de la station Lagrange Road. Prendre le train « Burlington Northern » à la gare de Union Station. 20 mn de trajet. Prix intéressant à la semaine. Piscine gratuite. Banlieue résidentielle agréable.

### Prix moyens et plus chic

■ ***Lenox House :*** 616 N Rush Street (à East Ontario ; plan B2). ☎ 337-1000. En dehors de l'État, numéro gratuit : ☎ 1-800-44 LENOX. Très bien situé dans le Downtown. Un bel hôtel (presque de luxe) offrant de superbes studios-suites, mais uniquement le samedi et le dimanche, à un prix spécial. Le meilleur rapport qualité-prix de la ville. Bonne cafétéria au rez-de-chaussée.
■ ***Ohio House Motel :*** 600 N Lasalle Street (plan B1). ☎ 943-6000. Très central et hôtel convenable le moins cher de la ville. Agréable et parking pour la voiture.
■ ***Days Inn :*** 644 N Lake Shore Drive. ☎ 943-9200. Numéro gratuit : ☎ 1-800-325-2525. Downtown, situé directement sur le lac. Propose également un prix spécial week-end.

### Formule B & B

Solution sensiblement moins onéreuse pour deux que le moins cher des bons hôtels.
– ***Renseignements et réservations :*** ☎ 951-0085.

## Où manger ?

### *DANS NEAR NORTH ET DANS LE LOOP*

Near North, c'est la zone s'étendant au nord, de la Chicago River à Division Street. Le Loop se situe au sud de la Chicago River et comprend le fameux métro aérien.

## Bon marché

• ***Ed Debevic's :*** 640 N Wells. Dans Near North (plan A2). ☎ 664-1701. Ouvert de 11 h à minuit (vendredi et samedi, 1 h ; dimanche, 22 h). C'est récent, un resto-bar-boîte immense, branché, décoré années 60. Bons cocktails abordables. On y mange très bien pour un prix raisonnable et on a des chances d'y faire des rencontres sympa. Goûtez au « Hoppin John's Atomic Burger », aux chili, aux copieuses salades. Attente souvent longue pour obtenir une place.
• ***Giordanos :*** 747 N Push Street. ☎ 951-0747. Ouvert de 11 h à minuit (vendredi et samedi 2 h ; dimanche, 12 h-minuit). Pizzas bon marché et copieuses. Essayez celle aux épinards. Attention, compter 30 mn d'attente.
• ***D.B. Kaplan's Delicatessen :*** 845 N Michigan Avenue (Near North, plan B-C1). ☎ 280-2700. Ouvert de 10 h à 23 h (vendredi et samedi, 1 h ; dimanche, de 11 h à 23 h). Situé au 7ᵉ étage de la Water Tower, juste à côté de l'office du tourisme. L'occasion ainsi de visiter ce célèbre building. Cadre du resto ne favorisant pas vraiment l'intimité (genre de sympathique hall de gare), mais on y trouve plus de 150 variétés d'énormes et savoureux sandwiches (l'imagination du chef va très loin), ainsi que de bonnes salades, de délicieux *cheese cakes,* etc. Très populaire Downtown !
• ***MacDonald's :*** à l'angle de Ontario et La Salle (Near North). Une fois n'est pas coutume ! Voici un MacDo qui mérite vraiment le coup d'œil. La nourriture reste ce qu'elle est (on s'est compris !) mais le décor est complètement ringard, style années 60, avec des jeux et des flippers d'époque, vieux distributeurs de bouteilles de Coke, les Beatles grandeur nature, des photos de Cadillac roses, des vieux journaux, des nappes (si, si !) imitation léopard. Le tout dans une abondante végétation. Même la musique est dans le style swing et vieux rock'n roll.
• ***Hard Rock Café :*** 63 W Ontario Street (Near North ; plan B1). ☎ 943-2252. Ouvert de 11 h 30 à 23 h 30 (samedi de 11 h à minuit et dimanche de 11 h à 23 h). L'un des derniers-nés de la célèbre chaîne qui débuta avec tant de succès à Londres en 1971. Décoré de disques d'or et de multiples souvenirs de vedettes : le blouson en jean de Tina Turner, le premier costard de scène de George Harrison, celui d'Ossy Osbourne, les guitares de Clapton, Dylan, Peter Townsend, etc. Ça n'a pas vraiment gagné une âme, mais c'est amusant. Dans une bonne ambiance musicale, nourriture classique américaine : salades, burgers, *lime B-B-Q chicken,* etc.
• ***Pizzeria Due :*** 619 N Wabash Avenue. ☎ 943-2400. L'épaisseur des pizzas est 3 ou 4 fois plus importante que partout ailleurs, et pourtant elles restent moelleuses. Pour les gros appétits donc. Et si vous n'arrivez pas à finir, la serveuse vous emballe le reste pour que vous l'emportiez !
• ***Billy Goat Tavern :*** 430 N Michigan (Near North ; plan B2). ☎ 222-1525. Ouvert tous les jours jusqu'à 2 h (samedi à 3 h). Dans un environnement très « Alphaville » de parkings, sans aucune poésie urbaine (on est sous Michigan Avenue), voilà la « cantine » préférée des journalistes du *Chicago Tribune.* Elle apparaît parfois dans les shows télévisés. Bons burgers pas chers du tout.
• ***Berghoff :*** 17 W Adams (dans le Loop ; plan B3). ☎ 427-3170. Ouvert de 12 h à 22 h. Fermé le dimanche. Un grand classique de Chicago et qui rappelle que la communauté allemande y est importante. Ouvert en 1887. Souvent plein. Décor de boiseries sombres. Clientèle assez âgée et jeunesse sage. On mange, sous la photo des fondateurs, les non moins classiques *sauer braten, wiener schnitzel,* mais également des plats américains. Tout à côté, pour patienter, un bar au long comptoir (qui pendant longtemps ne servit pas les dames !).

## Prix moyens à plus chic

• ***Carson's :*** 612 N Wells Street (Near North ; plan B2). ☎ 280-9200. Considéré comme l'un des tout premiers restaurants pour les *ribs.* Invraisemblable décor de mauvais goût chicos-austère et, finalement, prix beaucoup plus modérés que le cadre ne l'indique. Service impeccable sur une agréable musique de fond jazzy. En avant pour de succulentes *B-B-Q baby back ribs* (petites faims, le *half slab* est largement suffisant), accompagnées automatiquement de pommes de terre et d'une petite salade *(cole slaw).* Bien sûr, steaks pour ceux qui n'aiment pas les *ribs* (mais bon sang, pourquoi sont-ils donc venus ici ?).

• ***Italian Village :*** 71 W Monroe Street (Loop ; plan B3). ☎ 332-7005. En plein milieu du Loop, à un block de la Palmer House. Trois restos composent l'ensemble : l'*Italian Village,* la *Florentine Room* et la *Cantina.* Ouverts tous les jours midi et soir jusqu'à 1 h (vendredi et samedi 2 h ; dimanche, minuit). *Cantina* fermée le dimanche. Des trois, l'*Italian Village* présente le meilleur rapport cadre-qualité-prix. Fondé en 1927, il propose, comme décor, une reconstitution de village italien typique qui, avec le temps, a pris un côté délicieusement suranné (près d'une centaine d'étoiles dans le ciel). Larges *antipasti,* excellents *manicotti, pasta, cannelloni,* etc. Célèbre aussi pour sa cave (chère, bien sûr). Près de 1 000 vins. *Florentine Room* propose un décor luxueux et est considéré comme l'un des meilleurs restos italiens de la ville. Au sous-sol, la *Cantina,* en revanche, ne présente pas de caractère particulier.
• ***Gino's East :*** 160 E Superior Street, près de Michigan Avenue (plan C1). ☎ 343-1124. Énormes pizzas vraiment excellentes (un seul problème : il faut compter au moins 20 mn d'attente). Un conseil : commandez-les *small* (déjà monstrueuses). Si vous êtes pressé, goûtez au *manicotti.* Le tout arrosé d'un bon petit vin californien. Les murs sont couverts de graffiti des clients (c'est autorisé par la direction). Un peu cher tout de même !

### *DANS OLD TOWN ET LE QUARTIER DE LINCOLN PARK*

Deux quartiers qu'il vous faudra nécessairement arpenter. Voici nos bonnes adresses.

#### Bon marché

• ***France's Food Shop :*** 2453 N Clark Street, à l'angle de Arlington Street. Ouvert de 7 h à 22 h. Fermé le lundi. Un petit resto pas bêcheur, où l'on mange une cuisine familiale sans prétention et abordable.

#### Prix moyens à plus chic

• ***Jerome's :*** 2450 N Clark, à l'angle de N Clark et Arlington Streets. ☎ 327-2207. On mange sur une terrasse plantée d'arbres, bien agréable quand il y a du soleil. Des salades somptueuses et des soupes excellentes. Assez chic.
• ***Grunt's :*** à l'angle de Lincoln Park W et de Dickens Avenue. ☎ 929-5363. Très chic, bon genre. Un décor extra dans le quartier le plus huppé de Chicago. Toute la jeunesse dorée s'y retrouve... On peut s'en tirer pour pas trop cher à condition d'y aller à midi. Brunch fantastique le dimanche matin.

#### Résolument plus chic

• ***That Steak Joynt :*** 1610 N Wells Street (plan B1). Dans Old Town. ☎ 943-5091. Ouvert seulement le soir jusqu'à minuit (1 h vendredi et samedi). L'un des meilleurs endroits en ville pour la viande, et pas si cher que ça. Décor victorien et cossu, avec de nombreuses statues, peintures et une belle verrière au plafond. Profondes banquettes de cuir. Atmosphère intime, finalement pas trop guindée (même assez *easy-going*). Service hors pair. Ici, les parts sont énormes. Nous n'avons pu finir un superbe *heavy trencherman cut.* Goûtez aussi à cette étrange combinaison associant filet mignon et queue de homard. Petites faims, contentez-vous du *rib eye steak.* On trouve même un *light menu* à prix raisonnable. Un endroit vraiment étonnant, et une de nos meilleures adresses.

#### Très chic

• ***95th Restaurant :*** 875 N Michigan Avenue, John Hancock Center (entrée Chesnut Street ; plan C1). ☎ 787-9596. L'un des restos panoramiques les plus célèbres. Cher bien sûr, mais le midi et en semaine, menu à prix encore raisonnable.

## Fêtes en été

– 2ᵉ semaine de juin : ***Old Town Art Fair*** ou plutôt ***Golden Coast Fair,*** foire artistique en plein air, ainsi que le ***Music Festival*** à Ravinia et dans Grant Park.
– 4 juillet : ***Independence Day.***

– Début juillet : ***Taste of Chicago,*** en même temps que l'Independence Day. Grande fête située à Grant Park, derrière l'Art Institute. C'est le rassemblement de 80 restaurants de Chicago, autrement dit, la fête de la Grande Bouffe de tous les pays. Beaucoup d'animation de 11 h à 21 h, concerts gratuits notamment (Stevie Wonder y a joué).
– Dernier dimanche de juillet (généralement) : ***grande fête chinoise*** à Chinatown.
– Fin juillet-début août : ***Irish Fest Chicago,*** grande fête irlandaise dans Olive PK (Navy Pier).
– Nuits des 3e et 4e vendredis d'août : ***Venetian Night Festival,*** fête de nuit sur le lac, à la hauteur de Grant Park.
– 2e ou 3e semaine d'août : ***fête japonaise*** très colorée au 435 W Menomonee Street.
– 1er week-end de septembre : ***Chicago Jazz Festival*** à Grant Park. Il dure 6 nuits et c'est gratuit. Un des plus grands festivals du monde.
– 2e ou 3e samedi de septembre : ***Mexican Independence Day.*** Ambiance sud-américaine dans les cafés mexicains.
– 3e ou 4e samedi de septembre : ***Steuben Parade.*** La German American Parade dans State Street et flonflons dans les restos allemands.
– Le grand événement de l'été, c'est le ***Ravinia Festival*** qui se tient de fin juin à mi-septembre. Musique classique, danse, jazz, les plus grands noms. Tous renseignements : ☎ R.A.V.I.N.I.A.

## A voir

Eh oui, Chicago se révèle une ville qui se visite tout à fait à pied ! Les *asas addicts* s'en donneront à cœur joie. En gros, trois quartiers : le Loop (quartier des affaires et des buildings historiques), délimité par le « El » (le métro aérien), puis au nord de la Chicago River Near North, le Old Town et le Magnificent Mile, longue théorie de superbes buildings et de commerces de luxe. Enfin, le quartier de Lincoln Park où se retrouvent jeunes et étudiants (très vivant le soir). Le métro, fort opportunément, permet de raccourcir les distances entre ces trois centres d'intérêt.
La meilleure solution pour tout voir assez rapidement semble être les *Culture Buses.* Fonctionnent le dimanche et pendant les vacances de 10 h 30 à 17 h, sur trois parcours desservant les principaux centres d'intérêt. Bus spéciaux confortables et insonorisés avec guide et commentaires. Cela ne coûte que quelques dollars et le billet peut être ensuite utilisé sur n'importe quel autre parcours de bus ou de métro. Les *Culture Buses* passent tous devant l'Art Institute of Chicago. Fréquence environ toutes les 30 mn. Dépliant très détaillé à récupérer à l'office du tourisme. Informations : ☎ 836-7000.

– ***Chicago Loop Walking Tour :*** ça, c'est un truc chouette organisé par la Chicago Architecture Foundation (330 S Dearborn ; ☎ 782-1776 et 922-3432). Ce tour, à pied, avec guide compétent et enthousiaste, dure environ 2 h et passe en revue les réalisations les plus significatives du Loop (ça permet de revenir ensuite aux endroits qu'on a bien aimés). En principe, de juin à août, en semaine à 10 h et 13 h et le dimanche à 14 h. Les autres mois, ça marche le samedi et le dimanche, mais service plus réduit en semaine. En tout cas, ne pas manquer de visiter l'*Archicenter* au 224 S Michigan. Prodigieuse librairie sur l'architecture. Enfin, de nombreux autres tours sont organisés (tour complet de la ville, mini pour les enfants, balade en bateau, Wright et Oak Park, etc.).

– ***American Sightseeing Tours :*** 530 S Michigan. ☎ 427-3100. Pour les pressés, organise un tour North Side et un autre South Side de 2 h chacun. Un bon truc aussi pour repérer les quartiers pittoresques où l'on reviendra. Leurs chauffeurs ont souvent pas mal d'humour. Dans le tour sud est prévue la visite du Museum of Sciences and Industry, mais il vous faudra revenir si vous êtes branché là-dessus, car en 30 mn on ne peut pratiquement rien voir. Le tour ramasse les touristes devant la plupart des grands hôtels (*Hyatt Regency, Chicago Hilton, Palmer House,* etc.). Téléphonez pour les horaires.

– ***Balades en bateau*** sur le lac et la Chicago River avec *Mercury Sightseeing Boats,* Michigan Avenue et Water Drive. Renseignements : ☎ 332-1353.

## *DANS LE LOOP*

▸ ***The « El » :*** c'est le métro aérien tout rouillé et brinquebalant qui délimite le quartier des affaires (plan B2-3). Édifié en 1893 à l'occasion de la World Columbian Exposition. Complètement anachronique. Face aux modernes gratte-ciel, il apporte cependant d'emblée une dimension supplémentaire au quartier. Il fut, il n'y a pas longtemps, sauvé de la démolition par quelques amoureux du Loop qui firent campagne de manière énergique pour son maintien. En effet, grâce à sa disparition, certains politiciens et spéculateurs pensaient pouvoir redonner une énorme plus-value à leurs édifices ou commerces. A leurs arguments (métro inesthétique et bruyant, structures métalliques rivetées d'un autre âge, etc.), les défenseurs opposèrent, au contraire, toutes ses qualités très positives : rupture originale dans les lignes architecturales, dimension supplémentaire dans l'espace et, argument majeur, le « El » apporte une chaleur, une urbanité qui fait tant défaut à bien des villes américaines.

– A l'intention de ceux qui ne pourraient effectuer le *Loop Walking Tour*, voici les buildings les plus fascinants du centre ville. Nous avons essayé de les inscrire dans un ordre de promenade logique.

▸ ***Auditorium :*** 430 S Michigan. Œuvre de Sullivan (1887). Il n'utilisa pas encore l'acier, mais ses innovations et la décoration stupéfièrent (il y avait même l'air conditionné !). Après l'avoir visité, le président Harrisson s'exclama : « Ça y est, New York va abandonner la partie ! »

▸ ***Manhattan Building :*** à l'angle de Congress et de S Dearborn. Le plus vieux bâtiment à structures métalliques (1889). A côté, l'Old Colony Building (1893). Au 343 S Dearborn, le Fisher (1895) de Burham, à la délicate déco gothique.

▸ ***Monadnock :*** S Dearborn (entre Van Buren et W Jackson). Voici l'exemple le plus intéressant de l'évolution des techniques. La partie la plus ancienne (1889), réalisée par Burham et Root, fut construite en partie suivant les vieilles techniques, et encore sur une base trapue, en saillie, comme pour rassurer ! Celle d'à côté en revanche, construite en 1892, à la suite de l'autre, par Holabird et Rohe, tire mieux partie de la charpente en fer. Architecture plus légère, ouvertures plus larges. Notez que Holabird a tenu à respecter le style global de l'ensemble et a même été jusqu'à reproduire scrupuleusement la forme des fenêtres.

▸ ***Metropolitan Detention Center :*** angle Van Buren et Federal. C'est ce curieux bâtiment triangulaire élevé en 1975. Même les prisons peuvent inspirer les architectes !

▸ ***Board of Trade Building :*** 141 W Jackson. C'est ici que, quotidiennement, se tournent les yeux des affamés du monde. Eh oui, dans cette construction de Holabird (1929) se détermine le prix du blé et des céréales. Impressionnante façade de style art déco. De 9 h à 14 h, en semaine, accès au *Visitors' Center Gallery* (5e étage). ☎ 435-3590. Pour les amateurs, possibilité aussi d'aller au *Chicago Mercantile Exchange,* 30 S Wacker Drive, Downtown. C'est là que se traitent les différents types d'options (sur devises, sur indices) dans une gigantesque salle bourrée de monde et truffée d'écrans. Entrée libre.

▸ ***The Rookery :*** 209 S La Salle (et Quincy). Œuvre de Burham. Riche décoration extérieure (entrelacs, frises). Notez les luxueuses plaques de rues sculptées. L'intérieur fut aménagé par Franck L. Wright (1905).

▸ ***Marquette Building :*** 140 S Dearborn (Holabird, 1893 et 1905). En face du Federal Center. Dans le hall intérieur, magnifiques mosaïques de Tiffany. Demander au gardien la brochure explicative.

▸ ***Federal Center Complex :*** 219 S Dearborn. Construit par Mies Van der Rohe (1959 et 1966). Deux autres édifices, encadrant la plaza et le Calder géant, composent un ensemble très équilibré. La vitalité du *Flamant rouge* de Calder contraste d'ailleurs avec la solennité des noires façades de verre tout autour. Notez plus loin, sur le même trottoir, le *Berghoff,* l'un des tout premiers immeubles reconstruits après le grand incendie (1872).

▸ ***First National Bank Plaza :*** Monroe et Dearborn. L'un des ensembles architecturaux les plus remarquables. La First National Bank présente une stupéfiante façade concave (c'est la banque la plus haute du monde).
Sur la plaza, admirez les *Quatre Saisons* de Chagall (1974), magnifique mosaïque de pierre et de verre pour laquelle il se servit de plus de 250 nuances

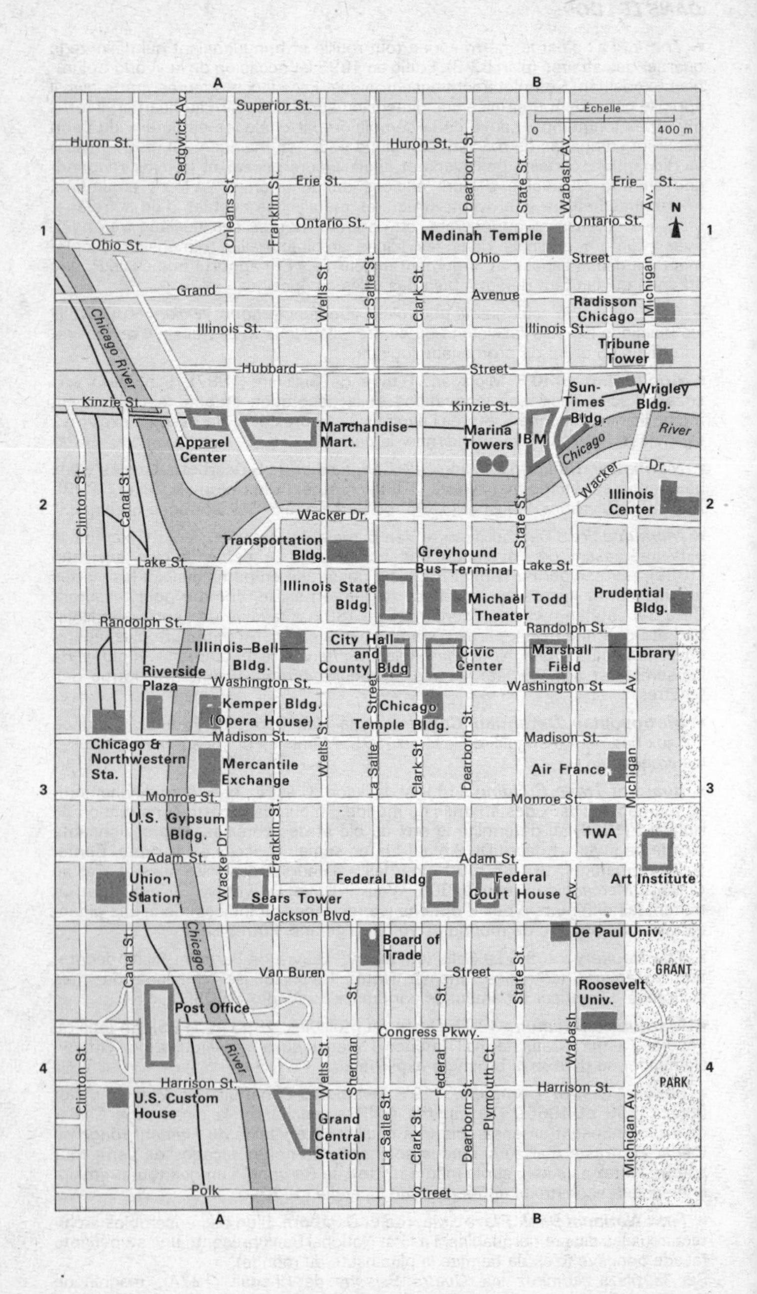


CHICAGO, THE LOOP

de couleurs. En face, au 30 W Monroe, s'élève l'Inland Steel Building (1956), premier gratte-ciel construit après guerre et utilisant un maximum de verre. De l'autre côté du carrefour, le Xerox (1980).

▶ ***Palmer House :*** Monroe et State. Édifié en 1925. Potter Palmer, le prince des marchands de Chicago, plaça son argent dans l'immobilier et les impressionnistes (riche collection qu'il légua au musée). Voir absolument l'hyper luxueux hall d'entrée, les statues-lampes, le plafond décoré, la Red Lacquer Room et les toilettes (un vrai boudoir pour les dames !). Reagan y descend chaque fois qu'il vient à Chicago.

▶ ***Carson, Pirie, Scott & Cie :*** State et Madison. Chef-d'œuvre de Sullivan et Burham (1899). En particulier la foisonnante décoration extérieure, l'admirable dentelle de bronze qui orne les portes de ce grand magasin. Sullivan avoua qu'il voulait avant tout séduire les femmes, leur donner l'impression que l'on honorait princièrement leur visite.

▶ ***Daley Center :*** Washington et Dearborn. Une autre plaza célèbre pour sa monumentale statue de Picasso. Installée en 1967, elle suscita au début une hostilité et des polémiques comparables à la tour Eiffel et à Beaubourg. Aujourd'hui, les habitants de Chicago en sont évidemment très fiers. On y devine une tête de femme, sujet bien sûr cher à l'artiste. En face, au pied du Brunswick Building, une statue de Miró (1981). Une curiosité : de l'autre côté de la rue, au coin, le McCarthy Building, le premier immeuble de l'après-incendie (1872). Le croirez-vous, un promoteur immobilier envisage de le démolir, pas pour l'argent, pour construire mieux, bien sûr !
A quelques pas, vers le lac (Washington et State), le *Reliance,* l'une des réalisations les plus marquantes de Burham (1890).

▶ ***State of Illinois Building :*** Clark et Randolph. C'est l'une des dernières constructions (1984) de Chicago, annonçant clairement l'architecture du XXI$^{e}$ siècle. Volume intérieur très impressionnant, mais édifice assez controversé. Surmonté d'une gigantesque verrière, d'insurmontables problèmes se posent pour climatiser tout ça correctement. A l'intérieur, Shopping Center, boutiques et restos. Montez au 16$^{e}$ étage pour jouir de la vue aérienne sur le hall. Devant trône *Monument with Standing Beast ;* une des œuvres majeures (et l'une des dernières) de Dubuffet (1984), en fibre de verre.

▶ Une petite balade au ***sud du Loop*** s'impose. La page est largement tournée sur le passé un peu sombre de la ville. Les lieux historiques des affrontements des gangs sont assez systématiquement rasés ou ignorés par les autorités qui n'aiment pas trop qu'on leur rappelle ce passé sulfureux. Il fait pourtant partie du patrimoine historique de la ville, mais marcher sur les traces d'Al Capone, encore image symbole de Chicago pour beaucoup, semble relever de l'exploit. Un petit guide illustré permet de suivre pas à pas les grandes étapes de la « Guerre des gangs ». Ainsi vous pourrez voir le *Metropolitan Hotel* qui fut l'un des quartiers généraux d'Al Capone (sur Michigan Avenue). A l'angle de Michigan Avenue et de 22th Street, le *Lexington Hotel* est encore debout. Sans doute doit-il sa survie à son voisinage, à quelques dizaines de mètres, du ghetto noir. Ce fut le dernier quartier général d'Al Capone avant la prison. Noir, vétuste et abandonné, il attend la sentence. Va-t-on l'abattre ? Personne ne le sait. Et enfin, le *Biograph Center* (sur Lincoln Avenue) où John Dillinger fut proprement mitraillé dans un restaurant où il ne faisait pas bon manger le dos tourné à la porte !

● ***Les autres buildings***

▶ Les amoureux de la « Dernière Séance » iront jeter un œil à l'intérieur du cinéma *Chicago* sur State Street (après Randolph Street). Superbe art barorococo, fauteuils d'époque. Une salle comme on n'en fait évidemment plus depuis longtemps. Actuellement, il est utilisé comme salle de concerts.

▶ ***Public Library Cultural Center*** : angle de Washington et Michigan Avenues. ☎ 269-2900 et 269-2940. Ouvert du lundi au jeudi de 9 h à 19 h. Vendredi jusqu'à 18 h et samedi 17 h. Belle décoration intérieure : jolie coupole de marbre et mosaïques sur les murs et les plafonds. Au deuxième étage, il y a une section étrangère où vous trouverez des quotidiens et des hebdos français. L'entrée est libre. Généralement le mercredi, concert de musique classique gratuit à 12 h 15, et l'été, séries spéciales de country, jazz, etc.

▸ ***Sears Tower :*** à l'angle de Adams et Franklin Streets (plan B3). Terminé en 1974, c'est actuellement le plus haut bâtiment du monde avec ses 110 étages et ses 443 m de haut. Quelques chiffres : l'ensemble pèse 222 500 t (dont 76 000 t d'acier) et possède 16 000 fenêtres. 9 000 personnes y travaillent. Plate-forme panoramique au 103e étage. Payant. Ouvert tous les jours de 9 h à minuit. Renseignements : ☎ 875-9696. Siège des magasins *Sears and Roebuck.* Cet organisme est la plus grande société de vente par correspondance du monde. Son célèbre catalogue est encore la bible des communautés rurales. Autrefois, dans les villages, les enfants apprenaient à lire et à écrire dans le catalogue. Très belle vue de nuit. Mais, traversant une grave crise, le groupe a décidé de mettre en vente Sears Tower au plus offrant. L'opération devait rapporter au groupe quelque 1,2 milliard de dollars.

▸ Les amateurs d'urbanisme iront étudier la reconversion de ***Printer's Row,*** l'ancien quartier des imprimeurs. Il s'étend de Congress Park Way à Polk Street. Bel exemple de revitalisation d'un quartier longtemps en pleine décadence et qui fut longtemps très dangereux le soir. Les anciens entrepôts et ateliers sont transformés peu à peu en lofts désormais très recherchés. Sur Polk Street, la pittoresque ancienne gare.

▸ Enfin, il ne faut pas rater, face au lac, le superbe alignement d'immeubles sur ***Michigan*** (à la hauteur de Monroe ; plan B-C3). Prendre du recul pour en admirer l'harmonieuse disposition. A côté de l'édifice de style néogothique s'élève le ***Cage Building*** (1898), avec un étage de plus. L'une des œuvres les plus représentatives de l'art de Sullivan.
De l'escalier de l'Art Institute, belle perspective sur les 80 étages de marbre blanc du *Standard Oil Building* et le tout nouveau et remarquable *Associate Building* (facilement reconnaissable à son sommet en forme de losange biseauté).

▸ ***Merchandise Mart :*** sur la rivière, à hauteur de Wells Street (plan A2). C'est le magasin-entrepôt le plus gros du monde. Construit en 1930 dans le style art déco. Façade rénovée récemment, qui a ainsi retrouvé sa blancheur immaculée. Parfois visites guidées (se renseigner à l'office du tourisme). Au nord du Merchandise Mart, à quelques blocs, s'étend *Cabrini Green,* un immense quartier de H.L.M. délabrées où vit la population noire la plus déshéritée. Nous déconseillons absolument de s'y aventurer. Vous ne trouverez pratiquement pas de taxi pour y aller. C'est l'une des contradictions sociales les plus flagrantes de Chicago.

## AU NORD DE LA CHICAGO RIVER

Sur North Michigan Avenue débute le *Magnificent Mile,* promenade architecturale là aussi très intéressante. A la hauteur du pont, en traversant la Chicago River (côté sud), superbe perspective sur les édifices la bordant. On y trouve notamment : la Marina City Four Building, avec ses deux tours rondes à alvéoles (appelées « épis de maïs »). Sur sa droite, le I.B.M. Plaza, le Chicago Sun Times-Daily News et le Wrigley (le monsieur qui inventa le chewing-gum) avec sa tour-horloge richement ornée (1921).

▸ ***Tribune Tower :*** tout au début de North Michigan (plan C2). L'un des édifices les plus étonnants de la ville. Le summum du pastiche gothique flamboyant (1925). Construit comme une cathédrale. D'ailleurs le portier s'entend demander au moins dix fois par jour l'heure des messes par des touristes de passage. Notez qu'à la base du building on inséra un certain nombre de pierres ou d'éléments provenant des monuments les plus célèbres de la Terre : Parthénon, Taj Mahal, Fort Alamo, Grande Muraille de Chine, Notre-Dame de Paris, etc. Curieux, non ?

▸ ***Navy Pier :*** au bout de Grand Street (plan D2). Promontoire construit en 1916 pour permettre aux bateaux de croisière d'accoster. Aujourd'hui s'y déroulent foires et expositions. Animation tout l'été. En juin-juillet-août, en principe, *marché aux puces* géant un dimanche sur deux. Renseignements : ☎ 377-2252. A l'entrée du Navy Pier s'élève l'ondoyante Lake Point Tower, construite en 1968 (sur un projet de Mies Van der Rohe).

▸ ***Water Tower Pumping Station :*** Michigan et Pearson (plan C1). L'un des rares édifices du centre qui échappèrent au grand incendie de 1871. Construit dans un style gothico-rococo invraisemblable. Il abrite aujourd'hui les services touristiques de la ville, et « Here's Chicago », un superbe diaporama sur la ville.

A côté, sur Chicago Avenue, le *Park Hyatt,* l'hôtel favori d'Élisabeth Taylor (elle s'y réserve à chaque fois une suite à 2 000 $ par jour !).

▸ ***John Hancock Center Observatory :*** 875 N Michigan (plan C1). Le troisième gratte-ciel le plus haut du monde. 94 étages d'où le panorama est également époustouflant. Ouvert de 9 h à minuit. Un bloc plus haut, le *Play Boy Building* (ancien édifice Palmolive), d'où prolifèrent, de par le monde, tous les petits *bunnies*... A côté, l'hôtel *Drake* où descendent toutes les têtes couronnées.

▸ ***The Golden Coast :*** à partir de Oak Street s'étend « la Côte Dorée », l'un des quartiers résidentiels les plus chers d'Amérique (plan C1). Devant s'étale Oak Street Beach, la plage la plus populaire de Chicago.

▸ ***Old Town :*** remontez Well's Street. A partir de Goethe Street jusqu'à Armitage s'étend le quartier le plus agréable de Chicago, qui n'est pas sans rappeler Greenwich Village : petites maisons victoriennes, magasins de fringues, antiquités, restos sympa. Dans Well's Street, le *Believe it or not Museum,* une collection de 500 curiosités qu'un certain Ripley a rassemblées lors de ses voyages à travers 198 pays ou territoires. Dites-nous si c'est bien, on ne l'a pas vu.

▸ ***Astor Street,*** entre 1200 N et 1600 N, aligne nombre de belles demeures anciennes. Se balader également sur Menomonee Street (à l'ouest du carrefour Well's et Clark) et autour de l'église Saint Michael (W Eugenie Street).

▸ ***Frank Lloyd Wright Historic District :*** situé tout à l'ouest de la ville. Prendre le métro Lake Street, station « Oak Park ». Visite (à partir de 12 h) de *Unity Church* et de son *home and studio,* plus balade dans le quartier, où il y a une dizaine de maisons construites par le célèbre architecte. Un commentaire est enregistré sur cassette. Très chouette pour celui qui est intéressé par l'architecture moderne.
Très conseillé de se rendre d'abord au *Visitors' Center,* 158 Forest Avenue. ☎ 848-1500 ou 848-0458. Ouvert tous les jours de 10 h à 17 h. Entre 1889 et 1909, Wright construisit dans le coin de Oak Park près de 25 édifices. Nombreux tours différents organisés.

▸ ***Cimetière de Graceland :*** 4001 N Clark Street (Clark et N Irving Park Road). ☎ 525-1105. Ouvert de 8 h à 16 h 30. Les gens célèbres de Chicago y sont enterrés : Marshall Field (le commerçant), Allan Pinkerton (le détective), George Pullman (les trains), Sullivan (les belles façades), Mies Van der Rohe (les buildings), etc. Grand cimetière à l'anglo-saxonne avec les tombes disséminées dans de grandes pelouses et bosquets d'arbres. Le tout dégageant une douce sérénité. Beaucoup de mausolées à l'architecture kitsch ou s'inspirant de l'Antiquité. De l'autre côté de N Irving Park Road, un ancien cimetière juif dans un cadre boisé romantique. Pour s'y rendre, métro Sheridan. Mais si vous descendez une ou deux stations plus haut (Lawrence ou Wilson), vous aurez l'occasion de traverser, en redescendant vers le cimetière, l'un des quartiers les plus pauvres de Chicago. Habité surtout par des Indiens complètement déracinés, la plupart au chômage. L'alcool fait d'ailleurs, dans cette communauté, de désastreux ravages.

### ● *A voir pour ceux qui ont du temps*

▸ ***Chinatown :*** au sud-ouest du centre, aux abords de Cermack Road et Wentworth Avenue. C'est une petite communauté (4 000 personnes). A voir : l'hôtel de ville chinois, le temple chinois et le Ling Long Museum. On y trouve aussi une vingtaine de restaurants. Le *Chiam* (2323 S Wentworth) est spécialisé dans le *dimsum* (petits chariots se baladant entre les tables avec tout plein de bonnes choses dedans). Le *King Wah,* au 2225, possède également une bonne réputation.

▸ ***Lincoln Park Conservatory :*** Fullerton et Stockton Drive. ☎ 294-4770. Ouvert de 9 h à 17 h. Au nord de la ville. Dans quatre grandes serres, magnifique collection d'orchidées. Gratuit.

▸ ***Baha'i House of Worship :*** 112 Linden Avenue (et Sheridan). ☎ 256-4400. Ouvert de 10 h à 22 h. Situé à Wilmette. A 19 km au nord de la ville s'élève le principal sanctuaire de cette étonnante religion baha'i qui rassemble les principes des quatre plus grandes religions. Ressemble à un temple hindou.

– La communauté polonaise réside du 1200 au 3000 N Milwaukee. Nombreux restos et boutiques. Au 984 N Milwaukee Avenue, on trouve le ***Polish Museum of America.*** ☎ 384-3352.

▸ ***Little Italy :*** situé du 900 au 1200 W Taylor. Pour nos lecteurs du Sud, nostalgiques des bons effluves méditerranéens.

▸ ***L'université de Chicago :*** 59th Street, et University Street. Dans le même coin que le Museum of Sciences and Industry. L'une des dix premières du pays. Fondée en 1890 par John D. Rockefeller, elle s'ordonne autour d'une vaste esplanade de pelouses. Certains bâtiments possèdent une architecture imitée de celles d'Oxford et de Cambridge, ce qui donne au campus un petit côté université anglaise.
Sur 59th Street, notez la *Rockefeller Memorial Chapel,* de style gothique (carillon de 72 cloches). Sur Ellis Street (entre 56th et 57th Streets) fut réalisée, le 2 décembre 1942, par le prix Nobel Enrico Fermi, la première réaction nucléaire en chaîne (acte de naissance de la bombe atomique !). Au 5757 S Woodlawn Road, la *Robie House,* belle demeure construite par Frank L. Wright (1907). Les fans d'archéologie égyptienne et perse en profiteront pour visiter l'*Oriental Institute* (1155 E 58th Street ; ☎ 753-2475). Collections intéressantes constituées par l'université lors de ses missions. Dans le Washington Park, on trouve le *Du Sable Museum of African American History* (voir au chapitre « Musées »). Au nord-est du parc, le quartier de Drexel et E Hyde Park est considéré comme le modèle achevé de l'intégration des Noirs et des Blancs.

## Les musées

▸ ***The Art Institute :*** Michigan Avenue, à l'angle de Jackson Boulevard (plan B3). ☎ 443-3600. Ouvert les lundi, mardi, mercredi, jeudi de 10 h 30 à 16 h 30, le mardi jusqu'à 20 h, le samedi de 10 h à 17 h, les dimanches et jours fériés de 12 h à 17 h. Gratuit le mardi. L'un des plus importants musées américains. Parmi les tout premiers du monde pour la peinture impressionniste. C'est là que se trouve le fameux *Un dimanche après-midi à l'île de la Grande Jatte* de Seurat et *La Chambre de Vincent à Arles* par Van Gogh. Avec un tas de Gauguin, Cézanne, Gris et Picasso. Plus les Anglais : David Hockney, Francis Bacon ; les Américains : Hartley, Georgia O'Keeffe, Arthur Dove, Charles Demuth, Stuart Davis, Andrew Wyeth, Willem De Kooning, Pollock, Rothko, etc. Fascinant *Night Hawks* d'Edward Hopper. Ne manquez pas la *galerie des Miniatures :* intérieurs de maisons de toutes les époques, reconstitués en miniature dans les vitrines, avec un souci du détail inimaginable. Resto en plein air. A l'intérieur, une cafétéria très bon marché (café à volonté).

▸ ***The Museum of Science and Industry :*** 57th Street and Lake Shore Drive. ☎ 684-1414. Au sud de la ville, assez loin du centre. Prendre le bus nº 1 « Indiana Park Bus » sur Michigan Avenue (au sud de Jackson Street) et s'arrêter à 56th Street (comptez une demi-heure de trajet). On peut aussi emprunter le nº 6 « Jeffery Express » qui longe le lac et est plus rapide. Ouvert de 9 h 30 à 17 h 30 tous les jours (basse saison à 16 h). Entrée payante, sauf si vous venez de visiter The Art Institute. Assez long à visiter.
Le plus ancien et le plus grand musée du genre. Un peu comme le palais de la Découverte, mais de dimension américaine. Génial, et il faudrait bien une journée entière pour tout voir. Vous pourrez descendre dans une mine de charbon (entrée payante) et vous en faire expliquer le fonctionnement, découvrir les machines agricoles les plus sophistiquées. On vous expliquera l'exploration de l'espace, le combat contre les maladies telles que le cancer. Reconstitution d'une plate-forme pétrolière, maquette géante pour petits trains, etc.

▸ ***Adler Planetarium :*** 1300 S Lake Shore Drive. ☎ 322-0300. Derrière le Shedd Aquarium. Ouvert tous les jours de 9 h 30 à 16 h 30. Le musée gratuit n'intéressera que les passionnés, malgré les combinaisons d'astronautes et les maquettes d'engins spatiaux. En revanche, le spectacle du *Sky Theater* (payant) est fort intéressant. Début du spectacle en été : à 11 h, 13 h, 14 h, 15 h, 16 h et 20 h. Les étudiants en sciences-éco ou en prépa H.E.C. apprendront bien des choses au *Money Center.* Ne manquez pas non plus la *Yesterday Main Street,* rue des années 1910, avec des réverbères à gaz aux lumières vacillantes et ses boutiques de l'époque. Enfin, vous pénétrerez dans un cœur humain de 5 m de haut.

▸ ***Shedd Aquarium :*** Roosevelt Road, à l'angle de South Lake Shore Drive (n° 1200), derrière le musée précédent (plan C4). ☎ 939-2438. Ouvert de 9 h à 17 h (14 h de septembre à avril). Demi-tarif le jeudi. Le plus grand aquarium du monde. Mérite vraiment une visite. Ne manquez pas les piranhas (galerie 6, aquarium n° 120). Le plus spectaculaire est l'aquarium géant, au centre du musée, qui montre plus de 500 poissons tropicaux. A 11 h, 14 h et 15 h, tous les jours, des hommes-grenouilles vont y alimenter les bestioles.

▸ ***Field Museum of Natural History :*** Rossevelt Road, à l'angle de Lake Shore Drive (plan C4). ☎ 922-9410. Ouvert tous les jours de 9 h à 17 h. Gratuit le jeudi. Réduction étudiants. Un des plus importants musées d'histoire naturelle et d'ethnologie du monde. Cultures chinoise, tibétaine, africaine, polynésienne... avec en prime les squelettes de deux énormes dinosaures.

▸ ***Musée du Téléphone :*** 225 W Randolph Street. ☎ 727-2994. Ouvert du lundi au vendredi de 8 h 30 à 17 h. Gratuit. Toute l'histoire du « coup de fil » depuis Graham Bell.

▸ ***Chicago Historical Society :*** Clark Street et North Avenue. ☎ 642-4600. Ouvert du lundi au samedi de 9 h 30 à 16 h 30 (le dimanche de 12 h à 17 h). Gratuit le lundi. Sur la vie des pionniers. On y trouve, entre autres, des documents et souvenirs sur Lincoln, les premières photos de Chicago, la première locomotive, un montage audiovisuel sur le grand incendie, etc. Très intéressant.

▸ ***The American Police Center :*** 1705-25 S State Street. ☎ 431-0005. Ouvert de 9 h à 16 h du lundi au vendredi. Entrée payante. Ce n'est pas un gag. Vous y verrez des photos d'Al Capone, Dillinger et Frank Nitti. Un tas d'armes, d'uniformes, d'articles de journaux et de reliques (il n'y a pas de paire de chaussettes ayant appartenu à Eliott Ness). Avec en prime une chaise électrique et une potence. Un tas de recommandations importantes sur les rapts d'enfants, les viols, la drogue, etc.

▸ ***Du Sable Museum of African American History :*** Washington Park (57th Street et Cottage Grove Avenue). Ouvert de 9 h à 17 h (samedi et dimanche à 12 h). Gratuit le lundi. Musée consacré à l'histoire des Noirs américains de l'origine à nos jours. Objets d'art, souvenirs historiques. Un grand bas-relief sculpté retrace 400 ans de la vie des Noirs. Expos temporaires, conférences, récitals de poésie, etc.

▸ ***Museum of Contemporary Art :*** 237 E Ontario Street (plan C1). ☎ 280-2660. Ouvert de 10 h à 17 h (dimanche à 12 h). Fermé le lundi. Comme son nom l'indique, œuvres contemporaines et expériences artistiques d'avant-garde.

▸ ***Museum of Broadcast Communications :*** à River City, 800 S Wells Street. ☎ 987-1500. Ouvert de 12 h à 17 h les jeudi, vendredi et dimanche (10 h le samedi et 12 h-21 h le mercredi). Fermé le lundi et le mardi. Pour s'y rendre depuis Near North, bus « 11 Lincoln » jusqu'à Wells et Harrisson, « 22 Clark » ou « 36 Broadway », jusqu'à Polk Street. Petit musée où l'on peut revoir de vieilles émissions de télé.

▸ ***The Peace Museum :*** 78 E Washington. ☎ 541-1474. Ouvert de 12 h à 17 h (jeudi à 20 h). Fermé le lundi. Pour s'y rendre : bus « 65 Grand Avenue », « 66 Chicago Avenue » ou le « 37 Sedgwick », tous s'arrêtent à deux blocs du musée. Sinon, le métro « Ravenswood El » et descendre à Chicago et Franklin. Le premier musée consacré à la paix ! Ne pas rater ça. Nombreuses œuvres d'art et posters exposés. Les promoteurs du musée (une ancienne déléguée à l'UNICEF pour les États-Unis et un peintre de murals qui travailla avec Siqueiros) pensent, à travers l'art, toucher le plus massivement possible. Également livres, expositions spécifiques, conférences, films, etc.

▸ ***Spertus Museum of Judaica :*** 618 S Michigan. ☎ 922-9012. Ouvert mercredi, jeudi et dimanche de 10 h à 17 h (mardi 20 h). Le vendredi de 10 h à 15 h, et entrée gratuite. Fermé le samedi. Expos permanentes et temporaires sur 3 500 ans de culture juive.

▸ ***Terra Museum of American Art :*** 664 N Michigan Avenue. ☎ 664-3939. Ouvert tous les jours de 10 h à 18 h. Entrée payante. Créé en 1987, un petit musée de peinture uniquement consacré aux artistes américains. Quelques belles œuvres de Whistler, Chase, Sargent, Demuth, Hopper, Wyeth, etc.

## Où acheter ?

– ***Water Tower Plaza :*** gigantesque centre commercial de 7 étages, situé à l'angle de Michigan Avenue et de Pearson Street (plan C1). Même si vous n'en avez pas les moyens, il faut absolument visiter cet endroit somptueux. A côté, le Parly II du père Balkany semble bien fadasse. L'entrée avec ses plantes vertes et cascades est digne de la grande époque hollywoodienne. Ne manquez pas non plus l'ascenseur tout en verre, digne des plus beaux musées d'Art moderne. Au 67e étage, les appartements les plus chers de la ville (autour de 4,5 millions de dollars !). Chez *Rizzoli,* journaux et livres français.
– ***Marshall Field and Cº :*** angle de State Street et Washington Street. Magasin énorme, l'un des plus grands du monde, avec 12 étages de surface de vente. Dans le business depuis 1852. On y trouve de tout, même si on ne veut rien acheter. Il existe des visites guidées du lundi au vendredi. Les gourmand(e)s testeront bien sûr *le Crystal Palace Ice Cream Parlor.*
– ***Cellini Pipe and Cº :*** 5630 W Dempster Street, Morton Grove. ☎ 966-7111. A une quinzaine de minutes du Loop. Le plus grand choix de pipes que l'on connaisse. Pour satisfaire les plus exigeants.
– ***Wax Trax Records :*** 2449 N Lincoln Avenue. ☎ 929-0221. Disques rock et new wave. Nombreux « pirates » et disques introuvables.
– ***Sea Hear Records :*** 217 N Avenue W. A deux pas du croisement avec N Wells. Disques les plus récents à des prix discount et de nombreuses réductions sur des disques plus anciens, mais neufs bien sûr. Très valable.
– ***Marché aux puces (Maxwell Street Flea-Market) :*** Halsted Street et Roosevelt Road. Tous les dimanches matin en été. Dans le coin sud-ouest du centre ville. On y va avec le Halsted Street Bus. C'est fantastique. On y trouve tout ce qu'on veut, à moitié prix : enjoliveurs, éviers, mobilier d'occasion, fripes, ustensiles de cuisine, etc. Attention, beaucoup de ces affaires sont « hot », c'est-à-dire volées.
– ***Woodfield Mall :*** à l'intersection de la route 53 et de Golf Road à Schaumburg. C'est aussi l'un des plus grands centres commerciaux du monde.

## Où sortir ? Où boire un verre ?

D'abord, pour les distractions nocturnes, ramassez les publications gratuites du type *Where Chicago* ou *This Week in Chicago* traînant dans les hôtels, bars, ou magasins. Pour le « gay Chicago », se procurer *Chicago Outlines.* Ville avec beaucoup d'étudiants, Chicago se devait de posséder des lieux vivants et animés. Trois secteurs au moins retiennent l'attention :

### *NORTH RUSH STREET* (entre Walton et Division) *ET DIVISION STREET* (plan B1)

Division Street, strictement délimitée par N State et Dearborn, contient le plus grand nombre de *single bars* de la ville. Le week-end, follement animée. Les *cops* installent d'ailleurs des barrières pour que la foule n'envahisse pas la chaussée !

– ***Butch McGuire's :*** 20 W Division Street. ☎ 337-9080. Ouvert de 11 h 30 à 2 h (samedi à 3 h). L'un des *single bars* les plus animés. Plein d'Américano-Irlandais, ça va de soi. Comme on n'y danse pas, c'est là qu'on a le plus de chance d'entrer sans faire la queue (surtout vendredi et samedi soir). Consommations à prix modérés. La bière coule à flots. Super ambiance.
– ***She-Nannigans*** (Irish Pub and Sports Bar) : 16 W Division Street. ☎ 642-2344. Ouvert du lundi au jeudi de 16 h à 2 h (vendredi, samedi et dimanche à 4 h). Un pub irlandais axé sur le thème du sport. Bonnes bières à la pression, ça va de soi. De 16 h à 20 h, le meilleur *happy hours* de la ville (pour 5 $, boissons supplémentaires et buffet gratuit). Retransmission de matches par antenne satellite sur écran vidéo. Il y a même un coin pour s'entraîner au basket. Lady's Night, le mardi de 20 h à minuit. Excellente musique rock. Une de nos meilleures adresses.
– ***Mother's :*** 26 W Division Street. ☎ 642-7251. Ouvert tous les jours de 20 h à 4 h (le samedi à 5 h). Immense plateau de danse où se pressent des centaines de jeunes. Parfois, nécessité de faire la queue une demi-heure pour entrer. Au

*Mother's Café,* possibilité de grignoter pizzas et sandwiches. Le ***P.S. Chicago,*** au 8 Division, est également très populaire.
– ***Exit :*** 1653 N Wells Street. ☎ 440-0535. Grande voie menant à Old Town, trois blocs à l'ouest de Division Street. Une boîte rock post-punk avec de drôles de vibrations. Idéale pour ceux qui trouveraient celles de Division Street trop aseptisées. Clientèle margeo, looks d'enfer, atmosphère pleine de fièvre et de sueur. Chaque soir un thème différent. En principe, le lundi, bière et vin illimités pour 5 $. A notre avis, la boîte dispensant le plus d'énergie de Chicago.
– ***Second City :*** 1616 N Wells Street. ☎ 337-3992. Théâtre d'avant-garde et de spectacles satiriques. L'un des plus imaginatifs.

### *N CLARK STREET ET ALENTOUR*

A partir du 2300 (coin d'Armitage Street) jusqu'au 3800, on trouve nombre de boîtes, cafés d'étudiants, restos pas chers. A partir du 3000, c'est un ancien quartier populaire progressivement occupé par une population un peu margeo, artiste et étudiante. A propos, cher(e) lecteur(trice), en passant au carrefour N Clark et Webster (2122 N Clark), pensez en frissonnant que là s'élevait le fameux garage du massacre de la Saint-Valentin...
Et pendant que vous y êtes, si vous passez devant le *Biograph* (2433 N Lincoln Avenue), reconstituez la scène où Dillinger se fit repérer à la sortie du cinéma et abattre dans la ruelle d'à côté !

– ***The Bulls :*** 1916 N Lincoln Park West. ☎ 337-3000. Peu après le carrefour N Clark et Lincoln. Ouvert toute l'année, tous les jours de 20 h à 4 h. En sous-sol. Pas une grande salle, pas un cadre très sophistiqué, mais une des meilleures musiques de jazz qui soient. Concert à partir de 21 h 30.
– ***Neo :*** 2350 N Clark. ☎ 528-2622 ou 929-5501. Au fond d'une impasse, l'une des discothèques les plus sympa du quartier. Chouettes décor et ambiance.
– ***Déjà Vu :*** 2624 N Lincoln. ☎ 871-0205. M. : Armitage. Ouvert de 11 h à 4 h (samedi à 5 h). Un des bars les plus ouverts et chaleureux du coin. Fréquenté par intellos, étudiants et acteurs de théâtre. Bonne musique au juke-box. En principe, jazz le mardi et le dimanche soir à partir de 20 h. Possibilité aussi de grignoter quelques snacks et burgers maison.
– ***Wise Fools Pub :*** 2270 N Lincoln Avenue. ☎ 929-1510. M. : Fullerton. Ouvert tous les jours à 16 h. Là aussi, lieu très réputé pour ses jazz et blues. Grande salle décorée façon Western. Billard. Concert à 21 h 30 (Big band lundi à 20 h), jam le mardi, mercredi « happy hour » spécial. Sugar Blue y passe souvent.
– ***Métro :*** 3730 N Clark Street. ☎ 549-0203. M. : Addison. Ouvert de 21 h 30 à 4 h. Vous arrivez aux limites du quartier qui se branche. Pas loin du célèbre Wrigley Field (le terrain des Chicago Cubs). Nous, on aime bien ce « métro », ancien théâtre installé dans un superbe immeuble de 1927 qui a, de plus, conservé toute sa déco intérieure. Trois niveaux. Concerts tous les soirs, sauf le lundi. Rock et new-wave à fond la caisse !

### ***HALSTED*** (entre Armitage et Diversey)

Balade conseillée sur Halsted de jour comme de nuit. De jour, pour ses gentilles petites maisons provinciales souvent en bois (vers le n° 2600). De nuit, pour ses quelques lieux où l'on distille l'un des plus beaux « Chicago Blues » de la ville. D'autres ont pris brillamment la relève de Muddy Waters.

– ***B.L.U.E.S. :*** 2519 N Halsted. M. : Fullerton. ☎ 528-1012. Tous les soirs, parmi le meilleur blues qu'on puisse trouver. Salle très agréable, chaleureuse et intime. Clientèle surtout jeune et étudiante. Accueil pas toujours très agréable.
– ***Kingston Mines :*** 2548 N Halsted. ☎ 477-4646. Pas loin du précédent. Ouvert jusqu'à 4 h. En semaine, concert à 21 h 30. Vendredi et samedi, 21 h 30 et 23 h. Même genre. Public plus noir et populaire peut-être. Superbe atmosphère. Junior Wells, Otis Rush et Sugar Blue y passent régulièrement.

### *AUTRES LIEUX*

– ***Andy's :*** 11 E Hubbard (plan B2). ☎ 642-6805. Un jazz club classique du Downtown. A deux pas de la Chicago River et de N Michigan. Bons groupes.

Avantage sur les autres : du lundi au vendredi, jazz de midi à 14 h 30 et au moment du « tea-time » de 17 h à 20 h. Plus le vendredi soir de 20 h 30 à 23 h 30 et le samedi de 21 h à 1 h. Pour le dimanche, téléphonez, parfois des « special Events ». Possibilité de se restaurer en même temps (sandwiches, snacks, pizzas, steaks, poulet, etc.), dans une atmosphère assez relax.
– On nous a dit grand bien des boîtes de jazz et de blues du South Side. Notamment sur 43rd Road (M. : 43rd Road). Même ligne que pour University. Voir surtout au ***Theresa's*** (607 E 43rd Road ; ☎ 285-9138) et au ***Checkerboard Lounge*** (423 E 43rd Road ; ☎ 624-3240).
– ***Space Place :*** 955 W Fulton Market Street. ☎ 666-2426. Pour y aller, prenez un bus Downtown qui va vers l'ouest sur Lake Street. Arrêt à Morgan Street. Remontez un bloc nord. Endroit super pour écouter de la musique rock, punk, synthetic... géré par des jeunes de la ville. On y fait de chouettes rencontres. En principe, concerts les vendredi et samedi soir. Téléphonez pour connaître les groupes et quand ils jouent.
– Activités culturelles nombreuses et souvent gratuites : en été, à midi les jours de semaine, concerts gratuits au ***Civic Center*** ou au ***First National Plaza.*** Le soir, trois ou quatre fois par semaine, concert de musique classique au ***Grand Park.*** Amusant de voir les Américains pique-niquer en écoutant du Brahms...

## Quitter Chicago

### • *Pour O'Hare International Airport*

– ***Métro (C.T.A.) :*** direct pour 1 $. 35 mn de trajet. Fonctionne jour et nuit. ☎ 836-7000.
– ***Bus :*** *Continental Air Transport.* Passe devant les principaux hôtels. Réservations et informations : ☎ 454-7799 et 454-7800.

### • *Pour Midway Airport*

*Midway Airlines, North West, Orient Airlines* et *South West* y décollent.
– ***Bus :*** *Continental Air Transport* (voir ☎ ci-dessus).

### • *En bus et en train*

– ***Greyhound :*** ☎ 781-2900.
– ***Amtrak :*** ☎ 558-1075.

# LE CENTRE-EST

## PHILADELPHIE

IND. TÉL. : 215

Dommage que Philadelphie soit située si près de New York ! Happés par le tourbillon de la Grosse Pomme, la plupart des routards en oublient de rendre visite à « Philly », comme on la surnomme ici avec tendresse. Dommage, oui, car Philadelphie répond à toutes les attentes. Une vraie ville coup de cœur. Comme disent les Américains : « You name it, she got it ! » Un centre historique de toute beauté, un des plus beaux musées des États-Unis, une vie nocturne animée, une population jeune, un Downtown vivant, de vastes parcs, des quartiers entiers de maisons de brique bordés d'arbres, des cafés chaleureux, des spécialités culinaires, de vrais marchés (si, si !) et même une des minorités les plus intéressantes qui soient : les amish. Et puis n'est-elle pas le berceau de la civilisation américaine, là où ont été menés les plus durs combats idéologiques contre les Anglais et qui ont donné naissance aux États-Unis ?
Comme San Francisco et Boston, Philadelphie devient une bonne copine en moins d'une journée.

## Un peu d'histoire

Philadelphie tient une place à part dans l'histoire américaine. C'est peut-être la seule ville, avec Boston, qu'on puisse qualifier d'historique sans faire rire un Européen. Ses débuts remontent à 1681, lorsque Charles II d'Angleterre donna le pouvoir sur la région à William Penn en remboursement d'une dette. Quaker anglais, il fonda la Pennsylvanie et la ville de Philadelphie, l'année suivante. Il voulait sa ville ouverte à toutes les religions, et la définissait ainsi : « Terre de transition, de contact et de tolérance, cité de l'amour fraternel. » La ville se développa doucement au début du XVIIIe siècle et attira les libres penseurs et écrivains de tous les États. C'est ici que naquit et se développa l'idée d'une nation américaine.
De 1766 à 1774, les lois anglaises taxant durement les colons mirent le feu aux poudres, et c'est tout naturellement à Philadelphie que les « rebelles » se réunirent en congrès pour décréter la rupture des relations commerciales avec l'Angleterre et fomenter la révolte. De 1774 à 1776, les actions anti-Anglais s'intensifièrent pour aboutir à la rédaction par Thomas Jefferson de la Déclaration d'indépendance proclamée le 4 juillet 1776. Cette date marque la naissance des États-Unis d'Amérique.
De son côté, Benjamin Franklin vint à Paris en 1778 pour négocier un traité d'amitié et d'alliance avec la France, qui trouva là une revanche contre l'Angleterre. George Washington prend la tête des armées et bat les Anglais. Il deviendra le premier président des États-Unis. En 1787, c'est encore à Philadelphie que sera élaborée la première Constitution, qui mettra en place le système fédéral et l'existence de deux chambres indépendantes. La ville sera capitale des États-Unis de 1790 à 1800.

## Quelques hommes illustres

– ***Benjamin Franklin*** (1706-1790) : imprimeur, scientifique, inventeur, philosophe et diplomate. C'est lui qui proposa l'union des colonies en 1754, qui scella une alliance avec la France (1778), et qui négocia les traités mettant fin à la révolution. Il aida à la rédaction de la déclaration. Par ailleurs, il est l'inventeur du paratonnerre, ce qui lui allait comme un gant, vu qu'il n'a cessé de négocier toute sa vie pour canaliser les orages diplomatiques. Il reste un des personnages les plus aimés du peuple américain.
– ***George Washington*** (1732-1799) : riche propriétaire et représentant de la Virginie au congrès, il prit position très rapidement pour l'indépendance. Il est nommé commandant en chef des armées pendant la révolution et bat les Anglais, aidé par la France.
Héros de la victoire, il est élu premier président des États-Unis puis réélu après un premier mandat. La grande œuvre de sa vie fut de parvenir à conserver et affermir l'unité de la nouvelle nation contre les intérêts de chaque État.
– ***Thomas Jefferson*** (1743-1826) : auteur de la déclaration d'indépendance (1776). Il fut vice-président de 1797 à 1800 puis président de 1801 à 1809. Il développa l'idée du bipartisme politique de la nouvelle nation, et prôna une politique de décentralisation. Napoléon lui vendit la Louisiane en 1803. Cet achat doubla quasiment la surface des États-Unis (ce qu'on appelait la Louisiane à l'époque représente en fait 13 États actuels du centre du pays).
– ***John Adams*** (1735-1826) : vice-président puis président des États-Unis (1797-1801). Il participa à la rédaction de la Constitution.

## Les différents quartiers

Tout le centre (au sens large) de la ville s'organise dans un grand rectangle bordé à l'ouest et l'est par deux rivières, Schuylkill River et Delaware River. A l'est s'étend le *Historic District*. Tous les monuments et les vieilles maisons de brique ont été retapés. Ce quartier, appelé Society Hill, se visite à pied. Encore plus à l'est, en bordure de rivière, *Penn's Landing,* un coin d'entrepôts rénovés. Plus au sud, au coin de S Street et 4th Street, le secteur le plus animé de la ville. En fin de semaine, la rue ne désemplit pas avant 2 h. Toute la jeunesse s'y retrouve.

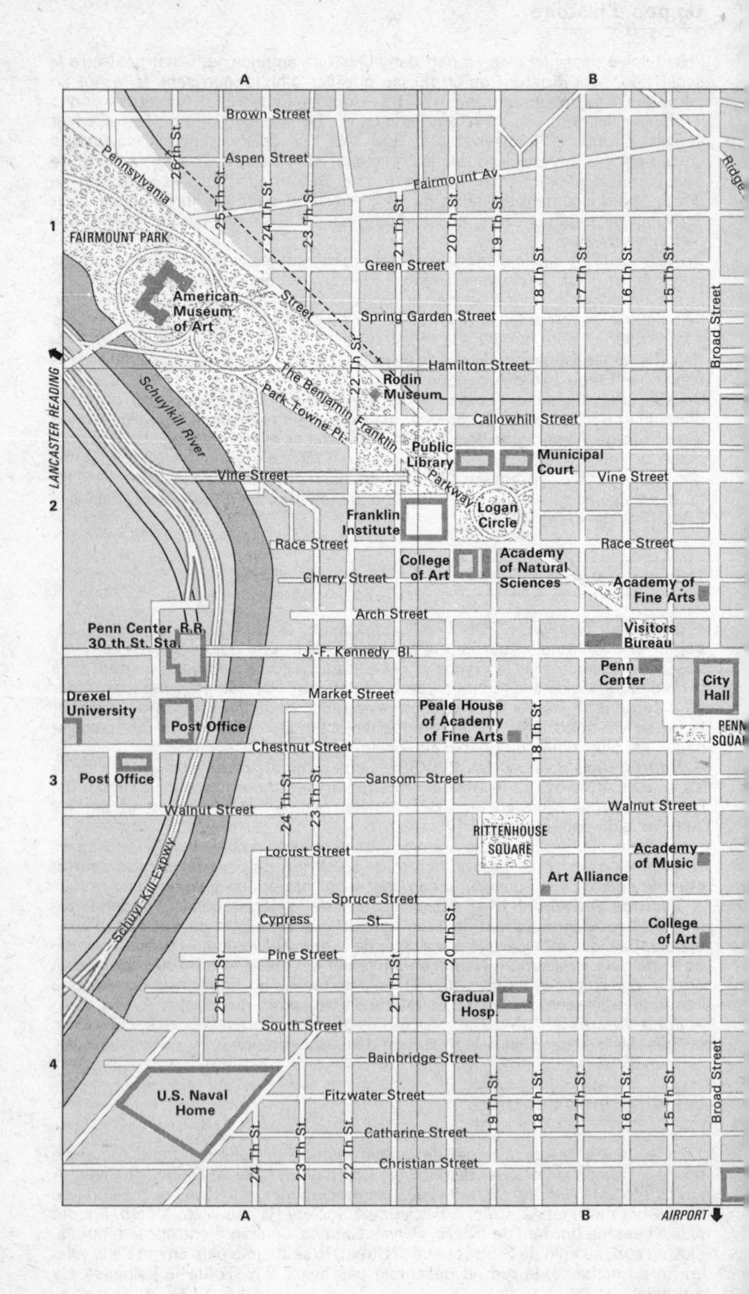
A
B
Brown Street
Aspen Street
Fairmount Av.
Ridge
Pennsylvania
Street
26 Th St.
25 Th St.
24 Th St.
23 Th St.
21 Th St.
20 Th St.
19 Th St.
18 Th St.
17 Th St.
16 Th St.
15 Th St.
Broad Street
1
FAIRMOUNT PARK
Green Street
American Museum of Art
Spring Garden Street
22 Th St.
Hamilton Street
LANCASTER READING
Rodin Museum
Schuylkill River
The Benjamin Franklin Parkway
Park Towne Pl.
Callowhill Street
Public Library
Municipal Court
Vine Street
2
Franklin Institute
Logan Circle
Race Street
College of Art
Academy of Natural Sciences
Cherry Street
Academy of Fine Arts
Arch Street
Visitors Bureau
Penn Center R.R. 30 th St. Sta.
J.-F. Kennedy Bl.
Penn Center
City Hall
Market Street
Drexel University
Peale House of Academy of Fine Arts
Post Office
PENN SQUAR
Chestnut Street
3
Post Office
Sansom Street
Walnut Street
RITTENHOUSE SQUARE
Locust Street
Academy of Music
Art Alliance
Schuyl Kill Expwy
Spruce Street
Cypress St.
College of Art
Pine Street
Gradual Hosp.
South Street
4
Bainbridge Street
U.S. Naval Home
Fitzwater Street
Catharine Street
Christian Street
AIRPORT

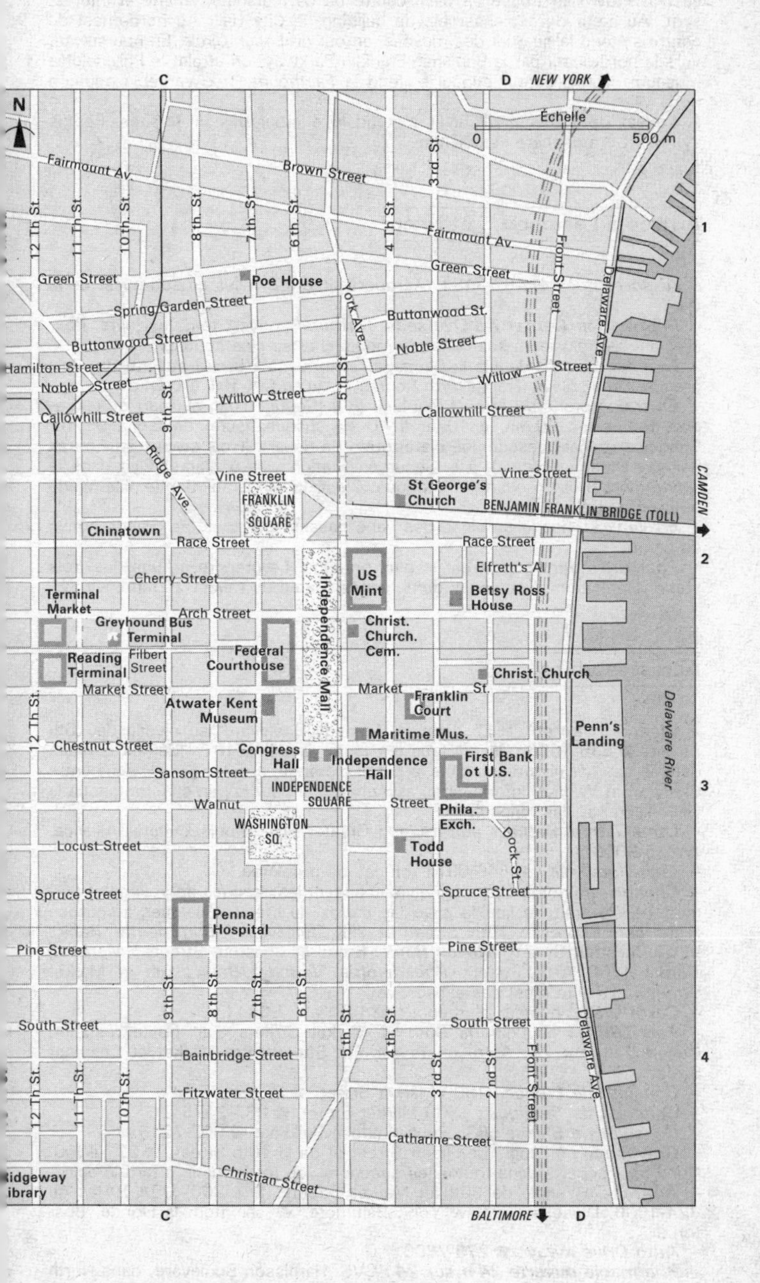


PHILADELPHIE

Le *Downtown* se trouve en plein centre de ce rectangle. Animé et intéressant. Au cœur de cet ensemble de building, le City Hall. Au nord-ouest du centre s'étend le quartier des musées, autour du *Logan Circle*. En poursuivant vers le nord-ouest par la Benjamin Franklin Parkway, on atteint le Philadelphia Museum of Art, autour duquel s'étend le *Fairmount Park,* véritable poumon de la ville.
A l'ouest de la Schuylkill River s'étend le quartier des universités. Restos sympa et atmosphère estudiantine.

## Arrivée à l'aéroport... et retour

– ***Airport infos :*** ☎ 492-3181. Aéroport situé à 8 miles au sud-ouest de la ville.
– ***Information Center à l'Overseas Terminal :*** ouvert tous les jours. Pour aller en ville, plusieurs solutions, du moins cher au plus coûteux.
– ***En bus :*** bus 68 depuis le Baggage Claim jusqu'à Broad et Pattison. Puis prendre Broad Saint Train (North Bound) jusqu'au City Hall (Downtown).
– ***En train :*** prendre l'Airport Rail Line (R1) [Septa]. Train qui part de l'aéroport toutes les 30 mn (à 10 et à 40 de chaque heure) de 6 h à 0 h 10. Chaque terminal possède une plate-forme de départ. Trois stops : à l'Amtrak Railway Station (la gare), à la Suburban Station puis à Market East dans le Downtown, près du quartier historique. C'est de loin la solution la plus rapide pour un peu plus cher.
– ***En van :*** à chaque terminal, des vans passent par tous les grands hôtels du centre.
– ***Pour le retour,*** le train est le plus pratique. Le prendre à l'une des trois stations précitées. Toutes les demi-heures. Durée du trajet : 20 mn environ.

## Adresses utiles

– ***Visitors' Center :*** 1525 John F. Kennedy Boulevard, au niveau de 16th Street. ☎ 636-1666. Ouvert tous les jours de 9 h à 18 h. Mêmes horaires dans le quartier historique, dans la partie piétonne, sur 3rd Street, situé entre Chestnut et Walnut. Informations essentiellement sur la partie historique de la ville. Tenu par des rangers.
– ***Ligne d'informations culturelles :*** Greater Philadelphia Cultural Alliance. ☎ 925-9000.
– ***Travellers' Aid :*** ☎ 546-0571. En cas de problème.
– ***Change :*** de nombreuses banques changent les chèques de voyage et permettent le retrait de liquide avec les cartes de crédit. Quelques adresses : ***American Express :*** 15th Street et JFK Boulevard ; ***Continental Bank :*** 1201 Chestnut Street ; ***Mellon Bank :*** Broad et Chestnut Streets ; ***Meridian Bank :*** 1700 Arch Street ; ***Philadelphia National Bank :*** 5th et Market Streets... La liste n'est pas exhaustive.
– ***Carte VISA :*** numéro d'urgence : ☎ 1-800-227-6811.
– ***Post-Office :*** au coin de 30th et Market Streets. Fait poste restante. Ouvert 24 h sur 24. Autre poste sur 9th Street entre Market et Chestnut Street.
– ***Consulat de France :*** 1500 Market Street. ☎ 981-2175.
– ***Consulat de Belgique :*** 1500 Market Street. ☎ 981-2175.
– ***Consulat de Suisse :*** 635 Public Ledgen Building. ☎ 922-2215.
– ***Greyhound :*** à l'angle de Filbert Street et de la 10th Street. ☎ 931-4000. Nombreux départs dans toutes les directions, de tôt le matin à tard le soir.
– ***Amtrak :*** à l'angle de 30th et Market Streets. ☎ 1 (800) USA RAIL ; ou 824-1600. Liaisons sur New York, Baltimore, Washington, la Floride, Boston...
– ***Auto Drive-away :*** ☎ 279-7800.
– ***Pharmacie ouverte 24 h sur 24 :*** CVS, Harbisson Boulevard, dans North East. ☎ 333-4300.

## Transports

– ***Septa*** *(Southeastern Pennsylvania Transportation Authority) :* compagnie de transport qui gère les bus, le métro et le train. Pour toutes informations : ☎ 580-7800. Répond de 6 h à minuit. Quelques bus importants :
• *Bus 38 :* du centre ville vers Benjamin Franklin Parkway.
• *Bus 42 :* du centre ville vers Civic Center et University City.
• *The Ben Frankline (bus 76) :* de Society Hill/South Street vers le musée d'Art par Chestnut Street et Benjamin Franklin Parkway.
• *Deux lignes de métro :* Market-Frankford (d'est en ouest) et Broad Street (du nord au sud). Avoir de la monnaie.
– ***Taxis :*** Yellow Cab. ☎ 922-8400.
– ***Location de voitures :*** dans le centre de Philadelphie, difficulté de parking comparable à Paris. Et puis Philly se visite avant tout à pied. Pour les environs, voiture indispensable. Les prix des loueurs dégringolent le vendredi soir, pour toute la fin de semaine. Une seule solution : appeler tous les grands loueurs et comparer les prix. Une vraie bagarre de chiffonniers.

## Où dormir ?

Pas énormément d'adresses mais quelques points assez incroyables à signaler.

### Pas cher

■ ***Chamounix Mansion Youth Hostel :*** W Fairmount Park, sur Chamounix Drive. ☎ 878-3676. En plein cœur du parc. Sans voiture, c'est une vraie petite galère pour y aller. Depuis l'aéroport : prendre l'Airport Train (R1) jusqu'à Suburban Station. Puis bus 38 sur JF Kennedy Boulevard. Descendre au coin de Ford et Cranston Roads. Ensuite à pied sur Ford Road, passer sous l'overpass, enfin à gauche sur Chamounix Drive jusqu'au bout. Ouf, c'est là. Compter 20 mn de marche. Depuis la station Greyhound, prendre le bus 38 puis mêmes indications. Depuis l'Amtrak, rejoindre la Suburban Station puis idem. En voiture, bien plus facile : Highway 76, Exit City, Line Avenue. A gauche sur Monument, encore à gauche sur Ford et enfin à gauche sur Chamounix jusqu'à la fin. L'auberge de jeunesse possède plein de qualités... mais aussi de gros vilains défauts. On commence par ces derniers : ouverte uniquement de 8 h à 9 h 30 et de 16 h 30 à 23 h. Tout le monde au lit après 23 h ! Moderne, non ? Entre 9 h 30 et 16 h 30, tout le monde dehors. Sans compter le sérieux problème d'accès. Pour les non-motorisés, il faut savoir que le dernier bus en ville part à 22 h de Market Street. Côté positif : très jolie maison du début du XIXᵉ siècle, en pleine forêt. Calme et bien tenue. 50 lits organisés en dortoirs de 4 à 16 lits. Garçons et filles séparés. Cuisine équipée, machine à laver, jardin, grand salon, douche chaude, table de ping-pong..., le tout sur trois niveaux. Moins cher avec la carte des A.J.

■ ***Youth Hostel Bank Street :*** 32 S Bank Street. ☎ 922-0222. Fax : 922-4082. Accès facile de la gare, prendre la ligne bleue du métro et descendre à 2nd Street, ensuite c'est à 5 mn à pied. Tout nouveau Youth Hostel situé au cœur du quartier historique. Dortoirs filles et garçons séparés très bien aménagés. Grande cuisine tout équipée. Le maître des lieux, David, est sympa et ouvert à toutes les suggestions. Couvre-feu à minuit.

### Les adresses religieuses... pas chères non plus

■ ***Divine Tracy Hotel :*** 20 S 36th Street. ☎ 382-4310. Une adresse vraiment exceptionnelle, mais pas forcément pour les raisons auxquelles on pense. Cet hôtel d'environ 100 chambres propose des tarifs imbattables pour le standing. A deux, même prix que l'auberge de jeunesse pour ceux qui n'ont pas de carte. Spacieux, bons matelas, excellent confort. Chambres avec ou sans salle de bains. Cet hôtel appartient aux disciples de *Father and Mother Divine*, un groupe religieux qui travaille pour « l'élévation de l'esprit humain ». Association à but non lucratif. Pas cher certes mais voici les quelques règles pas tristes qu'il convient de respecter. « Chambres doubles réservées à deux personnes du même sexe uniquement » (ça pousse au vice ça, non ?). Même si vous êtes mariés, chambres séparées ! Possibilité de rencontre entre garçons et filles jusqu'à minuit... dans le lobby. Non mais ! Interdiction du port du pantalon pour les filles (idem pour les minijupes), chaussettes obligatoires pour hommes et femmes, pas de short pour les hommes ni d'épaules découvertes. Et le fin du fin, « pas de chemises sorties du pantalon, sauf si la coupe de la chemise a été conçue pour être portée ainsi ». Quelle tolérance ! Interdiction aussi de dire des vulgarités (*sic*), des obscénités et des blasphèmes. Petits Français, tenez vos langues ! Dément comme endroit, non ?

■ ***Summer Youth Hostel*** *(Old Reformed Church) :* dans le centre, au coin de 4th et Race Streets. ☎ 922-9663. Ancienne église réformée dont une grande salle du rez-de-chaussée est transformée en dortoir l'été. 20 matelas à même le sol. Pas cher, central et pas besoin de carte des A.J. Réception ouverte de 17 h à 22 h et couvre-feu à 23 h. Sanitaires propres. Location de draps. Libération des lieux le matin à 9 h. On peut y laisser ses affaires. Très routard.

■ ***Saint Anna's Home for Aged Women*** *:* 2016 Race Street. ☎ 567-2943. Attention, adresse qui ne reçoit que les filles seules. A n'utiliser qu'en dernier recours. Étonnante maison de retraite pour nonnes, qui possède quelques petites chambres pour gens de passage. Appelez avant pour savoir si l'on peut vous recevoir.

## Prix moyens

■ ***AYH (Philadelphia International Hostel) :*** 319 Arch et 4th Streets. ☎ 922-7810. En plein centre. 50 lits en dortoirs. Filles et gars séparés. L'endroit serait idéal s'il était deux fois moins cher : double de l'autre auberge de jeunesse. Petit déjeuner compris. Couvre-feu vers 1 h.

■ ***Apollo Hotel :*** 1918 Arch Street, près de 19th Street. Dans le centre. Le moins cher des hôtels du centre. Et pour cause, il pratique le « day use ». Bref, les couples illégitimes s'y retrouvent. Nous, on s'en fiche, du moment qu'ils changent les draps. Pas le luxe quand même. Chambres petites, avec ou sans douche, pour deux ou trois personnes.

■ Éviter l'***International House*** (3701 Chestnut Street). Grande résidence étudiante louée aux touristes l'été. Hors de prix et chambres minables.

## Plus chic, les Bed & Breakfast

Vraiment un chouette moyen de se loger à Philly. De nombreuses associations peuvent vous trouver une maison sympa en quelques heures, à prix doux, et en plein centre.

■ ***Bed & Breakfast Center City :*** ☎ 735-1137. Répond de 9 h à 21 h tous les jours. ***Bed & Breakfast Connections :*** ☎ 1-800-448-3619 ou 687-3565. Maisons dans le centre et dans le Lancaster County. Répond de 9 h à 21 h du mardi au samedi. Le dimanche à partir de 13 h. ***Bed & Breakfast The Manor :*** ☎ 717-464-9564.

## Bien plus chic

■ ***The Thomas Bond House Bed & Breakfast :*** 129 S Street, à côté de Walnut Street. ☎ 923-8523. Maison classée en plein cœur du site historique. 12 chambres, toutes meublées dans le style XIXᵉ siècle. Beaucoup de goût. Chambres de très cher à très très cher (du 3 au 4 étoiles). La classe et le charme.

## Camping

■ ***Timberlane Campground :*** 117 Timber Lane. ☎ (609) 423-6677. A 15 miles de la ville, camping le plus proche. Pour s'y rendre : traverser le Walt Whitman Bridge vers la 295 S et prendre Exit 18A. Bifurquer à gauche tout de suite puis à droite au premier stop sur Cohawkin Road. Faire 0,5 mile et prendre à droite Friendship Road. Un bloc plus loin, sur la droite, on atteint Timberlane. Bien équipé et sanitaires impeccables.

## Où manger ?

### *DANS LE QUARTIER DE SOUTH STREET ET DE 4TH STREET, ET ALENTOUR*

• ***Jim's Steak :*** au coin de 4th Street et South Street. Ouvert en continu de 10 h à 1 h (3 h en fin de semaine). Une institution et une adresse qu'on adore. On fait la queue sans hésiter depuis 1939 pour déguster ces délicieux sandwiches qu'un habile cuisinier prépare sous vos yeux. Tout un poème, la manière dont il fait valser les ingrédients entre les tranches de pain. Ces sandwiches à la viande émincée sont la spécialité de la ville. Agrémentés d'oignons, tomates, salade, à déguster sur place ou « to go », Jim est un passage obligatoire de toute bonne soirée dans le quartier.

• ***Pat's King of Steaks :*** 9th Street, au coin de Wharton Street. Ouvert 24 h sur 24, encore un spécialiste du steak-sandwich dans de la vraie baguette et à emporter. Pour se remplir la panse pour 3 fois rien.

• ***Friday's :*** 2nd Street et Lombart. ☎ 625-8391. Si tous les plats du monde voulaient se donner la main... Étonnante qualité pour une nourriture cosmopolite. Servi dans un décor chargé et chaleureux. Atterrissage en douceur pour l'addition. Adresse bien américaine mais, après tout, on est en Amérique. Qualité et service jamais pris en défaut.

• ***Pizza Uno :*** sur 2nd Street, face au Head House Square. Nous, c'est notre chaîne de pizzas favorite aux États-Unis. Une pizza, une chaîne... Rien d'excitant, nous direz-vous ! Goûtez et vous verrez ! Ouvert tous les jours midi et soir.

#### Plus chic

• ***Dickens Inn :*** 2nd Street, face à Head House Square. ☎ 928-9307. On ne vient pas dîner ici en jean, c'est vous dire si c'est chic. En revanche, ne pas oublier votre porte-monnaie. Tout à l'anglaise vêtue, cette maison honorable appartient à l'arrière-petit-fils du célèbre auteur anglais. D'ailleurs les gravures sur les murs rappellent les personnages de ses romans. Cuisine élaborée, essentiellement d'inspiration européenne. On y vient plutôt le soir, pour un moment intime. Fait aussi bar (voir « Où boire un verre ? »).

### *DANS LE DOWNTOWN*

#### Pas cher

• ***Yonny's Restaurant :*** 1531 Cherry Street. ☎ 665-0407. Ouvert uniquement du lundi au vendredi de 6 h 30 à 15 h. On croit rêver : une maisonnette, toute petiote, en brique rouge et aux volets verts... En plein cœur du quartier financier ! Les yuppies viennent chercher un coin de chaleur et d'authenticité dans ce décor de bois, chargé d'affiches et de vieux cadres jaunis. Pour un petit ou un grand déjeuner composé de salades, quiches, soupes, cookies maison et gâteaux. Hmm, on se sent bien ici.

• ***Reading Terminal Market :*** au coin de Arch et de 12th Streets. Ouvert tous les jours sauf dimanche mais on conseille vraiment d'y aller le jeudi, le vendredi ou le samedi. Ce sont les jours où les amish tiennent leur stand dans ce vaste marché (voir « A voir »). Une excellente occasion de tester la cuisine de ces gens pas comme les autres : *bretzel*, plats de saucisses et purée maison, pâtisseries.

• ***The Commissary :*** 1710 Samson Street. ☎ 569-2240. Ouvert tous les jours de 8 h à 22 h et jusqu'à 23 h les vendredi et samedi. *Casual* et *decontracted*, idéal pour le lunch. Genre cafétéria qui aurait le look d'un restaurant. Plusieurs plats différents chaque jour, toujours copieux. Pâtes, salades, viandes cuisinées, plein de desserts *(peach pie, cheese cake, fruit salad)*. Simple, bon et pas cher.

• ***Salad Alley :*** 1720 Samson Street (autre adresse : 4040 Locust Street). Ouvert tous les jours de 11 h 30 à 21 h (22 h le samedi). Fermé le dimanche. Le meilleur *salad-bar* de la ville. Frais et croustillant. Pour un lunch qui dynamise sans alourdir.

• ***Corned Beef Academy :*** au coin de 18th Street et JF Kennedy. ☎ 568-9696. Ferme à 17 h et en fin de semaine. On connaissait les académies de billard et celles de la bière, voici un fast-food spécialisé dans le *corned beef !* Frais et en sandwiches, un régal. Goûter aussi le *Virginia ham.*

Plus chic

- ***Samson Street Oyster House :*** 1516 Samson Street. ☎ 567-7683. Ouvert du lundi au samedi de 11 h à 22 h. Fermé le dimanche. Spécialiste des produits de la mer. D'ailleurs les observateurs auront remarqué les gravures marines ainsi que la collection d'assiettes à huîtres. On a eu un sacré faible pour la *New England clam showder* (soupe) et le délicieux *Shore platter* (poisson et fruits de mer). Frais et goûteux. En faisant attention, on peut surfer sur la carte sans se retrouver en cale sèche. Éviter les salades, pauvrettes. Les souillons demanderont une bavette en plastique.
- ***Cutters (Grand Café and Bar) :*** 2005 Market Street, au coin de 21st Street. ☎ 851-6262. Dans la cour intérieure du *Commerce Square*. Endroit inhabituel pour des routards. Rien d'étonnant à ce que les gens qui « font » Philadelphie se retrouvent dans ce mélange de vrai luxe de postmodernité. Si ce n'est pas Starck qui l'a décoré, c'est donc son frère. On y vient vêtu en dimanche (en samedi après-midi à la rigueur) pour une salade américaine toute simple ou un *New York steak*, un plat cajun ou une assiette de pâtes. Pas un rendez-vous culinaire donc, mais un rendez-vous tout court. Jeter un œil à l'immense mur de bouteilles au bar. Le barman doit avoir le bras long.

### *DANS LE QUARTIER DES UNIVERSITÉS*

- ***Audrey's Pit Barbecue :*** 113 S 40th Street. ☎ 386-5125. Ouvert toute la journée pour le déjeuner et le dîner jusqu'à 19 h le mardi, 22 h les mercredi, jeudi et dimanche (n'ouvre qu'à 14 h ce dernier jour) et 1 h les vendredi et samedi. Rien ne pourrait vous attirer dans ce petit boui-boui au milieu de ce quartier pas particulièrement accueillant... si ce n'était votre guide favori. Trois tables, des assiettes en carton, un comptoir et, derrière celui-ci, l'énorme patron qui prépare les meilleurs *ribs* de Philadelphie. Sandwiches, smoked chicken, ou ribs accompagnés de *baked beans* fondants. Pour finir, prendre obligatoirement une part de *sweet potato pie*. Un délice. On ne regrette pas le détour.

Plus chic

- ***Sweet Basil Restaurant :*** 4006 Chestnut Street, pratiquement au coin de 40th. ☎ 387-2727. Ouvert du lundi au samedi de 17 h à 22 h (23 h le samedi). Fermé le dimanche. Bonne réputation et il la mérite. La cuisine tient étonnamment bien la route malgré la carte un rien prétentieuse. Des pâtes italiennes aux salades thaïlandaises en passant par quelques plats cajun, un petit tour du monde qui tient ses promesses.

## Où boire un verre ?

Voici un petit groupe d'adresses qui possèdent toutes leurs particularités.

– Indéniablement, le coin le plus animé le soir, le Saint-Germain-des-Prés de Philly, est le carrefour de South Street et 4th Street. Les adresses pour boire un verre au coude à coude. Pour une petite faim, pizzas, falafels, Philly-sandwichs, ou hot dogs. On trouve vraiment tout dans cette Samaritaine de la nuit. Si vous ne passez qu'une seule soirée en ville, c'est là qu'il faut aller.

– ***Dickens Inn :*** Head House Square. Ferme à 2 h. On vous a déjà parlé du resto, voici le bar : large sélection de whiskies et de bières import. En fin de semaine, chaleureusement pris d'assaut par la belle jeunesse de Philly, gentille et propre.

– ***Xero :*** 613 S 4th Street. Ouvert 7 soirs sur 7. Fait boîte à l'étage du jeudi au samedi. Sympa, bruyant et plein d'étudiants drôles. Chouette pour faire des rencontres en toute simplicité.

– ***Katmandou :*** Waterfront, Pier 5, au bord de la Delaware River. ☎ 923-6003. Ouvert tous les soirs. Grand ponton en plein air, face à la rivière où un grand bar a été aménagé pratiquement sous le superbe pont Benjamin Franklin, tout illuminé le soir. Pour un verre, après la tombée de la nuit, en écoutant un petit groupe du coin, au milieu de jeunes yuppies. Sert jusqu'à 1 h. Entrée payante.

## Où écouter de la musique ?

– ***Borgia Café :*** 408 2nd Street, au niveau de Pine Street. Club de jazz fameux, au sous-sol d'une maison en brique, en plein cœur du quartier historique. La musique démarre vers 20 h 30 (21 h 30 en fin de semaine).
– ***Chestnut Cabaret :*** 38th Street et Chestnut Street. ☎ 688-4600. Dans le quartier des universités, au-delà de la rivière. Groupes différents du mardi au samedi. Appeler auparavant pour savoir qui passe. Ouvert jusqu'à 1 h en semaine et 2 h les vendredi et samedi. Au moins 1 000 jeunes qui s'éclatent sur une musique tonitruante. Plein d'étudiants et étudiantes à rencontrer. Si la musique est trop forte, faites du mime. Entrée payante et bière pas chère.
– ***Mickael Jack's Café :*** sur 8th Street et Market, dans le centre. Ouvert tous les soirs jusqu'à 2 h, 7 jours sur 7. Gigantesque *Sport's Bar* tenu par un joueur de base-ball de l'équipe d'Atlanta. Cinq bars sous un même toit. Trois au rez-de-chaussée et deux au sous-sol. Une sorte de centre sous-culturel multi-salles. Ring pour danser, groupe *live* quasiment tous les soirs ; écran géant, *comedy-show* le jeudi. Les jeunes employées viennent y chercher des beaux gars musclés et qui parlent fort. Ambiance chaude et entrée payante en fin de semaine.
– ***Bachanal :*** sur South Street, au coin de Juniper. Un vrai petit club destroy comme on les aime. Entrée payante. Groupes pratiquement tous les soirs. On y voit en général un large éventail de la faune des villes mais personne n'a jamais été mordu. On se demande bien pourquoi c'est notre préféré, ce troquet de nuit bien ripou ?

## A voir

### *LE QUARTIER HISTORIQUE*

Toutes les racines de la ville, et une partie de l'histoire des États-Unis sont là. La visite de ce quartier composé d'édifices de brique du XVIIIe siècle superbement restaurés se fait à pied, le nez en l'air. C'est là que l'on retrouve tous les grands noms de la jeune nation, au gré des commentaires des *guides-rangers*. Première étape de votre visite : le *Visitors' Center* placé sous l'égide du National Park Service sur 3rd Street, entre Chestnut et Walnut Streets. Ouvert de 9 h à 18 h tous les jours. Des rangers vous donneront une carte détaillée des édifices à voir, fort bien réalisée. Ceux qui comprennent l'anglais verront le film de 28 mn, réalisé par John Huston, retraçant l'histoire de la ville. Ça met dans le bain avant la visite du quartier. Tout est gratuit. Compter en tout une demi-journée et venir plutôt le matin, afin d'éviter l'affluence estivale. Voici la visite des édifices les plus marquants. Pour suivre, utiliser la carte remise par les rangers.

▸ ***Carpenter's Hall :*** ouvert de 10 h à 16 h. Fermé le lundi. Jolie maison du milieu du XVIIIe siècle, où se réunissait un groupe de responsables immobiliers. Elle fut proposée aux leaders de la révolution pour leur premier congrès en 1774 et la première réunion officielle anti-Anglais. Les instigateurs se donnèrent pour tâche de faire la liste des mécontentements des colons envers la Grande-Bretagne, et de mettre au point les actions qui feraient entendre leurs voix. Ce fut la question des taxes qui mit le feu aux poudres. A l'intérieur, pas vraiment grand-chose à voir. A côté, un petit musée à la mémoire des marins *(Marine Corps Memorial Museum)*. Pas grand-chose non plus.

▸ ***Second Bank of the United States :*** exemple typique du style *Greek Revival* qui sévissait au début du XIXe siècle. A l'intérieur, galerie de portraits de tous les personnages importants de l'époque qui firent Philadelphie, la Pennsylvanie et les États-Unis. Tous les signataires de la Constitution sont là. Une sorte de *Who's Who* sur toiles. On y voit Thomas Jefferson, George Washington, John Dickinson, Benjamin Franklin, John Adams et tous leurs copains. Manque Johnny Hallyday. A côté de chaque portrait, un bref historique. Remarquer que c'est le seul portrait de Jefferson où il apparaît tel qu'il était : roux (« I have a red hair, so what ? »). Visite à ne pas manquer, d'autant que les peintures sont de bonne qualité.

▸ ***Independence Hall :*** visite guidée toutes les 15 mn. En fin de semaine, attente possible de 15 à 45 mn. Venir tôt. Construit entre 1732 et 1756, cet édifice est fameux car c'est là que fut signée la Déclaration d'indépendance et adoptée la Constitution américaine. Le nom même de l'édifice fut donné par La Fayette de passage dans le coin en 1824. Visite assez moutonnière. Un peu trop rénové.
La chaise présidentielle, utilisée par le président George Washington, fit l'objet d'un mot d'humour et d'espoir de sa part. Sur le dossier du siège, un bas-relief représentant le soleil est ciselé dans le bois. Le président s'était toujours demandé s'il s'agissait d'un soleil levant ou couchant. A l'issue des travaux de la Convention et de la signature de la nouvelle Constitution, il déclara sans équivoque que ce soleil se levait. La chaise prit donc le nom de « Rising Sun Chair ».
Au 2e étage, quelques autres salles moins importantes.

▸ ***Old City Hall :*** édifice qui abrita la mairie de 1791 à 1800. A l'intérieur, musée de drapeaux.

▸ ***Congress Hall :*** bâtiment où se réunit le congrès des États-Unis de 1790 à 1800, pendant que Philadelphie fut capitale. On y établit le « Bill of Rights ». A l'époque, le pays comptait 13 États uniquement. A l'étage, belle salle du Sénat. Dans une pièce, votre œil sagace n'aura pas manqué d'observer les deux grandes toiles de Louis XVI et Marie-Antoinette, données par Giscard d'Estaing en 1976 pour le bicentenaire de la Déclaration d'indépendance. Déjà, à l'époque de la Révolution française, des portraits des souverains français trônaient dans cette pièce. Lors de leur exécution, un drap noir fut placé sur les toiles, en signe de deuil. Cette solidarité envers le roi s'explique par le traité d'amitié qu'avaient signé les deux pays en 1778.

▸ ***Declaration House (Graff House) :*** reconstitution (assez mauvaise à l'intérieur) de la demeure où Jefferson rédigea la Déclaration. Écrite en juin, elle fut signée le 4 juillet et lue au public le 8. Les noms des signataires furent tenus secrets jusqu'en janvier 1777, après les batailles décisives contre les Anglais, afin que personne ne soit inquiété. Rien à voir dans cette maison.

▸ ***Liberty Bell Pavilion :*** sur la place face à l'Independence Hall. La foule se presse pour voir cette grosse cloche, symbole de la liberté. Historiquement, disons qu'elle n'a pas une réelle importance mais les Américains ayant le chic pour faire d'une petite anecdote un gros événement, de fil en aiguille, elle acquit une importance considérable. Toujours est-il qu'elle fut commandée au milieu du XVIIIe siècle. Mais son timbre était si terrible qu'elle fut changée. La nouvelle se mit à se fêler doucement. On la répara pour une célébration en l'honneur de George Washington mais elle craqua à nouveau. Elle devint donc célèbre pour sa malfaçon. Et aujourd'hui, elle est un prétexte à une visite touristique appréciée. Bon, s'il y a la queue, on peut la voir de l'extérieur.

▸ ***Franklin Court :*** grande et belle demeure toute de brique vêtue. Cet ensemble faisait autrefois partie de la demeure de Benjamin Franklin. La maison elle-même fut détruite. Sur l'emplacement, on a reconstitué une petite imprimerie (B. Franklin fut imprimeur) et une poste d'où l'on peut envoyer des courriers cachetés à la signature du diplomate. Vous noterez d'ailleurs le mot « Free » qui se glisse entre le prénom Benjamin et le nom Franklin, rappelant la lutte qu'il mena pour l'indépendance. La poste est ouverte tous les jours de 9 h à 17 h. Au fond de la cour, en sous-sol, un musée modeste avec des reproductions d'objets que Franklin l'inventeur mit au point. Et puis un film de 20 mn sur sa vie et sa famille. Intéressant quand on comprend l'anglais.

▸ ***Bishop White House :*** maison du premier évêque de l'État, complètement restaurée. Pour ceux qui ne veulent rien louper. Ticket à retirer au Visitors' Center.

▸ ***Todd House :*** maison *middle-class* que l'on peut visiter. Ticket à retirer au Visitors' Center.

## AUTRES SITES HISTORIQUES EN VILLE

▸ ***Elfreth's Alley :*** sur 2nd Street, entre Arch et Race Streets. Allée la plus ancienne des États-Unis. Bordée d'une trentaine de maisons datant toutes de la première moitié du XVIIe siècle. Absolument adorable et cohérence architecturale parfaite. Ce quartier était à l'époque le centre commercial de la ville.

Artisans et riches marchands y demeuraient. Totalement restaurée, chaque maison est privée et encore habitée. Au nº 126, petit musée ouvert de 10 h à 16 h.

▸ ***Head House Square :*** à l'extrémité de 2nd Street, entre Pine et Lombard Streets. Ancien marché couvert du XVIIIe siècle, bien restauré et bordé de très belles maisons basses. Agréable balade dans le quartier tout autour, surtout le soir à la lueur des lanternes et en profitant de l'animation du quartier.

▸ ***Maison d'Edgar Allan Poe :*** 532 N 7th Street. Ouvert de 9 h à 17 h tous les jours. Demeure où vécut l'écrivain de 1843 à 1844. C'est bien simple, dans cette maison il n'y a rien à voir, mais alors rien du tout. Pièces absolument nues, avec plâtre apparent. Quand on demanda aux responsables pourquoi il en était ainsi, on nous répondit que comme personne ne savait comment elle était meublée, on décida de la laisser vide.
Évidemment ! Visite inutile... sauf pour les inconditionnels du poète qui entendront peut-être quelqu'un gratter à l'intérieur d'un mur...

▸ ***Betsy Ross House :*** 239 Arch Street, près du coin de 3rd Street. Maisonnette où Betsy Ross, une quaker, cousut le premier drapeau américain. Et pourquoi pas un musée présentant notre première paire de pataugas ?

▸ ***Christ Church :*** 2nd Street, près de Market. Ouvert du lundi au samedi de 9 h à 17 h et le dimanche à partir de midi. La plus ancienne église de Philadelphie, datant du XVIIe siècle. Architecture coloniale géorgienne. De nombreux révolutionnaires y prièrent. Intérieur frais.

▸ ***Free Quaker Meeting House :*** 5th Street, au coin d'Arch Street. Ouvert de 10 h à 16 h et le dimanche à partir de 12 h. Maison où se réunissaient les quakers. Ces quakers-là, contrairement à d'autres, prirent fait et cause pour la révolution. Pas grand-chose à voir, il faut l'avouer.

## Les musées

Cher routard, Philadelphie vous a gâté !

▸ ***Philadelphie Museum of Art :*** Benjamin Franklin Parkway, au niveau de 26th Street. ☎ 763-8100. Ouvert du mardi au dimanche de 10 h à 17 h. Réduction étudiants. Gratuit le dimanche de 10 h à 13 h. Un peu le Louvre de Philadelphie. Musée absolument superbe, à ne pas manquer. Un véritable résumé de l'histoire artistique du monde. Le musée est grand mais pas trop, l'architecture est ancienne mais la présentation moderne et surtout le choix des pièces, que ce soit en peinture, sculpture, arts décoratifs ou religieux, sont d'une remarquable qualité. Demandez un plan du musée à l'entrée. Voici quelques points de repères, histoire de vous donner l'eau à la bouche.
• *Niveau 1, rez-de-chaussée :* art décoratif des XIXe et XXe siècles. Mobilier et argenterie de toute beauté. Plus loin, un ensemble de toiles de Thomas Eakins, excellent portraitiste américain, dont tous les visages respirent une douce mélancolie. Belles scènes rurales également. L'aile droite, consacrée à l'art du début du XXe siècle et à l'art contemporain, propose son lot de chefs-d'œuvre : collection impressionnante d'art religieux, flamand, espagnol, italien et allemand des XIVe et XVIe siècles. Ne pas louper la collection Johnson, une étonnante salle où repose une centaine d'œuvres de toute époque et de tout style. Le donateur, riche avocat de Philadelphie, insista pour que les pièces soient exposées exactement comme chez lui. Ça donne à la fois un gentil désordre et une atmosphère particulière à la salle. Il a dû gagner pas mal de procès pour s'acheter tout ça ! Chez les Européens, toiles de Matisse, Ernst, Magritte, Tanguy... et puis une superbe collection de sculptures de Brancusi, ainsi qu'une série de Marcel Duchamp, peintre et sculpteur, fer de lance du mouvement « ready made ». A noter le grand classique *La Mariée mise à nue par ses célibataires même,* connue de tous les élèves en histoire de l'art ; cette pièce singulière, comportant une large partie vitrée, fut brisée lors du transport vers les États-Unis. On appela Duchamp pour l'en informer. Il fit le déplacement et trouva la fêlure du verre remarquable, faisant admirablement partie de l'œuvre. Ah, sacré Marcel !
• *A l'étage,* incroyable section d'art médiéval. Section armure délirante. Côté religieux, on trouve aussi bien un cloître roman reconstitué qu'un temple hindou ! La partie asiatique (Japon et Chine) n'est pas en reste. Et puis, aile droite,

tout l'art européen du XVIII$^{e}$ au XX$^{e}$ siècle : intérieurs de châteaux français totalement reconstitués avec mobilier, lambris, etc.

▸ ***Musée Rodin :*** Benjamin Franklin Parkway, près de 22nd Street. ☎ 787-5431. Ouvert de 10 h à 17 h du mardi au dimanche. Le plus grand nombre d'œuvres de l'artiste réunies dans un musée hors de France. Collection privée où l'on trouve aussi bien le *Saint Jean Baptiste prêchant*, un bel *Adam*, un plâtre du *Nu de Balzac* ainsi que les célèbres *Bourgeois de Calais*.

▸ ***The Franklin Institute Science Museum :*** à côté du Logan Square, près de 20th Street. ☎ 448-1200. Ouvert tous les jours de 9 h 30 à 17 h. Un « palais de la Découverte » du XXI$^{e}$ siècle. Excellente présentation vivante et interactive de tous les domaines scientifiques et technologiques (optique, mécanique, espace, électricité) aussi bien que naturels et biologiques (le corps humain, la terre, l'énergie, les maladies...). Plein d'expériences à réaliser pour les enfants. Bien sûr, Philly n'a pas le monopole de ce genre de musée, mais ici c'est fait à l'américaine, avec panache et pédagogie. Abrite aussi le *planetarium* (spectacle laser).

▸ ***The University Museum :*** 33rd Street et Spruce Street. Ouvert du mardi au samedi de 10 h à 16 h 30 et le dimanche de 13 h à 17 h. Fermé le lundi. Énorme musée à l'ancienne où sont regroupées d'étonnantes collections ethnologiques concernant une multitude de régions du globe. Gros problème cependant : présentation mortellement ennuyeuse. Grèce antique, Asie, Afrique, îles du Pacifique... Tout y passe. Franchement, on n'oblige personne.

### *LES AUTRES MUSÉES*

▸ ***Norman Rockwell Museum :*** 601 Walnut Street, au coin de Sansom Street. ☎ 922-4345. Ouvert de 10 h à 16 h tous les jours (le dimanche à partir de 11 h). Payant. Petit musée en sous-sol du journal *Saturday Evening Post* où travailla un des plus populaires peintres humoristiques du siècle. De 1916 à 1970, il réalisa 324 couvertures du célèbre hebdomadaire. Rockwell était spécialisé dans la peinture des multiples situations de la vie quotidienne, mais toujours sur le mode de l'humour. Témoin de l'Amérique bien pensante, il avait le chic pour capter les situations les plus cocasses. Son travail se rapproche plus de la photographie sur le vif que de la peinture traditionnelle. Réaliste et optimiste, il peignait des scènes toujours positives, drôles et jamais grinçantes. Amérique sûre d'elle, Amérique joie de vivre : son travail témoigne de l'application au quotidien du rêve américain. On reste ébloui par la fraîcheur, la décontraction et la qualité de la mise en scène de ces tableaux. Un regret pourtant, concernant le musée : peu d'œuvres originales et beaucoup de reproductions aux couleurs médiocres. Visite que l'on conseille tout de même puisque le nombre d'œuvres présentées (plus de 600) reflète à merveille son travail.

▸ ***Pennsylvania Academy of the Fine Arts :*** au coin de Broad et Cherry Streets, en plein centre. ☎ 972-7600. Musée consacré à l'art américain. Le fonds permanent du musée tourne sans arrêt tandis que les autres salles reçoivent des expositions temporaires d'art moderne. Se renseigner car il y a souvent d'excellentes expos d'avant-garde.

▸ ***Afro-American Museum :*** au coin de 7th Street et Arch Street. Ouvert de 10 h à 17 h sauf le lundi. Est-ce une manière de se donner bonne conscience ou une réelle volonté de réhabilitation des Noirs ? En tout cas, bien que modeste, ce musée donne un bon aperçu du calvaire qu'ont connu les gens de couleur entre leur arrivée forcée d'Afrique jusqu'aux luttes pour la liberté. Témoignages, documents, photos, objets, on suit pas à pas le chemin de tout un peuple. A l'étage supérieur, expo temporaire d'artistes africains.

D'autres musées mineurs en ville comme le *Please touch me Museum, Philadelphia Maritime Museum, Port of History Museum, National Museum of American Jewish History*. Listes et adresses à l'office du tourisme pour ceux qui n'en auraient pas assez.

## Les marchés

Vous ne rêvez pas ! Philadelphie compte deux marchés. On ne doit manquer ni l'un ni l'autre.

– ***Reading Terminal Market*** : au coin de Arch et de 12th Streets. Ouvert tous les jours sauf dimanche, mais en fait c'est les jeudi, vendredi et samedi qu'il est préférable d'y aller. Un vrai marché couvert avec toutes sortes d'étals. Mais, ce qui le rend unique, c'est que de nombreux étals et échoppes sont tenus par des amish (voir plus loin dans « Pennsylvania Dutch Country » le commentaire les concernant). Ils viennent les jeudi, vendredi et samedi proposer leurs bons produits de la ferme. On reconnaît facilement les hommes grâce à leur longue barbe sans moustache et leurs cheveux rabattus sur le front. Les femmes portent une robe claire, unie, et leurs cheveux séparés par le milieu sont retenus par un chignon serré que maintient un petit bonnet blanc. Beaucoup vivent dans la région de Hatville. Goûtez leurs *bretzels* préparés sous vos yeux (y ajouter de la moutarde). Spécialité aussi de *custard-pudding, pickles* et confitures. Pour les gâteaux et *pies*, aller chez *Beilers. Stoltzfus Snack Bar,* juste à côté, prépare des petits plats copieux et pas chers. Venir au marché le matin et y déjeuner.
– ***Italian Market*** : sur 9th Street, entre Federal et Christian Streets. C'est la population italienne du quartier qui a, petit à petit, recréé son art de vivre dans ce coin-là. Marché de rue, ouvert tous les jours mais la pointe de l'animation est évidemment le samedi. Ça fait vraiment chaud au cœur de voir des cageots de légumes, de la viande sanguinolente, du pain tout chaud, et de sentir des odeurs de fromage. D'ailleurs, pour un casse-croûte, aller au n° 930, *The House of Cheese*, puis en face, chez le petit boulanger italien. On retrouve là les accents de toutes les minorités italienne, noire et asiatique.

## Le Downtown et les autres petits quartiers

Downtown moderne aux lignes cohérentes et plein d'harmonie. Au milieu, le vieux City Hall a échappé à la pelle mécanique. Construction néoclassique de la fin du XIXe siècle, plus grande mairie du pays et longtemps l'édifice le plus haut de la ville... Manière comme une autre de vous dire qu'il n'y a pas grand-chose à en dire. Ah si ! C'est Alexander Calder qui réalisa la statue de William Penn au sommet. Le City Hall se visite, mais il n'y a rien à voir.
En revanche, tout autour, nombreuses sculptures modernes dignes d'intérêt. La plus controversée est évidemment *La Pince à linge*, qui accroche l'œil (au coin de Market et de 15th Streets). Une autre sculpture pleine d'espoir au coin de Market et 18th Streets. Vous en découvrez d'autres au gré de votre balade.

▸ ***Market Street*** : axe principal de la ville, bordé de grands magasins : Sterns, Woolworth, J.C. Penney et on en oublie.

▸ Le coin le plus sympathique du centre se situe entre 17th, 18th et 19th Streets et Chestnut, Walnut, Samson et Locust Streets. Boutiques, petits restos, bars. Une vraie petite vie de quartier, en plein centre.

▸ ***Chinatown*** : petite population chinoise, donc petit Chinatown. Race Street en est la colonne vertébrale, tout autour des 9th, 10th et 11th Streets.

## Aux environs

▸ ***Germantown*** : à 5 miles au nord de la ville, par Broad Street. Ancienne cité d'immigrants allemands mennonites. Aujourd'hui intégré à Philadelphie, le quartier possède son lot de maisons du XVIIIe siècle. Plusieurs d'entre elles se visitent. Pour la liste complète et les heures d'ouverture, voir à l'office du tourisme. Intéressera surtout les spécialistes.

▸ ***Barnes Foundation*** : à Merion, dans la Montgomery County, à la périphérie de la ville. 300 Latches La., Merion. ☎ 667-0290. Ouvert uniquement les vendredi et samedi de 9 h 30 à 16 h 30. Ces deux jours-là, le musée accueille 100 visiteurs ayant réservé et 100 visiteurs sans réservation. Le dimanche, ouvert de 13 h à 16 h 30 : accueil de 50 visiteurs ayant réservé et 50 sans réservation. Accès interdit au moins de 15 ans (les femmes sont admises mais pas les chiens, NDLR). Fermé en juillet et août.
Une véritable caverne d'Ali Baba. Nous pesons nos mots : une des plus belles collections de toiles impressionnistes françaises et autres du monde. Plus de 1 000 œuvres majeures y sont enfermées. Merci au docteur Albert C. Barnes qui accumula avec discernement mais sans compter toute cette peinture. Inven-

teur de l'Argyrol, un collyre désinfectant, il dépensa toute sa fortune dans l'achat d'œuvres d'art. Toutes les toiles sont présentées dans le fouillis qui était le sien de son vivant : plusieurs Van Gogh, Degas et Rousseau mais surtout 65 Matisse, 66 Cézanne, 60 Soutine et... 175 Renoir. Et puis encore, un peu d'art asiatique et sud-américain. Un des plus beaux musées qui soient, mais dont les restrictions de visite dissuadent plus d'un touriste. Appeler pour connaître la situation des réservations avant d'y aller.

## PENNSYLVANIA DUTCH COUNTRY IND. TÉL. : 717

Pour comprendre l'histoire des minorités de cette région qui intriguent tant les touristes, il faut remonter au début du XVIe siècle, en Europe. Après la Réforme de Luther en 1517, de nombreuses congrégations religieuses naquirent. Menno Simons fut le leader des anabaptistes, dissidents catholiques aussi bien que protestants. La plupart d'entre eux moururent torturés. Bientôt les mennonites restants, appliquant les préceptes de la Bible à la lettre, subirent un schisme dont l'origine était l'interprétation des textes. Cette nouvelle branche, menée par un jeune évêque mennonite, Jakob Amman, témoignait d'une application encore plus orthodoxe de la Bible. La scission avec les mennonites se produisit à la fin du XVIIe siècle, et les disciples de cette nouvelle doctrine furent appelés *amish.*

Quand William Penn reçut plein pouvoir sur ce nouveau territoire, qui s'appellera la Pennsylvanie, des mains du roi Charles II d'Angleterre, il souhaita que ces colonies soient le refuge des opprimés et des persécutés, ainsi que le berceau de la tolérance religieuse.

Les premières minorités débarquèrent rapidement, un an seulement après William Penn, en 1683. Mennonites, frères moraves et amish s'installèrent peu à peu dans la région. Ces derniers arrivèrent au début du XVIIIe siècle, provenant de Suisse et du Palatinat. Tous ces immigrants sont connus sous le nom de *Pennsylvania Dutch* (« Dutch », ici, est une déformation du mot « allemand » – deutsch – en allemand) mais ils regroupent un nombre incroyable de sous-minorités religieuses, qui ont toutes en commun l'application stricte de la Bible, une grande simplicité dans le mode de vie, et le refus de la modernité.

### Les amish

Devenus en quelque sorte des mennonites purs et durs, les amish, qui comptent environ 16 000 âmes dans la région de Lancaster, ont été popularisés par le film de Peter Weiss, *Witness*, en 1985.

Quand on traverse cette région en voiture, on croise sans arrêt ces petites carrioles noires, que dirigent de drôles de personnages : l'homme est barbu mais se rase la moustache, il porte un chapeau noir et une chemise simple. La femme est vêtue d'une robe toute simple, et qui peut être de couleur (en général terne) mais toujours unie. Certains sous-groupes refusent également les boutons. Les cheveux, jamais lâchés, sont maintenus en chignon dans un bonnet à l'ancienne.

C'est bien simple, les amish ont refusé tout changement depuis leur arrivée. Ils suivent pas à pas les préceptes de la Bible. Tout est dédié à la communauté et chaque règle de vie est inscrite dans l'*Ordnung*, une sorte de code de bonne conduite amish. Une des règles essentielles est l'importance du passé. C'est pourquoi la possession de voitures est interdite bien qu'il soit accepté qu'un amish monte à bord d'un véhicule appartenant à un « étranger ». L'électricité est proscrite et les tracteurs aussi. Seule l'énergie au diesel, produite sur place, est acceptée. La télévision et le téléphone sont bannis (faudrait proposer ça chez nous, tiens !). La plus fermée des communautés américaines parle un « dialecte allemand » qui continue d'être appris dans les écoles amish. Mais beaucoup de parents souhaitent que leurs gamins apprennent l'anglais, puisque la survie des amish dépend malgré tout du rapport commercial qu'ils ont avec les non-amish (pas folle, la guêpe !).

Le système éducatif repose sur l'apprentissage de la vie en communauté et rejette la compétition. Très pieux, les amish se réunissent tous les dimanches pour l'office. Les enfants sont baptisés tard, entre 16 et 20 ans. Les méthodes

de travail (artisanat, agriculture) sont les mêmes qu'au XVIIIe siècle, ce qui leur donne une réputation de haut niveau. Est-ce un hasard si, avec des méthodes ancestrales, les fermiers amish parviennent à des rendements supérieurs aux autres producteurs, suréquipés en matériel ?
La région de Lancaster arrive, grâce aux amish, au tout premier plan du pays pour la production de lait (leur spécialité), poulets, œufs, bœufs, porcs et moutons.
Toute rose la vie des amish ? Pas forcément. Des scissions continuent à naître dans les différents groupes, dues à l'interprétation toujours délicate des textes concernant l'intégration de la modernité au mode de vie. Les jeunes gens, confrontés malgré tout à la vie extérieure, ont parfois bien du mal à suivre les préceptes interdisant les rapports sexuels avant le mariage (on les comprend), et des défections sont à noter parmi eux.
La réussite de cette minorité à l'esprit éminemment communautaire et à la discipline de fer reste un véritable pied-de-nez pour la société américaine repue et gaspilleuse. Comble des paradoxes, ce sont ces mêmes amish, Bible en main, qui engraissent cette société qu'ils fuient comme la peste.

## Comment y aller ?

En train *Amtrak,* autocar ou avion pour Lancaster, Pa.
– ***De New York :*** en voiture, sortez de Manhattan par Lincoln Tunnel (38th Street W) ou par Holland Tunnel (au bout de Canal Street) en suivant les indications New Jersey Turnpike, notées NJ TPK, jusqu'à Trenton, contournée par l'Interstate 276 puis 76 qui évite Philadelphie, nommée aussi Philadelphia Turnpike : péage très modique pour le tunnel et les deux autoroutes. Sorties 22 (80 km à l'ouest de Philadelphie), 21 et 20, le XIXe siècle s'étend autour de la grande route et plus particulièrement au sud de ces sorties. Lancaster en est le centre théorique. On l'atteint par la route en 2 à 3 h de New York, ce qui peut en faire une excursion de la journée.

## La visite

Si vous êtes à pied, des tours en bus partent de presque tous les villages, restaurants, magasins... vous pouvez même vous faire promener une heure en *buggy*, la charrette locale, qui ressemble à une chaise à porteurs.
En voiture, suivez les tout petits chemins à votre fantaisie. Vous pouvez aussi louer une cassette audio (et même le magnéto éventuellement) qui vous conduira lentement dans la campagne en 2 h, avec beaucoup d'explications, en anglais uniquement. On se la procure en plusieurs points sur la route 30 près de Lancaster (Dutch Wonderland, Holiday Inn East...).
Austères mais courtois, les amish ne s'offusquent pas trop des regards mais la représentation humaine étant illicite, il est théoriquement interdit de les photographier. Vous pouvez toujours demander la permission. Être compréhensif en cas de refus. Depuis le film, ils en voient débarquer du monde ! Et pas forcément la crème.
– Nombreuses possibilités de tours organisés pour ceux qui sont à pied. Voir au Visitors' Bureau.

## Informations utiles

– ***Pennsylvania Dutch Visitors' Bureau :*** 501 Greenfield Road, en sortant de la US 30E, juste à l'est de Lancaster. ☎ 299-8901. Ouvert de 9 h à 17 h tous les jours et même plus tard l'été. Ils indiquent les différentes possibilités et les brochures d'hébergement dans les Bed & Breakfast. Prendre la carte de la région et les brochures. Présentation d'un diaporama.
– ***The Mennonite Information Center :*** 2209 Millstream Road, à Lancaster. ☎ 299-0954. Explication des mœurs locales et présentation d'un film de 30 mn sur les mennonites et amish. Payant. Informations sur le logement dans la région.

– ***People's Place :*** à Intercourse, à 11 miles de Lancaster. ☎ 768-7171. Arrêt conseillé pour mieux connaître les amish. Diaporama « Who are the Amish ? » de 30 mn. Bien fait. Ouvert de 8 h à 17 h.

## Où dormir ?

### Les auberges de jeunesse

Il y en a 3, toutes dans la partie ouest de la région de Lancaster. Avoir une voiture. Voici les deux plus proches de Lancaster :

■ ***The Bowmansville Youth Hostel :*** à 26 miles de Lancaster sur la route 625, à côté de l'Interstate 476. ☎ 445-4831.

■ ***The Geigertown Youth Hostel :*** non loin du French Creek Starte Park, qu'on atteint par la route 82.

### Les Bed & Breakfast

Pas mal d'adresses. Voir au Pennsylvania Dutch Visitors' Bureau. Toutes les associations de Bed & Breakfast que nous indiquons pour Philadelphie ont des hébergements dans la Lancaster Country. S'y reporter.

## Où manger ?

Il ne faut sous aucun prétexte manquer le tourisme culinaire, tout aussi dépaysant. Nombreux plats très originaux ; en voici quelques-uns :

– *Seven sweets and seven sours :* hors-d'œuvre ou dessert. Chou, citrouille, cornichon, miel, fromage, cannelle, pêche, pomme, coing, muscade, rhubarbe, épicés marinés.

– *Fleish und Kas :* entrée, pâté à la viande.

• Plats complets. – *Buddboi :* ragoût de pâtes, poulet, oignon, céleri.

– *Schnitz und Knepp :* boulettes avec pommes séchées et jambon.

• Desserts. – *Shoo fly pie :* tourte à la mélasse, gingembre, muscade.

– *Schnitz pie :* dans le même genre avec des fruits secs.

Ne négligez pas non plus les autres spécialités très allemandes :

– *Lebanon* est la capitale de la charcuterie (saucisse célèbre).

– On trouve des usines de *bretzels,* et même un musée du Bretzel. Vous pouvez façonner le vôtre à l'usine de Lititz, sur la route 501 !

– Achetez de l'*apple butter,* c'est une compote de pommes aux épices, en pots comme la confiture.

– *Hershey :* le plus célèbre fabricant de chocolat.

### Quelques restos

● ***Miller's Smorgasbord :*** à 10 km à l'ouest de Lancaster sur la route 30. Tant pis pour le cadre trop moderne. De tout à volonté. Petit déjeuner, 7 h à 11 h ; pour être sûr d'avoir du choix au buffet, 12 h à 14 h ; le reste du temps, c'est un restaurant ordinaire.

● ***Pa. Dutch Smorgasbord and Menu, Family Time :*** sur la route 322, à 2 km à l'ouest d'Ephrata. Petit déjeuner de 6 h à 11 h, puis jusqu'à 21 h, 100 plats. Organise aussi des excursions.

● Tout le long de la route 30 et 340, plusieurs restos amish proposant un *all you can eat* pas cher.

## A voir

C'est surtout la campagne qui se visite. Les tout petits champs, labourés avec un cheval, font l'envie des fermiers d'ailleurs. Pas de machines, mais une utilisation quasi scientifique de l'assolement et des engrais, et l'énergie humaine sans compter. Les parcelles sont petites, les silos se dressent par dizaines, bien remplis. Fermes et granges sont riches, colorées, loin de l'austérité du costume. On les érige en un seul jour pour chaque nouveau ménage, tous les voisins s'y mettent.

Énormément de ponts couverts, poétiquement nommés *kissing bridges.* Il y en a un, par exemple, entre Intercourse et Paradise, sur Belmont Road (heureusement pour les esprits anglicistes moralistes, la route continue sur Fertility).

### Quelques bonnes adresses

– ***Bird-in-Hand Farmer's Market :*** dans le village du même nom. Marché vendredi et samedi de 8 h 30 à 17 h 30 ; en été quelques autres jours. Boutiques d'artisanat ouvertes toute la semaine en été. Aussi local que vous le souhaitiez !
– ***The Old Country Store :*** Main Street, Intercourse. Tous les jours sauf dimanche, de 9 h à 17 h. C'est dans cette région qu'on peut encore trouver les plus beaux *quilts,* aux prix les plus abordables, ce qui reste cher. Grand choix dans cette boutique.

## WASHINGTON

IND. TÉL. : 202

Pas d'usines gigantesques, pas de cheminées polluantes. Washington est en effet une ville très propre car l'administration et la politique en sont incontestablement l'industrie principale. Près de 300 000 employés fédéraux, 80 000 lobbyistes et 40 000 avocats ! Également la plus forte concentration de journalistes au monde ! Les larges avenues, les maisons basses font de Washington un endroit agréable à visiter.
*Remarque :* toujours dire Washington DC. Si on dit seulement Washington, un Américain croit que l'on parle de l'État et non de la ville.

### Arrivée

De *National Airport,* prenez le métro (ligne bleue). Arrêtez-vous à Metro Center pour le centre ville et l'A.J.
Deux autres aéroports : *Dulles International* et *Baltimore.* Bus pour le centre ville toutes les heures. Terminus au Capitol Hilton (16th et K Streets).

### Orientation

Du Capitole partent quatre rues : N, S, E Capitol Street et le Mall. Elles partagent la ville en quatre secteurs : NW, NE, SW et SE. Les rues nord-sud sont numérotées en commençant au 1. Les rues est-ouest sont désignées par une lettre de l'alphabet. Dans les rues horizontales, les numéros d'immeubles correspondent toujours aux numéros des rues verticales (ex. : le 1250 sera toujours entre 12th et 13th Streets). Facile, non ?
Évitez de rouler en ville : parkings éloignés des centres touristiques, circulation démente aux heures de pointe, certaines rues changent de sens au fil de la journée. Transports en commun très faciles.

● ***Métro***

A Washington, il vaut le déplacement. Notre brave R.A.T.P. a plusieurs métros de retard. Système du ticket magnétique. Le tarif varie selon les trajets et les heures de rush : de 6 h à 9 h et de 15 h à 18 h 30. Gardez votre ticket car il est nécessaire pour sortir. Ouvert de 5 h 30 à minuit (samedi 8 h et dimanche 10 h). Possibilité le week-end de bénéficier du « Family-Tourist Pass ». Intéressant au bout de quelques parcours.
– ***Renseignements :*** Métrobus, ☎ 637-7000.

### Adresses utiles

– ***Washington D.C. Convention and Visitors' Association :*** 1455 Pennsylvania Avenue. ☎ 789-7000. Consultez la Willard Collection. Ouvert de 9 h à 17 h du lundi au samedi. Excellente documentation sur la ville.

– ***International Visitors' Information Service :*** 733 15th Street (3ᵉ étage). ☎ 783-6540. Ouvert du lundi au vendredi de 9 h à 17 h.
– ***Poste :*** N Capitol Streets, en face de Union Station. Ouverte en semaine de 7 h à 23 h, sauf le samedi jusqu'à 20 h. Et aussi sur Pennsylvania Avenue NW, entre 12th et 14th Streets. Ouvert jusqu'à 16 h en semaine.
– ***Cartes routières gratuites :*** Automobile Club, 1825 Eye Street. M. : Market (2ᵉ étage, station Farragut).
– ***American Express :*** 1150 Connecticut Avenue NW, 20036 Washington DC. ☎ 457-1300. ***Chèques volés :*** ☎ (800) 221-7282.
– ***Transfert d'argent par la B.N.P. et la Riggs National Bank :*** 1120 Vermont Avenue NW, Room 313. ☎ 835-6000.
– ***Greyhound Terminal :*** 1st Street E (et L Street NE). Derrière la gare Amtrak. ☎ 289-5160.
– ***Métro Info :*** ☎ 637-2437. Pour ceux qui se sont perdus dans la ville.
– ***Budget Rent-a-Car :*** 12th et K Street NW. ☎ 628-2750. Une des compagnies de location de voitures les moins chères.
– ***Alliance française :*** 2142 Wyoming Avenue NW.
– ***Presse française :*** 1825 I Street NW. M. : Farragut West. Pas de quotidiens ; ou ***The News World :*** Farragut Square (près du Hilton). 1001 Connecticut Avenue NW. Vous trouverez *Le Monde* et *Libé*.
– ***Drive-away Co. :*** 1408 N Fillmore, Langton, Virginia. ☎ 524-7300.
– ***Ambassade de France :*** 4101 Reservoir Road NW (en face de Georgetown University Hospital). ☎ 944-6000.
– ***Ambassade de Belgique :*** 3330 Garfield NW. ☎ 333-6900. Ouverte de 9 h 30 à 12 h 30 et de 13 h 30 à 15 h 30.
– ***Ambassade de Suisse :*** 2900 Cathedral Avenue. ☎ 229-5136.
– ***Ambassade du Canada :*** 1746 Massachusetts Avenue NW. ☎ 682-1740. Ouverte de 9 h à 12 h.
– ***Pharmacie 24 h sur 24 :*** *People's Drugstore.* ☎ 628-0720.
– ***Renseignements :*** ☎ 411.
– ***Urgence :*** ☎ 911.
– ***Condomrageous :*** 3019 M Street (plan A1). ☎ 337-0510. Ouvert du mardi au jeudi de 12 h à 23 h, les vendredi et samedi de 12 h à minuit et le dimanche de 12 h à 21 h. Signe des temps, ce magasin ne vend que des préservatifs (condoms). Il y en a de toutes les sortes, toutes les formes, de toutes les couleurs et à tous les parfums.

## Où dormir ?

### Bon marché à prix moyens

■ ***Youth Hostel (AYH) :*** 1009 11th Street, NW et K Street (plan C1). ☎ 737-2333. Pour se rendre à l'A.J. en métro : ligne bleue, station Center. Sortir à 11th et G puis remonter trois blocs. C'est un superbe édifice entièrement rénové et très central. Fermé de 11 h à 14 h 30 et à partir de 22 h (arriver avant 16 h l'été si l'on veut une place, *check-out* de 8 h à 9 h 30). Couvre-feu à minuit (les entrées plus tardives doivent être soumises à autorisation auprès du *hostel manager*). Possibilité de réserver. Avoir son sac de couchage. Location de draps. Chambres de 4 ou 6 lits, très propres, grande cuisine et grande salle à manger. On ne peut y rester plus de quatre nuits. Il faut en principe participer à des travaux quotidiens de nettoyage. Ouverte à tous et à toutes. Un peu plus cher pour ceux qui n'ont pas la carte des A.J.
■ ***The Connecticut Woodley Guest-House :*** 2647 Woodley Road NW. ☎ 667-0218. M. : Woodley Park Zoo. Du métro, remonter Connecticut Ave. sur 200 m. Tourner à gauche sur Woodley. C'est la première maison à droite. Bureau ouvert de 7 h 30 à minuit. Il est recommandé de téléphoner avant. Clé pour la nuit. Réservation conseillée (une nuit d'avance ou donner le numéro de votre carte VISA). Grande maison particulière. Chambres correctes. Certaines plus petites que d'autres (avec ou sans douche). Une des guest-houses les moins chères de Washington.
■ ***Allen Lee Hotel :*** 2224 F Street NW, entre 22nd et 23rd Streets (plan A2). ☎ 331-1224. M. : Foggy Bottom. Proche de la Maison-Blanche et de l'université. Quartier plaisant la journée, peu animé le soir. C'est l'hôtel le moins cher du centre et le mieux situé. Belle façade et couloirs repeints, mais il faut savoir que la qualité des chambres est vraiment inégale. Certaines sont tout à fait accep-

tables, d'autres moins. Plomberie parfois négligée. En bref, un certain laisser-aller de l'établissement peut ne pas vous convenir. A vous de juger (possibilité de voir plusieurs chambres). *Singles* et *doubles* avec air conditionné et T.V. Globalement, une bonne affaire pour les petits budgets.

■ ***International Guest-House :*** 1441 Kennedy Street. ☎ 726-5808. Situé exactement à 6 km nord de la Maison-Blanche, en droite ligne. Pour s'y rendre : bus S2 et « S4 Silver Spring ». Du Greyhound, bus « 96 McLean Gardens » jusqu'à 16th et U Streets, puis le S2 ou S4 sur 11th et H Streets. Descendre à Kennedy Street (30 mn de trajet). Également bus S2, S4, 50, 52, 54 et 70. En voiture, descendre la 14th ou la 16th. Évidemment beaucoup plus rapidement accessible. Quartier mixte *middle* et *upper middle class* tranquille (mais en marge de quartiers plus défavorisés). Grande et belle maison particulière, remarquablement tenue par des mennonites : s'attendre au bénédicité au petit déjeuner (7 h 30 précises) et à une atmosphère familiale. Les étrangers ont la priorité. On peut y manger. Chambres disponibles pour les couples. Couvre-feu à 23 h (mais la clé vous est remise les soirs de théâtre). Une adresse assurément éloignée qui ne conviendra qu'à ceux ou celles qui souhaitent un séjour très paisible et non fumeur !

■ ***Y.W.C.A. :*** 901 NE Rhode Island Avenue. ☎ 667-9100. Pour filles seulement. Quartier assez peu avenant. Ne pas s'y rendre directement. Réservation obligatoire. Strictement pour fans de ces établissements.

■ ***Econo Lodge :*** 1600 New York Avenue. ☎ 832-3200. A l'entrée de la ville (venant d'Annepolis). Sans charme, mais correct. Piscine. Grandes chambres avec 2 grands lits. Salle de bains privée, w.-c. Air conditionné et téléphone. Réduction pour les voyageurs utilisant le Greyhound. Un peu excentré. Avant tout une adresse de dépannage. D'autres motels de la même catégorie dans les environs proches.

## Prix moyens à plus chic

■ ***University Inn :*** 2134 G Street NW (plan A2). ☎ 342-8020. M. : Foggy Bottom. A côté de la George Washington University, et pas loin de l'hôtel précédent. Plaisant, propre et confortable. Calme et bien situé. Sanitaires à l'étage. *Singles* et *doubles*. Réduction le week-end. Bon rapport qualité-prix.

■ ***Windsor Park Hotel :*** 2116 Kalorama Road NW. ☎ 483-7700. Réservations : ☎ 1-800-247-3064. Fax : 332-4547. Un peu éloigné du métro. A mi-chemin de Dupont Circle et Woodley Park. Quartier résidentiel, verdoyant et agréable. Un avantage aussi, proche du nouveau quartier branché et animé de Adams Morgan (18th Street N). Chambres très correctes. Plus cher que le *University Inn* (compter 450 F la double). Café et *doughnuts* offerts.

■ ***The Kalorama Guest-House :*** 1854 Mintwood Place NW. ☎ 462-6007. Grande *townhouse* dans une rue résidentielle. Grandes chambres meublées à l'ancienne. Moins cher que le précédent et beaucoup plus sympathique. Il est conseillé de réserver. Petit déjeuner continental compris. Suites avec deux chambres et salle de bains à prix intéressant. Endroit vraiment charmant pour dormir. Pas loin de Adams Morgan et de 18th Street.

■ ***Adams Inn :*** 1744 Lanier Place. ☎ 745-3600. M. : Woodley Park Zoo. Puis environ 15 mn à pied. Rue tranquille entre Calvert Street et Ontario Road. Superbe *townhouse* victorienne à deux pas de l'animation de Adams Morgan. Délicieux ameublement un peu rétro. Atmosphère familiale. Possibilité de lavage et repassage. Chambres très agréables (avec ou sans salle de bains) de 280 à 360 F pour une personne et de 330 à 420 F pour deux personnes. Quelques-unes pour trois ou quatre à prix intéressants. Café et *doughnuts* gratuits.

## Plus chic

■ ***Tabard Inn :*** 1739 N Street NW. ☎ 785-1277. Fax : 785-6173. M. : Dupont Circle. Pas loin de l'intersection avec Connecticut Ave. Formé par plusieurs *townhouses* victoriennes, ça ne ressemble nullement à un hôtel mais plutôt à une très grande pension de famille. Hall et salon de style vieux British. Impression de confort très club. Chambres toutes personnalisées. Bel ameublement ancien. Beaucoup de charme. Tous les prix. En basse saison, sur place, on peut choisir sa chambre sur catalogue de photos. Voici quelques propositions de chambres originales, si vous réservez : la n° 9 à 320 F, la n° 39 à 420 F, la n° 40 avec deux grands lits à 480 F (toutes avec « shared bath »). La n° 58 à 660 F propose quant à elle un adorable décor chinois (avec « private bath »). Non seu-

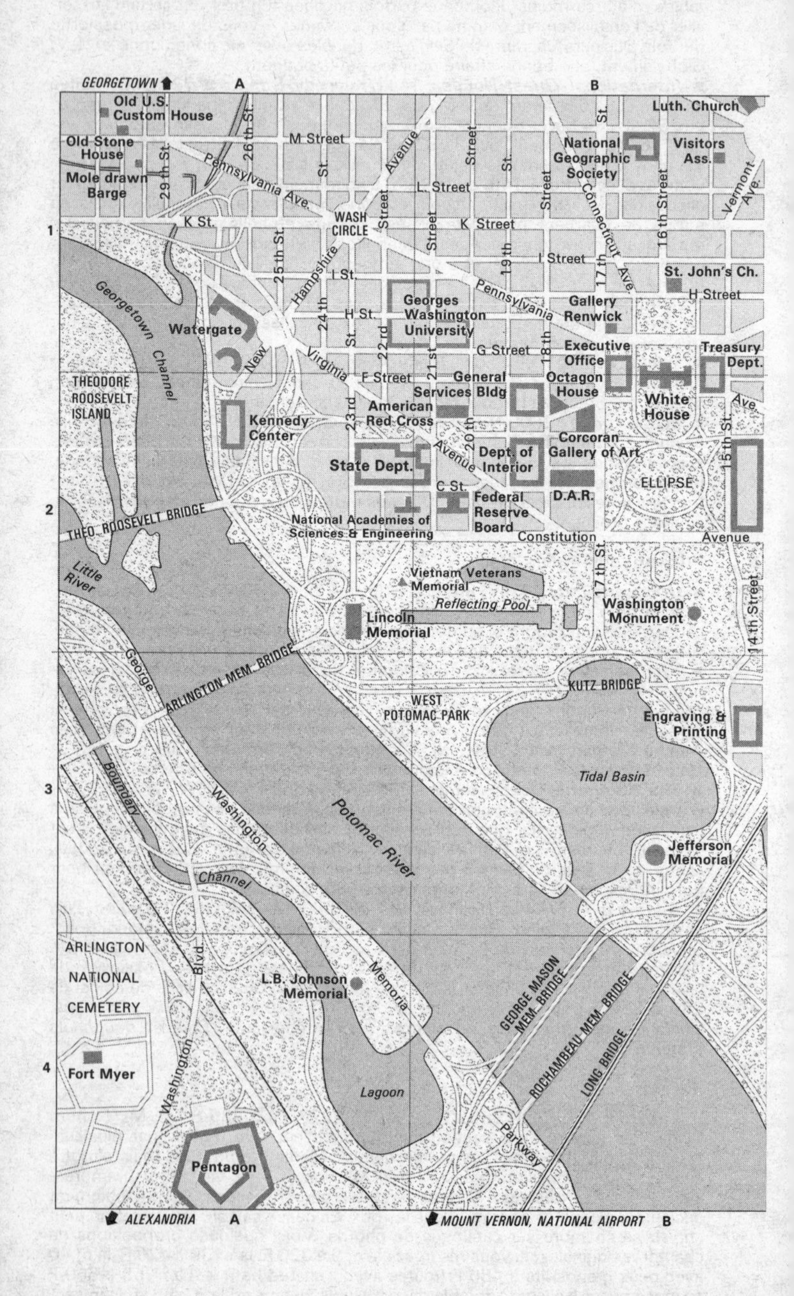
GEORGETOWN
A
B
1
2
3
4
Old U.S. Custom House
Old Stone House
Mole drawn Barge
29 th St.
26 th St.
M Street
Pennsylvania Ave.
L. Street
K St.
WASH CIRCLE
K Street
I Street
I St.
H St.
H Street
G Street
F Street
C St.
Luth. Church
National Geographic Society
Visitors Ass.
Vermont Ave.
Connecticut Ave.
16 th Street
17 th
18 th
19 th
20 th
21 st
22 nd
23 rd
24 th
25 th St.
Hampshire
New
Virginia
Avenue
St. John's Ch.
Georges Washington University
Gallery Renwick
Executive Office
Treasury Dept.
Octagon House
White House
General Services Bldg
American Red Cross
Kennedy Center
Watergate
Georgetown Channel
THEODORE ROOSEVELT ISLAND
State Dept.
Dept. of Interior
Corcoran Gallery of Art
ELLIPSE
15 th St.
D.A.R.
Federal Reserve Board
National Academies of Sciences & Engineering
Constitution
Avenue
THEO. ROOSEVELT BRIDGE
Little River
Vietnam Veterans Memorial
Reflecting Pool
Lincoln Memorial
Washington Monument
17 th St.
14 th Street
ARLINGTON MEM. BRIDGE
George
KUTZ BRIDGE
WEST POTOMAC PARK
Engraving & Printing
Tidal Basin
Boundary
Washington
Potomac River
Jefferson Memorial
Channel
ARLINGTON NATIONAL CEMETERY
Blvd
L.B. Johnson Memorial
Memorial
GEORGE MASON MEM. BRIDGE
ROCHAMBEAU MEM. BRIDGE
LONG BRIDGE
Fort Myer
Washington
Lagoon
Parkway
Pentagon
ALEXANDRIA
MOUNT VERNON, NATIONAL AIRPORT

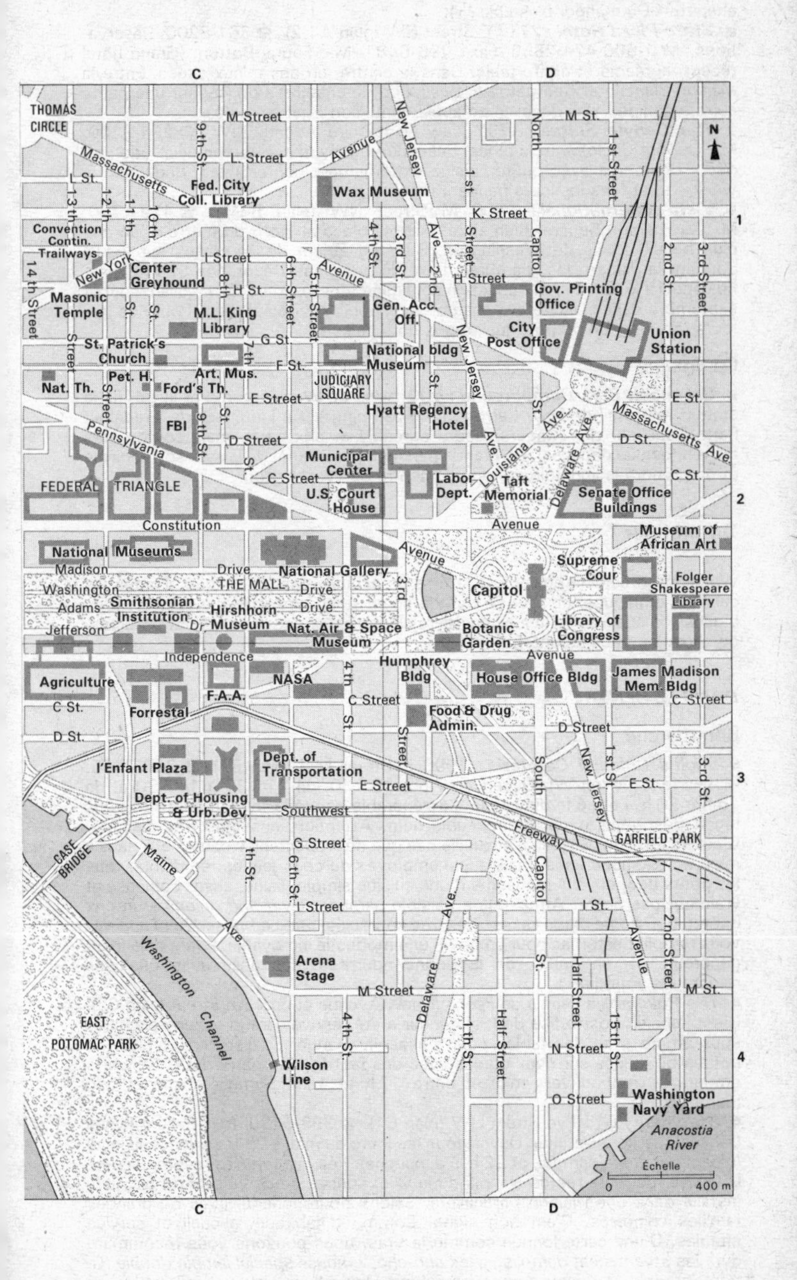
C
D
THOMAS CIRCLE
M Street
M St.
L. Street
L St.
Massachusetts
Avenue
New Jersey
North Capitol
1st Street
1st Street
9th St.
13 th
12 th
11 th
10 th
Fed. City Coll. Library
Wax Museum
K. Street
1
Convention Contin. Trailways
New York
Avenue
I Street
4 th St.
3 rd St.
2nd
Ave.
2nd St.
3-rd Street
14 th Street
Center Greyhound
8 th
H St.
6 th Street
5 th Street
H Street
Gov. Printing Office
Masonic Temple
St.
St.
M.L. King Library
Gen. Acc. Off.
New Jersey
City Post Office
Union Station
Street
St. Patrick's Church
7 th
G St.
F St.
National bldg Museum
Art. Mus.
Pet. H.
Nat. Th.
Ford's Th.
JUDICIARY SQUARE
St.
E Street
E St.
Street
Hyatt Regency Hotel
Massachusetts Ave.
FBI
9 th St.
St.
Pennsylvania
D Street
Ave.
Louisiana
Ave.
Delaware
Ave.
D St.
Municipal Center
C Street
C St.
FEDERAL TRIANGLE
U.S. Court House
Labor Dept.
Taft Memorial
Senate Office Buildings
2
Constitution
Avenue
Museum of African Art
National Museums
Avenue
Madison
Drive
National Gallery
Supreme Cour
Washington
THE MALL
Drive
3 rd
Capitol
Folger Shakespeare Library
Adams
Smithsonian Institution
Hirshhorn Museum
Drive
Jefferson
Dr.
Nat. Air & Space Museum
Botanic Garden
Library of Congress
Independence
Avenue
4 th
Humphrey Bldg
Agriculture
NASA
House Office Bldg
James Madison Mem. Bldg
F.A.A.
C Street
C Street
C St.
Forrestal
St.
Food & Drug Admin.
D St.
D Street
Street
South
New Jersey
1st St.
3rd St.
l'Enfant Plaza
Dept. of Transportation
E Street
E St.
3
Dept. of Housing & Urb. Dev.
Southwest
Freeway
GARFIELD PARK
CASE BRIDGE
G Street
Maine
7 th St.
6 th St.
Capitol
I Street
I St.
Ave.
Avenue
2nd Street
Ave.
Washington Channel
Arena Stage
St.
Delaware
M Street
M St.
Half Street
EAST POTOMAC PARK
4 th St.
1 th St.
Half Street
15th St.
N Street
4
Wilson Line
Washington Navy Yard
O Street
Anacostia River
Échelle
0
400 m
N
C
D

WASHINGTON

lement donc des décors pour tous les goûts, mais aussi un bon restaurant (voir chapitre « Où manger plus chic ? »).

■ ***State Plaza Hotel :*** 2117 E Street NW (plan A1-2). ☎ 861-8200. Réservations : ☎ 1-800-424-2859. Fax : 296-6481. M. : Foggy Bottom. Grand hôtel récent, agréable et confortable. Dans le centre, un des mieux situés. Entre la Maison-Blanche et Georgetown. Beaucoup de chambres possèdent une petite cuisine équipée. Joli décor et ameublement. Bon « garden café ».

■ ***The Carlyle Suites :*** 1731 New Hampshire Avenue NW. ☎ 234-3200. M. : Dupont Circle. A trois blocs. Beaucoup de charme. Superbe décoration art déco. Chambres avec petite cuisine extrêmement confortables. Réduction le week-end et tous les jours pendant l'été.

■ ***Vista International :*** 1400 M Street NW (plan B-C1). ☎ 429-1700. M. : McPherson Square. Bien situé. A trois blocs au nord du métro. L'un des plus beaux hôtels de Washington. Superbe atrium de 14 étages sur lequel donnent la plupart des chambres. Luxe de bon goût. Décoration très raffinée. Prix spécial le week-end. Réduction appliquée tous les jours du 1er juillet à début septembre dans la limite des chambres disponibles. Téléphonez. Pour nos lecteurs fortunés, un rapport qualité-prix hors pair !

### Camping

■ ***Greenbelt Park Campground :*** à 12 miles de Washington. Par la 95, de la station Metrorail de New Carrolton. Le camping est à l'intérieur de Greenbelt Park. Tenu par des rangers. Cadre agréable et prix doux, mais confort très moyen (pas de douches). De grands parkings permettent de laisser son véhicule et de prendre la ligne directe pour le centre de Washington.

## Où manger ?

Washington cumule également le titre de capitale gastronomique. Toutes les cuisines ethniques, un tour du monde super pour faire saliver à tous les prix. L'occasion aussi de visiter les quartiers un peu excentrés mais qui ont beaucoup de choses à vous raconter...

### *DANS LE CENTRE*

### Bon marché

• ***Sholl's Colonial Cafeteria :*** 1990 K Street NW (plan B1). ☎ 296-3065. M. : Farragut N (ou W). Ouvert de 7 h à 10 h 30, de 11 h 30 à 14 h 30 et de 16 h à 20 h. Fermé le dimanche. La vénérable cafétéria fondée en 1928 vous reçoit désormais dans un immeuble neuf. Attention, enseigne très discrète. C'est au fond du hall. Elle n'accueille pas que de respectables dames aux sacs à main en plastique usés, mais aussi employés du coin, jeunes, étudiants, tous les petits budgets à la recherche d'une cuisine simple, saine, assez copieuse et vraiment pas chère. Atmosphère paisible garantie. *Liver and onions* à un prix imbattable, *home made cakes, pies* très appréciés, etc. Le *braised beef and rice* vous remplit l'estomac pour un prix d'une modestie incroyable. Petits déjeuners généreux. Et, en prime, de la bonne nourriture spirituelle avec quelques remarques à méditer !

• ***The Pavilion :*** à l'angle de Pennsylvania Avenue et de 12th Street (plan C2). C'est l'ancien post-office dont l'intérieur a été rénové. Grand espace circulaire sous atrium avec des tables pour s'asseoir, manger et discuter, et plein de petites boutiques sur deux étages avec des fast-foods « carry-out ». Concerts gratuits, animation vers midi et entre 17 h et 18 h. Sympa, animé et bon marché.

• ***Szechuan :*** 615 Eye Street NW (plan C1). ☎ 393-0130. M. : Gallery Place. Dans le quartier asiatique. Ouvert tous les jours de midi à 23 h, du lundi au jeudi (minuit vendredi, samedi, et 22 h le dimanche). Réservation très recommandée. L'un des meilleurs restos chinois de la ville, spécialiste de cuisine du Sichuan. Installé dans une maison particulière. Salons bourdonnants avec de grandes familles chinoises. C'est bon signe. Comme d'habitude, accueil et service affables. D'une carte longue comme le bras, nous pouvons vous recommander : les *steam meat dumplings*, les *cho-cho*, le *house special lambin double flavors* (hmm !), le *crispy orange beef* (hmm, hmm !), le *spicy sliced lamb with* *scallion sauce au gingembre* et le *mixed delight in birdnest*. Le porc est excellent. Bref, une bien bonne adresse !

## Prix moyens à plus chic

- ***The Dubliner :*** 4 F Street NW (plan D1). En face de la grande poste. M. : Union Station. Resto-bar assez chic. Élégante décoration intérieure en bois sombre sculpté, avec gravures anciennes sur l'Irlande. Un certain charme. Plein le midi. En fin d'après-midi et le soir, un des rendez-vous des yuppies, mais on y trouve aussi des gens comme vous et moi. Excellente Guinness à la pression. Bon *chili* et copieuses salades pas trop chères. A midi, quelques *specials : flounder* (limande) *stuffed with crab meat, beef O'Flaherty, Philadelphia cheese steak sandwich, corned beef and cabbage, duck salad,* etc. De 11 h à 15 h le dimanche, *Irish country brunch*. Tous les jours à 21 h, musique celtique (le dimanche à 19 h 30).
- ***Market Inn :*** 200 E Street SW (et 2nd Street, plan D3). ☎ 554-2100. M. : Federal Center. Descendez 3rd Street, puis tournez à gauche dans E Street. Ouvert jusqu'à 23 h 15 (le week-end, minuit). Un peu excentré, coincé qu'il est entre la voie de chemin de fer et les bouchers en gros. Un bon resto de *seafood* avec, surtout, un superbe cadre et une sympathique ambiance cosy, les meilleures tables étant autour du piano, dans le bar (sous l'œil tendre et le sein rose de Marilyn sur son célèbre calendrier). En vous baladant, vous constaterez d'ailleurs combien les thèmes et illustrations des salles sont différents. Largement sur le sport, notamment sur le base-ball et le football américain. Vieilles photos intéressantes. C'est évidemment moins cher le midi et plus relax. « Luncheon menu » servi de 11 h à 16 h du lundi au vendredi. On peut surfer sans trop de problèmes sur les prix. Cohorte de sandwiches assez élaborés, salades, quiches, soupes (ah, la *New England clam chowder !*). Le soir, c'est un restaurant de sortie. Réservation très conseillée. Pour les amateurs de fruits de mer, différentes combinaisons de plateaux *(lobster seafood platter, mariner's platter, New England clam bake...),* et puis les coquilles Saint-Jacques sautées ou au gratin, steak de poisson grillé (espadon, thon, saumon), *blackened redfish* (recette cajun), et encore le *Mandi's Grand Slam* (filet mignon et queue de langouste), etc. Le samedi et le dimanche, « New Orleans jazz brunch » de 10 h 30 à 14 h 30.
- ***Hogate's :*** 9th et Maine SW (plan C3). ☎ 484-6300. M. : L'Enfant Plaza. Ouvert de 11 h à 15 h du lundi au samedi et le soir jusqu'à 23 h. Dimanche, de 12 h à 22 h. Immense resto, assez chic d'allure. Spécialités de poisson : *mariner platter* ou le *New England clam bake, clam chowder,* poisson frais du jour avec l'origine (ex. : mahi-mahi d'Hawaii, halibut d'Alaska, truite arc-en-ciel de l'Idaho, etc.). « Specials » à midi à prix modérés. Terrasse très agréable sur la rivière aux beaux jours.
- ***700 Water Street :*** 700 Water Street SW. ☎ 554-7320. A côté et aussi grand que le précédent. Élégant décor agrémenté de belles photos du vieux Washington. Beaucoup de poisson à la carte : *blackened redfish, shrimp and scallops over pasta Mornay,* thon grillé, etc. De 16 h à 20 h, boissons à prix modérés et buffet gratuit. Le dimanche, « Bourbon Street Buffet » de 10 h à 13 h : champagne, *spiced shrimps, muffins,* spécialités cajun, nombreux gâteaux.

Dans le même édifice, ***El Torito,*** resto mexicain correct. Cadre agréable.
- ***Center Café and Union Station Oyster Bar :*** au centre de l'immense hall de Union Station. Ouvert jusqu'à 22 h 30 (week-end jusqu'à minuit). Façon originale de se restaurer (surtout au « premier étage ») au milieu des plantes vertes avec l'époustouflant décor autour. Salade, *quesadillas*, sandwiches, lasagne aux épinards, poulet à l'orientale, *blue corn enchilada, nantucket clam chowder.*

## Très chic

- ***American Harvest :*** 1400 M Street (Thomas Circle, plan B-C1). ☎ 429-1700. M. : McPherson. Ouvert à midi du mardi au vendredi, et le soir du lundi au samedi. Fermé le dimanche. Hautement conseillé de réserver. C'est le restaurant du *Vista International Hotel.* Rien que l'arrivée dans le magnifique atrium de l'hôtel est un plaisir grandiose. Salles du resto ayant repris la fine décoration intérieure des mansions de Georgetown, avec jolis tableaux et meubles américains. L'originalité de la cuisine de l'American Harvest est de faire venir au bon moment ce qui est frais de chaque État des États-Unis. Si les brocolis se cueillent en mars en Californie, ils se retrouveront systématiquement à cette époque sur votre table. En août, au moment de la récolte du *sweet corn,* apparaîtra au menu le fameux *vineyard green corn pudding,* etc. Une véritable vitrine de la cuisine américaine en quelque sorte ! De plus, prix encore raisonnables eu égard au standing de l'établissement.

## *DANS LE QUARTIER DE DUPONT CIRCLE*

Quartier sympa et branché (plan C1). On y trouve aussi pas mal de lieux homos. Grand choix de restos. Descendre au métro Dupont Circle d'où l'on rayonne.

### Bon marché

- ***Kramerbooks & Afterwords :*** 1517 Connecticut Avenue NW (au coin de Q Street). ☎ 387-1462. Ouvert tous les jours jusqu'à 1 h (vendredi et samedi toute la nuit). Avant tout, une grande librairie particulièrement bien fournie. Bar pour grignoter snacks, burgers et salades. Bons petits vins californiens et excellents cappuccino. Salle avec mezzanine derrière où l'on peut commander à toute heure moult plats aussi bons et copieux les uns que les autres. Goûtez aux *nacho* et *guacamole platter* pour deux, *fettuccine Roberto, quesadillas, Cajun shrimps,* etc. Bonne atmosphère pour napper le tout.

### Prix moyens

- ***The Child Harold Upstairs :*** 1610 20th Street NW. ☎ 483-6700. A l'intersection de Connecticut Ave. A 100 m du métro Dupont Circle. Ouvert tous les jours de 11 h 30 à 14 h et le soir jusqu'à minuit. Pub ouvert le week-end jusqu'à 2 h. Brunch le dimanche de 10 h à 16 h. Terrasse. Prodigue une cuisine fameuse depuis 25 ans. Goûtez aux moules farcies à la provençale, à la salade d'avocat, au saumon à la hollandaise, aux *chicken parmesan*, pâtes, salades. Quelques spécialités comme le veau Madagascar au homard, calmars, une douzaine de burgers, *crab cakes*, etc.

### Plus chic

- ***Tabard Inn :*** 1739 N Street NW. ☎ 833-2668. M. : Dupont Circle. C'est le restaurant de l'un de nos meilleurs hôtels chic. Très populaire aussi pour y manger. Cadre vieillot agréable. Carte pas très longue, mais bons petits plats comme le saumon grillé, le *pork and beef Tenderloin chili* ou le *pan Asian seafood stew*. Excellents desserts. Le midi, burgers, sandwichs et salades à prix très abordables. Fraîcheur garantie : légumes frais longtemps achetés dans les fermes autour de Washington et provenant aujourd'hui de la ferme acquise par l'hôtel.

### Très, très chic

- ***The Jockey Club :*** 2100 Massachusetts Ave. NW (et 21st Street). ☎ 659-8000. M. : Dupont Circle. C'est le restaurant du Ritz-Carlton. Cadre, bien entendu, hyper élégant et sophistiqué, service hors pair, etc. Le midi, prix à peu près raisonnables si on choisit dans les salades, la *cold selection* et les plats les moins chers. Entre autres, le traditionnel *chicken pot pie,* le steak tartare, le saumon norvégien grillé, etc. On trouve même une petite carte « Fitness cuisine » (avec le nombre de calories par plat). Le soir, plus cher et clientèle très chicos (cravate obligatoire).

## *DANS LE QUARTIER DE ADAMS MORGAN*

Délimité par Columbia Rd et Florida Ave., avec 18th Street comme axe central. Ancien quartier résidentiel qui tomba naguère et qui connaît aujourd'hui un formidable *revival.* Quartier multi-ethnique et culturel investi par artistes, écrivains, profs, avocats, humanistes et marginaux de tout poil (et, inévitablement déjà, quelques yuppies !).
Pour s'y rendre, métro Woodley Park Zoo (direction Shady Grove). Prendre Calvert Street et traverser le Duke Ellington Bridge.
Ça vibre rudement et vous y ferez surtout connaissance avec les cuisines éthiopienne, érythréenne, mexicaine et sud-américaine. Il s'ouvre un resto par semaine. Vaste choix donc. Sans compter les bars et les boutiques originales.

## Bon marché

• ***El Tamarino :*** 1785 Florida Ave. NW (et 18th Street). ☎ 328-3660. A 9 blocs au nord de Dupont Circle. Ouvert tous les jours jusqu'à 3 h. Grande salle bourdonnante pour une très bonne cuisine salvadorienne et mexicaine. Cadre assez banal, mais atmosphère toujours animée et accueil sympa. Goûter aux classiques, bien sûr, *guacamole, nachos, ceviche, quesadilla, sopa de mandongo* (soupe de tripes), les *beef chimichanga* ou *burrito,* la pizza mexicaine. Plats salvadoriens : *platanos fritos* (bananes frites à la crème), *tamal de pollo* ou la *combinacion Guanaca,* plat typique de la maison. Prix très modérés.
• ***Red Sea :*** 2463 18th Street (et Columbia Rd). ☎ 483-5000. Ouvert tous les jours de 11 h 30 à minuit. Musique *live* les vendredi et samedi soir. Accueil souriant, déco chaleureuse et clientèle jeune, décontractée, pour une bonne cuisine éthiopienne à prix très modérés. Goûtez au *doro wat* (poulet au citron, oignons, ail et gingembre), au *yebeg watou alecha* (agneau aux poivrons rouges ou verts), au *yetsom wat kilikil* (combinaison de 5 légumes), au *zilzil wat* (bœuf au poivron rouge, ail et gingembre), etc. Une excellente soirée garantie !
• ***Thai Taste :*** 2606 Connecticut Ave., NW. M. : Woodley Park Zoo. Juste à la sortie du métro. Ouvert de 11 h 30 à 22 h 30 (23 h vendredi et samedi). Dimanche de 17 h 30 à 22 h 30. Cadre agréable, genre art déco, pour une excellente cuisine thaïlandaise. Quelques spécialités : poulet sauté à l'ail ou au gingembre, crevettes aux asperges, poisson à la vapeur, bonnes soupes, etc.

## Prix moyens

• ***Straits of Malaya :*** 1836 18th Street NW. ☎ 483-1483. Bonne cuisine malaise. Atmosphère tamisée. Aux beaux jours, terrasse agréable au-dessus. Spécialités de *ayam limau purut* (poulet au citron, gingembre et *red chili*), *udang goreng berempah* (crevettes au lait de coco et oignons), *scallops nanas asam* (coquilles Saint-Jacques à l'ananas et carottes avec délicieuse sauce maison), *pohpia* (combinaison de légumes, crevettes et poulet), etc. Service un peu lent cependant.
• ***Perry's :*** 1811 Columbia Road. ☎ 234-6218. M. : Woodley Park Zoo. Ouvert de 18 h à 23 h 30 (vendredi et samedi, 0 h 30). Fermé le dimanche. Au premier étage. Grande salle à la déco assez funky. Clientèle jeune, artiste, un peu frimeuse pour goûter aux excellents *sushis* de la maison. A table ou au bar. Beaucoup de choix. Le « Perry's Sushi platter » possède, comme on dit ici, « a good value ». Intéressant « Perry's Party platter » pour quatre également. Sinon, nombreux plats japonais. Au grill, beaucoup sont bon marché, genre *grilled quail, sea scallops with sweet and sour sauce, grilled Venison strips with cranberry chutney,* etc. Seule la bière Suntory est un peu chère. L'été, terrasse très agréable surplombant la ville.

## Plus chic

• ***Cities :*** 2424 18th Street NW. ☎ 328-7194. Ouvert de 18 h à 23 h 30 (vendredi et samedi, minuit). Fermé le dimanche. Deux grandes salles où, judicieusement, décor et cuisine sont renouvelés tous les six mois sur le thème des villes (genre ville Grèce antique, Bangkok, Rio, Rome, etc.). Atmosphère plaisante, animée, un poil de frime de bon ton. Nourriture correcte et à prix encore acceptables. Possibilité de grignoter au bar. Le week-end, disco au premier étage.
• ***Meskerem :*** 2434 18th Street NW. ☎ 462-4100. Ouvert tous les jours de 17 h à minuit (vendredi, samedi et dimanche ouverture à 12 h). Réservation obligatoire le week-end. Resto éthiopien possédant l'une des meilleures réputations de la ville. Décor élégant et atmosphère un tantinet chicos. Prix cependant très raisonnables. Excellentes spécialités : le *kitfo* (bœuf en lamelles servi cru avec mitmita et beurre), le *meskerem Tibbs* (agneau sauté aux oignons et chili vert), et, pour commencer, les *sambusa* (fruits de mer farcis au bœuf, herbes et piments), le *yerodo alicha* (poulet en sauce aux œufs), le *gored-gored* (morceaux de viande découpés en cubes). Nombreux plats végétariens et salades.

### *AU NORD DE DOWNTOWN*

## Très bon marché

Intéressant de faire un tour dans ce coin de Florida Avenue, quartier noir assez pauvre. L'envers de l'arrogant Downtown gentrifié et du *clean* et élégant

Georgetown. Ceux qui demeurent à l'A.J. n'ont qu'à saisir un bus qui remonte 11th Street, ou alors treize petits blocs à pied. Petite balade sociologique ensuite : redescendre Florida Avenue jusqu'au quartier de Adams Morgan, à dix blocs environ. A l'arrivée, vous constaterez combien, en deux rues, on change radicalement de quartier.

• ***Florida Avenue Grill :*** 1100 Florida Avenue NW (au coin de 11th Street). ☎ 265-1586. Ouvert de 6 h à 21 h, sauf le dimanche. Avant tout, un resto pour le petit déjeuner et le lunch. C'est l'un des derniers vrais *diners* où s'arrêtent, depuis 1944, *trucks* et chauffeurs de taxi. Déco d'origine. Long comptoir en Formica usé où se serrent, sur des tabourets plastique et aluminium, bandes de jeunes Noirs du coin, cols bleus et cols blancs. Au nombre de photos accrochées au mur, vous n'êtes pas la première personnalité à mettre les pieds ici. Nourriture *Southern,* probablement la meilleure de la ville dans le genre plats simples (et servis abondamment). Populaire *corn beef hash* pour le petit déjeuner. Comme plats : le *roast beef* (avec *cornbread dressing*), le *beef liver and oignons,* filet de poisson frais (le vendredi), les pieds de cochon (le samedi), etc. Délicieux *cornbread muffins* (mais comme ils sont tout frais, ils partent vite !). Pas de boissons alcoolisées.

## A GEORGETOWN

Une pépinière incroyable de restos. A la limite, presque inutile de vous en indiquer. Comme à Adams Morgans, animation de rue garantie. Voici tout de même quelques adresses sympa.

### Bon marché à prix moyens

• ***The American Café :*** 1211 NW Wisconsin Avenue. Entre M et N Streets (plan A1). ☎ 944-9464. Ouvert tous les jours jusqu'à 3 h. Un classique du circuit branché. Plastique, plantes vertes, néons rouges. Une décoration *high tech* pas trop réfrigérante pour une nourriture sans problèmes. Sandwiches copieux, grande variété de salades et de desserts, plus les *today's specials : Caribbean spiced chicken, pasta (all american spaghetti and meat balls, tortellini Venice,* etc.).

• ***Geppetto :*** 2917 M Street NW. ☎ 333-2602. Ouvert du lundi au jeudi de 12 h à 23 h (vendredi et samedi 0 h 30, et dimanche de 16 h à 23 h). Atmosphère tranquille. Déco rustique et cheminée de brique. Clientèle jeune et étudiante bien sûr. Bonne ambiance, cuisine très correcte et pizzas réputées. Les Italiens de Washington eurent bien du mal à croire que le cuistot n'était pas des leurs. *Ricotta cheese cake* à goûter absolument. Prix un peu plus élevés le soir.

• ***Café La Ruche :*** 1039 31st Street. ☎ 965-2684. Ouvert du lundi au vendredi de 11 h 30 à minuit. Le samedi à partir de 10 h, et le dimanche jusqu'à 23 h 30. Le week-end, brunch de 10 h à 15 h. Pour ceux (celles) qui baguenaudent le long des croquignolettes écluses, une halte bien rafraîchissante. Intérieur *clean* et agréable, plantes vertes, fleurs sur les tables. Terrasse même. Salades consistantes, quiches, broccolis au gratin, escargots aux champignons, croque New Yorker, petits plats légers pour le midi. Réputé pour ses bons desserts. Le soir : poulet à l'ail, mahi-mahi au four (poisson), *spiced shrimps.*

• ***Artie's Harbor Deli Café :*** 3050 K Street. L'occasion, avant tout, de visiter le nouveau complexe architectural du « Washington Harbor ». On y trouve cette grande cafétéria sans originalité particulière, réfrigérée, bien accueillante par grosse chaleur. Ouvert de 7 h à 19 h (samedi et dimanche de 11 h à 18 h). Bons snacks et grosses glaces fondantes.

### Prix moyens

• ***Clyde's :*** 3236 M Street NW. ☎ 333-9180. Ouvert du lundi au vendredi de 7 h 30 à 23 h 30 (1 h samedi et dimanche). Bon brunch le week-end de 9 h à 16 h. Assez « in » désormais, et complètement colonisé par l'*upper middle class* (profs, avocats, etc.). Deux salles : atrium, plantes grasses, clarté pour les uns, vieux tableaux, nappes à carreaux et douce pénombre pour les autres. Même choix, en revanche, pour les salades, pâtes, viandes, *B-B-Q ribs,* etc. *Sunday brunch.* En semaine, de 16 h à 19 h, « Afternoon Delight » (petits plats pas chers du tout). Le soir : *New York strip steak, Maryland lump crabe cakes, broiled salmon.* Notez au passage la vieille machine à café italienne en cuivre.

• ***Au Pied de Cochon :*** 1335 Wisconsin Ave. (et Dumbarton). Ouvert tous les jours jusque tard dans la nuit. Grande salle haute de plafond. Murs couverts de photos. Café, brasserie et bar qui a trouvé son style. Atmosphère relax, *easy-going.* Pour les nostalgiques de la cuisine française : coq au vin, *beef burgundy,* cassoulet toulousain, mais aussi saumon poché à la hollandaise, *grouper saute* style cajun, *paella valenciana,* etc. Une cuisine bonne et éclectique. Pour les petites faims, les salades, les quiches et les omelettes pas chères (servies avec ratatouille). Belle carte de vins et, surtout, des petits crus à prix fort raisonnables pour le coin (blanc de blanc charentais, sauvignon Carusmont du Cher, etc., entre 10 et 13 $ la bouteille).

Plus chic

- ***Paolo's :*** 1303 Wisconsin Ave. ☎ 333-7353. Ouvert jusqu'à minuit. Genre grande brasserie comme chez nous, de style italo-californien (comme on dit ici) avec des cuistots noirs et des serveuses asiatiques. Cadre assez sophistiqué (bois, glaces teintées, fleurs et tables de marbre), clientèle *trendy* bavarde, voire rugissante. Atmosphère décontractée donc. Ici, on prend un petit blanc de la Napa Valley ou une bière avec des snacks. Mais on y mange aussi étonnamment bien. Nourriture pas bâclée du tout et moins chère finalement que le cadre ne le laisse supposer. Réputé pour ses *pastas,* pizzas et viandes (*beef tournedos gerarda, mixed grill, nature white veal,* etc.).

## Où descendre une vieille Bud ? Où sortir ?

### *A GEORGETOWN*

C'est ici avant tout que ça se passe ! Par définition. Avec ses dizaines de milliers d'étudiants, Georgetown se devait d'aligner un nombre incroyable de lieux, aussi divers les uns que les autres, pour boire, écouter du rock et « cruiser ». Tout s'ordonne sur M et Wisconsin.

– ***Bayou :*** 3135 K Street. ☎ 333-2897. Boîte de rock et de blues traditionnelle. Un à deux concerts par soir avec des groupes d'excellente qualité. Clientèle jeune, zone et étudiante mélangée.
– ***Champions :*** 1206 Wisconsin Avenue NW. ☎ 965-4005. Au fond d'une impasse. Ouvert jusqu'à 2 h (vendredi et samedi, 3 h). Pour nos lecteurs sportifs, un immense pub entièrement axé sur le sport. Bien sûr, décoration et illustrations uniquement sur le sujet. Atmosphère assez macho, vous vous en doutez, mais on y trouve un maximum de filles (masos, bien entendu !). Il y a souvent la queue pour entrer. Monter au 1$^{er}$ étage, ambiance d'enfer. Des télés retransmettent les matches de basket. Décor très original. On y trouve de tout, même une voiture de sport avec Reagan dedans.
– ***Garrett's :*** 3003 M Street. Ouvert tous les jours jusqu'à 2 h (3 h le week-end). Au rez-de-chaussée, la grande foule. Au 1$^{er}$ étage, deux salles. Plus de place, mais autant de monde et c'est franchement plus *trendy.* Belles estampes et posters sur le thème du chemin de fer. Pour nos lecteurs un peu snobs. Petite salle de restaurant au premier étage.
– ***The Saloon :*** 3239 M Street NW. ☎ 338-4900. Ferme à 1 h 30. On y écoute du jazz de très bonne qualité. L'endroit n'est pas très grand mais l'ambiance est sympa, et la bière ne coûte pas cher (une soixantaine de sortes). Décor assez chaleureux (bois, brique et tiffanies). Possibilité de grignoter sandwiches, Saloon munchies, burgers, salades, etc. Le samedi après-midi, jazz de 16 h à 20 h.
– ***Mister Smith :*** 3104 M Street (et NW 31st Street). ☎ 333-3104. Ce lieu vraiment accueillant est ouvert tous les jours de l'année (sauf celui de l'anniversaire du patron) de 14 h à 2 h. Décoration incitant à la tendresse et l'intimité. Piano dans un coin. Beaux vitraux. Jardinet fleuri sous verrière offrant son cadre reposant. Consommations cependant assez chères. Possibilité d'y manger. Au 2$^{e}$ étage, spectacle le vendredi et le samedi à 21 h (sans supplément). Menu amusant sous forme de journal.

### *DANS DOWNTOWN, ADAMS MORGAN ET DUPONT CIRCLE*

– ***D.C. Space :*** 7th Street et E Street. ☎ 347-4960. Pour les « Dinner Theatre Reservations » : ☎ 347-1445. M. : Gallery Place. L'espace culturel et musical le plus intéressant de Washington. Installé dans un immeuble ancien du Down-

town. L'excellent programme qu'il propose, allié à la bagarre qu'il mène pour résister à la tornade immobilière qui ravage le quartier, vous garantissent un maximum de bonnes vibrations. Bar sympa et plusieurs salles. Théâtre vers 19 h. Concerts de blues, rock et jazz à 21 h. Le mercredi, « early jazz » à 18 h 30. Vendredi et samedi, concerts à 23 h. Plus, de temps à autre, danse, poésie, etc.
– ***9:30 :*** Atlantic Building, 930 F Street NW. Dans le Downtown. Pour les concerts : ☎ 1-800-448-9009. Infos : ☎ 393-0930. M. : Gallery Place ou Archives. Bar-boîte qui tente de résister dans un immeuble du centre ville en pleine opération immobilière. On les donnait pour morts l'année dernière, mais toujours debout et plein d'énergie. Vidéo dans les salles qui retransmettent des concerts. Parfois quelques groupes *live*. *Happy hours* le vendredi à 16 h.
– ***Le Lautrec :*** 2431 18th Street (entre Kalorama Street et Columbia Road). ☎ 265-6436. Dans Adams Morgan. M. : Woodley Park Zoo. Café à l'atmosphère assez chaleureuse. Jazz quasiment tous les soirs (avec *minimum charge* de 6 $).
– ***Millie and Als :*** 2440 18th Street. ☎ DU 7-9752. Ouvert de 16 h à 2 h, samedi de 12 h à 3 h. Essentiellement pour boire un verre. Sombre à souhait, bois verni, lumières tamisées, juke sixties avec de bons *oldies :* Bobby Darrin (Mack the Knife), Fats Domino, vieux Dylan, etc. Clientèle locale bruyante. Possibilité de grignoter sur le pouce de bonnes pizzas et de gros sandwiches.
– ***Le Kilimandjaro :*** 1724 California Street. ☎ 483-3727 et 328-3838. Rue donnant sur 18th Street. Dans Adams Morgan. M. : Dupont Circle (et 15 mn à pied). La meilleure boîte de reggae. En général, superbe atmosphère. Entrée à prix très modéré en semaine. Possibilité de s'y restaurer. Excellents concerts et fêtes caraïbes.
– ***Hazel's :*** 1834 Columbia Road NW. Pratiquement à l'intersection avec 18th. Dans Adams Morgan. ☎ 462-0415. Concerts de jazz et blues dans ce petit resto de Southern cuisine à l'atmosphère intime. Mercredi et jeudi à 20 h 30, vendredi et samedi à 21 h 30. Recommandé de réserver.

## Les « lobbies »

Ces groupes de pression qui fréquentent les couloirs (d'où leur nom) du Congrès ou du Sénat sont une spécificité de la politique américaine. Chaque lobby représente un ou plusieurs intérêts : syndicat des boissons gazeuses, des fabricants de cigarettes, des pétroliers... Mais les plus célèbres et les plus puissants restent le lobby juif et le lobby des marchands d'armes à feu.
Dès qu'une question discutée par les Chambres concerne un ou plusieurs lobbies, ceux-ci mettent en branle toute une campagne de relations publiques, voire une véritable machine de guerre pour convaincre les parlementaires de voter du « bon côté ». On dit que, pour le vote concernant l'interdiction de la publicité télévisée des cigarettes, le lobby concerné avait réuni une pétition de plusieurs millions de signatures en moins d'une semaine. Pour cela, on imagine facilement le personnel, les fichiers gigantesques, voire les ordinateurs, utilisés par ces groupes de pression.
Ces centaines de gens, dont le rôle est de « travailler » les parlementaires, sont connus et vivent à ciel ouvert. Après tout, ce système comporte un avantage : ils informent sénateurs et représentants des rumeurs et opinion publiques. Même si les lobbystes américains ne sont pas toujours au-dessus de tout soupçon (on se souvient des pots-de-vin sud-coréens), n'oublions pas que ce système existe aussi en France. Seulement, chez nous, les lobbies sont occultes et on ne sait pas qui les rémunère.

## Les quartiers principaux

### *GEORGETOWN*

Le quartier historique de Washington (plan A-B1). Un peu décentré, mais très intéressant. A côté des maisons d'habitation anciennes, restaurées à grands frais, on trouve des magasins de luxe, des boutiques et des restaurants chic. Le

croiriez-vous, c'est un ancien quartier noir reconquis par les Blancs. Pour y aller, pas de métro. Prenez les bus pairs de 30 à 38 devant la Maison-Blanche. Ou bien descendez à Foggy Bottom et remontez à pied (10 mn) Pennsylvania Avenue. Le centre de Georgetown est à l'intersection de Wisconsin Avenue et de M Street. On y trouve quand même des petites boutiques et des restos pas trop chers. Allez-y aussi le soir pour sa vie nocturne extrêmement animée (et carrément démente le week-end). Pour les poètes urbains, une balade qu'on ne pensait pas possible dans une grande métropole. Si vous abordez Georgetown par le sud, au niveau de 30th Street, jetez un œil sur le *Washington Harbor,* un tout nouveau complexe commercial édifié le long du Potomac. Architecture intéressante, bassins avec jets d'eau, galeries avec boutiques de luxe, etc.
En remontant 30th Street, vous croiserez un charmant canal avec voies piétonnes sur berge et quelques écluses antiques. Quartier adorable.
Au 3051 M Street, possibilité de visiter l'*Old Stone House,* l'une des maisons les plus anciennes de Washington (1765). Ouverte du mercredi au dimanche de 9 h 30 à 17 h. En remontant vers R Street, vous flânerez dans la partie la plus résidentielle de Georgetown et croiserez *Oak Hill Cemetery.* Délicieusement vallonné vers Rock Creek (entrée au bout de 30th Street). L'un des plus vieux et romantiques cimetières de la ville (1844). Ouvert de 9 h à 16 h 30, sauf week-end et jours fériés. Nombreux mausolées et tombes anciennes dans un environnement bucolique. A côté s'étendent les *Dumbarton Oaks Gardens,* de superbes jardins en terrasses. Maison construite en 1801 et qui abrite une petite collection d'art byzantin et précolombien. Ouvert de 14 h à 16 h 30. Fermé le lundi et les mois d'été. Entrée payante. Jardins ouverts tous les jours de 14 h à 18 h (17 h de novembre à mars).

### DUPONT CIRCLE ET ADAMS MORGAN

Autour de Dupont Circle et sur Connecticut Avenue, un maximum de restos, cafés et boîtes (voir « Où manger ? »). Vers le nord-ouest, Massachusetts Avenue prend le nom d'*Embassy Row.* Plus d'une centaine d'ambassades s'y alignent. En remontant New Hampshire Avenue, puis 18th Street, on aborde *Adams Morgan,* un nouveau quartier ethnique qui se développe très rapidement. Mélange sympa d'artistes, margeos, bohèmes de tout poil, avec une forte communauté hispanique. Ils ont su insuffler une atmosphère bien particulière à ce quartier qui a pris plein de couleurs. Librairies, boutiques de toutes sortes, restos (éthiopiens pour la plupart) s'égrènent le long de 18th Street, de Florida Avenue à Columbia Road. C'est un quartier tellement sympa que les yuppies pointent évidemment leur nez.

### OLD DOWNTOWN

C'est tout le territoire s'étendant à l'est de 14th Street, compris dans un triangle formé par Pennsylvania Avenue et New York Avenue et qui connaît, à l'heure actuelle, un profond bouleversement architectural. 14th Street fut longtemps une sorte de frontière marquant le quartier des administrations et des grands hôtels. Au-delà s'étendait un quartier pauvre, principalement habité par les Noirs. Les visiteurs, longtemps, s'étonnèrent de la présence d'un *Red light district* autour de 14th Street, à deux pas de la Maison-Blanche. L'origine remonte à la guerre de Sécession, lorsque des milliers de soldats nordistes campaient dans Washington, aux abords de la Maison-Blanche. Ils attirèrent, bien entendu, des légions d'Irma la Douce. Pour éviter la pagaille, le général Hooker tenta d'organiser le commerce sexuel, en ouvrant et en concentrant ici des bordels. Le coin fut surnommé « Hooker's District », puis « Hooker's ». Pour finir, *a hooker* prit le sens de « prostituée ». Le mot passa à la postérité en enrichissant le *slang* (argot américain).
Lorsque vous lirez ces lignes, tout le secteur autour de Pennsylvania Avenue sera toujours en pleine restructuration. Destruction de *slums* (taudis), d'immeubles *derelict* (abandonnés), d'entrepôts, de logements délabrés, rénovation des édifices du XIX$^{e}$ siècle les plus significatifs continuent de plus belle. Gigantesques dents creuses transformées en parking. Buildings d'affaires et nouveaux grands magasins poussent comme des champignons. C'est le président Kennedy qui donna le coup d'envoi de la réhabilitation du quartier

pour parachever l'œuvre de L'Enfant (lire, ci-dessous, « Le Mall » dans « A voir »). Bien sûr, dans cette histoire, l'inévitable et féroce spéculation immobilière bat son plein. Des centaines de petits commerces traditionnels ferment, d'autres connaissent d'himalayesques augmentations de loyer (plus-value oblige), et le quartier subit une véritable hémorragie de population.
Au coin de 9th et G Streets, vous trouverez la seule œuvre à Washington du grand architecte Mies Van der Rohe : la *Martin Luther King Library.*

### *AUTOUR DE CHINATOWN ET JUSQU'A 2nd STREET*

C'est le vrai blitz. Tout est subordonné au développement du *Convention Center.* Chinatown s'ouvre, au carrefour de H et 8th Streets, par la classique porte triomphale en forme de pagode (M. : Gallery Place). Le quartier est, pour le moment, loin de posséder le charme et l'homogénéité des autres Chinatown américaines. La nuit, hors de H Street, ce n'est pas trop sûr. Une curiosité : à côté du resto *Big Wong* (610 H Street) s'élève un vieil immeuble où se tint le complot pour assassiner Lincoln.

### *EAST CAPITOL*

C'est un quartier s'étendant du Capitol au Lincoln Park (et au-delà). Pour les promeneurs impénitents et qui possèdent un peu de temps, balade agréable. Ça ressemble beaucoup à ce que put être Georgetown il y a 30 ou 40 ans. Ancien quartier noir dans une phase de reconquête par les Blancs. Superbes maisons, hôtels particuliers avec de beaux jardins sauvages. Les rues ne possèdent pas encore le côté trop bien léché de Georgetown et accrochent encore le regard par des détails insolites.
Les grands quartiers noirs pauvres sont désormais *Anacostia,* au sud-est (de l'autre côté de l'Anacostia River), et tout ce qui s'étend à l'est de 14th, à partir de Q Street, en remontant vers le nord.

## A voir

– Assez pratique : le *Tourmobile ticket* qui permet, en une journée, de visiter tous les sites (y compris le cimetière d'Arlington). Possibilité de monter et descendre à n'importe quel arrêt (le ticket s'achète auprès du conducteur). Plusieurs tours et combinaisons possibles. Les temps d'attente aux arrêts sont parfois longs. Fonctionne de 9 h à 18 h 30, du 15 juin au Labor Day (16 h 30 le reste de l'année). Renseignements : ☎ 554-7020.

▸ ***Le Mall :*** nom donné aux 3,5 km de verdure et de monuments qui séparent le Capitole du fleuve Potomac ; on y trouve plein de choses comme la Maison-Blanche, le Lincoln Memorial, le Capitole et, surtout, la Smithsonian Institution, ensemble de musées superbes et gratuits. C'est l'architecte parisien Pierre-Charles L'Enfant qui conçut le plan d'urbanisme de Washington. Il vit très grand pour l'époque, mais disait que le projet devait être assez ambitieux pour prévoir les agrandissements et adjonctions qu'impliquerait nécessairement la croissance de l'Amérique. La guerre anglo-américaine de 1812, qui fit des ravages dans la capitale, enterra malheureusement ce projet. L'Enfant mourut dans l'amertume et le plus extrême dénuement et fut enterré au cimetière des pauvres. La guerre de Sécession et la révolution industrielle ayant redonné une importance énorme à la ville, il fallut à nouveau envisager un schéma directeur de construction. Bien sûr, on exhuma le plan de L'Enfant, tellement d'actualité. Du coup, les restes du génial architecte furent ramenés avec les honneurs au cimetière national d'Arlington. Il n'est jamais trop tard pour bien faire !

▸ ***La Maison-Blanche :*** 1600 Pennsylvania Avenue NW (plan D2). ☎ 456-2200. On peut visiter le matin seulement de 10 h à 12 h, du mardi au samedi. Fermée les dimanche et lundi. Ils ont installé un système de tickets à prendre à l'avance et ça évite les heures d'attente : on est convoqué pour la visite à une heure fixée à l'avance. S'adresser au Ellipse Booth de 8 h à midi (de fin mai au Labor Day).
L'architecte qui l'a construite s'est entièrement inspiré du château de Rastignac, en Périgord. Il y en a qui ne se gênent pas ! En partant, n'oubliez pas de serrer la

main au locataire. Cela lui fera plaisir. Incendiée en 1814, lors de la guerre contre l'Angleterre, la Maison-Blanche doit son surnom au badigeon de peinture blanche que l'on passa alors sur les murs calcinés. On précise quand même que la visite est plutôt décevante. Courte balade dans 15 des 132 pièces de l'édifice. Ne vous attendez pas à trouver des merveilles : on voit un bout de bureau avec un cendrier.
Côté nord de la Maison-Blanche s'étend le *Lafayette Square,* baptisé ainsi après le retour triomphal du marquis en 1824. Au milieu, Andrew Jackson (la première statue équestre réalisée en Amérique). Les étrangers, héros de la révolution américaine, lui tiennent compagnie : La Fayette, bien sûr, Rochambeau, F.W. von Steuben (qui entraîna militairement une partie de l'armée), etc.

▸ ***Washington Monument :*** National Mall (et 15th Street NW, plan D3). ☎ 426-6841. Ouvert tous les jours d'avril au Labor Day, de 8 h jusqu'à minuit. Gratuit. Arrivez de bonne heure pour éviter de trop faire la queue. Impossible de louper la plus haute structure de maçonnerie pure du monde (près de 170 m de haut), élevée aux alentours de 1885 en l'honneur du premier président des États-Unis. Son achèvement dura en fait plusieurs années, ce qui explique les différences de tons de peinture sur la façade. Du sommet, bien sûr, superbe vue.

▸ ***Lincoln Memorial :*** dans le W Potomac et 23rd Street NW ; plan C3). ☎ 426-6841. Ouvert tous les jours 24 h sur 24. Monument qui abrite l'imposante statue de Lincoln, sculptée dans vingt blocs de marbre et haute de 6 m.

▸ ***Vietnam Veterans Memorial :*** Constitution Avenue (entre Henry Bacon Drive et 21st Street, plan C2). ☎ 426-6841. M. : Foggy Bottom. Toujours ouvert. Ce monument, inauguré en 1982, a la forme d'un immense V de granit noir enfoncé comme un coin dans la terre et sur lequel sont gravés les noms des 58 022 victimes de la guerre du Viêt-nam. La simplicité, le dépouillement architectural du monument produisent une impression, une émotion profondes. On ne voit plus que ces noms inscrits par ordre chronologique. C'est une jeune architecte de 21 ans, Maya Lin, qui remporta le concours devant plus de 1 400 concurrents. Bien sûr, cette architecture insolite, vraiment peu conventionnelle pour un monument aux morts, suscita l'hostilité des conservateurs de tout poil. Aussi, pour les apaiser, un autre sculpteur réalisa-t-il une autre œuvre, dans le plus pur style John Wayne ou Chuck Norris. Mais ces trois soldats de bronze, par leur conformisme d'exécution, ne font que révéler encore plus la tragique et émouvante pudeur de l'autre monument.

▸ ***National Archives :*** Constitution Avenue NW (7th et 9th Streets NW). Ouvert du lundi au vendredi de 10 h à 17 h 30. Entrée libre. Abrite les originaux des principaux documents historiques américains : Déclaration d'Indépendance, Constitution, Bill of Rights, etc. En plus, d'autres intéressants documents comme ceux des antifédéralistes qui craignaient un pouvoir central trop fort (déclarations, journaux, etc.). Pétitions contre le « Sedition Act » qui fut supprimé en 1800 (ah ! toujours la tentation autoritaire !). Charte des libertés anglaises de 1297. Plus divers témoignages montrant la progression des idées d'indépendance. En 1792, déjà une pétition contre l'esclavage. Librairie où nos jeunes lecteurs(trices) trouveront des reproductions fort bien faites des documents, billets de banque de l'époque, etc.

▸ ***Le Capitole*** (plan A2) est le siège du Congrès (c'est-à-dire du Sénat et de la Chambre des représentants). Incendié par les Anglais, lors de la guerre de 1812, il fut sauvé de la destruction par un très violent orage. Entrée gratuite. ☎ 225-6827. M. : Capitol South. Ouvert tous les jours de 9 h à 16 h 30 (jusqu'à 22 h, de Pâques au Labor Day). Essayez de voir une délibération du Congrès (attention, vacances en juillet-août). Une chose amusante, la façade principale est tournée vers l'est parce que l'on supposait que la ville allait se développer dans cette direction. C'est pourquoi le Capitole tourne le dos à la partie principale de la ville. Des bus (30 à 38) vous y mènent. On les trouve tout au long de Pennsylvania Avenue. Y voir la rotonde et ses fresques, le hall des Statues (deux pour chaque État), obligé d'honorer ses deux citoyens les plus célèbres, le vieux Sénat rénové, la crypte (ancienne chambre de la Cour suprême). Avant la visite, une personne vous fera un discours en anglais à la fin duquel elle demandera : « Are there any foreign people ? » (« Y a-t-il des étrangers ? »). Lever bien haut le bras et déclinez votre nationalité. Elle recommencera rien que pour vous dans votre langue maternelle !

▶ ***La bibliothèque du Congrès :*** 10 1st Street SE (plan D2). ☎ 287-5458 ou 287-6400, la plus grande des États-Unis. Située à l'est du Capitole. Visite du lundi au vendredi de 8 h 30 à 21 h 30. Samedi à 18 h. Fermée dimanche et jours fériés. Décoration intérieure somptueuse, réalisée par près de cinquante artistes. A voir surtout une bible de Gutenberg de 1455 et le brouillon de la Déclaration d'indépendance écrit par Thomas Jefferson, avec les corrections de Benjamin Franklin. Plus, si vous avez le temps, 80 millions d'autres ouvrages en plus de 450 langues.

▶ ***Union Station :*** Massachusetts Avenue, au nord du Capitole. L'une des plus belles gares du monde. Un chef-d'œuvre type gare centrale d'Helsinki. Conçue par Burham, le célèbre architecte de Chicago. Entièrement rénovée et dont l'architecture a été superbement remise en valeur. On peut à nouveau admirer l'immense hall et sa voûte à caissons dorée. Tout autour, nombreuses boutiques de luxe. Ne pas manquer justement d'aller jeter un œil sur l'*Adirondaks East Hall Shop* pour se délecter de l'odieux et incroyable style nouveau riche de certaines boutiques et de leurs produits. D'autres, en revanche, présentent une petite originalité comme *Political Americana* (☎ 289-7090) où l'on découvre toute une série de gadgets, badges et journaux satiriques liés à la politique américaine.
On y trouve aussi une succursale de *The Nature Company,* magasin entièrement consacré aux productions écolos (assez cher cependant ; un nouveau créneau rentable !). A côté, la monumentale salle des billets avec sa volée d'escaliers, ses boutiques aussi, une cafétéria au sous-sol.

▶ Pour ceux qui ont le temps, possibilité de visiter d'autres choses autour du Capitole : la ***Cour suprême*** (1st et Maryland Avenue NE, ☎ 479-3000). Session des 9 juges, 15 jours par mois, d'octobre à avril. Ouverte du lundi au vendredi de 9 h à 16 h 30 ; la ***Folger Shakespeare Library*** (201 E Capitol Street, ☎ 544-7077) organise des tours du lundi au vendredi de 11 h à 13 h. Une des plus belles collections de manuscrits ; les ***Jardins botaniques*** (1st Street et Maryland Avenue ; ☎ 225-8333) présentent, quant à eux, des collections superbes de plantes exotiques : orchidées, cactées, etc. Ouverts tous les jours de 9 h à 17 h (de juin à août à 21 h).

▶ ***Arlington Cemetery :*** de l'autre côté du Potomac s'étend le plus célèbre cimetière des États-Unis (plan A3). ☎ 692-0931. M. : Arlington Cemetery. Sur plus de 240 ha reposent 175 000 soldats américains. A l'est de la maison Curtis-Lee, une flamme perpétuelle brûle sur la tombe de John Fitzgerald Kennedy. Ouvert de 8 h à 19 h (17 h en hiver).
Un peu avant le cimetière, sur la route 50, s'élève l'une des plus grandes statues en bronze jamais coulées, le *Marine Corps Memorial.* Elle commémore tous les marines morts au combat depuis 1775 et représente les soldats plantant le drapeau américain à Iwo Jiwa en 1945, d'après l'une des plus célèbres photographies du monde.

▶ ***Le Pentagone :*** ☎ 695-1776. M. : Pentagon (plan B4). Ouvert du lundi au vendredi de 9 h à 15 h 30. Gratuit. Quartier général du département de la Défense. C'est le plus grand bâtiment du monde. Sa surface habitable est trois fois plus importante que celle de l'Empire State Building. 7 748 fenêtres ! C'est une véritable ville avec 28 km de couloirs et 22 000 habitants dont les 4/5 sont en uniforme. On montre des photos de personnages célèbres, des maquettes de bombardiers et on vous parachute des tonnes de chiffres complètement inutiles, mais qui réconfortent l'Américain moyen. Il se sent sacrément bien défendu. A visiter par curiosité, mais ce n'est pas vraiment emballant.

▶ ***The Watergate Building :*** 2650 Virginia Avenue NW. Très connu depuis quelque temps. On se demande bien pourquoi, d'autant plus qu'il n'y a rien à voir. A semble-t-il donné naissance à d'autres expressions : « Irangate », « Rainbow Warriorgate », etc.

▶ ***The Old Post-Office :*** Pennsylvania Avenue et 12th Street. ☎ 289-4224. Ouverte de 10 h à 18 h (de 8 h à 23 h 30 d'avril à septembre). Construite à la fin du XIX<sup>e</sup> siècle, elle est aujourd'hui transformée en centre commercial. Il est possible de monter gratuitement en haut de la tour d'où l'on a une vue superbe sur Washington (sans la queue du Washington Monument).

▸ ***Bureau of Engraving and Printing :*** angle 14th Street et C Street (plan C3). ☎ 447-9709. Visite du lundi au vendredi de 9 h à 14 h. Entrée gratuite. Créées en 1862, les presses débitent 7 000 planches à l'heure soit des millions de billets chaque année. Ici, on apprend tout sur le billet vert. Trois étapes importantes ont marqué son histoire. 1792, le dollar est créé sous forme de pièce ; en 1861, le papier-monnaie apparaît en pleine guerre civile ; enfin, en 1929, le dollar prend sa forme, sa couleur et son odeur définitives. Rien ne distingue les billets de 1, 5, 10, 20, 50 ou 100 dollars, sauf le portrait qui y figure en médaillon. Des coupures allant jusqu'à 10 000 dollars ont été émises. C'est en 1955 qu'apparut la mention obligatoire « In God we trust ». Le seul au monde à être imprimé en simple bichromie. On montre comment repérer une contrefaçon, que faire si on a un faux billet entre les mains, quel genre de talent il faut pour l'imprimer.

## Les musées

Par la richesse de ses musées, Washington mérite le détour. Et puis ils sont impeccablement équipés pour les handicapés. On pourrait en prendre de la graine. N'oubliez pas de vous procurer la brochure (gratuite) de la Smithsonian Institution, qui donne des explications sur tous les musées, les horaires, comment y aller... ☎ 357-2700 et 357-2020. Notons qu'ils ouvrent à 10 h et ferment à 17 h et que nombre d'entre eux sont gratuits. En été, certains musées ferment à 19 h, voire à 21 h. Se renseigner.

▸ ***Smithsonian Institution Building :*** 1000 Jefferson Drive SW. ☎ 357-2700. M. : Smithsonian (sortie « Mall »). Le plus ancien des 13 musées du groupe. Appelé familièrement « The Castle ». Il fut achevé en 1855. C'est ici que vous obtiendrez renseignements et brochures les plus complets.

▸ ***Air and Space Museum :*** Independence Avenue, entre 5th et 7th Streets. ☎ 357-1400. Considéré comme le musée le plus populaire et le plus visité du monde... Plus de dix millions de visiteurs par an. On y montre le développement de l'aviation, ainsi que le premier avion à moteur qui ait véritablement volé, celui des frères Wright de 1903 (il tint l'air 59 s) et le *Spirit of Saint Louis* avec lequel Lindbergh a traversé l'Atlantique en 1927. Symbole des temps modernes, y est exposée la pierre lunaire qu'*Apollo II* a rapportée sur terre en 1969. Mais le plus intéressant est peut-être le département des vaisseaux spatiaux *(Gemini 4)*, ainsi que des documents et maquettes de la conquête spatiale. On voit aussi différentes fusées *(Atlas, Polaris)* à l'aide desquelles des satellites ont été mis sur orbite. Plusieurs films sur écran gigantesque sont à suivre absolument (notamment *To Fly* et *Living Planet ;* attention, parfois une heure de queue). Les deux films sont payants (tarif étudiant). Également un film très intéressant sur la navette spatiale *Columbia.* Autres spectacles au premier étage, dans le *Albert Einstein Space Airium.* C'est un voyage dans le ciel sur écran circulaire. Des effets spéciaux donnent vraiment l'impression de voyager dans l'espace.

▸ ***National Gallery of Art :*** Constitution Avenue et 6th Street. ☎ 737-4215. Renseignements pour les tours en français : ☎ 842-6246. Ouvert du lundi au samedi de 10 h à 17 h. Le dimanche, de 12 h à 21 h. Dans un immense bâtiment avec une rotonde centrale monumentale, des dizaines de milliers d'œuvres. De la peinture bien entendu, mais aussi sculpture et galeries d'arts décoratifs et ameublement. Si vous commencez par le premier étage et l'aile gauche, en voici les œuvres les plus fortes (et impossible de tout décrire, ça va de soi).

*Aile gauche, premier étage*

• *Salles espagnole et française du XVIII^e^ siècle :* « Don Antonio Noriega » et « la Marquesa de Pontejos » de Goya. Greuze, Chardin, le célèbre « Voltaire » de Houdon, Nathier, Largillière, Van Loo, les « Comédiens italiens » de Watteau, la « Famille heureuse » de Boucher, « Diane et Endymion » et la « Balançoire » de Fragonard, Drouais, Hubert Robert, etc.

• *Salle XIX^e^ siècle :* « Pie VII dans la chapelle Sixtine » d'Ingres, ainsi que « Mme Moitessier ». Superbes portraits d'Élisabeth Vigée-Lebrun. Dans la « Marquise de Pézé », elle annonce déjà Renoir par sa « touch » et sa fraîcheur. Fameux « Napoléon I^er^ » de David.

• *Salle Turner :* une pure merveille ! « Soir de déluge », « La Dogana et S. Maria de la Salute », « L'Approche de Venise » où l'on voit l'évolution du style vers

une épuration totale des lignes, une dilution des contours tendant lentement vers l'abstraction.
• *Le XIX<sup>e</sup> siècle avant les impressionnistes :* Géricault, Millet, Delacroix, Vernet, « Agostina » de Corot, Manet, Daumier, Boudin, Fantin-Latour, le délicieux « Cache-cache » de James-Jacques Tissot, Degas, Courbet.
• *Impressionnistes et autres :* « Petite Fille à l'arrosoir », « L'Odalisque » et « Marie Murer » de Renoir, « Paysanne au chapeau de paille » et « Boulevard des Italiens » de Pissarro. Gauguin, Sisley, Cézanne ; « Rue des Moulins », « Un coin du moulin de la Galette », « Maxime Dethomas » de Toulouse-Lautrec ; « La Loge » de Mary Cassatt ; Berthe Morisot.
• *Salle Monet :* « la Cathédrale de Rouen », « les Communes », « Soleil couchant », etc. Puis le Douanier Rousseau ; « Le Pouldu », « les Baigneuses », « Bretonnes dansant », de Gauguin ; « la Mousmé » de Van Gogh.
• *Salles anglaise et américaine :* Joseph Wright, Gainsborough (remarquable « Mrs Richard Brinsley Sheridan »), Romney, Reynolds, Gilbert Stuart (peintre américain qui exécuta le célèbre portrait de Washington et dont le pinceau exprime une grande humanité). Fantasmes mystiques et flamboyants de Thomas Cole dans le « Voyage de la vie ». « Wappin on Thames » de James McNeill Whistler. Exotisme attrayant de Frederic E. Church. Quelques naïfs intéressants.

*Aile droite, deuxième étage*

• *Primitifs religieux :* « Couronnement de la Vierge » de Paolo Veneziano, Giotto, Daddi, Lippo Memmi, Simone Martini, Duccio, Filippo Lippi. Magnifique « Adoration des mages » de Fra Angelico et Filippo Lippi.
• *École flamande :* « Femme tenant une balance » et « La Fille au chapeau rouge » de Vermeer. « Autoportrait », « Saskia » (la femme de l'artiste), « Lucrétia », « Un Turc », « Noble polonais » de Rembrandt ; Frans Hals, Ruisdael, etc.
• *École italienne :* « Jeune Femme en tricorne » de Tiepolo ; Longhi, Piazzetta, Ricci, « Place Saint-Marc », « Le Quai de la Piazzetta » de Canaletto (et également un superbe paysage, lui qui n'avait peint que des canaux !). « Vue du Rialto » de Guardi. « Saint-Pierre de Rome » de Panini, remarquable trompe-l'œil.
• *Salles hispano-flamandes :* « Noces de Cana » par le Maître des Rois Catholiques, « Crucifixion » de Lucas Cranach le Vieux. Extraordinaire « Baptême du Christ » du Maître du retable de saint Bartholomée ; il faut en détailler la ronde des personnages, le flamboiement, la richesse des détails. « Madonne et Enfant » de Lucas Cranach le Vieux. « Crucifixion » de l'atelier de Hans Mielich (splendide lumière sur la Vierge en costume du XVI<sup>e</sup> siècle) ; Dürer, Holbein le Jeune, Juan de Flandres ; « Marie, reine du Paradis » du Maître de la légende de sainte Lucie (construction rigoureuse, richesse des vêtements et drapés) ; « Portrait de marchand » de Jan Gossaert ; Quentin Metsys, François Clouet ; « La Mort et la Misère » de Jérôme Bosch ; « Homme avec une flèche » de Hans Memling ; « Portrait de Diego de Guevara » de Michel Sittow, Dirck Bouts.
– *Salle le Greco :* « Saint Ildefonso », « Laocoon », « Saint Martin et le mendiant ». Et puis aussi Murillo, Vélasquez, Simon Vouet, le Tintoret, « Madeleine repentante » de Georges de La Tour ; Zurbarán, Claude Lorrain, Poussin, Philippe de Champaigne, etc.

*East Building*

Bien sûr, ne pas manquer l'East Building, le nouveau bâtiment de la National Gallery. Édifiée par Pei, la construction marque un aboutissement dans la recherche architecturale. Comme le musée Guggenheim de New York, l'édifice est aussi important que son contenu. Quand on voit ce chef-d'œuvre, on est fier que M. Pei ait accepté de venir travailler au Louvre. Superbe lumière, volumes fascinants. Cet anti-Beaubourg accueille les œuvres contemporaines que le bâtiment principal gardait dans ses caves, faute de place. Relié également au bâtiment principal par le sous-sol, on y découvre les plus belles œuvres sculpturales. Expos temporaires de célèbres collections. Tirés du fonds permanent, vous y trouverez toujours un ou deux exemplaires fascinants de Robert Rauschenberg, Roy Lichtenstein, Jasper Johns, Andy Warhol, Max Beckmann, Klimt, Max Ernst, Miró, Matisse, etc. L'East Building, notre choc artistique de ces dernières années !
Dans le musée, quatre *cafétérias* proposent des repas bon marché.

▸ ***Museum of American History :*** Constitution Avenue et 14th Street. ☎ 357-1481. Une merveille : tout ce qui a touché ou touche l'Amérique à tous les niveaux. Ainsi voit-on des véhicules de toute sorte, de la diligence de 1848 à la Cadillac de 1903 jusqu'à la gigantesque locomotive « 1401 Charlotte » de la Southern Railways. Des meubles, de l'argenterie, des jouets témoignent de la vie quotidienne pendant l'époque coloniale. Des pièces entières sont reconstituées dans leur aménagement originel : une maison de rondins du Delaware, la bibliothèque d'une maison bourgeoise. On trouve aussi des vêtements des First Ladies de la Maison-Blanche. Des timbres rares, des monnaies et même un billet de banque de 100 000 dollars... Évitez sa cafétéria. Pas terrible.

▶ ***Hirshhorn Museum and Sculpture Garden :*** 7th Street et Independence Avenue. ☎ 357-3235. M. : L'Enfant Plaza. Même si l'on voit ici des peintures de Daumier, il s'agit essentiellement d'art contemporain. Chagall, Cézanne et Rouault voisinent avec Magritte, Bacon et Sutherland. Sculptures de Maillol, Bourdelle, Picasso, Giacometti...

▶ ***Arts and Industries Building :*** à droite du Smithsonian (et à côté du précédent). ☎ 357-1481. On peut y suivre l'évolution des techniques et des machines dans des reconstitutions, parfois naïves, souvent intéressantes. Près de 25 000 objets mis en place dans le style de l'expo de Philadelphie de 1876.

▶ ***Freer Gallery of Arts :*** située à gauche du Castle et de son agréable petit jardin victorien. ☎ 357-2104. Ce musée est consacré aux arts orientaux : Chine, Japon... Voir la célèbre *Peacock Room* de Whistler.

▶ ***National Museum of Natural History :*** 10th Street et Constitution Avenue NW (plan C2-3), à la Smithsonian Institution. ☎ 357-2747. Tout sur l'anthropologie, la géologie et l'archéologie. Possède plus de 60 millions de pièces. Ne craignez rien, elles ne sont pas toutes exposées. Jetez un œil à la *galerie des Pierres précieuses* (à droite en entrant, au 2e étage). Certains « cailloux » sont impressionnants.

▶ ***National Museum of African Art :*** 950 Independence Avenue SW (plan C2-3), à la Smithsonian Institution ☎ 357-2700. Il propose de très intéressantes sections sur la culture et l'art africains. Chaque portrait se révèle quasiment un chef-d'œuvre. Superbe sélection. Notamment l'art du Bénin : fascinantes têtes d'Oba en cuivre. Panneaux avec personnages à sacs en léopard du XVIe siècle, couronnes du Nigeria, statues baga de Guinée, masques bassa. Magnifique porte de palais yoruba, fétiches okéga, émouvants femme et enfant des M'Bembe (Nigeria). Harpe, masques hemba et fétiches songye du Zaïre. Reliquaire kota du Gabon. Trône hébé (Tanzanie). Admirable collection de petites statuettes en bois (Congo). Expos temporaires également.

▶ ***National Portrait Gallery :*** 8th et F Streets. ☎ 357-2700. M. : Gallery Place (sortie 9th et G). Installé dans l'*Old Patent Office Building*, l'un des plus anciens bâtiments publics de Washington, édifié là suivant les plans de L'Enfant. Il y imaginait déjà une sorte de panthéon des personnages illustres. Construit en 1836, pendant le mandat d'Andrew Jackson, en style « greek revival ». Pendant la guerre civile, il fut transformé en hôpital. Imaginé dès la moitié du XIXe siècle, ce musée des portraits ne fut pourtant créé qu'en 1968. Il partage le loyer avec Museum of American Art (entrée sur G Street) dont les collections s'imbriquent parfois avec celles de la Portrait Gallery, au hasard des escaliers et des couloirs. En voici les principales sections.
• *Rez-de-chaussée :* expositions temporaires (souvent photographiques) et cafétéria.
• *Premier étage :* portraits des écrivains et banquiers célèbres : Henry James, John Pierpont Morgan, Rockefeller, Andrew Carnegie, Henry Clay Frick, Edison, Cornelius Vanderbilt, le célèbre « Mary Cassatt » par Degas, « Walt Whitman » par John White Alexander, « Les Hommes de Progrès » de Christian Schussele. Puis tous ceux qui ont laissé leur nom dans l'histoire : Samuel Colt (le fameux pistolet), Charles Goodyear (le pneu), Samuel Morse (le... morse), etc. Beaux portraits de Nathaniel Hawthorne par Emanuel Leutze (ainsi que Henry W. Longfellow). Puis portraits d'artistes, les héros de la révolution américaine. « Autoportrait » de John Singleton Copley et « L'Amérique coloniale ».
• *Salle Auguste Edouart* et ses silhouettes d'Américains célèbres.
• *Salle Washington :* portraits par Rembrandt Peale. Beaux pastels de James Sharples. Puis les hommes politiques modernes : Reagan par Henry C. Casselli, remarquable « Nixon » par Norman Rockwell. « Lincoln » par George P. Alexander Healy. Enfin, « Thomas Jefferson » par Gilbert Stuart, l'un des plus grands peintres américains (et qui mourut dans la misère !).
• *Portraits contemporains :* « Edward Weston » par Peter Krasnov (1925), autoportraits de Thomas Hart Benton (1922) et de Stanton McDonald-Wright

(1951) qui renouvelle le genre. Superbe portrait d'Andy Warhol par James B. Wyeth (1975). Un « Man Ray » bien dans le ton par David Hockney. « Dashiel Hammett » par Edward Biberman (1937).

▸ ***National Museum of American Art :*** 8th et G Streets. ☎ 357-2700. Ouvert tous les jours de 10 h à 17 h. Pour les tours guidés : ☎ 357-3111. Possibilité de visite guidée à 12 h en semaine et à 14 h les samedi et dimanche. Remarquables collections de peinture. La quintessence de l'art américain dans ce domaine. Accès par la National Portrait Gallery également (si c'est pas déjà l'overdose, vu la richesse des deux musées).

• *Portraits de l'ère coloniale :* « Le Rapt d'Hélène par Pâris » de Benjamin West (1776).

• *Premières années de l'indépendance :* « Hermia and Helena » de Washington Allston, le premier peintre romantique, « John Adams » du grand portraitiste Gilbert Stuart, « Mrs Mary and Hannah Murray » de John Trumbull, soldat, diplomate et peintre, et William Page, l'académique...

Belle collection de délicates miniatures, portrait d'un gentleman à New York de George Linen. Œuvres de Joshua Johnson, premier peintre américain d'importance (fin du XVIIIe siècle). « Scène de prison » émouvante de John Adams Elder (1854). Noter le comportement détaché du gardien, le seul qui n'ait pas de lumière. George H. Durrié nous offre une belle atmosphère avec « Scène d'hiver à New Haven ».

De Walter Launt Palmer, remarquable « Forest Interior » (1878) où il exprime bien l'atmosphère lourde, compassée du vieux Sud.

Les « indigènes » se devaient également de nourrir la recherche d'exotisme des peintres : « Firedon » de Frederic Remington, « Young Omahaw » de Charles Bird King, « Feast Day, San Juan Pablo » de William Penhallow Henderson, « Trial of red Jacket » de John Mix Stanley (1869). Galerie avec Catlin, peintre des Indiens (1796-1872).

*Premier étage*

Là aussi, grande richesse de la sélection. « Ruisseau à Greenwich » et « Round Hill Road » de John Henry Twachtman qui peint à la manière de Monet ; Thomas W. Dewing et ses jeunes filles romantiques dans des paysages très dilués ; « Valpareiso Harbor », superbes paysages et scènes de port de James McNeil Whistler ; Child Hassam ; « La Caresse » de Mary Cassatt ; « Interlude » de William S. Kendall ; « Frère et sœur » et « L'Ange » d'Abbott Handerson Thayer. Puis quelques pompiers classiques : William Page, Rembrandt Peale ; « Lac suisse » de Daniel Huntington, l'un des meilleurs paysagistes. « Betty Wertheimer » de John Singer Sargent, là aussi l'un des plus grands peintres américains. Les artistes afro-américains du XIXe siècle proposent d'intéressantes œuvres : « Le Chêne d'Abraham » d'Henry O. Tanner ; « Paysage écossais » de Robert S. Duncanson ; remarquable « Après-midi de septembre » et « Niagara » de George Inness ; « Lumière et ombre » de Winslow Homer. On craque devant la belle robe bleue de « Lilly Martin Spencer ». Paysages flamboyants de Thomas Moran.

*2e étage*

• *Les contemporains :* « Ryder's House » d'Edward Hopper ; Peter Blume ; Reginald Marsh ; puis les peintres de la ville et de la vie industrielle : Millard Sheets, Paul Kelpe, etc. Les abstraits : Morris Kantor, Zorach, « Metropolitan Post » de Joseph Stella.

• *Dans la grande salle :* Franz Kline, Charles Sheeler, Stanton MacDonald-Wright ; « Santo Spirito n° 2 » de George K. Morris ; Stuart David ; « The Wawe » de Willem de Koonig ; « Only One » de Georgia O'Keeffe ; Seymour Lipton ; « Periscope » de Jasper Johns ; « Réservoir » de Robert Rauschemberg ; « Dodges Ridge » d'Andrew Wyeth ; « Waiting Room » de George Tooker ; le fameux « Gens au soleil » d'Edward Hopper ; « City Crowd City » de Robert Birmelin, etc.

▸ ***Corcoran Gallery of Art :*** 17th Street et New York Avenue NW. ☎ 638-3211. Infos par téléphone : 638-1439. M. : Farragut West. Ouvert du mardi au dimanche de 10 h à 16 h 30 (jeudi à 21 h). Fermé les lundi et jours fériés. La plus importante et la plus ancienne des galeries privées de Washington. Collections léguées par William W. Corcoran, banquier de son état et fondateur de la galerie en 1869.

• *Au rez-de-chaussée :* superbe triptyque de l'école de Sienne (XVIe) ; vitraux d'une église de Soissons (XIIIe) ; Frans Hals ; « Portrait de Heinrich Schütz » de

Rembrandt et toiles intéressantes de son école. « Portrait de lady Dunstanville » de Gainsborough ; « Bird's Catchers » de Boucher ; « Madame du Barry » de Marie-Louise Élisabeth Vigée-Lebrun. Reconstitution du salon doré de l'hôtel de Clermont à Paris (XVIII$^e$). « Transport d'ancres » de Turner. Puis Corot, D'Aubigny, Daumier, L'Hermitte, Delacroix, « L'École de ballet » de Degas ; « Vue du cap Martin » de Renoir ; « Le Louvre » de Pissarro ; « Bouleaux à Vétheuil » de Monet, etc.

• *A l'entresol :* « Peter Faneuil » par John Smibert ; « Thomas Amory II » par Copley ; une curieuse « Vie de Jeanne d'Arc » par le peintre symboliste L.M. Boutet de Monvel.

• *Premier étage :* tapisseries du XVI$^e$ siècle ; la peinture américaine du XIX$^e$, les naturalistes, paysagistes divers comme Thomas Cole, Rembrandt Peale, etc. « Mount Corcoran », belle « diapo » d'Albert Bierstadt (1875) ; « Coucher de soleil dans les bois » de George Invess ; « Niagara » de Frederic E. Church (1857) ; « Mrs E. Pailleron » et « Mrs Henry White » par John S. Sargent ; « Pathetic Song » de Thomas Eakins ; « Ground Swell » d'Edward Hopper.

Superbes expositions temporaires annuelles comme la rétrospective « Trois Générations Wyeth » (la famille de peintres la plus douée des États-Unis) et, plus récemment, Morris ainsi que Tony Cragg (sculpteur génial). Corcoran symbolise vraiment la confrontation harmonieuse et complémentaire de l'art moderne avec les XVIII$^e$ et XIX$^e$ siècles !

▶ ***National Museum of Women in the Arts :*** 1250 New York Avenue NW (et 13th Street). ☎ 783-5000. Ouvert de 10 h à 17 h. Le dimanche, de 12 h à 17 h. Fermé pour Thanksgiving, Noël et le Jour de l'An. Il nous faut tout d'abord parler du bâtiment. C'est une élégante construction de 1907 de style « Renaissance Revival ». Ancien siège de la Grande Loge franc-maçonne de Washington, rénové et transformé en musée d'art en 1987. Essentiellement des œuvres de femmes artistes qui n'auraient pas, vu la mysoginie des milieux de la peinture aux États-Unis, trouvé de place dans les musées traditionnels (ou si peu !). C'est vrai par exemple que l'on ne trouve quasiment pas d'œuvres de Lilla Cabot Perry (une merveilleuse impressionniste, grande amie de Monet) dans les musées importants. Et que tant que le talent des femmes sera minoré, il faudra des National Museum of Women in the Arts pour rétablir un semblant d'équilibre et de justice. Tout ça pour vous dire que vous vous préparez à une fascinante descente dans l'art et le talent. Cadre remarquable, à la hauteur des intentions du musée. Admirez le hall principal tout en marbre avec sa double volée d'escaliers à balustres et mezzanine. Sol à figures géométriques polychromes. Les œuvres tournent souvent, mais vous retrouverez régulièrement les artistes qui suivent : Blanche Rothschild (« La Robe de mariée »), Suzanne Valadon (« Fille sur un petit mur »), Philomène Bennett (« Rivière rouge vers le paradis »), Connie Fox qui, âgée de 85 ans, peint toujours des toiles vives, colorées, d'une manière résolument moderne et dynamique (« Wind an wing in the parapet »).

• *Au premier étage :* Sylvia Snowdon (« Lenita ») ; Martha Jackson-Jarvis (« Hands of Yemaya », extraordinaire composition murale) ; Marcia Gygli King (« Storn series II »), Frida Khalo, Dorothea Tanning (superbe « Jeux d'enfants »), Eve Drewe Lowe, Romaine Goddard Brooks, Isabel Bishop (remarquables gravures), Georgia O'Keeffe (une des plus présentes dans les musées américains, avec Mary Cassatt), Lilla Cabot Perry, Mary Jane Peale (« Portrait of Mrs Rubens Peale »), Jean Maclane (« The Visitor »), Joan Personette, Sonia Delaunay, Elizabeth Sinani. Présentation permanente des planches animalières richement détaillées et colorées (façon Audubon) de Maria Sibylla Merian (1647-1717).

● Possibilité de se restaurer au *Palette Café*, sur la mezzanine (☎ 628-1068). Ouvert de 11 h 30 à 15 h 30. Bonne cuisine : *daily specials*, salades, sandwiches, *carrot* ou *chocolate mousse cake*, etc.

▶ ***B'nai B'rith Klutznick Museum :*** 1640 Rhode Island Avenue NW. ☎ 857-6583. M. : Farragut North (sortie L Street) ou Dupont Circle. Ouvert de 10 h à 17 h, fermé le samedi et les jours fériés juifs et classiques. Le musée d'art juif de la capitale. Objets rituels et de la vie quotidienne depuis les premiers temps. Expos temporaires par thème (peinture, archéologie, etc.). Parmi les plus beaux objets : « ark curtain » d'Italie (1796), thora persane du XIX$^e$ siècle, tapisseries brodées de pupitres, orfèvrerie en argent polonaise du XVIII$^e$, « Esthers scrolls » (parchemins enluminés). Salles organisées par thèmes et cérémonies traditionnelles (Shabbat, Hanukkah, Bar Mitzvah, etc.). Superbes contrats de mariage d'Afghanistan, d'Italie et de Perse.

Possibilité de visiter aussi le *Lillian and Albert Small Jewish Museum* au 3rd et G. Streets. ☎ 881-0100. M. Judiciary Square. Ouvert le dimanche de 11 h à

15 h. Fermé en août. Exposition sur l'histoire de la communauté juive de Washington dans la première synagogue de la capitale.

▶ ***Federal Bureau of Investigation :*** E Street, entre 9th et 10th Streets NW. ☎ 324-3447. M. : Center ou Gallery Place. Ouvert du lundi au vendredi de 8 h 45 à 16 h 15. Fermé samedi, dimanche et jours fériés. Eh oui, le F.B.I. se visite aussi. La visite guidée de 1 h 30 vous rappellera les cas judiciaires les plus célèbres (espionnage, hold-up, kidnappings, crimes) avec des photos de célébrités comme Al Capone ou Baby Face Nelson. On vous montrera les instruments les plus sophistiqués pour retrouver les coupables, ou comment on peut différencier deux vrais jumeaux dont l'un a commis un crime. Dans un bureau sont répertoriés tous les faux chèques et faux billets, avec détails, s'il vous plaît, agrandis vingt fois. Collection impressionnante d'armes en tout genre. Pour finir, un tireur d'élite du F.B.I. vous fait une petite démonstration de tir au revolver : il fait mouche à tous les coups.

▶ ***Washington Post :*** 1150 15th Street NW. ☎ 334-6000. M. : McPherson Square ou Farragut N. C'est bien là que l'on fabrique le journal le plus célèbre du monde depuis l'affaire du Watergate qui a entraîné la chute de Nixon. Le symbole du journalisme d'investigation et de l'indépendance par rapport à tous les pouvoirs. Tours guidés de 10 h à 15 h le lundi. Téléphonez au « Public Relations » pour obtenir une réservation dans l'un des tours (si possible la veille). On visite les presses et les bureaux. Explication des différentes rubriques et de ce qu'est une mise en pages. Vous avez droit à tout l'historique depuis 1877 où le journal faisait quatre pages et coûtait 3 cents. Maintenant, il peut atteindre 200 pages le dimanche.

▶ ***National Geographic Explorer's Hall :*** 17th Street et M Street. ☎ 857-7588. Ouvert du lundi au samedi de 9 h à 17 h (dimanche à 10 h). M. : Farragut W ou Farragut N. Pour les fanas d'aventures et de découvertes, expos sur les plus fameuses expéditions scientifiques et anthropologiques. Vous y trouverez aussi le plus gros globe terrestre (3,50 m de diamètre).

▶ ***Phillips Collection :*** 1600 21st Street. ☎ 387-2151 et 387-0961. M. : Dupont Circle. Ouvert du mardi au samedi de 10 h à 17 h (dimanche à 12 h). Pour les amoureux des maîtres français des XIXᵉ et XXᵉ siècles. C'est le plus ancien musée d'Amérique pour l'art moderne. A l'origine, Duncan Phillips, un riche héritier fou d'art et de peinture, qui commença d'acquérir avec un goût très sûr de nombreuses toiles. D'abord d'impressionnistes, puis de peintres de son époque. En 1921, il ouvrit au public quelques pièces de sa propre maison, une belle demeure victorienne de 1897. Dans cette première présentation, Duncan Phillips proposait pas moins que des Chardin, Monet, Sisley, mais aussi des Américains contemporains (Twachtman, Whistler, Ryder, etc.) démontrant là un flair étonnant.
Décoration intérieure superbe : plafond à caissons, boiseries et colonnes sculptées.

• *Rez-de-chaussée (droite) :* « Hide and Seek » de William Merritt Chase (1888), une belle composition. « Miss Lillian Voakes » de James A. McNeil Whistler ; Thomas Eakins ; « Le Repentir de Pierre » du Greco ; « Verlaine » de Rouault ; « Retour d'école après la tempête » de Soutine ; Braque ; le Douanier Rousseau ; « La Fenêtre ouverte » de Bonnard.
• *Rez-de-chaussée (gauche) :* Courbet, Degas, Manet, Corot ; « The Small Bather » d'Ingres ; « Trois Hommes de loi » de Daumier ; Seurat, Boudin, Berthe Morisot ; « Danseuses à la barre » de Degas.
• *Premier étage :* « Maison à Auvers » et un fascinant « Jardin public à Arles » de Van Gogh ; Gauguin, Bonnard, Cézanne ; une superbe « Chambre bleue » de Picasso ; « Studio, quai de Saint-Michel » de Matisse ; remarquable « Journal » de Vuillard ; Chardin ; « La Méditerranée » de Courbet ; « Le Soulèvement » de Daumier. Et encore les « Réparateurs de chaussée » (Roadmenders) de Van Gogh, « Femme au chapeau vert » et « Nu assis » de Picasso ; Juan Gris ; « La Table ronde » de Braque ; Delacroix ; quatre beaux Cézanne (dont un autoportrait) ; Corot ; Degas. Le chef-d'œuvre du musée : « Le Repas de la partie de pêche » de Renoir. « Route de Vétheuil » de Monet ; Sisley.
Superbe salle Bonnard avec « La Terrasse », « Femme au chien », « Le Palmier », « La Leçon », « La Fenêtre ouverte », « Enfants et chats », « La Riviera », etc. Galerie de lithos et bustes.
• *Deuxième étage :* Havard Mehring, Louis Morris, Gene Davis, etc. Dans celui du Main Building : Georgia O'Keeffe avec « Collines rouges » et « Leaf Motif

n° 1 », Man Ray, Charles Demuth, Charles Sheeler, « Six O'Clock Winter » de John Sloan, « Sunday » et « Approching a city » d'Edward Hopper, Jacob Laurence.
Concerts gratuits le dimanche après-midi à 17 h de septembre à mai (sauf dimanche de Pâques). Arriver de bonne heure pour être bien placé.

- ***Pour ceux qui ont un peu plus de temps***

▸ ***Anderson House :*** 2118 Massachusetts Avenue NW. ☎ 785-2040. Ouvert de 13 h à 16 h du mardi au samedi. Fermé dimanche, lundi et jours fériés. C'est le siège de la *Society of the Cincinnati*, créée en 1783 par les officiers de l'armée américaine pour préserver les acquis et libertés de la révolution et maintenir la solidarité entre frères d'armes (Cincinnatus fut un sénateur romain qui sauva deux fois Rome dans l'Antiquité). Washington en fut le président jusqu'à sa mort et L'Enfant, La Fayette, Rochambeau, de Grasse, etc., en firent partie aussi. Seuls leurs descendants et ceux de leurs alliés français, à raison d'un membre par famille, peuvent en faire partie (aujourd'hui, environ 200 Français descendants des officiers de La Fayette et de Grasse en sont membres). Quand l'Ohio fut créé, son gouverneur, membre de la société, donna le nom de Cincinnati à la nouvelle capitale de l'État.
Pour les amoureux de prestigieuses demeures, Anderson House vaut le déplacement. Elle fut léguée à la société par Larz Anderson, ancien ambassadeur des États-Unis au Japon. On peut d'ailleurs embrayer la visite après celle de la Phillips Collection, toute proche. A l'intérieur, décor époustouflant : immenses salles, cheminées monumentales, plafonds à caissons, loggia sur colonnes torsadées, galerie sur jardin. Incroyable Cadies Room et riche ameublement colonial. Superbes collections d'objets d'art : miniatures, soldats, reconstitution de batailles célèbres et nombreux souvenirs de la révolution américaine.
• *Au premier étage :* lourde décoration de marbres noirs et bois sombres, meubles asiatiques. Silver Cabinet. Pièce unique : un très rare fourreau de sabre géant de samouraï en ivoire sculpté. Art japonais : coffrets et boîtes laquées en or, écritoires, icônes, couronne bouddhiste népalaise. Luxueuse salle à manger avec plafond stuqué, sol en marbre, magnifiques tapisseries, « Isabel Anderson » par Cecilia Beaux, paravent japonais en bois sculpté et remarquables émaux, porcelaine de Chine et mains objets d'art.

▸ ***National Building Museum*** *(Pension Building) :* 5th et F Streets. A deux blocs de la National Portrait Gallery. ☎ 272-2448. M. : Judiciary Square. Ouvert de 10 h à 16 h. Les dimanche et jours fériés, ouvre à 12 h. Fermé à Thanksgiving, Noël et Nouvel An. Voici une visite intéressante pour les amoureux d'architecture du XIXe siècle. Ce Pension Building se révèle un édifice assez exceptionnel. Construit en 1882, il nécessita près de 16 millions de briques et le minimum de bois pour éviter les incendies. L'une de ses originalités réside dans la frise de terre cuite de 366 m de long qui court tout autour du bâtiment et reproduit pas moins de six régiments de la guerre civile. Il abrita d'ailleurs le service des pensions de l'armée jusqu'en 1926. A l'intérieur, impressionnant hall principal rythmé par de longues galeries à arcades et huit immenses colonnes corinthiennes de 25 m de haut (chacune d'entre elles nécessita 70 000 briques) et peintes en faux marbre. Effet de perspective saisissant.
Le National Building Museum abrite aujourd'hui d'intéressantes expos sur l'architecture, l'urbanisme et les techniques de construction par thèmes. En mai, « Festival of the Building Arts » où l'on peut voir les artisans du bâtiment travailler. Une fois par mois, de septembre à juin, concert classique ou de jazz. Intéressantes publications sur l'architecture au *Museum Shop*. Tours guidés du mardi au vendredi et le dimanche à 12 h 30. Samedi à 12 h 30 et 13 h 30.

▸ ***The Textile Museum :*** 2320 S Street NW ☎ 667-0441. M. : Dupont Circle (sortie Q Street et 15 mn à pied). Ouvert de 10 h à 17 h. Dimanche à 12 h. Fermé lundi et jours fériés. Dans deux élégantes demeures, pour les fans de tissus, textiles divers et tapis orientaux, plusieurs milliers de spécimens venant de tous les pays du monde et joliment présentés.

▸ Pour ceux (celles) qui rédigent une thèse sur le président *Woodrow Wilson*, possibilité de visiter sa maison au n° 2340, tout à côté. Ouvert de 10 h à 16 h. Fermée lundi et jours fériés.

▸ ***Fondo del sol Visual Arts Center :*** 2112 R Street NW. ☎ 483-2777. M. : Dupont Circle. Ouvert de 12 h 30 à 17 h 30. Fermé dimanche, lundi et jours fériés. Petit musée d'art sud-américain et caraïbe. Petite section permanente d'art précolombien et expos temporaires d'artistes contemporains.

▸ ***Historical Society of Washington :*** 1307 New Hampshire Avenue NW. M. : Dupont Circle. ☎ 785-2068. Ouvert du mercredi au samedi de 12 h à 16 h. Fermé dimanche, lundi, mardi et jours fériés. Abritée dans la *Heurich Mansion*, une belle demeure victorienne avec 31 pièces, datant de 1894. Expos temporaires sur l'histoire de la ville depuis 1790. Bookstore et bibliothèque pour les polards.

## Loisirs et culture

– ***John F. Kennedy Center for the Performing Arts :*** New Hampshire Avenue (à Rock Creek Parkway). ☎ 254-3600. M. : Foggy Bottom. Immense complexe théâtral, comparable au Lincoln Center de New York. Tours gratuits quotidiens de 10 h à 13 h. On y trouve l'American National Theater, le Washington Opera et trois autres théâtres. Siège également du National Symphony. Bonne cafétéria et panorama sur la ville depuis la terrasse.

## Quitter Washington

● ***Par avion***

– ***Bus*** pour le Baltimore-Washington Airport et pour Dulles, au Capital Hilton (16th et K Streets). Toutes les demi-heures environ. Comptez 1 h de transport.
– ***Métro*** pour le National Airport.

● ***Par bus***

– ***Greyhound :*** 1st Street et Union Station. ☎ 565-2662.
– ***Trailways :*** ☎ 737-5800.

● ***Par train***

– ***Amtrak :*** ☎ 484-7540. Depuis la superbe gare de Union Station. Presque plus rapide que l'avion sur Washington-New York (3 h de trajet). Renseignements et réservations au numéro gratuit : ☎ 1-800-USA-RAIL ou 1-800-875-7245. Dessert Boston, New York, Philadelphie, Baltimore. Nouveau train pour les joueurs d'enfer : l'« Atlantic City express ». Trains également pour Pittsburg, Cleveland, Chicago, Indianapolis, Cincinnati, etc. Ça reste plus cher que le bus.

## Aux environs

### ▶ *Mount Vernon*

A une vingtaine de kilomètres vers le sud. *Mansion* de George Washington qui domine la Potomac River. Magnifique demeure de style géorgien, imitée au moins dix mille fois tout au long des États-Unis. Elle fut dessinée et en partie édifiée par lui. Près de vingt pièces. La visite est passionnante. Surtout la bibliothèque, le « West Parlor », la cuisine, ainsi que le parc et les dépendances. On peut y voir la clef de la Bastille offerte à Washington par La Fayette. Très belle nature tout autour. Ouvert de 9 h à 17 h. Beaucoup de monde. Possibilité d'y aller en bateau par le *Spirit of Washington*. Excursion de 4 h. En été, départ à 9 h et 14 h depuis le Pier 4 (6th et Water Streets). Également métro jusqu'à National Airport, puis le bus 11P juste à la sortie de la station de métro. En hiver, difficile d'accès. Interdiction absolue de fumer sur tout le site, y compris dans les jardins.

# ANNAPOLIS — IND. TÉL. : 301

Destination pour ceux qui effectuent une thèse sur la révolution américaine, descendant vers Washington via Philadelphie et Baltimore, et musardent à leur

rythme. Capitale du Maryland depuis 1695. Siège d'une importante académie navale. Capitale des États-Unis pendant 9 mois après la guerre d'Indépendance. Située à 50 km de Washington, à l'embouchure de la Severn River qui se jette dans Chesapeake Bay.
Belle ville historique qui possède plusieurs marques importantes du passé méritant le détour depuis Washington si on a le temps de faire des excursions. De la capitale donc, sortir par la New York Avenue (la 50), puis suivre la 301.

## Adresses utiles

– ***Office du tourisme :*** 6 Dock Street. ☎ 268-8687. A deux pas du centre historique et de Market Space. Annexe à la State House (rez-de-chaussée, dans le hall).
Visite guidée de la ville à 13 h 30 du 1er avril au 31 octobre.
– ***City of Annapolis Office of Public Information :*** 160 Duke of Gloucester Street. ☎ 263-7940.

## Où dormir ?

■ ***Chez Amis B and B :*** 85 E Street, Annapolis, MD 21401. ☎ 263-6631. Dans le centre historique. Une vieille maison de charme, offrant des chambres personnalisées de 400 à 510 F pour deux (petit déjeuner compris). Accueil sympa. Décoration chaleureuse (lits en cuivre, ameublement à l'ancienne). Attention, B & B non fumeurs.
■ ***Prince George Guest-Inn :*** 232 Prince George Street. ☎ 263-6418. Élégante maison victorienne. Fort bien située, là aussi. Quatre chambres avec « shared bathroom » (salle de bains commune). Bel ameublement. Jardin agréable. Un poil plus cher que Chez Amis.
■ ***College House B & B :*** au coin de College et Hanover. A deux pas du centre. Donne sur la Naval Academy. ☎ 263-6124. Belle demeure de brique. Deux chambres avec « shared bathroom » (non fumeurs) et une « suite ». Plus chère que les adresses précédentes.
■ D'autres B & B dans des maisons de charme. Téléphoner à l'office du tourisme.
■ ***Capitol KOA Campground :*** 768 Cecil Avenue, Millersville, MD 21108. ☎ 923-2771.

## Où manger ?

• ***Olde Town Seafood Restaurant :*** 105 Main Street. ☎ 268-8703. Quasiment sur Market Space. Excellente cuisine familiale dans un des rares endroits pas touristiques. Le patron a son caractère : fourneaux éteints à 19 h en basse saison et à 21 h l'été. Pour manger bon et pas cher, manger de bonne heure !
• ***Buddy's :*** 100 Main Street. ☎ 626-1100. Au premier étage. Ouvert tous les jours de 11 h à 23 h. Genre grande cafétéria, pas de charme en soi. Spécialités de *crabs and ribs* et *seafood*. Prix raisonnables. Un truc intéressant : le « all you can eat Row Bar » de 16 h à 19 h. Pour 7 $ : *clams, oysters*, crevettes, moules et autres fruits de mer à volonté. Buffet. Brunch le dimanche de 8 h 30 à 13 h.
• ***Maria's :*** 12 Market Space. ☎ 268-2112. Une vraie, belle et plantureuse cuisine italienne à prix modérés. Accueil sympa. Salle à manger surplombant le port.
• ***Middleton Tavern :*** Market Space et Randall Street. ☎ 263-3323. Dans une ancienne taverne du XVIIIe siècle, qui a conservé tout son charme. Aux murs, nombreux souvenirs et témoignages du passé. George Washington, Benjamin Franklin et Thomas Jefferson en furent clients réguliers pendant la période révolutionnaire. Fine cuisine, excellents poissons. Plus cher bien sûr que les adresses précédentes.
• ***McGarvey's :*** 8th Market Space. ☎ 263-5700. De son origine irlandaise, cet endroit tient sa chaleur communicative et son ambiance super amicale. Excellents fruits de mer aux mêmes prix qu'à la Middleton Tavern. Long bar bien agréable. Brunch le dimanche de 10 h à 14 h.

• ***The Chart House :*** sur le port. Superbe brunch le dimanche matin (au champagne) pour 15 $ seulement. Cadre très agréable.
– Boire un verre au ***Marmaduke's***. Probablement le pub le plus célèbre de tous les ports de plaisance de la côte est, de New Port à Fort Lauderdale.

## A voir

Superbe balade à pied dans le quartier historique. Annapolis est l'une des villes des États-Unis ayant le plus conservé son aspect du XVIIIᵉ siècle. Le plan de la ville avec ses deux *circles* et rues rayonnantes est le même depuis 1694. Très nombreuses vieilles demeures de charme. Beaucoup de boutiques restent d'ailleurs dans le ton (voir la banque rétro sur Main Street). Parcourir en particulier Main Francis, Cornhill, East Streets et toutes les rues convergeant vers le Capitole. Bien sûr, en été, énormément de monde. Le printemps, en revanche, y est particulièrement propice aux promenades tranquilles et romantiques. Tous les sites décrits plus bas sont aisément accessibles à pied de Market Space.

▸ ***Maryland State House :*** ouvert tous les jours de 9 h à 17 h. En principe, visite guidée gratuite, tous les jours à 11 h, 14 h et 16 h (renseignements : ☎ 974-3400). C'est la plus ancienne des États-Unis. Construite en 1772. Du 26 novembre 1783 au 13 août 1784, elle abrita le Congrès américain. Superbe édifice colonial. Dôme en bois assemblé uniquement avec des chevilles. Une nouvelle aile fut construite en 1902 (une ligne noire à travers le hall délimite nettement les deux périodes de construction). On y trouve la Chambre des députés et le Sénat de l'État du Maryland. Dans la partie la plus ancienne, on découvre les premières assemblées. Dans le vieux sénat, le général Washington démissionna de ses fonctions de commandant en chef et on y ratifia le traité de Paris mettant fin à la guerre, et l'acte de naissance des États-Unis. Belle peinture de Charles W. Peale décrivant la bataille de Yorktown. Quelques meubles de l'époque. A côté, galerie des portraits et un service en argent reproduisant les principaux événements historiques du Maryland. L'assemblée de l'État se réunit chaque année pendant 90 jours à partir du deuxième mercredi de janvier (galerie pour le public).
A côté de la State House, le *Old Treasury Building* (1735), l'édifice public le plus ancien de l'État (ouvert du lundi au vendredi de 9 h à 16 h 30).

▸ ***William Paca House :*** 186 Prince George Street. Élégante demeure géorgienne (1765) avec de superbes jardins derrière. ☎ 263-5553. Fermé le lundi. Accès aux jardins par Martin Street (entrée payante).

▸ Au nº 18 Pinkney Street (rue donnant sur Market Space), voir la ***Shiplap House*** de 1713. Ouvert tous les jours. ☎ 267-8149. Au nº 43, ***The Barracks***, reconstitution historique de la vie des soldats de la révolution. ☎ 267-8149.

▸ Sur Maryland Avenue, voir des édifices géorgiens typiques : au nº 19, la ***Hammond-Harwood House*** (de 1774), ouverte du mardi au samedi. ☎ 269-1714. Au nº 22, en face, la ***Chase-Lloyd House*** (de 1769), ouverte du mardi au samedi de 14 h à 16 h. ☎ 263-2723.

▸ ***Governor's Mansion :*** entre State et Church Circles. ☎ 974-3531. Maison du gouverneur de l'État. Quelques pièces se visitent sur rendez-vous.

▸ ***Banneker Douglas Museum :*** 84 Franklin Street. Rue donnant sur Church Circle. Ancienne église du XIXᵉ siècle transformée en musée de la Culture et de l'Histoire afro-américaines.

▸ ***Carroll House :*** à côté de l'église Saint Mary (Spa Creek et Duke of Gloucester Street). ☎ 263-2394. Demeure du XVIIIᵉ siècle de Charles Carroll of Carrollton, le seul homme politique à avoir signé la Déclaration d'Indépendance. Visite gratuite de la maison et des jardins (pour le cellier, entrée payante).

▸ Possibilité de visiter aussi le « Yard » (partie ouverte au public) de la ***Naval Academy.*** Visite de la chapelle et du musée de l'école navale. Pour les tours guidés : *USNA Visitors' Center.* ☎ 267-3363.

▸ ***Musée maritime :*** 77 Main Street (Market Space). Assez touristique. Ouvert tous les jours de 11 h à 16 h 30.

# NASHVILLE

IND. TÉL. : 615

Amateurs de country music, découvrez-vous ! Vous êtes dans un endroit sacré d'où sont issus les grands noms de la musique américaine que sont Elvis Presley, Jerry Lee Lewis, Hank Williams et Johnny Cash. Nashville n'en est plus à l'âge d'or, et son prestige s'est un peu terni. Mais on y trouve encore quelques bons musiciens, et bon nombre de nos chanteurs français y enregistrent leurs disques, c'est tout dire.
Nashville est une des destinations favorites des Américains car c'est le siège du Grand Ole Opry, temple de la country. Elle est à la country ce que Memphis est au blues et La Nouvelle-Orléans au jazz. On vient là parce qu'on aime la country ou parce qu'on veut la connaître. Ceux qui ne sont pas touchés par ce genre musical feront bien de passer leur chemin. Pour les autres, quel pied !
La country est une musique du terroir, ce qu'on appelle chez nous de la variété. Elle est ancrée dans les racines américaines, elle chante la terre, la famille, les éternelles histoires d'amour, les highways qui n'en finissent pas, la mauvaise récolte et le *truck* qui est tombé en panne. Une musique bien pensante, qui caresse l'Amérique dans le sens du poil. Appréciée par le plus grand nombre. C'est le contraire d'une révolte. Nashville est donc une bonne occasion d'ouvrir devant vous le large éventail de l'Amérique profonde. Reste qu'on ne fait pas le détour exprès.

## Topographie des lieux

L'axe routier principal est Broadway. Il rallie le Dowtown qui s'organise autour de 2nd Avenue North et le Music Row, le quartier des studios d'enregistrement (sur Demonbreun Street). Un peu plus à l'est, Elliston Place. Grand Ole Opry, la grande scène country de la ville, est à l'extérieur de la ville.

## Arrivée à l'aéroport (à 8 miles du Downtown)

– ***MTA bus :*** liaisons jusqu'au Dowtown. Fonctionne de 6 h à 22 h 30, toute la semaine. Pas cher. Essayez de voir avant où vous devez descendre.
– ***Downtown Shuttle :*** dessert de nombreux hôtels du centre.
– ***Taxis :*** chers.

## Adresses utiles

– ***Chamber of Commerce :*** 161 N 4th Avenue. ☎ 259-4700. Ouvert du lundi au vendredi, de 8 h à 17 h. Fermé en fin de semaine. Doc, brochures et une carte des points d'intérêt.
– ***Tourism Information Center :*** James Robertson Parkway. Exit 85, qui mène à la I-65. ☎ 259-4747. Ouvert de 8 h à 20 h tous les jours.
– Pour s'informer des événements en cours, se procurer le ***magazine Key-quotidian local***.
– ***Grayline Tours :*** 2416 Music Valley Drive. ☎ 883-5555 ou 1-800-251-1864. Connaissez-vous Eddy Arnold, Minnie Pearl, Webb Pierce... ? Nous non plus ! Grayline organise un tour des demeures des Verchuren locaux, vedettes de l'Amérique profonde. Complètement ringard.
– ***Greyhound :*** 200 8th Avenue, près du coin de Demonbreun Street. ☎ 256-6141. Consigne.
– ***Post-Office :*** 901 Broadway, entre 9th et 10th Streets.
– ***Auto Drive-away :*** 313 South Gallatin Road. Un peu à l'extérieur de Nashville, dans le Madison District. Suite n° 13. ☎ 244-8000. Voitures pour de nombreuses destinations.
– ***Rent-a-Wreck :*** 201 Donelson Pike. ☎ 885-6037. Location... d'épaves.
– ***Pharmacie ouverte 24 h sur 24 :*** 3510 Gallatin Pike. ☎ 227-6880.
– ***Travellers' aid :*** ☎ 256-3168.

## Transports en ville

Nashville est une grande ville, très étendue. L'idéal est d'avoir une voiture. Pas de problème de parking.
– ***MTA (Metropolitan Transit Authority) :*** ☎ 242-4433. Depuis là où vous êtes, appelez, ils vous diront quel bus prendre pour votre destination. Bus peu pratique pour qui ne connaît pas bien la ville. Beaucoup de temps perdu.
– ***Yellow cab :*** ☎ 256-0101.
– Pour circuler du Downtown à Music Row, ***trolleybus touristiques*** qui fonctionnent toute la journée.

## Où dormir ?

Quelques campings et beaucoup de motels. A Nashville, tout le monde veut être tout près de l'Opry Land. Résultat, des dizaines de motels tristement identiques dans ce coin-là. Ici, le routard n'est vraiment pas gâté. Aucune chouette adresse.

### Les campings

Trois campings situés les uns à côté des autres, tous aussi bruyants et sordides, près d'Opry Land, à 20 mn du centre. On s'endort avec le doux ronron des voitures et le brouhaha des camions. Pour y aller depuis le centre, prendre la 40 E, sortir à « Briely Parkway Opryland North », poursuivre et emprunter l'Exit 12B « MacGavock ». Au 2e feu, prendre à droite « Music Valley Drive ». Les trois campings sont sur le côté gauche... vu qu'à droite c'est l'autoroute. On rencontre dans l'ordre :

■ ***Fiddler's Inn North Campground :*** ☎ 885-1440. Le plus nul, poursuivez !
■ ***Travel Park :*** ☎ 889-4225. Tout équipé, un peu mieux. Bruyant et cher. Poursuivez !
■ ***Two Rivers Campground :*** ☎ 883-8559. Le moins congestionné, le moins cher et le moins bruyant. Bravo à Two Rivers qui a « two » compris.

### Les Bed & Breakfast

Deux associations vous trouveront un logement si vous vous y prenez à l'avance. Prix souvent équivalents à ceux des motels mais bien plus sympa et possibilité d'être dans le centre.

■ ***New World B & B :*** ☎ 297-0883.
■ ***Bed & Breakfast Hospitality :*** ☎ 331-5244.

### Les hôtels

Pas d'A.J., pas de petits hôtels sympa. Toutes nos anciennes adresses du Downtown vont être détruites. Reste le coin des motels, un peu excentré (10 mn en voiture) mais près d'Opry Land. Ils sont tous les uns à côté des autres ou peu s'en faut. Pour s'y rendre : prendre la I-24-I-65 (c'est la même sur cette portion), direction nord. Prendre Exit 87B et bifurquer sur Trinity Lane W. Nos adresses sont sur cette dernière et sur Brick Church Pike. Voici les meilleurs rapports qualité-prix du secteur. Ouvrez l'œil ! Les prix fluctuent sans arrêt et ne sont jamais fixes. En période creuse, les motels se battent à coup de rabais qu'ils affichent parfois sur d'énormes panneaux électroniques visibles de la route. De manière générale, plus cher en fin de semaine. Pour avoir une idée exacte des tarifs, l'office du tourisme distribue une brochure indiquant tous les hôtels, leur prix et leur position sur une carte. Ça aide. Prix modérés.

■ ***Motel 6 :*** 311 W Trinity Lane. ☎ 227-9696. Impeccable et pratique. Rien à dire. Autre adresse dans un autre quartier : 95 Wallace Road. ☎ 333-9933. Prendre la I-24-Exit 56 West sur Harding Place. Puis première à gauche sur Traveller's Lane et de nouveau à gauche sur Cargo jusqu'au motel. Même genre que le premier.
■ ***Hallmark Inn III :*** 2400 Brick Church Pike. ☎ 222-2567. Un des plus modestes niveau confort mais prix les plus bas. Pas la grande classe assurément.
■ ***The Cumber Land Inn :*** sur Trinity Lane, tout de suite à droite de la sortie de l'autoroute. ☎ 226-1600. Un des moins chers. Bon rapport qualité-prix.

Plus cher (et un peu plus chic)

■ ***The Belvedere Inn :*** 2403 Brick Church Pike. ☎ 226-7490. Moins bruyant que les autres.
■ ***Hallmark Inn :*** 309 W Trinity Lane. ☎ 228-2624. A côté du Motel 6. Même genre mais un peu plus coûteux.
■ ***Holiday Inn :*** 230 W Trinity Lane. ☎ 226-0111. Le cran nettement au-dessus niveau confort et service. Niveau porte-monnaie aussi d'ailleurs.

Plus chic, dans le centre

■ ***Capitol Park Inn :*** 400 5th Avenue North. ☎ 254-1651. Un des rares hôtels du Downtown qui tiennent leurs prix. Pas le luxe pour autant. Tenue générale approximative.
■ ***Quality Inn Hall of Fame :*** 1407 Division Street. ☎ 242-1631. En plein quartier des studios et du Music Row, dans le centre. Le prix d'un petit 3 étoiles mais service impeccable et belles chambres. Plus cher aussi.

## Où manger ?

Dans le centre, pas cher

● ***Shoney's :*** deux adresses. L'une au 1521 Demonbreun Street, à côté de Division Street, en plein centre. Une autre dans le coin des hôtels pas chers : 305 W Trinity Lane. Ouvert tous les jours jusqu'à minuit (2 h vendredi et samedi). Un peu le héros culinaire du Tennessee. Le père Shoney et son fameux *Big Boy,* un hamburger qui a un autre goût que celui de McDonald's, a arrosé tous les États avec sa chaîne de restos. Plus de 40 adresses, rien qu'à Nashville. On conseille d'essayer au moins une fois son buffet-breakfast, *all you can eat,* à prix imbattables : fruits frais, gâteaux, *pancakes*... Mais attention, ça s'arrête à midi. Et puis toute la journée *fishburger* délicieux, sandwiches et salades. A mi-chemin entre le fast-food et le resto. Une réussite. Attention : boissons non comprises.
● ***The Old Spaghetti Factory :*** 160 2nd Avenue North. ☎ 254-9010. Ouvert tous les jours jusqu'à 22 h (23 h le samedi). Dans la seule partie du centre qui ait conservé ses façades début de siècle. Nourriture égale à celle de tous les restos de cette chaîne : des pâtes délicieuses et pas chères. Mais là où ils se sont surpassés, c'est pour la déco. Vraiment, ils ont mis le paquet : vaste entrée en bois de rose avec canapé et cheminée. Fauteuils, vitraux, superbes glaces. Le bar est une vraie pièce de collection. Ensemble étonnant. Il faut y aller tôt car l'adresse est connue.

Plus chic

● ***Panama Reds :*** 1901 Broadway (au coin de 19th Avenue). ☎ 329-1900. Notre resto préféré bien que les plats ne soient pas vraiment de Nashville. Cadre franchement agréable rappelant les îles avec cartes marines, peintures... Intime et raffiné, tout comme la cuisine des îles. Plats savoureux, épicés mais pas trop. On y vient plutôt le soir.
● ***The Merchants :*** 401 Broadway, près de 4th Avenue. ☎ 254-1892. Cadre chic pour yuppies un peu frimeurs. Deux restos : *casual,* au rez-de-chaussée, bien pour une salade. A l'étage, pour une soirée entre gens comme il faut. Plats européens élaborés. Clientèle propre sur elle et addition relevée. On peut se contenter d'y prendre un verre.

### *DANS LE COIN D'ELLISTON PLACE*

Le coin animé par la jeunesse le soir. Restos, boutiques, bars et clubs de rock.

● ***Friday's :*** 2214 Elliston Place. ☎ 329-9575. Ouvert tous les jours jusqu'à 2 h (1 h le dimanche). Encore une déco qui gagne, comme on sait bien les faire ici, avec plaques anciennes, lustres, panneaux de bois. Dans l'assiette, un véritable tour du monde pour pas cher. Cuisine américaine (burger), italienne (pâtes), orientale (salades thaïes), mexicaine *(tacos)*... et, le pire, c'est que tout est étonnamment réussi et les prix d'une surprenante douceur. Salade hyper copieuse comprise. Notre meilleur rapport qualité-ambiance-prix.

• ***Elliston Place Soda Shop :*** 2111 Elliston Place. Ouvert de 6 h à 20 h 30. Fermé le dimanche. Sert ses bons petits plats depuis 1939 et a conservé sa déco des années 50. Le favori du quartier et le nôtre par la même occasion. Tous les jours, une série de plats de bonne femme, simples et généreux. Connu pour son *meat and three,* une viande et ses trois légumes au choix, pour une toute petite poignée de dollars. Pour une halte *rosbeef purée-haricots verts,* un chouette rendez-vous populaire.
• ***Gold Rush :*** 2205 Elliston Place. ☎ 327-2809. Ouvert jusqu'à minuit tous les jours. Bar-resto genre western, mais sans les cow-boys. *Quesadillos, nachos, chalupas, enchiladas...* Viva Mexico pour quelques pesos !
• ***Rotier's :*** 2413 Elliston Place. ☎ 327-9892. Sert jusqu'à 22 h. Fermé le dimanche. Une cantine améliorée pour les gens du quartier. Demander le *special* avec ses deux légumes, toujours économique.

### *DANS LES ENVIRONS DE NASHVILLE*

• ***Loveless Motel and Café :*** à environ 22 miles du Downtown. ☎ 646-9700. Prendre Broadway qui devient West End puis Memphis Bristol Highway (Highway 70). A une fourche, prendre à gauche la Highway 100 et poursuivre sur plusieurs miles. Le Loveless Café est sur la droite. Attention, c'est loin. Ouvert du mardi au samedi, de 8 h à 14 h et de 17 h à 21 h. En continu le dimanche. Dans leur maisonnette campagnarde *country-style,* ouverte depuis plus de 40 ans, les Loveless et ceux qui ont succédé ont acquis une réputation à part. Le tout Nashville s'y donne rendez-vous pour les brunches de fin de semaine. On vient ici pour les biscuits et le *country ham.* Accompagné d'une succulente compote de pêche et d'une délicieuse *blackberry jam,* on ne regrette pas la longue route.

## Où écouter du blue grass, du jazz, de la country ?

– ***Mère Bulles :*** 152 2nd Avenue North. ☎ 256-1946. Le meilleur club de jazz de la ville, rendez-vous des gens modernes, bien dans leur époque. Ambiance chaleureuse et chic à la fois. Sélection sympathique de vins au verre. Jazz tous les soirs, d'un excellent niveau.
– ***Blue Grass Inn :*** 184 2nd Avenue North. ☎ 244-8877. Le lieu de référence en matière de blue grass, garant des traditions et de la pureté du genre. Musique à partir de 21 h et jusqu'à 2 h en général. Les groupes viennent de partout à travers le pays. Entrée payante.
– ***The Station Inn :*** 402 12th Avenue South. ☎ 255-3307. Du blue grass pur et dur, là aussi. Autour des tables et face à la scène se retrouvent les tria-, quadra- et quinquagénaires pour applaudir des formations du terroir, purin garanti sous les pieds. Ça, ce n'est pas de la musique *low fat.* Une vraie descente au plus profond de l'Amérique profonde.
– ***The Bull Pen Lounge :*** 2nd Avenue et Stockyard Boulevard. ☎ 255-6464. Situé derrière le resto *Stock Yard.* Entrée sur le parking. Bon rendez-vous des jeunes gens installés professionnellement mais qui n'ont pas encore trouvé l'âme sœur. Fait dancing, ce qui facilite les contacts. Pas de grandes pointures mais une musique country honnête, bien de chez eux. Droit d'entrée raisonnable. Gratuit en semaine.
– ***Printer's Alley :*** petite allée entre 3rd et 4th Avenues, et qui croise Church Street. En plein Downtown. C'est là que sévissaient tous les clubs country. L'ambiance est bien tombée et les clubs pornos ont repris le flambeau. Décevant.
– ***South Broadway :*** sur Broadway, entre 3rd et 4th Avenues, on trouve un groupe de bars crapoteux où les petits gratteurs de country gagnent leur pitance. Mine de rien, c'est ici qu'ont débuté les plus grands. Notre préféré, le *Tootsie's Orchid Lounge,* 422 Broadway. Il a toujours tenu le coup, ce vieux troquet. Y jouaient tous ceux qui ne passaient pas au *Grand Ole Opry* voisin. Murs noircis par la désillusion des artistes et les photos passées. De 9 h à 2 h se succèdent tous ceux qui n'ont pas percé. Musiciens ou consommateurs, on ne sait pas qui sont les plus paumés. Point de repère obligé pour comprendre le Nashville décadent. Au coin de la rue, à côté de l'ex-*Grand Ole Opry,* le *Wanda and Louie's Place.* Même genre.
– ***The Cannery :*** 811 Palmer Place. ☎ 726-1374. Ruelle située sur la droite de 8th Avenue South quand on vient de Broadway. Ancienne conserverie tout en

brique, transformée en espace multisalles. Certains soirs, 3 ou 4 groupes se produisent en même temps. Types de musique variables en fonction des soirs. Excellente réputation. Pour connaître le programme, consulter le *Nashville Scene.*
– ***Ace of Clubs :*** 114 2nd Avenue South. ☎ 254-ACES. Le club le plus *in* de la ville. *Live band* du dimanche au jeudi et boîte en fin de semaine. Formations éclectiques. Le meilleur coin pour danser les vendredi et samedi. Beaux gars et jolies filles.
– Dans les n^os^ 2200 d'Elliston Place, série de restos et bars. On y trouve plusieurs bars rock : l'***Exit-In*** (n° 2208), le ***Grape Vine*** (n° 2206) et l'***Elliston Square*** (n° 2219).

## Les grands lieux de la country

Quand on vient à Nashville, c'est un crime que de ne pas aller écouter Johnny Cash, Willie Nelson, Dolly Parton ou Brenda Lee. Tous ces grands et bien d'autres se produisent régulièrement dans La Mecque de la country music, le *Grand Ole Opry.*
– ***Grand Ole Opry :*** situé dans l'enceinte de l'Amusement Park Opryland USA. Une des plus grandes scènes de music-hall des États-Unis. ☎ 889-3060. Fermé le lundi. Ce numéro de téléphone donne toutes les infos sur les artistes qui passent et les places disponibles. Achat des tickets sur place. On a toujours tendance à vous dire que c'est complet mais, en allant sur place 1 h avant le show, vous en trouverez presque toujours, sauf peut-être le samedi soir. Caisses ouvertes du mardi au jeudi et le dimanche de 9 h à 16 h ; le vendredi jusqu'à 21 h et le samedi jusqu'à 22 h. Pour y aller : prendre la 40th E, puis emprunter la Briley Parkway Opryland North. Sortir Exit II « Opryland USA ». Vous y êtes.
– ***Nashville Palace :*** 2400 Music Valley Drive. ☎ 885-1540. Même route que l'Opryland mais prendre Exit 1213. Une sorte d'Olympia de Nashville.

## A voir (ou à ne pas voir)

▸ ***Opryland USA :*** gigantesque parc d'amusement comme seuls les Américains peuvent en faire avec montagnes russes, tirs à la carabine, toboggan... C'est dans l'enceinte de l'Opryland qu'a été transféré le Grand Ole Opry, salle de spectacle de 3 000 places qui fit les beaux jours de la country music, il y a quelques dizaines d'années. Aujourd'hui, tous les grands de la country se produisent ici. Les nostalgiques pourront essuyer une larme devant le vieux Ryman Auditorium, l'Original Grand Ole Opry (voir paragraphe suivant). Tickets séparés pour l'Opryland et le Grand Ole Opry. Un peu comme si on avait mis le Zénith au milieu de la Foire du Trône. L'Opryland est le paradis des beaufs. On dirait qu'ils ont fouillé dans les poubelles de Disney World pour trouver leurs idées. C'est gras, moche et cher. Fast-food, grande roue et barbes à papa. Pour l'achat des places de concert au Grand Ole Opry, voir ci-dessus « Les grands lieux de la country ».

▸ ***Ryman Auditorium :*** sur 5th Avenue, juste à côté de Broadway. Ouvert de 8 h 30 à 16 h 30, tous les jours. Construit en 1891, il abrita de 1925 à 1974 le *Grand Ole Opry* où défilèrent toutes les grandes vedettes de l'époque. Belle salle aux bancs de bois. Au temps où les artistes se produisent dans des stades de 50 000 personnes, on se met à regretter ces music-halls intimes où le micro était accessoire. La salle n'est plus utilisée.

▸ ***Country Music Hall of Fame and Museum :*** 4 Music Square East. Dans le quartier appelé Music Row (voir plus loin). ☎ 255-5333. Ouvert de 8 h à 20 h de juin à août et de 9 h à 17 h de septembre à mai. Musée consacré à toutes les grandes stars de la country. Photos, documents, affiches, instruments, costumes et des chansons écrites sur des nappes de resto en papier. On y trouve même une Cadillac d'Elvis (1960) avec intérieur en or, tourne-disques, TV, boîte à peigne et cire-chaussures ! Instructif pour ceux que la country passionne. Le ticket comprend aussi la visite d'un studio RCA, deux rues plus loin. Elvis y enregistra plus de 200 chansons. Plus intéressant que le Sun Studio de Memphis.

▸ ***Music Row :*** portion de Demonbreun Street comprise entre 16th et 14th Avenues. C'est le quartier de tous les grands studios d'enregistrement. La

plupart ne se visitent pas (pas grand-chose à voir d'ailleurs). On trouve ici un tas de boutiques, de fringues d'artistes et de musées tous plus stupides les uns que les autres.
Musée de cire *(Wax Museum)* absolument nul ; *Elvis Presley Museum :* ringard et sans intérêt... Le seul musée qui trouve grâce à nos yeux est le ***Cars Collectors Museum :*** 1534 Demonbreun Street. ☎ 255-6804. Près de 50 voitures anciennes ou récentes : T-bird, une Tucker de 1958, Bonneville de 1962, et un tas d'autres voitures délirantes construites spécialement pour satisfaire les exigences folles des artistes.
Sur Music Row, on peut aussi enregistrer son propre disque au Recording Studio of America, 1510 Division Street. Pour jouer les Dick Rivers en herbe.

▸ ***Tobacco Museum :*** 800 Harrison Street, au coin de 8th Avenue North. ☎ 242-9218. Ouvert du mardi au samedi de 10 h à 16 h. Petit musée gratuit consacré à l'histoire du tabac. Le tabac est la 3e production agricole du Tennessee après le maïs et le coton. C'est le 5e État à en produire après la Virginie, le Kentucky, les Caroline Nord et Sud. Toutes sortes de pipes à travers les âges, boîtes à tabac, et une série d'affichettes absolument superbes. Fumeur, soyez heureux ! Sûrement le seul et unique musée des États-Unis où il est permis de fumer.

● ***Et si vous avez (beaucoup) de temps à perdre***

▸ ***Tennessee State Museum :*** 505 Deaderick Street, au coin de 5th Avenue North. ☎ 741-2692. Ouvert de 10 h à 17 h du lundi au samedi et de 13 h à 17 h le dimanche. Grand musée gratuit. Tout sur l'histoire du Tennessee : guerres, vie sociale, préhistoire, costumes, portraits. Le genre du grand musée où il y a vraiment un peu de tout et même pas mal de choses intéressantes mais présentées de manière désespérément ennuyeuse. Soporifique au possible.

▸ ***Van Vechten Gallery :*** Fisk University, 17th Avenue North. ☎ 329-8543. Ouvert de 10 h à 17 h du mardi au vendredi et les samedi et dimanche à partir de 13 h. Collection privée présentant surtout des artistes américains du XXe siècle. Pour les cultureux.

▸ ***Centennial Park :*** grand parc dans lequel on a édifié en 1897 une copie conforme du Parthénon d'Athènes. Mais celui-ci est en ciment et pas en marbre ! A l'intérieur, comble de l'horreur, on vient d'élever une *Athéna* (réplique présumée de la vraie)... en fibre de verre. Rappelons simplement que l'original était recouvert d'ivoire et d'or. Le complexe historique des Américains atteint là le comble du ridicule. Allô, Docteur !... Évidemment, visite payante et inutile.

## Aux environs

▸ ***Belle Meade Mansion :*** 110 Leake Avenue. ☎ 356-0501. A environ 7 miles du centre ville. Prendre Broadway, poursuivre sur W End qui devient Highway 70 et emprunter sur la gauche la petite Leake Avenue. C'est à 200 m sur la gauche. Ouvert du lundi au samedi de 9 h à 17 h, le dimanche à partir de 13 h. A voir seulement si on a beaucoup de temps. Vaste *mansion* avec écuries du XIXe siècle où furent élevés les plus beaux chevaux de la région. Si vous allez en Louisiane, visite guère indispensable. Riche demeure joliment meublée, tout est d'époque. Encore faut-il être intéressé par cette période et ce genre de visite.

▸ ***The Hermitage :*** 4580 Rachel's Lane. ☎ 889-2941. A 13 miles du centre. Prendre la Highway 70, puis sur la gauche la Highway 45 (Old Hickory Boulevard). C'est indiqué sur la droite. Bâtisse du milieu du XIXe siècle où vécut pendant huit ans Andrew Jackson, président des États-Unis. Style *Greek revival* et mobilier d'époque. Là encore, il faut aimer le genre. De plus, c'est loin.

## Quelques événements musicaux annuels ou folkloriques à Nashville et dans tout le Tennessee

Les dates et les lieux sont toujours susceptibles d'évoluer. A vérifier bien sûr.
– ***International Country Music Fan :*** première quinzaine de juin (se faire préciser les dates). Pour infos : ☎ 889-7503. 40 h de show, concours de violon et *square dance* avec toutes les grandes vedettes. Ça rappelle *Nashville* d'Altman.

– ***Summer Lights :*** fin mai-début juin. ☎ 259-6374. Quatre jours de fête dans le centre ville. Célébration de tous les arts : musique, danse, théâtre...
– ***Freedom Festival :*** le 4 juillet, concerts gospel à Opryland.
– ***Down to the Earth :*** à Alexandria, Tennessee. Dans la 2e quinzaine de juillet, un des derniers vrais concerts en plein air de gospel. Des milliers de participants.
– ***Le jour de la Mule :*** à Columbia, début avril. Pour infos : ☎ 381-9557. Foire très colorée où tout tourne autour de la mule. Courses, ventes aux enchères, concours de banjo, *square dance*....
– ***Rodéo de Franklin :*** à Franklin. ☎ 794-1504. C'est la fête du cheval sur fond de musique country et western. Début mai.
– ***Longhom Classic Rodeo :*** à Nashville. Vers le début novembre. ☎ 876-1016. Des centaines de cow-boys et cow-girls parmi les meilleurs, dans une sorte de championnat du monde.
– ***National Quartet Convention :*** à Nashville, fin septembre-début octobre. ☎ 320-7000. Cinq jours de gospel avec les plus grandes chanteuses du pays. En général, au Municipal Auditorium.

## MEMPHIS

IND. TÉL. : 901

On fantasme dur sur Memphis depuis qu'on est tout petit. *Memphis Tennessee* de Chuck Berry, bien sûr, mais aussi W.C. Handy qui composa le fameux *Saint Louis Blues* et, pour finir, Elvis Presley, rendirent célèbre le nom de Memphis. Elvis est ici ce que Bernadette Soubirous est à Lourdes. A une différence près, c'est qu'à Memphis un vin qui s'appelait « Always Elvis » a remplacé l'eau bénite (mais il n'existe plus).
Memphis est une étape indispensable pour ceux qui partent à la recherche des racines du blues. Et là, il y a de quoi faire. Sinon, on découvre une grosse ville de province (environ 700 000 habitants), moderne, qui a massacré ses vieux quartiers. Le *Downtown* ressemble plutôt à une vieille bouche édentée. Même dans la journée, la ville semble morte. Elle paraît vivre au rythme du Mississippi, qui coule doucement, très doucement. Dès 18 h, les gens désertent le centre pour leur riante banlieue.
Pourtant, le soir, l'âme du blues se réveille et hante *Beale Street,* la légendaire rue qui l'a vu naître, où sont concentrés les clubs. Elle a été reconstruite presque entièrement et est en partie piétonne le soir et en fin de semaine.
Même s'il n'est pas nécessaire de faire un gigantesque détour pour y venir, Memphis la décadente possède un « je-ne-sais-quoi » qui émeut. Sûrement le souvenir des temps prospères reste-t-il profondément ancré dans certains entrepôts désaffectés, certaines vieilles enseignes qui s'estompent. Les bords du Mississippi sont tristes, mais semblent encore résonner des sirènes des *steamers,* des râles des malheureux porteurs de balles de coton et de ce chant magnifique qui montait le soir des quais assoupis : le blues...
Le blues, si intimement lié aux rapports entre Noirs et Blancs, révolte qui vient du fond de la gorge et qui marque encore aujourd'hui de manière indélébile les murs des clubs de la ville. Il faut entrer, écouter, et se laisser imprégner doucement par cette atmosphère particulière. Ce n'est pas un hasard si Elvis, le premier Blanc à avoir chanté la musique des Noirs, vivait à Memphis et si Martin Luther King y fut assassiné.

### Elvis Story...

Mouvement de hanches, mèche rebelle, jambes écartées, micro au garde-à-vous, moue de bébé... grande inspiration... Un cri surgit : « You ain't nothing but a hound dog... » Des filles s'écroulent, certaines se griffent le visage, d'autres pleurent, sautent, sursautent, électriques, hystériques... 1958, Elvis, dit « le King », déchaîne les foules. A 23 ans, ce grand garçon de la campagne a fait la plus grosse percée de l'histoire de la musique. Il est devenu l'idole de l'Amérique blanche. 16 août 1977 : 42 ans, 110 kg, 500 millions de disques vendus, Elvis Aaron Presley meurt d'une crise cardiaque. Trop de sandwiches au beurre de cacahuète, trop de médicaments ? On ne saura jamais vraiment. Comme dit *Libé :* « Le rock vient de perdre le gros de sa troupe. » Le roi est mort, la légende continue. Mais reprenons du début.

En 1954, c'est l'ère Eisenhower et du puritanisme, de la guerre froide, de la haine de la différence, et surtout des Noirs. Ces Noirs qui n'avaient pas beaucoup de droits, si ce n'est celui de se taire. Ou bien de chanter. Et encore, pas fort, et puis entre eux. C'est dans cette ambiance bien pensante du Sud qu'Elvis passe la porte du Sun Studio, où l'on enregistre pour 30 $ ce qu'on veut sur vinyle. Entre deux prises, Elvis prend sa guitare et entonne de vieilles chansons Rhythm and Blues. A cette époque, la musique noire est dans une impasse. Elle est cantonnée aux radios « ghetto ». Pour vendre de la musique noire aux Blancs, il faut qu'un Blanc la chante. En écoutant Elvis, Sam Philipps, le proprio du studio, a le déclic. C'est l'homme qu'il cherchait : un Blanc avec une voix, une sonorité, une sensualité exceptionnelles, proche de celles des chanteurs noirs. La jeunesse, inquiète et rebelle, finit de pleurer sa dernière idole : James Dean. La place est libre. La chance d'Elvis est d'arriver au bon moment. Avec sa voix extraordinaire, son sourire d'adolescent, sa douce timidité et son déhanchement provocateur, il embrase le public.

De 1956 à 1958, ascension fulgurante. Ses premières apparitions télévisées font scandale : il fait mauvais genre. Mais ce qui inquiète les familles, c'est que ça plaît à leurs enfants, surtout à leurs filles. Un grand quotidien commente : « A voir Monsieur Presley, on se rend compte que sa spécialité n'est pas le chant mais tout autre chose. C'est un virtuose du déhanchement. » On interdit de le filmer en dessous de la ceinture.

Le « colonel » Parker, pas plus colonel que nous, devient son manager dès 1955. Il réglera les grandes lignes aussi bien que les détails de la vie du chanteur. Il en fera un objet marketing, complet, cohérent, avec des « plus produits ». Graceland reste aujourd'hui le plus bel exemple du « produit-Elvis ». Après avoir touché le sommet de la gloire pendant 4 ans, période durant laquelle le naturel avait (semble-t-il) encore le dessus, la ligne choisie est simple. Surfer sans arrêt entre deux images : gentil fiston-tendre voyou ; rebelle qui cause - conformiste puritain ; agité de la hanche-chrétien pratiquant. Comme la soupe Campbell ou la bouteille de Coca, Elvis est devenu le symbole de l'Amérique.

De 1958 à 1960, il part à l'armée. Ah ! le bon gars. A son retour, le Malin-Colonel fera naître dans le public un sentiment de frustration intense. Elvis sera célèbre par son absence. Ce sera l'idole en creux. Les seuls shows télé où il passe sont les plus grands, les plus prisés. Un peu comme les spéculateurs aiment à créer une pénurie de sucre dans les supermarchés. Il distribue son image au compte-gouttes. Succès énorme. Elvis enregistre beaucoup mais est invisible sur scène pendant près de 10 ans. Tournage de 31 navets, taillés sur mesure, par le gros légume-Parker. Le King reviendra en piste en 1969, à Las Vegas. Le public est là, qui l'a attendu pendant près d'une décennie, intact. Elvis vit alors à Bel-Air, et passe son temps à prendre du poids, comme d'autres à en perdre.

Début des années 70 : boulimie de concerts, de gâteaux... et de médicaments. « Dis Elvis, y'a un truc qui cloche dans ta vie ? » 1973 : première alerte. 1974-1975 : plus de 150 concerts. Plusieurs alertes. 1977 : Elvis est mort, vive le King !

Ne soyons pas chagrin, Elvis est le premier à avoir mixé blues, gospel et country music avec autant de génie. Il fit éclater le racisme musical et influença profondément la musique des années 50. Il reste une bête de scène incomparable, féroce et tendre à la fois.

## Topographie et histoire

Memphis tire son nom de l'ancienne cité égyptienne, située comme elle près d'un grand fleuve, le Nil. C'est le général Jackson qui la baptisa ainsi au début du XIXe siècle, certainement par manque d'imagination. Port du coton et du bois, elle utilisa une forte main-d'œuvre noire tout au long de son histoire. Memphis est étendue mais l'animation se concentre essentiellement sur Beale Street, le soir.

Le Downtown est assez ennuyeux et, malgré la tentative de redonner vie à Main Street qui prend le nom d'*American Mall* dans sa partie piétonne, l'animation ne saute pas aux yeux. Les vendredi et samedi soir, Overton Square, la partie de Madison Avenue autour de Cooper Street, s'anime. C'est le deuxième point de rendez-vous nocturne.

## Arrivée à l'aéroport (et retour)

Plusieurs solutions pour rallier le centre. L'aéroport est à 12 miles au sud de la ville.
– ***En bus :*** prendre le nº 32. Fonctionne de 6 h 45 à environ 18 h et seulement du lundi au samedi. Demandez au chauffeur un transfert pour le *showboat*, un bus qui vous conduit au coin de 3rd et Beale Streets. Pour le retour, faire l'inverse. Pas cher mais ne conduit pas au pied de votre hôtel. Comptez 45 mn pour rallier le centre.
– ***En van :*** cherchez la pancarte « Ground Transportation Airport Limousine ». Fonctionne de 6 h à minuit. Il vous dépose à l'hôtel de votre choix. Départ environ toutes les 15 mn. Plus cher mais gain de temps énorme.
– ***En taxi :*** rentable à partir de 3 personnes.

## Adresses utiles

– ***Visitors' Information Center :*** 207 Beale Street. ☎ 526-4880. Ouvert du lundi au samedi de 9 h à 18 h et le dimanche en été de 13 h à 18 h. Efficace et personnel extrêmement sympathique. Ce n'est pas une consigne mais ils peuvent garder vos affaires pour dépanner. Fournit une carte touristique avec tous les points d'intérêt indiqués.
– ***Greyhound :*** au coin de 4th Street et Union Avenue. Dans le Downtown. ☎ 526-7676. Consigne. Dessert toutes les grandes villes, plusieurs fois par jour. Pour La Nouvelle-Orléans, on conseille le bus de nuit.
– ***Poste principale :*** sur 3rd Street, au coin de Calhoun Street. Ouverte de 8 h 30 à 17 h 30 et le samedi de 10 h à 12 h. Fait poste restante. Autre adresse : sur Front Street, au coin de Madison Street.
– ***Amtrak*** *(gare des trains)* : 545 Main Street, au coin de Calhoun Street. A 1 mile au sud du Downtown. ☎ 526-0052. Numéro d'appel gratuit : 1-800-872-7245. Une seule ligne qui va à Chicago et à La Nouvelle-Orléans. Un train par jour dans chaque direction. Quartier un peu craignos. Rappelez-vous le film de Jim Jarmush, *Mystery Train*. Les quartiers sordides, c'est là.
– ***Memphis Area Transit Authority :*** pour tous renseignements concernant les bus : ☎ 274-6282. On vous donne toutes les indications en fonction d'où vous êtes et où vous voulez aller. Quelques lignes principales : la ligne 13 passe par le Downtown (3rd Street et Monroe Avenue) et va à Graceland. La ligne 50 passe par le Downtown (3rd Street et Madison Avenue) et va vers l'A.J. et les musées. Elle traverse la ville d'est en ouest.
– ***Yellow Cab :*** ☎ 577-7777.
– ***Change :*** la plupart des grandes banques changent les chèques de voyage. Possibilité de tirer de l'argent avec une carte de crédit. Deux grandes banques centrales : *Union Planters*, sur Madison Street, au coin de Front Street ; ouverte de 8 h 30 à 16 h. *First Tennessee Bank* : 165 Madison Avenue. Mêmes horaires.
– ***Auto Drive-away :*** 3141 Carrier Street. ☎ 345-3360.
– ***Cossit Library :*** 33 S Front Street et Monroe Avenue. Beaucoup de renseignements sur Memphis et les environs.

## Manifestations et festivals

Demandez le magazine *Key* à l'office du tourisme. Le *Memphis Flyer* est un hebdo gratuit. On le trouve partout.
– ***Festivals :*** nombreux l'été. Tout se passe sur Beale Street et dans les rues environnantes. Pour quelques dollars, on vous fournit un bracelet qui donne le droit d'entrée dans tous les clubs, la nuit du festival. Demandez les dates précises à l'office du tourisme car elles varient.
– ***Memphis in May :*** c'est le Beale Street Music Festival. Festivités pendant tout le mois, mais la première semaine est la plus animée et notamment le premier week-end. Les grandes pointures du blues et du jazz descendent dans la ville.
– ***4 juillet :*** grand festival de rue.
– ***Elvis Tribute Week :*** la semaine qui précède l'anniversaire de sa mort, le 16 août 1977, Graceland devient folle. Veillée nocturne sur la tombe du King

avec bougies et larmes. Soirée ciné sur le parking de Graceland avec les plus mauvais films d'Elvis (ce n'est pas difficile, ils sont tous mauvais), etc.

## Memphis et les records

– Le zoo du parc d'Overton a élevé plus d'hippopotames que n'importe quel zoo au monde. De même, il a possédé l'hippo le plus vieux, mort à 56 ans.
– Le lion le plus célèbre du monde appartint également au zoo de Memphis. C'est celui qui figure sur tous les génériques de la Metro Goldwyn Mayer. RRRaooouu !
– De 1914 à 1950, Memphis fut la capitale mondiale du commerce des mules. Certaines années, 75 000 mules changeaient de mains.
– Grâce à la qualité professionnelle des pompiers de la ville, la prime d'assurance incendie est la moins chère du pays.
– Les publicités mobiles de rues, de métro et de bus, furent inventées par un habitant de Memphis : *Barron Gift Collier.* Et non par Jean-Claude Decaux !
– « *Mitraillette* » *Kelly,* qui usa ses fonds de culotte dans les écoles de la cité avant de devenir l'ennemi public n° 1, y fut arrêté en 1933. C'est lui qui inventa l'expression « G-Men ».

## Où dormir ?

Là, ça pêche ! Mis à part l'A.J., il n'y a que les motels d'abordable. Et encore ! Leurs prix passent du simple au double en fonction de l'époque, de la période de la semaine et du taux de remplissage le soir venu. Il est donc préférable de téléphoner avant de se déplacer. Beaucoup de motels près de Graceland. On dort tout près du King, mais loin du centre. Si vous êtes à Memphis à la mi-août (date anniversaire de sa mort), réservez bien à l'avance.

### *DANS LE CENTRE*

#### Pas cher

■ ***Bed & Breakfast Inn and Youth Hostel, Lowenstein Long House*** (ouf !) : 1084 Poplar Avenue. ☎ 527-7174. Un peu à l'est du Downtown. De la station du Greyhound, c'est à 1,5 mile à pied. On peut aussi prendre le bus 50 : sortir de la station côté gauche et gagner 3rd Street. Là, prenez le « 50 Poplar » (une seule direction) et demandez au chauffeur de vous déposer devant l'A.J. Plus de bus après 21 h 30. Grande maison privée sur 3 niveaux, dont le proprio a organisé le dernier en dortoirs de 8 lits et le 2e en chambre *Bed & Breakfast.* C'est le rendez-vous des routards de tous pays. Ouvert de 8 h à 21 h. Ne prend pas de réservation par téléphone mais appelez pour savoir s'il y a de la place. Un peu moins cher avec la carte A.J. L'été, c'est un peu la fournaise. Obligation de quitter l'A.J. de 10 h à 17 h. Après 3 jours de séjour, on peut rester gratuitement, en échange de 3 h de travail par jour (jardinage, nettoyage...). Possibilité de prendre un petit déjeuner dans le beau salon au rez-de-chaussée. Pas de couvre-feu, on vous donne une clé. Pour les plus riches (bien plus riches), 4 belles chambres avec parquet, grand lit et salle de bains privée. L'endroit le moins cher pour dormir à Memphis.

#### Prix moyens

■ ***River Place :*** 100 N Front, au coin de Adams Street. ☎ 526-0583. Grand hôtel confortable face au Mississippi. Pas de charme particulier mais ils proposent une formule exceptionnelle pour les touristes. Sur présentation d'un bon de réduction qu'on doit obligatoirement retirer à l'office du tourisme, on peut bénéficier d'un prix imbattable pour une chambre accueillant jusqu'à 4 personnes. Attention : le nombre de chambres concernées par cet avantage est limité, un peu comme les places d'avion à prix charter ! En tout cas, à 4, ça revient au même prix que l'A.J. Se renseigner tout de même avant pour savoir si cette formule est toujours valable lors de votre passage.
■ ***King's Court :*** 265 Union Avenue. ☎ 527-4305. Motel correct qui a l'avantage d'être central (proche du Greyhound). Bien moins cher en fin de semaine. Appeler car ici les prix sont comme Elvis, ils bougent tout le temps.

Plus chic

■ ***Days Inn :*** 164 Union Avenue, au coin de 3rd Street. ☎ 527-4180. Chic et central. Prix d'un petit 3 étoiles.

### *DANS LE COIN DE GRACELAND*

Ce quartier possède de nombreux motels à cause de la maison d'Elvis. N'y dorment que ceux qui sont véhiculés car c'est à plusieurs miles du centre.

Pas cher

■ ***Motel 6 :*** 1117 E Brooks Road. ☎ 346-0992. Toujours des adresses sûres, les Motels 6. Les moins chers de tout le secteur. Petite piscine. Rien de plus à en dire. Souvent plein.
■ ***Regal Inn :*** 1360 Spring Brooks Road. ☎ 396-3620. Même prix que le Motel 6 mais moins bien entretenu et un peu coincé entre les highways. Seulement si le précédent est complet.

Plus chic

■ ***Bed & Breakfast in Memphis :*** ☎ 726-5920. Association qui possède une cinquantaine d'adresses en ville. Précisez dans quel coin vous voulez séjourner et quelle gamme de prix vous convient. Une bonne alternative. L'office du tourisme peut par ailleurs fournir d'autres infos sur les Bed & Breakfast.
■ ***Quality Inn Airport South :*** 3265 Elvis Presley Boulevard. ☎ 398-9999. Numéro de réservation gratuit : ☎ 1-800-228-51-51. A quelques centaines de mètres de la maison du King. Confortable et calme. TV et piscine. Un des plus raisonnables du coin dans cette catégorie. Pas donné tout de même.
■ Nombreux autres motels du genre dans le coin, notamment l'***Econo Lodge :*** 3280 Elvis Presley Boulevard. ☎ 345-1425. Moins cher que le précédent mais finalement pas beaucoup plus chic que le Motel 6. Si tous les autres sont complets.

Campings

■ ***T.O. Fuller State Park :*** pour ceux qui sont véhiculés, un vrai chouette endroit pour dormir, à 11 miles du centre. ☎ 785-3160. Pour y aller : depuis le centre, prendre 3rd Street vers le sud sur 5 ou 6 miles puis à droite sur Mitchell Road. Poursuivre jusqu'au Fuller State Park. Dès l'entrée, suivre les flèches pour le camping. Si vous arrivez le soir, ouvrez l'œil, elles sont peu visibles. On dort sous les arbres d'une belle forêt. Calme et sûr. Sanitaires propres. Prix bas, comme dans tous les State Parks.
■ ***Le Tom Sawyer's Mississippi***, R.V. Park, côté Arkansas, est moins bien.

## Où manger ?

Dieu qu'elle est bonne la cuisine du Sud ! Les *spare-ribs*, ça vous met de la sauce jusqu'aux oreilles et c'est bon ! Spécialité de Memphis, elles se dégustent accompagnées de *red beans*. Un régal. On vous a dégoté quelques adresses de derrière les fagots, rien que pour vous.
Nous n'avons pas classé nos adresses par secteur géographique car, à part deux ou trois, elles sont toutes situées loin les unes des autres. Et puis la notion de centre à Memphis n'a pas grande réalité. Une adresse proche du centre peut tout de même être à 30 mn de marche ! Pour chaque adresse, nous donnons le secteur précis. Ça aide.

Pas cher

● ***The Cup Board :*** 1495 Union Avenue. Ouvert du lundi au vendredi de 11 h à 19 h 45 et les samedi et dimanche de 11 h à 15 h. Avec son décor passe-partout, on n'aurait pas l'idée de s'y arrêter. Si on vient là, c'est pour la bonne petite cuisine familiale de la patronne : *baked eggplant, fresh turn-up green*, purée maison, assiette aux quatre légumes avec pain au maïs. Une vraie petite adresse routarde, pas chère.
● ***Public Eye :*** 111 Court Street. Dans une rue qui donne dans la partie piétonne de Main Street. Au cœur du Downtown. Ouvert de 10 h à 20 h. Fermé le

dimanche. Une adresse pour le midi. Bonnes *ribs* et surtout un *all you can eat* vraiment pas cher. Ils ont même, de temps en temps, un *all you can eat* avec des *ribs*, à prix très doux. Satisfera les gros appétits. Une autre adresse dans le coin d'Overton Square : 17 S Cooper Street. Ouvert jusqu'à 22 h et minuit en fin de semaine. Même formule. Bien pour le soir.

• ***Four Way Grill :*** 998 Mississippi Boulevard, au niveau de Walker. ☎ 775-9384. Ouvert de 7 h à 23 h, tous les jours. Assez loin du centre. Nécessaire d'avoir une voiture. Pour y aller : depuis le centre, prendre Main Street ou 3rd Street pour gagner Crump Street. Prendre sur la droite cette dernière (vers le nord) jusqu'à Mississippi Boulevard, qu'on emprunte à gauche. Alors là, vous vous demandez comment on l'a dénichée cette adresse ! Vous avez raison, ça n'a pas été facile. En plein quartier keubla, ce petit resto plus que cinquantenaire sert certainement la meilleure cuisine du sud de Memphis. Au temps de la ségrégation, on y refusait les Blancs ! Seuls quelques habitués étaient tolérés. On les plaçait alors dans la salle du fond, dans la « black room ». Toutes les spécialités du Sud sont à la carte. Chaque jour, un menu différent, toujours accompagné de délicieux légumes. Mais le mieux est de vous laisser guider par le serveur : aujourd'hui du *catfish*, demain des *chittlims* (porc), après-demain des *ribs*... En tout cas, il faut goûter leur *cabbage* (chou) et leur pain au maïs *(corn muffin)*. Mais le serveur fera grise mine si vous n'honorez pas un des desserts : *peach cobler, lemon ice pie* ou le *rice pudding*. Là, les mots nous manquent. Prix d'un autre temps.

• ***Obleo's :*** 22 Main Street. Dans la partie piétonne appelée American Mall. Au cœur du Downtown. Une petite adresse pour manger sur le pouce, le midi, un délicieux chien-chaud, pour trois fois rien. Accompagné de chili, *cole slaw* ou *mustard*... Ferme à 17 h 30 et le dimanche.

## Prix moyens

• ***Nelly's B-B-Q :*** 670 Jefferson Street. ☎ 521-9798. Sert jusqu'à 21 h. A l'est du Downtown. Tenu par le neveu du roi du B-B-Q, connu sous le nom d'*Interstate B-B-Q*. Ouvert midi et soir. Si on faisait un concours de *ribs* à Memphis, le patron de *Nelly's* monterait sur la première marche, *ex æquo* avec *Lou's*. Délicieuses, fondantes, copieuses, cuites avec le savoir-faire du Sud. Les petites faims se contenteront d'un sandwich, accompagné d'un petit pot de *baked beans*, absolument savoureux. Cadre sans importance.

• ***Lou's Place :*** 94 S Front Street. ☎ 528-1970. En plein centre. Une de nos adresses de blues préférées mais aussi un de nos restos favoris. Petit droit d'entrée quand on vient juste boire un verre, mais gratuit pour le dîner. Ouvert de 17 h à 2 h du lundi au samedi. Nous, ce qu'on aime bien, c'est se mettre au comptoir de la mezzanine. On a vue sur l'orchestre tout en dégustant les copieuses *ribs*. On adore l'ambiance de chez *Lou's*. Et puis, si vous avez un petit air qui vous trotte dans la tête, le *Front Street Blues Band* se fera un plaisir de vous l'interpréter. Bonne soirée en perspective.

• ***The North End :*** 346 N Main Street. ☎ 526-0319. Non loin du centre. Fi des classes sociales ! Ce bar-resto est un peu l'image de l'Amérique décontractée : costards-cravates côtoient le genre artiste pour lamper une bonne bière choisie parmi la vaste sélection d'imports, ou pour déguster un des nombreux sandwiches. Spécialité maison : *marinated chicken* sur bagel. Grand choix de plats qui permettent de se repaître sans trop bourse délier. Une bonne note à leur steak aussi. Mais il faut laisser une place pour le *hot fudge pie*, un délicieux dessert au chocolat ; on ne vous en dit pas plus. Sert jusqu'à 2 h 30 tous les soirs, et musique *live* à partir de 22 h 30.

• ***The Spaghetti Warehouse :*** 40 W Huling Avenue. ☎ 521-0907. Ouvert tous les jours de 12 h à 22 h et 23 h en fin de semaine. Un classique du genre. Les familles aiment y emmener leur progéniture. 5 $ la grosse assiette de pâtes à toutes les sauces, dans un décor chaleureux, éclectique et sympathique.

• ***Rendez-vous :*** 52 2nd Street. ☎ 523-2746. En plein centre. Situé dans l'étroite allée, juste en face de l'entrée principale de Peabody Hotel, entre le Ramada Inn et le Day's Inn. Ouvert du mardi au jeudi de 16 h 30 à minuit, et les vendredi et samedi à partir de 12 h. Fermé dimanche et lundi. Tous les grands du blues ou du jazz qui viennent jouer à Memphis y dînent. Assez cher. Les *ribs* sont bonnes, cuisinées d'une manière différente que chez *Lou's* ou *Nelly's*. Dommage seulement qu'ils les servent dans des assiettes en carton. On s'attendrait à un meilleur service pour le prix.

Bien plus chic

• ***Ben's :*** 110 Wagner Street. ☎ 521-8213. Ouvert tous les jours midi et soir. Tenu très longtemps par un Français qui donna sa tonalité à la carte. Ceux qui sont un peu juste financièrement y déjeuneront, car le soir c'est plus cher. Déjeuner à prix fixe proposant des plats traditionnels, impeccablement exécutés. Le genre d'endroit où l'on peut inviter sa belle-mère sans rougir. Tons pastel, à l'américaine. Les plats changent souvent mais sont toujours extraits de l'art culinaire français. La mousse au chocolat est un must. Bons vins de Bordeaux au verre. Addition sans surprise.

• ***The Pier :*** 100 Wagner Street. ☎ 526-7381. Ouvert midi et soir jusqu'à 21 h 30. Ferme 1 h plus tard en fin de semaine. Immense, au bord du Mississippi (n'allez pas vous baigner tout de suite après manger). Installé dans une ancienne usine alimentaire avec briques et poutres métalliques. Espaces agréablement aménagés. Large baie vitrée sur le fleuve, endroit idéal pour déguster une des meilleures *clam chowder* qu'on ait eu l'occasion de goûter. D'ailleurs, ils considèrent en toute modestie qu'elle est « the best in the world » ! Spécialités de poisson *(crab, snapper, catfish)*. Pas donné, mais tous les plats tiennent leur promesse.

## La grande histoire du blues à Memphis

Grand port du coton, brassant beaucoup de fric, Memphis devint vite un carrefour important et était facilement atteint par bateau de n'importe quel point du fleuve. Dans les années 20, le quartier compris entre Beale Street et 4th Street est consacré exclusivement aux jeux, à la prostitution, aux bars et, bien entendu... à la musique. La ville est le lieu de plaisir de tous les fermiers, commerçants et habitants des rives du Mississippi. Des orchestres noirs sillonnent sans cesse les rues, jouant surtout, au contraire de La Nouvelle-Orléans, avec des instruments à cordes et une sorte de trompette rudimentaire, le *jug*, qui n'est autre qu'une bouteille vide dont on tire des sons bizarres en soufflant dedans. *Sonny Boy Williamson* deviendra un maître du *jug*. Les cabarets de Beale Street vont ainsi résonner pendant des années des accents déchirants du blues, au milieu de la fureur des bagarres, des soûleries et du jeu. La boîte la plus célèbre de Beale Street, *Pee Wee's,* affichait à l'entrée : « Nous ne fermons pas avant le premier meurtre. »
Memphis vit naître ou séjourner nombre de « grands » : Furry Lewis, qui entre deux blues vendait des médicaments de sa fabrication, Frank Stokes, et le guitariste Jim Jackson qui créa *Kansas City Blues*, le Memphis Jug Band, Gus Cannon, Memphis Minnie, la grande vedette féminine de Beale Street qui créa le big classique *Bumble Bee*, Memphis Slim qui ne quitta la ville pour Chicago qu'en 1939, et puis encore Ma Rainey qui apprit à chanter à Bessie Smith. Avec l'attraction d'autres villes, l'introduction du blues électrifié, le déclin commercial de Memphis, Beale Street meurt peu à peu. Et puis le blues noir ne perce pas dans le grand public. Un petit homme d'affaires, Sam Philipps, sait que c'est le racisme de ses contemporains qui empêche une percée décisive du blues. Avec une intuition géniale, il se met à la recherche de Blancs qui chanteraient dans le style frénétique des Noirs et découvre un certain... Elvis Presley. Mais ceci est une autre histoire ! Un grand merci à Gérard Herzhaft qui, grâce à son *Encyclopédie du blues* (éditions Fédérop), a permis l'élaboration de ce chapitre.

## Où écouter du blues ?

Bien sûr, plein de petites adresses sur Beale Street et non loin.

– ***Lou's Place*** (voir « Où manger ? »). Tous les soirs, sauf dimanche, la *band* du Lou's joue les petits airs qui ont fait la gloire du blues.

– ***Rum Boogie Café :*** 182 Beale Street. ☎ 528-0150. De 21 h à 2 h. Le Rum Boogie possède deux salles. La première, où le patron (celui à la barbe blanche) joue tous les soirs, et celle du fond (derrière le premier bar) où des formations plus intimes sont invitées. Niveau toujours excellent. N'hésitez pas à pousser la porte qui sépare les deux salles. Pour un droit d'entrée unique, on écoute deux *bands*. Super ambiance, bruyante dans la première salle, plus intime, plus sombre dans la seconde.

– ***King's Palace :*** 162 Beale Street. ☎ 521-1851. Ouvert tous les soirs. Formations de haut niveau dans un lieu décontracté et chic. Les grosses pointures du blues y font toujours halte. Entrée payante.
– Dans le ***W.C. Handy Park***, juste au bas de Beale Street, tous les soirs d'été, groupe de blues en plein air. Gratuit et sympathique.
– ***South End :*** 529 S Front, au coin de Calhoun Street. ☎ 525-4773. Ouvert les jeudi, vendredi et samedi soir. A deux pas de la gare. Pas de blues ici, plutôt du rock toutes tendances confondues. Groupes locaux et clientèle d'étudiants.
– ***Club Royale :*** 349 Beale Street. ☎ 527-5405. Groupes tous les soirs sauf lundi. Entrée payante. Bonnes *bands* locales. Public essentiellement noir et chic.

## Où écouter une messe gospel ?

– ***Mississippi Boulevard Christian Church :*** sur Raines Road. Deux services tous les dimanches matin. Orgues, piano, batterie, guitare électrique... et un chœur de 125 voix. Être à Memphis et rater ça, c'est comme sauter d'un avion sans parachute, on ne s'en remet pas.

## A voir

▸ ***Beale Street :*** on en a déjà parlé dans l'introduction. En haut de la rue, sur la droite, la statue d'Elvis. Tout en bas, *W.C. Handy Park*, avec la statue du plus célèbre musicien de la ville avant Presley. Il donna au blues ses lettres de noblesse avec « Saint Louis Blues », « Memphis Blues » et « Yellow Dog Blues ». Beale Street a été en grande partie reconstruite dans le style du début du siècle. C'est le soir qu'il faut y aller, quand les clubs tournent à plein régime. Dans la journée, c'est désert. Ne pas oublier pourtant d'aller chez Schwab.

▸ ***Schwab :*** 163 Beale Street. Découvrez ce magasin extraordinaire. C'est la même famille qui le gère depuis 1876. M. Schwab est d'origine alsacienne. S'il a le temps et qu'il est en verve, il vous expliquera pendant une heure son arbre généalogique. Chez Schwab, on trouve de tout : caleçons, pantoufles, vaisselle, objets à l'effigie du King... Une sorte de Tati du début du siècle, en plus petit. Musée ringard dans le fond.

▸ ***Lorraine Motel :*** 406 Mulberry Street. Le 4 avril 1968, à 18 h, Martin Luther King sortait au balcon de sa chambre du deuxième étage. A 18 h 01, il s'effondrait, touché mortellement. Aujourd'hui, le Lorraine Motel est transformé en *Civil Rights Center* (voir le paragraphe qui lui est consacré dans le texte sur Atlanta).

▸ ***Mid American Mall :*** section piétonne de Main Street. La rue fut entièrement reconstruite pour tenter de réinsuffler la vie dans le Downtown. On va même y faire passer un vieux trolley. Pourtant la sauce a du mal à prendre et, même dans la journée, ce n'est pas la grande foule. Bref, un coin assez triste.

▸ ***Peabody Hotel :*** sur Union Avenue, dans le Downtown. Le plus bel hôtel de Memphis, qui date du début du siècle. On peut y boire un verre si on est en fonds. Dans la fontaine centrale du lobby, quelques canards. A 11 h, ils descendent, et à 17 h ils remontent dans leurs appartements. On leur déroule alors le tapis rouge et ils prennent l'ascenseur. Ça attire les touristes. On ne veut pas jouer les intellos mais, franchement, on trouve ça un peu débile. Moins débile en revanche est la vue étonnante qu'on observe depuis la terrasse tout en haut.

▸ ***Mud Island :*** ☎ 576-7241. Ouvert de 10 h à 20 h tous les jours. Gigantesque complexe situé sur un îlot du Mississippi et destiné à faire découvrir l'histoire du fleuve. On y accède par monorail depuis Front Street, au coin de Adams. Mis à part le petit musée historique assez intéressant, retraçant l'histoire du fleuve, l'endroit est assez nul. On a voulu faire un complexe touristico-culturel mais, franchement, ça ne ressemble à rien. Cher. Au bout de l'îlot, une piscine en plein air. Le seul endroit qui nous a semblé sympa !

▸ ***The Great American Pyramid :*** gigantesque construction, toute récente. Encore un vaste supermarché commercialo-culturélo-sportif : attractions, salle de concerts, restos, boutiques... Rejeton né de l'accouplement de Parly 2 et de la salle Pleyel !

▶ ***Les bords du Mississippi :*** n'ont pas vraiment de charme. La *Memphis Queen Line* (au pied de Monroe Avenue. ☎ 527-5694) organise toutes sortes de tours de 30 mn à 2 h sur le fleuve. Balade agréable, sans plus. Il faut beaucoup fantasmer pour retrouver l'atmosphère d'antan.

▶ ***The Orpheum Theater :*** sur Main Street, au coin de Beale Street. ☎ 525-3000. Vieux théâtre qui accueille désormais toutes sortes de spectacles : cinéma, comédie, théâtre. Superbe décoration baroque et lustre dément.

▶ ***Overton Square :*** sur Madison Avenue et Cooper Street. Boutiques et restos sur une petite section de la rue. Animé les vendredi et samedi soir.

## Le Memphis d'Elvis

▶ ***Graceland :*** 3765 Elvis Presley Boulevard. Ouvert tous les jours. De juin à août, ouvert de 8 h à 19 h (du 15 juin au 11 août, extension jusqu'à 20 h). En septembre et avril : de 9 h à 18 h. En mai : de 8 h à 18 h. Dernier tour toujours une heure avant la fermeture.
Graceland, c'est le nom de la maison qu'Elvis acheta à une certaine Mme Grace, à l'âge de 22 ans. Ce n'est pas « le pays de la Grâce » comme le croient certains. Graceland, c'est avant tout une grande, une vaste entreprise arnaquo-musicalo-commerciale, une sorte de « Presley World » que n'aurait pas renié Onc'Picsou. A la sortie de chaque musée, on passe obligatoirement par une boutique où l'on trouve de tout, mais peu de jolies choses : couvre-lits géants à l'effigie de qui vous savez, sets de table, tasses, verres, porte-clés, stylos, voiture... Si vous n'achetez rien, c'est que vous êtes vraiment solide !
La visite de Graceland vaut autant par ce qu'on y voit que par la tranche d'Amérique que l'on y rencontre. Une véritable expérience sociale !... mais aussi un vrai trou dans le budget.
Le 16 août, jour anniversaire de la mort d'Elvis et les jours qui précèdent, Graceland subit une hausse d'affluence. Les fans viennent de partout... et même de France.
Plein de choses à voir (ou à ne pas voir) : chaque visite est payante. Il existe toutes sortes de combinaisons de tickets en fonction de ce que vous voulez voir. Voici la liste des réjouissances et notre avis (subjectif évidemment) sur chacune d'entre elles. Bien sûr, ces commentaires ne s'adressent pas aux elvismaniacs qui verront tout, quoi qu'on leur dise.

▶ ***Graceland Mansion Tour :*** vous êtes venu pour ça. On ne va pas vous la supprimer ! Tour guidé qui mène à la célèbre maison. Dès que l'on franchit le portail de fer forgé décoré évidemment de guitares, tout devient invraisemblable. Dans chaque pièce, un guide différent récite une litanie désopilante de faits concernant le lustre, la moquette murale, la glace du salon...
Franchement, ce qui frappe, c'est le mauvais goût. Certaines pièces sont clinquantes, d'autres modestes mais le mauvais goût est toujours là. Remarquez, à la longue, ça fait un style. Au détour de chaque pièce, on nous raconte un Elvis tout beau, tout propre, qui avait une vie rangée, ne fumait pas, ne buvait pas, ne mettait pas ses doigts dans le nez à table, et... allait à l'église tous les dimanches. Une légende dorée distillée avec habileté par le fameux « colonel » Parker, son manager. Dans une sorte de salon années 70, trois téléviseurs : « C'est parce que Elvis avait toujours peur de louper quelque chose d'important ! » La *Jungle Room* est notre préférée. Décor redoutable : moquette épaisse, couleur caca d'oie, trône de bois recouvert de fourrure... Et le guide de nous révéler fièrement qu'Elvis a choisi lui-même le mobilier en 30 mn, dans un magasin de Memphis. Oouuuaah !
Le plus intéressant est la visite du *musée* de la maison : disques d'or par dizaines, affiches de film, objets appartenant au King, costumes avec ou sans strass, avec ou sans clous, absolument déments, que seuls Elvis et Luis Mariano pouvaient porter sérieusement. Les pantalons « pattes de mammouth » des années 70 sont vraiment délirants. Documents, photos... Très intéressant. Dommage qu'on n'apprenne rien, mais alors rien du tout sur le vrai Elvis.

▶ ***Automobile Museum :*** à ne pas manquer si vous aimez le King et les belles voitures. Une bonne dizaines de voitures, certaines ayant été conçues spécialement pour lui. La Cadillac Eldorado de 1956, la Ferrari Dino et surtout la série de véhicules de jardin montrent combien ce grand gaillard aimait les joujous.

▶ ***Elvis Airplanes :*** cher. Aucun intérêt.

▶ ***Elvis Tourbus :*** nul, à éviter.

▶ ***Elvis Close-up :*** ils sont malins à Graceland ! Ils n'ont pas tout mis dans le musée de la maison. Ils ont gardé les pyjamas, les liquettes, le lit et les pantoufles pour faire un « musée intime » et vous permettre de repasser à la caisse. Si vous n'êtes pas capable de chanter tout le répertoire d'Elvis en verlan, c'est que vous ne l'aimez pas assez. Passez votre chemin, économisez vos sous, ce musée n'est pas pour vous.

▶ ***If I Can Dream film :*** film de 20 mn sur le King. Inclus dans le ticket du *Mansion tour*. A voir donc.

▶ ***Sun Studio :*** 706 Union Avenue, au niveau de Marshall. ☎ 521-0664. Cette visite ne fait pas partie de Graceland. Ouvert tous les jours de 9 h à 19 h, visite à la demie de chaque heure. Achat des tickets au *Sun Café*, juste à côté. Visite du studio où Elvis a enregistré ses premiers hits en 1954. Il resta un an chez Sun avant de signer chez RCA. En deux ans, c'était une idole. Grâce à sa musique qui mixait blues, gospel et country, il enflamma les foules américaines. Il faut être un vrai fan pour apprécier la visite. Elle est chère et on reste un quart d'heure dans une petite salle d'enregistrement à écouter un type qui débite son discours sans grande conviction. Si vous ne maîtrisez pas l'anglais, la visite devient carrément inutile. Pour les fans, c'est un pèlerinage quasi obligatoire.

### Les musées

▶ ***Memphis Brooks Museum of Art :*** dans Overton Park. Entrée du parc sur Poplar et Kenil Worth. Ouvert de 10 h à 17 h et dimanche à partir de 13 h. Fermé le lundi. Musée de peinture, sculpture et arts décoratifs des trois derniers siècles. Quelques primitifs flamands, un peu d'impressionnistes européens et une sélection d'art contemporain américain. Grandes salles modernes, bien agencées. L'ensemble ne manque pas d'intérêt, même si aucune grande œuvre n'est présente. Cafétéria agréable donnant sur le parc.

▶ ***The Dixon Gallery and Gardens :*** 4339 Park Avenue. Grand jardin superbe abritant un excellent musée de peinture et des arts décoratifs. Plusieurs collections privées y sont réunies. Bel ensemble de salles d'impressionnistes français et américains. Vaisselle des XVIIe et XVIIIe siècles aussi. Expos temporaires.

▶ ***Memphis Pink Palace Museum and Planetarium :*** 3050 Central Avenue. ☎ 320-6320. Ouvert tous les jours de 9 h 30 à 17 h et jusqu'à 20 h 30 le jeudi. Fermé le lundi. Histoire, culture, géologie, zoologie. Une sorte de palais de la Découverte. A l'étage, tout sur les métiers et les costumes du début du siècle. Reconstitutions d'intérieurs. Bon, le tout s'adresse plutôt aux enfants. Sympa si vous avez un après-midi à tuer.

▶ ***The Children Museum :*** 2525 Central Avenue, au coin de Hollywood. ☎ 458-2678. Ouvert de 10 h à 17 h et de 13 h à 17 h le dimanche. Fermé le lundi. Si vous avez des bambins, il faut les y amener. Le genre d'endroit que seuls les Américains peuvent inventer. Ce petit musée-jeu met les enfants en contact avec le monde des adultes par le biais d'objets qui leur sont habituellement étrangers : on peut toucher à tout. On y trouve une vraie voiture que les enfants tripotent à merci, ils peuvent tirer de l'argent dans une fausse banque et faire des courses au supermarché, comme maman ; ils explorent un vrai véhicule de pompier. Et puis, il y a ce stand où on leur fait essayer de vraies prothèses pour gens handicapés, pour que les gamins comprennent ce qu'est un handicap, qu'ils se familiarisent avec ce monde inconnu. Pour ce genre de choses, les Américains ont une bonne longueur d'avance.

## ATLANTA

IND. TÉL. : 404

Pour beaucoup d'entre nous, Atlanta évoque le vieux Sud traditionnel, celui décrit par Margaret Mitchell dans *Autant en emporte le vent*. Un Sud romantique, insouciant, vivant au rythme des récoltes de coton, plein de maisons coloniales d'où résonnaient les rires de beaux jeunes gens et de jeunes filles en crinoline : tout ce beau monde plus enclin à faire la fête qu'à s'occuper de la misère des Noirs.

Le visiteur arrivant à Atlanta devra balayer toutes ces belles images. Il découvrira une grande ville moderne dont le Downtown offre une vaste gamme de gratte-ciel vraiment pas réussis, plantés au milieu de chantiers impressionnants desquels surgissent d'autres géants de béton. Car Atlanta c'est ça : une ville en pleine expansion (elle a le 2e aéroport du monde par la taille). Elle a toujours été d'ailleurs un nœud stratégique et de communication important. Sherman, le général nordiste pendant la guerre de Sécession, l'avait bien compris lorsqu'il s'empressa de la rayer de la carte en la brûlant. Sur les 4 000 maisons que comptait Atlanta, 400 échappèrent au désastre. Une blague circulait à l'époque : « Savez-vous pourquoi Sherman n'incendia pas Savannah ? Parce qu'il ne retrouvait pas ses allumettes ! » Beaucoup de maisons anciennes datent donc plutôt de la fin du siècle dernier.
L'impression générale est plutôt froide, on a l'image d'une ville avant tout dédiée au business. Peu de coins chaleureux. Le cœur du Downtown avait à ce point perdu son identité qu'on a construit un immense complexe touristico-commercial en sous-sol, l'*Underground Atlanta*. A dire vrai, assez peu de touristes viennent ici. C'est une ville de congrès avant tout. Ils se donnent tous rendez-vous à Atlanta : coiffeurs, médecins, gays.. Ce qui explique le nombre de grands hôtels et les prix pratiqués. Mais le tourisme devrait reprendre du poil de la bête avec la mise en œuvre d'incroyables chantiers en vue de la préparation des Jeux olympiques d'été 1996.
Il y a pourtant, en s'éloignant du centre, de nombreux quartiers qui rappellent le passé : autour de Auburn Avenue, quartier noir aujourd'hui classé, on trouve de belles et modestes constructions. Et puis, au nord, le quartier autour de W Paces Ferry recèle des demeures immenses, cachées dans la forêt, derniers témoignages du Sud insouciant et riche.
Rappelons encore que la population d'Atlanta est à moitié noire, que le pasteur Martin Luther King y a vu le jour, ainsi qu'un fameux breuvage : le Coca-Cola. Mais lui n'a pas encore été assassiné.

## Un peu d'histoire

« Haut lieu de l'histoire », diront certains. « Terrible camouflet », penseront d'autres. Pour tous les Américains, le nom d'Atlanta résonne comme Austerlitz... ou Waterloo. Tout avait commencé en 1860 avec l'élection de Lincoln, un abolitionniste. Les États du Sud prennent peur et la Caroline du Sud fait sécession. De 1861 à 1865, la guerre fera rage avec une cruauté méconnue. Vingt-trois États du Nord (les États de l'Union) se battent contre onze États du Sud (États de la Confédération). Le Sud combat pour sa survie. Toutes les plantations vivent grâce au labeur des esclaves.
L'abolition est pour eux synonyme de ruine. Alors ils préfèrent mourir que céder. Sherman brûle tout sur son passage. Lorsqu'il arrive aux portes d'Atlanta, la ville a à peine 20 ans d'existence et 20 000 habitants. Le général nordiste l'assiège, l'affame puis la brûle presque totalement au printemps 1864. La guerre prend fin en 1865, en laissant de profondes cicatrices dans l'esprit des gens du Sud. Finie la vie facile des grandes familles. A Atlanta, on utilise encore parfois le mot « yankee » pour qualifier les gens du Nord. Reste que l'abolition ne régla pas le problème des Noirs qui avaient la liberté mais rien d'autre. A l'esclavage se substituèrent rapidement des lois ségrégationnistes, encore en vigueur il n'y a pas si longtemps. L'« esprit » du Sud se ressent encore quelquefois à Atlanta, bien que la ville ait fait beaucoup pour l'intégration raciale. Le maire d'Atlanta est noir. Sign of the time...

## Martin Luther King story

« Je rêve qu'un jour, sur les rouges collines de Georgie, les enfants d'esclaves et les enfants des propriétaires d'esclaves s'assiéront ensemble à la table de la fraternité... »

M.L. King.

Après la guerre de Sécession et l'abolitionnisme, une autre forme de racisme, plus sournoise, se mit en place aux États-Unis : la ségrégation. Des lois sévères furent édictées, restreignant le droit des gens de couleur et faisant de l'humiliation leur pain quotidien. L'un des plus fervents combattants de la ségrégation

fut le pasteur Martin Luther King. Il reste aujourd'hui l'homme qui fit le plus pour la cause des Noirs, avec Nelson Mandela.
Né à Atlanta en 1929, fils d'une famille de pasteurs baptistes, docteur en philosophie et pasteur lui-même, il entame très jeune son combat contre les lois blanches, notamment en appelant les Noirs à boycotter les autobus municipaux en 1956, qui contraignaient les Noirs à s'asseoir dans le fond. Première victoire. Boycott, sit-in et marches composent la panoplie non violente de son action. En 1957, il fonde la conférence des Leaders chrétiens du Sud. La jeunesse américaine non violente est solidaire de sa cause. De 1960 à 1963, il combattra toutes les lois qu'il considère « immorales ». Emprisonné à plusieurs reprises sous différents prétextes, il poursuit son action avec détermination, ce qui provoque des réponses souvent violentes de la part de groupes blancs extrémistes (bombes, menaces, meurtres...).
L'été 1963 le conduit à l'apogée de sa popularité avec la désormais célèbre « Marche de la liberté » qui conduit 250 000 personnes dans les rues de Washington. Son discours « I have a dream... », qu'il lance à cette occasion, reste aujourd'hui le texte phare de son action. Il est reçu par J.F. Kennedy qui, rappelons-le, avait fait du combat antiségrégation une de ses priorités à la Maison-Blanche. En 1964, il reçoit le prix Nobel de la paix. Il est l'homme le plus jeune à avoir reçu cette distinction. Mais, bientôt, la non-violence ne fait plus recette. Le mouvement s'émousse, les Noirs s'impatientent. Il se voit débordé par d'autres groupes à la ligne plus dure comme le Black Power et les Black Muslims de Malcolm X. En 1967, discours d'opposition à la guerre du Viêt-nam.
Le 4 avril 1968, c'est lors d'une visite de soutien à des grévistes de Memphis qu'il est assassiné au balcon du Lorraine Motel. Le leader du « Mouvement pour les droits civiques et l'égalité raciale » avait 39 ans.
A l'annonce de sa mort, des émeutes sanglantes firent 46 morts et des milliers de blessés à Washington, Chicago, Baltimore et Kansas City.
Avec Washington, il est le seul Américain à avoir donné droit à un jour de congé pour célébrer sa mémoire et son action.
Depuis les années 60, la situation des Noirs s'est radicalement transformée. Mais s'il existe désormais une bourgeoisie noire, une tranche non négligeable de la population de couleur est au chômage, vit dans la pauvreté et souvent la misère. Les années Reagan n'ont pas fait avancer les choses, et les acquis sociaux restent particulièrement fragiles.

## Petit avertissement topographique

A Atlanta, une rue sur deux (ou presque) répond au nom de Peachtree. Qu'elles soient Street, Avenue, Road, Way, Court ou Circle, vous avez des chances de vous embrouiller le guidon. Ouvrir l'œil et le bon. Quelques points de repère : *Downtown*, le quartier financier, où l'on trouve Underground Atlanta. *Midtown :* au nord du Downtown. Beaucoup de nos restos sympa. *Buckhead :* nouveau quartier yuppie, au nord du centre. *Little Five Points* et *North Highland :* coin jeune et en marge, à l'est du Downtown.

## Arrivée à l'aéroport

Situé à une dizaine de miles du centre.
– ***Le métro*** Marta relie le centre ville. C'est le plus pratique. Prendre la ligne South-North depuis le « Baggage Claim ». Descendre à « Five Points ». Bon marché et fonctionne sans arrêt.
– ***Shuttle bus*** qui fait le tour des grands hôtels. Bien plus dispendieux que le métro.

## Adresses utiles

– ***Atlanta Convention and Visitors' Bureau :*** 233 NE Peachtree Street (suite 2000). ☎ 521-6600. Ouvert de 8 h 30 à 17 h 30 du lundi au vendredi. Délivre des brochures sur la ville.

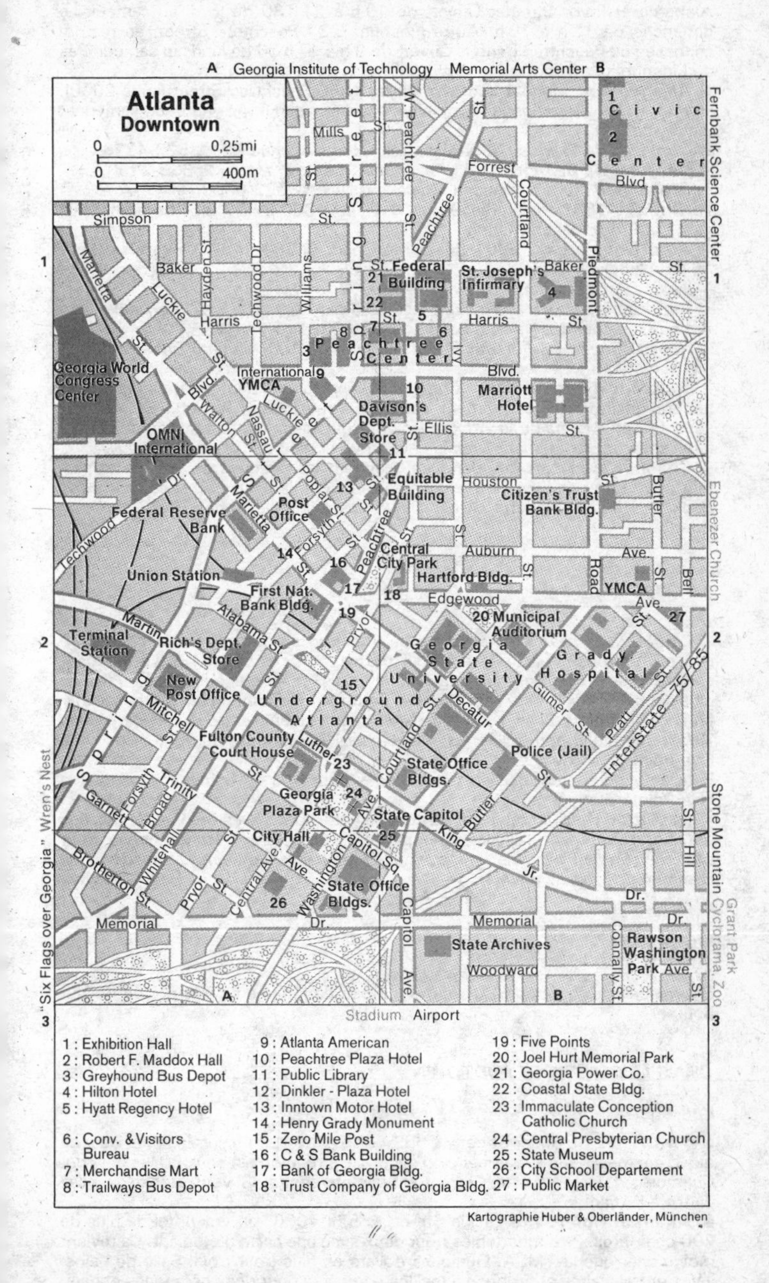

Atlanta
Downtown
0 0,25mi
0 400m
A Georgia Institute of Technology Memorial Arts Center B
Fernbank Science Center
Civic Center
Blvd.
Forrest
Courtland
Piedmont
Peachtree St.
W. Peachtree St.
Spring Street
Mills St.
Simpson St.
Baker St.
Harris St.
Marietta
Luckie St.
Hayden St.
Techwood Dr.
Williams
Federal Building
St. Joseph's Infirmary
Peachtree Center
Ivy
International YMCA
Georgia World Congress Center
Marriott Hotel
Davison's Dept. Store
Ellis St.
OMNI International
Walton
Nassau St.
Poplar St.
Equitable Building
Houston St.
Citizen's Trust Bank Bldg.
Butler
Ebenezer Church
Post Office
Forsyth St.
Federal Reserve Bank
Techwood
Union Station
Central City Park
Auburn Ave.
Hartford Bldg.
Road
YMCA
Bell
First Nat. Bank Bldg.
Edgewood Ave.
Municipal Auditorium
Martin
Terminal Station
Rich's Dept. Store
Alabama St.
Pryor
Georgia State University
Grady Hospital
New Post Office
Underground Atlanta
Decatur
Gilmer St.
Pratt
Interstate 75/85
Mitchell St.
Fulton County Court House
Luther
Courtland
State Office Bldgs.
Police (Jail)
Wren's Nest
Forsyth
Trinity
Broad
Garnett
Georgia Plaza Park
State Capitol
Butler
King
Stone Mountain
Hill St.
City Hall
Capitol Sq.
Whitehall
Brotherton St.
Central Ave.
Washington
Pryor St.
Jr.
Dr.
"Six Flags over Georgia"
Grant Park Cyclorama, Zoo
Memorial Dr.
Capitol Ave.
Memorial Dr.
State Archives
Woodward
Connally St.
Rawson Washington Park Ave.
Stadium Airport
1 : Exhibition Hall
2 : Robert F. Maddox Hall
3 : Greyhound Bus Depot
4 : Hilton Hotel
5 : Hyatt Regency Hotel
6 : Conv. & Visitors Bureau
7 : Merchandise Mart
8 : Trailways Bus Depot
9 : Atlanta American
10 : Peachtree Plaza Hotel
11 : Public Library
12 : Dinkler - Plaza Hotel
13 : Inntown Motor Hotel
14 : Henry Grady Monument
15 : Zero Mile Post
16 : C & S Bank Building
17 : Bank of Georgia Bldg.
18 : Trust Company of Georgia Bldg.
19 : Five Points
20 : Joel Hurt Memorial Park
21 : Georgia Power Co.
22 : Coastal State Bldg.
23 : Immaculate Conception Catholic Church
24 : Central Presbyterian Church
25 : State Museum
26 : City School Departement
27 : Public Market
Kartographie Huber & Oberländer, München

– Plusieurs ***kiosques touristiques*** en ville : *Underground Atlanta*, au coin de Alabama et Pryor Streets. Ouvert de 10 h à 21 h 30 du lundi au samedi. Le dimanche de 12 h à 18 h. Autre kiosque : 233 Peachtree Street, au rez-de-chaussée du Peachtree Center. Ouvert de 9 h à 17 h 30 du lundi au samedi. Pas de kiosque à l'aéroport.
– ***Alliance française :*** 1 Midtown Plaza, 1360 Peachtree Street (suite 2000). ☎ 875-1211. Ouvert du lundi au jeudi, l'après-midi. Fermé vendredi, samedi et dimanche.
– ***Consulat de France :*** 285 Peachtree Center Avenue NE. ☎ 522-4226.
– ***Consulat de Belgique :*** 231 Peachtree Street. 2e étage. ☎ 659-2150.
– ***Greyhound :*** 81 International Boulevard NW. ☎ 522-6300.
– ***Amtrak :*** 1688 Peachtree Street NW. ☎ 1-800-872-7245. Le nom de la gare est Brook Wood Station.
– ***Auto Drive-away :*** 2964 Peachtree Road. ☎ 364-0464. Ouvert de 9 h à 16 h du lundi au vendredi.
– ***Taxis :*** Atlanta Coop Cab. ☎ 688-9295.
– ***Pharmacie ouverte 24 h sur 24 :*** Plaza Pharmacy, 1061 NE. Ponce de Leon Avenue, au coin de Highland Street. ☎ 876-0381.
– ***Post-Office :*** 183 Forsyth Street, au coin de 101 Marietta Boulevard. Fait poste restante.
– ***Journaux d'informations :*** *Creative Loafing,* journal d'informations gratuit et hebdomadaire (tous les mardis). Tout sur la musique et les arts. Se procurer aussi le *Key Atlanta* ou le *Atlanta Now.* Et puis ceux qui restent longtemps se familiariseront rapidement avec la section week-end de l'*Atlanta Journal.*
– ***Change :*** la plupart des banques changent les chèques de voyage et permettent de tirer de l'argent avec une carte de crédit. Deux adresses centrales : *Bank South :* 55 Marietta Street NW ; *Chattahooche Bank : 3423 Piedmon Road.*

## Transports

– ***Le bus et le métro :*** le système de transport en commun fonctionne bien. Bus et métro s'appellent *Marta.* Pour toutes infos : ☎ 848-51-6. Le bus possède un réseau complet mais pas évident à saisir du premier coup. Le métro est plus simple : deux lignes, East-West et South-North. Point de rencontre à la station « Five Points », au cœur du Downtown, là où se trouve *Underground Atlanta.* Pratique pour rallier les autres quartiers intéressants de la ville : Little Five Points, Midtown...
Pour ceux qui restent plusieurs jours, pass pour 2, 3 ou 5 jours. S'achète à la Five Points Station.
– ***La voiture :*** une véritable galère pour se garer. Dans le centre ville, le prix des parkings est dément. Ailleurs, c'est plutôt pratique, la ville étant étendue. Pour ceux qui ont un véhicule, il s'agit de jouer habilement entre transports en commun et véhicule privé.

## Où dormir ?

Encore peu de routards à Atlanta, donc peu de logements à la portée de leur bourse.

### *DANS LE CENTRE ET MIDTOWN*

#### Pas cher

■ ***YMCA :*** 22 NE Butler Street. ☎ 659-8085. Ouvert 24 h sur 24. Cher pour ce que c'est mais reste le meilleur plan de la ville lorsqu'on est seul. 50 lits environ. Chambres d'une personne. Correct et vraiment central. Si vous êtes deux, allez plutôt à l'Atlantan.
■ ***Atlantan Hotel :*** 111 Luckie Street. ☎ 524-7000. Un vrai hôtel de plus de 200 chambres. Prix imbattables pour deux avec une carte d'étudiant. Ça revient moins cher que la YMCA. Quelques dollars en plus pour trois. Salle de bains, TV. Central, calme et propre. La meilleure adresse pour deux personnes et plus.

### Prix moyens

■ ***Clermont Motor Hotel :*** 789 Ponce de Leon Avenue NE. ☎ 874-8611. A 10 mn du centre en voiture. Grand building de brique dans un quartier calme. Un des moins chers dans sa catégorie. Propre et un rien vieillot. Tenu par de gentilles mamies. Chambres à la nuit, appartements à la semaine, avec ou sans cuisine. Très bien pour le prix.
■ ***Travel Lodge :*** 1641 Peachtree Street. ☎ 873-5731. Petit motel confortable à environ 3 miles du Downtown. Bon rapport qualité-prix. Pas grand-chose d'autre à en dire. Plus cher que le Clermont de quelques dollars.
■ ***Peachtree Court Hotel :*** 870 Peachtree Street NE. ☎ 875-5511. Un peu plus cher que les autres mais vraiment le niveau au-dessus. Bien situé, propre et frais. Piscine. Le plus chic dans cette catégorie.
■ ***Red Carpet Inn :*** 1152 Spring Street NW, au coin de 14th Steet NW et presque au niveau de l'Interstate. ☎ 875-3511. Genre HLM. Une adresse de dépannage. A n'utiliser que si tout est complet, ce qui serait étonnant.

### Dans les environs

Le seul moyen de dormir dans un motel et pour vraiment pas cher est de sortir de la ville. Voici deux *Motel 6*, l'un au nord de la ville, l'autre à l'ouest. Avoir un véhicule. Pour toutes infos sur les Motel 6 des environs : ☎ 288-6911.
■ ***Motel 6 :*** 2360 Delk Road. A 10 miles du centre. Prendre la T-75 North et emprunter l'Exit I-11. Environ 10 $ moins cher que tous les hôtels du centre. Triste à mourir.
■ ***Motel 6 :*** 4100 Wendell Drive. ☎ 696-0757. A 12 miles du centre vers l'ouest. Prendre la 20 W puis l'Exit 14. Pas cher. Nombreux autres motels bon marché le long de la sortie 14.

### Bed & Breakfast

■ ***Bed and Breakfast Atlanta :*** 1801 Piedmont Avenue NE. ☎ 875-0525. Ouvert de 9 h à 12 h et de 14 h à 17 h du lundi au vendredi. Gère un large portefeuille d'adresses dans le centre comme dans les coins plus résidentiels de la ville. Les prix pour deux commencent assez bas et vont du simple au double. Excellente formule à ne pas négliger.

### Les campings

■ ***Stone Moutain Family Camground :*** à l'intérieur du parc du même nom et à 16 miles à l'est de la ville. Il faut donc payer le droit d'entrée une fois (valable 7 jours). ☎ 469-7696. Pour y aller : prendre Ponce de Leon vers l'est et poursuivre vers la I-78 jusqu'au panneau « Stone Mountain Park ». Dans un environnement extraordinaire. Sous les bois de Georgie et dominant un beau lac. Douche, barbecue, table, espace... et calme absolu. Mais pourquoi on n'a pas ça en France ?
■ ***Arrowhead Campground :*** à l'ouest de la ville. Prendre la I-20 West et Exit 13C. ☎ 948-7302. Bien plus cher que le Stone Moutain et moins bien situé. Ne conviendra qu'à ceux qui veulent s'avancer vers l'ouest. A 5 mn du parc d'amusement Six Flags.

## Où manger ?

Pas mal de chouettes adresses, toutes différentes.

### Pas cher à prix moyens

● ***Varsity :*** 61 N Avenue NW. Dans Midtown et près de la I-85. Ouvert tous les jours de 7 h à minuit. Un endroit incroyable, à ne manquer sous aucun prétexte. Vous voici dans une mangeoire publique, une véritable usine à bouffe où sont débités des quintaux de hamburgers à la chaîne toute la journée. Mis bout à bout, plus de 4 miles de hot dogs sont servis par jour... Ça fait rire mais ça peut aussi faire pleurer. On tranche ici dans le lard de l'Amérique.
Le plus grand drive-in et le plus vaste fast-food des States. Ici, faut qu'ça roule ! « Have your money in hand and your order in mind », ordonne une pancarte. Le pire, c'est que c'est plutôt bon : *onion rings*, hots dogs et sandwiches. On prend son plateau et on file dans une des nombreuses salles où trône un poste

de TV. Chaque pièce est dédiée à une chaîne (CNN, Channel 2, 5 ou 11). Vissés à une chaise-table, le regard rivé à l'écran, les dents plantées dans votre chien-chaud, bon appétit les amis !

• ***Mary Mac's Tea Room :*** 228 Ponce de Leon NE. ☎ 876-6604. Dans Midtown. Ouvert de 11 h à 16 h et de 17 h à 20 h, du lundi au vendredi. Toujours de gentilles petites vieilles à la caisse et de gentils petits vieux aux tables. Beau *dining* cinquantenaire, qui n'a pas changé d'un pouce. Cuisine simple et sympathique : légumes frais, *catfish, chopped steak, trout* et aussi un « Special Country Dinner ». Un morceau d'anthologie sociale servi dans un décor de temps qui passe.

• ***Le marché municipal :*** sur Butler Street, dans le centre ville. Parking gratuit seulement pour ceux qui vont au marché (commentaire dans « A voir »). Nombreux petits étals qui proposent des plats préparés pas chers : saucisses, jambon, *country ham* et plats chinois. On aime bien *Charlie's Dinner.*

• ***Jocks and Jills :*** 112 10th Street NE, au coin de Peachtree Street. ☎ 873-5405. L'adresse où se retrouvent les fans de basket, base-ball et football. Normal, le resto appartient à 4 joueurs des Hawks (équipe de basket). Écran géant, et TV qu'on regarde en dégustant un *juicy* burger accompagné d'une copieuse salade (comprise). Plats reconstituants pour honorer les grands gaillards et braillards qui viennent y suivre un match. Venir plutôt un soir de match si possible. Fait aussi bar.

• ***A Touch of India :*** 962 Peachtree Street, Midtown. ☎ 876-7777. Ouvert tous les jours, midi et soir jusqu'à 22 h environ. On a hésité avant de vous le proposer, celui-ci. Un resto indien, ça fait désordre. Et puis on a trouvé la cuisine tellement savoureuse que ça aurait été un péché que de le garder pour nous. Atmosphère gentiment ringarde, comme les restos de là-bas et plats vraiment comme là-bas. Une vraie « touch of India ».

• ***Old Spaghetti Factory :*** 249 Ponce de Leon Avenue N.E. ☎ 872-2841. Des pâtes, oui, mais des spaghettis dans un décor amusant de tramway et de vieilles choses. Pas cher.

• ***Eat your Vegetable :*** 438 Moreland Avenue NE. ☎ 523-2671. Dans le quartier bohème de Little Five Points. Ouvert tous les jours (sauf samedi midi) jusqu'à 22 h. Endroit cool et sans prétention pour des petits plats de légumes copieux et rafraîchissants. Pour les purs et durs, *macrobiotic dinner.* Sympa d'y venir le soir avant d'aller traîner ses guêtres dans les bars et le club de rock d'à côté.

• ***Underground Atlanta :*** si vous êtes dans le coin avec un petit creux à remplir, allez à l'*Old Alabama Catery,* une section de l'Underground où l'on trouve toutes sortes d'échoppes et de plats préparés, venant de tous les coins du monde. Pas cher (pour l'adresse, section « A voir »).

## Plus chic

• ***The Pleasant Peasant :*** 489 Peachtree Street. ☎ 874-3223. Ouvert tous les soirs de 17 h à minuit et le midi du lundi au vendredi. Nous, on préfère y aller le soir pour son côté romantique et les bougies sur les tables. Musique douce, serviettes de coton blanc, murs de brique : de l'authentique et du distingué. Large éventail de plats américano-européens (ou l'inverse), élaborés et goûteux. La liste des *appetizers* permet de faire un repas sans heurter le budget. Prix justes et serveurs en tenue. Une adresse idéale pour les amoureux.

• ***Vickery's :*** 1106 Crescent Street. Dans Midtown. Ouvert tous les jours midi et soir. Sert jusqu'à 1 h mais fait bar jusqu'à 4 h. Rendez- vous des branchés et de ceux qui voudraient l'être. Ambiance à l'américaine, bon enfant et décontractée. Plats en sauce simples. Agréable petite terrasse sous les arbres. Et puisqu'il ferme tard, pourquoi ne pas y aller pour un *night-cap* (bonnet de nuit : le dernier verre).

## Bien plus chic

• ***The Abbey :*** 163 Ponce de Leon, au coin de Piedmont. ☎ 876-8831. Pour routards voyageant à la suite d'un héritage ou à qui il resterait un peu d'argent en fin de parcours. De toute façon, si vous passez devant un samedi soir, c'est à voir, rien que pour le décor. Resto installé dans une ancienne abbaye, gigantesque, avec vitraux et meubles somptueux, serveurs déguisés en moines. Mélange des cuisines européennes. Finement préparées. Cher évidemment. C'est vraiment l'Amérique dans toute son extravagance.

## A voir

### *DANS LE QUARTIER D'AUBURN*

Ce vieux quartier dont une partie est classée et où l'on trouve une série de jolies et modestes maisons de bois (essentiellement sur Auburn Avenue) présente un intérêt architectural indéniable. Les familles y prennent encore le frais le soir sous la véranda. Visite quasi obligatoire puisque Martin Luther King y naquit. Une sorte de pèlerinage envers une des hautes figures du combat pour l'égalité entre les races.

▸ ***Martin Luther King House :*** 501 Auburn Avenue. Visite guidée de 10 h à 16 h 30 en continu. Gratuit. La maison où naquit le pasteur King et où il vécut jusqu'à 12 ans. Décorée simplement. L'important, plus que le mobilier, c'est la symbolique de la visite. Beaucoup de Noirs y viennent, le visage un peu grave. Pour nombre d'entre eux, la lutte continue.

▸ ***Martin Luther King Center :*** 449 Auburn Avenue. A deux pas de sa maison natale. Centre entièrement dédié au combat du révérend noir. Photos, documents, panneaux instructifs sur sa vie et ses luttes et une photo prise juste la veille de son assassinat, le 4 avril 1968, au Lorraine Motel à Memphis. Intéressant. Boutique de livres et documents dans le fond. Dans la cour, son tombeau.

▸ ***Wheat Street Baptist Church :*** face au 364 Auburn Avenue. A 10 h 30, tous les dimanches, extraordinaire chant gospel. Peu de Blancs viennent assister à cette messe véritablement spectaculaire. Ambiance unique. A ne pas louper. A deux pas, l'Ebenezer Baptiste Church où officiait le pasteur King. Là aussi, gospels. Devant certains excès, on se permet de vous rappeler qu'il s'agit d'offices religieux ; il convient donc d'arriver à l'heure, de rester durant la totalité de la messe et d'y être correctement habillé. Sinon la fabuleuse hospitalité coutumière finira par se tarir...

### *LES MUSÉES*

▸ ***High Museum of Arts :*** 1280 Peachtree Street. Ouvert du mardi au samedi de 10 h à 17 h. Le mercredi jusqu'à 21 h et le dimanche à partir de midi. Fermé le lundi. Gratuit le jeudi de 13 h à 17 h. Réduction étudiants. Le meilleur musée d'Atlanta en matière d'art. Une réussite. L'endroit est beau, moderne et lumineux et les collections présentées de qualité. On conseille de monter au 4ᵉ étage puis de redescendre doucement par la rampe. Peinture et sculpture européennes et américaines du XXᵉ siècle au 4ᵉ étage. Le 3ᵉ étage possède une section classique de peinture religieuse du XVᵉ siècle ainsi qu'une bonne sélection d'œuvres des XIXᵉ et XXᵉ siècles.
Le 2ᵉ étage est consacré aux arts décoratifs, d'une grande richesse. Remarquable mobilier américain. Très belles pièces originales. Un peu d'art africain également. Visite à ne pas manquer.

▸ ***Coca-Cola Pavilion :*** 55 Martin Luther King Junior Drive. ☎ 676-5151. Ouvert tous les jours de 10 h à 21 h 30 et le dimanche de 12 h à 18 h. Payant. Le temple de Coca-Cola, tout moderne. La visite passe en revue l'histoire de la firme. Tout est présenté sur le mode ludique et n'a aucun but informatif. Coca se contente de se faire mousser, en trois dimensions. Affiches délicieuses, du début du siècle. Explication de la manière dont le Coca était mélangé au gaz carbonique avant les années 30. Et puis un abominable film publicitaire de 13 mn où le patron de Coca vous dit en gros que « Si on est tous frères, c'est grâce à Coca ! » Le film, par ailleurs bien léché, est un éclatant témoignage de l'Amérique suffisante, sûre d'être dotée d'une mission divine, option « bulles et rots ».
Beau et énervant ! On vous passe les autres trucs mais, avant de partir, arrêtez-vous à la dégustation, dans un espace hyper moderne, doté d'un ingénieux système de jet d'eau absolument étonnant, qui défie toutes les lois de la gravité. Après, tout gaze.

▸ ***Cyclorama :*** dans Grant Park. ☎ 658-7625. Entrée par Cherokee Street, juste en face de Georgia Avenue. A côté du zoo. Ouvert de 9 h 30 à 17 h 30 tous les jours. Visite en deux temps : un petit film sur la bataille d'Atlanta qui

mit aux prises Sudistes et Nordistes en 1864. Après le film, présentation d'une sorte de diorama composé d'une gigantesque peinture circulaire servant de toile de fond à une scène tournante, racontant la prise d'Atlanta. Intéressant, surtout par la qualité de la mise en scène et du décor. Cette toile incroyable fut peinte en 1885 et les personnages en relief qui semblent sortir de la toile ont été ajoutés dans les années 30. Assez dément ce qu'ils font ces Américains pour attirer le touriste. Bon, tout le monde ne sera pas séduit.
A côté, le *zoo* d'Atlanta. Ouvert de 10 h à 17 h (en général). Cher, mais considéré comme un des plus beaux des États-Unis. Nous, vieux écolos, ça nous rend toujours tristes les zoos.

▸ ***Carter Presidential Center :*** au nord-est du Downtown. Sur Cleburne Avenue, une rue qui donne dans North Highland. ☎ 331-3942. Ouvert du lundi au samedi de 9 h à 16 h 45, et le dimanche à partir de midi. Centre vraiment grandiloquent pour un petit président. Bonjour la démesure de l'édifice. D'autant plus frappant qu'à l'intérieur les raretés se battent en duel : cadeaux de voyages officiels, photos et écrans vidéo distillant des discours oubliables. Quelques documents (et encore pas beaucoup) sur les deux grands dossiers de la présidence Carter : la prise d'otages à l'ambassade américaine de Téhéran (un échec) et la paix israélo-égyptienne signée à Camp-David (un succès). Le tout n'intéressera que les spécialistes.

▸ ***CNN Studio Tour :*** ouvert tous les jours de 9 h à 17 h 30. CNN est une chaîne d'information connue dans le monde entier depuis la guerre du Golfe. Il est possible de visiter les studios accompagné d'un guide qui débite son texte à toute allure (incompréhensible). A éviter, ou alors pour les mordus comprenant bien l'anglais.

## *LES MONUMENTS ET SITES*

▸ ***Le Downtown :*** gratte-ciel pas beaux et hôtels de luxe. Le centre d'Atlanta, esthétiquement, n'arrive pas à la cheville de ceux de New York, Chicago ou Philadelphie. Grâce à l'Underground Atlanta, il reprend pourtant vie peu à peu. Beaucoup de chantiers en cours et ce pendant encore plusieurs années (Jeux olympiques de 1996 obligent). Au milieu des arrogants totems de béton, quelques édifices du début du siècle ont échappé au lifting par décapitation du centre ville. Une organisation propose des visites guidées hebdomadaires, notamment de l'*Historic Downtown* et du quartier de *Auburn Street*. ☎ 522-4345.

▸ ***Underground Atlanta :*** dans le cœur du Downtown. Station Five Points. Non, il ne s'agit pas d'un métro mais des sous-sols du centre ville, transformés en une sorte de ville souterraine. Sur quelques blocs, les rues portent le même nom que celles en surface. On y trouve restos, bars, boutiques et beaucoup d'animation. Mais ce n'est pas la ville, ce sont ses entrailles. L'histoire de ce lieu est intéressante : la ville d'Atlanta ne savait pas trop quoi faire de ces sous-sols désaffectés. On opta pour une sorte de gigantesque réseau commercial souterrain avec béton à nu, tuyauteries apparentes. La première tentative fut un échec retentissant. L'endroit devint un repère de malfrats et de rats des villes. Un coupe-gorge doublé d'un gouffre financier. L'endroit fut repensé. Dix ans pour faire peau neuve ! Cette fois, la mayo semble avoir prise. On ajouta un peu de lumières par ici, un rien de peinture par là et surtout beaucoup de policiers partout. Aujourd'hui l'Underground est un tel succès que les rues extérieures sont moins fréquentées que le sous-sol. Incroyable Amérique ! Assez unique dans le genre. L'endroit est tellement prisé que tous les bons clubs de jazz et blues de la ville y ont émigré (voir « Où écouter de la musique ? »).

▸ ***Le marché municipal :*** 209 Edgewood Avenue, au coin de Butler Street. Ouvert du lundi au jeudi de 8 h à 17 h 30. Fermeture une heure plus tard les vendredi et samedi. En v'là d'l'authentique, en v'la ! Un vrai marché, avec des étals de légumes, en veux-tu en voilà, et de la viande véritable, même pas sous cellophane. Un des plus vieux marchés des États-Unis puisqu'il est là depuis 1923. Bien sûr, les marchandes américaines ne hurlent pas comme les vieilles crémières de chez nous. Et pour cause... La moitié des étals sont tenus par des Chinois ! Possibilité de s'y restaurer pour pas cher.

▶ ***Le Capitole d'État :*** construit en 1889, son dôme est recouvert de feuilles d'or mais vous vous en fichez. Vous avez raison, l'endroit est ennuyeux au possible.

▶ ***Le Fox Theater :*** 660 Peachtree Street. Sauvé de la démolition, ce théâtre est un témoignage de la décoration folle des années 30. Style égypto-mauresque, avec un zeste d'art déco. A été transformé en cinéma. Pour infos : ☎ 881-2000.

## *LES PARCS*

▶ ***Grant Park :*** Georgia et Cherokee Avenues. Le plus vieux parc d'Atlanta.

▶ ***Piedmont Park :*** Piedmont Avenue et 14th Street. Grand et beau parc où viennent se balader les étudiants. Piscine en plein air. Parfois le dimanche, orchestre de musique classique. Vraiment unique.

## *LES HÔTELS ÉTONNANTS*

Ce n'est pas pour leur architecture extérieure qu'on visite ces hôtels mais pour leur aménagement intérieur. Atlanta, ville de congrès, possède parmi les plus beaux hôtels des États-Unis. Une galerie marchande souterraine relie tous les hôtels du Downtown entre eux. Les amoureux d'architecture osée en reviendront ravis. L'étonnant, ici, c'est l'absence totale de complexe des architectes, seulement conduits par leur délire.

▶ ***Hyatt Regency :*** 265 NE Peachtree Street. Tous les appartements convergent sur un immense atrium dont les balcons sont abondamment fleuris. Des ascenseurs, telles des cigales lumineuses, montent en quelques dizaines de secondes au dernier étage. Irréel !

▶ ***Marriot :*** Courtland et International Boulevards. Voir le « Courtyard », sa luxueuse déco vieux Sud et sa piscine intérieure.

▶ ***The Westin Peachtree Plaza :*** Peachtree Street et International Blvd. L'hôtel le plus haut des États-Unis (73 étages), n° 2 mondial (le premier étant à Singapour, un Westin également), avec ascenseur extérieur et restaurant-bar tournant au sommet. En réajustant votre cravate, vous devriez arriver à monter tout en haut. A 19 h, vous aurez droit à une messe gospel au 3ᵉ étage.

▶ ***Marriott Marquis :*** construit par Portman (près de 1 800 chambres). Architecture vraiment originale. A voir absolument.

## *ET ENCORE QUELQUES COINS SYMPA*

▶ ***Little Five Points :*** au croisement de Moreland Avenue et de Euclid Avenue. Par le métro, s'arrêter à M.S. Candler Park sur le Eastbound et continuer pendant 10 mn en direction de Moreland Avenue. Dans ce petit quartier, on rencontre tous les marginaux d'Atlanta. Punks en short, côtoyant des rastas et des babs. Le tout dans une atmosphère sympa. Quelques bars agréables comme l'*Euclid Avenue Yacht Club* au 1136 Euclid, où se retrouvent la gentille canaille et les jeunes chevelus du quartier. Bière fraîche et ambiance chaude. Ouvert jusqu'à 3 h. Au coin de Moreland, Euclid et Gregory L. David Plaza, le bar *The Point*. Groupes tous les soirs. Un rien destroy. Ferme vers 3 h. Et puis on y trouve un des meilleurs disquaires d'occasion : *Wax'n'Facts :* 432 Moreland Avenue NE, presque au coin d'Euclid.

▶ ***Buckhead :*** nouveau quartier au nord de la ville. Une sorte de district financier avec moult restos, centres commerciaux, boîtes et plein de yuppies pas drôles du tout. Parlons franc : on a horreur de ce coin de la ville qui manque par trop d'authenticité. En revanche, tout près de là s'étend la zone résidentielle de la ville. Si vous avez une voiture, balade obligatoire par les petites rues qui s'engouffrent dans une vraie forêt et où sont disséminées des demeures dignes d'Hollywood. Des bâtisses de starlettes à la Scarlet d'un luxe fantastique, au milieu de parcs incroyables. Prendre Peachtree Road vers le nord puis à gauche W Paces Ferry. De là, toutes les rues qui partent à droite ou à gauche sont bonnes pour tourner la tête et faire rêver. Luxe, volupté, silence, enfants qui jouent sur les pelouses... Ah ! la belle Amérique.

▸ ***Atlanta History Center :*** 3101 Andrews Drive NW. Rue qui donne sur W Paces Ferry Road. ☎ 261-1837. En plein cœur du quartier résidentiel. Dans un vaste jardin-forêt, deux bâtisses, la *Swan House* et la *Tullie Smith House*, respectivement des années 1930 et 1840. Cette dernière donne une bonne idée des intérieurs de cette époque. Assez cher. Ouvert du lundi au samedi de 9 h à 17 h 30 et le dimanche à partir de midi.

## Où écouter de la bonne musique ?

### DANS L'UNDERGROUND ATLANTA

– ***Blues Harbor :*** au cœur de l'Underground, sur Kenny's Alley. ☎ 524-3001. Groupes, tous les soirs de 21 h 30 à minuit et jusqu'à 2 h les vendredi et samedi, qui viennent de tous les États-Unis. Fait aussi resto. Si vous n'aviez qu'une soirée à Atlanta, c'est là qu'il faudrait aller. Uniquement du blues, du vrai, du pur, du tatoué.
– ***A-Train :*** sur Kenny's Alley, face au Blues Harbor et mêmes horaires. ☎ 221-0522. Tous les soirs de la semaine, jazz classique ou progressif. Moderne et de qualité.
– ***Miss Kitty's :*** sur Kenny's Alley, à côté du A-Train. Bar-western, clientèle cou-rouge et musique grasse comme un ventre rempli de bière. Même genre que les deux précédents, version country. Ce qui prouve qu'on n'est pas sectaire.
– ***Dante's Down the Hatch :*** dans l'Underground, sur Old Pryor Street. Reconstitution en sous-sol d'un bateau. L'entrée d'ailleurs ressemble à celle d'une cabine de frégate. Au resto ou au bar, folk music ou jazz. Mêmes formations toute la semaine, de 20 h à minuit. On ne conseille pas le resto.
– ***Atlanta's Beach Club :*** sur Kenny's Alley. Pas de musique *live*. Juste une boîte sympa où les kids du collège viennent boogie-wooger sur des airs des sixties.

### DANS LE QUARTIER DE NORTH HIGHLAND

– ***Blind Willie's :*** 828 North Highland Avenue. La meilleure adresse pour écouter du jazz ou du blues dans le coin. Voir aussi les petites adresses de bars que l'on donne dans « A voir », pour le quartier voisin de Little Five Points.

## Aux environs

▸ ***Stone Mountain Park :*** à 16 miles à l'est de la ville. Prendre Ponce de Leon puis suivre la I-78 jusqu'au panneau d'entrée du parc. Très bien pour une journée de repos si vous restez longtemps à Atlanta. Merveilleux parc naturel où l'on retrouve toutes les essences de Georgie. Beaux campings, superbes lacs, aires de pique-nique, plagettes, locations de canoës. Et puis la Stone Mountain, énorme bloc de granit (le plus grand du monde) surgissant de la forêt, dans lequel on s'est senti obligé de sculpter un bas-relief dédié aux confédérationnistes, de 60 × 10 m, où apparaissent les frimousses de Jefferson Davis (président des États confédérés du Sud durant la guerre), Robert E. Lee (chef des armées sudistes) et Stonewall Jackson. Prétentieusement, on surnomme le coin le « Mount Rushmore du Sud ». Encore un coup pour attirer les touristes. Les soirs d'été, spectacle laser sur la montagne à 20 h 30. Bonjour la foule !

▸ ***Six Flags over Georgia :*** 7561 Six Flags Road. ☎ 739-3400. A environ 15 miles au sud-ouest. Prendre la I-20 West et sortir à Six Flags Road. Ouvert le week-end de mars à la mi-mai et de la mi-septembre à octobre. Ouvert tous les jours les mois d'été, de 10 h à 22 h (à vérifier). Gigantesque parc d'attraction qui possède la montagne russe la plus impressionnante du monde, la « Mind Bender », et une autre tout aussi terrible, la « Great Americain Scream Machine » (« la grande machine américaine qui fait hurler »). Et puis aussi un truc pour ceux qui aiment les sensations fortes, d'où on vous fait tomber de 10 étages.

## SAVANNAH

IND. TÉL. : 912

C'est certainement l'une des plus jolies villes d'Amérique du Nord. Il faut admettre qu'il est bien agréable de s'y balader. Très riche en espaces verts, on trouve au gré des promenades de superbes maisons plus belles les unes que les autres dans le plus pur style colonial, avec balcons en fer forgé, couleurs pastel, escaliers en bois, colonnades... Tout y est calme, c'est la douceur de vivre par excellence. La petite histoire veut qu'une passagère du nom de Hannah se trouvait sur le premier bateau qui approcha des côtes ; elle tomba par-dessus bord, et tout le monde s'écria alors « Save Hannah », d'où son nom. Vrai ou faux, telle est la légende. Cette ville semble vraiment, par opposition à bien d'autres, avoir un passé, à tel point qu'elle est un des rares endroits où sont proposées des visites de maisons hantées...
En 1996, Savannah sera un site olympique, du coup elle devra améliorer ses structures touristiques et en particulier ouvrir des hôtels bon marché. Et c'est tant mieux, parce qu'ils font encore cruellement défaut.

### Où dormir ?

■ ***Bed & Breakfast Inn :*** 117 W.Gordon Street at Chatham Sq. ☎ 238-0518. Dans une vieille maison, proposant tout le confort possible. Toutes les chambres sont personnalisées. Très bien situé. Sûrement le moins cher de la ville, mais il fait quand même son petit prix. Possibilité de laver son linge.
■ ***Days Inn Historic District :*** 201 West Bay Street. ☎ 236-1024. Fax : 232-2725. Motel classique comme on en voit des centaines. Devient très intéressant quand on y va à plusieurs. Piscine. Mieux vaut éviter les week-ends car les prix augmentent sensiblement. De même le ***River Front Inn :*** 412 West Bay Street. ☎ 2333-1011 (réservations : ☎ 1-800-528-1234).
– *Réservations groupées* : beaucoup de pensions de Savannah sont représentées. En appelant au 1-800-729-7787 (appel gratuit), on essaiera de vous trouver une jolie petite pension. Fax : 232-7787.

### Où manger ?

• ***Mrs Wilkies' dining room :*** 107 West Jones Street. ☎ 232-5997. Ouvert du lundi au vendredi, de 8 h à 9 h pour le petit déjeuner gargantuesque et de 11 h 30 à 15 h pour le déjeuner. Étape absolument obligatoire. Quatre générations de cuisinières vous préparent une cuisine familiale qui change des classiques salades ou hamburgers. Les clients viennent remplir les grandes tables où s'accumulent les excellentes spécialités, en particulier de légumes. Souvent complet. On se remplit l'estomac pour pas cher.
• ***Six Pence Pub :*** 245 Bull Street. ☎ 233-3156. Accueil chaleureux pour un restaurant sympathique, quoique peu original. Principalement des salades et des sandwiches. Une spécialité quotidienne vient égayer la carte. Très abordable.
• ***Gottlieb's :*** 1601 Bull Street. Vous avez dit cookies ? Oui, mais attention, ceux-là sont à tomber par terre. On vient un peu partout des États-Unis pour déguster les spécialités de cette boulangerie fondée en 1884.
• ***Hard Earted Hannah's :*** 318 W Saint Julian Street. Une des nombreuses boîtes de jazz où il fait bon siroter un cocktail en écoutant l'orchestre.

### A voir

Il y a beaucoup de petits musées, comme le *Massie Heritage Interpretation Center* (207 Gordon Street ; ouvert du lundi au vendredi de 9 h à 16 h) qui explique l'architecture de la ville, mais vraiment ce qui compte, c'est de se promener dans la ville, près du port ou au *City Market.* On a quand même eu un coup de cœur pour la *King-Tisdell Cottage Foundation,* 503 East Harris Street, où Mr. Law qui a eu une vie plus que bien remplie explique l'histoire des Noirs dans la région.

# LA LOUISIANE

La Louisiane tient une place à part dans le cœur des Français. Parenté oblige. *A priori*, ce relief plat et marécageux, où l'eau ne se résigne jamais tout à fait à laisser place à la terre, présente peu d'intérêt. Et pourtant, on éprouve pour cette région une sorte d'attraction, une mystérieuse tendresse. Le succès inégalé des romans de Denuzière en est la preuve. La Louisiane incarne un certain mythe de l'Amérique. Une Amérique dont rêvent les Français. Cette sensibilité particulière que nous éprouvons pour cette contrée est due en grande partie à l'histoire.

## Louisiana story

– ***XVI$^e$ siècle :*** les Espagnols découvrent le sud des États-Unis et revendiquent le territoire.
– ***1682 :*** un explorateur français, Cavelier de La Salle, occupe, au nom de la France, la vallée du Mississippi. Il lui donne le nom de Louisiane, en l'honneur de Louis XIV. Pendant une trentaine d'années, la France délaisse cette immense colonie marécageuse et sans ressource apparente.
– ***1718 :*** fondation de la capitale, La Nouvelle-Orléans (du nom du Régent, Philippe d'Orléans).
– ***1750 :*** plantation des premières cannes à sucre provenant de Saint-Domingue. La traite des Noirs fournira la main-d'œuvre.
– ***1762 :*** par le traité de Fontainebleau, Louis XV cède la Louisiane à l'Espagne.
– ***Mars 1800 :*** l'Espagne restitue la Louisiane à Napoléon.
– ***Avril 1803 :*** Napoléon la vend aux États-Unis pour 15 millions de dollars, ce qui correspond à 25 centimes l'hectare ! Ce sera la plus grande vente foncière de tous les temps. C'était pour lui un moyen pour que ce vaste territoire ne tombe pas aux mains des Anglais.
– ***1814 :*** les États-Unis remportent les dernières batailles contre l'Angleterre. Le jeune État sera d'ailleurs aidé par une armée française commandée par le général de La Fayette.
– ***1861 :*** guerre de Sécession. La Louisiane, refusant l'abolition de l'esclavage, fait sécession et se joint au gouvernement sudiste.
– ***1865 :*** la défaite des États sudistes et l'abolition de l'esclavage annoncent le déclin des grandes plantations.
– ***1901 :*** la découverte du pétrole redonne un souffle nouveau à la Louisiane.

## Avant de partir en Louisiane

– ***Association France-Louisiane :*** 17, quai de Grenelle, 75015 Paris. ☎ 45-77-09-68. M. : Bir-Hakeim. Cette association, qui a pour objectif de resserrer les liens entre la France et la Louisiane (ainsi que la Nouvelle-Angleterre), peut fournir toutes sortes de documentations touristiques très détaillées ainsi que de bons conseils. S'occupe également d'organiser des voyages ainsi que des échanges de jeunes entre familles (14 à 18 ans).

## Les Cajuns

En 1763, la France perd le Canada au profit de l'Angleterre. Les Français du Canada, ou Acadiens (parce qu'ils vivaient dans la presqu'île d'Acadie, la Nova Scotia d'aujourd'hui), sont déportés, voire persécutés. Cette terrible période est appelée « le Grand Dérangement ». Les survivants se réfugient alors en Louisiane, de tradition française et catholique. Peu à peu, les Noirs, oubliant le « A », transforment le mot « acadien » en « cajun ».

Les réfugiés s'installent dans les régions inhabitées, c'est-à-dire les plus inhospitalières, comme les bayous. Bien plus pauvres que les autres fermiers, ils étaient souvent méprisés à l'égal des Noirs. Cette pauvreté est toujours apparente aujourd'hui quand on visite le cœur du pays cajun, c'est-à-dire la région située entre Ville Plate au nord, Kaplan au sud, Eunice à l'ouest et New Iberia à l'est. Les champs minuscules renferment quelques vaches indiennes (!). Ils cultivent un peu de riz ou de canne à sucre et pêchent les grosses crevettes dans l'estuaire. Leurs petites maisonnettes en bois sont vieillottes et guère entretenues. Les Cajuns doivent travailler dur pour arracher quelque chose des marécages. Aujourd'hui, beaucoup d'entre eux sont dans le pétrole.
Et le français dans tout ça ? Il s'est beaucoup perdu et pour plusieurs raisons : les Cajuns hésitaient à employer le français, par timidité, un peu par manque de confiance à l'idée de s'exprimer dans une langue si peu maîtrisée à leurs yeux. Ensuite, on culpabilisa les jeunes en soutenant que c'était la langue des pauvres et qu'elle ne permettait pas de trouver du travail. La radio et la T.V. achevèrent de faire pénétrer l'anglais en milieu rural. Les Texans, quant à eux, embauchèrent les Cajuns pour exploiter le pétrole de Louisiane, à condition qu'ils parlent l'anglais. Enfin, le français fut longtemps interdit à l'école.
Ce n'est qu'en 1968, sous l'impulsion d'un ancien membre du Congrès, M. Demongeaux, d'origine cajun, qu'un organisme fut créé pour la promotion du français de Louisiane, le CODOFIL. Avec l'aide de plusieurs pays francophones, cet organisme a mis sur pied un ambitieux programme scolaire qui permet à bon nombre d'écoliers de suivre des cours de français « standard »... En effet, les professeurs sont français, belges, québécois ou suisses. Mais ce n'est pas vraiment le cajun, et la tradition linguistique ne se perpétue plus tout à fait. Si vous souhaitez entendre cette langue si particulière, allez visiter l'*Acadian Village* de Lafayette. C'est un plaisir. Ou alors, faites du stop avec le drapeau français, c'est l'occasion de rencontrer des Cajuns extra.
Désormais, il existe trois principales régions acadiennes : la première au Canada, la deuxième en Louisiane et la troisième à Belle-Ile-en-Mer (France) où s'en retournèrent quelques familles au XVIIIe siècle.

## Les Cajuns et la fête

Ici, c'est le pays d'une certaine joie de vivre, du bien manger, du bien danser, le pays où il fait bon « laisser le temps rouler ». A la moindre occasion, ils sortent les trois instruments traditionnels : le violon, l'accordéon et la guitare.
La mélodie rappelle celle d'une bourrée bretonne à laquelle se mélangent des rythmes noirs américains.
Nombreux festivals tout au long de l'année, à l'occasion des récoltes. Autre événement intéressant, la « grande boucherie », durant laquelle on tue le cochon, on mange le boudin, les gratons, et on danse.
La musique prend une grande importance dans la vie des Cajuns. Ici, le « fais-dodo » est roi. A l'origine, plusieurs familles se réunissaient le samedi soir et mettaient leurs enfants dans de grands lits. « Fais-dodo, pendant que tes parents dansent toute la nuit », leur disaient-ils... Aujourd'hui, cette tradition est toujours bien vivante, même si l'on n'amène plus les enfants au « fais-dodo ». Chaque samedi soir, les groupes cajun jouent comme des fous et les danseurs se déchaînent. Une grande leçon de joie de vivre. Ce qui surprend le plus, c'est l'âge des danseurs, de quarante à... quatre-vingt-dix ans. Et si vous êtes invité, il n'est pas évident que votre partenaire aux cheveux argentés craque avant vous. On raconte qu'il meurt autant de vieux sur les planches des « fais-dodo » que dans leur lit. On n'a pas vérifié, mais ce n'est pas impossible, vu l'énergie dépensée.
Voilà comment Paul Vann, un bon copain à nous de Louisiane, décrit les Cajuns pendant leurs loisirs : « Au contraire du " red neck " de l'Arkansas, puritain, sobre (parce qu'il vit dans un comté sec !) et conservateur, le Cajun cherchera toujours quelque chose à célébrer : un anniversaire, un mariage, un divorce, n'importe quoi, dès lors que c'est prétexte à boire, danser, se distraire... Le Cajun adore bâfrer. Après le petit déjeuner, il va commencer à réfléchir au déjeuner et, habituellement, s'envoyer un sandwich avec une boîte de bière. L'après-midi, il ira pêcher quelques crevettes et crabes et y rencontrera quelques amis. Quand tout le monde sera rassasié et trop gai pour tenir une conversation, chacun rentrera chez soi. Le Bar-B-Q est traditionnel. Presque chaque week-end, le Cajun trouvera le moyen de participer à l'un d'eux. Avec ses amis,

il descendra moult Budweiser, Miller Lite, et ingurgitera plus de nourriture que qui que ce soit. Voilà comment il passe son temps libre, le Cajun, dès lors qu'il n'y a pas quelque festival en cours tels ceux de la canne à sucre, de la crevette, de l'écrevisse, le Yambilee, le mardi gras ou tout autre événement... »
Tout cela pour vous dire que parmi leurs nombreux traits de caractère, les Cajuns sont de bons vivants. Tant mieux pour vous.

● ***Quelques fêtes en été***

– ***Festival de jazz :*** dernier jour d'avril et premiers jours de mai. A Lafayette. Infos : ☎ (318) 232-8086. En même temps que celui de La Nouvelle-Orléans.
– ***Week-end le plus proche du 4 juillet :*** à Church Point, au nord-ouest de Lafayette. Défilé de diligences, danses de rue, concours de cuisine.
– ***Week-end le plus proche du 4 juillet :*** à Charenton, au sud-est de New Iberia. Fête des Indiens chitimacha. Danses tribales, musique indienne, produits d'artisanat.
– ***Week-end le plus proche du 14 juillet :*** à Kaplan, au sud-ouest de Lafayette. Le *Bastille Day* le plus célèbre du pays cajun. Fête de rue avec un « fais-dodo », un rodéo et orchestres cajun.
– ***3e week-end de juillet :*** à Galiano, au sud-ouest de La Nouvelle-Orléans. Festival des huîtres. Carnaval, concours de danse, ripaille d'huîtres.
– ***3e week-end d'août :*** à Delcambre, au sud de Lafayette, Festival de la crevette. Fête de rue avec un « fais-dodo », orchestres cajun et bingo. Crevettes sauce piquante ou bouillie.
– ***Labor Day week-end :*** à Morgan City, au sud-est de New Iberia. Festival de la crevette et du pétrole. Bénédiction des bateaux, défilé de rue, danses et feu d'artifice.
– ***Dernier week-end d'août ou 1er week-end de septembre :*** à Loreauville, au nord-est de New Iberia. Parade, cuisine cajun et « fais-dodo ».

## La cuisine cajun

Autrefois, les Cajuns disaient : « On peut manger tout ce qui ne nous mangera pas le premier. » Certains gourmets hésiteront à suivre une bonne cuisinière cajun mais elle saura toujours parfaitement transformer un alligator, un rat musqué et même un tatou en plat délicieux. Les Cajuns sont fiers, à juste titre, de posséder une véritable tradition culinaire : une synthèse des traditions gastronomiques française, espagnole, antillaise, adaptée aux produits de base des bayous : riz, coquillages, poissons, crustacés (crevettes, crabes, écrevisses). Autour des fourneaux, il y avait un consensus entre le maître et les esclaves. Ainsi, l'interdiction faite aux esclaves de lire était levée dès qu'il s'agissait de consulter des livres de cuisine...
– ***Le Po-Boy*** (ou *poor boy*) : la spécialité de la Louisiane la plus connue et la moins chère. D'ailleurs, son nom souligne que c'était la nourriture des pauvres. C'est en fait un sandwich dans du véritable pain. Il peut contenir du poisson, des écrevisses, des huîtres, de la viande... Il constitue un repas à lui tout seul et vaut tous les hamburgers de la terre.
– ***Des hors-d'œuvre :*** des huîtres cuites Bienville (au jambon et aux champignons) ou Rockefeller (aux épinards). Si vous les voulez crues, demandez « on the half shell », mais elles ne seront jamais servies vivantes ! En tout cas, elles sont plus grosses qu'en France et presque pas salées.
– ***Des soupes :*** la grande spécialité régionale, le *gombo*, soupe faite à base d'*okra* (plante tropicale) avec du riz, des crevettes, du crabe et des épices. En hiver, l'andouille et le poulet remplacent souvent crabes et crevettes.
– ***Le jambalaya :*** une autre des grandes spécialités louisianaises, est préparé à partir d'une énorme quantité de riz à laquelle on ajoute du jambon, du poulet, des saucisses, du porc frais, des crevettes et du crabe.
– ***Les crustacés :*** la véritable attraction de Louisiane. Nombreux restaurants de seafood mais ceux tenus par les Cajuns sont les plus cotés. Ils connaissent plusieurs recettes pour préparer les crabes, crevettes *(shrimps)* et écrevisses *(crawfish)* qui abondent dans les eaux du delta : en bisque, à l'étouffée, le plus souvent frits (quel gâchis !), etc. La meilleure préparation : au court-bouillon *(boiled)*. On vous apporte généralement un plateau d'un kilo (voire plus !) de ces braves bêtes, épicées à souhait. A savoir : les chevrettes sont des crevettes provenant d'une baie (en l'occurrence le golfe du Mexique). Goûter à l'étonnant

*soft-shell crab :* petit crabe capturé au moment où il change de coquille, la nouvelle n'étant pas complètement formée ; on fait frire et voilà. Terminons le chapitre crustacés par une belle légende cajun : quand les Acadiens quittèrent la Nouvelle-Écosse, les homards les suivirent en longeant la côte est. Mais ce long voyage les épuisait tellement que la taille des braves homards diminuait au fur et à mesure de leur avancée. Une fois arrivés dans les bayous de Louisiane, les milliers de homards s'étaient transformés... en écrevisses.
– ***Des poissons :*** les eaux des bayous et celles du golfe du Mexique fournissent de nombreuses espèces, dont l'omniprésent *catfish* (qui n'a rien à voir avec notre poisson-chat) que les Louisianais savent préparer de nombreuses façons (farcis au crabe, par exemple).
– ***Des viandes :*** beaucoup de porc, préparé en andouille, en fromage de cochon, en « ponce » (estomac de porc farci de viande et de patates douces), ou de boudin blanc. Bizarrement, le boudin rouge est interdit à la vente par le service de santé américain.
– ***Des desserts :*** les Cajuns sont très amateurs de *bread pudding,* genre de pain-perdu arrosé de rhum et truffé aux raisins de Corinthe. Goûtez aussi à l'excellente *pecan pie.*
– Quant aux ***french toasts,*** souvent proposés au petit déjeuner dans les B & B, il s'agit tout simplement de notre pain-perdu.

# LA NOUVELLE-ORLÉANS (New Orleans) IND. TÉL. : 504

En arrivant à La Nouvelle-Orléans, on a en tête tout plein d'airs de jazz, de joie de vivre, de rocking-chairs sur les terrasses des vieilles maisons... Il y a tout ça. Encore faut-il le chercher. Le côté jazz est représenté par le *French Quarter* avec son très fameux *Preservation Hall.* Parmi toutes les influences qui ont modifié le profil physique et humain de cette ville, c'est surtout l'influence française qui prédomine, même en dehors du « Vieux Carré », le quartier français proprement dit : La Salle, Dauphine, Toulouse, Carondelet, Marais sont autant de noms de rues qui témoignent d'un passé historique français pas si lointain.
C'est d'ailleurs assez étonnant quand on sait que nos ancêtres n'ont pas sévi très longtemps dans les parages. En tout cas, moins que les Espagnols qui, eux, ont laissé des traces architecturales dont certaines nous sont abusivement attribuées, notamment le Vieux Carré.

## Préambule

On peut être déçu de prime abord par New Orleans (ici, on prononce « Nolinss » et non « Niou Olinnss »). Le premier contact est défavorable et la banlieue frappe par son étendue et sa banalité.
Avec San Francisco et Boston, La Nouvelle-Orléans est une ville qui peut être reconnue comme telle par un Européen.
En fait, c'est à pied, en bus ou en tramway (qui ne s'appelle pas Désir mais Canal-Saint-Charles) que l'on découvre vite la grâce de La Nouvelle-Orléans. C'est ainsi que la ville dévoile ses charmes. Jour et nuit. Il existe une carte « Visitor's-Pass » qui permet pendant 3 jours de voyager librement avec tous les bus. Vite amortie. On peut l'acheter dans beaucoup d'hôtels ou à « Riverwalk », kiosque situé face au Café du Monde, au bord du Mississippi.
Une autre précision, encore plus importante : New Orleans souffre un peu plus chaque année de la délinquance. Ce n'est pas encore Washington ou le Bronx, mais ne croyez pas qu'il ne s'y passe jamais rien sous prétexte qu'il fait beau ! Restez prudent avec vos affaires (sans tomber dans la parano, bien sûr), ne vous promenez pas seul(e) le soir en dehors du Vieux Carré et évitez les quartiers à risques, notamment le nord de Canal Street, le cimetière Saint-Louis, les abords de la YMCA...

## Arrivée à l'aéroport

– ***Tourist Information*** à côté de l'endroit où l'on récupère les bagages.
– Prenez les ***bus*** au premier étage, qui indiquent « Downtown ». Fonctionnent de 5 h 30 (6 h le dimanche) jusqu'à 23 h 30.

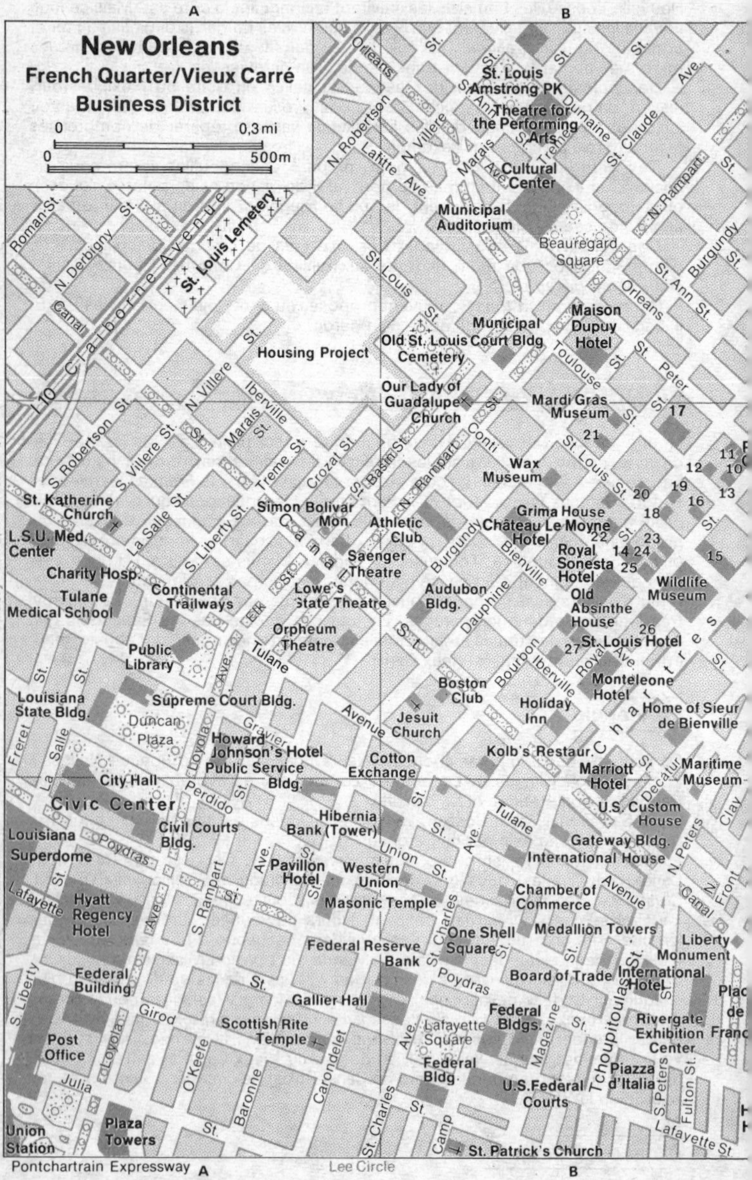

# New Orleans
## French Quarter/Vieux Carré Business District

0 0,3 mi
0 500 m

A B
1 2 3

Roman St.
N. Derbigny St.
Claiborne Avenue
L10
St. Louis Cemetery
Canal
N. Robertson
Orleans
Lafitte Ave.
N. Villere
Marais
St. Ann
St. Louis Amstrong PK
Theatre for the Performing Arts
Treme
Dumaine
St. Claude Ave.
N. Rampart
Cultural Center
Municipal Auditorium
Beauregard Square
Burgundy St.
St. Ann St.
Orleans
St. Louis
Housing Project
Old St. Louis Cemetery
Municipal Court Bldg
Maison Dupuy Hotel
Toulouse St.
St. Peter
Our Lady of Guadalupe Church
Conti St.
Mardi Gras Museum
17
21
Iberville St.
S. Robertson St.
N. Villere St.
Marais St.
Treme St.
Crozat St.
Basin St.
N. Rampart
St. Louis St.
Wax Museum
12 11 10
19 13
20 16
18
St. Katherine Church
S. Villere St.
La Salle St.
S. Liberty St.
Simon Bolivar Mon.
Athletic Club
Burgundy
Bienville
Grima House
Château Le Moyne Hotel
22 23
14 24
25
15
L.S.U. Med. Center
Canal St.
Elk St.
Saenger Theatre
Royal Sonesta Hotel
Charity Hosp.
Continental Trailways
Lowe's State Theatre
Audubon Bldg.
Dauphine
Old Absinthe House
Wildlife Museum
Tulane Medical School
26
Orpheum Theatre
St.Louis Hotel
27
Public Library
Ave.
Tulane
Bourbon
Iberville
Royal Ave.
Chartres St.
Boston Club
Monteleone Hotel
Louisiana State Bldg.
Supreme Court Bldg.
Avenue
Jesuit Church
Holiday Inn
Home of Sieur de Bienville
Duncan Plaza
Gravier
Howard Johnson's Hotel
Kolb's Restaur.
Freret St.
La Salle St.
Loyola
Public Service Bldg.
Cotton Exchange
Marriott Hotel
Decatur St.
Maritime Museum
City Hall
Perdido
St.
Civic Center
Hibernia Bank (Tower)
Tulane
U.S. Custom House
Clay
Louisiana Superdome
Poydras
Civil Courts Bldg.
St.
Ave.
Union
St.
Gateway Bldg.
N. Peters
International House
Pavillon Hotel
Western Union
Chamber of Commerce
Avenue
Canal
N. Front
Lafayette
Hyatt Regency Hotel
S. Rampart St.
Masonic Temple
St. Charles
One Shell Square
Medallion Towers
Liberty Monument
Federal Reserve Bank
Poydras
Board of Trade
International Hotel
S. Liberty
Federal Building
St.
Gallier Hall
Place de France
Girod
Scottish Rite Temple
Lafayette Square
Federal Bldgs.
Magazine St.
Tchoupitoulas St.
Rivergate Exhibition Center
Post Office
Loyola
O'Keefe
Baronne
Carondelet
Federal Bldg
U.S.Federal Courts
Piazza d'Italia
S. Peters
Fulton St.
Julia
St. Charles
St.
Camp
Lafayette St
Union Station
Plaza Towers
St.
St. Patrick's Church

Pontchartrain Expressway A
Lee Circle
B

Greyhound, Internat. Airport
Domed Stadium

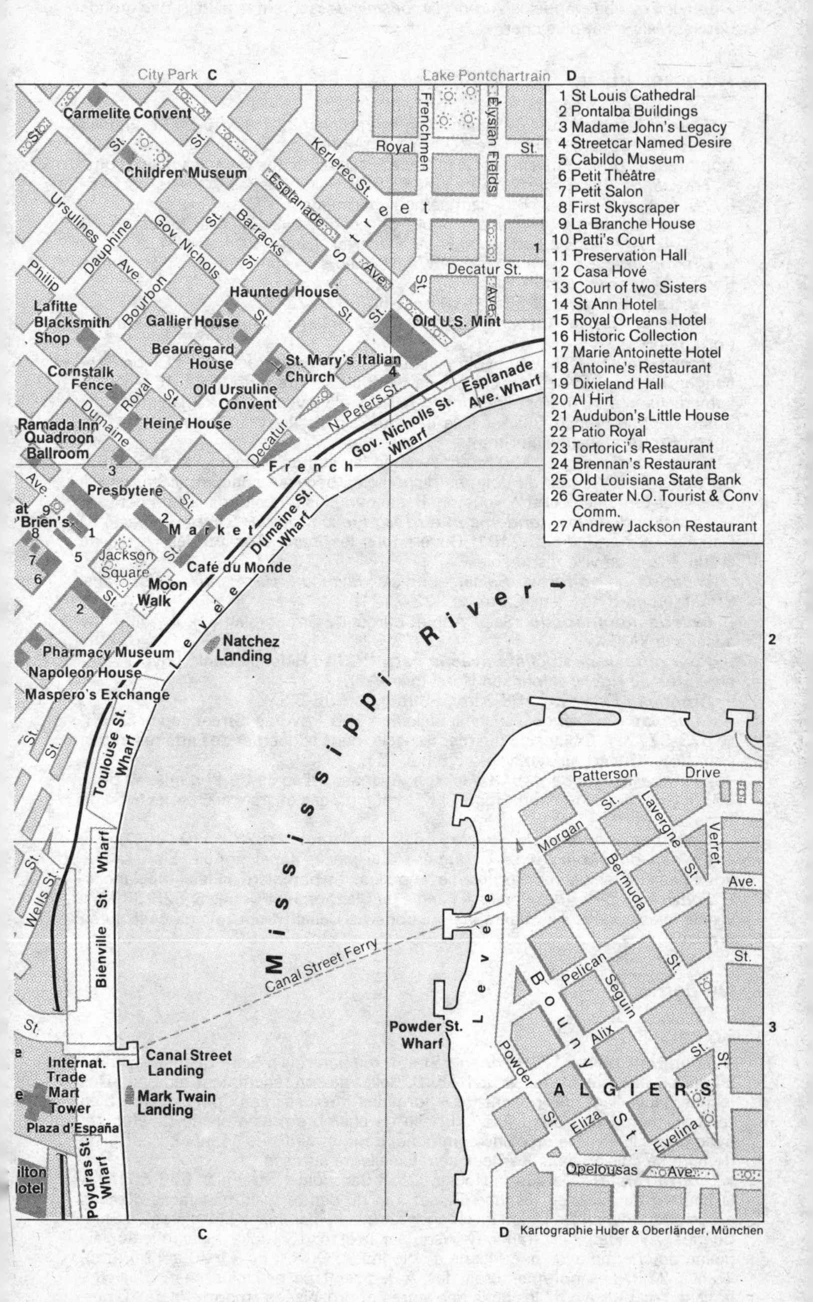
City Park C
Lake Pontchartrain D
1 St Louis Cathedral
2 Pontalba Buildings
3 Madame John's Legacy
4 Streetcar Named Desire
5 Cabildo Museum
6 Petit Théâtre
7 Petit Salon
8 First Skyscraper
9 La Branche House
10 Patti's Court
11 Preservation Hall
12 Casa Hové
13 Court of two Sisters
14 St Ann Hotel
15 Royal Orleans Hotel
16 Historic Collection
17 Marie Antoinette Hotel
18 Antoine's Restaurant
19 Dixieland Hall
20 Al Hirt
21 Audubon's Little House
22 Patio Royal
23 Tortorici's Restaurant
24 Brennan's Restaurant
25 Old Louisiana State Bank
26 Greater N.O. Tourist & Conv Comm.
27 Andrew Jackson Restaurant
Carmelite Convent
Children Museum
Haunted House
Lafitte Blacksmith Shop
Gallier House
Beauregard House
Cornstalk Fence
Old Ursuline Convent
St. Mary's Italian Church
Old U.S. Mint
Ramada Inn Quadroon Ballroom
Heine House
Presbytère
Jackson Square
Café du Monde
Moon Walk
Pharmacy Museum
Napoleon House
Maspero's Exchange
Natchez Landing
Mississippi River
Esplanade Ave. Wharf
Gov. Nicholls St. Wharf
Dumaine St. Wharf
Toulouse St. Wharf
Bienville St. Wharf
Canal Street Ferry
Canal Street Landing
Mark Twain Landing
Internat. Trade Mart Tower
Plaza d'España
Poydras St. Wharf
Powder St. Wharf
ALGIERS
Patterson Drive
Opelousas Ave.
Kartographie Huber & Oberländer, München

Sinon, les minibus (appelés *Airport Limousine*) desservent la plupart des grands hôtels. Mais c'est plus cher.

## Adresses utiles

– ***Tourist Information :*** 529 Saint Ann Street (plan C2). ☎ 566-5031. En face de Jackson Square. Ouvert de 10 h à 18 h en été et de 9 h à 17 h en hiver. Nombreuses brochures sur la ville et toute la région, notamment les plantations.
– ***Travellers Aid Society :*** à la YMCA, 936 Saint Charles Avenue. ☎ 525-8726. Ouvert de 8 h à 16 h, sauf samedi et dimanche.
– ***Union Passenger Terminal :*** angle de Loyola Avenue avec Interstate 10 (plan A4). A 7 blocs à l'ouest du French Quarter. Ouvert 24 h sur 24.
– ***Greyhound :*** à la gare. ☎ 525-9371. Plusieurs liaisons par jour pour Baton Rouge, Memphis, Huston, etc.
– ***Amtrak :*** à la gare. ☎ 528-1610 ou 1-800-872-7245.
– ***Regional Transit Authority :*** ☎ 569-2700. Infos concernant tous les transports publics.
– ***Post-Office :*** 1015 W Loyola Avenue, entre le superdome et l'Union Passenger Terminal (plan A4). Ouvert du lundi au vendredi de 9 h à 16 h 30 ; le samedi jusqu'à 12 h. Poste restante : 701 Loyola Avenue. Il y a également une poste dans le French Quarter. Elle est située dans Iberville Street, entre Burgundy Street et Dauphine Street.
– ***Auto Drive-away C° :*** 201 Kent Avenue (au sud de Metairie). ☎ 885-9292. Un truc : s'il n'y a pas de voitures disponibles because concurrence féroce, il vaut peut-être mieux aller à Houston. Beaucoup plus de voitures sur S.F. et L.A.
– ***Location de vélos, tandems et autres :*** *French Quarter Bicycle Rental,* 410 Dauphine Street. ☎ 522-3101. Ouvert tous les jours. Accepte les cartes de crédit. Plans de ville disponibles.
– ***Location de voitures :*** *Spinato Chrysler Plymouth Car Rental,* 2226 Canal Street, au nord du Vieux Carré. ☎ 822-7121.
– ***Laverie automatique :*** Saint Ann et Burgundy Street (plan B1). Il y en a une aussi à la YMCA.
– ***Pour obtenir des dollars avec la carte VISA :*** Hibernia Bank, Loyola Avenue, près du Howard Johnson Hotel (plan A3).
– ***American Express :*** 158 Barone Street. ☎ 586-8201.
– ***Consulat de France :*** Lyches Building, 300 Poydras Street, suite 2105. ☎ 523-5772. A 3 blocs du quartier français, dans le quartier des affaires et des entrepôts. Ouvert en semaine, de 9 h à 15 h.
– ***Alliance française :*** 1519 Jackson Avenue, à l'angle de Prytania. ☎ 568-0770. Non loin de la Youth Hostel. Livres et journaux en français, projections de films, etc.
– ***Consulat honoraire de Suisse :*** 1620 8th Street. ☎ 897-6510.
– ***En cas de pépin :*** ☎ 911. Numéro d'urgence, appel gratuit. L'opératrice vous passera, selon votre problème, la police, les pompiers ou les ambulances.
– ***Fourrière :*** *City Auto Pound,* à l'angle de Clairborne et Conti. ☎ 528-3993. Il y en a plusieurs. Celle-ci gère les environs de Canal Street. Moins cher qu'en France !

## Où dormir ?

### Bon marché

■ ***Longpré House :*** 1726 Prytania Street, rue parallèle à Saint Charles Avenue, à l'ouest du Vieux Carré. ☎ 581-4540. Belle maison récemment rénovée. Des jeunes accueillants proposent deux formules intéressantes : petit dortoir bien tenu au même tarif que l'A.J. officielle ou chambre privée pleine de charme, avec grand lit et salle de bains commune, pour un tarif très honnête. Possibilité de faire sa cuisine dans les deux cas. Excellente adresse.
■ ***Youth Hostel :*** Marquette House, 2253 Carondelet Street. ☎ 523-3014. A la hauteur de Jackson Avenue. Assez loin du centre mais très facile d'accès grâce au tramway. De Union Passenger Terminal, marchez 5 blocs jusqu'à Saint Charles Avenue. Puis tramway jusqu'à l'arrêt n° 13. Jolie maison coloniale pleine de charme avec une façade à colonnade. Ouvert de 7 h 30 à 13 h et de 15 h à 22 h. Les non-membres des A.J. paient un peu plus cher. Plusieurs bâtisses de bois à côté les unes des autres et organisées en dortoirs de 10 per-

sonnes en moyenne. 160 lits en tout. Filles et garçons séparés, mais plein d'avantages : cuisine, réfrigérateur, pas de couvre-feu (chacun a sa clef), possibilité de rester à l'A.J. dans la journée (pour que les noctambules se reposent), machine à laver à pièces, possibilité de check-in après 23 h... Inconvénient : le quartier n'est pas très sûr la nuit. Quand vous arrivez le soir tard avec votre sac, un taxi est préférable.

■ ***India House :*** 124 S Lopez Street. ☎ 821-1904. Excentré mais moins cher que l'A.J. officielle. Remonter Canal Street jusqu'aux n^os^ 3200 et tourner à gauche. C'est une grande maison en bois genre communauté de routards. Ouvert en permanence, pas de couvre-feu. Dortoirs mixtes de 4 à 6 personnes.

■ ***YMCA :*** 936 Saint Charles Avenue. ☎ 568-9622. Immense bâtiment sur la place Lee Circle. A 4 blocs au sud de Union Passenger Terminal et à 10 blocs à l'ouest du French Quarter. Atmosphère assez déprimante. Piscine gratuite mais pas terrible. Ne pas arriver trop tard car vite plein, surtout les week-ends. Attention à vos affaires : nombreux vols.

■ ***Ozanam Inn :*** 843 Camp Street. ☎ 523-1184. Juste derrière la YMCA de Lee Circle. Pour routards dans la totale panade. Ne pas abuser, c'est avant tout pour les clochards. C'est une mission (genre Armée du Salut améliorée) où l'on peut passer quelques nuits gratuitement et bénéficier de deux repas. Lever à 5 h 30 et rentrée à 18 h. Encadrement jeune et assez sympa. N'héberge que les hommes.

■ ***Charles Rosen House :*** 6440 S Claiborne Avenue, Box 108, New Orleans, LA 70124. ☎ 865-5298. Location de studios sur le campus de Tulane University. Deux lits avec draps et couvertures fournis. Réfrigérateur. Conseillé d'écrire ou de téléphoner longtemps avant.

■ ***Hawthorne Hall :*** 1300 Canal Street. ☎ 524-8225. A 100 m du terminus de bus qui arrive de l'aéroport. Quartier peu sûr, mais vous avez à votre disposition un véritable studio avec cuisine, deux lits et salle de bains pour un prix très raisonnable. L'endroit dépend de l'université, où sont logés les étudiants. Attention, pas d'accueil le week-end. La location au mois est très intéressante.

■ ***KOA West Campground :*** 219 S Starret, River Ridge, à 12 miles à l'ouest du centre ville. ☎ 467-1792. Prenez l'Interstate 10 en direction de Baton Rouge. Sortez sur Williams Boulevard puis 2,5 miles au sud jusqu'à Jefferson Highway et tournez à gauche. Piscine et terrain ombragé, mais assez cher et bruyant le soir.

■ ***Humming Bird Hotel :*** 804 Saint Charles Avenue. ☎ 561-9229. Un peu avant la YMCA. Plus intéressant et plus vivant. Un peu le genre taudis avec réception minuscule envahie de paperasses et de bonbons, vieil escalier qui grince... L'état de propreté peut ne pas convenir à tout le monde mais les patronnes sont sympa et les prix vraiments compétitifs (à peine plus cher que l'A.J.). Douches communes. Au rez-de-chaussée, petit resto bon marché ouvert 24 h sur 24. Ambiance de quartier.

### Assez bon marché

■ ***Mazant Guest-House :*** 906 Mazant, à l'angle de Burgundy. A l'est du Vieux Carré. ☎ 944-2662. Vieille maison de planteur, à l'écart de l'agitation touristique. Parquet, ventilo et lits à l'ancienne dans des chambres bien tenues. Deux tarifs, avec ou sans salle de bains. La chambre du rez-de-chaussée est la mieux (malgré l'absence de salle de bains), spacieuse et pleine de charme. Seul petit problème : pas de vrai petit déjeuner, même si le café est inclus dans le prix de la nuit. Arrhes demandées à la réservation.

### Prix moyens

■ ***Old World Inn :*** 1330 Prytania Street, à la hauteur de Thalia Street. ☎ 566-1330. Prendre le tramway sur Saint Charles Avenue et descendre à l'arrêt n° 10. Quartier agréable où se trouvent nos meilleures adresses, mais pas très sûr la nuit (n'hésitez pas à revenir en taxi...). Déco vieillotte et chaleureuse (les tableaux représentant Montmartre sont à l'honneur) qui donne du charme à l'endroit. Chambres correctes et salle de séjour agréable. Petit déjeuner inclus dans le prix. Réduction à la semaine. L'une des employées parle le français.

■ ***Saint Charles Guest-House :*** 1748 Prytania Street. ☎ 523-6556. La totale : petit jardin, piscine privée, chambres confortables et spacieuses avec climatisation, ventilo (en plus), T.V., téléphone et bien sûr salle de bains. Tout cela pour le prix d'un petit 2 étoiles en France. Et le petit déjeuner inclus ! Mais on n'est plus les seuls à connaître cette excellente adresse : c'est plein la plupart du temps, même hors saison. S'y prendre le plus tôt possible...

■ ***Nine-O-Five Royal Hotel :*** 905 Royal Street, à l'angle de Dumaine (plan C1). ☎ 523-0219. Belle maison aux chambres confortables, avec salle de bains. Le gros avantage d'être en plein cœur de l'animation. Mais la patronne est bien trop compliquée, se refusant à donner des prix fixes. Vous avez compris : c'est surtout à la tête du client...

■ ***The Prytania Inn :*** 1415 Prytania Street, face au Old World Inn, et à ne pas confondre avec le Prytania Park. ☎ 566-1515. Dans une ancienne maison de maître (avec quartiers d'esclaves, écuries et garages pour attelages). Agrémentée d'un joli patio où les bananiers rivalisent avec les hibiscus. Chambres pas toujours très propres. Certaines sont meublées d'antiquités.

### Plus chic

■ ***Columns Hotel :*** 3811 Saint Charles Avenue, assez loin à l'ouest du Vieux Carré. ☎ 899-9308. Superbe maison à colonnades construite au siècle dernier par un riche marchand de tabac et classée monument historique. Elle servit même de décor au film « Pretty Baby » *(La Petite)* de Louis Malle. Bon accueil et déco intérieure magnifique, de style victorien, avec escalier en acajou. Plusieurs prix allant du simple au double. Visitez plusieurs chambres avant de vous décider : si certaines (chères) ressemblent à de véritables appartements avec mobilier ancien, d'autres ne sont pas vraiment terribles, avec juste un lavabo. *Breakfast* inclus dans le prix.

■ ***Hotel Villa Convento :*** 616 Ursulines Street, dans le Vieux Carré (plan C1). ☎ 522-1793. Fax : 525-6652. Belle maison aux balcons typiques de La Nouvelle-Orléans. Chambres confortables, avec salle de bains et T.V., pour des prix allant de 50 à 100 $, petit déjeuner inclus. Une bonne petite adresse. Mais n'accepte pas les enfants de moins de 8 ans !

### Encore plus chic

■ ***Lafitte's Guest-House :*** 1003 Bourbon Street, à l'angle de Saint Philip (plan C1). ☎ 581-2678. Appel gratuit : ☎ 1-800-331-7971. Là aussi, de beaux balcons en fer forgé. Mais l'intérieur est encore plus sublime, chaque chambre ayant droit à une décoration unique et à un mobilier ancien. L'une avec cheminée et briques aux couleurs chaudes, l'autre avec tapis et lit à baldaquin, etc. Un hôtel de style et de charme pour le prix d'un 3 étoiles.

## Où manger ?

La Nouvelle-Orléans possède une authentique tradition culinaire. Cette cuisine créole est différente des recettes cajun. En effet, elle fut inventée par les esclaves noirs au service des grandes familles. C'est une synthèse des traditions gastronomiques française et antillaise adaptée aux produits locaux : riz, coquillages, poisson. Le tout, assez épicé.

### Très bon marché

L'ennui de tous les endroits touristiques, c'est qu'ils sont chers. Cela se vérifie tout particulièrement à La Nouvelle-Orléans. Voilà pourquoi nous vous conseillons d'acheter votre nourriture dans les *food stores*, par exemple celle qui se trouve à l'intersection de Royal Street et de Saint Peter Street (plan C2), très bien fournie et ouverte 24 heures sur 24.

On peut aussi acheter des fruits vendus chaque jour par les paysans de Louisiane au French Market (Decatur Street, près du Mississippi). Les fauchés fréquenteront les fast-foods de *Canal Street.*

### Bon marché

La plupart de ces restos sont situés dans le French Quarter. Attention aux horaires ; certains d'entre eux sont fermés le soir.

● ***Johnny's Po-Boy :*** 511 Saint Louis Street, à la hauteur de Decatur Street (plan C3). Petit resto populaire où l'on côtoie aussi bien le flic du quartier que le camionneur qui vient de finir sa livraison. Tables avec nappes cirées. Comme le nom l'indique, on vient ici pour déguster un Po-Boy, énorme casse-croûte composé au choix de crevettes, de viande ou d'huîtres frites. Ouvert de 7 h (9 h le samedi) à 16 h 30. Fermé le dimanche.

• ***Mother's :*** angle de Tchoupitoulas Street et Poydras Street. ☎ 523-9656. Ouvert tous les jours de 5 h à 22 h. A 4 blocs à l'ouest du French Quarter. Là encore, on sert depuis 50 ans d'excellents Po-Boys dans une atmosphère conviviale. Breakfast très réputé. Plusieurs plats du jour, *seafood*, soupe de tortue, salades.

• ***Progress Grocery :*** 915 Decatur Street, à la hauteur de Dumaine Street (plan C2). Fermé le dimanche. Épicerie italienne où l'on compose devant vous d'excellentes *muffuletas* : sandwiches comprenant du jambon, du salami et du fromage dans d'énormes pains ronds. C'est gros et c'est bon.

• ***Jackson Brewery*** (ou ***Jax***) : 620 Decatur Street, entre Jackson Square et le Mississippi (plan C2). Immense bâtiment abritant autrefois une brasserie et aujourd'hui un superbe centre commercial. Au 3e étage, un tas de petits étals qui offrent un panorama complet et abordable de la gastronomie de Louisiane. Essayez tout particulièrement le célèbre *red beans and rice* de chez Buster Holmes. Le stand à côté propose des plats typiquement cajun. Au fond, belle vue sur le Mississippi.

• ***Messina's :*** 200 Chartres Street, à l'angle de Iberville Street (plan B1). ☎ 523-9225. Ouvert de 11 h 30 à 21 h. Fermé le lundi. Bonne cuisine locale à base de fruits de mer et de coquillages. Goûtez aux *shrimp balls* à la sauce moutarde. Sinon, la *muffuleta*, sandwich d'origine sicilienne (commandez d'abord une demi-portion, à moins que vous n'ayez pas mangé depuis deux jours).

## Prix moyens

• ***Café Maspero :*** 601 Decatur Street, à l'angle de Toulouse (plan C2). ☎ 523-6250. Ouvert tous les jours de 11 h à 23 h. Adresse incontournable de La Nouvelle-Orléans, où tout le monde se retrouve en famille ou entre amis. Grande salle typiquement américaine (tables en bois massif et ketchup...). Malgré (ou grâce à) l'afflux perpétuel de clients, patrons et serveurs gardent calme et sourire (chose inconcevable en France). Salades délicieuses et grand choix de sandwiches, archicopieux. Spécialités de fruits de mer également, mais un peu trop souvent frits à notre goût. Accepte les chèques de voyage mais pas les cartes de crédit.

• ***Bruning's Seafood :*** 1924 W End Parkway. ☎ 282-9395. Au bord du lac Pontchartrain. Depuis le centre ville, Highway 10 W, sortir à W End Blvd et le remonter jusqu'à W End Park (sur la gauche). Complètement excentrée mais très bonne adresse méconnue des touristes, qui permet de visiter un versant souvent négligé de la ville. Ce lac immense est tout de même traversé par le plus grand pont du monde : 39 km ! Le Bruning's est un ancien bungalow sur pilotis transformé en resto à la fin du XIXe siècle par un voyageur allemand. Spécialités de poisson et fruits de mer. Copieuses écrevisses délicieusement épicées et assez bon marché. Salle très agréable avec sa baie vitrée donnant sur le lac. Terrasse en été.

• ***Coop's Place :*** 1109 Decatur Street (plan C1). Ouvert tous les jours de 11 h à 3 h (4 h le week-end). Le repaire des couche-tard et des lève-tard... Normal, on y sert aussi bien le *breakfast* que de bons cocktails alcoolisés ! Atmosphère bar-vidéo et public jeune. Cuisine simple et copieuse : sandwiches, poulet, fruits de mer.

• ***Country Flame :*** 620 Iberville Street, entre Chartres et Royal (plan B2). ☎ 522-1138. Ouvert de 11 h à 22 h. Beaucoup de monde dans ce resto cubain dans le vent. Cuisine mexicaine également. Simple et bon.

• ***Miss Ruby's :*** 539 Saint Philip (plan C1). ☎ 523-3514. Ouvert tous les jours de 11 h 30 à 22 h. Minuscule salle style cantine. Cuisine mi-créole mi-cajun, sans prétention. Beaucoup de plats à base de crevettes. Peut-être un peu cher pour le cadre. N'accepte pas les cartes de crédit. Serveuse amusante.

• ***Mike Anderson's Seafood :*** 125 Bourbon Street (plan B1). ☎ 524-3884. Ouvert tous les jours jusqu'à 22 h (23 h vendredi et samedi). Grande salle agréable où l'on vous sert poisson, écrevisses et crevettes façon louisianaise. Goûter au guitreau, poisson grillé nappé d'écrevisses sautées et de champignons dans une sauce épicée au vin blanc... Pour les gourmands, l'« ACE » : *catfish* « all you can eat ». Une bonne adresse, mais plus chère que les précédentes.

## Plus chic

• ***The Court of Two Sisters :*** 613 Royal Street (une autre entrée sur Bourbon Street). ☎ 522-7273. Ouvert tous les jours de 9 h à 15 h et de 17 h 30 à 23 h.

Célèbre pour son « Jazz Brunch Buffet » servi dans un immense et magnifique patio fleuri, avec tonnelle, musiciens et fontaine ! Clientèle de yuppies et touristes friqués mais les routards sont bien accueillis. Une soixantaine de plats à volonté (dont de délicieuses crêpes Suzette) pour un prix finalement très honnête. Dîner plus cher et moins intéressant.

• ***Palm Court Jazz Café :*** 1204 Decatur Street (plan C1). ☎ 525-0200. Tenu par une Anglaise charmante. On y mange de l'excellente cuisine créole avec un zeste de je-ne-sais-quoi ajouté par la patronne. C'est très fin et pas très cher pour la qualité. Le décor est très agréable et il y a des musiciens de jazz le soir (du mercredi au dimanche).

• ***Gumbo Shop :*** 630 Saint Peter Street, à la hauteur de Royal Street (plan C2). ☎ 525-1486. Ouvert tous les jours, midi et soir. Jolie maison au cadre élégant. Beaucoup de monde vient goûter les spécialités cajun : *jambalaya, gumbo...* Assez épicé.

• ***Seaport Café and Bar :*** 424 Bourbon Street (plan B3). En semaine, profitez des « happy hours » (15 h à 19 h) pour déguster des huîtres à un prix fort raisonnable. Bon mais touristique.

• ***Greco's Fish Market :*** 1000 N Peters (et non Saint Peter, plan C1). Près du French Market. Ouvert de 8 h à 22 h. Restaurant réputé pour ses plats de *seafood.* Deux spécialités intéressantes : le *crayfish* étouffée et le *trout fi fi* (truite avec du crabe, des champignons, et cuite dans une sauce au vin). Bien souvent, orchestre de jazz à midi.

### Bien plus chic

Ne soyez pas effrayé. Ces restaurants ne sont pas si exorbitants quand on se contente d'un plat. Les additions rappellent plus *La Coupole* que *Maxim's.*

• ***Mr. B's Bistro :*** 201 Royal Street (plan B2). ☎ 523-2078. On se croirait dans une brasserie parisienne chic mais la cuisine est d'inspiration créole traditionnelle, et des meilleures. Clientèle bourgeoise décontractée (ici, pas de cravate obligatoire !) et serveurs stylés, mais enjoués, ce qui n'est donc pas incompatible (du moins aux États-Unis)... Le soir, menu complet pour environ 25 $. Goûter absolument à la *gombo ya ya,* succulente soupe locale. Plats originaux qui changent des habituelles fritures du Vieux Carré : enfin du lapin, du canard, du porc et des poissons différents (thon, saumon, etc.). Cuisson parfaite et préparations soignées. Au dessert, on craque pour le *bread pudding* à la cannelle et au whisky... Onctueux à souhait ! Un grand merci à la gentille employée du consulat de France qui nous a conseillé cette excellente adresse.

• ***Galatoire's :*** 209 Bourbon Street, à la hauteur de Iberville Street (plan B2). Grande salle assez cossue avec nappes blanches et ventilos. On y rencontre plus la bourgeoisie prospère que des Texans nouveaux riches. Un peu comme chez *Lipp.* Très bonne cuisine créole (qui se prétend française...). Spécialité de brochettes d'huîtres. Ouvert de 11 h 30 à 21 h. Fermé le lundi. Attention, les réservations, les jeans et les cartes de crédit sont refusés. Et la cravate est obligatoire le soir !

• ***Algier's Landing :*** 2 Bermuda Street Wharf (plan D3). ☎ 362-2981. L'adresse la plus originale de New Orleans et l'une des plus célèbres. Mais c'était fermé pour rénovation complète la dernière fois que nous sommes passés. Renseignez-vous (et tenez-nous au courant...).

## Où boire un verre ?

– ***The Old Absinthe House Bar :*** 400 Bourbon Street (plan B2). Attention, un autre au nom similaire dans la même rue, qui n'a rien à voir ! Vieille taverne à la façade ravagée, qui distille chaque soir une excellente musique *live,* jazz ou blues. Mark Twain était un habitué, il y a déjà longtemps... Étonnant bar, au mur tapissé de billets de 1 $ dédicacés par des ivrognes venus du monde entier. Chouette ambiance.

– ***Café Istanbul :*** 534 Frenchmen, à l'angle de Chartres Street. ☎ 944-4180. A l'est du Vieux Carré. Le nouvel endroit à la mode, grâce à sa déco exotique et surtout ses excellents concerts (latino, jazz, etc.).

– ***Café Brasil :*** 2100 Chartres Street, à la hauteur de Frenchmen. Presque en face du précédent (un quartier qui bouge !). Arty et spacieux. On peut y rencontrer des gens un peu fous, avec beaucoup de style. Concerts bluegrass ou gospel le dimanche. Souvant fermé à cause de problèmes avec la police.

– ***Pat O'Brien's :*** 718 Saint Peter Street (plan B-C2). L'endroit fut, au XVIIIe siècle, le premier théâtre espagnol du pays. Désormais, les Texans viennent y dépenser leurs dollars. Endroit chic avec ses deux pianos-bars et son beau patio avec fontaine. Beaucoup trop de monde le soir, venez plutôt le matin pour profiter du soleil dans le patio (incroyable, le café n'est pas cher...). On y trouve même des radiateurs extérieurs en hiver !
– ***Café du Monde :*** Jackson Square, à l'intersection de Decatur Street et Saint Ann Street (plan C2). Ouvert 24 h sur 24. Depuis 1860, on y sert les célèbres « beignets » et un café-chicorée. Contraints par la pénurie à boire de la chicorée pendant la guerre de Sécession, les Nouveaux-Orléanais en gardèrent l'habitude. Grande terrasse ombragée. L'endroit fut vraiment sympa mais fait désormais trop « usine à touristes ». Les serveuses n'ont même plus besoin de sourire !
– ***Molly's Irish Bar :*** 732 Toulouse Street, près de Bourbon Street (plan B2). Ouvert 24 h sur 24. On y sert un excellent *Irish coffee.* Un cercueil est suspendu au plafond. Certains disent qu'il s'agit d'un soldat anglais mort en Irlande du Nord. D'autres prétendent que c'est un client qui aurait oublié de payer. Allez savoir pourquoi ! Ambiance extra, plein de rencontres à faire.
– ***The Famous Door :*** Bourbon Street et Conti Street. Parmi les célébrités qui ont franchi le seuil de la porte : Anthony Quinn, Clint Eastwood et Jerry Lewis.
– ***The Chart House :*** à l'angle de Saint Ann et Chartres (plan C2), au 1er étage. Prenez un pot sur le balcon qui domine Jackson Square. On ne se croirait pas aux États-Unis.
– ***Kaldi's :*** 941 Decatour, à Saint Philip. On n'y boit que du café et l'endroit est sympa. Clientèle jeune assez hétéroclite.

## Où danser (cajun) ?

Nombreux concerts chaque jour à La Nouvelle-Orléans. Et pas seulement jazz ! Se procurer le mensuel gratuit *Wavelength,* disponible dans la plupart des boutiques du Vieux Carré. Toutes les musiques de la ville sont passées en revue, avec dates des concerts et adresses des clubs et cafés.

– ***Tipitina's :*** 501 Napoleon Avenue, à l'angle de Tchoupitoulas. ☎ 897-3943. Malheureusement un peu loin, à l'ouest du Vieux Carré. Comptez 10 mn en voiture. L'un des hauts lieux musicaux de Louisiane, presque une institution. Les jeunes de la région vous raconteront avec ferveur certains concerts mémorables qui se sont déroulés dans cette salle pourtant très banale... Les patrons ne sont pas sectaires : musique cajun, zydeco, rock ou blues tous les soirs, jusqu'à 2 h. Les meilleurs groupes du cru y passent régulièrement, comme les Neville Brothers, ou Buckweat Zydeco. Ne les ratez pas : ambiance délirante ! Entrée payante mais prix très raisonnable. En plus, *happy hours* de 15 h à 21 h (16 h à 19 h le vendredi) avec *jambalaya* gratuite et 3 cocktails pour le prix d'un !
– ***Maple Leaf :*** 8316 Oak Street, dans le quartier de Tulane University. Sans doute le dancing-bar le plus réputé. Concerts chaque soir dans une ambiance souvent torride. Cajun, blues, zydeco. Entrée payante. A côté, dans Willow (n° 8200), le *Jimmy's,* pas mal non plus.
– ***Benny's Bar :*** au coin de Valence et Camp Streets, dans le quartier étudiant. ☎ 895-9405. Qui pourrait penser que dans ce vieux rade bien ripou de petits groupes locaux distillent un « rhythm and blues » de si bon niveau ? *Live music* tous les soirs. Entrée gratuite.
– ***Michaul's :*** 701 Magazine Street, au coin de Girod Street (plan B3). ☎ 522-5517. Immense salle à la déco rigolote, reproduisant des paysages de bayous... Groupe cajun et zydeco tous les soirs à partir de 19 h 30. Quelques nostalgiques y dansent le two-step dans la bonne humeur. En revanche, le resto ne vaut pas grand-chose : contentez-vous d'un verre.

## Jazz story

C'était à la fin du XIXe siècle. Peut-être un peu avant... En vérité, personne ne sait au juste quand ça a commencé. Ceux qui vivent encore vous diront : « Ça s'est fait comme ça, sans y penser : tout d'un coup, le jazz était là et tout le monde était content ! »

Chaque groupe avait son folklore et ses traditions. Ainsi, le sous-prolétariat noir se rendait le samedi et le dimanche sous les frondaisons de Congo Square (actuellement Square Beauregard) pour y invoquer, au rythme extatique des tambours, les sortilèges de l'Afrique ancestrale et les divinités vaudous.
On leur avait très vite interdit l'usage du tam-tam ou du tambour qui auraient pu allumer en eux la flamme de la révolte ; on avait aussi imposé la religion monothéiste des maîtres, et la seule musique autorisée aux esclaves était la liturgie protestante. Pourtant, des lamentations et des chants destinés à aider la cadence dans le travail naquit le *blues,* réminiscence de mélopées modales africaines, modifiées par l'influence de la musique européenne, et aussi le *negro spiritual,* le *gospel song,* qui n'est autre qu'un cantique rythmé à la gloire du Sauveur très vite identifié au Libérateur.
On ne lui demandait pas le paradis, mais plutôt la libération, la fin de l'oppression sur terre. Il est d'ailleurs normal que, lors des enterrements traditionnels à La Nouvelle-Orléans, si on pleure en accompagnant le défunt au cimetière, en revanche, au retour, on rit et on danse, car on sait que, là-haut, il sera bien plus heureux que dans ce bas monde.
Peu à peu, la musique est descendue dans la rue. Toute occasion était bonne pour que les musiciens enfilent leurs uniformes de parade : les fêtes religieuses, les commémorations patriotiques, les cérémonies militaires, les campagnes électorales, les communions, les mariages et les enterrements. Une marche poignante accompagnait le mort jusqu'à sa dernière demeure. La musique, naturellement, présidait aux festivités baroques du Mardi gras, mais aussi aux processions des innombrables sociétés secrètes, dont les membres défilaient crânement à visage découvert !
Certains jours, cliques et orphéons se bousculaient dans les rues. Ils en profitaient pour se livrer à des joutes musicales tonitruantes. Le principe était simple : était déclaré vainqueur celui qui parvenait, à force de s'époumoner, à couvrir la voix de l'autre ! Nul doute que ces athlétiques performances aient été à l'origine de l'exceptionnelle puissance du jazz louisianais.
Le saxophone fut une véritable révolution dans le jazz. Peu de gens savent que ce célèbre instrument (inventé par le Belge Adolphe Sax) débarqua à La Nouvelle-Orléans grâce à... l'armée française, qui y fit escale après son échec dans les luttes contre les révolutionnaires mexicains (1866). Avant de connaître la gloire, grâce au jazz, le saxophone fut utilisé par les fanfares militaires.
Un des orchestres de rue se nommait « Razzy Dazzy Jazzy Band ». Il rencontra un tel succès que, dès 1915, cette musique négro-américaine fut connue sous le nom américain de « jazz ».
Pourquoi *dixieland* qualifie-t-il le jazz de La Nouvelle-Orléans ? Tout simplement parce que, au début du siècle, nombreux étaient les gens de La Nouvelle-Orléans qui ne parlaient que le français. Aussi, les billets étaient imprimés d'un côté en français, de l'autre en anglais. Sur un billet de 10 dollars, on imprimait « Ten » sur une face et « Dix » sur l'autre. Ce que les Américains prononçaient « Dixie ». New Orleans devint « le Dixie-land ».
Le *jazz* est né à Storyville, le quartier des maisons closes. La raison est facile à comprendre. Jouer dans la rue ne faisait vivre personne ; à l'église, les musiciens jouaient, bien sûr, bénévolement. En revanche, les bordels prirent l'habitude d'embaucher des orchestres de jazz (et de les payer !). Rappelez-vous le film de Louis Malle, « La Petite ». Le seul bordel qui ait résisté aux pelleteuses se trouve au 1208 Bienville Street. Désaffecté, bien sûr.
Près de la gare, qui n'existe plus depuis 1954, il y avait un cabaret très célèbre : l'*Anderson's Annex.* Salle de jazz au rez-de-chaussée et bordel à l'étage. C'est là que Louis Armstrong jouait tous les soirs pour quelques malheureux dollars, lorsqu'il fut découvert par un imprésario de Chicago.
Au début du siècle, le musicien le plus réputé de la ville basse – « Downtown », là où triomphait le jazz naissant – était le cornettiste *Buddy Bolden.* Ses admirateurs l'avaient sacré roi des musiciens. La couronne passa ensuite à *Joe Oliver* qui devait lui-même la céder, vers 1925, à *Louis Armstrong.*
Mais, à cette époque, le jazz avait quitté La Nouvelle-Orléans pour Chicago, avant d'aller s'installer à New York. Dès 1917, Storyville avait été fermé par décision de l'Amirauté.
Avec les années 30, la liste des vedettes, des publics conquis et des chefs-d'œuvre s'allonge. Triomphent alors *Billie Holiday* et *Ella Fitzgerald,* du côté des grandes chanteuses ; en face, *« Count » Basie, Chick Webb, Lester Young, Thomas « Fats » Waller*, et, bien sûr, pour maintenir la tradition d'un jazz blanc, le « swing » de *Benny Goodman.* La fusion de tous ces rythmes, connue sous le

nom de « boogie-woogie », fait fureur d'un bout à l'autre d'un monde pourtant déchiré par la guerre.
Vers 1940, le public se prend d'un véritable engouement pour tout ce qui touche à la préhistoire du jazz. C'est le « revival ». Ce retour aux sources est accompagné d'un raz de marée en direction de la cité du Croissant.
Et c'est à nouveau le bonheur sur les bords du « Old Father », le calme Mississippi. Depuis lors, La Nouvelle-Orléans n'a plus cessé de vivre au rythme du jazz.
C'est vraiment une musique de l'instant. A moins d'être retranscrite en direct, elle est d'une certaine manière faussée. Le plus bel enregistrement ne peut pas remplacer l'écoute directe, il manque forcément la tension, le contact, l'atmosphère. D'où l'importance de votre séjour à La Nouvelle-Orléans pour fréquenter les boîtes de jazz.
Pour ce chapitre, on avoue que les connaissances d'Alain Gerber et de Jean-Christophe Averty nous ont bien aidés.

## Le jazz : ses boîtes et ses monuments historiques

– ***Preservation Hall :*** 726 Saint Peter Street, à la hauteur de Royal Street (plan B2). Si vous cherchez le petit coin intime et les banquettes moelleuses, Preservation Hall ne vous convient pas. Ici, on reste debout ou on fait la queue 1 h avant l'ouverture pour profiter des quelques bancs. De plus on ne sert pas de boissons et il est interdit d'y fumer. En revanche, vous entendrez du jazz, le vrai jazz, le meilleur jazz. Quelque chose de très grand ! La seule boîte de La Nouvelle-Orléans qui préfère ne pas utiliser de micro, l'orchestre en est quitte pour jouer plus fort ! Vous tomberez d'accord avec Sartre qui disait : « Le jazz c'est comme les bananes, ça se consomme sur place. » Ça commence à 20 h 30. L'orchestre change tous les jours. Une soirée mémorable pour la somme ridicule de 3 $. Les séances durent une demi-heure mais on peut rester jusqu'à la fin, à minuit précise. La moyenne d'âge des musiciens est de 60 ans. Ils vous joueront *Ice Cream* ou *Basin Street*, et vous en redemanderez. Certains soirs, quand ils sont un peu tristes, ils vous joueront le fantastique hymne funéraire *Closer Walk with Thee...* Prévoir l'achat du disque, vraiment très bon.
– ***Maison Bourbon Dedicated for the Preservation of Jazz :*** intersection de Saint Peter et Bourbon Streets. Du bon jazz classique. A l'avantage d'offrir un spectacle aussi l'après-midi. Gratuit mais consommations obligatoires.
– ***Snug Harbor :*** 626 Frenchmen Street, à la hauteur de Chartres Street (plan D1). A l'est du French Quarter. ☎ 949-0696. On aime beaucoup cette boîte car elle est légèrement excentrée de la zone touristique et on y rencontre surtout des jeunes de la ville. A 21 h tous les soirs, groupe de jazz assez moderne sans être *free*. Et les filles sont superbes. Fait également resto.
– ***Lafitte Blacksmith Shop :*** à l'angle de Bourbon Street et Saint Philip Street (plan C1). Un des plus vieux bars des États-Unis. Le soir, le pianiste vous susurre des mélopées américaines. Atmosphère rustique avec feu de cheminée et chandelles.
– ***Jazz and Carnaval Museum :*** 400 Esplanade Avenue, dans the U.S. Old Mint (plan D1). Au bout de French Market Place. Ouvert seulement du mercredi au dimanche de 10 h à 17 h. Cela vous donnera l'occasion de vous balader au French Market (puces les samedi et dimanche) et dans toute une partie du Vieux Carré, bien moins commerçante et super-tranquille. C'est la partie artistes et gay du Quarter. Dans le même bâtiment, musée du Carnaval avec des costumes (clinquants) de parade.
– ***Concerts de jazz :*** certains dimanches après-midi d'été, de 14 h à 17 h, sur Jackson Square. Et c'est gratuit !
– ***Philip Werlein's :*** sur Decatur Street, à l'angle de Canal Street (plan B2). Encore un monument historique. En effet, depuis 1842, les jazzmen de toutes nationalités et de toutes couleurs sont venus y acheter leurs instruments et leurs partitions. Ce fut le premier magasin du monde à vendre des disques de jazz. Mélomane, découvrez-vous, vous entrez dans un lieu sacré, même si la boutique est devenue un café !

## A voir, à faire

### *LE VIEUX CARRÉ (FRENCH QUARTER)*

Quartier historique de La Nouvelle-Orléans, appelé aussi « French Quarter », bien qu'il rappelle plutôt l'Espagne par le style de ses maisons et ses balcons en fer forgé. Mais ce n'est pas très grave. Bourbon Street est l'artère principale de ce quartier. Naguère, les boîtes de jazz succédaient aux boîtes de jazz. Aujourd'hui, les stripteases de dernière catégorie gagnent du terrain (attention : arnaque organisée !). Pigalle et Saint-Germain y font bon ménage : sex-shops, bars louches, restaurants de grande renommée, boîtes à jazz, vendeurs de hot dogs ambulants, musiciens, touristes venus des quatre coins des États-Unis et du monde, artistes, cadres supérieurs, Noirs et Blancs, le jazz de New Orleans brasse follement la foule, qui en demande encore. Tant mieux !
Le centre du Vieux Carré, c'est *Jackson Square*, avec ses jongleurs et ses portraitistes. En face, *la cathédrale Saint-Louis,* aussi connue ici que la tour Eiffel : on la voit sur toutes les cartes postales. Remarquez les clochetons latéraux qui arborent bizarrement une croix de Lorraine.

► ***Vaudou Museum :*** 724 Dumaine Street, à la hauteur de Bourbon Street (plan C1). ☎ 523-7685. Ouvert tous les jours, de 10 h à la tombée de la nuit. Entrée assez chère. Les rites vaudou étaient très puissants à l'époque de la colonisation française. Ces croyances furent introduites à La Nouvelle-Orléans par des esclaves venus de Saint-Domingue et d'Haïti, surtout pour se défendre de la tyrannie des planteurs. Potions, charmes et gris-gris en étaient la base. Le vaudou est encore très puissant en Afrique noire, notamment au Bénin. Cela dit, le musée est petit et assez décevant.

► ***Conti Museum :*** 917 Conti Street, à la hauteur de Dauphine Street (plan B2). Ouvert tous les jours (sauf Noël et Mardi gras), de 10 h à 17 h 30. Musée de cire qui essaie de retracer l'histoire de La Nouvelle-Orléans : les filles à cassette, l'apparition du jazz, le vaudou. La scène avec Napoléon dans sa baignoire décidant de vendre la Louisiane est grotesque. Ne vaut guère le prix d'entrée.

► ***Cimetière Saint-Louis :*** au nord du French Quarter (plan B1). C'est là qu'a été tournée la fameuse scène de défonce de *Easy Rider.* Les tombes sont surélevées (on enterre au-dessus du sol à cause des marais). Certaines sont amusantes, comme celle du champion du monde d'échecs des années 20 où les fans ont laissé des pièces d'échecs. On y a aussi enterré Marie Laveau, la reine du vaudou. MAIS ATTENTION : ici les agressions sont fréquentes. Abstenez-vous surtout d'aller au nord du cimetière à pied même en plein jour, à moins d'être maître de karaté ou candidat au suicide...

► ***Historical Pharmacy :*** 514 Chartres Street, à la hauteur de Saint Louis Street (plan C2). Ouverte du mardi au dimanche de 10 h à 17 h. Boutique du premier pharmacien diplômé aux États-Unis, transformée en musée. Les pots contenant des médicaments cohabitaient avec les potions vaudou.

► ***The New Orleans School of Cooking :*** 620 Decatur Street, en face de Jackson Square, au 1^er^ étage du centre commercial de la Jackson Brewery (plan C2). ☎ 525-2665. Réservation obligatoire. En 3 h, on enseigne les bases de la cuisine créole et ses principales recettes : *jambalaya,* riz créole, *gombo,* pralines... Les cours ont lieu du lundi au samedi et commencent à 10 h.

► ***Gallier House Museum :*** 1118-1132 Royal Street, à la hauteur de Ursulines. ☎ 523-6722. Ouvert du lundi au samedi de 10 h à 15 h 45 (dernière visite). Maison particulière du milieu du XIX^e^ siècle, construite par et pour l'architecte James Gallier, connu à son époque pour avoir réalisé, entre autres, l'immeuble de la Bank of America et le French Opera. Intéressant pour le beau mobilier victorien, très représentatif des goûts de la bourgeoisie locale du siècle dernier.

### *GARDEN DISTRICT*

A l'angle de Canal Street et de Carondelet Street, prenez le très célèbre tramway (qui ne s'est jamais appelé « Desire » mais « Saint Charles » ; erreur de l'écrivain, puisqu'il existe une ligne de bus « Desire ») pour découvrir le superbe quartier résidentiel appelé Garden District.

De gigantesques demeures du plus pur style colonial, d'influences à la fois grecque et victorienne. Ces résidences orgueilleuses sont entourées d'immenses parcs toujours verts, de chênes, de cyprès et de frangipaniers.
Laissez le tram entre Napoleon Avenue et State pour découvrir à pied la trame d'une zone résidentielle unique aux États-Unis. Les grandes vérandas en bois, la douceur de l'air, sont le cadre de vie des grandes familles de Louisiane.
La ville organise tous les jours des visites (extérieures) des maisons avec explications d'un guide qui vous promène pour une heure dans ces rues. Très intéressant et gratuit. Se renseigner au *Jean Lafitte National Park Service :* bureau près du French Market, derrière le Café du Monde. Ouvert de 9 h 30 à 17 h.

## *TULANE UNIVERSITY*

Le tramway de Garden City (voir plus haut) dessert aussi Tulane University. Un campus fort agréable, enfoui dans les arbres et la verdure. En été, c'est le désert car les étudiants sont en vacances.
En descendant du tramway, à la hauteur de Hillary Street, marchez jusqu'à Maple Street, une petite rue avec ses petits restos et ses boutiques en bois.

– ***PJ's Coffee and Tea Co :*** 7636 Maple Street. Salon de thé très plaisant, ouvert tous les jours jusqu'à 23 h. On peut y choisir son café et le faire moudre à son goût. Patio agréable et ombragé, idéal pour discuter avec les jeunes du coin.
– ***The Boot :*** angle de Broadway et Zimple Street. Le meilleur bar pour boire pas cher en plein milieu étudiant. Quelques chaises dehors, juste en face de l'université. Inconvénients : très, très bruyant et souvent des bagarres.
– ***Maple Leaf Bar :*** 8316 Oak Street, à la hauteur de Carrolton Avenue. Prenez le tramway de Saint Charles jusqu'au terminus. Jazz excellent, dépouillé de tout racolage touristique. Musique cajun, une ou deux fois par semaine.
– ***Camelia Grill :*** 626 S Carrolton Avenue, à la hauteur de Saint Charles Avenue. Avec ses colonnes blanches, la façade rappelle une jolie plantation. Et pourtant, à l'intérieur, il ne s'agit que d'un fast-food de quartier ! Le *cheeseburger* maison et l'omelette géante changent néanmoins des habituels MacDo. Ne partez pas sans goûter à la *pecan pie.*
– ***Cooter Brown's :*** 509 S Carrolton Avenue. Grande taverne avec billard et vidéos. Propose une centaine de bières de tous les pays du monde.
– Au 5705 de Saint Charles Avenue se trouve la réplique de la maison de Scarlett O'Hara.

## *LE RESTE DE LA VILLE*

▸ ***New Orleans Museum of Art :*** dans le City Park, entre le lac Pontchartrain et le Vieux Carré. ☎ 488-2631. Accès par Esplanade Avenue depuis le Vieux Carré. Ouvert tous les jours sauf lundi et jours fériés, de 10 h à 17 h. Entrée payante. Un bien beau musée aux riches collections, suffisamment hétéroclites pour attirer tous les amateurs d'art. La peinture française est (comme il se doit en Louisiane) à l'honneur : école de Barbizon, Renoir, Courbet, Monet, Gauguin et (entre autres) Degas, qui peignit l'un des portraits exposés lors d'un voyage à La Nouvelle-Orléans en 1871 (sa mère avait de la famille ici). Beaucoup de surréalistes ou assimilés également présents : Braque, Ernst, Miró, Juan Gris, Picasso, Arp, Giacometti, etc. Sans oublier, en vrac : Modigliani, Warhol, Rodin et, plus classiques, Véronèse et Tiepolo. Le musée propose également des œuvres précolombiennes et africaines, des estampes japonaises, des verreries antiques et photographies anciennes...

▸ ***Longue Vue House and Gardens :*** 7 Bamboo Road. ☎ 488-5488. Depuis l'Expressway I-10, prendre la sortie Metairie Road. Sinon, bus depuis Canal Street et descendre à Metairie Road. La maison est entre le canal et le Country Club. Visites de 10 h à 15 h 45 (dernière visite) du mardi au samedi. Le dimanche, de 13 h à 16 h 15 seulement. Entrée payante (un peu chère). Luxueuse propriété des années 40 s'inspirant des plantations que l'on peut voir dans la région. Intéressant pour ceux qui n'auraient pas le temps de voir autre chose que La Nouvelle-Orléans. Magnifiques jardins de style espagnol, dessinés selon le modèle de ceux de l'Alhambra (à Grenade) avec jets d'eau, bassins, canaux d'irrigation (portugais), allée de chênes, massifs de fleurs, etc. Les propriétaires fantasmaient beaucoup sur le goût européen, comme la plupart des planteurs américains avant eux : imposante bâtisse « Greek revival », tapis et tapisseries français, porcelaines et meubles anglais...

▸ ***Confederate Museum :*** 920 Camp Street, à l'ouest du Vieux Carré. ☎ 523-4522. Ouvert du lundi au samedi, de 10 h à 16 h. Entrée payante. Comme on s'en doute, ce musée évoquant la guerre de Sécession est avant tout un hommage aux États du Sud... Une nostalgie guerrière assez gênante baigne les objets exposés : uniformes, canons, portraits de généraux, drapeaux (dont un taché de sang !), nombreuses armes dont un exemplaire de la première grenade à main de l'histoire, etc. Seuls souvenirs « amusants » : un manuel de chirurgie militaire et ce qui reste du service en argent que ne quittait jamais le général Lee, même sur un champ de bataille !

▸ ***Aquarium of the Americas :*** au bord du Mississippi, à l'angle de Canal Street. ☎ 861-2537. Ouvert tous les jours de 9 h 30 à 18 h. Jusqu'à 20 h certains jours. Entrée payante (chère). Ouvert en été 1990, l'aquarium des Amériques se veut un modèle du genre, tâchant de reconstituer au mieux le milieu naturel de la faune ou de la flore aquatique d'un continent entier. Oiseaux, reptiles et poissons en tout genre évoluent dans une mini-jungle amazonienne (anaconda géant, toucans, piranhas) ; dans des récifs caribéens que l'on admire en plongée simulée depuis un long tunnel transparent (requins, poissons multicolores, etc.) ; dans un aquarium géant figurant le golfe du Mexique (requin-tigre, raie électrique, barracudas...) ; sans oublier la population du Mississippi barbotant dans un petit bayou (alligators, tortues, échassiers). Une très bonne idée, assez réussie il faut l'avouer.

▸ ***Audubon Park :*** entre le fleuve et Tulane University. Accessible directement en tramway depuis Saint Charles Avenue ou en bateau à roue depuis le dock de Canal Street. Depuis le début du XIXe siècle, ce bien joli parc continue à attirer des milliers d'autochtones à chaque apparition d'un rayon de soleil. On y trouve notamment golf, piscine, zoo, aquarium, serres, allée de chênes et surtout de nombreux petits lacs. Pour l'anecdote, sachez que la curieuse butte nommée Monkey Hill fut créée de toute pièce dans un but purement éducatif, pour montrer aux enfants de la (plate) région à quoi ressemblait une colline !

▸ ***Piazza d'Italia :*** angle Poydras Street et S Peters Street (et non Saint Peter ; plan B3). Une place assez étonnante et peu connue des visiteurs. L'architecte a rassemblé les trois styles d'architecture qui ont le plus marqué l'Italie. Tout au fond, le style grec qui rappelle les temples grecs du sud de l'Italie et de Sicile. Plus proches de nous, des colonnades romaines. Enfin, les porches les plus près du visiteur sont d'inspiration mussolinienne. En y regardant de près, les pierres entourées d'eau représentent la botte italienne avec la Sicile et la Sardaigne. Un amusant clin d'œil à Rome et Hollywood, qui fit de l'effet au début mais malheureusement déjà à l'abandon.

▸ ***Superdome :*** 1500 Poydras Street (plan A3). ☎ 587-3810. Ouvert de 10 h à 16 h. Le plus grand stade couvert du monde. 90 000 places ! Des visites sont organisées. Mais le mieux est d'assister à un match de football (le dimanche après-midi à coup sûr). Proportionnellement, c'est moins cher. Ensuite, allez jeter un coup d'œil dans le hall du *Hyatt Regency*, juste à côté du Superdome.

▸ Le ***ferry*** sur le Mississippi ne vaut pas le coup. Il n'y a rien à voir, ni pendant la traversée, ni de l'autre côté. Bien sûr, vous serez content d'avoir navigué sur le troisième plus grand fleuve du monde.

▸ La plage la plus proche est ***Long Beach***, dans l'État du Mississippi, vers l'est. Emprunter la 90 direction Gulfport depuis New Orleans. Des kilomètres de plages désertes et une eau très chaude.

▸ ***Bayou Segnette Swamp Boat Tours :*** situé à Westwego, sur la rive droite. ☎ 561-8244. Il s'agit d'une compagnie organisant des excursions sur le bayou tous les jours de la semaine avec des guides cajun. On voit des alligators, serpents, tortues, oiseaux. Départs à 9 h 30 et 13 h 30. L'excursion dure 2 h. C'est très cher, mais ça vaut le coup.

## Souvenirs, fringues et culture

– ***La Librairie d'Acadie :*** 714 Orleans Street, près de Royal Street (plan C2). ☎ 523-4138. Tenue par Russell, notre meilleur copain de La Nouvelle-Orléans, qui parle très bien le français. Sous des piles de livres d'occasion, on découvre

des trésors sur la Louisiane ou le pays cajun. Les fouineurs sont souvent récompensés. Nombreux livres en français, notamment des poches. Les amoureux de littérature américaine apprendront avec joie que Faulkner et Tennessee Williams habitèrent à 20 m d'ici... l'un en face de l'autre !
– ***Rock & Roll Collectables :*** 1214 Decatur Street, à la hauteur de Governor Nicholls Street (plan C1). Ouvert de 10 h à 22 h. Achète et vend tous les disques d'occase parfois introuvables.
– ***Record Ron's :*** 1129 Decatur Street. ☎ 524-9444. Un Record Ron's II au 407 de la même rue. Excellent disquaire (neuf et occasion).
– ***Tower Records :*** 408 N Peter Street, sur la gauche en sortant de la Jackson Brewery (plan C2). ☎ 529-4411. Ouvert tous les jours de 9 h à minuit. Le nouveau must des fous de musique (comme nous). Ne pas manquer le 1er étage : le plus gros choix de Louisiane en CD et vinyles blues, jazz New Orleans et musique cajun... Profitez-en, c'est deux fois moins cher qu'en France !
– ***Boomerang :*** 1128 Decatur Street (plan C1). Ouvert de 11 h à 18 h. Tout pour se faire un look d'enfer : blousons en cuir, tiags, t-shirts undergrounds ou écolos, minis, badges, chaînes, etc. Pas trop cher (par rapport aux Halles, où c'est décidément l'arnaque !).
– ***Mervyn's :*** Plaza Regional Shopping Center, au nord-est de la ville. Pour motorisés seulement. I 10 East jusqu'à la sortie 244 (Read Blvd). Grand magasin d'une zone industrialo-commerciale. Choix impressionnant de vêtements vraiment pas chers. En plus, soldes fréquentes. Rayon Levi's très bien fourni. En profiter : ici le fameux 501 est 3 à 4 fois moins cher qu'en France !
– ***Hats in the Belfry :*** au 1er étage de la Jackson Brewery, sur Decatur Street (plan C2). ☎ 523-5770. Le spécialiste du chapeau. Stetson magnifiques presque bon marché, bibis bigarrés, casquettes-gag, coiffes indiennes et queues de castors...
– ***New Orleans Cathouse :*** 840 Royal Street. ☎ 524-5939. Tout pour et sur les greffiers, les minous, les miaous, les félins... Bref, pour ceux et celles que les chats rendent ronron !
– ***New Orleans School of Cooking, Louisiana General Store :*** au 1er étage de la Jackson Brewery, 620 Decatur Street. Dans un joli cadre rétro, l'indispensable pour réaliser soi-même les meilleures recettes créoles et cajun : épices, sauces, ingrédients, recettes, etc. En plus, rayon de K7 cajuns et zydecos.
– ***La Cuisine Classique :*** 439 Decatur Street, près de Saint Louis Street (plan C2). Si vous êtes sur le chemin du retour, vous pouvez y renouveler votre stock d'ustensiles de cuisine. Il y en a au moins une tonne ici, de formes et d'utilisations incroyables. Le patron est passionné par la France, il suffit de lui dire que vous êtes français et il vous montrera les objets les plus bizarres de la boutique.
– ***Mardi Gras Center :*** 831 Chartres Street. Plein de déguisements, de masques, pour faire peur à votre petite sœur.
– ***Old Craft Cottage :*** 816 Decatur Street, près du French Market (plan C2). Superbes *quilts* (tissus matelassés en patchwork) de toutes les tailles mais ne vous faites pas d'illusions, c'est cher.
– ***Woolworth's :*** Bourbon Street, près de Canal Street (plan B2). Grand magasin populaire où l'on achète des souvenirs pas trop chers de La Nouvelle-Orléans, genre t-shirts, épices et autres babioles.
– ***French Market*** (plan C2) : un tas de choses mais surtout la célèbre sauce créole Tony Chacheres. Les piments ont toujours eu des vertus aphrodisiaques. A toutes fins utiles.
– ***Santas' Quarters :*** 1025 Decatur Street, à la hauteur de Ursulines Street (plan C1). Boutique dans laquelle on trouve toute l'année ce qu'il faut pour bien fêter Noël !
– ***Old Town :*** 627 Royal Street (plan B2). On y achète les meilleures pralines de la ville (elles n'ont rien à voir avec celles de Montargis). Elles sont fabriquées par des mamies adorables.
– ***Laura's Candies :*** 600 Conti, au coin de Chartres Street (plan B2). Une vraie pâtisserie préparant de succulentes pralines. Goûter aussi les « top hats ». Petites boîtes de gâteries pour cadeaux sympa.
– Allez voir dans ***Magazine Street :*** on y trouve de la brocante et du patchwork à des prix très intéressants.

## Fêtes

– ***Mardi gras :*** le spectacle le plus éblouissant du pays et certainement l'un des plus gros carnavals du monde avec ceux de Rio et de Venise. Attention, à cette

époque tous les hôtels sont pris d'assaut et les prix sont automatiquement majorés. Lundi soir, dernière veillée avec costumes magnifiquement ornés et, 2 semaines avant, grande parade dans les rues de la ville. Les habitants investissent des grosses sommes en costumes mais aussi en chars *(floats)* et en *throws*, c'est-à-dire tout ce qu'on jette du haut des chars vers la foule qui crie « Throw me something, Mister ». Le jour fatal voit débarquer quelque 30 000 clowns, mais aussi des gens déguisés en décapsuleur, en canette ; des alligators en mousse prennent le bus... Et la musique partout.
– ***New Orleans Jazz and Heritage Festival :*** de fin avril aux premiers jours de mai. Vérifier les dates. Une ville entière convertie à la musique, aux concerts et aux spectacles. Outre la musique de jazz, de rock et de folklore local, ne pas oublier d'admirer les costumes traditionnels que les habitants revêtent pour l'occasion. Pour toutes infos : ☎ 522-4786.
– ***Fourth of July :*** grande journée de fête dans le parc municipal, concours de pirogues et feux d'artifice très spectaculaires.
– ***La Fête :*** en général, du 4 au 15 juillet. Festival d'été à La Nouvelle-Orléans. Orchestres de jazz à tous les coins de rue, animation extraordinaire et réjouissances multiples.
– ***Halloween :*** 31 octobre. A l'occasion de la « fête des Sorcières », les jeunes se défoulent librement, comme dans tout le pays. Beaucoup de masques (citrouilles sculptées) et fêtes dans les bars.

## BATON ROUGE

IND. TÉL. : 504

A 130 km au nord-ouest de La Nouvelle-Orléans. Capitale de la Louisiane et... du pétrole. Ce qui en diminue l'intérêt touristique. On peut pourtant difficilement éviter d'y passer puisqu'elle est au centre de la région des plantations. La ville est assez morte et la circulation faible.
En explorant les rives du Mississippi, Iberville, navigateur d'origine normande, aperçut un cyprès dépourvu d'écorce et enduit de sang. Les Indiens utilisaient cet arbre pour sacrifier des animaux sauvages et signaler la démarcation entre deux tribus. D'où l'origine du nom de Baton Rouge.

### Adresses utiles

– ***Tourist Information Center :*** situé au rez-de-chaussée du Louisiana State Capitol. ☎ 342-7317. Ouvert jusqu'à 16 h 30. Hôtesse aimable et pro.
– ***Greyhound :*** 1253 Florida Boulevard, à la hauteur de 10th Street. ☎ 343-4891. Liaisons fréquentes sur La Nouvelle-Orléans.
– ***Post-Office :*** 750 Florida Boulevard, à la hauteur de 7th Street. ☎ 381-0708.

### Manifestations

– ***River City Blues and Bayou Festival :*** début septembre. Existe depuis maintenant plus de 10 ans. Renseignements : ☎ 344-3328.

### Où dormir ?

La capitale de la Louisiane, moins touristique que sa pétulante voisine New Orleans, a l'avantage d'offrir des hôtels et motels aux prix beaucoup plus intéressants pour des prestations souvent de qualité...
■ ***The Shades Motel :*** 8282 Airline Highway (US 61/190). ☎ 925-2401. Sur une autoroute « centrale » qui n'en finit pas de faire le tour du Downtown... Un motel mignon et propre, avec petite piscine. Chambres aux prix très compétitifs, dotées de salle de bains et T.V. Dommage, l'accueil est froid.
■ ***Motel 6 :*** 2800 Frontage Road, à Port Allen (rive droite). ☎ 343-5945. Prendre l'Interstate 10 puis la sortie 151. A l'intersection avec la State Route 415. Piscine et air conditionné. Mais pas de petits déjeuners. Un poil plus cher que le Shades.

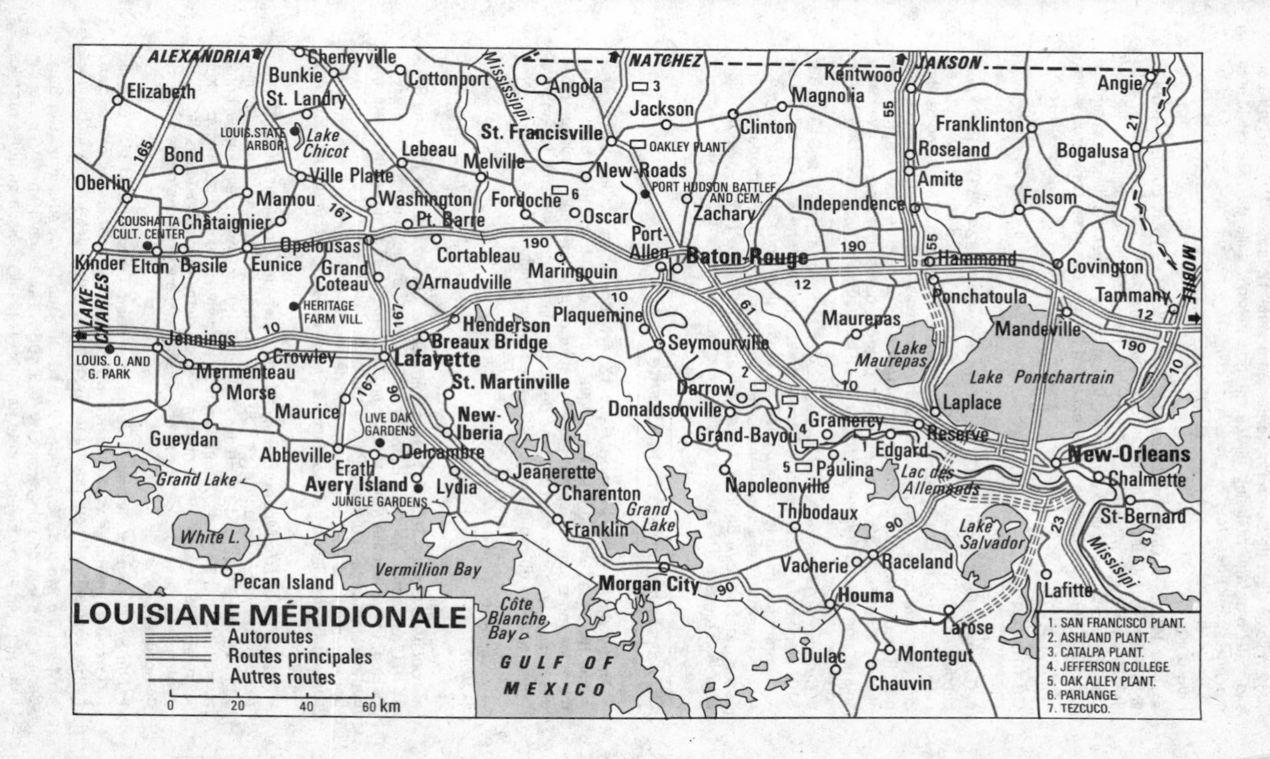
ALEXANDRIA
NATCHEZ
JAKSON
MOBILE
LAKE CHARLES
Cheneyville
Bunkie
Cottonport
Mississippi
Angola
Jackson
Magnolia
Kentwood
Angie
Elizabeth
St. Landry
Clinton
Franklinton
LOUIS.STATE ARBOR.
Lake Chicot
St. Francisville
OAKLEY PLANT
Roseland
Bogalusa
Bond
Lebeau
Melville
New-Roads
Amite
Oberlin
Ville Platte
PORT HUDSON BATTLEF AND CEM.
Mamou
Washington
Fordoche
Zachary
Independence
Folsom
COUSHATTA CULT. CENTER
Châtaignier
Pt. Barre
Oscar
Port-Allen
Opelousas
Cortableau
Baton-Rouge
Hammond
Covington
Kinder
Elton
Basile
Eunice
Grand Coteau
Maringouin
Arnaudville
Ponchatoula
Tammany
HERITAGE FARM VILL.
Plaquemine
Maurepas
Henderson
Mandeville
Jennings
Breaux Bridge
Seymourville
LOUIS. O. AND G. PARK
Crowley
Lafayette
Mermenteau
Lake Maurepas
Lake Pontchartrain
Morse
St. Martinville
Darrow
Maurice
Laplace
Donaldsonville
LIVE OAK GARDENS
New-Iberia
Gramercy
Reserve
Gueydan
Grand-Bayou
Abbeville
Edgard
New-Orleans
Erath
Delcambre
Paulina
Lac des Allemands
Chalmette
Grand Lake
Jeanerette
Avery Island
Lydia
Napoleonville
Charenton
JUNGLE GARDENS
St-Bernard
Thibodaux
Franklin
Lake Salvador
White L.
Missisipi
Vacherie
Raceland
Vermillion Bay
Lafitte
Pecan Island
Morgan City
Houma
Larose
LOUISIANE MÉRIDIONALE
Côte Blanche Bay
Autoroutes
Routes principales
Autres routes
GULF OF MEXICO
Dulac
Montegut
Chauvin
0
20
40
60 km
1. SAN FRANCISCO PLANT.
2. ASHLAND PLANT.
3. CATALPA PLANT.
4. JEFFERSON COLLEGE.
5. OAK ALLEY PLANT.
6. PARLANGE.
7. TEZCUCO.

■ ***KOA Campground :*** 7628 Vincent Road, à Denham Springs. ☎ 664-7281. A 12 miles à l'est de Baton Rouge par l'Interstate 12, sortie 10 puis 1 mile au sud. Site ombragé pour les tentes, grande piscine, salle de jeux, sanitaires modernes, épicerie, etc.

Plus chic

■ ***Best Western Chateau Louisiane Suite Hotel :*** 710 N Lobdell Avenue. ☎ 927-6700. Joli patio. La plupart des chambres donnent sur la piscine. Salle de bains avec jets masseurs, T.V. couleur télécommandée. Sauna et jacuzzi. Soirée piano-bar avec cocktail gratuit, le soir de l'arrivée. Café dans la chambre. Petit déjeuner inclus dans le prix et excellent accueil. Pas vraiment le trou à rats.

## Où manger ?

● ***Dajonel's Restaurant :*** 7327 Jefferson Highway. ☎ 924-7537. « Rue » perpendiculaire à l'Interstate 12 et à Airline Highway, au sud-est de Main Street. Les vrais restos de la ville étant dans l'ensemble assez chic, c'est le moins cher du genre que nous ayons trouvé. Cadre bourgeois intimiste et ambiance feutrée. Rassurez-vous, la clientèle n'est ni froide ni coincée. Service parfait et délicieuses viandes. Plats d'un excellent rapport qualité-prix, servis avec une soupe, une salade fraîche au fromage et bien sûr des légumes. Une bonne adresse.

● ***Culinary Arts Institute of Louisiana :*** 427 La Fayette Street. ☎ 343-6233. Situé au pied du Louisiana State Capitol, c'est un restaurant-école de cuisine où les apprentis font de leur mieux, et c'est réussi, pour vous satisfaire. Gageons qu'ils resteront aussi attentionnés une fois diplômés. Une expérience sans risque, pour se faire dorloter, sous l'œil attentif de la patronne qui a un faible pour les Français. Très bonne cuisine, prix très satisfaisants.

## Où passer la soirée à Baton Rouge ?

– ***Tabby Blues Box Heritage Hall :*** 1314 N Boulevard. ☎ 387-9715. Très bonne musique ; entrée à prix modique. Bonne ambiance. Le décor fait grise mine, les murs sont délabrés, mais le papier décollé crée une ambiance blues des sixties. Le gérant accompagné de son équipe anime lui-même les soirées. Concerts blues ou rap les vendredi, samedi et dimanche soir.

## A voir

▸ ***Louisiana State Capitol :*** State Capitol Drive. Ouvert tous les jours de 8 h à 16 h. C'est le plus haut des États-Unis. Du dernier étage, panorama sur le Mississippi et les alentours. Il fut érigé en 1932 par Huey Long, gouverneur très controversé de la Louisiane. Pendant la crise de 1929, il mit sur pied un plan pour « répartir les richesses ». Une grande partie servait surtout à alimenter ses caisses noires. Il mourut assassiné. Sa statue se tient toutefois devant le capitole.

▸ ***L.S.U. Rural Life Museum :*** Essen Lane, à la hauteur de l'Interstate 10, sortie 160 au sud-est de la ville. ☎ 765-2437. Entrée payante. Ouvert du lundi au vendredi de 8 h 30 à 12 h et de 13 h à 16 h. Musée en plein air où l'on a reconstitué des bâtisses d'une plantation de canne à sucre. Présentation de la vie rurale du Sud dans une plantation au siècle dernier : maison des esclaves, du contremaître, la forge, les chaudrons à raffiner le sucre et une petite église de campagne.

▸ ***Old State Capitol :*** N Boulevard et River Road. Construit en 1849, château fort excentrique qui se veut d'inspiration médiévale avec tourelles et créneaux. Fermé depuis 1991 pour restauration complète. Durée des travaux inconnue...

▸ ***Magnolia Mound Plantation :*** 2161 Nicholson Drive, au sud du Old State Capitol, non loin de l'Université. ☎ 343-4955. Ouvert de 10 h à 16 h, sauf le lundi et le dimanche matin. Entrée payante. Très jolie maison en bois, sur pilotis, construite en 1791 dans le style créole français. Bien plus de charme que la plupart des plantations de la région et surtout sans l'habituel côté prétentieux et pompeux. Ici, authenticité et rusticité sont mises en évidence : visite du potager, des champs de coton et de canne à sucre, et du pigeonnier. A l'intérieur, objets et meubles d'époque fabriqués en Louisiane, ce qui est suffisamment rare pour être souligné. En plus, des plats traditionnels sont préparés sous vos yeux dans la vieille cuisine restaurée ! Bref, une plantation encore vivante, d'autant plus que de nombreuses activités culturelles et artisanales y sont organisées.

## Aux environs

▸ ***Nottoway Plantation :*** au sud de Baton Rouge, de l'autre côté du Mississippi. A quelques miles au nord de White Castle sur la Highway 1. ☎ 545-2730.
Ouverte tous les jours de 9 h à 17 h. Visite obligatoirement guidée, de 45 mn. L'entrée est toutefois très chère.
La plus grande plantation de Louisiane et certainement la plus célèbre. En 1849, un certain Randolph, planteur très prospère, fit construire cette superbe demeure. Un style d'inspiration à la fois grecque et italienne. Au total, 64 chambres. Pendant la guerre de Sécession, l'édifice fut sauvé de la destruction totale grâce à un officier nordiste, lointain cousin du propriétaire.
Toute la décoration est due à une patiente reconstitution. Les meubles disparus ont été refaits sur le modèle des originaux. Et les rideaux verts du salon des messieurs sont la reproduction exacte des rideaux que Scarlett O'Hara, dans *Autant en emporte le vent,* arrache pour s'y tailler une robe de bal.

## Où manger ?

• ***Sea Food Connection :*** pour ceux qui vont à Nottaway Plantation et qui ont un creux en chemin, dans la petite ville de Plaquemine. Sur la Highway 1 South qui la traverse, sur la gauche, face au McDonald's, au nº 1207. On ne vient pas dans cet endroit exprès. On y déguste des crabes frits, du poisson frais et d'excellentes écrevisses, pour un prix dérisoire. Une sorte de fast-food de la mer.

# SAINT FRANCISVILLE

IND. TÉL. : 504

Charmante bourgade située à 24 miles au nord-ouest de Baton Rouge, sur la Highway 61. Ses agréables maisons en bois sont éparpillées au milieu de la forêt. Saint Francisville est quelque peu assoupie mais on vient parce que tout autour se trouvent de jolies plantations rescapées de la guerre de Sécession.

## Adresse utile

– ***Tourist Office :*** W Feliciana Historical Society, 364 Ferdinand Street (rue principale). ☎ 635-6330. A 500 m du garage Ford (au carrefour), en direction du ferry. Ouvert tous les jours de 9 h à 16 h et le dimanche de 13 h à 16 h. Documentation sur les plantations de la région. On y trouve également une librairie et un petit musée d'histoire locale.

## Où dormir ? Où manger ?

■ ***Evergreen Campground :*** sur la Highway 965, peu après Oakley Gardens. ☎ 635-4156. En venant de Baton Rouge par la 61, tourner à droite 2 miles avant Saint Francisville et rouler encore 3 miles. En pleine forêt, au calme, sous de beaux arbres très hauts. Petite piscine, sanitaires et eau chaude mais terrain pas toujours très bien entretenu. Prix moyens.

• ***Cotton's Seafood :*** Highway 61, direction Baton Rouge. ☎ 635-4004. Ouvert tous les jours jusqu'à 22 h. Sur les murs, espadon, tortue et gibier empaillé. Intéressant pour son beau buffet de salades. Le vendredi soir, *catfish* à volonté pour un prix imbattable. Steaks copieux et, bien sûr, grand choix de fruits de mer. Le meilleur rapport qualité-prix des environs.

### Prix moyens

■ ***The Saint Francisville Inn :*** 118 N Commerce, P.O. Drawer 1369, Saint Francisville, LA 70775. ☎ 635-6502. Fax : 635-6421. Très centrale, cette charmante maison coloniale fut construite par un riche marchand à la fin du siècle dernier. C'est désormais un B & B au prix plutôt élevé pour les petits budgets ; mais abordable pour la Louisiane et ses maisons « historiques ». Disposées autour d'un patio à galeries avec fontaine, plusieurs chambres ravissantes avec mobilier ancien et moustiquaires. Le resto n'est pas mal non plus. Cadre agréable (plantes, ventilos, véranda à la déco presque british...). Ouvert de 11 h à 14 h et de 17 h à 21 h sauf le lundi. En hiver, fermé le soir en semaine. Moins cher à midi que le soir. Bonnes salades et délicieux *old fashion hamburger*. Sinon, tourtes et gâteaux, fourrés aux épinards, aux écrevisses, etc.

■ ***Ramada Inn :*** Highway 61, à hauteur de la Highway 10. ☎ 635-3821. Fax : 635-4749. Motel confortable, un peu moins cher que l'adresse précédente mais sans le charme d'une vieille masure, bien sûr... Avantages : joli lac plein de canards et piscine. Très calme. Une centaine de chambres avec salle de bains et T.V. (satellite). Resto et bar, avec musique tous les soirs. Chose étonnante, on y trouve aussi une galerie d'art consacrée exclusivement au dessinateur le plus réputé de la région, Audubon. Les beaux spécimens de sa série « Birds of America » sont exposés dans un amusant labyrinthe...

### Plus chic

■ ***Barrow House :*** 524 Royal Street, dans le quartier historique. ☎ 635-4791. Superbe Bed & Breakfast situé dans une maison classée. Cinq chambres dont les balcons donnent sur la plus jolie rue de la ville. Verre de vin à l'arrivée. Organise pour les clients de charmants dîners aux chandelles dans la superbe salle à manger. Cuisine soignée. La grande classe.

## Les plantations

► ***Rosedown :*** à 1 km au nord-est de la ville sur la Highway 10. ☎ 635-3332. Ouverte de 9 h à 17 h tous les jours. De novembre à février : de 10 h à 16 h. Entrée payante (un peu chère). La plus belle plantation des environs. Après un grand périple en Europe, les propriétaires décidèrent de tracer des allées comme à Versailles. Décoration intérieure sophistiquée. Surtout intéressante pour le parc, splendide avec ses vieux arbres couverts de mousse espagnole. En revanche, les commentaires de la visite guidée lassent vite : « comme ils avaient du goût, comme tout est beau et mignon ici, et remarquez cet admirable canapé... ». Curieusement, pas un mot sur la vie et le fonctionnement de la plantation. Et, bien sûr, les esclaves ne sont jamais évoqués. Comme s'il n'y en avait pas eu !

► ***Oakley :*** à 4 miles au sud de la ville, sur la LA 965. ☎ 635-3739. Ouverte tous les jours de 9 h à 17 h (le parc, en revanche, ne ferme qu'à 19 h en été). Entrée payante (pas chère). Maison assez simple tout en cyprès, de style caraïbe, au milieu d'un grand parc. Beaucoup plus authentique que Rosedown. Nous, on a préféré. On y sent bien plus l'atmosphère du vieux Sud chère à Faulkner. En plus, très instructif car on peut voir une cuisine d'extérieur (objets d'époque), une salle à tisser le coton, une belle grange et ses écuries (ambiance western avec ustensiles et outils), ainsi que des cases à esclaves bien conservées (lit, cheminée, chapeau et gousses d'ail !). Visite guidée de l'intérieur de la maison : 20 à 30 mn. On peut y admirer une trentaine de tirages originaux de ce fameux naturaliste nommé John James Audubon. Professeur de dessin d'un enfant du propriétaire, Audubon profita de ses loisirs pour peindre les plus belles œuvres de ses *Oiseaux d'Amérique*.

► ***Greenwood :*** au nord de Saint Francisville. ☎ 655-4475. Ouverte tous les jours de 9 h à 17 h. De novembre à février : de 10 h à 16 h. Entrée payante (prix moyen). Pour y aller, prendre la 61 North sur 3 miles puis tourner à gauche sur la 66. La suivre sur 4 miles puis à gauche à nouveau sur une petite route *(highland)* qui s'infiltre dans la forêt. C'est à quelques miles de là. Droit d'entrée pour le parc, ou pour le parc et la maison. Bâti en 1830 dans un style grec avec 28 colonnes entourant l'édifice. Il s'agit en fait d'une copie conforme puisque l'original a brûlé il y a une centaine d'années. La plantation possédait 750 esclaves avant la guerre de Sécession. Les propriétaires actuels exploitent toujours leurs terres. Le film *Bagatelle* y fut tourné. Le problème de cette plantation est que le mobilier fait très faubourg Saint-Antoine. Pas très excitant.

▸ ***The Myrtles :*** à la sortie nord de Saint Francisville sur la Highway 61. ☎ 635-6277. Ouverte de 9 h à 17 h, tous les jours. Jolie demeure de taille relativement modeste mais dont la véranda est bordée d'un superbe balcon de fer forgé, à l'espagnole. On la prétend hantée par le fantôme d'une esclave qui empoisonna sa maîtresse. Elle revient certaines nuits pour... faire les chambres. Le propriétaire organise des « week-ends mystères » au cours desquels un meurtre est commis. Les participants doivent découvrir le criminel. On peut y dormir, mais très cher pour le confort. Évitez l'annexe dont les chambres sont bien peu confortables pour le prix d'un grand 3 étoiles. On ne visite que quelques pièces.

▸ ***Catalpa Plantation :*** à 4 miles au nord-est de Saint Francisville par la 61, direction Woodville. Ouvert tous les jours de 9 h à 17 h. Fermé en décembre et janvier. Adorable et minuscule demeure victorienne, isolée dans une très belle forêt. Visites guidées par la propriétaire des lieux qui habite la plantation. Pour les gourmands, petit verre de sherry offert à chaque visiteur...

▸ On peut se dispenser de visiter ***The Cottage Plantation,*** peu après Catalpa, sur la même Highway. Maison sans charme et mal entretenue. Les prix du B & B sont exorbitants pour des chambres minuscules et, en prime, l'accueil tout à fait déplorable ! Comme ça vous êtes prévenu.

## Aux environs

▸ ***Parlange Ante Bellum House :*** de Saint Francisville, prenez le bac payant (mais curieusement gratuit dans l'autre sens) qui traverse le Mississippi et continuez sur la LA 10 jusqu'à New Roads, puis prenez la Highway 1 et suivez les flèches « Baton Rouge ». Après un ravissant village étalé le long du lac False River (maisons en bois, cabanes de pêche, hérons, écureuils...), la plantation est indiquée sur la droite. Visites sur rendez-vous seulement, tous les jours de 9 h à 17 h. ☎ 638-8410. Tour guidé de 1 h environ (jardins inclus), assez cher. La plantation la plus célèbre puisqu'elle servit de modèle à la « Bagatelle » des romans de Denuzière. Elle est située sur Fausse-Rivière, bras mort du Mississippi. La propriété appartient toujours à la même famille. Le maître des lieux s'est senti un peu humilié par les scènes d'amour décrites dans le roman, notamment celle qui raconte comment Virginie se serait livrée à un général nordiste un soir de grand vent.

# NATCHEZ

IND. TÉL. : 601

A 58 miles au nord de Saint Francisville (et 90 de Baton Rouge). Ici, ce n'est plus la Louisiane mais le Mississippi (l'État), délimité à l'ouest par le Mississippi (fleuve). Excepté Natchez, pas grand-chose de bien excitant à visiter dans l'État, malgré les grands noms qui en firent la renommée : William Faulkner (installé à Oxford), les grands bluesmen Robert Johnson, Muddy Waters, John Lee Hooker, BB King et bien d'autres (le fameux Delta du Mississippi), sans oublier le Blanc qui chantait comme un Noir, Elvis, né dans le « trou-du-cul de l'Amérique » (Tupelo)...
Connue pour avoir été la première colonie établie sur les rives du Mississippi, puis la deuxième ville la plus riche des États-Unis (après New York !), Natchez n'est plus qu'une petite bourgeoise provinciale (environ 26 000 habitants). Au premier coup d'œil, on se croirait presque dans une cité fantôme, mortellement ennuyeuse. Mais le site, le climat subtropical, les 500 demeures « historiques » épargnées par la guerre de Sécession ont vite fait de vous conquérir.

## Comment se rendre à Natchez ?

– ***En bus :*** deux par jour de La Nouvelle-Orléans, à 10 h et 13 h. Dans le sens inverse, départs de Natchez à 12 h 30 et 17 h. La ligne ne fonctionne pas le dimanche (dans les 2 sens). Liaison assurée par Greyhound. Compter 4 h de trajet. Assez cher (environ 35 $).
– ***En voiture :*** de New Orleans, Baton Rouge ou Saint Francisville, prendre la US 61 North.
– ***En bateau :*** possibilité de faire escale à Natchez en remontant le Mississippi en bateau à aube de New Orleans, avec le *Delta Queen* ou le *Mississippi Queen.* Croisières de 3, 4, 5 jours ou plus. Renseignements et réservations à New Orleans. *Delta Queen Steamboat Co :* ☎ (504) 546-0531. Pour les embarquements depuis Natchez : ☎ 442-6001. Cher, bien sûr.

## Adresses utiles

– ***Office du tourisme :*** Natchez Pilgrimage Tours, à l'angle de Canal et State Streets, dans Downtown. ☎ 446-6631. Appel gratuit à l'extérieur de l'État : ☎ 800-647-6742. Ouvert tous les jours, de 8 h 30 à 17 h. Demander un plan de la ville, les maisons à visiter sont pointées.
– ***Mississippi Welcome Center :*** Sgt S. Prentiss Drive. ☎ 442-5849. Non loin du carrefour avec les US 61 et 84. Ouvert tous les jours de 8 h à 17 h. Intéressant pour ceux qui ont le temps de visiter l'État. Doc sur les villes et les attractions du Mississippi.
– ***Poste :*** à l'angle de Canal et Jefferson Streets. ☎ 442-4361.
– ***Greyhound Bus Terminal :*** 103 Lower Woodville Road. ☎ 445-5291. Liaisons avec New Orleans indiquées plus haut.
– ***Location de voitures :*** *Adams County Cars Rental.* ☎ 445-9831.
– ***Location de vélos :*** *Natchez Bicycling Center,* 334 Main Street. ☎ 446-7794. Ouvert tous les jours sauf dimanche, de 9 h 30 à 18 h (samedi de 10 h à 16 h). Prix corrects.
– ***Marché aux puces :*** *Trash and Treasures,* POB 1646, Providence Road. ☎ 442-3274.
– ***Laveries automatiques :*** *Natchez Steam Laundry,* 123 Saint Catherine Street. ☎ 445-56-68. Ou *Grace Cleaners,* 30 Sgt S. Prentiss Drive. ☎ 442-8420.

## Où dormir ?

### Campings

■ ***Whispering Pines :*** Highway 61 North (c'est fléché depuis la route à la sortie de la ville). ☎ 442-3624. Terrain assez sommaire mais au calme, dans des bois peuplés d'écureuils. Eau et électricité. Pas cher. Le proprio, E.D. Knox, adore faire la causette. Réserver en été.
■ ***Traceway Campground :*** Highway 61 North, un peu plus loin que le précédent. ☎ 445-8279. Si vous écrivez pour réserver : 101 Log Cabine Lane, Natchez, Mississippi 39120. Dans la forêt également, près du départ de la légendaire Natchez Trace (route des pionniers). Eau, électricité, piscine avec toboggan, cabine téléphonique. Avantage : beaucoup d'espace. Accepte la carte VISA.
■ ***Oak Harbor :*** on Lake Concordia, PO Box 816, Vidalia, LA 71373. ☎ (318) 757-2397. Ce n'est plus le Mississippi mais la Louisiane. De Natchez, traverser le fleuve, puis la ville frontière de Vidalia direction Ferriday (US 65/84) et tourner à droite 7 miles plus loin à hauteur du garage Ford. Camping bien aménagé, dans un site superbe. Piscine, pêche, promenades en barque, côté distraction. Épicerie, laverie, douches chaudes, côté confort. Plus cher, *of course.*

### Bon marché

Attention, ne croyez pas que B & B et guest-houses sont moins chères que les hôtels, c'est le contraire ! Pour les fauchés qui se sont tapé les Armées du Salut d'autres villes, autant savoir que celle de Natchez n'héberge plus les voyageurs, excepté en cas de force majeure (avoir vraiment l'air d'un clochard affamé). Si c'est le cas : *Preservation Army,* 509 N Canal Street. ☎ 442-0217. On vous recommandera peut-être d'aller demander à la Police Station une « clearance form » (il faut justifier de sa pauvreté, être seul et ne rester qu'une nuit en ville !). Le papier enfin délivré vous permettra de dormir gratuitement au Trace Motel. N'abusez pas de ces tuyaux, ça finirait par poser des problèmes à ceux qui en ont vraiment besoin...

■ ***Trace Motel :*** 345 Devereaux Drive (Highway 61 North). ☎ 442-7441. Accueil plutôt froid (la réception fait aussi boutique, avec téléviseurs et fusils à pompe ! l'Amérique profonde comme dans les mauvais polars...) mais un bon rapport qualité-prix. Ne pas se fier à l'aspect extérieur (un peu à l'abandon avec façade grise et portes rongées) : chambres assez confortables, avec ventilo, climatisation, salle de bains, T.V. et téléphone. Cela dit, les sanitaires ne sont pas dans un état terrible. Pas de breakfast mais fast-food juste à côté.

■ ***Scottish Inn's :*** 40 Sgt S. Prentiss Drive (Highway 61 South). ☎ 442-9194. A 2 miles au sud-est du centre ville. Le moins cher de la ville. Mais là aussi, accueil froid et pas de petit déjeuner. Petite piscine et chambres correctes, avec salle de bains et T.V. câblée. Demander un grand lit pour 2 et non une double, ce sera encore moins cher...

### Prix moyens

■ ***Prentiss Inn (Best Western) :*** Highway 61 South. Adresse postale : P.O. Box 1347, Natchez, MS 39121. ☎ 442-1691. Fax : 445-5895. Plus aimable et mieux tenu que le Scottish Inn's (c'est juste en face), mais presque deux fois plus cher (du moins en saison). Resto (donc breakfast). Chambres très clean, avec bains et T.V. Bon rapport qualité-prix.

■ ***Ramada Inn on the Hilltop :*** 130 R. Junkin Drive (Highway 65/84), près du pont traversant le Mississippi. ☎ 446-6311. Appel gratuit (en dehors de l'État) : ☎ 1-800-228-2828. Encore un motel d'une chaîne connue, mais celui-là a l'avantage d'être central, à l'entrée du quartier historique. Un autre atout : il domine le fleuve du haut d'une butte (demander un balcon avec vue). Mais rien n'est gratuit, il vous en coûtera 25 % de plus que chez Best Western. On bénéficie au moins d'une piscine, d'un jardin et d'un resto-bar. Chambres avec A.C., salle de bains et T.V.

### Plus chic

■ ***Mark Twain Guest-House :*** 33 Silver Street, Under The Hill (face au débarcadère, le long du fleuve). ☎ 446-8023. Renseignements et clé au Saloon. Ça ne paie pas de mine de l'extérieur mais la petite façade ripou recèle 3 chambres absolument superbes, très spacieuses, avec beau mobilier d'époque (lit à baldaquin), moquette épaisse, salle de bains pleine de plantes, etc. S'y prendre à l'avance pour réserver celle avec vue sur le fleuve, c'est le même prix ! Assez cher mais parfait pour les lune-de-mieleurs ou les fans de Mark Twain qui fréquenta souvent le quartier à l'époque de la ruée vers l'or. Patron très sympa, qui vous accordera une réduction de 20 % si vous restez plusieurs nuits.

■ ***King's Tavern B & B :*** voir « Où manger, plus chic ? »

## Où manger ?

• ***Sandbar :*** 106 Carter Street, à Vidalia. ☎ (318) 336-5173. Ouvert du lundi au vendredi. Lunch de 11 h à 15 h, dîner jusqu'à 22 h. Pourquoi ne pas aller manger en Louisiane ? Traversez le fleuve par le grand pont, tournez tout de suite à droite et vous y êtes ! Très bon accueil et cadre rigolo : murs en planches, animaux empaillés, gadgets kitsch et cartes de visites punaisées partout ! On y trouve uniquement une clientèle d'habitués, et pour cause : les prix sont vraiment bon marché... A midi, *seafood lunch* pour 5 $ avec crevettes, filet de *catfish* (très bon), *crab balls,* crabe à l'étouffée et *hushpuppies,* le tout accompagné de frites et *cole slaw !* Sinon, poulet grillé encore moins cher. Le soir, le *seafood platter* est encore plus copieux, avec notamment des huîtres et des cuisses de grenouilles... Bref, une adresse simple et sympa, comme on les aime...

• ***Eola Hotel :*** angle de Main et Pearl Streets, dans le quartier historique. ☎ 445-6000. Hôtel très chic dont le resto a l'avantage de servir à midi un inté-

ressant buffet à volonté avec salades, plats chauds et desserts ! Excellent rapport qualité-prix. Sinon, Po-Boys, sandwiches, *seafood* et salades de 5 à 10 $.
• ***Scrooges :*** 315 Main Street (près de l'Eola Hotel). ☎ 446-9922. Ouvert tous les jours sauf dimanche, de 11 h à 23 h. La cantine des cadres moyens et des secrétaires du quartier. Cadre agréable et serveuses souriantes. Bons sandwiches chauds, *chili,* copieuses salades, huîtres, crevettes, etc. Prix honnêtes.
• ***The Natchez Landing :*** Silver Street, Under The Hill (en contrebas du quartier historique, face au fleuve). ☎ 442-6639. Service jusqu'à 21 h 30. Atmosphère d'arrière-salle de saloon : murs en bois, bancs, objets rustiques. Copieux poulet fumé, *seafood* et quelques bonnes viandes grillées. On vous sert une brioche chaude avec les plats. Service pas toujours à la hauteur, dommage. Prix moyens. Un peu le même genre juste à côté *(Cock of the Walk)* mais on n'a pas testé.

### Plus chic

• ***King's Tavern :*** angle de Jefferson et Rankin Streets, dans le quartier historique. ☎ 446-8845 ou 445-5157. Ouvert tous les jours de 17 h à 22 h. La plus vieille maison de Natchez (avant 1789), construite en brique, peuplier et cyprès. C'est dans cette auberge que descendaient les voyageurs après une longue route sur la Natchez Trace, piste reliant le fleuve à Nashville et repaire des bandits de grands chemins ! Pour protéger les pionniers, le patron de l'auberge, Richard King, fut chargé d'organiser une milice de cavaliers. L'endroit servit également de terminus de la diligence et de bureau de poste... On enlève donc son chapeau poussiéreux en entrant ici, histoire de saluer la mémoire des premiers routards américains. L'ancienne taverne, bien rénovée, reste chaleureuse : belles poutres, bibelots vieillots, cheminée, petit fond sonore et serveuses très aimables. Côté cuisine, l'endroit est réputé pour ses steaks, servis au poids. Chers mais délicieux. Également de fameuses crevettes sautées. Bref, une adresse sûre. Sinon, la maison fait aussi B & B. Moins cher que bien d'autres maisons historiques car le dîner est inclus dans le tarif.

## Où boire un verre ?

– ***Saloon Under the Hill :*** 33 Silver Street, rue parallèle à Canal Street, en contrebas. Un peu avant l'embarcadère du Mississippi. Le bon vieux saloon. On s'y croirait : tables cirées en bois massif (avec trou pour les cendres !), fusils de pionniers au mur, vieux habitués accoudés au bar. On trouve même le nom des anciens clients gravés sur les plaques de cuivre des chaises !
– ***Old South Winery :*** 507 Concord Street. ☎ 445-9924. Depuis le centre, prendre Catherine Street (direction 61 N) et tourner à gauche. Ce n'est pas un bar mais une fabrique de vins installée dans une grange... Le jovial proprio, Mr Galbreath, adore les Français (« des bons vivants ! »). On visite, puis il vous sert d'autorité plusieurs de ses vins curieux (appelés muscadine), rosé, blanc ou *dry*. Il vous expliquera que cette boisson était déjà fabriquée par les Indiens avant d'envahir le Sud au XVI^e^ siècle et de devenir le *drink* favori des Américains avant la prohibition ! Ne pas hésiter à lui en acheter, c'est plutôt bon marché.

## A voir

Pas mal de chose à visiter dans la petite ville si on s'intéresse à l'histoire américaine. En fait, Natchez est à elle seule un condensé des trois grandes périodes qui marquèrent le Sud : fin de la civilisation indienne à l'arrivée des explorateurs français, installation des colons et prospérité des planteurs jusqu'à la guerre de Sécession.

▸ ***Grand Village :*** 400 Jefferson Davis Blvd, à 3 miles au nord-est du centre ville. ☎ 446-6502. Musée ouvert de 9 h à 17 h et le dimanche de 13 h à 17 h. Entrée gratuite.
L'ancienne cité des Indiens Natchez n'est plus qu'un site archéologique transformé en parc et doté d'un minuscule musée. Malgré le nom, ne vous attendez pas à trouver une réserve ou des vestiges de tipis et de temples. Une ridicule hutte en terre a simplement été reconstituée. On s'y rend avant tout pour mieux

constater l'ampleur de l'anéantissement d'un monde ancien... Dans le musée, quelques belles poteries retrouvées sur le site.
On sait peu de choses sur la civilisation Natchez mais les témoignages laissés par des voyageurs français nous donnent quelques indications sur la façon dont vivait ce peuple aujourd'hui totalement disparu. Vêtus de peaux de bêtes (cerf en été, vison en hiver !), les Natchez vivaient principalement de chasse et de cueillette et se soignaient avec des plantes médicinales (myrtilles contre la dysenterie, magnolia pour les fièvres, etc.). Très hiérarchisée, leur société se divisait en 4 clans, eux-mêmes répartis en tribus. Le Grand Soleil était le chef suprême. Il ne quittait jamais son habitation, donnant ses ordres depuis son lit situé face au temple principal. A sa mort, sa femme et ses serviteurs étaient étranglés en grande pompe puis sa maison brûlée ! Ses ossements étaient alors portés au temple, rejoignant ceux des chefs qui l'avaient précédé aux côtés du feu sacré et des objets sculptés ornant l'autel. C'est ici même, au Grand Village, que vivait le Grand Soleil, régnant sur la trentaine de villages Natchez dénombrés en 1703 dans la région. Mais, selon toute vraisemblance, les Natchez auraient connu leur apogée au XVIe siècle.

## *UNDER THE HILL*

Situé en contrebas du quartier historique sur la rive droite du Mississippi, Natchez Under the Hill est en fait le premier site choisi par les colons pour établir la ville et l'ancien point de départ de la Natchez Trace, piste reliant le Mississippi à la ville de Nashville. De seulement 2 ou 3 maisons en 1776, le quartier évolua au début du XIXe avec l'apparition des entrepôts et des saloons. Avec la prospérité engendrée par le commerce fluvial, l'endroit devint un repaire d'aventuriers et de flambeurs et, par extension, un haut lieu de plaisirs avec l'apparition de bars et de bordels. Mark Twain, fin observateur de la société américaine de l'époque, évoque la ville dans « Aventures sur le Mississippi » : « Elle avait une réputation épouvantable au temps des vapeurs. On y tuait beaucoup, on y buvait énormément, on s'y battait toujours... » Une autre calamité naturelle ruina ce vieux quartier : les glissements de terrain, dus à un déplacement progressif du fleuve vers l'est. Quand les ingénieurs s'en rendirent compte, la décision fut prise de construire un nouveau Natchez sur le plateau dominant la berge. L'érosion et l'importance croissante de Upper Natchez eurent finalement raison de Under the Hill, de la mythique Water Street bordée de maisons à pilotis, des ruelles en terrasses et des bars louches. Seuls vestiges de ce passé digne du Far West : *Silver Street,* son saloon et ses pittoresques restaurants. Mais le fleuve est toujours là !

## *LE QUARTIER « HISTORIQUE »*

Le cœur de la ville est un rectangle parfait aux rues à angle droit. Avec l'apparition des vapeurs sur le fleuve au début du XIXe siècle, l'économie de Natchez s'orienta totalement vers le commerce du coton, permettant à l'élite de la ville d'édifier un nombre considérable de demeures luxueuses, aujourd'hui appelées *ante bellum* (d'avant la guerre de Sécession)... Sur les 500 conservées, une quarantaine sont ouvertes au public. Nous ne mentionnons ici que les plus importantes à nos yeux. Les fanas peuvent participer aux « pèlerinages » cités plus haut, s'offrir un petit tour en calèche ou se fier à la documentation remise à l'office du tourisme... Mais attention, les visites sont toujours payantes et souvent chères. De toute façon, vous en aurez vite assez, les visites étant obligatoirement guidées et la décoration de ces maisons pas toujours du meilleur goût (du moins pour des Européens !).

▸ ***Longwood House :*** 104 Lower Woodville Road, à 2 miles au sud-est du centre ville. Prendre la 61/65 direction Baton Rouge et tourner à droite. Ouverte tous les jours de 9 h à 17 h. Visite guidée (30 mn). Construite en 1859, c'est la plus grande maison octogonale des États-Unis. Un style d'inspiration orientale tout à fait réussi. Visite instructive du point de vue architectural, les travaux n'ayant jamais été achevés à cause de la guerre civile. Opposé à l'abolition de l'esclavage, le millionnaire qui en commanda la construction fut ruiné après l'incendie de ses champs de coton par les Nordistes. Imaginez un peu la maison si les travaux avaient pu continuer : 3 000 m$^2$ sur 6 étages, 26 cheminées de chauffage et un ingénieux système de miroirs placés sous la coupole pour éclairer les sous-sols ! Malgré l'interruption des travaux, la famille du propriétaire continua à vivre dans les 9 jolies pièces déjà achevées... De quoi se plaint-on ? Leurs esclaves n'avaient pas autant d'espace.

▸ ***Stanton Hall :*** 401 High Street, entre Pearl et Commerce Street. Ouverte de 9 h à 17 h. Imposante maison blanche aux hautes colonnes romaines, datant de 1857. Propriété de planteurs avant de devenir un collège de jeunes filles à la fin du siècle dernier. Visite un peu longue mais quelques curiosités intéressantes : vieilles mappemondes de la bibliothèque, lustres à pétrole, mobilier en bois de rose, piano droit en acajou et en cuivre, immenses miroirs, etc. Séparés par une cloison coulissante, les parloirs du rez-de-chaussée pouvaient se transformer en salle de bal ! A l'étage, amusante fresque orientaliste (on remarquera que l'éléphant a des doigts !) et pots de chambre dissimulés dans les escabeaux permettant d'accéder aux énormes lits...

▸ ***Dunleith :*** 84 Homochito Street (direction Highway 61 S depuis le centre). ☎ 446-8500. Ouverte de 9 h à 17 h, sauf dimanche matin. Fermée 3 jours en fin d'année. La maison la plus connue de Natchez, sans doute grâce à ses nombreuses hautes colonnes lui donnant l'aspect d'une cage (dorée). Plusieurs films y furent tournés, notamment une adaptation du « Huckleberry Finn » de Mark Twain. Il faut dire que son style « Greek revival » très poussé en fait l'une des plus représentatives des plantations du Sud. Les pressés peuvent se contenter de l'admirer de l'extérieur. On ne visite que le rez-de-chaussée, les étages et les ailes ayant été transformés en *Bed & Breakfast* de luxe... Ça rapporte plus, sans doute.

▸ ***Rosalie :*** angle de Canal et Orleans Streets. ☎ 445-4555. Visites de 9 h à 16 h 30. Fermé à Pâques et certains jours fériés. Moins fastueuse extérieurement que la plupart de ses consœurs, Rosalie a tout de même connu son heure de gloire. Construite en 1820 à l'emplacement de l'ancien Fort Rosalie (camp français détruit par les Indiens), la propriété servit de quartier général aux troupes fédérales pendant la guerre de Sécession. Le célèbre général Grant devait s'y plaire... A l'intérieur, luxueux mobilier importé en partie d'Europe.

▸ ***Linden :*** Linden Place, accessible par Melrose Avenue (vous voyez cette espèce d'escargot dessiné sur le plan de la ville ? eh bien, c'est là). ☎ 445-5472. Visites de 10 h à 15 h. Une bien jolie maison en bois blanc, tout en longueur. Cottage construit à la fin du XVIIIe siècle, elle fut agrandie puis devint la propriété du premier sénateur de l'État. Une anecdote : l'une des maîtresses de maison y fit aménager une école pour ses 13 enfants ! La belle galerie extérieure servit de décor à l'une des scènes d'« Autant en emporte le vent »...

▸ ***The Elmes :*** 215 S Pine Street, à l'angle de Washington. Charmante maison de 1804, entourée de galeries en bois sur 3 niveaux. Là aussi, un très joli jardin tout autour mais The Elmes est surtout célèbre pour son escalier intérieur en fer forgé, unique en son genre.

▸ ***Monmouth :*** 36 Melrose Avenue. ☎ 442-5852. Depuis le centre, prendre State Street et tourner à droite après Auburn. Ouverte tous les jours. Importante plantation construite en 1818. Visite sans surprises (ça finit par lasser, tout ce luxe tapageur) mais promenade agréable autour de l'étang du parc.

▸ ***Auburn :*** Dunkan Park. ☎ 442-5981. Entrée par Duncan Avenue, au carrefour avec Homochito Street et la Highway 61/65. Visites de 9 h 30 à 17 h 30. Le dimanche, de 13 h 30 à 17 h. Longue demeure en brique rouge de 1812, connue pour son escalier à spirale. Mobilier français. Fait également *B & B* (de luxe, bien sûr).

## HENDERSON ET L'ATCHAFALAYA BASIN IND. TÉL. : 318

A 30 miles à l'ouest de Baton Rouge sur l'Interstate 10. Sortie 115 (Cecilia Henderson).
On le dit tout net : s'il n'y a qu'un seul ensemble de bayous à visiter en Louisiane, c'est bien celui-là. Cette « swamp river », gigantesque région marécageuse du delta du Mississippi, est pratiquement intacte. Sur des centaines d'hectares, les cyprès et les saules recouverts de mousse espagnole composent une mystérieuse forêt dans l'eau. Royaume silencieux des castors

et des alligators que côtoient quelques pêcheurs d'écrevisses. Les ibis et les hérons ne sont troublés que par les coassements des grosses grenouilles. Autrefois, cette région peuplée d'Indiens Chitimacas, accueillit des centaines de Cajuns fuyant les persécutions anglaises au Canada. C'est l'un des rares endroits des États-Unis où les immigrants vécurent avec les Indiens dans la plus parfaite harmonie. Mais cette époque bénie paraît aujourd'hui bien révolue. Ici aussi, l'homme n'a pu s'empêcher de dompter la nature... Au milieu des arbres « flottants », dans l'immensité des eaux dormantes, les années 70 ont vu surgir le deuxième plus grand pont du monde (après celui du lac Pontchartrain) : des milliers de tonnes de béton sur 27 km de long ! Il ne fallut que 6 ans aux experts américains pour vaincre l'étendue marécageuse de l'Atchafalaya, et 112 millions de dollars, des pylônes de 30 à 40 m de long ayant du être enfoncés dans la boue pour supporter l'ensemble... Un résultat surprenant ! Serpents et alligators se demandent encore comment les voitures happées par la Highway peuvent leur passer sous le nez...

## Promenades sur les bayous

– ***McGee's Landing :*** ☎ 228-8519. Quatrième route à gauche sur le remblai (après « Atchafalaya Basin Swamp Tours » et leurs énormes panneaux). En arrivant à Henderson, dépassez le restaurant *Pat's* (le roi de l'écrevisse), et suivez la route située sur le remblai. La famille Allemond possède quelques pénichettes à moteur. Départ à 10 h, 13 h, 15 h et 17 h. La balade dure 2 h et reste très abordable. Ce sont des Cajuns authentiques et ils parlent cet étonnant français aux archaïsmes savoureux. Curtis, le père, ne se fait pas prier pour raconter l'histoire de ce bayou où il est né. Autrefois, les maisons flottaient sur le lac. On les déplaçait au gré des migrations des animaux que l'on chassait pour vendre les peaux. Après la terrible « grande eau » (l'inondation de 1927), le gouvernement exigea que les Cajuns s'installent sur la terre ferme. Ils partirent donc pour les États-Unis, alors qu'ils ne « connaissaient pas dire *yes* en anglais ». Mark, le fiston, vous apprendra beaucoup sur la vie des oiseaux et des animaux.

– ***Jesse Wiltz :*** ☎ 228-2430. Même direction que pour McGee's Landing, mais c'est le premier chemin à gauche sur le remblai. Une autre façon de visiter ces superbes bayous. Location à la journée de petites barques à moteur. On y tient facilement à quatre. Une balade superbe si l'on pense à apporter un pique-nique. Dommage que la location soit assez chère et qu'il refuse de louer à la demi-journée. Les amateurs de pêche pourront acheter tout le matériel pour quelques dollars à la boutique « The Fishing Hole », à l'entrée de Henderson. Pensez aussi à y prendre un *fishing permit*. Les eaux sont très poissonneuses, notamment en sac à lait (sorte de grosse perche).

## Où manger ?

Attention, pas de motel à Henderson. En revanche, Lafayette n'est qu'à 20 miles.

● ***Le Café d'Atchafalaya :*** ouvert tous les jours, midi et soir. ☎ 228-7555. Resto en terrasse ouvert par la famille de McGee's Landing, devant le ponton. Ils ont du cœur à l'ouvrage dans la famille. On le dit sans ambiguïté. Une des meilleures cuisines cajuns qu'on ait mangées. Un poème pour la bouche : crabe frit, bouchées de barbue, *catfish* court-bouillon et encore le *crawfish* Maquechou. Garder une place pour le *Sweet Dough crawfish pie*. Le tout accompagné de délicieux beignets de maïs... Les vendredi et samedi soir ainsi que le dimanche midi, un des fils, Philippe, avec son groupe « Sac-au-lait », vient jouer de l'accordéon et chanter des chansons cajuns.

● ***Las' Restaurant :*** à la sortie de la I-10, en allant de Henderson vers les boats landing. ☎ 228-2209. Ouvert tous les jours jusqu'à 23 h. Superbe carte : *seafood platter,* soupe de tortue, alligator sauce piquante, écrevisses sous toutes leurs formes et, pour les gros gourmands, un homard & steak des plus copieux ! On y parle le cajun.

● Le ***Crawfish Town,*** qui fut l'une de nos adresses favorites, a beaucoup perdu en s'agrandissant. Plus aucun cachet, un service déplorable et des portions minables !

## BREAUX BRIDGE IND. TÉL. : 318

Gros village à une quinzaine de kilomètres de Saint Martinville. « Capitale mondiale de l'écrevisse ». Chaque année, en avril, cet adorable crustacé est fêté fastueusement.

### Où manger ? Où danser ?

• ***Mulate's :*** 325 Mills Ave., à l'entrée de Breaux Bridge en venant de Lafayette par la Highway 94. ☎ 332-4648. Ouvert tous les jours. Une institution : le resto cajun le plus connu de Louisiane, si ce n'est du monde (c'est d'ailleurs leur slogan). Le beau linge du blues, du jazz et du rock s'y est régalé de *stuffed crab* ou de *broiled crawfish :* Robert Palmer, Paul Simon, Dr John, Chicago, Francis Cabrel (tiens, un Français !), David Byrne (« Talking Heads »), John Fogerty, Joe Cocker, Dizzy Gilepsie, et bien d'autres... Mais en achevant de consacrer l'endroit, depuis longtemps réputé pour son cadre, sa cuisine, sa musique et ses danses, ces grands musiciens ont également contribué à l'arrivée de hordes touristiques ! Et les managers, ravis d'augmenter en proportion leurs tarifs... Bon, on ne veut pas vous dégoûter totalement, l'endroit reste à la hauteur (bonne cuisine) et la musique vaut le coup certains soirs. Mais si vous cherchez une véritable authenticité cajun, allez plutôt chez Randol's, à Lafayette...
– ***La Poussière :*** 1301 Grand Point Road (Highway 347). ☎ 332-1721. Le samedi soir seulement, à partir de 20 h 30. Depuis Mulate's, prendre le 2e feu à droite, puis le 1er à gauche, puis le 1er à droite et tourner à gauche en direction de Henderson. Immense dancing où se déroulent des « fais-dodo », avec les authentiques Cajuns. La moyenne d'âge est assez élevée, mais des jeunes y participent aussi. Musique cajun super et l'énergie développée par les danseurs (dont beaucoup ont entre 50 et 80 ans) fait vraiment plaisir. Ne pas arriver trop tard, car les soirées finissent tôt.

## LAFAYETTE IND. TÉL. : 318

Capitale du pays cajun. C'est une ville moderne qui a connu un gros boom économique grâce au pétrole. Elle a cependant conservé une atmosphère toute provinciale. Beaucoup de choses à voir dans la région mais assez peu dans la ville même. On y séjourne cependant avec plaisir, ne serait-ce que pour mieux apprécier nos sympathiques cousins cajuns. En plus, plein de bonnes petites adresses... culinaires et musicales !

### Adresses utiles

– ***Tourist Office :*** 1600 NW Evangeline Thruway (grande artère traversant le centre ville, dans le prolongement des US 167 au nord et 90 au sud). Sur le terre-plein central, près d'un étang. ☎ 232-3737. Appels gratuits : ☎ 1-800-346-1958 ou 1-800-543-5340 (depuis le Canada). Ouvert tous les jours de 8 h 30 à 17 h 30. Le dimanche, de 9 h à 17 h. L'une des hôtesses parle le français (cajun).
– ***Codofil :*** 217 W Main Street. ☎ 265-5810. Ouvert de 8 h à 12 h et de 13 h à 16 h 30. Siège du Conseil pour la défense du français en Louisiane. Organisme très dynamique qui tente de revitaliser la langue française et d'empêcher qu'elle ne disparaisse. De plus, ils informent des lieux et dates des concerts, et des programmes radio. Petite librairie sur place. Tâchez de rencontrer nos amis Jean et Ida, adorables et parlant parfaitement le français.
– ***Greyhound :*** 315 Lee Avenue. ☎ 235-1541. Liaisons sur New Orleans, Baton Rouge, New Iberia, mais pas Saint Martinville. Deux solutions : location de voitures ou le stop (pensez à arborer un drapeau français !).
– ***Thrifty Rent-a-Car :*** 401 E Pinhook. ☎ 237-1282.
– ***Post-Office :*** 1105 Moss. Ouvert en semaine, de 8 h à 17 h 30.
– ***Radio KRVS :*** émet sur 88.7 FM depuis l'université de Southwestern Louisiana. ☎ 231-5668. Émissions en français et musique cajun le samedi de 6 h à midi et le dimanche de 6 h à 16 h.

– ***T.V. :*** certains hôtels câblés reçoivent la chaîne francophone TV5. JT et émissions culturelles françaises, belges, suisses et canadiennes.
– ***Journaux français :*** *Le Monde, Nouvel Obs.*, etc., au 2e étage de l'université de Louisiane.
– ***Concerts, activités culturelles :*** se procurer *The Times of Acadiana,* journal gratuit distribué dans les restos et les cafés. On le trouve aussi au Codofil.

## Où dormir ?

### Bon marché

■ ***Maison Mouton :*** 402 Garfield Street, à l'angle de Lee Avenue. Grosse maison jaune et brun face au terminal de bus Greyhound (le B & B n'est pas indiqué). Pas de téléphone. Agés et seuls, M. et Mme Mouton louent leurs 10 chambres à un prix défiant toute concurrence. La plupart avec salle de bains mais toutes avec d'incroyables lits à baldaquin du XIXe siècle ! Celui de la chambre 8, monumental, est une véritable pièce de musée. Couloirs sombres et chambres un peu négligées mais ça reste correct et l'accueil de M. Mouton donne toute la nostalgie d'une francophonie oubliée...
■ ***Acadiana Park and Campground :*** 1201 E Alexander Street. ☎ 234-3838. Le camping le plus proche du centre, situé au nord-est de la ville. Douches, w.-c., électricité, téléphones.
■ ***KOA Campground :*** 5 miles à l'ouest de Lafayette sur l'Interstate 10 (exit 97). ☎ 235-2739. Les tentes sont protégées par un toit. Piscine, minigolf, étang où la pêche est libre. Très bien équipé : grill, épicerie, tables, etc. Accepte les cartes de crédit. Plus cher que le précédent. Bruyant la nuit, l'autoroute est proche.

### Assez bon marché à prix moyens

■ ***Acadian Motel :*** Cameron Street, à l'angle de N University Avenue. ☎ 234-3268. Modeste mais l'un des moins chers de la ville. T.V. câblée, climatisation et salle de bains dans toutes les chambres. *Waterbed* dans certaines. Pas très éloigné du centre. Seuls inconvénients : pas de petit déjeuner et bruits de la circulation...
■ ***The Starlite Motor Inn :*** 2207 NW Evangeline Thruway (Highway 167, près du carrefour avec l'Interstate 10). ☎ 232-0070. Au nord de la ville. Uniquement pour ceux qui disposent d'une voiture. Motel classique avec salle de bains privée, T.V. câblée, piscine.
■ ***Motel 6 :*** 2724 NE Evangeline Thruway (Highway 167, plus loin que le Starlite). ☎ 233-2055. Au nord de la ville. Voiture nécessaire. Piscine. Prudent de réserver ou arriver tôt le matin.

### Plus chic

■ ***Ti Frere's House :*** 1905 Verot School Road, Lafayette 70508. ☎ 984-9347. Au sud-ouest de la ville, sur la Highway 339. Cette route coupe la US 90 à la hauteur de l'aéroport. On vous accueille ici avec un *mint julep,* boisson composée de bourbon et de menthe fraîche. C'était la boisson favorite des planteurs du Sud. Si vous préférez autre chose, *no problem.* Charmant Bed & Breakfast construit dans le style « Old South », en bois de cyprès et brique rouge. Dans chaque chambre, meubles anciens et salle de bains privée (une des salles de bains a même une baignoire jacuzzi, sans supplément de prix). *Plantation breakfast* inclus dans le prix. Prix d'un 3 étoiles.
■ ***Bois des Chênes Inn :*** 338 N Sterling. ☎ 233-7816. Bed & Breakfast installé dans une ancienne plantation bâtie en 1820. Classée monument historique. C'est un « home » de charme. L'hospitalité acadienne y est de mise. Chambres avec lits à baldaquin, parquet craquant. Le tout décoré de couleurs chaudes, brunes et bleutées. Petit déjeuner plantureux. Plus cher que Ti Frere's. Accepte la carte VISA.

## Où manger ?

● ***Creole Lunch House :*** à l'angle de Saint Charles et de 12th Street, dans le Downtown. ☎ 232-9929. Ouvert pour le déjeuner seulement, de 10 h 30 à

14 h. Notre chouchou, tenu par d'adorables mamas noires parlant un croustillant français. Sans doute le seul resto authentiquement créole de la région. Très bon marché mais particulièrement *hot !* Beaux poulets grillés, fricassée, plats au riz, etc. Goûtez absolument la spécialité, le *creole stuffed bread,* pain fourré à la saucisse et aux piments...

- ***Dwyers Café :*** 323 Jefferson, à l'angle de Gairfield. Dans Downtown. ☎ 235-9364. Ouvert tous les jours mais ferme à 16 h. Évitez les hamburgers insipides et autres plats nuls. Allez plutôt au fond de la salle, près des cuisines. Là, on peut commander d'excellents plats cajuns, différents chaque jour (ils ne sont pas sur la carte). Difficile de faire moins cher et aussi bon.
- ***Chris :*** 629 Jefferson, à l'angle de Main Street. Jolie salle en brique et en bois. Clientèle assez chic. Mais pas si cher car on peut manger d'excellents Po-Boys.

### Plus chic

- ***Don's Seafood :*** 301 E Vermilion Street, à l'angle de Lee Avenue. Dans Dowtown. ☎ 235-3551. Ouvert tous les jours de 11 h à 22 h (23 h vendredi et samedi). Grosse bâtisse aux volets clots. Clientèle chic et service pro. Une belle carte proposant une bonne cuisine soignée : écrevisses, crevettes, poulet, crabes, huîtres, cuisses de grenouilles. Réputé depuis plus de 50 ans.

## Où prendre un petit déjeuner français ?

– ***Poupart Bakery :*** 1902 W. Pinhook Road. ☎ 232-7921. Ouvert du mardi au samedi de 7 h à 18 h 30, le dimanche de 7 h à 16 h, fermé le lundi. Boulangerie-pâtisserie française excellente. L'accueil y est chaleureux et la plupart des employés parlent le français. De plus, le patron adore recevoir ses compatriotes.

## Où manger et danser ?

L'originale spécialité cajun, et donc de Lafayette, ce sont ces étonnants restos où rencontres et joie de vivre se conjuguent en 4 temps : boissons, cuisine, musique et danse ! Le rire est offert avec... C'est aussi (surtout) pour cela qu'on aime les Cajuns et que leur capitale s'avère le lieu le plus sympa de Louisiane (avec New Orleans, bien sûr) où sortir le soir...

- ***Randol's :*** 2320 Kaliste Saloom Road. ☎ 981-7980. Appel gratuit : ☎ 1-800-YO-CAJUN. Ouvert tous les jours de 11 h à 14 h et de 17 h à 22 h. Depuis Evangeline Thruway, direction New Iberia et tourner à droite dans Pinhook Rd (après Acadiana Hotel) qu'on redescend jusqu'au croisement avec K. Saloom. Prendre encore à droite. C'est au fond, sur la droite. Notre endroit préféré à des kilomètres à la ronde ! Comme Mulate's (voir à Breaux Bridge) mais en beaucoup plus authentique, Randol's est une institution cajun depuis plus de 15 ans. Immense grange en bois où l'on dîne en regardant les musiciens s'évertuer sous un vieux panneau « Salle de danse »... Enfants et vieillards sont de la partie et peu de clients hésitent à se mêler à la gaieté générale ! Un grand moment. Côté cuisine, ne pas manquer (en saison) le *steamed crawfish :* 1,5 kg d'écrevisses succulentes pour un prix dérisoire... On a du mal à finir la cinquantaine de grosses bébêtes pimentées que ça représente ! Le « poisson Lucille » n'est pas mal non plus. De toute façon, tout est bien chez Randol's, même l'accueil !
- ***Prejean's :*** 3480 US Highway 167 North. ☎ 896-3247. Ouvert tous les jours jusqu'à 22 h. Depuis le centre, Interstate 49 direction Opelousas, tourner à droite dans Gloria Switch Road (après la série de motels) puis tout de suite à gauche dans Service Road. Moins rustique que Randol's, disons plus touristique et plus chic. Bonne ambiance quand même, bien que la piste de danse, ridicule, n'accueille pas plus de 3 couples à la fois. Musique cajun tous les soirs et cadre amusant : alligator géant, coquilles d'huîtres scellées sur le perron, etc. Bonne cuisine à prix raisonnables : homards, huîtres, alligator, poissons, crabes et autres bestioles du bayou.
- ***El Sido's Zydeco and Blues Club :*** 1523 N Saint Antoine. Dans le quartier du Holidome et du Visitors' Center. ☎ 237-1959 ou 235-0647. Vendredi, samedi et dimanche soir seulement. LE club zydeco de Louisiane, mais pas celui

des Blancs, celui des Noirs. Une atmosphère complètement différente, torride et dure à la fois, presque indescriptible. A tenter une fois dans sa vie. En général, de l'excellente musique. Pour l'anecdote, sachez que « zydeco » vient de « zarico ». Les Noirs, trop pauvres à une époque pour manger de la viande salée avec leurs habituels haricots, avaient naturellement ajouté ce refrain à leurs chansons : « z'haricots, pas salés... ».

## Où boire un verre ?

– ***Le Café des Artistes :*** 537 Jefferson Street, entre Garfield et Vermilion West, dans Downtown. Ouvert de 17 h à 20 h (22 h le week-end). Le seul café sympa du centre, qui sert d'ailleurs le seul vrai café de Lafayette... Cadre assez branché (bibelots électroniques, plantes, galerie d'art) mais on vient avant tout pour rencontrer les artistes et les étudiants attirés par les animations culturelles : lecture de poésie (française !), expos et bonne musique (concerts de jazz certains soirs).

## A voir

► ***Acadian Village :*** New Hope Road. A 5 miles au sud-ouest de la ville. ☎ 981-2364. Ouvert de 10 h à 17 h tous les jours. Entrée payante (mais prix presque symbolique). Du centre ville, prenez Johnson Street (US 167) et tournez dans Ridge Road. L'endroit à ne pas manquer à Lafayette. Prendre le dépliant avec les explications sur les maisons en français. Cette association de cajun pure souche a transporté, autour d'un plan d'eau, une dizaine d'authentiques maisons en bois. Ces maisons avaient des escaliers extérieurs et des armoires (et non des placards) pour payer moins d'impôts. La plupart des murs sont en bousillage, c'est-à-dire un mélange de boue et de mousse espagnole déposé entre les charpentes de cyprès. Reconstitution impeccable et cadre ravissant. Superbe chapelle en bois, peinte en blanc. Le week-end, il n'est pas rare d'y voir un mariage cajun arriver en char à bancs. Conseillé de téléphoner pour connaître l'heure exacte de la cérémonie.
Sur les lieux, vous verrez peut-être Louis Chaplin, la vedette du coin, reconnaissable à son immense barbe blanche. Il est là de temps en temps et aime à montrer ses plantations de coton, de piments enragés (!) et raconte sa vie de coupeur de canne à sucre.

► ***Vermilion Ville :*** dans le Beaver's Park, près de l'aéroport régional, à l'est du centre ville. Entrée par Surrey Street (accessible par la US 90). ☎ 233-4077. Ouvert tous les jours (sauf Noël et Nouvel An) de 9 h à 17 h (21 h le week-end). Parc historico-attractif créé récemment sur le modèle de l'Acadian Village. Jolies maisons colorées au bord d'un bel étang peuplé de hérons. Deux problèmes cependant : le prix d'entrée, vraiment très cher, et la froideur de l'accueil (on n'y parle pas le français, contrairement à ce qui est annoncé). Même si la promenade est plaisante au milieu des charmantes maisons cajuns et créoles reconstituées, on en ressort avec l'impression désagréable d'avoir été victime de l'esprit touristique bien américain : restos bidons, gadgets, pseudo-folklore sans âme... On comprend mieux quand on sait que le projet, apparemment juteux, a été financé par la chambre de commerce...

► ***Musée La Fayette :*** 1122 La Fayette Street, près de W University Avenue. ☎ 234-2208. Ouvert de 9 h à 17 h sauf lundi (seulement de 15 h à 17 h le dimanche). Entrée payante. Jolie maison traditionnelle de l'ancien gouverneur, contenant mobilier, portraits et costumes du Mardi gras. A vrai dire, rien de bien génial.

► ***Cathédrale Saint-Jean-l'Évangéliste :*** grand bâtiment construit en brique en 1913 dans le style hollandais. Sur la droite, un chêne gigantesque de plus de 400 ans.

► ***L'université :*** à proximité de la cathédrale. Site très agréable dans la verdure. Certainement la seule université du monde qui élève quelques alligators dans son étang.

## Aux environs

### ▶ *Mamou*

A 60 km au nord-ouest de Lafayette. Prendre la US 167 direction Opelousas, la 190 jusqu'à Eunice puis la State Highway 13 sur 10 miles. Petite ville cajun célèbre pour son bar, *Fred's Lounge*. Dans la rue principale. Ouvert tous les jours mais les samedis matin sont particulièrement chauds : alcool à flots et musique d'enfer de 9 h à 13 h ! Les concerts sont même retransmis en direct par une radio de Lafayette, c'est vous dire... Installé ici depuis 1946, le sympathique vieux Fred continue à inviter ses potes cajuns musiciens, et l'ambiance et l'authenticité des lieux n'ont jamais fait défaut. A ne rater sous aucun prétexte. En plus, plein de rencontres fabuleuses à faire...

### ▶ *Abbeville*

A 24 miles au sud-ouest de Lafayette par les Highways 89 (direction Delcambre) puis 14. Ici, on se croirait presque en France ! Sans doute est-ce dû au petit centre ville animé, autour de Magdalena Square : belle église en brique, mignonnes maisons, hôtel de ville (en français sur la façade !), Washington Street (sous-titrée « rue du Bas de Ville »), etc. Rien de spécial à voir si ce n'est justement cette atmosphère de petite ville provinciale qui ne semble pas avoir souffert de l'américanisation de trop de ses consœurs louisianaises... Une bonne petite adresse où se restaurer :

● ***Black's Oyster Bar :*** 319 Pere Megret. Derrière l'hôtel de ville, face à la belle église catholique. ☎ 893-4266. Grande salle en bois superbement décorée à la mode coloniale. Plantes, ventilos, piliers noirs décorés d'ananas ! Bien sûr, l'endroit est connu pour ses huîtres, délicieuses et vraiment bon marché... On peut enfin en manger crues (demander « on the half shell »), sans la sempiternelle friture iconoclaste ! Sinon, savoureux Po-Boys, comme celui aux crevettes.

# SAINT MARTINVILLE — IND. TÉL. : 318

Gros bourg assoupi où vous ne découvrirez pas l'habituelle Main Street des villes américaines, mais une grande place à la française. Cependant, ne pas s'attendre à trouver, hormis le nom des magasins (Broussard, Bienvenu ou La Houssaye), d'autres signes évidents des origines françaises de la ville. Pourtant, voilà trente ou quarante ans, tout le monde parlait le français couramment. Celui-ci déclina donc au point de presque disparaître. Seules les personnes au-delà de quarante, cinquante ans, le parlent encore, entre amis, dans l'intimité des veillées. Néanmoins, Saint Martinville possède officiellement le taux le plus élevé de francophones de Louisiane (80 % des 8 000 habitants de la ville). Beaucoup de Noirs parlent un créole savoureux.

## Comment y aller de La Nouvelle-Orléans ?

Prenez le Greyhound qui musarde sur les petites routes de l'intérieur et qui passe par Morgan City et Franklin. Paysages pas très spectaculaires, mais typiques de la région. Descendez à *New Iberia*. En principe, il y a un bus pour Saint Martinville vers 8 h (bus Laporte Inc.) de la station Greyhound.
S'il n'y en a pas d'autres, allez-y en stop, vous n'aurez guère que 14 km à faire. Voilà le truc : demandez au chauffeur s'il peut vous reprendre et vous laisser à la sortie de la ville. A l'endroit marqué *Cable TV Building,* Coreen Street, descendez. La route pour Saint Martinville part à droite. Autre solution, prenez le bus direct pour Lafayette et, de là, un autre bus très problématique. Le stop de Lafayette est plus long et beaucoup plus difficile.

## Où dormir ?

■ ***Beno's Motel :*** 101 Clover Hill Road. A 2 miles au sud de Saint Martinville, sur la Highway 31, en allant sur New Iberia. ☎ 394-5523. Gentille adresse en pleine campagne. Prix moyens mais réduction à partir de 4 nuits. Piscine et petit resto.

■ ***Old Castillo Hotel :*** 220 Evangeline Boulevard (la place d'Évangeline). ☎ 394-4010. Ancien pensionnat de jeunes filles transformé en hôtel. C'est très pittoresque. Il y a eu très peu de transformations et on peut voir, dans la salle à manger où on prend le petit déjeuner, des photos de classes. Chambres nickel, décorées avec un raffinement très féminin. Beau mobilier ancien et le sempiternel plancher qui craque.

■ ***B & B Evangeline Oak Corner :*** 215 Evangeline Boulevard (face au bayou et au chêne « historique » d'Évangeline). ☎ 394-7675. Maison en bois de la fin du XIXe siècle, construite sur l'emplacement de la première église de la ville. Chambres spacieuses avec salle de bains, ventilos et air conditionné. Déco assez ringarde mais prix modérés pour l'endroit.

## Où manger ?

● ***Resto du Old Castillo Hotel*** (voir plus haut) : ouvert tous les jours de 8 h à 22 h. Agréable salle à manger et clientèle d'habitués. Très bonne cuisine à prix moyens. Poissons bien préparés, délicieuses cuisses de grenouilles, boulettes d'alligator, crabe. En plus, belle carte de vins français à des prix assez étonnants (mais méfiez-vous, les dates annoncées n'ont rien à voir avec la réalité...).

● ***Thibodeaux's Café :*** 116 Main Street, en face de la grand-place. Ouvert de 5 h à 17 h. Fermé samedi et dimanche après-midi. Mme Thibodeaux valait à elle seule le voyage. Hélas, elle est morte, mais son gendre a pris la succession. Cuisine familiale à base de *seafood* mais ni bière ni alcool « car l'église est trop proche ! ». En revanche, le petit déjeuner est nul. M. Thibodeaux est barbier juste à côté et très fier d'avoir participé au débarquement de Normandie en 1944.

## Où boire un verre ? Où danser ?

– ***R and R :*** 206 Main Street, près du carrefour qui mène au chêne d'Évangeline. Bar, *dance hall* et salle de billard où l'on danse le vendredi, le samedi soir à 20 h ou le dimanche après-midi à 17 h... sauf en période de carême. Musiques cajun et country. Ambiance garantie.

## A voir

▸ ***Musée du Petit Paris :*** ouvert de 9 h 30 à 16 h 30. A droite, en sortant de l'église. Jolie demeure créole dans laquelle on retrace l'histoire de cette ville surnommée « Petit Paris » en souvenir de son époque fastueuse et prospère. On y voit surtout des costumes rutilants portés pour le carnaval du Mardi gras par les descendants des familles les plus en vue de la ville.

▸ ***L'église Saint-Martin-de-Tours :*** l'une des plus anciennes de Louisiane (1765). Ne manquez pas, à l'intérieur, cette reproduction absolument ringarde de la grotte de Lourdes, d'après une photo du XIXe siècle. Ex-voto en français. Pendant plus de deux siècles, la grand-messe était dite en français. Cette tradition a disparu en 1985, depuis que le nouveau curé n'est qu'anglophone. Tout fout le camp !

▸ Dans le cimetière, derrière l'église, la jolie ***statue d'Évangeline,*** dont on voit la reproduction partout. Elle fut offerte à la ville par la grande actrice Dolores Del Rio, qui joua le rôle de l'héroïne du poème de Longfellow dans un film muet en 1929...

▸ ***Le chêne d'Évangeline :*** à droite de l'église, le deuxième plus vieux chêne des États-Unis a été immortalisé par le poète Longfellow. C'est là que se retrouvèrent Évangeline et Gabriel au bout de trois ans de séparation, après qu'ils eurent été chassés de la Nouvelle-Écosse par les Anglais. Gabriel ne l'avait pas attendue, et s'était marié avec une autre femme. Évangeline en mourut. (Eh, Balzac, tu ne t'en es pas inspiré pour *Eugénie Grandet ?*)

Près du chêne, vous aurez peut-être la chance de voir Max Greig ou Lennis Romero, les deux Cajuns les plus connus de Saint Martinville. Peut-être même vous chanteront-ils une petite chanson...

▶ ***De magnifiques maisons :*** la *Court House* avec ses majestueuses colonnes ioniques, *l'hôtel Old Castillo* datant de 1792, longtemps poste militaire, puis auberge pour les voyageurs qui circulaient sur le bayou. La *demeure Duchamps :* belle architecture alliant les styles français et espagnol.

▶ ***Le parc Longfellow-Évangeline :*** à 1 mile au nord de Saint Martinville (suivre Main Street). Ouvert de 9 h à 17 h ; fermé à Noël et au Nouvel An. Joli parc boisé de 70 ha, le long du bayou Teche. A l'intérieur, une maison acadienne dont l'architecture est conforme aux maisons des planteurs français du XVIIIe siècle. Mobilier traditionnel.

## Les fêtes

– ***Le 4 juillet*** (fête nationale américaine) est célébré dignement. Défilés, bals, fanfares, feux d'artifice... Chouette ambiance en ville.
– ***La Boucherie :*** grand événement se déroulant le dimanche avant le Mardi gras. On tue le cochon et c'est l'occasion pour tout le village de se retrouver dans un climat chaleureux. Combats de coqs, orchestres de musique cajun, expositions d'objets artisanaux faits par les villageois. Une vraie fête ! Son origine remonte au XVIIe siècle.
A l'époque, il n'y avait pas de réfrigérateur : tuer un cochon pour une famille représentait souvent une charge trop lourde et l'obligation de saler de suite. On prit donc l'habitude entre familles, pour avoir de la viande fraîche plus souvent, de tuer la bête chacun son tour et de distribuer les morceaux aux autres. Mais ce qui était chouette, c'est que tout le monde participait à la « Boucherie », créant ainsi une solidarité et un esprit de coopération bien particulier. Cette tradition reste très vivante à Saint Martinville. Si vous le rencontrez, demandez plus de détails à Max Greig, l'un de ceux ici qui symbolisent le mieux l'esprit cajun : c'est un conteur né ! Et si, en plus, vous apprenez que Lennis Romero joue quelque part de son accordéon, courez-y, vous bouclerez de façon extra votre voyage.

# LA NOUVELLE-IBÉRIE (New Iberia) — IND. TÉL. : 318

Jolie petite ville sur la route du bus pour Lafayette. Au XVIIIe siècle, des nobles français vinrent s'installer sur ces terres, puis des Espagnols lorsque la Louisiane passa aux mains de l'Espagne. Ils furent néanmoins assimilés par la communauté française. Il en reste le nom de la ville et quelques noms de famille comme Castille (Jeanne), l'auteur d'un des livres les plus émouvants sur la Louisiane.
New Iberia connaît un plus grand essor que Saint Martinville. C'est toujours la capitale de la canne à sucre. Les petites industries sont nombreuses. Et pourtant, les rives du bayou Teche restent très agréables et on aperçoit encore de très belles maisons créoles sur Main Street, notamment entre Center Street et Ann Street.

## Adresses utiles

– ***Tourist Information :*** Center Street. A 0,25 mile du carrefour de la US 90 et de 14th Street, juste à côté du motel Best Western. ☎ 365-1540. Ouvert tous les jours de 9 h à 17 h. Demandez Jane, la gentille directrice. Elle parle un peu le français et adore le G.D.R.
– ***Greyhound :*** 101 Perry Street. ☎ 828-3715. Liaisons sur Lafayette et New Orleans.
– ***Post-Office :*** 817 E Dale Street.

## Où dormir ?

Bon marché

■ ***Belmount Campground :*** 1806 Anderson. ☎ 364-6020. Au nord de la ville. De la Highway 90, sortez sur la route 14 N vers New Iberia. Puis tournez à gauche sur la 182. Ensuite, à droite sur Corinne Street, puis à gauche sur la Highway 31. Enfin, à droite sur la Highway 86 (c'est tout !). Camping très agréable, le long du bayou Teche, ombragé par des chênes centenaires. Grils pour B-B-Q, tables de pique-nique, eau et électricité.

■ ***Royal Motel :*** 213 W Main Street. ☎ 369-9285. Chambres avec salle de bains, T.V. (plus cher) et ventilos. Mais tellement mal entretenues ! Remarquez, il y a de quoi s'en douter tant l'aspect « chelou » des pauvres hères groupés dans le hall annonce la couleur... Rien de Royal ! Pour routards fauchés seulement...

### Prix moyens

■ ***Teche Motel :*** 1830 E Main Street. ☎ 369-3756. Petit établissement (avec piscine) sans prétention à la sortie est de la ville. Bien ombragé. Très bon accueil. Le cadre est vraiment mignon, on dirait plus un village de campagne qu'un motel ! Prix intéressants mais pas de petit déjeuner.

■ ***The Inn of New Iberia :*** 924 E Admiral Doyle Dr. ☎ 367-3211. En venant du Tourist Info, suivre Center Street et tourner à droite. Chambres confortables et très propres pour ce modeste motel, tout de même équipé de salle de bains, T.V. câblée, téléphone et air conditionné. Possibilité de louer des films. Piscine dans le jardin. Au petit déjeuner, café et jus de fruits « only ». Prix très honnêtes et réductions à certaines périodes.

### Plus chic

■ ***Best Western :*** 2700 Center Street. ☎ 364-3030. A l'entrée de la ville quand on vient de quitter la US 90. Jolie piscine dans le jardin. Resto. Chambres plutôt mignonnes. Moins cher que le Holiday Inn.

■ ***Holiday Inn :*** 2801 Center Street, face au précédent. ☎ 367-1201. Bon accueil. Resto. Chambres correctes et sans surprises.

## Où manger ?

● ***Delchamps Food Store 84 :*** 931 S Lewis Street. Non loin du centre ville. Supermarché qui intéressera les campeurs ou même les routards de passage, overdosés de *seafood* et *junkfood !* On y trouve toutes sortes de choses utiles et bon marché : jus d'orange frais, fruits et salades préparés, café chaud, viandes emballées, timbres, journaux, livres, pelloches photos (prix imbattables), médicaments, cigarettes, vins de Californie et mille autres trésors du genre. Deux autres bons points : caissières très gentilles et carte VISA acceptée, ce qui n'est pas toujours le cas.

● ***Seafood Connection :*** 999 Parkview Drive. ☎ 365-2454. Ouvert de 16 h à 23 h. Remonter Lewis Street et tourner à gauche après avoir franchi le bayou. Sorte de cantine accueillante et sans prétention. On y sert poisson, crevettes, crabes, huîtres fraîches et, en saison, 4 livres d'écrevisses au court-bouillon pour un prix presque dérisoire...

● ***Lagniappe Too :*** 204 E Main Street, à l'angle de Julia Street. ☎ 365-9419. Ouvert seulement du lundi au vendredi, de 10 h à 14 h. Petite salle coquette comme une maison de poupée. Bons en-cas pour se déshabituer du hamburger : salades, quiches, sandwiches et *mirlitons,* une spécialité maison fourrée aux crevettes et au bœuf.

● ***The Boiling Point :*** Highway 90 West. A 5 miles de New Iberia, sur la gauche en allant vers Lafayette. Ouvert de 10 h à 22 h. N'ouvre qu'à 15 h 30 les samedi et dimanche. Modeste salle où les habitués viennent s'empiffrer de crabes, crevettes ou écrevisses frais servis au kilo sur un plateau. Délicieux et bon marché.

## Où danser ?

– ***La Louisiane :*** sur la Highway 14, à la sortie de la ville direction Delcambre. Club typique où passent d'excellents musiciens.

## A voir

▸ ***The Shadows on the Teche :*** 117 E Main Street, au carrefour avec Center Street. Ouverte tous les jours de 9 h à 16 h 30 sauf à Noël, Nouvel An et Thanksgiving. Entrée payante. Maison construite le long du bayou en 1834 par un riche planteur de canne à sucre. Elle fut entièrement rénovée par son petit-fils qui vint y vivre après avoir réussi les Beaux-Arts à Paris. Parc fort bien entretenu, ombragé de superbes chênes et fleuri d'azalées et de camélias. Des personnalités y séjournèrent, comme Cecil B. De Mille, Griffith ou Henry Miller.

▸ ***Konriko Rice Mill :*** 309 Ann Street, à l'angle de Saint Peter Street. Le plus ancien moulin à riz d'Amérique. Le riz est toujours préparé d'une façon traditionnelle sans utiliser les cuissons rapides par haute pression. Voilà pourquoi Konriko est la marque la plus réputée pour la préparation des plats cajuns. Visites guidées (et payantes) à 10 h, 11 h, 13 h, 14 h et 15 h. Fermé le dimanche. Boutique très bien fournie en produits culinaires.

▸ ***Trappey's Fine Food :*** 900 E Main Street. ☎ 365-8281. Visites du lundi au vendredi, toutes les 45 mn de 9 h à 14 h 30 (13 h le vendredi), sauf jours fériés. Entrée payante. L'un des plus gros producteurs de produits alimentaires du Sud américain, spécialisé comme son voisin et concurrent Tabasco dans les sauces piquantes. L'aventure commence en 1848, quand un brave exilé mexicain présente des graines de piment à un planteur louisianais... Depuis, Trappey's exporte dans le monde entier toutes sortes de produits épicés ainsi que nombre de conserves de haricots rouges, qu'il fut le premier à mettre en boîte. Cela dit, ils pourraient tout de même prendre exemple sur Tabasco (voir ci-dessous « Avery Island ») et faire visiter leur usine gratuitement, ça ferait moins radin... La boutique cajun est sympa : plein de cadeaux rigolos à rapporter chez vous.

## Aux environs

▸ ***Avery Island :*** à 8 miles au sud-ouest de New Iberia par la Highway 329. Siège de l'usine *Tabasco*, sauce pimentée connue dans le monde entier. Visite gratuite du lundi au vendredi de 9 h à 16 h. Fermée le samedi après-midi et le dimanche. La recette se compose principalement de piments, vinaigre blanc et sel. Ce qui tombe bien puisque Avery Island est située sur une mine de sel gemme. Visite intéressante où l'on apprend que la petite bouteille rouge fut créée à la fin du XIX$^{e}$ par un banquier passionné de culture maraîchère. On a même droit à une dégustation de *chili !*
A côté de l'usine, *Jungle Gardens* permet d'apercevoir, dans un parc ravissant, de nombreux échassiers et oiseaux protégés. A voir aussi : le temple de Bouddha et son bel étang, ainsi que la tour d'observation d'oiseaux aquatiques. Quelques cerfs et alligators suivant la saison. Ouvert tous les jours de 9 h à 17 h. Entrée payante (un peu chère).

▸ ***Live Oak Gardens à Jefferson Island :*** au sud-ouest de New Iberia, sur la Highway 14 puis la 675. ☎ 367-3485. Ouverte de 9 h à 17 h (16 h en hiver). Construite en 1865 par un acteur américain, la plantation s'étend au bord d'un lac. Absolument superbe. La visite guidée de la maison est vraiment intéressante et la vaisselle de toute beauté. La décoration intérieure est un mélange de styles gothique et « Old South ». Le parc est particulièrement agréable (massifs de fleurs rares, volières, écureuils...) et on peut y pique-niquer. Incluse dans la visite, la projection d'un petit film puis une balade en bateau sur le lac. Compter 2 h 30 pour un tour complet. Le tout assez cher.

# FRANKLIN

A 25 miles à l'ouest de Morgan City, sur la LA 182. Jolie petite ville méconnue qui conserve un quartier historique intact. Ça détend entre deux highways. Suivez les flèches et vous parviendrez à une rue arborée bordée de très belles maisons *ante bellum* (entendez d'avant la guerre de Sécession). L'une de ces demeures fait B & B *(Laurel Ridge Country Inn)* mais c'est vraiment très cher. Comme à son époque glorieuse, la ville de Franklin continue à produire du sucre de canne.

# HOUMA

IND. TÉL. : 504

Houma est au cœur du pays des bayous. Un territoire où l'homme doit cohabiter avec les rivières, les marais et la mer. Plusieurs organismes proposent des excursions en canot, dans ce monde mystérieux, royaume des chasseurs et des pêcheurs.

## Adresses utiles

– ***Tourist Commission :*** sur la US 90, à l'angle de S Saint Charles Street. P.O. Box 2792, route 90 West, Houma, Louisiana 70361. ☎ 868-2732. Ouvert de 9 h à 17 h. Fermé le dimanche. Particulièrement aimables, ils téléphonent pour réserver une balade en canot dans les bayous.
– ***Annie Miller's Tours :*** 100 Alligator Lane, Houma, Louisiana 70360. ☎ 851-6222 ou 879-3934. Réservez un ou deux jours avant. A 8 miles au sud-ouest de Houma, sur la Highway 90. Petit embarcadère situé derrière le Bayou Delight Restaurant. Balade d'environ 2 h 30.
Annie, un des guides les plus expérimentés des bayous de Terrebonne, propose une promenade inoubliable. Rien n'échappe à ses yeux habitués à découvrir les ibis derrière les roseaux ou les ragondins cachés au ras de l'eau. Chose plus surprenante, elle appelle ses amis les alligators par leur prénom. Parfois, ils s'approchent du bateau et sautent pour attraper les morceaux de poulet qu'elle leur tend. Le soir, on assiste au retour des aigrettes et des hérons qui viennent passer la nuit sur un îlot au milieu du lac.
– ***Atchafalaya Basin Backwater Tour :*** ☎ 575-2371. Même genre de balade que chez Annie Miller mais plus cher (possibilité de louer un canoë).

## Où dormir ?

### Campings

■ ***Capri Court Campground :*** 101 Capri Court, Highway 316, Bayou Blue, Houma. ☎ 879-4288. Patron adorable et prix vraiment intéressants. Terrain équipé de douches, w.-c., électricité, piscine et laverie. Les tentes sont à l'écart des *mobilhomes,* près d'un bayou (possibilité de pêcher).
■ ***Linda's Campground :*** sur la 90 West, en direction de Morgan City, à 9 miles du point de départ d'Annie Miller's Tours. ☎ 575-3934. Bureau ouvert de 13 h à 19 h. Grande pelouse moelleuse mais pas d'ombre. Douche chaude et laverie. Même prix que le Capri Court.

### Prix moyens

■ ***Red Carpet Inn :*** 2115 Bayou Black Drive, sur la Highway 90 W, à la hauteur de S Saint Charles Street. ☎ 876-4160. Appel gratuit pour réservation : ☎ 1-800-251-1962. En face de l'office du tourisme. T.V. couleur câblée, piscine, jacuzzi. Très bien.
■ ***Sugar Bowl Motel :*** près du carrefour de la Highway 90 E avec la Highway 24, à l'angle de East Park Ave. et New Orleans Ave. ☎ 872-4521. Excellent accueil. Chambres avec T.V. et téléphone mais assez peu spacieuses et vieillottes. Douche seulement. Moins cher que le Red Carpet Inn.
■ ***Chez Maudrey :*** 311 Pecan Street. ☎ 868-9519 ou 873-7887. Dans le centre ville. On peut faire sa lessive. Ambiance familiale. Le petit déjeuner et le dîner sont compris.

### Un peu plus chic

■ ***The Peacock Inn :*** 4084 Southdown Mandalay Road. ☎ 879-3815 ou 876-1582. De Houma, prenez la Highway 90 W, sur 5 miles. Tournez à droite sur Savanne Road et prenez immédiatement l'avenue de gauche, parallèle au bayou. Petite maison cajun en bois. Proprio à la barbe pittoresque qui propose 2 chambres avec salle de bains, laverie et T.V. câblée. Assez souvent complet, s'y prendre à l'avance. Des paons dans le jardin. Petit déjeuner compris.
■ ***Bed & Breakfast Chez Audrey :*** 815 Funderburk Avenue. ☎ 879-3285. Accueil charmant. Films vidéo sur la région. Bon petit déjeuner. On parle le français.

### Où manger ?

- ***Bayou Delight Restaurant :*** 4038 Bayou Black Drive. Près d'Annie Miller's Tours. ☎ 876-4879. Jusqu'à 20 h. Cuisine cajun et surtout alligator sauce piquante. Une bonne petite cuisine régionale, sympa comme tout.
- ***Dula and Edwin :*** Upper Bayou Blue (route 316, à 2 miles de la Highway 90). ☎ 876-0271. Ouvert tous les jours, sauf lundi, de 10 h à 22 h. Tenu par des gens adorables qui mijotent de succulents plats cajuns avec explications et anecdotes à la clé. En saison, énormes plateaux d'écrevisses et de crabes aux prix les plus intéressants de la région... Le samedi soir, un monde fou : réserver un peu avant.
- ***Mr and Mrs Gene Dusenbery :*** sur la route 56 à côté de Chauvin (à 15 km du tunnel). ☎ 594-9503. Ouvert les mercredi, jeudi et vendredi de 11 h 30 à 13 h et tous les premiers dimanche de chaque mois. Fermé en juin, juillet et août. Petite maison transformée en musée où l'on sert des repas typiquement cajuns. Le restaurant s'appelle ***La Trouvaille.***

## THIBODAUX

IND. TÉL. : 504

A 16 miles au nord de Houma par la Highway 24. Petite ville agréable encore peuplée de quelques francophones. On y trouve de nombreux édifices du XIXe siècle et quelques élégantes maisons bien conservées, mais surtout l'une des plantations les plus intéressantes de Louisiane, *Laurel Valley*. Thibodaux peut également servir de base de départ pour visiter la belle région du bayou Lafourche.

### Adresses utiles

– ***Tourist Information :*** chambre de commerce, à l'angle de LA 1 et de Green Street. Ouvert en semaine seulement.
– ***Lafourche Parish Tourist Information Center :*** P.O. Box 340, Raceland, Louisiana 70394. ☎ 537-5800. On y parle le français. Écrire ou téléphoner pour demander la liste des excursions, campings et curiosités du bayou Lafourche.
– ***Laurel Valley General Store :*** sur la Highway 308, à 2 miles à l'est du centre ville. ☎ 447-5216. Ouvert tous les jours de 10 h à 16 h. Grange à l'incroyable bric-à-brac, transformée en musée régional. Infos sur Laurel Valley Village et sur les environs.

### Où dormir ?

■ ***Bayou L. Motel :*** 526 Saint Mary Highway (LA 1), entre Tiger Drive et Ridgefield Dr. Face au restaurant Politz's. ☎ 447-2683. Accueil correct mais chambres un peu vieillottes, avec T.V. et air conditionné. Prix assez bon marché. Ne sert pas de *breakfast* mais restos et fast-food juste à côté.
■ ***Holiday Inn :*** 400 E 1st Street (LA 1). ☎ 446-0561. Appel gratuit : ☎ 1-800-HOLIDAY. Au bord du bayou Lafourche. L'un des plus sympa de la chaîne. Belle architecture, patio, piscine, palmiers... Bon accueil et confort. Prix plus élevés que le précédent. Bon à savoir : le resto sert un buffet à volonté à midi (sauf samedi).

### Où manger ?

- ***Seafood World :*** à l'angle de Jackson Street et E Canal Blvd. Sur la gauche en venant de Morgan City par la LA 20. Entre gargote et fast-food. Tenu par un couple très gentil, prêt à tout pour rendre service. Crabes, huîtres, écrevisses et Po-Boys bon marché.
- ***Flanagan's :*** 1111 Audubon Drive (route perpendiculaire à la LA 1 ; direction New Orleans depuis le centre). Le resto est à gauche après le stade. ☎ 447-

7771. Ouvert de 11 h à 22 h (23 h le samedi). Fermé entre 14 h et 16 h le dimanche. Cadre très agréable et service parfait. Belle carte à prix moyens : copieuses viandes et hamburgers, *seafood,* magnifiques salades, plats italiens et mexicains, tortue et alligator sauce piquante. Bref, une bonne adresse.

## A voir

▸ ***Laurel Valley Village :*** à 6 miles à l'est du centre ville. LA 308 vers le sud puis prendre le chemin de terre, tout de suite à gauche après le General Store. Infos : ☎ 447-7352. Visite libre. Étonnant spectacle que ce « village » bâti autour d'une importante plantation sucrière du siècle dernier, cernée de champs de canne à sucre... L'alignement de dizaines de baraques en bois de cyprès, à l'abandon, lui donne des airs de ville fantôme, engloutie par la végétation. Témoignage d'une époque révolue, le site a conservé tout le charme du vieux Sud. Laurel Valley a connu une grande prospérité à la fin du XIXᵉ siècle (la plantation avait même sa propre ligne de chemin de fer !) avant de sombrer dans l'oubli à l'avènement des machines. Témoins de cette période : la raffinerie en brique (ravagée par des ouragans), une minuscule école, une grue de chargement de la canne à sucre, les boutiques du ferronnier et du tonnelier, un garage, une grange, un hôtel pour travailleurs de passage et surtout des baraquements d'anciens esclaves, cabanes surélevées construites sur un modèle unique. Site classé dont la restauration est à peine commencée, le village est en partie piégé, prenez garde en vous y promenant. On peut néanmoins longer l'étang sans problèmes. Ambiance bucolique et atmosphère de désolation garanties !

▸ ***Église Saint John :*** 718 Jackson Street, au coin de 7th Street. La plus vieille église épiscopale à l'ouest du Mississippi, édifiée en 1844 par l'évêque de l'armée confédérée. Étonnante architecture qui rappelle plus une maison d'habitation qu'une église, avec ses grandes fenêtres à carreaux et ses volets. Derrière, beau cimetière entouré d'arbres, où reposent quelques personnalités de l'histoire louisianaise.

▸ ***Cathédrale Saint Joseph :*** à l'angle de Canal Blvd et 7th Street. On repère facilement ses curieux clochers en brique. Intéressante pour ses vitraux, ses fresques et sa rosace.

▸ ***Palais de justice :*** angle de 2nd Street et Green Street, près de la chambre de commerce. Construit au milieu du XIXᵉ siècle, il se distingue par ses dômes recouverts de cuivre.

▸ ***Nicholson State University :*** LA 1, après Audubon Avenue en longeant le bayou vers New Orleans. ☎ 446-8111. Musée ouvert de 8 h à 16 h 30, excepté le week-end et pendant les vacances scolaires. Beau campus boisé où se promener. A l'intérieur, expos sur l'histoire culturelle de la région (au rez-de-chaussée de la bibliothèque). Sinon, le département Archives présente la construction navale traditionnelle de Louisiane. Dans l'auditorium, pièces de théâtre tous les mois.

▸ Le long de Canal Blvd, quelques maisons en bois de style Renaissance, à galeries.

## Le long du bayou

Pompeusement surnommé « la plus longue rue du monde » par les autochtones, le bayou Lafourche offre cependant de belles surprises. Cette romantique rivière prend sa source dans le Mississippi pour se jeter plus de 100 miles plus au sud dans le golfe du Mexique. Encadré par 2 routes (LA 1 et LA 308), on peut ainsi le longer en voiture tandis que les bateaux défilent à même hauteur ! Un drôle de spectacle... Ceux qui ont du temps devant eux poursuivront la LA 1 jusqu'au bout : un immense pont relie la dernière langue de terre à Grand Isle, superbe parc d'État qui rappelle presque les Antilles. Grandes plages de sable, palmiers et courants chauds... C'est bien sûr le lieu de prédilection de la jeunesse de la région. Mais, heureusement, encore peu de touristes étrangers, profitez-en ! Campings à proximité.
Sinon, nombreuses curiosités entre Thibodaux et Port Fourchon, à la pointe sud de Lafourche Parish (la région administrative du bayou) : *Plantation Chatchie*

(cottage créole du XIXe siècle), *South Coast Sugar* (raffinerie située sur la LA 3199 ; visites en hiver seulement), *Golden Ranch Plantation* (à Gheens, sur la 654 ; à voir pour sa case à esclaves en brique et son moulin à sucre), et le bateau *Petit Caporal* (près de Golden Meadow), le plus vieux crevettier de Louisiane. Après Leaville, on arrive à Port Fourchon, centre de pêche entouré de plages sauvages...

# LA FLORIDE

Voilà un nom qui nous faisait rêver chaque fois que nous nous servions un jus d'orange. Dans notre verre pénétraient non seulement le soleil, mais aussi toutes sortes d'autres images, qui avaient fini par élever la Floride au niveau du mythe. Et pourtant, elle est bien réelle, là, avec ses plages magnifiques, ses palmiers de carte postale, ses réserves naturelles, ses parcs d'attractions les plus déments (mais où s'arrêteront-ils ?), son luxe côtoyant parfois les bidonvilles... Mais même la Miami-Vice commence à se transformer en Miami-Nice. L'Art Deco District est devenu le nouveau rendez-vous à la mode. Rien ne manque au cliché : maillots fluo rentrés dans la raie des fesses, patins à roulettes, cocktails, couchers de soleil et vieux en rang d'oignons. Charmant. Venez fouler cette langue de terre qui tend à s'étirer vers l'équateur, pour attraper encore plus de soleil... En plus, là-bas, l'été c'est « l'hiver », les hôtels font des prix hors saison intéressants et les locations de voitures y sont les moins chères des États-Unis (c'est d'ailleurs le meilleur moyen de locomotion pour visiter la Floride).

## Haute saison, basse saison

En Floride, la haute saison c'est l'hiver. De janvier à fin avril environ, les prix sont deux fois plus élevés que pendant l'été. Il faut bien comprendre que c'est le seul État qui peut se targuer d'avoir du soleil et des plages avec baignade possible toute l'année. La Floride reçoit un peu la même clientèle que la côte d'Azur au début du siècle. Des personnes riches, plus ou moins âgées, fuyant le froid du reste du pays. On vient y passer l'hiver en douceur. En revanche, l'été, la chaleur suffocante fait fuir le troisième âge et les hôtels sont vides... d'où les prix vraiment intéressants. Mars, avril et mai, ainsi que septembre, octobre, novembre constituent les deux meilleures périodes. Nos rubriques « Prix moyens » et « Plus chic » correspondent donc à des prix différents en fonction des saisons. En été, lorsque la saison est désespérément basse, ne pas hésiter à négocier les prix. C'est étonnant ce que l'on peut obtenir d'un hôtelier démoralisé ! Autre truc : achetez le *Traveler Discount Guide* et vous aurez de nombreuses réductions dans les motels.

## – LA CÔTE EST –

La plus visitée car la plus développée touristiquement. Avec Cape Canaveral, Orlando, Miami et les Everglades dans son camp, elle attire les suffrages de la majorité des visiteurs. Ils n'ont pas tort. Car, s'il fallait choisir, on conseillerait cette côte plutôt que la côte ouest, et ce pour plusieurs raisons : on n'y trouve pas seulement des personnes âgées même si elles sont nombreuses, les hôtels couvrent toutes les catégories de prix (sauf à Palm Beach évidemment), ce qui n'est pas du tout le cas de l'autre côte où tout est cher ; l'ambiance y est plus animée, moins « beauf » ; enfin il y a par ici autant de choses à voir, même si ce

n'est pas dans le domaine culturel. Seul véritable avantage de la côte ouest, les plages sont un peu plus belles et le sable un peu plus blanc.
Ceux qui veulent tout voir feront les deux, les autres se contenteront de flâner côté atlantique, en descendant doucement vers Key West, à laquelle il faudra consacrer au moins 3 jours.

## SAINT AUGUSTINE — IND. TÉL. : 904

La plus vieille ville des États-Unis, et elle le fait savoir ! Ici, pas de gratte-ciel. Chaque morceau de bois de plus de 100 ans fait l'objet d'une restauration attentive. C'est bien, mais ils en font peut-être un peu trop. Saint Augustine ressemble un peu à une gentille ville de province, presque européenne, avec son centre « historique » réhabilité, transformé en rue piétonne. Certainement la ville la plus culturelle de Floride, c'est dire ! Charmante et presque authentique, elle vit tranquillement du passage des touristes qui se dirigent plus au sud, vers un soleil toujours plus chaud. Chose rare aux États-Unis, la balade d'un centre d'intérêt à un autre se fait entièrement à pied. La ville est devenue une station balnéaire réputée auprès des 3e et 4e âges qui s'y rendent les week-ends. Résultat : les prix grimpent démesurément à ce moment-là. Venir plutôt en semaine.

### Un peu d'histoire

Après la première excursion de Ponce de León (prononcer « Poncé des Léone ») au début du XVIe siècle dans le secteur, c'est son compatriote Pedro Menendez de Aviles qui prit possession des lieux en 1565, le jour de la Saint-Augustin, après avoir délogé les huguenots français installés dans la baie voisine. La ville devint le point de base de l'expansionnisme espagnol sur le continent nord-américain. Mais c'était sans compter sur la vigilance des Anglais qui, sous le commandement du célèbre marin et néanmoins corsaire sir Francis Drake, pillèrent la petite cité vingt ans plus tard. De nouvelles destructions au cours du siècle suivant rythmèrent l'histoire de la cité qui passa plusieurs fois des mains des Espagnols à celles des Anglais. Finalement les Espagnols décidèrent de vendre ce territoire à la jeune Amérique. Bref, tout ce raffut pour partir avec quelques dollars en poche. Peu après, les Américains auront à se battre contre les Séminoles, les Indiens de la région. A la fin du XIXe siècle, Henri Flagler découvre le site, édifie trois hôtels et fait passer sa ligne de chemin de fer qui relie Jacksonville à Miami par Saint Augustine, puis continue jusqu'à Miami et Key West. La Floride du tourisme était née.

### Topographie

Le centre historique se concentre sur quelques centaines de mètres carrés tout le long de Saint George Street. L'Anastasia Island, à l'est du centre, possède quelques motels pas chers, juste de l'autre côté du pont. On y trouve des campings, ainsi qu'une superbe plage de sable blanc. Sur San Marco Avenue, au nord du centre ville, une bonne vingtaine de motels bon marché.

### Adresses utiles

– ***Visitors' Center :*** 10 Castillo Drive. Au coin de San Marco Avenue. ☎ 824-3334. Ouvert tous les jours de 8 h 30 à 17 h. Projection d'un diaporama payant de 28 mn sur la ville. On peut s'en passer ! Plein de brochures. Éviter le petit-train-promène-couillons qui passe devant l'office du tourisme toutes les 15 mn et fait un simili tour de ville. On peut très bien faire tout cela à pied.
– ***Greyhound :*** 100 Malaga Street. ☎ 829-6401. Pour Miami, Jacksonville, Tampa, Key West...
– ***Post-Office :*** sur King Street, au coin de Martin Luther King Street.
– ***Location de vélos :*** *Schwimm Cyclery,* 130 King Street, ☎ 824-2402 ; et *Island Bicycle,* 211 Anastasia Blvd, ☎ 824-4010.

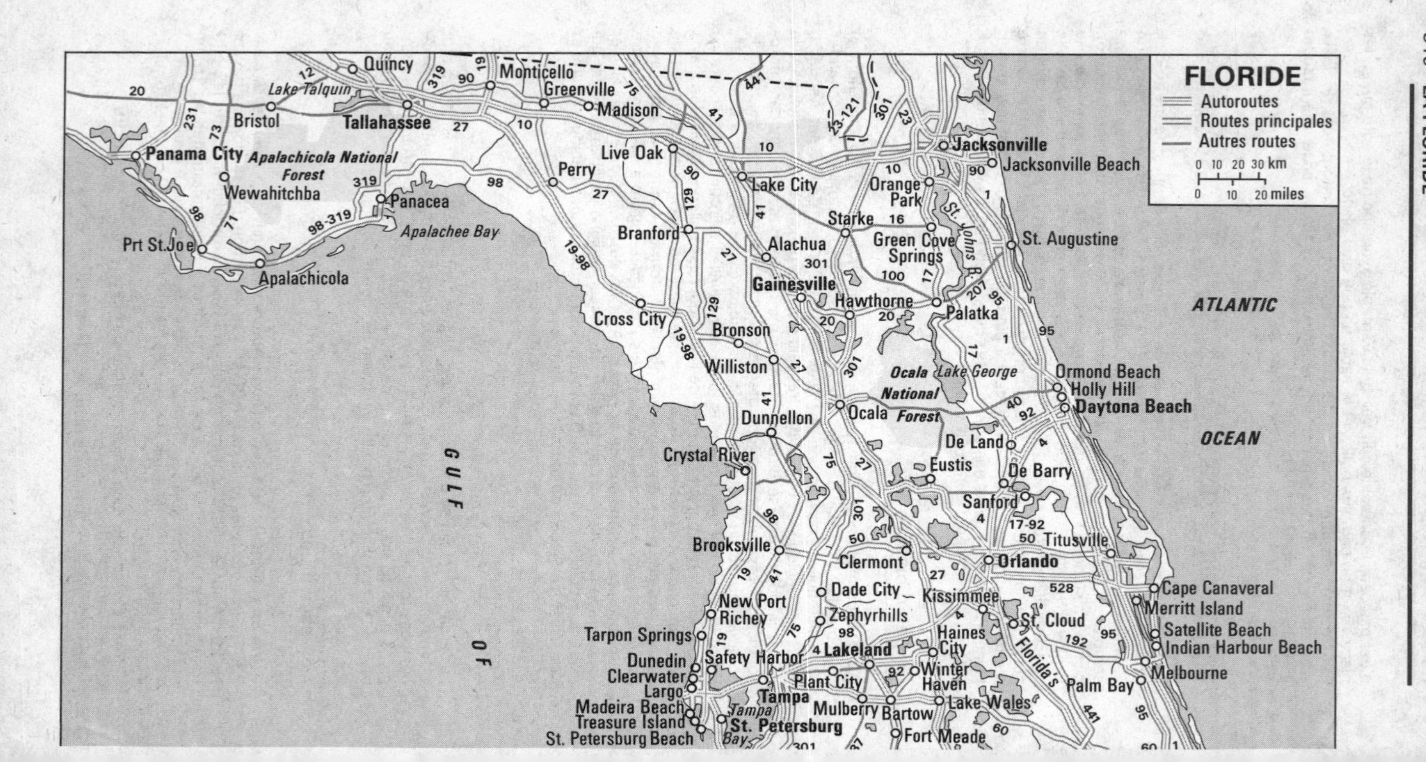
FLORIDE
Autoroutes
Routes principales
Autres routes
0 10 20 30 km
0 10 20 miles
ATLANTIC
OCEAN
GULF
OF
Quincy
Monticello
Greenville
Madison
Lake Talquin
Bristol
Tallahassee
Panama City
Apalachicola National Forest
Wewahitchba
Panacea
Apalachee Bay
Prt St.Joe
Apalachicola
Live Oak
Perry
Lake City
Jacksonville
Jacksonville Beach
Orange Park
St. Johns R.
Starke
Green Cove Springs
St. Augustine
Branford
Alachua
Gainesville
Hawthorne
Palatka
Cross City
Bronson
Williston
Ocala National Forest
Lake George
Ormond Beach
Holly Hill
Daytona Beach
Dunnellon
Ocala
De Land
Crystal River
Eustis
De Barry
Sanford
Brooksville
Titusville
Clermont
Orlando
Dade City
Kissimmee
Cape Canaveral
Merritt Island
New Port Richey
Zephyrhills
St. Cloud
Tarpon Springs
Haines City
Satellite Beach
Indian Harbour Beach
Dunedin
Safety Harbor
Lakeland
Winter Haven
Melbourne
Clearwater
Largo
Plant City
Florida's
Palm Bay
Tampa
Madeira Beach
Treasure Island
Tampa Bay
Mulberry
Bartow
Lake Wales
St. Petersburg
St. Petersburg Beach
Fort Meade

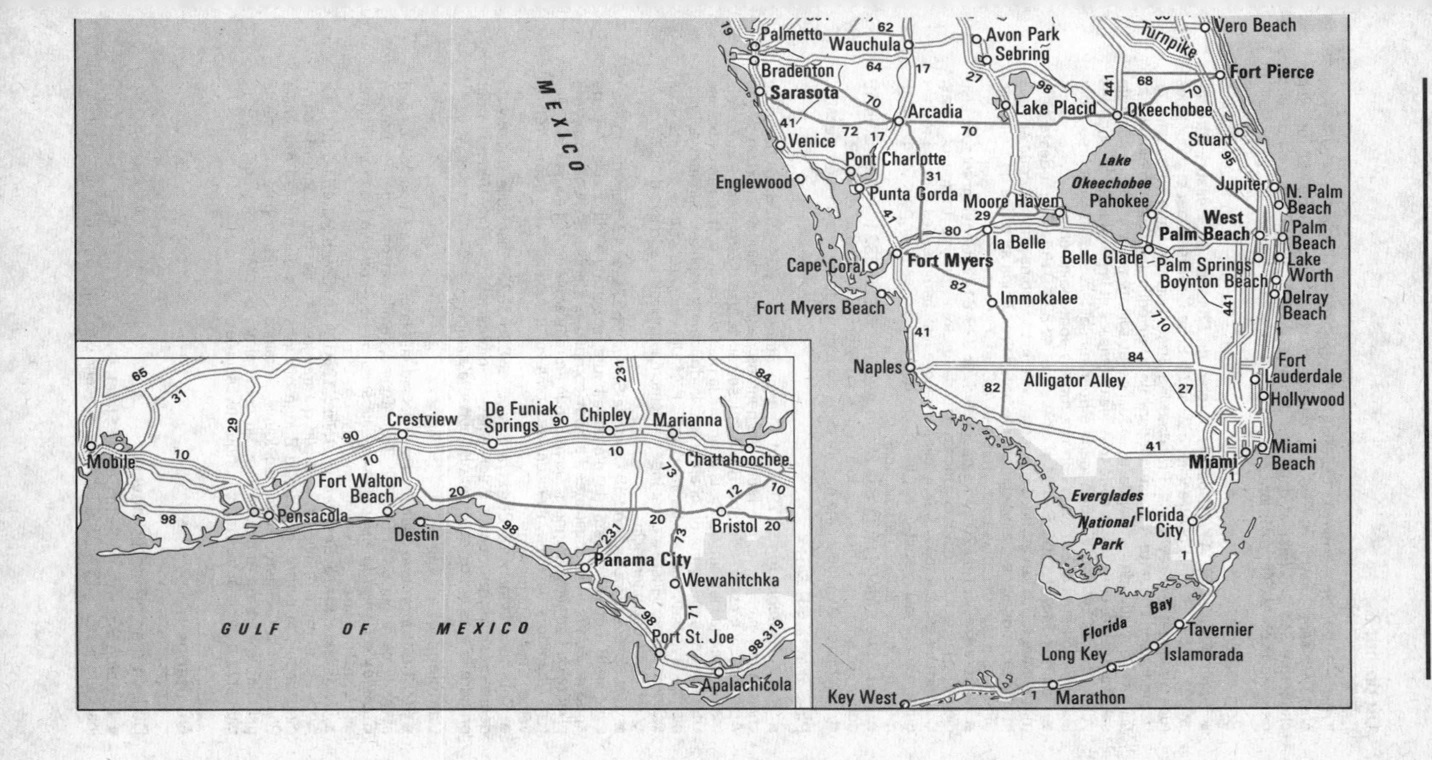
MEXICO
Palmetto
Wauchula
Avon Park
Sebring
Turnpike
Vero Beach
Fort Pierce
Bradenton
Sarasota
Arcadia
Lake Placid
Okeechobee
Venice
Stuart
Pont Charlotte
Lake Okeechobee
Englewood
Punta Gorda
Moore Haven
Pahokee
Jupiter
N. Palm Beach
West Palm Beach
Palm Beach
la Belle
Belle Glade
Palm Springs
Lake Worth
Cape Coral
Fort Myers
Boynton Beach
Delray Beach
Immokalee
Fort Myers Beach
Naples
Alligator Alley
Fort Lauderdale
Hollywood
Miami
Miami Beach
Everglades National Park
Florida City
Florida Bay
Tavernier
Long Key
Islamorada
Key West
Marathon
Mobile
Crestview
De Funiak Springs
Chipley
Marianna
Chattahoochee
Fort Walton Beach
Pensacola
Destin
Bristol
Panama City
Wewahitchka
GULF OF MEXICO
Port St. Joe
Apalachicola

## Où dormir ?

Trois solutions mis à part le camping. L'auberge de jeunesse, les motels pas chers et sans charme un peu en dehors du centre historique, ou un des chouettes Bed & Breakfast dans une demeure du XIXe siècle. Les prix de ces derniers fluctuent énormément entre la semaine et le week-end.

### Bon marché

■ ***Saint Augustine AYH Hostel :*** au coin de Charlotte et Treasury Streets. ☎ 829-6163. En plein centre ville, à 2 mn de Saint George Street et à quelques rues de la station Greyhound. Prendre King Street puis Charlotte sur la gauche. Vraiment une chouette A.J., située dans un vaste édifice abritant de beaux dortoirs de quelques lits, équipés de douches et toilettes. On y trouve aussi un salon agréable, une cuisine avec tous les ustensiles et la possibilité de louer des vélos. Pas de couvre-feu. Bon marché pour les solitaires et les membres. Pour les non-membres à 2 et plus, certains motels sont moins chers.
■ ***Equinox Motel :*** 306 San Marco Avenue. ☎ 824-0131. Ce modeste petit motel situé à 3,5 km au nord du centre ville est le moins cher de tous si vous êtes 2 et à condition d'aller chercher le bon de réduction à l'office du tourisme. Sinon, c'est un peu plus cher. Douche, A.C. et T.V.
■ ***Seabreeze Motel :*** 208 Anastasia Blvd. ☎ 829-8122. Gentil motel tout bleu ciel, sur la gauche, quelques centaines de mètres après le Bridge of Lions. Confortable pour le prix. Bon accueil. Prendre les chambres les moins proches de la route. HBO gratuit (c'est la chaîne des films). Pas cher pour 2, et seulement quelques dollars de plus pour 4.
■ ***San Marco Motel :*** 231 San Marco Avenue. ☎ 829-3321. A 2 km au nord du centre environ. Propre. L'idéal pour 4 vu le prix. Rien à dire de plus.
■ San Marco Avenue aligne encore deux douzaines de motels du même acabit.

### Plus chic, les B & B

■ ***Saint François Inn :*** 279 Saint George Street. ☎ 824-6028. Auberge de charme par excellence, elle reçoit les gens de passage depuis plus d'un siècle. Aujourd'hui, c'est un adorable B & B, qui se paie le luxe d'être presque deux fois moins cher que les autres. De la chambre la plus simple au cottage luxueux avec kitchenette, une dizaine de chambres à la douce atmosphère. Jardinet soigné, piscine sympathique, cadre reposant. Prêt de vélos et entrée gratuite à la « Oldest House » juste à côté. Indéniablement la meilleure adresse dans sa catégorie. Petit déjeuner inclus.
■ ***Old Powder House Inn :*** 38 Cordova Street. ☎ 824-4149. Superbe maison avec large terrasse et véranda, plafonds hauts, datant du XVIIIe siècle. A cette époque, comme les anglicistes l'auront compris, il s'agissait d'une réserve à poudre de l'armée espagnole. Curieux que l'armée anglaise ne l'ait pas fait sauter ! Chambres de style, avec entrées privées, meublées avec goût. Prêt de vélos. Cher évidemment.
■ ***Southern Wind :*** 18 Cordova Street. ☎ 825-3623. Bien jolie maison du début du siècle, proposant d'agréables chambres tout confort. Véranda pour prendre le frais le soir et le petit déjeuner le matin.

### Campings

■ ***KOA Campground :*** sur Anastasia Island, sur la SR 3 (State Road 3), un peu après le carrefour de la SR 312. Tout équipé, familial et ombragé. Propre. Le ***Cooksey's Camping Resort*** est lui aussi sur la SR 3, un peu plus loin. Même genre, même prix.
■ ***Anastasia State Recreation Area :*** 1340 A1A South. ☎ 461-2033. La A1A est la route principale nord-sud qui traverse la ville. Pour gagner le camping depuis le centre, prendre le Bridge of Lions puis poursuivre l'Anastasia Blvd jusqu'à l'Alligator Farm. Quelques centaines de mètres plus loin, sur la gauche, le Park est indiqué. Dans un coin calme, ombragé, sauvage. Un peu plus cher que les autres mais tranquillité assurée.

## Où manger ?

### De bon marché à prix moyens

● ***Spanish Bakery :*** 42 Saint George Street. Dans la rue historique. Ouvert tous les jours jusqu'à 15 h. Une halte en douceur pendant votre flânerie culturelle.

Soupes consistantes, *meat-pies* reconstituants et pain délicieux. Ne pas oublier d'acheter quelques cookies pour la route. On déjeune accoudé aux grandes tables de bois installées sous un cèdre plusieurs fois centenaire.

● ***Café de Aviles :*** sur Aviles Street, au coin de Artillery Lane. Ouvert tous les jours jusque vers le milieu d'après-midi. Au cœur du quartier historique, dans une salle élégante et décontractée. L'endroit idéal pour le lunch. Cuisine inventive, moderne, légère et copieuse à la fois. Le cuistot aime à préparer les plats internationaux. Un conseil pour ne pas se tromper : le « Today's Special » (plat du jour). Toujours une bonne surprise venue d'ailleurs. *Brownies* fondants, *carrot cake* exquis. Le tout pour quelques dollars.

● ***Denoël French Pastry :*** au coin de Charlotte Street et de Artillery Lane. Fermé le soir et le mardi. Pâtisserie-salon de thé-restaurant tenu par des Français. Décor frais et lumineux, avec de gentilles affiches rappelant le terroir. Pour un déjeuner léger, composé de croissants fourrés ou de sandwiches variés. Gâteaux maison.

● ***O'Steen's Restaurant :*** 205 Anastasia Blvd. ☎ 829-6974. Ouvert du mardi au samedi, de 11 h à 20 h 30. Le typique « dining » américain avec son lot d'habitués, sa salle trop éclairée, sa déco impersonnelle et son aimable personnel. On vient dîner ici depuis des lustres pour son « Today's Special », plat de viande servi avec ses 2 légumes, à prix imbattables. Pas vraiment de la cuisine nouvelle mais qualité régulière.

### Plus chic

● ***Gypsy Cab Co :*** 828 Anastasia Blvd. ☎ 824-8244. Surtout des plats de poisson préparés de manière simple et réussie. Bon service. On ne vient pas ici pour l'originalité, mais pour l'atmosphère un peu chic. Bien pour le dîner. Addition assez élevée.

## Où boire un verre ?

– ***Scarlett O'Hara :*** au coin de Hyppolita et de Cordova Streets, dans le centre historique. Ferme à 1 h. Bar américain typique avec ses boiseries lourdes, son ambiance chaude et son groupe de jazz tous les soirs. Véranda et rocking-chair pour se relaxer, mais aucune trace de Scarlett.

– ***Mill Top :*** 19 Saint George Street. Ouvert tous les jours jusqu'à minuit-1 h. Au 1er étage d'un moulin en bois restauré, petit troquet sympa ou des musicos locaux viennent gratouiller de vieilles balades. Petit droit d'entrée les vendredi et samedi.

– ***Trade Winds :*** sur Charlotte Street, à côté de Treasury Street, à deux pas de l'A.J. Bar populaire pour une dernière bière, pour ne plus se souvenir d'hier. Groupes tous les soirs.

## A voir

Comme il y a pas mal de choses à voir ici et que les prix d'entrée ne sont pas donnés, voici très subjectivement ce que l'on considère comme le plus valable (voyez, on vous fait faire des économies) : le Spanish Quarter, le Lightner Museum et éventuellement l'Alligator Farm.

► ***Le vieux quartier :*** délimité grosso modo par le quadrilatère formé par Orange et Saint Francis Street pour l'axe nord-sud et par Sevilla Street et Menendez Avenue pour l'axe est-ouest, le quartier historique s'explore à pied. Saint George Street, l'épine dorsale du secteur, a été entièrement retapée et rendue aux piétons. Demeures ancestrales, échoppes à l'ancienne et vieilles enseignes recréent assez bien l'ambiance du passé... malgré des dizaines de boutiques touristiques. On peut passer un agréable moment à se perdre dans les ruelles calmes de ce quartier sympathique. Pas de quoi se rouler par terre pour un Européen gonflé de supériorité historique, mais, en se mettant à la place des Américains, on comprend qu'ils s'accrochent avec amour à leur récente histoire.

► ***Saint George Street :*** axe principal du vieux quartier. En enfilant cette rue depuis la City Gate (au coin de Orange Street), on peut découvrir quelques vieilles demeures remises à neuf. Au nº 14, *The Oldest School House :* ouvert de 9 h à 17 h et jusqu'à 20 h l'été. Entrée à prix modique. Petite école en bois, bien modeste, avec derrière un jardinet croquignolet. Un professeur automate explique les cours d'antan. Visite pas bien utile à ceux qui ont trop séché les cours d'anglais. Au n° 29, le ***Spanish Quarter*** est un ensemble de maisons de bois restaurées. Ouvert de 9 h à 17 h tous les jours. Si vous ne devez voir qu'un ensemble restauré de Saint Augustine, ce sera celui-ci. Entrée chère mais vous aurez une bonne idée du mode de vie de l'époque. Autour d'un jardin, quelques demeures du XVIIIe siècle dans lesquelles s'activent des artisans (forgeron, menuisier, fileuse...). Quelques numéros plus loin (visite incluse dans le ticket), allez voir la *Demeza Sanchez House,* maison du XIXe siècle, meublée dans le style de l'époque. Tour guidé toutes les 30 mn. Poursuivez ensuite Saint George Street jusqu'à Saint Francis Street. Au n° 14 de cette rue, *The Oldest House* (la plus vieille maison). Le tour est cher, la visite guidée pas palpitante. Elle comprend également la visite d'un musée militaire un rien minable. On peut se contenter d'observer l'ensemble de l'extérieur, en se baladant, car le quartier est adorable.

▸ ***Castillo de San Marcos :*** 1 Castillo Drive. C'est l'énorme forteresse située au bord de la baie de Matanzas, au milieu d'un vaste espace vert, tout près de la City Gate et de l'office du tourisme. Ouvert de 9 h à 17 h 15 tous les jours. Prix d'entrée modeste. Construit à la fin du XVIIe siècle, c'est le plus ancien fort militaire des États-Unis. Noter sa structure en étoile rappelant son ascendance espagnole et rendant difficile sa prise. Énormes remparts en coquina, matériau composé de coquillages pulvérisés et d'une sorte de ciment. Cette forteresse, ainsi que toute la ville, symbole du pouvoir de l'Espagne, sera cédée aux Anglais lors du traité de Paris en 1763 en échange de La Havane. Sous l'administration américaine, le Castillo fut transformé en prison... pour les « rebelles » indiens. Gonflés, ces Américains ! Pas grand-chose à voir à l'intérieur. Seule la promenade des remparts permet d'avoir une jolie vue sur la ville. Les fauchés s'en passeront.

▸ ***Lightner Museum :*** au coin de Cordova et King Streets, à la lisière sud du vieux quartier. Ouvert de 9 h à 17 h tous les jours. Entrée payante. Installé dans l'ancien hôtel Alcazar, édifié par Henri Flagler en 1888, sur les plans de l'Alcazar de Tolède. Un éditeur de Chicago, Otto Lightner, racheta l'hôtel après la crise économique de 1929 pour le transformer en un musée où sont exposées ses collections privées. Visite à ne pas manquer bien que le genre, le style et la qualité des objets soient inégaux. Le premier niveau présente un amalgame de peintures, instruments de musique, porcelaine, poupées... Au niveau supérieur, en revanche, une étonnante collection de verre : carafes anglaises, vases français (Daum, Gallé), pichets de Bohême, glaces gravées, pots vénitiens, porcelaines chinoises, vitraux de Tiffany... On verra encore des bains russes qui étaient utilisés par les clients de l'hôtel. Sur un mur, une surprenante collection de boutons. En ressortant, au niveau de la caisse, jeter un coup d'œil à l'extraordinaire horloge du XIXe siècle qui chante une fois par heure, 6 mn après chaque heure.

▸ En sortant du musée, juste en face (au coin de Cordova et King Streets), le *Flagler College,* autrefois le Ponce de Leon Hotel, construit par Flagler en 1888. Aujourd'hui, les étudiants doivent être ravis de travailler dans un édifice pareil. L'architecture hésite entre l'hispano-mauresque et le moderno-n'importe quoi.

▸ ***Alligator Farm :*** situé à la sortie sud de la ville, sur la route A1A, côté droit. Ouverte de 9 h à 17 h tous les jours. ☎ 824-3337. Entrée à prix assez élevé, mais vous ne trouverez pas moins cher en Floride pour ce genre d'attractions. Un peu toujours la même chose, mais si vous n'avez pas encore vu de ferme aux crocodiles, c'est peut-être le moment ou jamais. En voyant celle-ci, vous pourrez vous passer de toutes les autres. Dans un cadre presque naturel, des centaines de crocos de toutes sortes, venant de tous pays. Petit parcours sur un ponton de bois au-dessus d'un marécage où les animaux évoluent en liberté. On y voit de sacrés bestiaux, notamment un phénomène de Nouvelle-Guinée, absolument énôôôrme. Essayez d'y aller à l'heure d'un Alligator Show (appelez pour les horaires).

▸ ***La plage :*** sur la côte est d'Anastasia Island, longue plage de sable blanc assez démente, mais, un peu comme à Daytona, on y laisse rouler les voitures. Évitez d'y allonger votre serviette si vous ne voulez pas avoir un bronzage avec les hiéroglyphes Firestone sur le dos.

▸ ***A ne pas voir :*** la Mission of Nombre de Dios (rien à voir), la Fountain of Youth (qui ne vaut pas un demi-clou), le Zorayda Castle (vraiment nul), et la Oldest Store (entrée chère pour ce que c'est).

## Aux environrons

▸ ***Marineland :*** à une quinzaine de miles au sud de Saint Augustine, sur la route A1A, en allant vers Daytona Beach. ☎ 471-1111. Ouvert tous les jours de 9 h à 17 h 30. Voici le premier Marineland des États-Unis, construit en 1938. Ancêtre des Seaquarium et autres Mammel Center, il comprend un immense aquarium où poissons, raies, tortues et requins semblent vivre en bonne harmonie. Pas d'orques épaulards, mais un show de dauphins et d'otaries. C'est ici qu'on dressa des dauphins pour la première fois. Film en 3 dimensions sur le monde marin. Bien sûr, les structures ne sont pas aussi modernes que les nouveaux parcs du même genre et les shows sont peut-être moins spectaculaires. Ceux qui descendent sur Miami ou Orlando bouderont sans remords le Marineland.

# DAYTONA BEACH

IND. TÉL. : 904

Un nom qui sonne affectueusement aux oreilles des fous de voitures et de motos. Daytona possède la piste automobile la plus célèbre des États-Unis. Lors des périodes de courses, la ville connaît une animation folle, les hôtels triplent leurs prix et affichent complet. En mars, c'est la moto qui a la vedette. Des motards viennent de tout le pays et la ville tombe encore dans un délire hallucinant. La période principale des courses s'étale sur février et mars. Il y en a de toutes sortes. La plus importante pour les voitures reste la *Daytona 500*. Vers la mi-février, début mars, la Bike Week accueille une flopée de courses de moto, notamment la *Daytona 200*. L'été, le clou de la saison reste la *Fire Cracker 400*. En général le 4 juillet. Pour tous renseignements, contacter l'office du tourisme ou appeler *Speedway :* ☎ 254-6767.
Pourquoi un tel engouement pour les véhicules à moteur ? Parce que c'est à Ormond Beach, la plage à côté de Daytona, que fut établi un record de vitesse en 1903 avec... 109 km/h. Aujourd'hui, cette plage immense de sable blanc très dur continue son roman d'amour avec l'automobile. On peut rouler sur la plage et les jeunes se garent les pneus dans l'eau, suivant la tradition. L'accès à la plage est payant.
L'autre grand moment de folie de Daytona est la période du *Spring Break*, les vacances de printemps de tous les étudiants américains (2e quinzaine de mars). Ils se donnent tous rendez-vous ici, pour une quinzaine de beuverie, de débordements en tout genre, de concours de t-shirt mouillé et autres joyeusetés. Si vous êtes intéressé par les compétitions sportives, réservez un hôtel longtemps à l'avance. Si vous ne l'êtes pas, évitez soigneusement ces périodes, vous économiserez pas mal de dollars. En dehors des courses, l'endroit n'évoque pas grand-chose. La plage est belle, la ville est laide. Elle s'étend sur une dizaine de miles, bordée par un chapelet infini d'hôtels et de motels, et ne possède pas de centre véritable.

## Adresses utiles

– ***Chamber of Commerce :*** 126 E Orange Avenue. ☎ 255-0981. De l'autre côté de la presqu'île de Daytona. Ouvert du lundi au vendredi de 9 h à 17 h. Donne toutes les infos sur les courses.
– ***Greyhound Station :*** 138 S Ridgewood Avenue. ☎ 253-6576.
– ***Post-Office :*** 220 N Beach Street. Poste principale.
– ***Location de vélos :*** à l'A.J. mais seulement pour leurs hôtes.
– ***Amtrak :*** pas de gare à Daytona mais à Deland, à 25 miles de là : 2491 Old New York Avenue. ☎ 1 (800) 342-2520.
– ***Votran :*** c'est un bus qui descend et remonte Atlantic Avenue à Daytona. Bon, ne pas se faire d'illusions, ici, sans voiture, c'est comme marcher dans le désert avec des semelles de plomb.
– ***Daytona Beach Regional Airport :*** ☎ 255-8441. Connexions pour Orlando, Miami, etc.
– ***Greyhound Racing :*** ce n'est pas la célèbre compagnie de bus mais des courses de lévriers. Pour dates et infos, ☎ 252-6484.

## Où dormir ?

On le rappelle : durant la période des courses, les prix deviennent délirants. En basse saison, ça va encore. De manière générale, tous les motels et hôtels côté mer sont bien plus chers que ceux situés de l'autre côté de la route.

### Assez bon marché

■ ***Daytona Beach International Youth Hostel :*** 140 S Atlantic Avenue. ☎ 258-6937. Une centaine de lits dans ce beau bâtiment rose fluo. Chambres de 2 à 6 lits avec T.V., A.C. et douche. Bien tenu. Même prix avec ou sans carte A.J. Ouvert 24 h sur 24. Cuisine équipée, location de vélos, salle de ping-pong, coffre à louer. Lavomatic en face. Les responsables de l'A.J. proposent une journée sur un lac privé avec ski nautique, planche à voile, pêche... Déjeuner compris. Se renseigner sur place.

■ ***Camelia Motel :*** 1055 N Atlantic Avenue. ☎ 252-9963. Petit motel qui a l'avantage d'être le moins cher de tous, pour 2 ou pour 4. Possibilité d'utiliser la piscine de l'hôtel en face. Le ***Rip Van Winkle Motel,*** au n° 1025, dans le même genre, est à peine plus cher.

■ ***Mil-Mark Motel :*** 1717 N Atlantic Avenue. ☎ 258-6238. Avec le Camelia, certainement le meilleur choix niveau prix. Modeste et propre.

■ ***Flamingo Hotel :*** 1915 N Atlantic Avenue. ☎ 255-9442. Encore un petit motel sans prétention, sauf celle de pratiquer des prix modérés.

### Prix moyens

■ ***Seascape Motel, Sea Esta Cottages, Cedar by the Sea Motel :*** 3321 S Atlantic Avenue. ☎ 767-1372. Trois motels en un seul. Cottages, chambres ou mini-appartements. Structure familiale sur un seul niveau, peinte en bleu et blanc, donnant directement sur la plage, dans un coin calme. Bonne petite adresse qui tient ses prix.

■ ***Tropical Winds :*** 1398 N Atlantic Avenue. ☎ 258-1016. Grande structure de 8 étages, récente, dans les tons pastel. Chambres spacieuses, lumineuses et presque toutes avec balcon donnant sur la mer. Parfaitement tenu. Confort d'un grand hôtel. Chouette piscine. L'été, prix étonnamment serrés.

### Plus chic

■ ***Days Inn Ocean Front South :*** 839 S Atlantic Avenue, à Ormond Beach. ☎ 677-6600. Appel gratuit : ☎ 1 (800) 325-2525. Directement sur la plage, les chambres sont disposées autour d'une grande piscine. Confort irréprochable. Plus cher.

### Campings

■ ***Tomoka State Park :*** à plusieurs miles au nord de Daytona Beach. De Daytona, prendre le pont E Granada Blvd, puis à droite sur N Beach Street vers le Tomoka State Park. Poursuivre toujours cette route qui traverse un quartier résidentiel pour aboutir au Tomoka State Park. Cadre sauvage et naturel. Douche chaude, téléphone et petit magasin. Assez cher.

■ ***Nova Family Campground :*** 1190 Herbert Street, à Port Orange. ☎ 767-0095 ou 1-800-421-9392. Prendre S Atlantic Avenue puis le pont de Dunlawton Avenue (A1A) sur la gauche. Poursuivre jusqu'à Nova Road qu'on prendra sur la gauche. Ensuite Herbert Street de nouveau à gauche. Camping vaste et familial, frisant le « beauf ». Équipé à l'américaine (machine à laver, douches, piscine...). A 10 mn en voiture des plages. Cher pour le peu de place dont on dispose.

## Où manger ?

● ***Manor Buffet :*** 101 Seabreeze Blvd. Ouvert tous les jours pour le lunch de 11 h à 15 h et pour le dîner de 16 h à 19 h. Au rez-de-chaussée d'un immeuble, une sorte de cafétéria d'hospice de vieillards. Pas une expérience culinaire certes, plutôt une excursion ethnologique dans le monde du 3ᵉ âge. Atmosphère bizarre, déroutante. Déprimés, s'abstenir. Sinon, pour moins de 5 $ vous avez le droit à une soupe, une « salad-bar » à volonté, une viande avec deux légumes à volonté également. Incroyable mais vrai, comme disait un autre vieillard.

● ***B & B Fisheries :*** 715 Broadway. ☎ 252-6542. Ouvert de 11 h à 20 h 30, tous les jours sauf le dimanche. Service en continu. Pour du bon poisson et des fruits de mer pas chers, c'est l'adresse qu'il vous faut. Cadre ringard et sans importance. Ce qui compte, c'est la fraîcheur du poisson et, ici, pas de problèmes. Savoureuse *steam lobster* et onctueuse *clam chowder.* Une adresse d'habitués. Prix dérisoires.

● ***Shells :*** 200 S Atlantic Avenue. ☎ 258-0007. Ouvert de 17 h à 22 h, tous les soirs. Là aussi, on trouve tout ce qui nage. Bon *Seafood platter.* Demandez le plat du jour. Leur *craw fish pasta* n'est pas mal non plus. Repas complet pour environ 10 $.

## Où boire un verre ? Où danser ?

– ***Great Barrier Reef Pub :*** 600 N Atlantic Avenue. Tous les jours jusqu'à 2 h ou 3 h. Vaste boîte où se retrouvent tous les étudiants pendant le Spring Break. Déco surf, windsurf et beach boys. L'endroit n'a rien de bien original, c'est l'ambiance démente les soirs de fête qui est attirante. Entrée payante. Votre ticket donne accès à l'autre boîte juste à côté. Groupes dans les deux.

– ***The Oyster Pub :*** 555 Seabreeze Blvd. Énorme bar sombre avec écrans T.V. et musique forte. L'idéal pour une bière accoudé au comptoir, pour une soupe de *clams* ou un « Philly Steak Sandwich » (sandwich de Philadelphie).

## A faire, à voir

– Mettre ses pneus dans l'eau, comme tout le monde. Vous verrez, ils seront ravis. Tout comme le sel marin d'ailleurs, qui adore bouffer de la gomme.
Petits conseils : se garer assez loin du bord de l'eau de manière à ce que, à marée haute, l'écume blanche ne vienne lécher que vos pneus. Un truc pour ne pas faire d'erreur : s'aligner sur les vendeurs ambulants. La vitesse est limitée à 10 miles/h. Il est interdit de boire sur la plage... à plus forte raison dans la voiture.

▸ ***Les courses :*** elles ont lieu sur la Dayton International Speedway, située sur la route 92, non loin du carrefour avec la US 95, à quelques miles de Daytona Beach. L'achat des places peut se faire au dernier moment mais les hôtels sont toujours pleins. Le calendrier précis et complet des courses est disponible à l'office du tourisme.

# ORLANDO

IND. TÉL. : 407

A 340 km de Miami. Ville très étendue, moderne et qui connaît un taux de croissance effréné depuis vingt ans. A cela plusieurs raisons : la proximité de Cape Canaveral, un important commerce d'agrumes, son rôle de « camp de base » pour Disney World. La ville n'est pas désagréable, pas démente non plus. Cependant, ça vaut le coup d'y passer la nuit, ne serait-ce que pour se tremper une soirée dans l'atmosphère de *Church Street,* une rue entièrement refaite à l'ancienne, où se concentre toute l'animation nocturne du Downtown Orlando.

## Arrivée à l'aéroport

Prendre le *bus n° 11* qui se dirige vers le centre. Descendre le plus près du Lake Eola pour ceux qui vont à l'A.J. C'est à quelques blocs de là. Sinon, des *Shuttle Buses* font le tour des grands hôtels autour de Disney World. Pour infos : ☎ 839-1570.

## Adresses utiles

– ***Office du tourisme :*** Mercado Mediterranean Shopping Village, 8445 International Drive. ☎ 363-5871. Ouvert de 8 h à 20 h tous les jours. Très documenté. On y parle plusieurs langues. Brochures en français.
– ***Greyhound :*** 555 N Maguider Blvd. ☎ 843-7720 et 292-3422. Loin du centre. Liaisons pour Miami, Tampa, Jacksonville et plein d'autres villes.
– ***Grayline :*** 4950 L.B. MacLeod Road. ☎ 422-0744. Quatre départs le matin du Florida Center pour Disney World et EPCOT. Le bus s'arrête dans la plupart des grands hôtels pour prendre les clients. Se renseigner sur les horaires exacts à la réception des hôtels. Excursions à la journée pour Sea World, Wet'n Wild, Cypress Gardens, Daytona Beach et Cape Canaveral.
– ***Amtrak :*** 1400 Sligh Blvd. ☎ 843-7611. Dans le Downtown. A quelques blocs de la I-4.
– ***Transports locaux*** *(Tri County Transit) :* W Pine Street, entre Garland et Orange Avenue. ☎ 841-8240. Bus parcourant la ville. L'office du tourisme possède un plan des circuits de bus. Pas vraiment pratique et beaucoup de temps perdu.
– ***Post-Office :*** 46 E Robinson Street, à la hauteur de Magnolia Street. Ouverte de 9 h à 17 h du lundi au vendredi.
– ***Location de voitures :*** Alamo 8200 McCoy Road. ☎ 1-800-327-9633 (appel gratuit) ou 857-8200. Près de l'aéroport. L'une des moins chères de Floride. Le conducteur doit avoir 21 ans et posséder une carte de crédit. Possibilité de « drop off » à Miami. Ouvert jour et nuit.
– ***Auto Drive-away :*** 1 Purlieu P.K. ☎ 678-7000. Appelez pour vous faire expliquer comment y aller.

## Où dormir ?

### *DANS LE CENTRE D'ORLANDO*

On y trouve les hôtels les moins chers de la région mais Disney World est à 30 km au sud de la I-4. C'est la seule solution si vous ne disposez pas de votre propre voiture. En effet, des liaisons de bus sont assurées entre Orlando et les grands parcs d'attractions.

■ ***Orlando International Youth Hostel :*** Plantation Manor, 227 N Eola Drive, à l'angle de East Robinson. ☎ 843-8888. Du terminal Greyhound, marcher 3 blocs au sud jusqu'à Robinson Street et tourner à gauche. De l'aéroport, bus 11 jusqu'au City Terminal puis bus 13. Ancien hôtel de style « Old South » avec une grande terrasse donnant sur un superbe lac en plein centre ville. Les non-membres des A.J. sont admis mais paient un peu plus cher. Supplément pour les draps et serviettes. Air conditionné seulement dans certaines chambres. Cuisine équipée. Dortoirs ou chambres doubles. Une navette assure la liaison tous les matins avec Disney World et vous ramène le soir. Pour les autres attractions, il faut se débrouiller.

■ ***Young Women's Community Club :*** 107 E Hillcrest Street, à la hauteur de Magnolia Street. ☎ 425-2502. Dans un quartier coquet, foyer pour jeunes filles très ouvert et sympa, qui reçoit les jeunes touristes étrangères l'été dans une grosse demeure presque coquette. Dortoirs de 6. Resto vraiment bon marché. Même s'il n'y a plus de place, ils ne laissent jamais tomber personne. Piscine et toutes les commodités. Ouvert 24 h sur 24. Bus 10 ou 12, du City Terminal. Est-il besoin de préciser que c'est une excellente adresse ?

■ ***Howard Vernon Motel :*** 600 W Colonial. ☎ 422-7162. Tenu par un couple d'Orientaux très gentils. C'est le motel traditionnel des années 50. Pas de piscine. Chambres spacieuses. Modeste, mais c'est un des moins chers du secteur. Le patron accepte sans problème que l'on soit nombreux par chambre, pour un supplément modique. Un bus (payant) peut venir vous chercher pour aller aux différentes attractions.

#### Prix moyens

■ ***Travelodge :*** 409 N Magnolia Avenue. ☎ 423-1671. Hôtel tout beau tout neuf et cher mais qui propose en basse saison, pour les étudiants ou possesseurs de carte A.J., des chambres à moitié prix. Il faut leur demander expressément car ils ne le crient pas sur les toits.

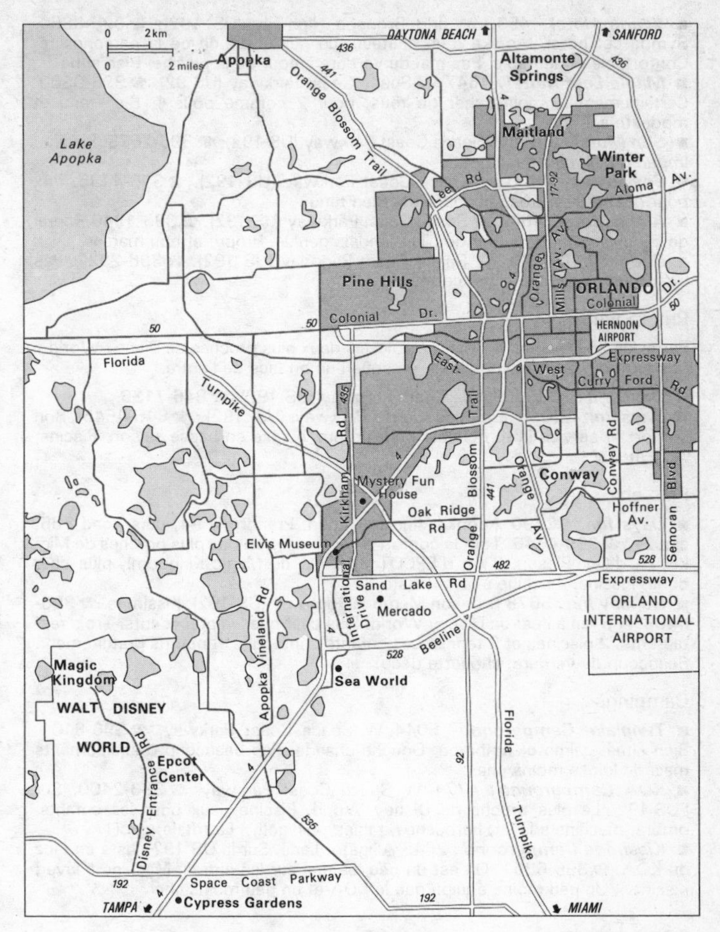


ORLANDO

## PRÈS DE DISNEY WORLD

Tout autour de Disney World, le papa de Mickey eut l'intelligence d'acheter 11 000 ha de terrains (la surface de San Francisco), ce qui empêcha toute chaîne d'hôtels de s'installer à proximité. Résultat : les hôtels situés près du Magic Kingdom et d'EPCOT sont directement gérés par Disney Inc. et bien plus chers que les autres. Même pour planter sa tente dans un camping, il faut débourser au moins... 25 dollars ! N'hésitez pas à sortir de ce territoire contrôlé par Onc'Picsou.

En revanche, vous trouverez une cinquantaine de motels et campings abordables le long de la US 192 en allant vers Kissimee. C'est vraiment le coin le moins cher. En voici quelques-uns. A 2 ou 3 dollars près, ils se valent tous (lit, T.V., A.C., douche et parking). Attention, la US 192 porte plusieurs autres noms. Les plus communs sont W Space Coast Parkway et Irlo Bronson Memorial Highway.

■ ***Viking Hotel :*** 4539 W Irlo Bronson Highway (US 192). ☎ 396-8860. Sympa cet hôtel, remake d'un château, ce qui lui donne de la personnalité. Confortable et agréable. Pas mal de verdure autour de la piscine. Bien situé.
■ ***Maple Leaf Motel :*** 4647 W Space Coast Parkway (US 92). ☎ 396-0300. Certainement le moins cher de tous, pour 2 comme pour 4. Bien tenu et modeste à la fois.
■ ***Sun Motel :*** 5020 W Space Coast Parkway (US 192). ☎ 396-2673. Piscine. Impersonnel mais pas cher.
■ ***Sevilla Inn :*** 4640 W Space Coast Parkway (US 192). ☎ 396-4135. Prix pour quatre très, très raisonnables. Bien tenu.
■ ***Aloha Motel :*** 4643 W Space Coast Parkway (US 192). ☎ 396-1340. Motel de 50 chambres, tenu par des Thaïlandais gentils. Propre et bon marché.
■ ***Budget Inn :*** 4686 W Space Coast Parkway (US 192). ☎ 396-2322. Pas beaucoup de personnalité, certes.

### Prix moyens

Parmi les 25 Days Inn d'Orlando, voici les deux plus proches de Disney World à des prix tout à fait acceptables, presque l'un en face de l'autre.

■ ***Days Inn :*** 2095 E Space Coast Parkway (US 192). ☎ 846-7136.
■ ***Days Inn :*** 2050 E Space Coast Parkway (US 192). ☎ 846-4545. Bon confort et service irréprochable pour un prix écrasé en basse saison. Piscine, A.C. et T.V.

### Plus chic

■ ***Days Inn :*** 12490 Apopka-Vineland Road. Prendre la I-4, puis Road 535, exit 27. ☎ 239-4646. Tout le confort de la chaîne. Un des plus proches de Mickey et d'Onc'Picsou (3 km d'EPCOT et 6 km du Magic Kingdom), plus cher donc. Piscine, machine à laver, resto.
■ ***Holiday Inn :*** 5678 Bronson Memorial Highway (US 192), Kissimee. ☎ 396-4488. A 5 mn à l'est de Disney World. Plus cher que les précédents. Trois restaurants, 2 piscines et 2 tennis. Les enfants sont logés et nourris gratuitement. Beaucoup de verdure, chouette déco.

### Campings

■ ***Twinlake Campground :*** 5044 W Space Coast Parkway. ☎ 396-8101. Bien situé, calme et ombragé. Douche chaude. Pas beaucoup d'équipements mais de loin le moins cher.
■ ***KOA Campground :*** 4771 W Space Coast Parkway. ☎ 396-2400. Sur l'US 192. Le plus proche de Disney World. Piscine, jeux pour les enfants, ombre, machine à laver, barbecues, tables, minigolf... La totale, quoi !
■ ***Kissimee Campground :*** 2643 Alligator Lane. Sur la US 192, juste en face du KOA. ☎ 396-6851. On est un peu les uns sur les autres. Machine à laver, piscine... Un peu moins équipé que le KOA et un peu moins cher.

## Où manger ?

## *DANS LE DOWNTOWN*

### Bon marché

• ***Numero Uno :*** 2499 S Orange Avenue. ☎ 841-3840. A 5 mn en voiture du cœur du Downtown. Ouvert du lundi au samedi de 11 h à 21 h 30. Dans un cadre sombre, une famille cubaine sert de bons plats typiques de Cuba et de la République dominicaine. Savoureuse cuisine servie avec une soupe de haricots noirs et une salade. C'est bon et ça change des machins-burgers.
• ***Bain's Deli :*** au premier étage du Church Station Exchange Shopping Center, entrée sur Church Street. Sert jusqu'à 23 h. Toutes sortes de salades à emporter et surtout des sandwiches au *roast beef,* à la dinde, au salami, au poulet. Les hots-dogs ne sont pas mal non plus. Bon marché. Quelques tables.
• ***Lily's Restaurant :*** 3150 S Orange Avenue. Ouvert seulement le midi (jusqu'à 14 h 30) du lundi au vendredi. Minuscule gargote qui sert depuis bien longtemps une cuisine populaire des Philippines. Un véritable voyage vers les îles. Un peu l'antithèse de tout ce qu'on voit à Orlando.

Prix moyens

- ***The Olive Garden :*** 55 W Church Street. ☎ 648-1098. Dans la rue la plus animée de la ville le soir. Des pâtes à toutes les sauces. Qualité égale et portions copieuses.

## *VERS DISNEY WORLD*

Royaume de la quantité à défaut de la qualité, les alentours de Disney World alignent la série à peu près complète de toutes les chaînes de restos des États-Unis. Faites votre choix... et ne comptez pas sur nous pour vous aider.
En revanche, à l'intérieur de Disney World, quantité de bons restos de tous les pays. Le plus vulgaire des fast-food côtoie les cuisines les plus fines.

## A voir

Orlando est une ville quand même assez étonnante, car elle a un Downtown à peine délabré et a su intégrer une quantité de lacs avec plantes tropicales et aquatiques qui arrivent à lui donner un côté agréable. Voir, entre autres, *Lake Eola* en plein centre. Plus bas, *Lake Lucerne* arrive presque à humaniser l'échangeur qui lui passe au-dessus.

▸ ***Church Street Station :*** l'ancienne gare et le quartier autour ont retrouvé un second souffle avec l'ouverture de restos et de boîtes. Sur 200 m, la rue s'anime follement le soir venu. Ne pas venir avant 19 h-20 h. Ils ont su utiliser le charme du passé (récent quand même). La « Old Duke », une loco de 140 t (1912), est venue finir ses jours à la gare. C'est rénové avec un certain goût et l'ambiance est réelle, puisque des convois de marchandises de 100 wagons continuent à faire trembler le quartier. On pourra se contenter de se balader dans la rue et dans les structures du début du siècle où bars, orchestres, boutiques et baladins égaient les soirées des touristes comme celles des locaux. Le véritable démarrage de cette folle animation fut l'ouverture de Rosie O'Grady's, un café Belle Époque avec orchestre. Depuis, 4 autres établissements ont ouvert leurs portes, en face et à côté (habile transition).

▸ ***Rosie O'Grady's*** (et les autres) : Church Street. Il s'agit de cinq vastes bars-dancings situés tous dans Church Street. C'est devenu une véritable institution à Orlando. Onc'Picsou n'est pas à la caisse, mais si ce n'est lui, c'est donc son frère. Le soir (à partir de 19 h-19 h 30), il faut acheter un ticket à prix élevé qui donne un droit d'entrée pour tous les bars (*Rosie O'Grady's, Cheyenne Saloon, Orchid Garden,* etc.). Pas de ticket pour un seul bar. C'est tout ou rien. Dans la journée, tout est gratuit mais les groupes ne jouent pas et l'ambiance n'y est pas. Ces immenses salles sont décorées avec un luxe dément : escaliers, balcons, comptoirs en bois sculpté, éléments de décoration western authentiques venant d'antiques demeures, vitraux, lustres géants, des milliers d'ampoules... Restos et spectacles non-stop en cinq lieux différents. Serveuses et barmen d'époque. Des centaines de gens se baladent d'une salle à l'autre. Tandis que tournent inlassablement au plafond les grandes pales des ventilateurs, retentit la joyeuse musique Dixieland. Rock, jazz, country complètement ringard, danse, mime... tous les genres dans une atmosphère joyeuse et bon enfant. Bonne soirée en perspective... si on a les moyens.

▸ ***Shopping Center :*** tout à côté de Rosie O'Grady's. Centre commercial superbement décoré dans le même style Belle Époque. Ne manquez pas le dernier étage avec de magnifiques maquettes de jouets dont un incroyable paquebot, des avions de la guerre 1914-1918. Pour le plaisir des yeux. Bon deli au 1er étage (voir « Où manger ? »).
A voir également, un superbe magasin : *Buffalo* (Trading Company), sur Church Street. ☎ 843-7181. Superbes vêtements en daim, cache-poussière et tout l'attirail du parfait cow-boy. Assez cher, mais vaut le coup d'œil. On peut également s'y faire prendre en photo en costume western, amusant.

▸ ***Palais de justice*** *(Court House) :* coin de E Central Boulevard et Magnolia Avenue. ☎ 420-3232. Assister à un procès ? Pourquoi pas... c'est toujours instructif d'observer de quelle manière est rendue la justice dans un pays. Et puis, il y en a assez de ne voir ça qu'au cinéma. S'adresser à la réception pour les séances publiques.

## Aux environs

– *Combine :* avant d'aller dans les diverses attractions situées autour de Disney World, on conseille tout d'abord de se rendre au *Visitors' Center* tout près du Hyatt Hotel (intersection de la IS 4 avec la 92). Là, prenez des *free coupons* qui vous donnent plein de réductions, sauf pour Disney World et EPCOT évidemment. Demandez aussi la *free Guide and Map* pour sa carte très bien faite et très complète.

▸ ***Wet'n' Wild :*** à 10 mn de Disney World et à 21 km au sud d'Orlando. 6200 International Drive. ☎ 351-1800. Sortir de l'Interstate 4 à l'exit 30A South International Drive. Accessible par les City Buses. Ouvert de 9 h à 23 h de fin juin à mi-août (réductions après 17 h). Hors saison, de 10 h à 17 h (réductions après 15 h). Fermé en janvier. Ça, c'est le cadeau des routards à leurs gamins qui ont été sages. Tous les jeux d'eau, piscines avec vagues artificielles, toboggans géants les plus alambiqués, dont le *kamikaze slide* pour les grandes personnes. Trois attractions à ne manquer sous aucun prétexte : les *raging rapids*, le *cork screw*, et le *blue-niagara*. On ne vous en dit pas plus. Évidemment, n'oubliez pas votre maillot de bain. Beaucoup de queue aux attractions. Comptez 4 h pour tout faire. Location de serviettes de bain sur place.

▸ ***Sea World :*** à 10 mn au sud d'Orlando et à 8 km de Disney World. 7007 Sea World Drive. ☎ 351-3600. Sur l'Interstate 4. Accessible par les City Buses. Ouvert tous les jours de 9 h à 21 h (plus tard en saison). Entrée assez chère. Coupons de réduction dans les MacDonald's. Tout le grand jeu : acrobaties et courses de dauphins, cascadeurs chevauchant des baleines de 4 t, spectaculaires démonstrations de ski nautique en groupe, aquarium avec requins, etc. La grande nouveauté : une grande salle au froid polaire où vivent des dizaines de pingouins. Dîner et spectacle polynésiens (tous les jours de 18 h 45 à 21 h). Demandez à l'entrée les horaires de spectacles.

▸ ***Cypress Gardens :*** à 40 mn au sud d'Orlando, près de Winter Haven et à 25 mn au sud-ouest de Walt Disney World. 2641 W S Lake Summitt Drive. ☎ 324-2111. Pour y aller, prendre l'Interstate 4 puis la Highway 27 South et la Highway 540. Les compagnies *Grayline* et *Mears* font la navette quotidienne pour le parc (renseignements sur place). Ouvert tous les jours de 9 h à 18 h (plus tard en saison). Le premier des jardins tropicaux créé en Floride. 8 000 variétés de plantes exotiques et fleurs sur 90 ha. Ces plantes se partagent la vedette avec les meilleurs champions de ski nautique qui se produisent dans un show acrobatique, *Greatest American Ski Show,* dont ils restent toujours les meilleurs. On peut aussi voir *The Animal Forest,* un parc zoologique de plus de 600 animaux et oiseaux dont certaines espèces sont en voie de disparition. *Cypress Junction,* le plus beau (sans hésitation) chemin de fer miniature des États-Unis. Des spectacles dont un de magie appelé *More than Magic.* Parmi les autres attractions, un village d'avant la guerre de Sécession, une réplique d'un manoir typiquement « Old South », avec de charmantes dames voulant ressembler à Scarlett O'Hara dans « Autant en emporte le vent ». La *tour Kodak* de 47 m de haut, d'où l'on domine tous les jardins. Balade sur les canaux. Les hôtesses en robes à crinoline réservent un accueil digne du vieux Sud.

# UNIVERSAL STUDIOS

A quelques minutes de l'aéroport international d'Orlando, à la hauteur de Kirkman Road sur Major Boulevard (sortie 29 ou 30 B sur la I-4). 1000 Universal Studios Plaza. ☎ 363-8200. Ouvert de 9 h à 19 h (un peu plus tard en saison). Tickets pour 1 ou 2 jours. Réduction importante pour celui de 2 jours. Réduction pour les enfants de 3 à 9 ans. Gratuit pour les moins de 3 ans.
– Représentation et vente de tickets d'entrée à Paris auprès de *Discover America Marketing :* ☎ 45-77-10-74.
Étrange coïncidence, ces studios ont ouvert non loin des Disney-MGM Studios... Leur slogan : « Nobody can do it like we can ! » Bref, entre ces deux studios, c'est un combat de bêtes sauvages plus vrai qu'au cinéma ! Ce sont les plus grands studios de cinéma et de télévision en dehors d'Hollywood.

On découvre ici les secrets des coulisses, des plateaux de tournage et les décors. Mais, surtout, on revit des moments palpitants du cinéma, et des effets spéciaux non moins palpitants. Et on devient, l'espace d'un instant, acteur, metteur en scène, animateur de télé, etc. On se retrouve en se baladant, au fur et à mesure de la visite, soudainement à Hollywood, ou à Central Park sur l'île d'Amity, puis à Beverly Hills ou encore à Little Italy, sur Sunset Boulevard ou sur le pont de la 59e Rue. Plus de 35 décors permettent de voir le fabuleux temple d'Angkor au Cambodge ou le motel Bates du film « Psychose ». Tous ces décors sont conçus pour servir de cadre à un film, il n'est donc pas rare d'assister à un tournage, de jour comme de nuit. Il faut compter une journée pour cette visite qu'il ne faut pas rater, selon nous. Certaines attractions se déroulent à des horaires fixes, demandez la brochure à l'entrée.

## A voir

Comme pour Disney World, le G.D.R. vous conseille d'effectuer, le plus vite possible, les attractions les plus fréquentées. Ensuite, vous aurez tout le temps de faire le reste. Vous gagnerez ainsi 2 à 3 h de file d'attente. Voici donc notre itinéraire conseillé : courir tout au bout de la rue face à l'entrée pour commencer par *Kongfrontation*. Ensuite, aller vers l'est pour visiter *Earthquake*. Puis traverser le lac pour admirer *Back of the Future*. Continuer un peu plus loin par *E.T. Adventure*. Enfin, revenir près de l'entrée principale pour *Alfred Hitchcock*. En chemin, repérer les horaires de spectacle assez bien fait de cow-boys : *Wild, Wild, Wild West Stunt Show*.

### *LES MEILLEURES ATTRACTIONS*

▸ ***Kongfrontation :*** rencontre avec King-Kong. « Confortablement » installé dans un métro aérien, on passe au-dessus des toits de New York pour braver l'incroyable King-Kong. Il vous fera défaillir avec son haleine qui sent... la banane, il vous attrapera (presque !) et bousculera votre véhicule. Voyage remuant dont le souvenir restera marqué pour longtemps... A éviter pour les petits enfants.

▸ ***Earthquake :*** survivez à un grand tremblement de terre, de magnitude 8,3 sur l'échelle de Richter. Vous êtes confortablement installé dans le métro new-yorkais, soudain tout s'arrête et c'est la catastrophe, le cauchemar commence. Les rames de métro déraillent. Le sol craque de partout. La rue s'effondre entraînant un gros camion de propane qui évidemment s'empresse d'exploser. La chaleur vous atteint le visage. Les tuyaux éclatés provoquent des inondations effrayantes... Émotions garanties.

▸ ***Back to the Future :*** le clou des studios Universal. Une voiture trafiquée par un savant fou vous emmène dans le temps et l'espace. Tous les sens du corps sont sollicités. D'abord, votre siège s'agite dans tous les sens en fonction de l'action. Un brouillard frais vous refroidit les gambettes. Au cours de ce film de 4 mn, on pénètre dans un tunnel rempli de lave bouillonnante. On se précipite dans la gueule d'un monstrueux dinosaure. Le vaisseau s'engouffre dans une crevasse et évite de justesse de s'écraser contre un glacier. Le film est projeté sur un écran haut de 7 étages ! A la fin, on est surpris d'être encore vivant.

▸ ***E.T. Adventure :*** on pénètre d'abord dans une mystérieuse et sombre forêt de séquoias. Là, on aperçoit le brave E.T., puis on se balade à vélo ou en téléphérique, suspendu dans les étoiles et sur la lune, parmi les personnages du film *E.T.* Enfin, on se retrouve face à l'extraterrestre dont la lumière brillante, irradiée par son cœur... nous illumine en signe de reconnaissance (émotion). Cette promenade dans les étoiles et près de la lune vous fera survoler une ville tout illuminée où les méchants policiers se lancent à la poursuite de E.T.

▸ ***Alfred Hitchcock :*** *The Art of Making Movies.* Démonstration du tournage d'un film, des effets spéciaux, avec pour modèle la scène de la douche au Motel Bates dans *Psychose.* Un meurtre particulièrement effrayant, alors qu'on ne voit jamais le couteau transpercer la peau. Du grand art ! Puis vous devrez échapper à l'attaque furieuse en 3 dimensions des oiseaux qui viendront vous frôler le visage ! Enfin, on peut faire l'acteur, et voir comment on s'y prend pour simuler une chute du haut de la statue de la Liberté ou encore se faire entraîner autour d'un manège, attaché par les bras, etc.

▸ ***Wild, Wild, Wild West Stunt Show :*** un spectacle à heures fixes, mettant en jeu deux bandes rivales de hors-la-loi. Le tout avec de jolies cascades et pas mal d'humour. En 15 mn, c'est une succession de bagarres, d'explosions et de décors qui s'effondrent. Assez bien fait.

### *LES ATTRACTIONS PLUS SECONDAIRES*

▸ ***The Fantastic World of Hanna-Barbera :*** assis dans une salle de cinéma dont les sièges sont mouvants, on va suivre et même participer à la course folle des fous du volant. Surtout pour les enfants et Ted Turner qui trouve ces personnages tellement rigolos qu'il a racheté le studio. On n'a pas les mêmes goûts (sauf pour Jane Fonda).

▸ ***The Phantom of the Opera Horror Make-Up Show :*** tout sur les secrets du maquillage et des effets spéciaux des films d'horreur. On y découvre le monstre de *Frankenstein, L'Exorciste,* etc. Assez rigolo.

▸ ***Animal Actors Stage :*** tout un tas d'animaux de films, acteurs célèbres, démontrent leurs talents. Tous ont à leur crédit un nombre impressionnant de films, de quoi faire baver d'envie tous les comédiens. Entre autres, on retrouve Lassie. Très bien pour les enfants.

▸ ***Murder, She Wrote :*** sur un véritable plateau de film et de télévision, tout le monde travaille, même vous ! Vous serez le metteur en scène et devrez choisir la vedette principale, les policiers, les escrocs. Puis vous sélectionnerez les prises, la musique sur la bande son et vous ferez le mixage. Tout ceci dans un temps et un budget donnés...

▸ ***Ghostbusters :*** assez décevant et scénario nul.

▸ ***Nickelodeon :*** uniquement et seulement pour les enfants. De plus, il est conseillé de bien comprendre l'anglais. On peut passer son chemin sans trop de remords.

## Où manger ?

• ***Hard Rock Café :*** accès par les attractions ou directement par le parking extérieur. Ne pas manquer de jeter un coup d'œil au « restaurant du Rock and Roll ». Architecture fabuleuse car le bâtiment a la forme d'une gigantesque guitare. A l'intérieur, énorme collection de vêtements, disques d'or, guitares ayant appartenu aux plus grandes stars. Attention, éviter absolument de manger aux heures de pointe car sinon une ou deux heures d'attente. Musique tonitruante évidemment.

• ***Nel's Drive In :*** burgers, hot-dogs et milk-shakes dans un superbe décor *American Graffiti.* Près du parking où sont garées des voitures très Sixties, un groupe chante de temps en temps les plus grands tubes de l'époque, genre « Only you... ».

# WALT DISNEY WORLD

A 19 km au sud-ouest d'Orlando et à 60 mn de Tampa, Daytona et Cape Canaveral. Le plus grand parc d'attractions du monde et le plus visité (40 millions d'entrées par an). Plus de quarante attractions reliées entre elles par des omnibus à chevaux, des trolleys, des voitures de pompiers, des bateaux à roues, des barques, un chemin de fer, un monorail futuriste... et vos jambes.

– ***Service de cars*** Greyhound d'Orlando et American Sightseeing de l'aéroport international et de certains hôtels.

– ***Excursions organisées :*** ☎ 859-2250.

## Les tarifs

N'oubliez pas qu'Onc'Picsou tient la caisse, et l'entrée est fort chère. Mais on n'a rien sans rien ! Toutefois, le prix d'entrée permet l'utilisation gratuite et illimitée de toutes les attractions du parc.

– ***Le One-Day Magic Kingdom ou EPCOT Center ou MGM Studios Ticket :*** déconseillé car vous devez choisir entre le Magic Kingdom, le EPCOT Center et le MGM Studios. On n'a jamais été favorable à la formule « fromage ou dessert ».
– ***Le 4 or 5 Days World Passport :*** donne accès aux attractions de Magic Kingdom, Disney-MGM Studios et d'EPCOT pendant 4 ou 5 jours. Réductions (faibles) pour les enfants de 3 à 9 ans. Ceux qui souhaitent passer une journée à Magic Kingdom, une journée à EPCOT et une journée aux MGM Studios en seront pour leurs frais. Onc'Picsou ayant oublié de créer un « 3 Days World Passport », ils devront acheter trois « One Day »... Cependant, il faut prévoir au moins 2 jours au Magic Kingdom, 2 jours à EPCOT et 1 journée aux MGM Studios, si on veut tout voir. Pour ceux qui ont des enfants, ne pas oublier que les journées sont longues et fatigantes... On conseille donc ce « 4 ou 5 Days World Passport ». *Renseignements :* ☎ 824-4321 (en anglais) ou 824-7900 (en français). Possibilité de *visites guidées :* ☎ 827-8233.

## Infos préliminaires

– Au parking, n'oubliez pas de noter scrupuleusement le numéro exact de votre emplacement, ainsi, bien sûr, que le nom du parking. Nous, bêtement, on n'avait relevé que celui du parking. Quand on a voulu rentrer, il nous a fallu une demi-heure pour retrouver la voiture...
L'entrée principale (« Main Entrance ») se trouve tout près de Magic Kingdom, mais on peut aller de là directement à EPCOT par le train.
– *Consigne* à l'entrée : payante.
– A l'entrée de chaque parc, on peut vous remettre un guide avec toutes les attractions et un plan du parc, en français, très utile.
– *ARCHI-IMPORTANT :* aussi étrange que cela puisse paraître, c'est le week-end qu'il y a le moins de monde. Les jours où il y a le plus de visiteurs au Magic Kingdom et à EPCOT Center sont les lundi, mardi et mercredi ; alors qu'à Disney-MGM ce sont les mercredi, jeudi et vendredi. On vous conseille donc, si vous ne pouvez visiter Disney World le week-end, d'aller d'abord à Disney-MGM Studios en début de semaine, et au Magic Kingdom et à EPCOT Center au milieu de la semaine. Éviter absolument les fêtes de fin d'année, les files d'attente sont fort longues, ainsi que les après-midi d'été. Renseignez-vous aussi sur les dates des vacances américaines, car là, c'est pire que tout... !
– *LE SUPER-TUYAU :* en été, les différents parcs sont généralement ouverts de 9 h à minuit. En fait, les guichets ouvrent à 8 h 30 pour mieux résorber les files d'attente. De 8 h 30 à 10 h, faites au pas de course les attractions les plus visitées. Par exemple, pour Magic Kingdom, commencez par la gauche : « Pirates of the Caribbean », « Big Thunder Mountain Railroad », « The Haunted Mansion » puis « 20 000 Leagues under the Sea » et enfin « Space Mountain ». Vous gagnerez 2 à 3 h de file d'attente.
Ensuite, quand des milliers de visiteurs débarquent de tous côtés, allez vers les attractions moins visitées comme le *Liberty Square Riverboat* ou la *Tom Sawyer Island.* Les soirs d'été, un grand nombre de gens s'en vont après l'Electrical Parade de 21 h. Ensuite, jusqu'à la fermeture, beaucoup moins de monde pour faire d'autres attractions. Rien ne vous empêche d'admirer la 2e Electrical Parade à 23 h (ou minuit). La journée étant fort longue sous un soleil accablant, ceux qui ont une voiture peuvent sortir faire une sieste pendant les heures les plus chaudes. A la sortie, demander un *re-entry stamp* gratuit pour revenir en fin d'après-midi. Ceux qui n'ont pas de voiture peuvent faire de même et aller se rafraîchir à la lagune des Typhons ou à River Country, les parcs aquatiques de Disney World.
Disney World se compose d'une ville souterraine, invisible, avec des rues pour amener le personnel et le matériel à l'endroit voulu, sans qu'ils soient vus par les touristes. Une fois son travail terminé, l'employé disparaît par les souterrains. Les réparations de canalisation se font aussi par le sous-sol. Vous ne verrez donc jamais une rue éventrée, ni de camions à ordures.
– Par rapport à *Disneyland* (Californie), ce parc d'attractions n'est pas tellement plus grand (12 000 ha quand même, soit deux fois la surface de Manhattan !). Les files d'attente sont mieux résorbées. Mais comme il y a plus de monde... Les restos sont plus abordables. Un regret toutefois, le fantastique *Bayou* de Disneyland a disparu.

– Après la visite de Disney World, se renseigner pour visiter le *Polynesian Village.* C'est un hôtel à l'extérieur du parc d'attractions, absolument fabuleux. Superbe cascade à l'intérieur du *main lobby,* jardins tropicaux éclairés par des torches. Bien entendu, les chambres sont inabordables mais on peut manger au *coffee shop* à un prix très correct. Piscine avec toboggan.
– Un tuyau pour obtenir du liquide si l'on n'a qu'une carte de crédit : acheter des Disney dollars avec celle-ci, puis les rechanger contre des dollars US.

## MAGIC KINGDOM

Ouvert de 9 h à 19 h, plus tard en été et pendant les périodes de fête. La parade a lieu toute l'année vers 15 h si le temps le permet ; en été et pendant les périodes de fête, elle a lieu également le soir (se renseigner sur place pour les horaires). Également spectacle devant le château de Cendrillon, tous les soirs.
– Sur Main Street, une salle de jeux réunit des jeux d'avant-guerre. Il y en a des super, en particulier « Electricity is life » qu'il faut absolument essayer.
Pour bâtir les superbes maisons qui longent Main Street, on a utilisé la « perspective forcée », technique très employée pour les décors de cinéma. Ainsi, les 2e et 3e étages sont de plus en plus petits pour accroître l'impression de chaleur et d'intimité. Déjà les Grecs avaient découvert ce procédé pour la construction du Parthénon !
Toujours sur Main Street, une petite salle de cinéma projette *Steamboat Willie,* le premier dessin animé de Walt Disney, créé en 1928. Un monument historique.

### ▶ Adventure Land

▸ ***Pirates of the Caribbean :*** reste notre attraction préférée. Vraiment fabuleux. Jamais on n'a vu une attraction aussi géniale. Vous voilà parti sur une barque dans le monde des corsaires. Il fait nuit. Les villages de pêcheurs se succèdent, peuplés de pirates bizarres et inquiétants. En voici venant de découvrir un trésor. Soudain l'orage gronde. Des coups de feu, de canon. Un navire pirate est en train d'accoster...

▸ ***Jungle Cruise :*** embarqué sur un bateau genre « Explorer », vous voici sur la rivière tropicale au milieu des animaux sauvages...

### ▶ Frontierland

▸ Pour vous replonger dans l'atmosphère de cabarets des films de cow-boys série B, il faut assister au ***Golden Horseshoe Revue,*** un spectacle gratuit dans le genre « cabaret », un peu jambe-en-l'air-mais-avec-pudeur-à-cause-des-enfants. Très prisé. Il faut réserver sa place dès le matin pour l'après-midi.

▸ ***Big Thunder Moutain Railroad :*** il s'agit d'une course folle à bord d'un petit train type Far West qui crache une fumée ne piquant pas les yeux. A toute allure, on parcourt des tunnels au fond des mines pour ressurgir dans un village du temps de la ruée vers l'or. Le tout dans un joli décor de montagnes aux roches rouges. A noter, cette attraction est interdite aux femmes enceintes, aux cœurs fragiles.

▸ ***Tom Sawyer Island :*** on peut faire l'impasse, ce n'est pas terrible. Préférable de garder son précieux temps pour passer à autre chose.

### ▶ Liberty Square

▸ ***The Haunted Mansion :*** ne manquez surtout pas de répondre à l'invitation de tous ces fantômes et morts-vivants. Installé dans une petite voiture, vous déambulerez dans l'enfilade des couloirs obscurs et des pièces diaboliquement poussiéreuses. Les fantômes dansent. Le vampire, bon enfant, sucerait volontiers votre sang. Les cris succèdent aux grondements, les spectres aux vampires, jusqu'au frisson suprême provoqué par la valse lente d'une dizaine d'hologrammes extraordinaires, réunis pour un bal morbide.

### ▶ Fantasy Land

● Si vous êtes en fonds, allez manger au ***King Stephen's Banquet Hall*** (Cinderella Castle) où vous serez plongé dans une ambiance moyenâgeuse : escaliers en colimaçon qui débouchent sur une gigantesque salle à manger où s'activent troubadours et servantes en costumes. Les fauchés se contenteront d'un cheeseburger ou, en insistant, du menu « enfant ». Réserver le matin.

▸ ***Magic Journeys :*** merveilleux film en 3 dimensions au cours duquel un enfant survole, en rêve, des paysages merveilleux.

▸ ***20 000 Leagues under the Sea :*** le capitaine Nemo, inventé par Jules Verne, vous invite à bord de son sous-marin, *le Nautilus*. On explore avec lui un monde souterrain insoupçonné avec des poissons multicolores et des plantes impressionnantes.
D'autres attractions ici, plus pour les petits, tels que le Carosse de Cendrillon *(Cinderella's Golden Carrousel)*, les Aventures de Blanche-Neige *(Snow White's Adventures)*.

### ▶ Mickey's Starland

Ici, c'est le royaume des tout-petits. Tout est à leur taille, les petites maisons, barrières, etc. Le domaine de Mickey.

▸ ***Mickey's House :*** on peut visiter sa maison. Tout y est, voiture, frigo, bureau, lit, etc. Jusqu'à sa culotte et sa chemise qui sèchent étendues sur un fil dehors. Une fois ressorti dans le jardin, empruntez l'autre porte et, là, vous pouvez assister, à certaines heures (se renseigner), au super Show de Mickey et tous ses amis. L'une des rares occasions de voir Mickey de près.

### ▶ Tomorrow Land

▸ ***Space Mountain :*** vous emmène dans un voyage intersidéral mouvementé, qui constitue un sommet dans le perfectionnement des effets spéciaux. Certainement le « clou » de Disney World. Attaché aux commandes d'un vaisseau spatial, on est propulsé à une vitesse formidable dans une nuit bleutée éclairée par la pluie terrifiante des météorites. Il s'agit de véritables montagnes russes dans l'espace. Fabuleux !

▸ ***American Journeys :*** film sur écran circulaire permettant de découvrir l'Amérique, ses paysages sublimes et ses habitants. Spectacle superbe, bien que certains passages soient plutôt nationalistes. C'est là que l'on peut se souvenir du farouche maccarthysme de Disney.

▸ ***Carousel of Progress :*** à l'aide de mannequins, retrace le progrès au cours des cent dernières années grâce à l'électricité. Les doués en anglais y décèleront pas mal d'humour. On y apprend ainsi que le plus grand des progrès est la fin du machisme.

▸ ***Grand Prix Raceway :*** prenez le volant, vous ou vos chers petits, de votre propre voiture de course, pour faire un tour de circuit comme les plus grands.

## *EPCOT CENTER (Experimental Prototype Community of Tomorrow)*

De EPCOT, un monorail futuriste assure la liaison avec Disney World (dans les deux sens). Les deux attractions sont situées à 4 km l'une de l'autre. EPCOT est ouvert tous les jours de 9 h à 20 h (plus tard en été et en période de fêtes).
Le projet le plus ambitieux de Walt Disney fut inauguré en octobre 1982. Il ne devait jamais voir son rêve se réaliser puisqu'il mourut en décembre 1966. EPCOT symbolise la philosophie du père de Mickey : le progrès, facteur de paix entre les hommes et survie de la civilisation. Rien de moins.
EPCOT comprend en fait deux secteurs : le Monde de demain *(Future World)* et la Vitrine du monde *(World Showcase)*. Show laser le soir à 23 h.

### ▶ Future World

Chacun des bâtiments est sponsorisé par une société américaine où sont présentées les inventions les plus prestigieuses et les plus sophistiquées mises à la portée du visiteur. Les bâtiments sont d'intérêt assez inégal.
Voici un itinéraire qui vous permet d'éviter au maximum la queue et de voir les attractions les plus intéressantes : en commençant par la gauche, évitez *Spaceship Earth* (la boule) : intéressant mais à faire en dernier car vous devrez de toute façon y faire la queue.

▸ ***Universe of Energy :*** à ne louper sous aucun prétexte. Exxon a certainement imaginé un « must », le must de EPCOT. Au début, c'est un peu décevant. Tout commence par un film banal sur les combustibles. Puis la projection s'interrompt et bientôt la totalité de la salle se déplace en convoi vers un mur latéral qui s'est ouvert en secret. Vous voilà plongé dans un voyage dans le temps, à l'époque des animaux préhistoriques et des puissances naturelles. La terre tremble, un volcan entre en éruption. Même les odeurs changent. Tout à l'heure, c'était le parfum lourd d'un sous-bois, maintenant l'air est âcre. Ces étranges senteurs ont aussi été reconstituées synthétiquement.

▶ ***Wonders of Life :*** pavillon sur la vie, la médecine, les sens, la santé et comment la garder... Le clou : « Body Wars ». Il s'agit d'un conflit qui commence par une attaque de l'épiderme par une écharde géante porteuse d'infection. La capsule des visiteurs – un simulateur de vol avec une capacité de 40 passagers – se précipite bientôt dans le courant sanguin en mission de sauvetage. Les visiteurs passent devant les envahisseurs bactériologiques et sont entraînés dans une aventure qui coupe le souffle. De longs couloirs coupés de sas de décontamination vous emmènent dans une course folle à travers le corps humain. On y trouve également « Granium Command » qui explore les manœuvres mentales à l'intérieur du cerveau d'un enfant de 12 ans. Merveille de simulation, la technologie Disney à son comble... Estomacs fragiles, s'abstenir.

▶ ***World of Motion :*** l'attraction qui renferme le plus d'humour. General Motors vous emmène dans des petits wagonnets pour vous faire découvrir, avec une sacrée dose d'humour, l'évolution des transports. D'abord, l'invention de la roue. Un peu plus loin, Christophe Colomb découvre l'Amérique, et la Joconde fait la tête en tapant du pied d'impatience : ce sacré Léonard de Vinci est en train d'inventer une machine volante au lieu de terminer son portrait. Chaque scène est d'un réalisme surprenant. Ces robots *(animatronics)*, bourrés de microprocesseurs et reliés à un énorme ordinateur, sont étonnants de vérité. On rit, on n'en croit pas ses yeux.

▶ ***Journey into Imagination :*** ce pavillon renferme en fait 3 attractions. La plus intéressante est *Captain EO*, un film imaginé par George Lucas et Francis Ford Coppola. Rien de moins ! Michael Jackson, capitaine d'un vaisseau spatial, échoue sur une planète où vivent des monstres tous plus hideux les uns que les autres. Allégorie extraordinaire où la musique triomphe des forces du mal. L'effet en 3 dimensions est à couper le souffle. Le chef-d'œuvre jusqu'à présent inégalé des films de science-fiction.
En revanche, la balade en train *(Journey into Imagination)* est assez ringarde. Au 1er étage, ne manquez pas *The Image Works* où Kodak a effectivement fait beaucoup d'efforts d'imagination pour créer des effets spéciaux jamais vus ailleurs. Par exemple, allez gambader sur les *stepping stones :* sur le sol, une cinquantaine de carrés colorés comme le sol carrelé d'une cuisine. A chacun correspond un son électronique. En sautant d'un carré à l'autre, on fait jaillir des notes de musique.
Plus loin, vous vous retrouverez au milieu des personnages d'un film. Ailleurs, vous aurez la possibilité de diriger un orchestre simplement en bougeant les bras.

▶ ***The Land** (la Terre) :* au cours d'une promenade en barque, on découvre plusieurs serres où sont rassemblées les techniques les plus futuristes de l'agriculture. Des laitues sur une plaque de polystyrène flottant sur 30 cm d'eau, des plants de tomates qui poussent en l'air, sans terre, arrosés épisodiquement.
On apprend que l'humanité se nourrit à l'aide de 30 plantes et qu'il en existe 150 inexploitées qui pourraient régler bien des problèmes de nutrition. On cultive aussi l'haliphote, cette plante étonnante qui pousse même en eau salée. Très nutritive, pratiquement aucun entretien ne lui est nécessaire. Certainement le bâtiment le plus éducatif de EPCOT, qui propose des solutions véritables. Dommage que jusqu'à présent aucun effort ne soit fait pour promouvoir ces découvertes dans les pays les plus défavorisés.

▶ ***Spaceship Earth** (Vaisseau spatial Terre) :* dans cette énorme boule, la plus grosse du monde, des véhicules vous conduisent le long de scènes composées de personnages animés. On apprend comment l'homme a pu progresser grâce aux communications. Depuis les peintures des grottes de Cro-Magnon, les choses ne traînent pas. A peine a-t-on vu l'invention du papyrus puis l'imprimerie de Gutenberg que déjà apparaît Graham Bell en train d'inventer le téléphone (on allait oublier que le sponsor est ATT). Ensuite les visiteurs sont emportés vers une impressionnante voûte céleste où naviguent satellites et vaisseaux spatiaux.

● ***Autres pavillons de Future World... si vous avez le temps***

▸ ***Horizons :*** anticipation (assez bidon) des différents modes de vie au XXIe siècle et les futurs habitats : une ferme, un vaisseau spatial, une station sous-marine et une ville de demain. Bof !

▸ ***Communicore :*** certainement le moins spectaculaire avec un tas d'appareils d'information électroniques, de jeux ordinateurs, somme toute assez ordinaires.

▸ ***Living Seas*** *(les Mers vivantes) :* dans un aquarium de 22 millions de litres d'eau de mer, c'est une reconstitution scientifique du milieu sous-marin avec récifs de corail et faune tropicale. On y présente aussi les dernières technologies de pointe pour l'exploitation des fonds, la culture aquatique et l'habitat sous-marin. En fait, il ne s'agit guère plus que d'un aquarium avec une décoration de station sous-marine assez bidon.

▶ ***World Showcase*** *(Vitrine du monde)*

De Future World, on se rend compte qu'il suffit de prendre un autobus à impériale pour aller en Chine ou au Japon. Tout comme dans une exposition universelle, une dizaine de pavillons étrangers bordent un lac. En une journée, vous pouvez découvrir l'ambiance de tous ces pays qu'il serait impossible de visiter en moins de plusieurs semaines. C'est une ville de rêve où s'articulent, autour des places et des pontons, des palais vénitiens, bavarois, chinois, des Mille et Une Nuits. Un pays utopique où la bande de Walt Disney vient encore de réussir un tour de magie.

Bien entendu, tout est trop beau, trop propre, trop sécurisant. Ici, les problèmes n'existent pas, les décors d'opérette sont des trompe-l'œil, et les Américains qui découvrent notre pays auront une idée bien faussée du « charme français ». Ainsi l'orchestre français porte évidemment le béret basque et joue de l'accordéon. Au restaurant des « Chefs de France », l'un des plats représentant la haute cuisine française est le... croque-monsieur ! Le pavillon du Japon est occupé surtout par un gigantesque magasin vendant les objets les plus ringards, mais le pittoresque restaurant *Teppanyaki* est à ne pas manquer. Pour l'Allemagne, on a reconstitué une auberge bavaroise pendant la fête de la Bière. Il ne s'agit pas de montrer la réalité mais de vendre bouffe et gadgets à travers quelques clichés proches de la caricature. Jusqu'à présent, seulement onze États ont accepté de construire un pavillon à EPCOT.

Au départ, Disney prévoyait une cité idéale où tous les pays participeraient dans la plus parfaite harmonie. Chaque pavillon serait géré et habité par des jeunes de chacune de ces nations. Disney est mort trop tôt. Les marchands du Temple ont transformé le projet en une énorme pompe à fric. Mais il faut jouer le jeu, retrouver ses yeux d'enfant, et tout est merveilleux. Vous pourrez explorer l'intérieur d'une pyramide maya, vous promener à travers un jardin japonais, ou admirer un palais vénitien. A notre avis, les pavillons les plus réussis appartiennent aux pays... les plus pauvres. Palme d'or au Mexique pour sa charmante place de village sous une voûte étoilée et sa balade en barque dans la jungle ; puis la Chine avec son superbe film circulaire et le Maroc pour son souk. Enfin, la Norvège est réussie elle aussi, ainsi que le Canada.

Le *bâtiment américain,* le plus vaste, ne propose qu'un seul spectacle racontant 350 années d'histoire américaine. Sponsorisé par Coca-Cola et American Express, c'est un show très moral sur les « valeurs américaines ». Intéressera surtout ceux qui ont une bonne connaissance de l'anglais. Deux oublis majeurs : la culture noire et les Indiens...

● Dans chacun des pavillons, un ou plusieurs restaurants proposent des spécialités locales. A chaque fois, un rayon fast-food vous permettra de goûter à des plats étonnants pour quelques dollars (celui du Japon vaut le déplacement). Ceux qui préfèrent un repas plus conventionnel doivent obligatoirement réserver leur place dans un restaurant de leur choix derrière le *Spaceship Earth* (à l'entrée). Les deux restaurants les plus fréquentés sont le célèbre ***Alfredo*** italien et, évidemment, le restaurant français tenu par Bocuse, Lenôtre et Vergé. On aime bien aussi le restaurant canadien pour sa cuisine (notamment québecoise) à un prix très abordable. Sinon, vous pouvez goûter aux spécialités mexicaines au ***San Angel Inn*** dans un cadre sublime (seulement le midi car plus cher le soir).

## *DISNEY-MGM STUDIOS*

Ouverts de 9 h à 19 h (plus tard en été et pendant les périodes de fêtes). A quelques miles avant d'arriver à EPCOT. La visite des studios Universal remportait trop de succès à Los Angeles pour que Disney ne s'inspire pas de la formule. A notre avis, une journée est suffisante pour bien visiter les Disney-MGM Studios.
Plantons le décor : c'est hollywoodien des années 30 dans les tons vert pistache. Au début d'un superbe remake de Hollywood Boulevard, une Buick Eight décapotable de 1947 trône avec fierté.

### • *Attractions les plus spectaculaires*

▸ *Première étape :* pas de temps à perdre, foncez tout droit au ***Graumann Theater,*** copie conforme de la célèbre salle de cinéma de Los Angeles. Le bâtiment, en forme de pagode chinoise, se trouve tout au fond de la rue face à l'entrée principale. A l'intérieur, le choc commence : *A Spectacular Journey into the Movie* est un voyage en petit train à travers les scènes reconstituées d'une quinzaine de films : John Wayne sur son cheval, Harrison Ford en Indiana Jones ou encore Humphrey Bogart dans *Casablanca,* paraissent plus vrais que nature. C'est ça la magie de Disney ! Les automates sont d'une perfection à couper le souffle.

▸ *Deuxième étape :* le ***Backstage Studio Tour.*** Toujours à bord d'un petit train (attention l'attente peut durer plus d'une demi-heure), vous visitez le « Production Center », où des techniciens travaillent. Derrière des vitres, des costumières préparent une robe et des ouvriers construisent un décor. Ensuite on passe d'abord dans une rue résidentielle où toutes les jolies maisons sont des décors. On traverse ensuite un canyon (Catastrophe Canyon !) dans lequel, chose étrange, le train s'arrête près d'une mine, un semi-remorque prend feu à cause d'une foudre impitoyable, votre train se met à bouger à cause d'un tremblement de terre et une vague d'eau déferlante dévale le décor et se jette sur vous pour finir au pied du petit train (effets garantis). Puis le train repart et traverse une rue de New York grandeur nature, pour revenir ensuite à son point de départ.

▸ *Troisième étape :* ***Walking Backstage Studio Tour.*** A pied, pour commencer, Disney vous réserve une bonne surprise : une tempête comme si vous y étiez, avec un chalutier et des marins recevant des tonnes d'eau sur la tête ! Impressionnant. Les marins sont joués par des visiteurs comme vous. Puis commence la visite des studios de trucage et des ateliers d'effets spéciaux, avec démonstrations.
Toute la partie consacrée aux trucages est fastidieuse si vous ne comprenez pas bien l'anglais, comme la suite de la visite d'ailleurs. Contentez-vous de regarder les visiteurs, pris au hasard, se prêter au jeu des effets spéciaux. C'est plutôt amusant. Puis les studios (derrière des vitres) d'enregistrement, de montage, de doublage et même de tournage... Vous y verrez des gens travailler et tourner, ce n'est pas pour vos beaux yeux, mais ils sont réellement en train de tourner des films, mixer, etc. Dans chaque pièce, tout est commenté sur un écran de télévision.

▸ *Quatrième étape :* ***Indiana Jones Epic Stunt Spectacular.*** Notre héros et sa *pretty girl* rejouent la scène de la tentative d'évasion en avion au son de la musique tonitruante. Génial : le méchant soldat allemand est décapité par l'hélice sous les yeux grands ouverts des spectateurs ! Dans un superbe décor, ce spectacle a lieu toutes les deux heures. Mais il faut s'y prendre longtemps à l'avance pour avoir une place assise. Un peu de patience : le jeu en vaut vraiment la chandelle.

*LE TUYAU :* se mettre à droite des gradins, et, sitôt le spectacle terminé, courir vers Star Tours, avant que la foule ne s'y retrouve.

▸ *Cinquième étape :* ***Star Tours.*** Même spectacle que le Cinaxe de chez nous à La Villette. La salle de cinéma, montée sur vérins hydrauliques, bouge et s'agite en tout sens, en fonction de l'image projetée. Avoir le cœur bien accroché, ainsi que sa ceinture de sécurité ! Sensations fortes : un voyage à toute allure. Un seul inconvénient : longue file d'attente pour un film qui ne dure que 5 mn !

▸ A la fin de cette journée bien remplie, rendez-vous à 18 h à l'amphithéâtre pour le show. C'est du grand spectacle à l'américaine : musique *glamour,* robes longues vaporeuses et smokings, Minnie, Mickey, Roger Rabbit, de nombreux acteurs TV. Tout y est, même George Lucas, Audrey Hepburn et Lauren Bacall. Il vous reste une heure à tuer ? Tentez d'aller passer un casting ou une audition. Vous serez filmé ou enregistré. Achetez donc la cassette : vous emporterez ainsi un souvenir inoubliable. C'est au fond, à gauche ou à droite suivant votre envie, sur Hollywood Boulevard.

• Si vous avez une petite faim, nous conseillons les restaurants le long du Lakeside Circle et plus particulièrement le ***50's Prime Time Café :*** très amusant. On déjeune chacun dans sa propre cuisine avec sa propre télévision, comme les Américains dans les années 50, vous ne perdrez pas une minute de votre émission préférée (on ne peut pas capter les chaînes françaises !...).

• ***Attractions moins intéressantes***

▸ ***Superstar Television.*** Mixage en direct, trucages, images enregistrées sur magnétoscope : les techniciens font leur travail en choisissant des spectateurs qui prennent place sur la scène. C'est bien fait et ça fait beaucoup rire les Américains. On peut se poser la question pour les autres !

▸ Juste à côté, les ***studios de doublage.*** Quatre visiteurs tentent de réaliser la bande sonore d'un petit film de 2 mn. Quand vous visionnez le résultat, les surprises ne manquent pas. Une attraction pas mal, sans plus.

▸ ***Animation Tour.*** Vous traversez d'abord le musée culte du génie de Walt Disney. Puis, derrière des vitres, vous admirez le travail des dessinateurs dans les différentes étapes de la création du prochain dessin animé. Vous verrez peut-être l'ébauche du dessin de la prochaine vedette de Walt Disney. Une visite intéressante seulement pour les passionnés.

Voilà, la visite est terminée. Comme les cinq millions d'Américains attendus cette année, vous aurez vu à quoi ressemblent ces fameux Disney-MGM Studios. Si vous êtes dans le coin, ils méritent le détour. Un peu moins spectaculaires, toutefois, que leurs grands frères, le Magic Kingdom et EPCOT.

### *LA LAGUNE DES TYPHONS (Typhoon Lagoon)*

La plus grande lagune artificielle (22 ha) pour faire de l'aquaplane. Descendre des rapides, plonger dans 8 pistes d'eau à partir d'une énorme montagne volcanique de 30 cm de haut ne sont que certaines des sensations qu'éprouvent les visiteurs de ce parc de 20 ha à thèmes aquatiques. Une lagune de 1 ha qui fait des vagues de 1,80 m de haut ! Les directeurs de Disney pensent que la lagune des Typhons sera aux parcs aquatiques ce qu'avait été Disneyland aux parcs d'attractions il y a 35 ans. On veut bien y croire.

Dans le même genre, s'il vous reste du temps, allez faire un tour à ***River Country,*** où un immense toboggan vous emmène jusqu'au lac dans un grand tourbillon d'eau blanche et mousseuse.
Juste en face, ***Discovery Island,*** grand parc zoologique qui rassemble plus de 500 oiseaux de 60 espèces différentes et d'autres animaux rares. Billets combinés pour ces deux attractions.

• ***A faire encore s'il vous reste un peu d'argent...***

– ***Disney Village Marketplace :*** situés autour d'un petit lac, plusieurs restaurants et magasins très touristiques où Mickey est omniprésent. On y trouve tous les souvenirs inimaginables se rapportant à la star à des prix identiques à ceux pratiqués au Magic Kingdom mais avec plus de choix. Juste en face sur le lac.
– ***Pleasure Island :*** consacrée à la vie nocturne, cette île compte quelque sept night-clubs, un cinéma, six restaurants ainsi qu'une douzaine de boutiques. La nuit vous appartient...

## CAPE CANAVERAL (Kennedy Space Center) IND. TÉL. : 407

Le Kennedy Space Center est situé sur une presqu'île, un peu au sud de Titusville. Prenez la US 1 puis la SR 405. Vous arrivez alors au Spaceport USA, où vous vous garerez. Si vous êtes en voiture, que vous avez la radio et que vous parlez l'anglais, branchez-vous sur AM 1610, on vous donnera des infos sur le Space Center.

Le centre est ouvert de 9 h à 18 h tous les jours. Essayez d'arriver tôt. Il y a deux tours, le bleu et le rouge. En fonction de la période de l'année, l'heure du dernier tour varie. En général, il a lieu 2 h avant le coucher du soleil. Pour toutes infos : ☎ 452-2121. On vous indiquera également le programme des lancements.
Vous êtes ici dans le centre où s'est écrit l'histoire de la conquête spatiale dans les années 60.

## Un peu d'histoire cosmique

« Before the end of this decade, a man will walk on the moon and will return safely » (« Avant la fin de cette décennie, un homme marchera sur la lune et reviendra sain et sauf »). Ainsi parlait John F. Kennedy en 1961. Le 21 juillet 1969, ce fol espoir se réalise. Neil Armstrong est le premier homme à fouler le sol lunaire. Onze autres suivront. Mais l'épopée spatiale avait commencé bien avant, avec le lancement en 1957 d'un premier satellite artificiel par les Soviétiques *(Spoutnik 1)*. Quatre années plus tard (1961), Gagarine fut le premier humain à naviguer dans l'espace. Les Américains suivirent de près mais ce furent de nouveau les Soviétiques qui parvinrent à poser les premiers une sonde sur la petite planète en 1966.
Les Américains, voulant reprendre la suprématie dans le domaine spatial, mirent le paquet : en juillet 1969, Armstrong et Aldrin, à bord d'Apollo 11, débarquent et plantent la bannière étoilée. En 1975 a lieu un rendez-vous orbital américano-soviétique (Apollo-Soyouz). L'année d'après, les Américains posent une sonde sur Mars. En 1981, on entre dans l'ère des navettes spatiales et des sondes. En 1986, *Voyager 2* survole Uranus. La même année, catastrophe ! Challenger explose en vol avec 7 passagers à son bord. L'Amérique pleure. Le programme est stoppé. Les Américains ont du mal à s'en remettre. Sur le plan purement commercial, des satellites continuent à être lancés bien que l'Europe ait largement profité du retard américain. La fin de la décennie 80 est marquée par un accroissement des envois de satellites de toutes sortes ainsi que de sondes. Mais l'exploration par l'homme de nouvelles planètes semble être remise à plus tard.
Étrange lucidité ou hasard cosmique : le site de Cape Canaveral où se font tous les lancements n'est guère loin de celui qu'avait choisi Jules Verne, un siècle auparavant, pour le lancement de son énorme boulet de canon vers la lune dans son livre « De la terre à la lune ». L'incroyable écrivain visionnaire situait les lancements aux alentours de Tampa !

## Comment visiter le Space Center ?

Le point de départ de la visite se trouve au *Spaceport USA*, point d'accueil qui comprend un certain nombre d'attractions gratuites. De charmantes hôtesses vous délivreront un plan en français qui est bien utile. Dans un vaste espace vert, une dizaine de fusées, authentiques ou pas, sont exposées, ainsi que la copie d'une navette Ambassador que l'on peut visiter. Non loin, la *Gallery of Space Flight* présente des maquettes, documents, explications ainsi que des engins spaciaux, une cabine Apollo et même une véritable pierre lunaire. Un film gratuit « The boy from Mars » est également projeté dans le *Galaxy Center*. Au même endroit, ne pas rater l'extraordinaire film « The dream is alive », payant celui-ci (achetez votre billet au « Ticket Pavilion »). Pendant 37 mn, l'histoire des navettes spatiales est retracée sur écran géant. Qualité exceptionnelle de l'image et vues splendides de notre planète bleue. Dieu qu'on est bien peu de chose...
Depuis le Spaceport, deux *tours* sont organisés (le bleu et le rouge) vers les différents pas de tirs et les tours de contrôle situés à quelques miles. Les parties de la base que l'on visite varient en fonction des lancements. Les billets s'achètent au « Ticket Pavilion ». Si vous comptez en suivre un, allez dès votre arrivée acheter vos billets, ainsi l'attente de votre heure de tour (parfois plus de 3 h) vous permettra d'explorer tranquillement les différents centres d'intérêt du

Spaceport. Si vous tenez à tout prix à suivre un tour, on conseille le « Red Tour » plutôt que le « Blue Tour ». Cela dit, précisons que les tours durent 2 h et qu'on ne voit pas grand-chose. On ne s'approche jamais des installations en activité et les guides sont soporifiques (incroyable le nombre de gens qui piquent du nez dans le bus !). Les tours n'intéresseront que les passionnés. Si vous parlez mal l'anglais, la visite du Spaceport devrait suffir. Sans le tonnerre d'un véritable décollage, la visite du centre et des pas de tirs sont semblables à celle d'une ville fantôme. Vous voilà prévenu.

– ***Blue Tour :*** historique de la conquête de l'espace avec les premières fusées et les premières salles de contrôle. Assez technique.

– ***Red Tour :*** la partie la plus intéressante est la visite du Vehicle Assembly Building, le plus volumineux bâtiment du monde, construit pour préparer les vols lunaires, dont la célèbre fusée *Saturne V*. Il fallut installer des systèmes de ventilation car il se formait des nuages à son plafond de 161 m. Visite également d'une salle de contrôle, d'un pas de tir (vide), et balade en bus à quelques centaines de mètres autour des installations. En fait, les vrais centres d'intérêt ne sont pas visitables. Petite consolation : tout le site dans lequel on évolue est classé parc naturel. Curieusement, la technologie et la nature semblent faire bon ménage puisque plus de 300 espèces d'oiseaux y ont fait leur habitat, dont un couple de « bald eagle », l'emblème des États-Unis, sans parler des centaines d'alligators.

## Où dormir ? Où manger ?

### *A TITUSVILLE*

On ne dort ici que parce qu'on arrive tard et qu'on souhaite visiter Cape Canaveral le lendemain.

■ ***Three Oaks Motel :*** 707 S Hopkins Avenue, sur la US 1. ☎ 267-6272. Motel correct dans la ville la plus proche du Kennedy Space Center. Petite piscine.

■ ***Passport Inn :*** juste à côté du précédent. ☎ 267-4211. Un peu moins cher et moins bien tenu.

■ ***PJ Café :*** à côté du Passport Inn. Pour un petit déjeuner avant d'aller voir les fusées.

■ ***Space Shuttle Inn :*** 3455 Cheney Highway. ☎ 269-9100. Situé à proximité du Centre Spatial Kennedy. Prix fixe pour 1 ou 4 personnes par chambre. Abordable.

### *A COCOA BEACH*

Petite ville de bord de mer, située à 15 miles environ au sud du Spaceport de Kennedy Space Center en longeant la presqu'île. Belle plage. Seuls nos lecteurs fortunés ou ceux qui viennent du Sud y feront halte car les hôtels sont chers.

#### Prix moyens

■ ***Motel 6 :*** 3701 N Atlantic Avenue. ☎ 783-3103. A quelques blocs de la mer.

#### Très chic

■ ***The Inn at Cocoa Beach :*** 4300 Ocean Beach Blvd (au bord de l'Océan sur la SR 520). ☎ 799-3460 ou 1-800-343-5307. Superbe hôtel de facture classique mais à la déco charmante, fraîche, dans les tons pastel. Beaucoup de goût. Jolie piscine. Prix élevés.

# PALM BEACH

IND. TÉL. : 407

La plus luxueuse des stations balnéaires de Floride. La moitié des voitures sont des Rolls, les autres sont des Jaguar. Et on exagère à peine. Beaucoup de personnes âgées qui, grâce à l'intervention de la médecine non remboursée par la

Sécu, tente d'inverser la marche du temps. Palm Beach est un gros village chic et charmant, bordé de luxueuses demeures représentant l'image parfaite de ce que les États-Unis aimeraient être (tout le monde il est beau, tout le monde il est gentil). Malheureusement (ou heureusement), c'est pas Palm Beach partout. Contrairement aux autres villes de la côte, Palm Beach possède peu d'hôtels, mais bonjour les prix ! Une manière comme une autre de filtrer la clientèle. *West Palm Beach,* quant à elle, est une ville qui n'a aucun intérêt. Essayer d'arriver tôt pour visiter le musée le matin, passer la journée à la plage et filer sur Fort Lauderdale en fin d'après-midi.

## Adresses utiles

– ***Chamber of Commerce :*** 45 Coconut Row. ☎ 655-3282. Ouverte de 9 h 30 à 16 h 30 environ, du lundi au vendredi. Personnel hautement incompétent.
– ***Greyhound :*** 100 1rst Street. A West Palm Beach. ☎ 833-8534.
– ***Course de lévriers :*** Palm Beach Kennel Club, à West Palm Beach. Pour infos : ☎ 683-2222. Les courses n'ont lieu qu'à certaines périodes de l'année.
– ***Post-Office :*** 95 N County Road, à Palm Beach.
– ***Drive-away Service :*** ☎ 848-3432.
– ***Journaux français :*** *Main Street News,* 255 Royal Poinciana Way. *Le Monde, Le Figaro...* mais pas *Libé.*

## Où dormir ?

### Camping

■ ***John Prince Memorial Park :*** 5020 S Congress Avenue. ☎ 582-7992. Parc régional bien équipé, dans la verdure, mais hyper loin de Palm Beach. On déconseille.

### Prix moyens

■ ***Sea Lord :*** 2315 Ocean Blvd. ☎ 582-1461. Délicieux petit hôtel des années 50, directement face à la mer, sans route pour faire barrage, un peu au sud du centre de Palm Beach, dans un coin calme. Vraiment l'idéal. De loin, le moins cher du coin. Jolies chambres avec balcon. Devant l'hôtel, pelouse avec chaise longue face à l'Océan. Piscine.

### Plus chic

■ ***Plaza Inn :*** 215 Brazilian Avenue. ☎ 832-8666. Joli hôtel tout rose, en plein centre ville et à 10 mn de la plage. Mignonnet comme tout. Chambres dans le style américano-européen. Petit déjeuner compris. Intime, agréable et coquet. Dans l'entrée, un pianiste vous accueille. Personnel charmant. Petite piscine. Bon choix dans cette catégorie.

### Encore plus chic

■ ***Brazilian Court :*** 301 Australian Avenue. ☎ 655-7740. Certainement l'hôtel de charme le plus luxueux de Palm Beach. Une sorte d'hacienda avec patio et fontaine centrale. Clientèle riche évidemment. Rolls et Jaguar à l'entrée. L'été, les prix baissent largement et vous pourrez alors arriver en 2 CV-Citroën (personne ne sourira). Chambres fraîches et sympa.

## Où manger ?

### Assez bon marché

● ***Toojay's :*** 313 Poinciana Plaza. ☎ 659-7232. Un deli où tous les employés se retrouvent le midi. « To go » ou à déguster sur place. Choix incroyable de salades de pâtes, de sandwiches variés sur *bagel* ou pains aux céréales, et de plats chauds variants tous les jours. Parfait pour le lunch, puisqu'on peut s'en tirer pour quelques dollars, en fonction de son appétit. Et pourquoi ne pas emporter votre repas et le savourer sur la plage ?

• ***Skipper's Ice Cream Café and Eatery :*** 410 S County Road, presque au coin de Worth Avenue. ☎ 659-4349. Sert des plats jusqu'à 18 h et des glaces jusqu'à 22 h. Surtout pour les gourmands qui viendront ici déguster de bonnes glaces.

Plus chic

• ***Chuck and Harold's :*** 207 Royal Poinciana Way. ☎ 659-1410. En plein centre, ouvert midi et soir. Resto chicos et sympa avec terrasse sur le trottoir. Un peu le rendez-vous de la jet-set le soir, mais pas puant du tout. Et puis la qualité de la cuisine nous a étonné. Délicieuses *seafood pasta* et bonne viande en général. L'addition monte vite mais, en lisant bien la carte, on peut s'en tirer sans y laisser sa chemise. Bien pour une soirée un peu distinguée.

## A voir

▸ ***The Breakers :*** hôtel construit par le père Flagler, milliardaire qui lança la Floride au début du siècle. Tiens, Flagler, c'était quelqu'un ! Grand pote de Rockefeller avec qui il créa la première pompe à essence : la Standard Oil. Il présida aussi à la fondation de Palm Beach et de Miami. Mais revenons-en au Breakers. Édifié en 1926 sur le modèle d'une « villa italienne », l'intérieur est d'un luxe effarant et presque beau dans sa démesure. Le meilleur moment pour visiter est le soir, quand tous les lustres illuminent les plafonds richement peints et les tapisseries des Gobelins. Si vous êtes habillé correctement, pas de problème pour visiter. Le petit déjeuner, servi jusqu'à 10 h, mérite un détour : pour un prix presque raisonnable, vous ferez un repas extraordinaire avec buffet à volonté.

▸ ***The Henry Morisson Flagler Museum :*** Whitehall Way. ☎ 655-2833. Ouvert tous les jours de 10 h à 17 h ; le samedi de 12 h à 17 h. Fermé le lundi. Demandez la brochure en français. Imposant palais de marbre blanc que Flagler fit construire en 1901 pour sa femme. Pratiquement tout le mobilier est d'origine et l'on ressent bien ce que pouvait être la vie de cette famille de millionnaires. Vendue en 1925 par ses descendants, la maison fut transformée en hôtel et on lui adjoint un édifice tout en hauteur pour accueillir les touristes. L'hôtel fonctionna jusqu'en 1959 puis la tour fut détruite et la maison réaménagée en musée. Le tournant décisif de la carrière de Flagler fut la rencontre avec Rockefeller dont il fut l'homme d'affaires. Il acheta et fit construire un nombre incroyable d'hôtels tout le long de la côte de la Floride, qu'il rallia les uns aux autres grâce à sa célèbre ligne de chemin de fer. Flagler avait acquis une grande notoriété dans l'État de Floride. Il fit même modifier une loi pendant 24 h afin de divorcer de sa deuxième femme pour épouser sa troisième, chose interdite par la législation. « It's good to be a king ! »
Visite guidée du rez-de-chaussée puis libre pour le 1er étage. Après le hall gigantesque, on entre dans la « Music Room » de style Louis XV, transformée en une étonnante galerie de tableaux du XIXe siècle pour l'essentiel. Puis une série de pièces décorées avec goût et ennui. A l'étage, une bonne dizaine de chambres d'amis, toutes dans un style différent mais dont le trait commun est le luxe. Sur le côté gauche de la résidence, le wagon privé du père Flagler, qu'il utilisait pour inspecter ses lignes de chemin de fer.

# FORT LAUDERDALE

IND. TÉL. : 305

A 40 km au nord de Miami. On est loin du petit fort qu'un certain major William Lauderdale fit édifier pour se protéger des « féroces » Séminoles. La « Venise de l'Amérique », comme on l'appelle prétentieusement ici, étale ses 300 km de canaux *(water ways)* autour de son Downtown, au bord desquels se lovent de splendides demeures. Fort Lauderdale ne possède pas le charme d'une cité balnéaire familiale. La ville est grande et le front de mer bien dévoré par les grands hôtels. Cela dit, c'est un des points de la côte où les hôtels sont les moins chers (bien moins qu'à Miami Beach) et où l'ambiance est la plus jeune.
Fort Lauderdale fut plusieurs années durant le grand rendez-vous des étudiants et collégiens pour le « Spring Break » (vacances de printemps). Ils venaient par

milliers passer ici une semaine de délire où l'activité principale se résumait à se traîner de la plage aux bars et vice-versa. Les soirées à cette période-là n'avaient rien à envier aux orgies romaines. Mais depuis peu, les étudiants ont déserté Fort Lauderdale et se retrouvent plus volontiers à Daytona Beach. Reste que l'ambiance est jeune, sympa, que la ville n'est pas chère, même si le front de mer n'est pas le plus beau de la côte.

## Adresses utiles

– ***Tourist Office :*** Chamber of Commerce, 512 NE 3rd Avenue. ☎ 460-6000. Ouvert de 9 h à 17 h du lundi au vendredi. Y prendre le *Visitors' Guide.*
– ***Post-Office :*** 1900 W Oakland Park Blvd, et aussi 1776 E Sunrise Blvd.
– ***Greyhound :*** 513 NE 3rd Street. ☎ 764-6551. A 3 blocs au nord de Broward Boulevard. Quartier mal famé le soir. Consigne.
– ***Amtrak :*** 200 SW 21 Terrace. ☎ 463-8251. A l'ouest de la I-95. Service pour Miami, Orlando, Jacksonville.
– ***Location de vélos et scooters :*** *Varsity Mopeds,* 2601 N Federal Highway. ☎ 561-2236. Ouvert de 9 h à 17 h. Autre adresse : *International Bicycle Shop.* 1900 E Sunrise Blvd. D'autres locations près de l'Océan mais plus chères.
– ***Auto Drive-away :*** ☎ 771-4059 et 792-3333.
– ***Alamo Rent-a-car :*** 2601 S Federal Highway. ☎ 525-2501. A l'aéroport.
– ***Journaux français :*** 303 S Andrews Avenue.

## Où dormir ?

L'été, en basse saison, aucun problème pour trouver une chambre, et une chambre pas chère en plus. De toute façon, voici un lot de bonnes petites adresses dans un chouette quartier, non loin de la plage.

### Très bon marché

■ ***International Youth Hostel :*** 905 NE 17th Terrace. ☎ 467-0452. Maisonnette un peu sale, tenue par un vieux monsieur qui propose quelques lits (une vingtaine) dans des chambres-dortoirs. Pas le grand confort. Le papy a tendance à tasser un peu les piaules. Évidemment, l'adresse de loin la moins chère. Si vous êtes trois, préférez un motel. En dépannage et pour les vrais fauchés.

### Assez bon marché

Toutes ces adresses sont situées dans le même pâté de maisons. C'est le coin des Québécois. Un motel sur deux est tenu par ces charmants Canadiens francophones.

■ ***La Lorraine :*** 2800 Vistamar Street. ☎ 566-6490. Notre meilleure adresse, incontestablement. Gilles et sa femme gèrent un adorable hôtel, tout bleu marine et blanc. 24 chambres charmantes au confort étonnant. Toutes avec cuisine, réfrigérateur... et télé câblée diffusant les programmes de 2 chaînes de Montréal, en français. Prix incroyablement bas en été et pas très chers le reste de l'année, pour 2 comme pour 4. Piscine agréable et accueil hors pair.
■ ***Youth Hostel :*** *Sol y Mar Hostel,* 2839 Vistamar Street. ☎ 566-1023. Prendre Sunrise Boulevard (US 838) jusqu'à la mer. Puis 2 blocs au sud. Ancien motel transformé en A.J., à 100 m de la plage. Bureau ouvert de 7 h 30 à 10 h et de 17 h à 19 h. Possibilité d'arriver le soir. Piscine, barbecue et consigne. Les non-membres sont acceptés mais paient un peu plus cher. Dortoirs de 4 à 10 lits. Cuisine, machine à laver et sécheuse. Pas de resto. Attention, des vols dans les chambres ont été signalés. Une cinquantaine de petits motels à proximité.

### Prix moyens

■ ***Vistamar Motel :*** 2901 Vistamar Street. ☎ 561-5950. Juste à droite de l'A.J. Chambres ou petits appartements autour d'une piscine. Tenu impeccablement par Denise et Gaétan, des Québécois adorables (pléonasme). Grille-pain, cuisine, salon. Bonne petite adresse à prix doux.

■ ***Birch Patio Motel :*** 617 N Birch Road. ☎ 563-9540. Près des motels précédents et de la plage. Un couple de Polonais dirige ce motel avec piscine, T.V., air climatisé et salles de bains privées. 3 types de chambres au confort variable. Piscine petite autour d'une pelouse. Propre et pas cher pour 2.

■ ***The Winterset :*** 2801 Terramar Street. ☎ 564-5614. Charmant, bien situé, propre et sympa car tenu par des Québécois. Pour un prix raisonnable, des chambres ou appartements confortables donnant sur la piscine ombragée par quelques arbres.

■ ***Surf and Sun Hotel and Apartments :*** 512 N Atlantic Boulevard. ☎ 564-4341. Fax : 522-5174. Une super adresse en front de mer. L'Océan est juste de l'autre côté de la route, avec sable fin et cocotiers. Les chambres sont propres et spacieuses, avec T.V. couleur, téléphone, réfrigérateur, air conditionné, baignoire ou douche. Le tout assez bon marché. Quant aux appartements, ils ont une cuisine équipée, une salle de séjour, et peuvent recevoir des lits supplémentaires si besoin est. Patio privé dans l'hôtel, places de parking et machines à pièces pour la lessive. Pas de piscine. Le grand plus de cet hôtel est qu'on paie le même prix à 2, 3 ou 4 personnes. Excellente adresse.

■ ***Sham Rock Apartment Motel :*** 555 Antioch Avenue. ☎ 566-1432. On n'aime pas beaucoup la couleur de l'hôtel mais les chambres sont bien. Moins de charme que les autres. Piscine. Pas très cher pour 4 mais pas conseillé pour 2.

■ ***Buccaneer Motel :*** 350 N Birch Road. ☎ 462-1352. Plusieurs types de chambres. Intéressant pour 2 mais pas pour 4. Pas mal, sans plus. Seulement si tous les autres sont complets.

■ ***Anthony Motel Apartments :*** 3011 Bayshore Drive. ☎ 565-3917. Tout confort : piscine, TV, A.C. A 300 m de la plage, et de plus on y parle le français.

### Un peu plus chic

■ ***Travelodge :*** 435 N Atlantic Blvd. ☎ 462-0444. Fax : 566-8505. Face à l'Océan, un des hôtels les moins chers. Genre années 50. Propre et agréable, avec piscine. Peu de chambres donnent sur le front de mer. Bar.

■ ***Bahama Hotel :*** 401 N Atlantic Boulevard. ☎ 467-7315. Au sud de Oakland Park Boulevard. Encore un hôtel face à la plage, d'un standing un peu plus élevé que le précédent. Piscine en forme de coquillage. Toutes les chambres avec A.C. et T.V. couleur (certaines avec cuisine) ont la vue sur la mer. Dans le quartier le plus animé de Fort Lauderdale. Bon resto.

■ ***Lauderdale Beach Hotel :*** 101 S Atlantic Blvd. ☎ 764-0088. Bel hôtel des années 50. Chambres face à la mer, avec ou sans cuisine. Spacieux. Plus cher que les autres. On paie surtout le fait d'être face à la plage. Bar et resto au rez-de-chaussée.

### Très chic

■ ***Casa Glamaretta :*** 435 Bay Shore Drive. ☎ 564-3261. Fax : 564-3306. Rejoindre la mer par Sunrise Boulevard (US 838) puis prendre la 2e rue à droite (Vistamar Street) jusqu'au bout. Jolie maison de type espagnol, peinte... en rose. Magnifiquement située au bord d'un canal. Jolie piscine et barbecue. Certaines chambres (air conditionné et salle de bains privée) possèdent une kitchenette.

## Où manger ?

### Assez bon marché à prix moyens

● ***Tina's Spaghetti House :*** 2110 S Federal Highway. ☎ 522-9943. Ouvert de 11 h 30 à 22 h et jusqu'à 23 h les vendredi et samedi. Adorable resto italien très réputé. Plein d'habitués. De charmantes dames font le service depuis bien longtemps. On vient ici pour déguster une énorme assiette de spaghettis à la viande ou une autre spécialité italienne. Copieux et bon marché.

● ***The Floridian Restaurant :*** 1410 E Las Olas Blvd. ☎ 463-4041. Ouvert tous les jours de 7 h à 22 h, et ce depuis 1937. Le typique resto américain avec son bar, sa confusion bon enfant et le ballet des serveuses en baskets. Plats variant tous les jours. Les petits appétits se contenteront d'une salade, les autres prendront un *meatloaf* ou un burger.

● ***Sukhothai :*** Gateway Plaza, 1930 E Sunrise Blvd. ☎ 764-0148. Tous les jours midi et soir. Dernier service à 22 h. Cuisine thaïe, raffinée et savoureuse,

service dans une atmosphère reposante. Murs tendus de noir. Mille et une façons de préparer le poulet, le porc et les crevettes, le tout avec le sourire.
• ***South Port Rawbar :*** 1536 Cordova Road. ☎ 525-CLAM. Ouvert tous les jours, toute la journée, jusqu'à 2 h. Marins et amoureux des bars à matelots, jetez l'ancre. Grand bar populaire où l'on vient déguster des *dolphin fingers, conch chowders,* ou des *chicken wings.* On peut se contenter d'y boire une bonne bière au comptoir.

## Où passer une bonne soirée ?

Forte de son atmosphère jeune et décontractée, la ville possède quelques bars spécialisés dans le striptease. Oh, rien à voir avec les boîtes glauques de Pigalle ou de 42nd Street à New York ! Il s'agit ici de lieux bon enfant, sympa, où les strips n'ont rien de salace. Bien sûr, ces distractions n'amuseront que ces messieurs. Nous nous excusons auprès de nos lectrices, nous n'avons pas trouvé l'équivalent pour femmes, mais ce n'est pas faute d'avoir cherché. Les dames sont pourtant acceptées, à condition qu'elles soient accompagnées d'un homme. Cela pour éviter le racolage des prostituées et l'affluence des lesbiennes.

– ***Pink Pussy Cat :*** 1440 SE 17th Street Causeway. ☎ 523-0402. Cette adresse est ouverte aux jeunes à partir de 18 ans. On y voit des grappes d'adolescents boutonneux se payer leur premier strip en sifflant un Coca, car la loi interdit de servir de l'alcool en présence de mineurs de moins de 21 ans. Entrée payante. Un truc pour ne pas avoir à consommer constamment : buvez lentement. Stripteaseuses très gentilles.
– ***Pure Platinum :*** 3365 N Federal Highway. Un peu au nord de Oakland Park Blvd. Le plus classe des spectacles en ville. Les filles qui montrent leur corps sont superbes. Un peu pimbêches. Pour entrer ici, mettre sa belle chemise et ses souliers cirés. Apporter son passeport. Plus cher et plus chic que le précédent. Moins bon enfant mais Dieu que les filles sont ravissantes !
– ***The Candy Store :*** 1 N Atlantic Blvd. ☎ 761-1888. Malgré son nom, il s'agit d'une boîte (de bonbons ?) où se retrouvent les jeunes. Assez banal somme toute, sauf quand sont organisés (vers 1 h) des concours comme le « Wet t-shirt contest ». Assez dément. Des filles, habillées d'une simple culotte et d'un t-shirt, plongent dans la piscine. Le spectacle commence quand elles ressortent...

## A voir

► ***Jungle Queen Boat :*** départ à 10 h et 14 h tous les jours, du Bahia Mar Yacht Center, sur Seabreeze Boulevard, à 100 m de la US 842 et face à la mer. ☎ 462-5596. Cartes de crédit refusées. Une balade intimiste au cœur de la ville en longeant quelques miles de canaux à bord d'un *steamboat* des temps modernes. On admire les demeures incroyables et les yachts d'une Amérique opulente ainsi que certains des chantiers navals les plus renommés dans la construction de superbes vedettes de plaisance. 3 h de balade, dont 40 mn de pause dans une sorte de zoo où est présenté un bon spectacle avec des alligators. Sur le bateau, s'asseoir en haut et à droite. Commentaires un peu bavards. Finalement, un bon moyen de découvrir la ville. Pas si cher que ça.

► Près du Jungle Queen : ***excursion de pêche*** avec de beaux bateaux et de beaux capitaines. Hyper cher. Prix à la demi ou à la journée. Pour les riches qui veulent suivre les traces d'Hemingway.

► ***Hugh Taylor Birch State Park :*** au bout de Sunrise Boulevard, en bord de mer. Les promoteurs n'ont pas encore réussi à s'emparer de ce vaste terrain en bord de mer, situé en plein centre ville. Ici, la nature a repris ses droits et la végétation est toujours aussi dense. Entrée pas chère. Parcours balisé de 3,5 km pour les joggers. Possibilité de pêcher et de louer un canoë sur le lagon. Tables en bois pour pique-niquer. Ouvert de 8 h au coucher du soleil.

# MIAMI

IND. TÉL. : 305

Quand on dit Miami, on pense aussitôt Cadillac et hôtels luxueux. C'est vrai. Mais Miami est aussi une ville pour les fauchés ; *Salvation Army, Rescue Mission,* banque du sang, et... (vieilles) veuves milliardaires. Il faut dire que les plages sont toujours aussi gigantesques et le soleil toujours aussi chaud. Normal, on est à la même latitude que le sud du Sahara.
La ville fut lancée par les riches Juifs new-yorkais qui fuyaient les hivers trop rigoureux pour y finir leurs derniers jours. Le yiddish était la seconde langue. On les voit encore alignés sur leurs chaises longues devant les hôtels, attendant la mort ou un rayon de soleil. D'ailleurs, les Américains ont surnommé Miami « le cimetière des éléphants ». Outre la chaleur, c'était aussi le symbole de la frénésie et de l'opulence (Al Capone y est mort de la syphilis).
Avec l'arrivée des émigrés cubains, Miami fut délaissée pendant de longues années. Lorsque le voyageur qui débarque à l'aéroport de Miami demande un renseignement à un policier de service et s'entend répondre « Désolé, je ne parle pas l'anglais », il se rend compte que la Floride constitue un cas un peu particulier dans l'Union. Ou au moins Miami. La ville compte quelque 350 000 Cubains, plus un nombre respectable de Mexicains et d'immigrants d'Amérique centrale, attirés par le boom extraordinaire du plus grand parc d'attractions d'Amérique.
Aujourd'hui, la ville est en train de redevenir à la mode. On rénove les anciens hôtels art déco. Des milliardaires encore pimpants s'y installent, comme le sempiternel Jules des Églises, qui habite sur Indian Creek Island. Ou encore Maurice Gibbs des Bee Gees.
Il faut faire la différence entre Miami, grande ville assez désespérante, pas jolie et peu animée, et *Miami Beach,* presqu'île longue de plus de 15 miles où s'étire une plage sans fin. Le quartier le plus agréable se situe sur Ocean Drive, tout au sud de Miami Beach. C'est ici le célèbre quartier Arts deco, complètement rénové depuis quelques années. Les environs de Miami offrent quelques attractions d'intérêts variables. Il est évident que l'on dort à Miami Beach, et non à Miami.

## Arrivée à l'aéroport

– ***Kiosque d'informations :*** juste après la douane. Ouvert normalement de 6 h 35 à 22 h 25.
– ***Pour Miami Beach en bus :*** prendre le bus J. Il va directement à Miami Beach et remonte Collins Avenue (l'axe principale de Miami Beach) de la 39th à la 72nd Street.
– ***Pour Miami (Downtown) :*** prendre le bus 7.

## Adresses utiles

– ***Chamber of Commerce de Miami Beach :*** Visitors' Center, 1920 Meridian Avenue. ☎ 672-1270. Ouvert du lundi au vendredi de 8 h 30 à 17 h 30. Le samedi de 10 h à 16 h. Fermé le dimanche. S'occupe des infos de Miami Beach et Miami (ville). Plein de brochures et de conseils. Sympa. Le meilleur centre d'infos de Miami Beach.
– ***Kiosque d'infos :*** sur Lincoln Road, au coin de Washington Avenue. Ouvert en général de 10 h à 17 h, parfois plus tard.
– ***Chamber of Commerce de Miami :*** 701 Brickell Avenue. ☎ 539-3063. Surtout un endroit qui reçoit les appels téléphoniques. On ne s'y déplace pas.
– ***Réservations pour hôtels :*** ☎ 1-800-950-0232. Association qui s'occupe de trouver des chambres libres pour les touristes.
– ***Poste centrale :*** 2nd Avenue et NW 5th Street, dans le Downtown. A Miami Beach, 1300 Washington Avenue. A la hauteur de 13rd Street.
– ***Greyhound :*** plusieurs terminaux à Miami. Se rendre à celui près de là où vous êtes. Ils desservent tous les mêmes villes. Destinations principales : Tampa (5 bus), Orlando (5 bus), Key West (3 bus). Voici les adresses : *à Miami Beach :* 7101 Harding Avenue. ☎ 538-0381. *Dans le Downtown :* 700 Biscayne Blvd. ☎ 374-6160. *Dans la partie ouest de Miami :* 4111 NW 27th Street. ☎ 871-1810. *A Coral Gables :* 2300 Salzedo Street. ☎ 443-1664.

– ***Consulat de France :*** 01 Biscayne Tower, Suite 1710, 2 S Biscayne Blvd. A l'angle de Biscayne Boulevard et de E Flagler Street, c'est-à-dire en plein Downtown, au 17e étage. ☎ 372-9798. Ouvert de 9 h à 13 h du lundi au vendredi.
– ***Alliance française :*** Coral Gabies, 265 Sevilla. ☎ 445-8760. Ouvert de 10 h à 19 h, le samedi de 10 h à 14 h. Donnent de nombreux renseignements et adresses utiles. De plus, l'Alliance édite un livret, *Bienvenue à Miami,* qui peut vous être bien utile. Passe des films français régulièrement. Appeler pour infos.
– ***Location de voitures :*** *Ajax Rent-a-car,* 2390 NW 39th Avenue. ☎ 871-5050. Avoir 21 ans. Autre office à l'aéroport. *Value-Rent-a-car :* 2401 Collins Avenue. ☎ 532-8257. L'une des moins chères. Ouvert de 8 h à 18 h tous les jours.
– ***Location de vélos à Miami Beach :*** *J.B. Repair Bicycles,* 406 14th Street (près de Washington Avenue). ☎ 531-7721. Autre loueur : 923 W 39th Street. ☎ 531-6461.
– ***Auto Drive-away C° :*** 19135 Biscayne Boulevard. ☎ 931-8330. Bus 8 ou 23. Ouvert de 9 h à 17 h et le samedi jusqu'à 13 h. Situé à N Miami Beach.

## Où dormir ?

### *A MIAMI BEACH*

Vraiment l'endroit le plus agréable et le moins dangereux. Près de la plage, comme son nom l'indique. Tout le long de la plage, des centaines de motels et hôtels. On a un faible pour le *Spanish Village* (à ne pas confondre avec Little Havana). Vous serez sensible au charme vieillot de ces rues où se mêlent joyeusement l'espagnol et l'anglais.
Tout à côté, un étonnant quartier Art déco avec d'étonnants immeubles et de vieux hôtels somptueusement décorés dans le meilleur style des années 30.
Une remarque également valable pour Miami : en basse saison (l'été), les prix des hôtels baissent sensiblement. Cela peut aller jusqu'à 50 % par rapport aux prix d'hiver. Ne pas hésiter à négocier. Les prix se discutent à la semaine à partir de 5 nuits.

#### Bon marché

■ ***Miami Beach International Youth Hostel*** (ou **Clay Hotel**) : 1438 Washington Avenue, à l'angle de Española Way. ☎ 534-2988. De l'aéroport, bus J jusqu'au terminus. Là, prenez le bus C jusqu'à l'A.J. Le bâtiment, construit en 1920, essaie de ressembler à un ensemble de maisons méditerranéennes avec des petits balcons et des toits de tuile. Évidemment, ça a sacrément vieilli et les chambres ne sont pas toutes super propres. Dortoirs et chambres pour couples. Cuisine, réfrigérateur, machine à laver, consigne, change. Pas de couvre-feu. Dortoirs de 4 en moyenne. Resto pas cher au rez-de-chaussée. Les non-membres des A.J. sont acceptés mais paient un peu plus cher. Reste le moins cher de Miami Beach. En face, un supermarché et un marchand de fruits et légumes. A 100 m de la plage.
■ ***Collins Plaza Hotel :*** 318 20th Street, à l'angle de Park Avenue. ☎ 531-0849. Une façade absolument superbe, l'une des plus belles du quartier. Certaines chambres disposent d'une kitchenette. A 2 blocs de la plage. Patron sympa. Chambres de différents types, certaines petites, d'autres plus grandes. Plaques chauffantes dans chaque chambre et réfrigérateur. Prix bas pour une semaine.
■ ***Seadeck :*** 1530 Collins Avenue. ☎ 538-4361. Gentil motel à la façade colorée et naïve, agrémentée de poissons et coquillages. Petite structure familiale disposée autour d'un jardinet central. Vraiment un des moins chers. Les pullmanettes sont les moins chères. Bon rapport qualité-prix.
■ ***Revere Hotel :*** 1100 Ocean Drive. ☎ 538-0731. Assez difficile de trouver moins cher sur la chic Ocean Drive. Le patron pratique des prix dérisoires en basse saison. Pas le grand luxe certes, certaines sont même bien ripoux. Chambres avec ou sans A.C., avec ou sans T.V. L'été, on vous conseille quand même de prendre l'A.C.
■ ***Miami Beach International Travellers Hostel :*** 236 9th Street. ☎ 534-0268. Bien situé dans l'Art Deco District, à 50 m de la plage. Propre et climatisé.
■ ***San Juan Hotel :*** 1680 Collins Avenue. ☎ 538-7531. Hôtel plutôt années 50 qu'années 30, mais à deux pas du quartier Art déco, avec kitchenette et

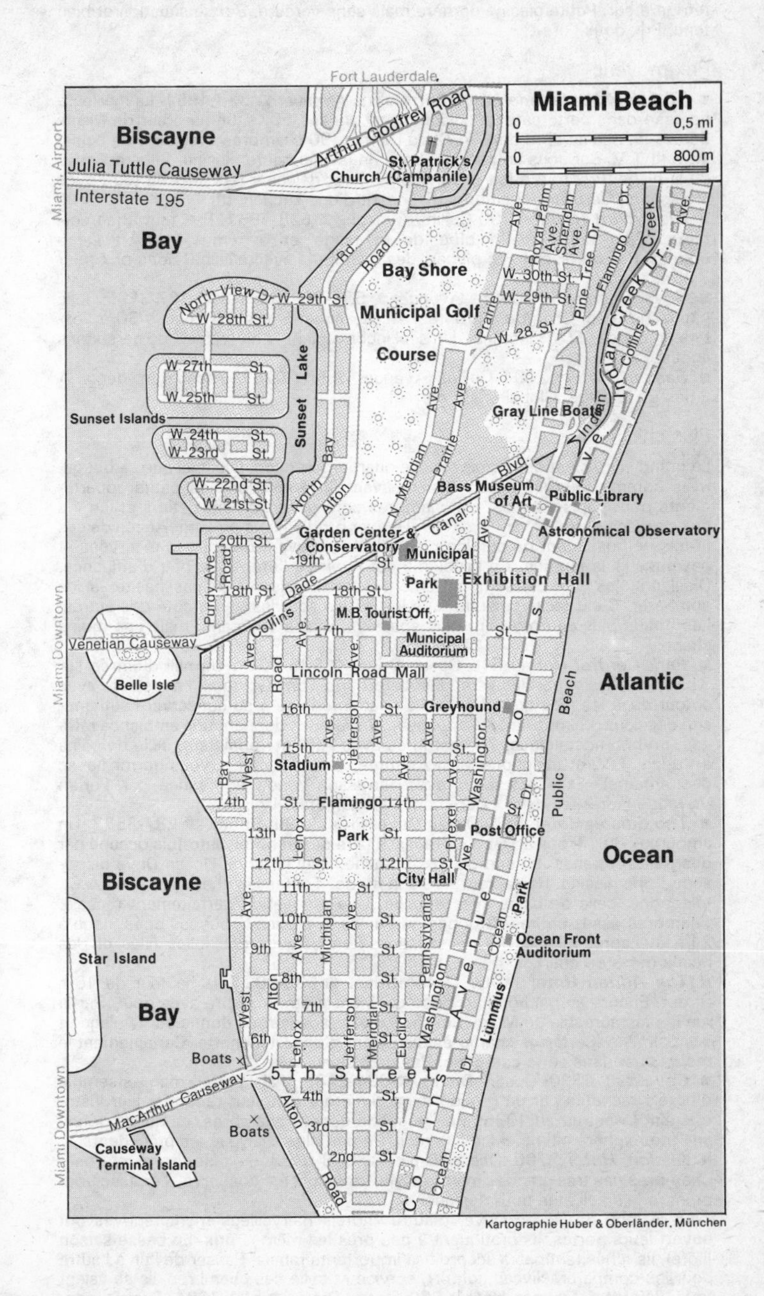
Fort Lauderdale
Miami Beach
0 0,5 mi
0 800 m
Biscayne
Bay
Julia Tuttle Causeway
Interstate 195
Arthur Godfrey Road
St. Patrick's Church (Campanile)
Miami, Airport
Bay Shore
Municipal Golf
Course
North View Dr.
W. 29th St.
W. 28th St.
W 27th St.
W. 25th St.
Sunset Islands
W. 24th St.
W. 23rd St.
W. 22nd St.
W. 21st St.
Sunset Lake
North Bay Rd.
Alton Road
N. Meridian Ave.
Prairie Ave.
Royal Palm Ave.
Sheridan Ave.
Pine Tree Dr.
Flamingo Dr.
Indian Creek Dr.
Collins Ave.
W. 30th St.
W. 28. St.
Gray Line Boats
Bass Museum of Art
Public Library
Astronomical Observatory
Dade Blvd.
Canal
Garden Center & Conservatory
20th St.
19th St.
18th St.
17th St.
Municipal Park
Exhibition Hall
M.B. Tourist Off.
Municipal Auditorium
Venetian Causeway
Belle Isle
Purdy Ave.
Lincoln Road Mall
Atlantic
Ocean
16th St.
Greyhound
15th St.
Stadium
14th St.
Flamingo Park
13th St.
12th St.
City Hall
11th St.
Post Office
10th St.
9th St.
8th St.
7th St.
6th St.
Biscayne
Bay
Star Island
West Ave.
Bay Rd.
Lenox Ave.
Jefferson Ave.
Michigan Ave.
Meridian Ave.
Euclid
Pennsylvania
Washington Ave.
Drexel Ave.
Collins Avenue
Ocean Dr.
Lummus Park
Public Beach
Ocean Front Auditorium
Boats
5th Street
4th St.
3rd St.
2nd St.
MacArthur Causeway
Miami Downtown
Causeway Terminal Island
Alton Road
Kartographie Huber & Oberländer, München

réfrigérateur. Petite piscine derrière mais sans verdure. Bonne situation et bien tenu. Prix doux l'été.

## Prix moyens

■ ***The New Waterside Inn :*** 2360 Collins Avenue. ☎ 538-1951. La meilleure adresse dans cette catégorie. Joli motel années 50, situé au cœur de Miami Beach, un peu au nord de l'Art Deco District. 90 chambres avec salle de bains, A.C. et T.V. Bar sous un patio au bord de la charmante piscine. Situé à 2 rues de la plage. Prix tout à fait raisonnables. Petit déjeuner pas cher du tout, avec croissants. Certaines chambres disposent d'une kitchenette.
■ ***Claremont Hotel :*** 1700 Collins Avenue. ☎ 538-4661. Prix tout à fait corrects. Bien situé, à un bloc de la plage et à 5 mn de l'Art Deco District. Pas de piscine. La plupart des chambres avec cuisine. Bons prix pour 3 et 4.
■ ***Royal Palm :*** 1545 Collins Avenue. ☎ 531-7381 ou 1-800-327-3195. Jolie pâtisserie rose. Chambres propres. Accès direct à la mer. Années 30 à l'extérieur, années 50 à l'intérieur. Un seul inconvénient : l'hiver, plein de personnes âgées. Piscine.
■ ***Sasson Hotel :*** 2001 Collins Avenue. ☎ 531-0761. Façade art déco. A 2 pas de la plage. Globalement correct.

## Plus chic

Le grand chic, c'est de dormir dans le quartier Art déco. C'est ici que ça bouge. Mais comme tous les hôtels étaient avant la rénovation des petits appartements pour papis-mamies, les chambres sont généralement petites et il n'y a pas de piscine. Mieux vaut le savoir. Dernier problème, le parking. Aucun de ces hôtels ne possèdent de parking privé. Ils ont souvent des places réservées et payantes, à la journée. Ce problème est moindre l'été, vu le peu d'affluence. D'ailleurs, les prix baissent nettement à cette saison. Ne pas hésiter à les comparer. C'est facile puisque tous les hôtels sont les uns à côté des autres. Les hôtels plus au nord sont plus spacieux, moins chébrans, mais pas moins chers.
■ ***Park Central Hotel :*** 640 Ocean Drive. ☎ 538-1611. Un hall d'entrée sur 3 niveaux, éclairé par des vérandas. Le proprio Tony Goldman l'a restauré avec amour dans les moindres détails. La déco intérieure a su conserver l'authenticité des lieux. Le mobilier, les appliques, les lampes donnent une ambiance raffinée, un brin nostalgique. 76 chambres avec A.C. et ventilateur, salle de bains art déco, T.V. et téléphone (assez petites, donc à éviter si vous dormez avec des enfants). Excellent resto avec terrasse. Vendu en France par Forum Voyages (adresses dans « Comment aller aux États-Unis ?).
■ ***The Edison Hotel :*** 960 Ocean Drive. Près de 9th Street. ☎ 237-3522. Un amoureux du « Tropical Deco » a réussi à faire de cet hôtel, autrefois occupé par des petits retraités, un endroit très branché. Seul hôtel de Ocean Drive disposant d'une piscine. Restaurant très à la mode. Toutes les chambres avec A.C., téléphone, salle de bains avec douche. Une rénovation parfaitement réussie. Chambres assez petites. Groupes au bar de la piscine. Tous les soirs jusqu'à 21 h et l'après-midi en fin de semaine. Rendez-vous des jolies filles et des beaux mecs du quartier.
■ ***The Adrian Hotel :*** 1060 Ocean Drive. ☎ 538-00. A la hauteur de 10th Street. Encore un bel hôtel art déco qui vient d'être restauré avec goût. Sur la rue la plus agréable de Miami Beach. Sa jolie façade rose donne sur la plage et ses palmiers. Certaines chambres disposent d'une kitchenette. Certainement le moins cher dans cette catégorie. Pas de piscine.
■ ***Cavalier :*** 1320 Ocean Drive. ☎ 534-2135. Fait partie d'un ensemble d'hôtels rachetés par un groupe dynamique qui a su leur redonner leur lustre d'antan. Construit en 1936, il ne possède que 44 chambres, ce qui lui donne une atmosphère intime. Face à la mer. Un peu plus cher que les précédents.
■ ***Avalon Hotel :*** 700 Ocean Drive. ☎ 538-0133. Façade jaune et rose. Chambres pas très grandes mais le style art déco a été conservé. Terrasse pour prendre le soleil et le petit déjeuner.
Tout le long de Ocean Drive, d'autres hôtels merveilleusement rénovés ont ouvert leurs portes. Ils pratiquent à peu près les mêmes prix. En basse saison (l'été), ils n'hésitent pas à accorder d'importants rabais. Passer de l'un à l'autre pour les comparer. Niveau confort, service et taille des chambres, ils se valent tous. ***Waldorf Towers Hotel :*** 860 Ocean Drive. ☎ 531-7684. Façade ado-

rable. ***Beacon Hotel :*** 720 Ocean Drive. Mignon et familial, avec terrasse. Excellent petit déjeuner. ***Colony Hotel :*** 736 Ocean Drive. ☎ 673-0088. Plus cher, plus frime.

### *DANS LE DOWNTOWN*

Le Downtown de Miami est l'un des plus pauvres et des plus délabrés des États-Unis. Nous ne sommes pas habituellement enclins à la parano, mais il est nécessaire aussi de préciser : l'un des plus dangereux ! Surtout le secteur à l'ouest de la N Miami Avenue (deux blocs à l'ouest du Greyhound), entre NW 12th et NW 1st Streets. Beaucoup de réfugiés cubains sont sans travail, ce qui signifie que la délinquance se développe de façon importante. Miami est aussi la plaque tournante de la drogue.
Bref, on déconseille absolument de dormir dans le downtown. C'est un véritable coupe-gorge à la tombée de la nuit.

■ ***Leamington Hotel :*** 10 NE 3rd Avenue. ☎ 373-7783. Central, à côté de Flagler, l'artère commerciale du centre ville. Cher et correct, sans plus.

### *PRÈS DE L'AÉROPORT*

■ ***Miami Airways Motel :*** 5001 NW 36th Street. Prendre l'Airport Exit. Sur 36th Street, au niveau de la 50th Avenue. ☎ 883-4700. Près de l'aéroport. Intéressant pour ceux qui doivent prendre l'avion tôt le matin. Piscine et air conditionné. Sur un coup de fil, ils viennent vous chercher à l'aéroport. Assez cher.

### Campings

■ ***KOA Campground :*** 14075 Biscayne Boulevard. ☎ 940-4141. Proche de l'intersection de la Florida Turnpike (autoroute) avec la US 441 et la I-95. Sortir sur la route 826 East en direction de la US 1 (Biscayne Boulevard). Puis tourner après 1,3 mile vers le sud sur la North East 141st Street. Site ombragé et à proximité des plages de Miami Beach. Très cher.
■ ***Larry and Penny Thompson Memorial Campground :*** 12451 SW 184th Street. ☎ 232-1049. A 25 miles au sud et à 2 miles à l'ouest de l'US 1. Le métro-rail va jusque-là. Parc régional, donc beaucoup de verdure. Très loin du centre. On le cite mais ça ne semble pas bien intéressant de séjourner par ici, vu l'éloignement de la mer. Moins cher que le KOA.

## Où manger à Miami Beach ?

### Pas cher

● ***Our Place Natural Food Eatery :*** 830 Washington Avenue. Ouvert du lundi au jeudi de 11 h à 21 h et les vendredi et samedi jusqu'à 23 h. Chouette petit resto végétarien vraiment sympa où se retrouvent les mannequins le midi, pour une salade copieuse. Plats délicieux à base de légumes. Atmosphère cool, un rien baba. Très sympa en tout cas.
● ***Mappy Cafeteria :*** 1390 Ocean Drive. Ouvert tous les jours de 7 h à minuit. A la hauteur de 13th Street. Modeste cafétéria cubaine mais l'endroit le moins cher pour manger face à la plage. Très ensoleillé pour le petit déjeuner. On peut se contenter d'un bol de soupe.
● ***Wolfie's :*** Collins Avenue, à l'angle de 21st Street. Ouvert 24 h sur 24, tous les jours, même durant le sabbat. Immense deli familial. Les loups ont toujours eu un appétit d'ogre. Pas étonnant que depuis 1947 des milliers de clients se soient rassasiés dans cette immense salle. Fréquenté par les vieux retraités juifs du coin. Célèbre pour son *hot corned-beef sandwich* et son *cheese cake*.
● ***Richard Fruit Center :*** au coin de 13th Street et de Washington Avenue. Grand marché aux fruits et légumes. Pour ceux qui font leur popote.
● ***Le Chic :*** 1943 Washington Avenue. Boulangerie française. Croissants, *muffins*, pains au chocolat et pain tout court.
● ***Beacon Hotel*** (voir « Où dormir ? ») : le breakfast le moins cher de Ocean Drive. Un « all you can eat » avec superbe salade de fruits frais, *bagel*, thé ou

café, omelette, bacon, *ashbrowns*... De plus, on le prend sur la terrasse ensoleillée. Ah ! chère Floride. Servi tous les jours jusqu'à 11 h.

### Prix moyens

• ***Puerto Antonio :*** 1649 Washington Avenue, à la hauteur de Lincoln Boulevard. ☎ 532-6601. A deux pas du *Haddon Hall Hotel.* Comme décor, un invraisemblable amoncellement des objets les plus laids pendus au plafond ou accrochés au mur... éléphants roses en plastique, homards naturalisés, carillons de tous les pays, jambons, babioles de foire, etc. Vous reconnaîtrez le patron à sa cravate avec étoiles d'argent ou à tête de cheval sur fond de haricots rouges. Nourriture cubano-américaine assez chère à table, mais plats abordables au comptoir. Vend aussi des fruits et légumes. Ouvert 24 h sur 24.
• ***La Rumba :*** 2008 Collins Avenue. ☎ 538-8998. Ouvert tous les jours jusque tard le soir. Resto cubain populaire connu pour son poulet à l'ail *(pollo con ajillo)* et ses crevettes au piment *(camarones enchilados)*. Chaque jour, une spécialité cubaine différente. Profitez-en pour goûter au *café cubano*. Ouvert pour le petit déjeuner.
• ***Flame Steaks :*** 216 Lincoln Road. ☎ 532-6061. Ouvert de 12 h 30 à 22 h 30 tous les jours. C'est une rue qui coupe Collins Avenue vers le n° 1500. Restaurant sans charme mais le *steak sirloin* cuit à la braise n'est pas très cher. Orchestre sud-américain certains soirs. On y vient surtout pour les spécialités de viandes grillées. Serveuses parlant l'anglais comme nous le javanais.

### Plus chic

• ***The Strand :*** 671 Washington Avenue. ☎ 532-2340. Dans le quartier juste derrière Ocean Drive. Le Strand étale sa grande façade verte avec ostentation. L'atmosphère rappelle celle des restaurants branchés new-yorkais. Clientèle branchée, composée de mannequins, photographes, maquilleuses... et de routards. Curieusement, la nourriture est bonne. On n'y vient pas seulement pour se montrer mais pour faire un bon repas. Cuisine américaine sur le fond, améliorée de quelques idées européennes. Une bonne surprise à prix acceptables.
• ***Tropics International*** (à l'intérieur de l'hôtel Edison) : 960 Ocean Drive. Un restaurant avec une terrasse sur le trottoir. Belle salle avec de grandes baies vitrées et des bananiers. Grand bar avec orchestre certains soirs. Serveuses décontractées, cuisine agréable, sans mystère mais on vient beaucoup pour l'ambiance.

## Où manger à Miami ville ?

### DANS LE DOWNTOWN

Si on déconseille de dormir dans le Downtown, voici quand même une adresse qui mérite vraiment le déplacement.
• ***East Coast Fisheries :*** 360 W Flagler Street (plan Downtown A3). ☎ 373-5514. Dans une vieille bâtisse blanche difficile à trouver. Au bord de la Miami River (côté Downtown ; ne pas franchir le pont). Ouvert tous les jours de 11 h à 22 h (22 h 30 en fin de semaine). Y aller en voiture ou en taxi (évitez les transports en commun car le quartier est trop zonard le soir). On y mange les meilleurs poissons et crustacés de Miami. Les chicanos et intellos branchés s'y côtoient dans la plus parfaite harmonie. Carte impressionnante. Difficile de manger une langouste à meilleur prix en Floride. Goûter au *cebiche peruano* (poisson cru au citron et aux oignons).

### DANS LE QUARTIER DE CORAL GABLES

• ***Canton Too :*** 2614 Ponde de Leon Blvd. ☎ 448-3736. On ne vient pas ici exprès mais on peut y faire halte, après une balade dans ce quartier résidentiel et surtout après un plongeon dans l'étonnante Venitian Pool. Ce chinois a acquis une incroyable réputation à Miami. Hyper bon marché et portions géantes. Le *honey chicken* par exemple est servi pour 4 ou 5 et ne coûte que quelques petits dollars. L'autre spécialité est le *cantonese steak*, capable de nourrir 4 personnes.

## Où boire un verre ?

– ***News Café :*** 800 Ocean Drive. Ouvert jusqu'à 2 h, et 24 h sur 24 du vendredi au dimanche. Très frime, un peu parisien avec ses serveuses un rien revêches. Pas bien pour y manger mais on y prend un verre et on frime un peu, après la plage.
– ***Cleveland Bar :*** 1020 Ocean Drive. Fort apprécié des jeunes.
– Tout le long de Ocean Drive, nombreux bars sympa, ouverts sur la rue, où l'on regarde passer tous ceux qui font la scène de Miami Beach.

## Où guincher ?

La plupart des boîtes branchées se trouvent dans le quartier Art déco, tout le long de Washington Avenue.

– ***Industry :*** sur Washington Avenue. Le club des 18-21 ans. Musique industrielle, dure comme l'époque. On y passe aussi de la musique maison (House Music). Écrans, lasers et tout le tra-la-la.
– ***Club Nu :*** sur 22nd Street, au niveau de Collins Avenue. Un des plus fameux de la ville. Certains soirs, gratuit pour les filles.

## A voir

### *A MIAMI BEACH*

▶ ***Art Deco District :*** à Miami Beach, surtout entre 6th Street et 15th Street. Les édifices les plus représentatifs sont situés sur Ocean Drive, Collins Avenue et Washington Avenue. Style créé en 1925, lors de l'Exposition de Paris, alliant modernisme et exotisme subtropical. Certains immeubles sont déjà même les précurseurs du style années 50. Tous furent édifiés entre 1923 et 1943. Miami Beach est le seul endroit au monde qui rassemble autant d'immeubles de ce style. La Commission des sites historiques en a classé plus de 800 ! Des promoteurs courageux se sont regroupés depuis 1976 dans la « Miami Design Preservation League ». Cette association, grâce à des aides fiscales et des crédits indicatifs, a investi dans la rénovation de ces façades aux formes arrondies, aux stucs blancs qui alternent avec toutes les teintes des *ice-creams*, aux néons étincelants. A l'intérieur, les marbres côtoient les céramiques aux couleurs pastel.
Le qualificatif « Art deco » ne fut donné que très tard à cet ensemble. Ce n'est qu'en 1968, alors que personne ne s'intéressait à ce quartier délabré, qu'on découvrit que le style se rapprochait du style européen du même nom, mais en plus simple, plus dépouillé et avec des variantes. D'ailleurs à l'intérieur de cette définition, plusieurs « sous-styles » se dégagent : Mediterranean Revival, Zigzag Moderne, Streamline et Depression Moderne. Le caractère unique de ce quartier réside dans sa cohérence et sa grandeur. Il en résulte un véritable plaisir pour les yeux. Les architectes sont parvenus à tirer le maximum d'un même style.
L'histoire de ce quartier débute en fait avec l'ouragan de 1926 qui avait mis à bas la majorité des maisons et édifices peu résistants de ce coin de Miami Beach. Tout fut donc rebâti à la même époque, dans un style très en vogue. Après une première vie et une première mort, l'Art Deco District renoue aujourd'hui avec son passé prestigieux. D'ailleurs, la plupart des hôtels que nous avons sélectionnés sont situés dans ce quartier, et la plage est juste en face. Devenu « The » quartier à la mode, vous aurez sans doute la chance, en vous baladant entre 8 h et 10 h, de voir les plus belles filles du monde et les plus beaux gars déambuler devant les façades couleur *ice-cream*. Certains jours, c'est un véritable défilé ! Bref, le grand rendez-vous de la frime internationale. Tous les édifices qui n'ont pas encore été rénovés et transformés en hôtels accueillent encore des vieux ou des vieillards qui viennent ici passer l'hiver. Mélange curieux, juxtaposition cocasse, passage instantané entre la frime, l'insouciance la plus totale et la dure réalité de la marque du temps. C'est tout cela qui donne son caractère à Ocean Drive.

▸ ***Bass Museum :*** 2121 Park Avenue, tout près de Collins Avenue et de 21th Street. ☎ 673-7530. Ouvert de 10 h à 17 h du mardi au samedi et à partir de 13 h le dimanche. Fermé le lundi. Payant. Joli petit musée que l'on visite quand le ciel est gris. Sympathique et sans prétention, il présente des collections de peintures du XIVe au XIXe siècle et des expos temporaires. Entre deux pâtés de sable, un peu de culture ne vous fera pas de mal.

## A MIAMI VILLE

▸ ***Bayside Marketplace :*** à la hauteur de Flagler Street et en bord de mer (plan Downtown B3), sur Biscayne Blvd. Important centre commercial ouvert aux quatre vents, construit pour la clientèle des énormes bateaux de croisière qui desservent les Caraïbes. Touristique mais animé en fin d'après-midi avec des mimes et des concerts amateurs. Boutiques assez luxueuses. Au 1er étage, nombreux petits restos assez abordables et de cuisines très variées. L'exemple type de l'animation « fabriquée » d'un centre ville le soir. Tentative réussie de redonner vie au Downtown qui a depuis longtemps perdu son âme. Ambiance familiale.
A proximité, on peut apercevoir les plus beaux paquebots du monde dont le *Norway* (ex-*France*, snif !... une mine d'or ici mais un gouffre financier en France) et le plus moderne, le *Sovereign of the Seas*, construit à Saint-Nazaire. Le meilleur endroit pour les admirer est la McArthur Causeway (US 41), route qui part du Downtown pour rejoindre Miami Beach.

▸ ***Villa Vizcaya :*** 3251 S Miami Avenue, au sud de la ville. ☎ 579-2708 (plan Downtown au sud de B3). Prendre le bus 1 ou le Metrorail jusqu'à la station Vizcaya. Ouvert tous les jours de 9 h 30 à 16 h 30. Mais le parc est ouvert jusqu'à 17 h 30. Dernier tour guidé à 15 h. Visite guidée du rez-de-chaussée, puis visite libre. Demander un plan en français. Bien fait et utile. Pas de réductions étudiants.
Perdue dans une jungle dense, cette superbe villa fut construite en 1912 par James Deering, le célèbre fabricant de machines agricoles. De style Renaissance italienne comme on en voit du côté de Florence. Dans le genre, peut-être la plus belle demeure privée des États-Unis. Plus de mille ouvriers y travaillèrent à l'époque où Miami comptait moins de 10 000 habitants... Les tuiles, fabriquées à la main, viennent de Cuba. Décoration des pièces en Renaissance, baroque et rococo. Ameublement hyper raffiné, choisi par un Français ayant particulièrement bon goût. D'ailleurs, tout est venu d'Europe. L'intérieur de la villa est une oasis de fraîcheur et de beauté. Des fresques de la Rome antique décorent le tea-room. Ce qui étonne, c'est la cohérence de l'ensemble malgré la diversité des provenances et le mariage des styles.
Dans le Renaissance Hall, une superbe cheminée du XVIe siècle, démontée d'un château français (dans cette pièce, Reagan et Jean-Paul II se réunirent en 1987 pour un entretien privé). Pour sa chambre personnelle, le patron choisit le style Empire et le tapis est d'Aubusson. Les robinets de sa baignoire sont en or et distribuent aussi de l'eau de mer. Les Bretons bretonnants seront contents d'apprendre que le milliardaire mangeait dans la très belle faïence de Quimper (gast !). Suivent d'autres pièces d'un grand raffinement.
Ne manquez pas de vous balader dans le parc extraordinaire qui rappelle étrangement celui de la Villa d'Este : fontaines, bosquets luxuriants, statues. Une balade irréelle à deux pas du Downtown et de sa misère. De l'autre côté des jardins, voir la piscine mi-couverte, mi-extérieure. A côté, une cafétéria avec sandwiches et boissons chaudes.
Au bord du rivage, en guise de ponton, un étonnant bateau de pierre, en train de couler (ça, ils l'ont copié sur la piazza di Spagna à Rome). On le dit tout net, impossible de visiter Miami et d'oublier la Vizcaya.

▸ ***Science Museum :*** 3280 South Miami Avenue. Juste en face de la villa Vizcaya. Ouvert tous les jours de 10 h à 18 h. Mais on ne voit pas pourquoi on vous donne les horaires, vu la nullité de l'endroit. Une sorte de palais de la Découverte encore plus poussiéreux que le nôtre.

▸ ***Key Biscayne :*** l'île la plus au sud dans la baie. On y accède en continuant la route qui conduit au Seaquarium. Une île luxueuse où les milliardaires se retrouvent dans leurs villas ou les restaurants de luxe. Tout au bout de l'île, un parc national qui a su préserver une forêt dense d'eucalyptus et une grande plage de sable près du *lighthouse*. A proximité de ce phare, une petite cafétéria où l'on sert boissons fraîches et quelques plats abordables. Tout autour, des dizaines de tables en bois pour pique-niquer. Location de vélos, de B-B-Q et de parasols. Idéal pour y passer un après-midi, à condition d'éviter les week-ends.

▸ ***Seaquarium :*** à Key Biscayne, une île en face de Miami Beach. On peut y aller en voiture (emprunter la Rickenbacker Causeway) ou bus B. ☎ 361-5703. Entrée possible de 9 h à 16 h 30, mais le Seaquarium est ouvert jusqu'à 18 h. Intéressant surtout pour les enfants à condition de demander à l'entrée les horaires des shows. Comme d'habitude, spectacle de Flipper le Dauphin (ou plutôt son arrière petit-enfant), Killer Whales, et tutti quanti. Excellents shows. Si vous n'avez pas encore vu ce type de parcs aquatiques, c'est le moment ou jamais. Parcs à requins également.

▸ ***Le quartier de Coconut Grove :*** tout au sud de la ville. Du Downtown, bus 1 ou Métrorail. Quartier à la mode qui est passé en quelques années de l'atmosphère bohème à l'ambiance hautement commerciale. La frime et le fric ont tout envahi. Ce n'est plus que boutiques chic et restos chers.

▸ ***Venitian Pool :*** dans le quartier de Coral Gables, secteur hautement résidentiel. Au coin de Almeria Avenue et de De Soto Blvd. Ouverte tous les jours, sauf le lundi.
Tout ce coin peut fait l'objet d'une balade en voiture. Chaque rue est bordée de demeures époustouflantes de richesses. La Venitian Pool est une ancienne carrière dont les pierres ont précisément servi à construire les bâtisses qui l'entourent dans les années 20. En 1924, l'oncle de Coral Gables, architecte de son état, eut l'idée de transformer ce grand trou en piscine qui aurait l'aspect d'une sorte de lagon semi-naturel, avec plagette de sable, escaliers dans la roche, grottes, pont des soupirs, passages, etc., le tout dans le style vénitien. Le résultat est assez extraordinaire. On conseille vivement de venir passer quelques heures dans cet univers original, quand vous en aurez assez de l'eau salée. Et comme la piscine ça creuse, pourquoi ne pas aller dévorer un « Honey chicken » au resto Canto Too (voir « Où manger ? »).

▸ ***Little Havana :*** dans le sud-ouest de Miami, assez loin du centre. Sur SW 8th Street (calle Ocho), le cœur du quartier (plan Downtown au sud de A3). La révolution castriste de 1959 a créé une énorme migration de réfugiés. En effet, une loi fédérale américaine garantit l'asile politique à tous ceux qui fuient un régime communiste. On entend l'espagnol partout. On voit même, sur certaines portes de magasins, une affichette : « Ici on parle anglais ». La presse espagnole est vendue dans des cafés où des Cubains barbus fomentent une nouvelle révolution. Les numéros gagnants de la *bolita* (loterie aux chiffres) sont affichés sur les murs des épiceries. Dans ce quartier, vous avez quitté Miami. Vous avez quitté les États-Unis. Vous êtes à La Havane. Cela dit, pas vraiment spectaculaire, car, à part les inscriptions en espagnol et le teint basané, l'architecture du quartier n'a rien de bien étonnant.
Voici quand même les endroits les plus intéressants de Little Havana :
– *Maximo Gomez Park :* 1444 SW 8th Street. Minuscule endroit en plein air où les Cubains se réunissent pour jouer aux dominos.
– *Almacenes Gonzales* (2610 SW 8th Street) et *Almacen España* (751 SW 8 th Street). Ouvert de 9 h 30 à 18 h. Fermé le week-end. Deux magasins d'articles religieux vendant d'immenses statues de saints, de vierges. Kitsch en diable.
– *El Credito :* 1106 SW 8th Street. ☎ 858-4162. Une grande fabrique de cigares cubains. On peut y voir les ouvriers rouler les feuilles de tabac à la main.
– *Le musée de la Culture cubaine :* 1300 SW 12th Avenue. Ouvert de 10 h à 17 h du lundi au vendredi. Quelques travaux d'artistes cubains et une petite collection historique sur Cuba.
– *Le musée du Débarquement de la baie des Cochons :* 1821 SW 9th Street. Ouvert du lundi au vendredi de 10 h à 17 h et le samedi jusqu'à 14 h. Une salle unique retrace par quelques modestes documents et articles de journaux la tentative manquée de reconquête de Cuba en 1961 par John F. Kennedy. N'intéressera que les révolutionnaires ou ceux qui font une thèse sur le sujet.

## Aux environs

Ces attractions situées au sud de Miami n'ont pas toutes le même intérêt. Nous les citons en allant dans l'ordre, du nord vers le sud. En fonction de votre attirance, vous visiterez l'un ou l'autre de ces parcs. Ils sont tous assez chers (plus ou moins 10 $).

▸ ***Parrot Jungle :*** 11000 SW 57th Avenue (Red Road). ☎ 666-7834. A 11 miles au sud du Downtown, sur la route des Keys. Accès possible de 9 h 30 à 17 h, tous les jours. Ferme à 18 h. Grand jardin tropical avec un tas de petits chemins qui s'enfoncent dans la jungle. Bien entendu, des centaines de perroquets de toutes les couleurs et de tous pays. Ne manquez pas le curieux arbre à saucisses et surtout les ficus Altissima géants : certaines branches se dirigent vers la terre pour former de nouveaux troncs d'arbres. Plus loin, un jardin avec de nombreuses variétés de cactus. Pas très loin, un immense parc anglais avec une pièce d'eau où les flamants roses, hautains, viennent patauger. Toutes les 90 mn, spectacle de perroquets dressés. Show bien rodé avec des numéros parfois rigolos. Aux États-Unis, on retrouve vite son âme de gamin. Et puis aussi des alligators.

▸ ***Metro Zoo :*** 12400 SW 152nd Street. ☎ 251-0400. Ouvert de 9 h 30 à 17 h 30, tous les jours. Guichet fermé à 16 h. Un bien beau zoo, vaste, entretenu, et qui possède peu de cages. Pratiquement tous les animaux sont installés dans de vastes espaces entourés d'un fossé qu'ils ne peuvent franchir. On y voit quelques animaux rares comme des koalas, et surtout une paire de tigres blancs absolument superbes. Un monorail permet de rallier les différents secteurs du zoo. Chouette balade pour les enfants... comme pour les parents.

▸ ***Monkey Jungle :*** 14805 SW 216 Street (au niveau de 147th Avenue). ☎ 235-1611. Ouvert de 9 h 30 à 17 h. A 35 km au sud de Miami. Ces singes furent amenés en Floride pour le tournage d'un « Tarzan », avec Johnny Weissmuller. Le coin leur a plu et ils y ont élu domicile. La publicité affirme que les singes sont libres tandis que les hommes sont en cage. C'est presque vrai. On longe une passerelle encagée avec les singes tout autour. Spécimens de toute beauté. Plusieurs shows.

▸ ***Orchid Jungle :*** 2 km après Goulds (SW 157th Avenue). ☎ 247-4824. Ouvert de 8 h 30 à 17 h 30. Un magnifique jardin d'orchidées avec des milliers de variétés provenant du monde entier. Un avantage : il y en a toujours en fleurs quelle que soit la saison. On traverse une grande et belle serre. Possibilité d'acheter des plants. Intéressera surtout les amoureux des plantes.

## Quitter Miami

– ***Bus pour Key West :*** par Greyhound. Plusieurs départs tous les jours. Voir « Adresses utiles ».
– Une récente ligne de chemin de fer relie Miami à ***Fort Lauderdale*** (en 1 h) et ***Palm Beach*** (en 1 h 40). Elle s'appelle le TRI-RAIL et est directement reliée au réseau du métro de Miami. Environ 10 fois par jour. ☎ 1-800-TRI-RAIL.

# EVERGLADES NATIONAL PARK

Les Everglades sont ce qui reste, au sud, d'une région de marais et de prés salés qui recouvraient à l'origine un tiers de la presqu'île de Floride. La faune et la flore déjà tropicales, particulièrement riches, les paysages exotiques et le caractère sauvage de cette contrée encore largement vierge, et donc difficilement accessible, lui confèrent un certain charme.
Intéressant, même si la platitude du sol le rend assez monotone.
Les Indiens Séminoles sont les seuls habitants de cette contrée inhospitalière. A la fin du siècle dernier, les Blancs commencèrent une guerre impitoyable contre eux. La plupart furent massacrés. Seulement 200 survivants purent fuir et se réfugier dans les marais des Everglades. Les Séminoles n'ont toujours pas signé de traité de paix. Le fils du chef s'occupe d'un orchestre local. La tribu vit de la vente de souvenirs et d'un gigantesque jeu de bingo (les jeux sont interdits en Floride mais les réserves indiennes ne font pas partie de l'État).
Chaque année, pendant la dernière semaine de décembre, grande fête au *Tamiami Trail* pendant une semaine. Des Indiens de toutes les tribus américaines s'y retrouvent : Sioux, Séminoles, Apaches et même Aztèques du Mexique. Défilés, danses rituelles, chants de guerre... mieux qu'au cinéma !

Pendant les mois d'été, en général chauds et humides, il est indispensable de se protéger contre les moustiques et autres insectes. Il nous paraît nécessaire de préciser qu'ils sont insupportables. Et même les autres mois de l'année, un produit anti-moustiques est vivement conseillé.

## Comment y aller ?

– Avion, chemin de fer et autocar jusqu'à Miami. De là, 56 km vers le sud-ouest par Homestead jusqu'à l'entrée principale, sur le côté est (excursions organisées seulement, en partie par voie d'eau, au départ de Miami par *Grayline* ; pas de liaisons régulières). Entrées secondaires près d'Everglades City au nord-ouest, et par voie d'eau près de Flamingo au sud.
– ***En voiture :*** de Miami prendre la US1 jusqu'au sud d'Homestead. Puis un panneau sur la droite indique le parc. Près du carrefour où se croisent la US1 et la 27 (celle qui va vers le parc), on trouve un camping : le ***Florida City Campersite*** (601 NW 3rd Avenue, ☎ 248-7889). C'est le plus proche de l'entrée nord du parc. Gratuit mais peu d'ombre. Valable seulement si vous arrivez tard dans le secteur et que vous voulez visiter les Everglades le lendemain matin.

● Toujours au coin des routes US1 et 27, celle qui va vers le parc, prendre son petit déjeuner au ***Angie's Place*** (situé sur la US1, juste après le carrefour, sur le

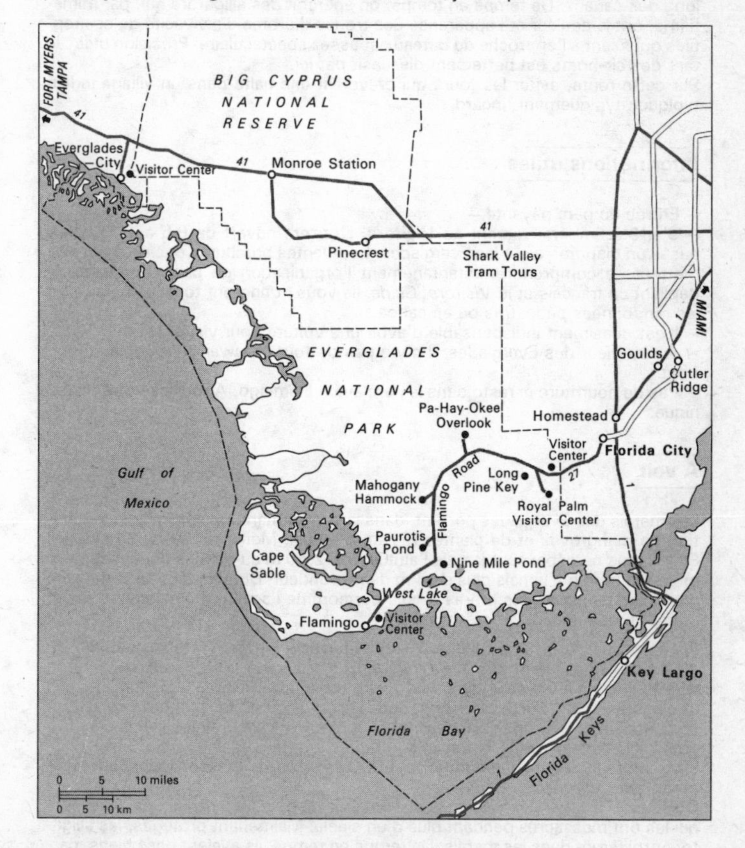


Everglades National Park

côté droit). Maisonnette toute rose qui sert de copieux petits déjeuners. Goûter l'omelette espagnole. Une bonne manière de se mettre en forme avant d'explorer les Everglades, dont l'entrée est située à 9 miles de là.

## A faire sur la route des Everglades

– ***Tour en air-boat :*** après avoir laissé la US1 pour vous diriger vers l'entrée du parc, à environ 2 miles, des pancartes un peu pourries indiquent « Air-Boat Tour ». ☎ 247-2628. Chouette tour sur les canaux et les méandres de cette contrée particulière. L'air-boat, bateau unique en son genre, est mû par une hélice d'avion qui brasse l'air et propulse à vive allure cette barque à fond totalement plat, ce qui permet de passer sur des surfaces de boues et de glisser littéralement quand il n'y a pas assez d'eau. Expérience originale, mais pas donnée. C'est l'unique endroit au sud du parc où l'on peut faire un tour en *air-boat*. Durée 30 mn. On visite par la même occasion une ferme aux crocodiles, où sont élevés plusieurs centaines d'alligators. A 3-4 ans, la bête est prête pour être tuée. Sa peau se transforme en sacs pour vous mesdames, en ceintures pour vous messieurs, et sa chair fait d'excellents steaks pour tout le monde !
Il est aussi possible de faire un tour en *air-boat* au nord du parc, le long de la US41. Là, des Indiens Séminoles proposent des balades où l'on s'enfonce le long des canaux. De temps en temps, on aperçoit des alligators qui, par mimétisme, ont la couleur et l'apparence des troncs d'arbres. La vivacité de ces reptiles qui fuient à l'approche du bateau est assez spectaculaire. Précision utile : le tarif des air-boats est nettement dissuasif par ici.
Sur cette route, éviter les tours qui prévoient une halte dans un village indien typique : typiquement ringard.

## Informations utiles

– Entrée du parc payante.
– S'arrêter impérativement au ***Visitors' Center :*** ouvert de 8 h à 17 h. On y passe un diaporama sur les Everglades. Excellentes brochures et cartes qui permettent de comprendre instantanément l'organisation du parc. Demander le dépliant en français et le *Visitors' Guide*. Ils vous donneront tous les tuyaux sur les randonnées pédestres ou en canoë.
– Il est quasiment indispensable d'avoir une voiture pour visiter le parc.
– A l'intérieur des Everglades, il n'y a pas de tour en *swamp-boogy* ni en *air-boat*.
– Pas de nourriture ni resto dans le parc avant Flamingo. Apportez votre pique-nique.

## A voir

Les marais des Everglades portent, dans la zone côtière, une étonnante végétation de mangroves et de plantes résistant au sel. Moitié terre, moitié eau, les Everglades ne dépassent jamais l'altitude de 2,50 m au-dessus du niveau de la mer et le fond n'a jamais plus de 4 m de profondeur. Dominant cette immensité marécageuse, quelques arbres à bois dur comme l'acajou. Par moment, on se croirait presque dans la forêt vierge.

▸ ***La faune :*** certains animaux sont particulièrement remarquables ou d'espèces rares. Parmi les *mammifères*, on trouve le puma, le lynx, le raton laveur, la sarigue (le seul marsupial vivant aux États-Unis), le lamantin sauvage atteignant jusqu'à 3,70 m de long, dans les baies du golfe. Nombreux *oiseaux* : flamants, ibis, pélicans (blanc et brun), spatules roses, aigles pêcheurs, frégates. Quelques gentils *batraciens :* crapauds-buffles, salamandres. Les *poissons :* la faune aquatique comporte 1 000 espèces de poissons ainsi que d'innombrables crustacés.
C'est aussi le pays des *alligators*, qui ont failli disparaître à cause des chasseurs qui les ont massacrés pendant plus d'un siècle. Maintenant protégés, les alligators prolifèrent dans les marais. De temps en temps, ils avalent des chiens, parfois... des enfants. L'alligator hiberne en hiver et peut survivre plusieurs mois

sans manger. Quand il s'enfonce dans les marais, des clapets empêchent l'eau de pénétrer dans les oreilles et la gorge. Enfin, il est très prolifique. Comme c'est un animal à sang froid, la chaleur extérieure est nécessaire pour accélérer les fonctions de l'organisme. Voilà pourquoi l'alligator ne copule que de jour et au soleil. Bonjour l'intimité !

▸ ***Endroits intéressants :***
Il existe plusieurs petits circuits de balades mais qui s'enfoncent peu profondément dans le parc.
Pour les pressés, allez au *Royal Visitors' Center*, à 3 km à l'ouest du Visitors' Center, sur la route principale. Là, deux pistes d'environ 1 mile chacune conduisent dans des paysages très sauvages : *El Anhinga Trail*, intéressant surtout pour ses marais peuplés d'oiseaux et (parfois) d'alligators. A côté, le *Gumbo Limbo Trail* s'enfonce dans une jungle très dense. Ces deux circuits s'effectuent à pied et sont gratuits. 3 km plus loin, le *Long Pine Key* possède un camping vite complet et une aire de pique-nique.
En reprenant la route principale, sur la droite, ***Pinelands***, balade de 10 mn à travers une forêt de pins. Plus loin encore, le ***Pa-hay-okee Overlook***, une plateforme surélevée d'où l'on peut observer les environs. Toujours en allant vers Flamingo, on rencontre le *Mahogany Hammock Trail*. Chemin à travers une petite jungle. On peut y voir le plus gros acajou des États-Unis. Arrivé à ce point-là du parc, nous ne conseillons pas de poursuivre jusqu'à Flamingo, situé à la pointe sud. Flamingo n'est pas un village, mais une sorte de base d'activités. On y trouve une petite marina, un camping, un hôtel, un resto, une location de vélos et de canoës, un poste à essence et un « boat cruise » (tour en bateau). Ça ne vaut pas vraiment le coup de venir par ici, sauf si vous souhaitez passer la nuit au *camping* (pas cher et peu ombragé). Si vous comptez camper, laissez votre véhicule sur le parking extérieur au camping, vous économiserez quelques dollars. L'été, les moustiques sont vraiment insupportables. L'hôtel est hors de prix, mais il dispose d'une petite piscine ouvert à tous, même aux non-résidants. Gratuit. Resto pas mal à l'étage. Cafétéria-pizzeria au rez-de-chaussée. Louer un canoë est une bonne idée... Chouettes balades dans le coin. Un dernier conseil : évitez le tour en bateau. Nullissime.

## LES KEYS — IND. TÉL. : 305

Chaîne d'îles et d'îlots de corail sur près de 175 km. Jusqu'en 1926, une voie ferrée, édifiée par Flagler, menait jusqu'à Key West. Un cyclone la mit à bas et elle ne fut pas reconstruite. Une route fantastique relie maintenant les différentes îles. Pour arriver à celle de *Bahia Honda*, elle flotte littéralement sur les eaux d'un bleu turquoise, sur près de 7 miles. Pas moins de 40 ponts pour arriver à Key West. M. Greyhound vous y emmène. Compter 5 h de bus pour atteindre Key West. La saison touristique va du 1er décembre au 15 avril environ, beaucoup de monde à cette période et les prix grimpent.
La key la plus intéressante est évidemment *Key West*, bien qu'une halte s'impose à Key Largo, ne serait-ce que pour envoyer une carte postale aux copains. Il est bon de savoir que les keys n'ont pas de plages naturelles. Les seules qui existent sont artificielles, notamment à Key West.

### Info utile pour les keys

La route des keys étant longue, il n'y a pas véritablement d'adresses avec des noms de rues. Les points de repères sont donnés en terme de borne kilométrique (ou plutôt en miles), appelé Mile Marker (MM). Le premier est le MM 105 au nord de Key Largo et le dernier est le MM 0, à Key West. Ces chiffres sont matérialisés tout le long de la route par de petits panneaux verts. Quand nous indiquons une adresse à droite ou à gauche de la route, c'est toujours par rapport à une direction nord-sud.

### *KEY LARGO*

La première des keys est l'une des plus célèbres grâce au film avec Bogart, qui fut bien entendu tourné à Hollywood. Key Largo n'est pas la plus belle des Keys. L'île s'étire sur près de 50 km et est traversée par une route à double voie pas bien charmante. Le seul truc vraiment intéressant à faire par ici est la balade en bateau jusqu'à la barrière de corail pour explorer les fonds avec masque et tuba. Cela dit, on peut faire la même chose à Key West, c'est même un peu moins cher.

## Adresses utiles

– ***Chamber of Commerce :*** *Visitors' Center.* MM 103,4. Dans une sorte de Shopping Center. ☎ 451-1414. Ouvert du lundi au vendredi de 9 h à 17 h l'été et jusqu'à 15 h le dimanche.
– ***Post-Office :*** MM 100.

## Où dormir ?

La seule raison de passer la nuit à Key Largo est de faire la balade qui mène vers Key West de jour. Et c'est une très bonne raison.

### Campings

■ ***Glens Trailers Park :*** MM 101,6. Sur le côté droit. ☎ 451-2911. Peut-être le plus ripou, mais assurément le moins cher de tous. Douche chaude, machine à laver... Pleins de *trailers,* vu que 90 % des gens vivent ici à l'année. Atmosphère entassée.
■ ***Calusa Camp Resort :*** MM 101,5. Sur le côté droit. ☎ 451-0232. Bien ombragé, cher et tout équipé (tennis, piscine, machine à laver, calme...).
■ Le camping du *John Penne Kamp Coral Reef State Park* est hyper cher pour ce que c'est. A éviter.

### Les hôtels, prix modérés

■ ***Hungry Pelican Motel :*** MM 99,5. Sur la droite de la route. ☎ 451-3576. Modeste et pas cher. Chambres autour d'un jardin en état comateux. Pas de piscine.

### Plus chic

■ ***Sunset Cove Motel :*** MM 99,5. ☎ 451-0705. Un adorable endroit composé d'une dizaine de bungalows fort bien tenus par une charmante dame, une amoureuse des oiseaux. Elle soigne les hérons et les pélicans blessés, puis elle les nourrit deux fois par jour. Ami des bêtes, vous êtes arrivé. Atmosphère cool, vraiment familiale. Chambres agréables. Ponton face à la mer, avec à la disposition des clients, des bateaux à rames, planches à voile, canoë, pédalos. Pour se relaxer, deux superbes fauteuils-deux places, suspendus et en rotin. L'idéal pour un cocktail en amoureux. Notre meilleure adresse dans cette catégorie. Conseillé de réserver.

## Où manger ?

### Pas cher

● ***Mrs Mac's Kitchen :*** MM 99,4. Sur le côté droit de la route. Fermé le dimanche. Grand bar avec tabourets alignés où l'on déguste pour quelques dollars un bon gros burger, un *meat-loaf,* un *stew* ou simplement une *clam chowder.*
● ***Italian Fischer Man :*** MM 104. On prend son repas au soleil sur un grand deck de bois, face à l'eau, seulement dérangé par les mouettes et les autres oiseaux qui essaient de partager votre repas. Attention, ces bestioles sont très voraces. Bien pour prendre un verre ou pour un copieux plat de pâtes (leur spécialité). Sandwiches moyens.

### Prix moyens

■ ***The Fish House :*** MM 102,4. ☎ 451-4665. Ouvert de 11 h 30 à 22 h tous les jours. On a un faible pour ce resto décontracté, où les poissons sont préparés avec amour et réussite. Pinces de crabes, langoustes, et poisson du golfe. Recettes raffinées, prix honnêtes, service de qualité. Seul hic : les desserts.

## Où danser ?

– ***Coconut :*** MM 100, juste derrière l'hôtel Holiday Inn. Le club où tout le monde se retrouve. Populaire.

## A faire

▸ ***John Pennekamp Coral Reef State Park :*** c'est le seul parc sous-marin du pays. Payant. On peut visiter la barrière de corail de deux façons. En *glass bottom boat* (bateau à fond de verre) ou en *snorkeling* (plongée avec masque et tuba). Plusieurs agences proposent leurs services tout le long de l'île. Elles se valent toutes, vu qu'elles vont toutes à peu près plonger au même endroit. Leurs prix sont voisins, à un ou deux dollars près. On déconseille le bateau à fond de verre, à moins que votre maman vous ait interdit de vous baigner à moins de trois heures de votre dernier repas. On ne voit rien et c'est frustrant de contempler une eau si belle sans pouvoir y plonger.
– A l'intérieur du parc, à la marina, une compagnie propose un *tour* de 3 h avec masque et tuba. Réservations : ☎ 451-1621. Départs à 9 h, 13 h et 15 h. Le tour de 9 h est de loin le meilleur (moins de monde, meilleure lumière et on est plus en forme). Vaut vraiment le coup. Assez cher mais matériel fourni, contrairement aux autres compagnies. Propose aussi de la plongée avec bouteilles, et de la location de bateaux, notamment des petits skifs sympa. Une bonne idée pour explorer la mangrove. Non loin de la marina, plagette artificielle.

### *ISLAMORADA*

▸ ***Theater of the Sea :*** MM 84. Sur la gauche de la route. ☎ 664-2431. Guichet ouvert de 9 h 30 à 16 h. Ferme vers 17 h-17 h 30. Cet endroit n'est pas un parc de loisirs aquatiques supplémentaire. Dans un vaste lagon presque naturel on élève des dauphins, on les dresse et on présente des tours, tout en expliquant au public les méthodes de dressage de ces animaux. Le public a le sentiment d'entrer dans les coulisses du spectacle. Des moniteurs expliquent quelques principes de dressage et les dauphins évoluent dans un espace ouvert et spacieux. Rien à voir avec les habituels Seaquariums.
Tiens ! Saviez-vous que les mammifères marins en captivité vivent deux fois moins longtemps que les autres ? La plupart (sauf ici) vivent dans une eau de mer artificielle, bourrée de chlore et autres détergents qui abîment l'animal et le fragilisent. Il y a aussi l'inactivité (malgré les shows) qui joue sur le comportement de l'animal. Quand on sait qu'un dauphin est capable de parcourir 120 km par jour dans son milieu naturel, comptez le nombre de tours de bassin qu'il lui faudrait entreprendre.
Dernier point, les bestioles dépriment. Bien sûr le dauphin semble toujours avoir le sourire aux lèvres, c'est ce qui le rend si sympathique. Il aurait pourtant de quoi faire la gueule. Chasseur dans l'âme, il se retrouve nourri, logé, mais privé de sa possibilité de parcourir les océans. Le dauphin est le mammifère marin qui possède le plus grand nombre de dents : on se demande ce qu'il attend pour mordre ! Bon, pour finir sur une note moins triste, sachez que le Theater of the Sea organise des séances de nage avec les dauphins, ouvertes au public. Prix absolument prohibitif mais expérience exceptionnelle évidemment. Réserver plusieurs semaines à l'avance. Séance de 30 mn.

### *LONG KEY*

L'intérêt d'une halte dans cette île a été longtemps le *Sea World's Shark Institute* à Layton. Il est désormais fermé au public et se consacre uniquement à la recherche.
Long Key possède aussi un parc d'État très bien, au bord de l'eau.

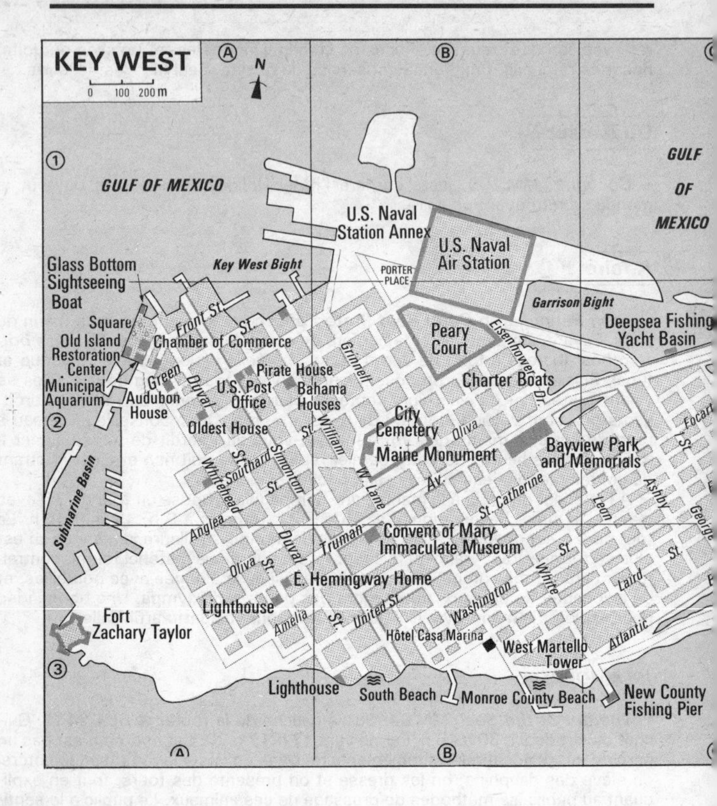


## *KEY WEST*

A 260 km de Miami. A notre avis (mais vous connaissez notre subjectivité légendaire), une des villes américaines les plus fascinantes. Key West (en espagnol *Cayo Huesco*, l'île d'os) ne se trouve qu'à 150 km de Cuba. On l'appelle ici « Conch-land », la terre des Conques, mollusque à la coquille blanche en spirale, qui donne la célèbre « conch chowder ». Les « Conch » désignent aussi les natifs des keys. Étant le point le plus extrême des États-Unis, la ville a été épargnée par le béton et les échangeurs, et a conservé totalement son aspect colonial. Le vélo y a conquis ses lettres de noblesse, et nous ne pouvons que recommander de l'adopter.

Key West fut jadis un nid de pirates malfamé, puis, depuis 1822, une base navale. Les Américains prévoyaient que ça allait bouger à Cuba. Aujourd'hui, le port est plein de bateaux, presque empilés les uns sur les autres. Généralement confisqués après trafic de drogue ou de clandestins cubains.

Hemingway puis Tennessee Williams, en s'y installant, ont beaucoup contribué au lancement de Key West. Truman, quant à lui, y vint onze fois en famille, pendant sa présidence.

Et puis, il y eut le *Duval Club* (aujourd'hui, ***Captain Tony's Saloon***), bistrot à demi-borgne qui disposait d'une arrière-salle qui se transformait le soir en dancing. Le patron n'était pas regardant sur la clientèle, et les putains cubaines étanchaient leur soif tandis que quelques homos draguaient les jeunes marins en permission. Les gays ont toujours été forts pour repérer et lancer les endroits à la mode. Et pour terminer, les Beatles, au cours de leur tournée triomphale aux États-Unis en septembre 1964, vinrent se reposer ici. Key West devint célèbre dans le monde entier.

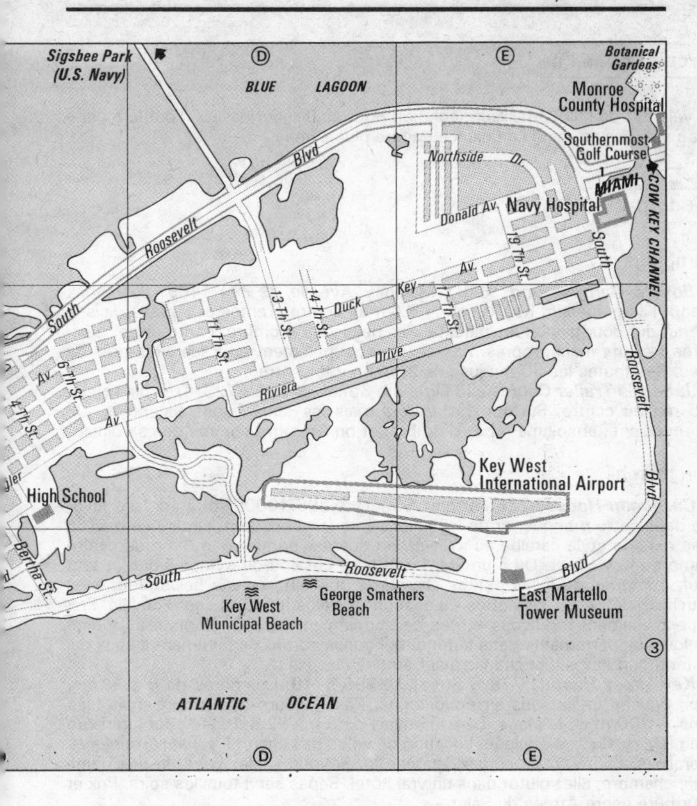


Aujourd'hui, l'île est investie par les gays de même que les artistes, écrivains, marginaux... Ce qui donne l'un des cocktails les plus réjouissants que l'on puisse imaginer. Sous ces climats tropicaux, les soirées sont plus animées et les ivresses plus folles...

## Adresses utiles

– ***Tourist Information :*** 402 Wall Street, sur Old Mallory Square. ☎ 294-5988. Ouvert tous les jours de 8 h 30 à 17 h.
– ***Post-Office :*** 400 Whitehead Street. Près de Duval Street, à la hauteur de Eaton Street. Ouvert du lundi au vendredi de 8 h 30 à 17 h et le samedi jusqu'à 12 h.
– ***Greyhound :*** 615 Duval Street. ☎ 296-9072. Bureau ouvert du lundi au samedi de 7 h à 12 h 45 et de 14 h 30 à 17 h 30. Deux liaisons par jour pour Miami.
– ***Autobus urbains :*** toutes les 15 mn, un bus fait le tour de l'île et de Stock Island, dans chaque sens. Service assuré de 6 h 30 à 22 h. Dernier départ de Mallory Square à 21 h 35.
– ***Location de vélos et de vélomoteurs :*** *Moped Hospital,* 601 Truman Avenue. ☎ 296-3344. Ouvert de 9 h à 17 h tous les jours, même le dimanche. Autre loueur, *Keys Moped and Scooter,* 523 Truman Avenue. ☎ 294-0399. Ouvert tous les jours.
– ***Retrait d'argent liquide :*** *South East Bank,* 422 Front Street. Ouverte de 9 h à 16 h du lundi au jeudi et de 9 h à 18 h le vendredi. Retrait possible avec la plupart des cartes bancaires, au guichet.

## Circuler dans l'île

Le vélo est de loin la meilleure solution pour se balader par ici. Tout le monde est à vélo, ce qui rend l'ambiance encore plus sympa.

## Où dormir ?

### Campings

■ ***Boyd's Campground :*** 6401 Maloney Avenue. ☎ 294-1465. Sur Stock Island, l'île précédant Key West. A 8 km du centre. Tentes acceptées mais le sol est dur pour planter les piquets. Pas beaucoup d'ombre. Petite plage. Sanitaires vieillots mais propres. Prix élevés et supplément pour les sites près de l'eau. Bus toutes les 30 mn jusqu'à 22 h pour le centre.
■ ***Jabour's Trailer Court :*** 223 Elizabeth Street. ☎ 294-5723. Très bien situé, à 5 mn du centre. Surtout des *trailers* mais les tentes sont acceptées. Un inconvénient : absolument pas d'ombre, et on est serré comme des sardines.

### Bon marché

■ ***Carribean House :*** 226 Petronia Street. ☎ 296-1600. Notre adresse favorite dans cette rubrique, et de loin. Norman a fait construire cette jolie maison rose dans le style caraïbe au milieu d'un quartier populaire, à 3 mn du centre animé de Key West. On a un vrai faible pour cet endroit sympathique et tout neuf, composé de jolies petites chambres donnant sur une balustrade, avec douche, T.V., A.C., serviettes... Location de vélos la moins chère de l'île. Prix pour 2 vraiment modiques et pas de supplément pour 3. Norman a arrangé quelques appartements dans le fond, qui conviendront parfaitement à ceux qui restent longtemps. Longue vie à la Carribean House !
■ ***Key West Hostel :*** 778 S Street. ☎ 296-5719. Chambres de 6 à 13 lits, avec douche, mais sans air conditionné. Pas toujours très propre mais bien situé, à 100 m de la plage. Bureau ouvert de 8 h à 22 h. Petite cour intérieure avec tables. Cuisine équipée. Location de vélos pas chère. Il y a aussi quelques chambres d'hôtel, mais on les déconseille. Si vous voulez payer le prix d'une vraie chambre, allez plutôt dans un vrai hôtel. Repas servi tous les soirs. Prix et nourriture genre Armée du Salut.

### Prix moyens

Ne vous faites pas d'illusions, les hôtels sont plus chers qu'ailleurs.

■ ***Key Lime Village :*** 727 Truman Avenue. ☎ 294-6222. On loge dans des bungalows individuels (minuscules), certains avec cuisine, dans un jardin vaguement tropical. Propreté inégale. Piscine.
■ ***Red Rooster Inn :*** 709 Truman Avenue. ☎ 296-6558. De l'extérieur, c'est une jolie maison en bois dans les tons moutarde. L'intérieur se révèle assez vieillot et sans véritable style. Chambres avec A.C. ou ventilo, T.V. et réfrigérateur. Pas de piscine. Moins confortable que le Key Lime Village. Reste un des hébergements les moins onéreux de Key West. On préfère quand même la Carribean House.

### Assez chic

■ ***Seascape :*** 420 Olivia Street. ☎ 296-7776. Jolie maison blanche soignée et coquette, proposant dans un cadre intime 5 chambres impeccables. Les plus belles sont celles donnant sur le *deck* et sur la courette intérieure. Une piscinette ou plutôt une grande baignoire rafraîchit l'atmosphère. On s'y plonge avec délice quand le soleil tape trop fort. Petit déjeuner inclus. Adresse adorable aux prix honorables l'été.
■ ***Southern Cross Hotel :*** 326 Duval Street. ☎ 294-3200. Une des plus vieilles maisons en bois de Key West, en plein centre, un peu bruyant donc. Les chambres 22 et 23 disposent d'une belle terrasse surplombant la rue. Tarifs toutefois un peu élevés à notre avis. Certaines chambres, assez petites, n'ont pas de salle de bains. Pas de piscine.

■ ***Atlantic Shores :*** 510 S Street. ☎ 296-2491. En bord de mer, mais aucune chambre n'a directement vue sur l'eau. Juste à côté du South Beach Ocean Front Motel, mais bien moins cher. En revanche, la piscine et le bar surplombent l'Océan.

### Plus chic

■ ***Chelsea House :*** 707 Truman Avenue. ☎ 296-2211. Superbe maison coloniale magnifiquement restaurée. Les pales dorées tournant au-dessus du lit sont conformes à l'ambiance tropicale. Jolie piscine dans le jardin au fond. Endroit véritablement agréable, convivial et *easy-going*. Une bonne petite adresse à prix raisonnables l'été.
■ ***Cypress House :*** 601 Caroline Street. ☎ 294-6969. Grande maison coloniale de deux étages dans un jardin tropical. Chambres joliment meublées avec de belles salles de bains. Piscine et solarium. Petit déjeuner compris. Au coucher du soleil, cocktail et canapés offerts. Les hétéros sont aussi incongrus que des juifs entrant dans une mosquée.
■ ***South Beach Oceanfront Motel :*** 508 S Street. ☎ 296-5611. L'un des rares hôtels de Key West dont les chambres donnent sur la mer. Grande piscine. Embarcadère privé. Vraiment agréable pour ceux qui ont les moyens. Bien plus cher que les autres, même l'été.
■ ***The Palms of Key West :*** 820 White Street. ☎ 294-3146 ou 1-800-558-9374. Très joli et bon accueil. Maison coloniale en bois avec piscine intérieure découverte. Cocotiers, palmiers, barbecue, et proprio très sympa. Petit déjeuner inclus. Un peu à l'écart du centre, calme.

## Où manger ?

### Bon marché

• ***South Beach Seafood and Raw Bar :*** 1405 Duval Street. ☎ 294-2727. Ouvert de 7 h 30 à 21 h, tous les jours, sans arrêt. Construit sur une petite plage de sable bordée de palmiers et face à la mer. Près de l'AJ. A midi, pour un prix très doux, plein de salades, un plat chaud et plein de desserts. Et le soir buffet, plus cher bien sûr, avec toutes les spécialités du coin (crevettes, crabes...). Extra pour les affamés. Ni vin ni bière. Possibilité également de petit déjeuner, pour les grosses faims.
• ***Conch Café :*** 1211 Duval Street. Ferme à 20 h. Comme son nom l'indique, c'est le café des Conch, c'est-à-dire des locaux, des habitués. Sur la petite terrasse, on prend le petit déjeuner au soleil, en lisant son journal. *Muffins* onctueux et très gros, bon café. L'image même de Key West, cool et fainéante. Pour le midi, salades de pâtes et sandwiches.
• ***El Cacique :*** 125 Duval Street. ☎ 294-4000. Ouvert tous les jours de 8 h à 22 h. Resto cubain au décor un peu triste mais où la cuisine est excellente et les prix modérés. Goûter au *picadillo* (bœuf haché aux herbes avec une sauce piquante) ou à la *palomilla* (steak au citron et à l'ail). Et, pour terminer, un excellent *café cubano*. Les fauchés se contenteront d'un sandwich cubain.

### Prix moyens

• ***Half Shell Raw Bar :*** sur le port, tout au bout de Margaret Street. ☎ 294-7496. Ouvert de 11 h 30 à 22 h 30. Vaste baraque en bois dont la terrasse ouverte surplombe la mer. Spécialisé dans les fruits de mer. Pour manger les produits les plus frais, choisir les « Today's specials » inscrits à la craie sur des tableaux noirs. Essayez notamment les *appachicola oysters* et les *soft shell crab sand*. Le *broiled dolphin* et le *grilled tuna* ne sont pas mal non plus. Ambiance animée le soir, surtout en fin de semaine. Dommage simplement que l'on vous serve dans des assiettes en plastique.
• ***Pepe's :*** 806 Caroline Street. Non loin du port. Décor de bois, cuisine américaine solide, appréciée des locaux. En entrée, pourquoi ne pas se régaler de quelques huîtres « apalachicola », qui proviennent du nord de la Floride ? Par ici les eaux sont trop chaudes pour leur culture. Ils préparent également le poisson avec réussite. Sans mystère ni invention, un bon dîner en perspective.

Plus chic

- ***La Te da :*** le restaurant de l'hôtel Terraza de Marti (voir l'adresse dans « Où dormir ? »). On y vient surtout pour le dîner, qu'on prend à la lueur des bougies au bord de la piscine, dans une ambiance délicieusement intime. L'adresse idéale pour les amoureux de tous bords. Choisir de préférence un plat de poisson, préparé avec autant de sophistication que le cadre le laisse supposer. Cuisine de qualité, tout comme le service. Addition raisonnable vu le niveau.
- ***Thatch Palm Restaurant :*** à Marathon Key, juste avant Key West. 13365 Overseas Highway, MM 54. ☎ 743-4269. Ouvert de 7 h à 21 h sauf vendredi, samedi jusqu'à 22 h et mercredi jusqu'à 17 h 30. Terrasse avec vue sur le golfe du Mexique, petit déjeuner copieux à prix raisonnable. Accueil sympa.

## Où boire un verre ?

– ***Sloppy Joe's :*** 201 Duval Street. Interdit aux moins de 21 ans (contrôle des cartes d'identité). Un classique de Key West. Les vendredi et samedi, c'est bourré à craquer. Une atmosphère spécialement dingue. Possibilité d'y manger d'exquis *tacos* et *enchiladas*. Au mur, une expo sur la vie de Hemingway, l'un des piliers de la maison tout comme Dos Passos ou Sinclair Lewis. Photos, coupures de journaux, la « Une » du *Key West Citizen* annonçant sa mort : « Papa passes... ». Hemingway était un pilier de l'édifice. L'alcool l'aidait à transformer ses aventures en romans. En 1962, on découvrit dans l'arrière-salle le manuscrit de *En avoir ou pas*. Sloopy Joe's est devenu un endroit mythique. Orchestre tous les soirs, surtout country et rock.
– ***Captain Tony's Saloon :*** 428 Greene Street. Ouvert tous les jours jusqu'à 2 h, et 4 h certains soirs. Un autre monument historique de la ville. Le proprio, Tony Tarracino, le maire de la ville, est une grande figure locale et se rendit célèbre en organisant des voyages clandestins à Cuba pour ramener des réfugiés. Il connut la prison et la saisie de son bateau. Les tabourets à l'intérieur sont marqués du nom des postérieurs célèbres qui les ont honorés : Truman Capote, Anthony Quinn, Dustin Hoffman, Tennessee Williams, etc. Fidèles à la tradition américaine, les murs sont recouverts de cartes de visite du monde entier. On y danse, on y chante et on y boit comme il se doit. Billard. Bien entendu, la concurrence entre les deux bars existe depuis des lustres.
– ***Rick's :*** 202 Duval Street, en face de Sloopy Joe's. Un bar moins célèbre mais plus fréquenté par les Conch, ceux qui vivent à Key West. Un avantage : un auvent donnant sur la rue permet de boire dehors, sous la nuit tropicale. *Live band* le soir. Pas mal de gens très *gays* par ici.
– ***The Green Parros :*** 400 Southard Street. Bar style caraïbe, un peu ripou, authentique et sympathique. Groupes reggae le soir. On aime.
– Tout le long de *Duval Street,* nombreux bars toutes tendances confondues.
– Se renseigner sur les *cocktails-parties* que donnent parfois les hôtels, notamment le dimanche soir. Boissons à prix modiques et tous les branchés de l'île s'y donnent rendez-vous.

## A voir

▸ ***Pelican Path :*** circuit historique très bien balisé par de petits pélicans et que l'on peut faire à pied (ou mieux à vélo !) à travers la vieille ville. Vous vous rendrez compte que cette petite ville possède un charme bien particulier. Key West n'a rien à voir avec l'architecture américaine habituelle : pas de rue portant uniquement des numéros. L'immeuble le plus haut n'a que trois étages. Il y a des bancs, des arbres, et les habitants préfèrent la bicyclette à la voiture. Essayez de vous lever tôt, vers 8 h, lorsque la ville est encore assoupie et que le soleil ne frappe pas trop fort. Vous découvrirez ces maisons en bois, de style caraïbe, toutes blanches et impeccablement entretenues ou bien peintes en rose, en bleu ciel. Celle-ci accuse un style victorien, celle-là plutôt un genre Bahamas. Partout vous verrez des bouquets d'hibiscus ou de bougainvillées qui débordent des jardins. Pour faire la visite complète de la ville, on conseille de louer une bicyclette (adresse plus haut).
Allez admirer, au 712 Eaton Street, une superbe maison octogonale rachetée par Calvin Klein pour un million de dollars. Pour en savoir plus sur les plus belles

maisons de Key West, procurez-vous dans les boutiques le journal gratuit *Solares Hill's Walking and Biking Guide.*
Évitez le « Conch Tour Train » ou le « Old Town Trolley » qui ne s'arrêtent que quelques secondes devant l'Audubon's House ou la Hemingway's House.

▸ ***Hemingway's House :*** 907 Whitehead Street (plan A3). Ouverte de 9 h à 17 h. Entrée chère. Réduction pour les enfants. Tour toutes les 10 mn environ. Guides insipides, commentaires sans saveur. Faites plutôt la balade tout seul. Construite en pierre (chose assez rare sur l'île) dans le style colonial espagnol. C'est là qu'Hemingway écrivit ses plus célèbres romans dont « L'Adieu aux armes », mais aussi « Pour qui sonne le glas » et « Les Neiges du Kilimandjaro ». Il y vécut de 1928 à 1940 environ. Les gens de Key West aiment à dire qu'il passa toutes ces années ici, mais c'est faux. Pendant cette période, il fut plus souvent à l'étranger qu'à Key West. La maison fut vendue par sa femme lorsqu'il mourut. Il reste relativement peu de souvenirs vraiment exceptionnels de l'auteur. Quelques meubles, de vieilles photos jaunies et des coupures de journaux. En fait, ce qui compte, c'est l'atmosphère où flotte toujours un peu sa présence, grâce notamment aux descendants des chats aux pattes à six griffes qu'il possédait. La maison est très agréable et baigne dans une magnifique végétation exubérante.
Derrière la maison, visitez le studio où Hemingway avait installé son bureau de travail (l'intérieur est resté en l'état et, sur la table, on voit encore sa vieille machine à écrire et ses ouvrages préférés). En face, la piscine d'eau salée qui fut la première de l'île et que tout le monde venait visiter. A droite de la piscine, une petite fontaine dont la base est l'urinoir de chez Sloppy Joe's. On s'est beaucoup interrogé sur le suicide du célèbre écrivain (juillet 1961). Un rapport secret découvert récemment révèle qu'Hemingway était un agent de la C.I.A. chargé de surveiller Cuba. Atteint de paranoïa, il se croyait persécuté à la fois par les services secrets cubains et par les agents de la C.I.A.

▸ ***Audubon's House :*** au coin de White Head et Greene Street (plan A2). ☎ 294-2116. Ouvert tous les jours de 9 h 30 à 17 h. Cette charmante demeure de style caraïbe porte abusivement le nom de « Audubon's House ». Le célèbre ornithologue ne fit en fait à Key qu'un petit séjour. Né à Haïti en 1785, fils d'un planteur français, il échappa à l'enrôlement militaire de Napoléon en émigrant en Pennsylvanie. Il est connu aux États-Unis pour son observation et ses peintures d'oiseaux. Ses « Birds of America » comprennent 435 gravures dans lesquelles les bestioles sont mises en scène dans leur cadre naturel. Cette demeure appartenait à la famille Geiger (non, pas celle des célèbres compteurs) et Audubon y fit halte. L'intérêt de la visite repose sur la quinzaine de planches originales d'Audubon qui ornent certaines pièces et l'escalier. Le mobilier de style anglais n'est pas d'époque, mais le jardin tropical est joli. Bref, la visite est un peu chère pour le peu de choses qu'on voit concernant notre ami James.

▸ ***Mallory Square :*** l'endroit le plus touristique de l'île avec son aquarium (pas exceptionnel), sa *Cigar Factory*, ses boutiques de t-shirts. Ne manquez pas cet étonnant supermarché du coquillage, installé dans l'ancienne glacière construite en 1848 et qui servait à stocker la glace des icebergs, apportée par bateau spécial. En 1890, elle fut abandonnée, Key West pouvant produire sa propre glace artificielle.
A côté, le tiers de la population se retrouve en bordure de mer pour la « cérémonie » du coucher du soleil. Le long du quai, un tas de cracheurs de feu, musiciens, saltimbanques, vendeurs de pacotilles, artistes méconnus, essaient d'alléger les touristes de quelques dollars. Ambiance naïve et amusante, bon enfant en tout cas, comme savent l'être les Américains.

▸ ***Mel Fisher's Treasure Exhibit :*** 200 Greene Street (plan A2). Ouvert tous les jours de 10 h à 17 h. Vous y verrez les trésors repêchés à bord des deux galions espagnols *Nuestra Señora de Atocha* et *Santa Margarita.*
Un type étonnant, ce Mel Fisher. Créateur de la Treasure Salvors Inc., sa société est la seule au monde dont la raison sociale soit de repêcher les trésors engloutis. Les recherches coûtent des fortunes. Plusieurs fois, il manqua faire faillite. Il n'hésite pas à faire appel à des matériels très sophistiqués : radars, satellites... ou dauphins dressés.
Une fois localisée, l'épave devient une cible convoitée de tous, notamment pillards et instances fédérales. Depuis le milieu des années 80, après le repêchage du trésor de l'Atocha, l'État de Floride lui avait confisqué son bien. Après 11 aller-retour devant le tribunal, il récupéra son trésor et l'arrêt de la cour fit

jurisprudence. Aujourd'hui Meal Fisher est un homme riche mais il est à la course aux trésors ce que Johnny est au rock. Il ne peut plus s'arrêter. Il recherche sans cesse de nouvelles épaves dans l'espoir de retoucher le gros lot. Sa dernière expédition : une série d'épaves au large de Cape Canaveral, sur la côte est de Floride. Vas-y Mel, on est avec toi de tout cœur !

▸ ***Excursion en bateau vers la barrière de corail :*** nombreux sont les agences et les kiosques de Duval Street qui vendent des tickets pour faire la balade. Plusieurs solutions : le *glass botton boat,* bateau à fond de verre, très cul-cul-la-praline et réservé à ceux qui ne veulent pas se mouiller (mais conviendra à ceux qui ont des petits enfants). Mais on vous prévient, on ne voit pas grand-chose. Le mieux c'est le *snorkeling :* avec masque et tuba, on explore la barrière de corail à la découverte de la faune et de la flore d'une étonnante richesse dans ce coin. Vraiment à ne pas manquer. Pour les spécialistes, possibilité de plongée sous-marine (avec bouteilles). Les tours durent environ 3 h, dont 1 h 30 dans l'eau. On conseille de prendre un tour du matin, il y a moins de monde et la lumière est plus douce. Une adresse : *Reef Raiders Dive Shop*, 109 Duval Street. ☎ 294-3635. Prix parmi les moins chers. Propose aussi des plongées avec bouteilles. Très bien. Avoir sa licence.

▸ ***La visite du port :*** proposée par certaines agences. Pas super. On passe devant la base d'entraînement pour l'invasion tristement célèbre de la baie des Cochons (1962). On n'y apprend pas grand-chose, à part l'anecdote des gardes-côtes qui peignent une feuille de marijuana sur leur cheminée, à chaque prise d'une tonne de ce feuillage magique. Ah, oui ! Et celle, complètement dingue, du stock de 35 t d'herbe que les douanes voulaient brûler. Au plus fort de la combustion, le vent tourna et la ville entière dut supporter le *fog* le plus agréable qu'un Londonien eût pu rêver.

▸ ***Casa Marina :*** de l'autre côté de l'île (côté est), au bout de Reynolds Street. En 1921, Flagler, le milliardaire fou qui finança la ligne de chemin de fer jusqu'à Key West, construisit cet énorme hôtel. De style Renaissance espagnole, on y accueillait une clientèle d'artistes célèbres et d'hommes d'affaires qui allaient s'encanailler à Cuba. Après la destruction de cette ligne par un cyclone, l'hôtel vécut des moments difficiles (il servit même de caserne), puis fut fermé en 1962. Étonnant bâtiment restauré à grands frais en 1978 par la chaîne *Marriott*, en souvenir d'une époque fastueuse. On a conservé le caractère original de l'hôtel avec ses boiseries anciennes, ses ventilateurs et ses meubles des années 20. A l'entrée du restaurant principal, très belles photos d'époque. Charmante plage privée et jacuzzi près de la piscine. Le restaurant près de la piscine propose, les lundi, mercredi, vendredi et samedi, un « all you can eat » pour une quinzaine de dollars. Comblera les gros appétits. Ouvert de 18 h à 22 h environ. Venir avec des vêtements propres.

▸ ***Tour en avion :*** possibilité de survoler l'île et les autres keys en petit avion. Pour que ça ne revienne pas trop cher, il faut être 5 (c'est le maximum). *Key West Seaplane Service :* 5603 W Jr College Road. ☎ 294-6978. Propose des tours de 20 mn à 4 h. Possibilité d'aller jusqu'au Fort Jefferson, aux Tortugas Islands.

## Où nager à Key West ?

Pas de vraies plages, on l'a déjà dit. Il existe pourtant des plages artificielles et quelques plagettes. Autant le savoir, elles n'ont rien à voir avec le reste des plages de Floride. L'eau y est un peu trouble et le sable y est venu dans des camions et par la route, pas par la mer. Mais, aux heures chaudes, un bon bain est loin d'être désagréable, avant un premier cocktail.
***Smather Beath*** est la plus longue et la plus populaire (2 km environ). Située au sud de l'île, sur Roosevelt Blvd, pas très loin de la Casa Marina. Location de planches, de matelas et de dériveurs. La deuxième est celle de ***Fort Zachary.*** On la déconseille car elle est sise dans une sorte de parc dont l'entrée est payante. Et puis le sable est dur comme du béton.

## Fêtes et festivals

– ***Hemingway Days Festival :*** en souvenir de l'anniversaire d'Hemingway (21 juillet), un festival d'une semaine est organisé autour de cette date. Tous les jours, spectacles, fêtes ou concours du meilleur sosie de « Papa ». Renseignements, ☎ 294-4440.

– ***Mini Mardi gras*** *(Fantasy Festival) :* vers la mi-octobre. Grande fête pendant une semaine, sans raison, juste pour le *fun.*

# – LA CÔTE OUEST –

La côte ouest de la Floride, moins dévorée par le tourisme que la côte est, offre de superbes plages blanches et longues comme des voiles de mariée, ainsi que quelques haltes culturelles bien intéressantes. On ne fait par le détour exprès mais si votre parcours vous y conduit, il ne faudra pas louper les quelques musées que proposent Saint Petersbourg, Sarasota et Fort Myers. Les plages, bordées de motels et d'hôtels en tout genre (mais chers en général), accueillent surtout des gens âgés. On n'a rien contre, mais mieux vaut le savoir.

## SAINT PETERSBURG

IND. TÉL. : 813

La ville n'a rien d'extraordinaire, assez déprimante même. Heureusement, il y a le musée Dalí.

– ***Greyhound :*** 180 9th Street North.

### Où dormir ?

■ ***The Detroit Hotel and International Hostel :*** 215 Central Avenue. ☎ 822-4095. Hôtel vieillot qui fait office d'auberge de jeunesse. Pas de différence de prix avec ou sans carte. Moyennement bien tenu. Si vous prévenez à l'avance, on viendra vous chercher au Greyhound.

### A voir

▸ ***Dalí Museum :*** 1000 3rd Street South. ☎ 823-3767. Ouvert de 9 h 30 à 17 h 30 du mardi au samedi, le dimanche et le lundi à partir de 12 h. Entrée payante. Situé dans un environnement superbe, au bord d'un port de plaisance. Ce musée propose plus de 200 Dalí, la plus grande collection privée de l'artiste. C'est en 1942 que Mr et Mrs Morse découvrirent le travail de Dalí puis le peintre lui-même. Dès lors, le couple n'eut de cesse d'acheter les toiles de l'artiste. De ses premières œuvres jusqu'à ses chefs-d'œuvre en passant par sa période surréaliste et classique, ce musée offre une incroyable palette, une des plus belles réunions de tableaux concernant le maître du surréalisme. Les œuvres couvrent la majeure partie de la vie artistique du peintre, de 1914 à 1980. Les huiles présentées changent régulièrement, mais les chefs-d'œuvre que sont la « Découverte de l'Amérique par Christophe Colomb » et « Le Toréador hallucinogène » sont accrochés en permanence. A côté « La Nature morte vivante », pleine d'humour. Des tours guidés en anglais expliquent la démarche et l'histoire du peintre au travers de son travail. Instructif et pédagogique.

▸ ***Museum of Fine Arts :*** 255 Beach Drive NE. ☎ 896-2667. Ouvert de 10 h à 17 h et le dimanche de 13 h à 17 h. Entrée gratuite, mais donation... suggérée. Un bon petit musée qu'il serait dommage de rater puisque vous êtes là. Pas vraiment de thèmes dominants, comme c'est souvent le cas dans les musées américains. Les œuvres sont classées par collections privées et non par types d'art, ce qui donne un côté fouillis. Large tour d'horizon des arts européens du XVᵉ siècle à nos jours. Peinture française (Monet, Renoir, Pissarro) et anglaise des XIXᵉ et XXᵉ siècles et religieuse du XVᵉ siècle. Section de vaisselle, de sculpture indienne, de tentures chinoises, de mobilier, etc. Plein de jolies choses.

## SARASOTA

IND. TÉL. : 813

Ville proprette, station balnéaire réputée. Sarasota est une ville chère. En elle-même, elle n'a aucun intérêt, mais une halte au *musée Ringling* est obligatoire. La presqu'île de Longboat Key, qu'on gagne par un pont, étale sur 12 miles son admirable plage de sable blanc et son lot de motels hyper chers. Après la visite du musée, venez donc par ici prendre un bain et, pourquoi pas, y passer la nuit pour ceux qui ont les moyens.

### Adresses utiles

– ***Visitors' Information Center :*** 655 N Tamiami Trail. ☎ 957-1877. Ouvert de 9 h à 17 h tous les jours. Fermé le dimanche en basse saison.
– ***Post-Office :*** Ringling Blvd, entre Orange Avenue et Pine Street.
– ***Greyhound :*** 575 N Washington Blvd, entre 5th et 6th Streets. ☎ 955-5735.

### Où dormir ?

***DANS SARASOTA***

Bon marché

Ces hôtels sans charme sont les moins chers du coin. Seuls ceux qui sont pris par la nuit dormiront ici. Ils sont tous situés sur Tamiami Trail, la rue principale de Sarasota, celle qui mène à l'aéroport. Si vous voulez mettre plus d'argent dans votre logement, allez plutôt sur la plage de Longboat Key.

■ ***Sapphire Motel :*** 4925 N Tamiami Trail. ☎ 355-5408. Un des moins chers. Confort minimum. Piscinette.

■ ***Cadillac Motel :*** 4021 N Tamiami Trail. ☎ 355-7108. Motel en U, comme de bien entendu. Honnête.

■ ***South Land Motel :*** 2229 N Tamiami Trail. ☎ 954-5775. Correct. Avec piscine.

Bed & Breakfast

■ ***Pepper Berry House :*** 1898 High Point Drive. ☎ 951-0405. Belle maison au bord d'un canal, entre le centre ville et la plage. Pour ceux qui veulent être au calme et que l'éloignement de la mer ne dérange pas. Grand jardin, jacuzzi à disposition. 3 chambres seulement. Excellent confort et intimité assurée. Patronne charmante.

***AU BORD DE LA PLAGE***

Chic

Les hôtels par ici sont hors de prix, même hors saison, et n'offrent rien de plus qu'ailleurs. Routard fauché, fuyez !

■ ***Gulf Beach Resort Motel :*** 930 Ben Franklin Drive. ☎ 388-2127. Motel sympa devant la plage. Cuisine, machine à laver, piscine. Assez chic mais les prix sont encore acceptables (en basse saison).

■ ***Coquina Beach :*** 1008 Ben Franklin Drive. ☎ 388-2141. Chouette motel, structure de taille familiale. Certaines chambres donnent sur la mer. Tout confort. Demandez s'il y a des « Specials » (prix spéciaux).

***DANS LES ENVIRONS***

Camping

■ ***Oscar Scherer State Recreation Area :*** situé au sud de Siesta Key, à environ 15 km de Sarasota, sur la US 41, en allant vers Osprey. ☎ 966-3154. Seul camping à pratiquer des tarifs acceptables. Les autres tournent autour de 30 $. Du délire. Calme, spacieux. Douche chaude, barbecue, toilettes et prix raisonnables, mais éloigné de la plage.

## Où manger ?

### *A SARASOTA*

• ***306 Bomb Group :*** 6770 N Tamiami Trail. ☎ 355-8591. Le plus typique de tous les restos de Sarasota. Tout à côté de l'aéroport. Les proprios ont utilisé toutes leurs munitions dans une déco « Seconde Guerre mondiale ». Sacs de sable, treillis, uniformes, tranchées... et musiques des 40's. Beaucoup d'habitués (et d'anciens combattants). Quand les vieux de Sarasota se font une sortie, c'est là qu'ils viennent. Bonne cuisine simple, américaine sur le fond, avec quelques excursions vers l'Europe. Un peu cher.

### *VERS LES PLAGES*

• ***Le Rendez-vous :*** Saint Armand's Circle, 302 John Ringling Blvd. ☎ 388-2313. Ouvert tous les jours de 8 h 30 à 21 h. Pâtisserie-boulangerie-resto français. Sympa de manger de la vraie baguette, du bon pain de campagne. *Muffins* délicieux, croissants et pains au chocolat comme chez nous. Le midi, grosses salades, quiches, ratatouille, sandwiches. Le soir, plats plus étudiés, addition plus salée. Bien pour le midi et pour dévorer des pâtisseries.
• ***Colombia Restaurant :*** 411 Saint Armand's Circle. ☎ 388-3987. Ouvert tous les jours de 11 h à 23 h. Resto réputé auprès des jeunes (quels jeunes ?) du coin. Plusieurs salles décontractées et une plus chic, servant la même cuisine cubaine, des Philippines et américaine. *Ceviche* (poisson mariné dans du citron), huîtres du golfe, *stone crabs*... et hamburgers.

### *AU SUD DE SARASOTA*

• ***Coasters :*** 1500 Stickney Point Road. ☎ 923-4848. Juste avant le pont menant à Siesta Key, prendre le dernier drive-way sur la gauche. Excellent resto, très classe et décontracté à la fois, chose courante aux États-Unis mais rare en France. Plats de poisson réussis à des prix étonnamment doux pour l'endroit. Grande terrasse de bois dominant le bras de mer qui sépare le continent de Siesta Key. Oiseaux blancs, pélicans et mouettes accompagnent votre repas, et parfois le partagent.

## A voir

▸ ***Ringling Museum :*** 5401 Bay Shore Road. ☎ 355-5101. Ouvert tous les jours de 9 h à 17 h. Entrée payante. Musée à ne rater sous aucun prétexte. Il était une fois un jeune homme, Mr John Ringling, chanteur et comédien de son état, qui eut l'idée de monter son propre cirque avec ses frères. Il se développa peu à peu et racheta même le célèbre cirque Barnum and Bailey. Dans les années 20, Ringling était le roi du cirque et, au cours de ses voyages, il acquit des dizaines de chefs-d'œuvre de l'art européen. Les Ringling avaient installé leurs quartiers d'hiver à Sarasota, John Ringling s'y fit construire une demeure majestueuse dans le style italien, donnant sur un lac, ainsi qu'une sorte de palais, toujours à l'italienne, destiné à abriter sa collection privée.
• *Le musée Ringling* est dans une construction délirante, dans le style Renaissance italienne. Contrairement aux autres riches Américains comme Hearst qui ont confondu « beaucoup de fric » avec « beaucoup de goût », Ringling a réussi à éviter l'extravagance et le mélange des architectures. Son palais se révèle aussi étonnant de l'extérieur qu'à l'intérieur. Intérieur où sont exposées, dans la galerie nord, des œuvres italiennes, françaises, flamandes, anglaises, du XV^e au XVIII^e siècle. La première salle présente 4 toiles gigantesques de Rubens, dont « les Quatre Évangélistes », « les Pères de l'Église » et « les Défenseurs de

l'eucharistie ». La galerie sud n'est pas en reste avec des peintures du Greco, de Murillo, Poussin, Vélasquez. Une aile est consacrée à la photo.
• *Circus Galleries :* toujours dans l'enceinte du parc Ringling, un pavillon circulaire retrace l'histoire du cirque par une série de gravures d'une grande finesse, venant d'Inde, d'Allemagne, de France et des États-Unis. Photos, documents, posters, et puis des anciennes carrioles, maquettes et costumes.
• *Asolo Theater :* adorable théâtre du XVIIIe siècle dans lequel sont encore jouées régulièrement des pièces classiques et contemporaines. Il était édifié à Asolo, du côté de Venise, avant d'être démonté et remonté ici.
• *La résidence Ringling :* au bord de l'eau et au fond du parc, construite en 1925, la maison de style vénitien, inspirée (vaguement) du palais des Doges à Venise, étale ses dizaines de pièces richement habillées de mobilier provenant essentiellement d'Angleterre et d'Allemagne. Plafonds sculptés, salons et chambres à coucher décorés avec classicisme et sans chichis. Tapisseries flamandes du XVIe siècle... Un véritable tour d'Europe des arts décoratifs. Dommage que l'ensemble manque singulièrement de chaleur.

▸ ***Cars and Music of Yesterday :*** 5500 N Tamiami Trail. Face au musée Ringling. Ouvert tous les jours de 8 h 30 à 18 h et à partir de 9 h 30 le dimanche. Tours guidés régulièrement. Entrée payante. Endroit assez incroyable où sont réunies trois grandes familles d'objets anciens : les jeux mécaniques, les instruments de musique et une bonne centaine de voitures anciennes. Évidemment, c'est surtout à ce rayon qu'il faudra vous attarder. Contrairement à de nombreux musées du genre qui exposent surtout des véhicules extravagants ou rares, celui-ci présente la voiture de Monsieur Tout-le-Monde au cours du siècle, dont certains spécimens étonnants. Toutes ne sont pas d'ailleurs en super état. Limo, Jaguar, Desoto, Buick des années 30 à 50 sont à l'honneur, mais les voitures des années 70 sont aussi présentes. On voit même des vieilles Volkswagen. Pas de traces de Simca ni Peugeot en revanche. Dans ce vaste hangar mal rangé traînent encore quelques poubelles du début du siècle. Pour les fous de voitures, visite indispensable. Les jeux mécaniques ne sont pas en reste. Les ancêtres des flippers, des « war-games » et des « race-tracks » démontrent que dans ce domaine les Américains étaient déjà bien en avance sur nous. La section instruments de musique, avec tous ces phonographes en rangs d'oignons, est moins palpitante.

▸ ***Mote Marine Laboratory :*** au sud de Long Boat Key, sur la presqu'île de City Island. 1600 Ken Thompson Parkway. Prendre la John Ringling Parkway (et non la Causeway) à partir de Saint Armand's Circle. Ouvert de 10 h à 17 h tous les jours. Laboratoire d'études sur les requins. Possède un bel aquarium de poissons, tortues et requins. Expo et explication sur la vie sous-marine. Éducatif à défaut d'être impressionnant. Seulement si vous n'allez pas à Orlando ni à Miami.

## FORT MYERS

IND. TÉL. : 813

Cette ville ne sera qu'une étape, comme on dit dans les guides polis. En clair, vous vous arrêterez ici pour visiter la demeure de l'incroyable inventeur Thomas Edison, et puis vous filerez. Mais si vous êtes dans le coin, ne ratez pas cette visite que l'on apprécie mieux quand on parle l'anglais.

### A voir

▸ ***Edison House :*** 2350 MacGregor Blvd. Ouverte de 9 h à 16 h (heure du début du dernier tour) et à partir de 12 h 30 le dimanche. Tour guidé en anglais toutes les 5 mn. Cher. Deux tickets possibles : la maison d'Edison seule, ou combinée avec la visite de la maison d'Henry Ford, son voisin. On conseille de ne prendre que la première. La visite de 2 h est bien longuette et les guides prodigieusement ennuyeux. Pendant une heure, on passe en revue toutes les plantes et arbres de son jardin botanique, ce qui est bien fastidieux. Puis on visite sa maison qui, bien que jolie, ne casse pas des briques. Elle est banale et la déco intérieure n'était visiblement pas son fort. Le plus intéressant est en fait son laboratoire et son musée. Juste devant le labo, un extraordinaire banian, un

arbre absolument démoniaque, dont les ramifications ne partent pas du sol, mais des branches, et retournent à la terre pour former des sortes de tuteurs qui deviennent ensuite de véritables troncs. Celui-ci est tout bonnement le plus gros des États-Unis. On arrive enfin au musée où l'on découvre, effaré, la capacité d'invention de ce génie.
Entre 1869 et 1933, on décerna au célèbre inventeur plus de 1 900 brevets ! 300 concernaient le domaine électrique, 150 le télégraphe, 100 les batteries, 35 les téléphones, une dizaine les projecteurs, une poignée les machines à écrire et bien sûr certains avaient trait au phonographe. C'est lui qui découvrit l'émission d'électrons par un filament conducteur chauffé à haute température dans le vide, qui fut la base du fonctionnement des tubes électroniques (ce fut l'effet Edison, 1883). Il mit au point le téléphone Duplex (1864) et le phonographe (1877). Il tenta également de mettre au point une nouvelle forme de latex pour faire face à la crise du caoutchouc au début du siècle. Le musée présente un nombre d'objets incroyables sur lesquels Edison intervint et dont les découvertes influencèrent le développement. Le commentaire du guide s'avère important pour qui veut bien comprendre le cheminement de cet homme.

# SANIBEL ISLAND

Considérée comme une des plus belles (sinon la plus belle) presqu'île de la côte ouest de la Floride. 14 miles de sable blanc et de coquillages. Car le grand attrait de Sanibel, c'est le ramassage des coquillages. A marée basse, il est amusant de voir tous ces gens fouiller le sable à la recherche d'une belle coquille. Sanibel est une île préservée. Ici, pas de motels *cheap* ni de Holiday Inn de 300 chambres. Rien que des petites structures, charmantes et familiales, la plupart à proximité de la mer, sauf les moins chères. Mais l'île préservée se veut aussi élitiste : tout y est onéreux et il y a beaucoup de vieux rentiers qui sèchent au soleil. Certaines adresses sont quand même abordables. Pont à péage pour y accéder. Pas donné.

## Adresses utiles

– ***Visitors' Center*** : à l'entrée de l'île, juste après le pont sur la gauche (panneau). Ouvert tous les jours de 9 h à 19 h 45, et le dimanche de 10 h à 18 h. ☎ 472-1080.
– ***Location de vélos et mobylettes*** : 1470 Periwinkle Way. ☎ 472-5248. Ouvert de 8 h 30 à 17 h 30 tous les jours. Autre loueur : *Finnimore's Cycle Shop,* 2353 Periwinkle Way. ☎ 472-5577.
– ***Greyhound*** : à Fort Myers. 2275 Cleveland Avenue. ☎ 334-1011.

## Où dormir ?

### Camping

■ ***Periwinlke Park*** : 1119 Periwinkle Way, sur la gauche à 0,5 mile après la bifurcation à droite. Situé sur le côté gauche. ☎ 472-1433. Pas près de la plage. Le seul camping de l'île. Prix diaboliquement élevés.

### Prix moyens

Quelques adresses pas trop chères en été. Prix deux fois plus élevés de janvier à avril. Ces adresses sont toutes gérées par le même groupe. Pour informations et réservations, allez à la Villa Capri. La Villa Capri, Driftwood et Kona Kai sont à environ 1 km de la plage.
■ ***Villa Capri*** : 1245 Periwinkle Way. ☎ 472-1833. Sur la route principale de l'île, à 0,5 mile sur la gauche. La structure la moins chère de l'île. Petit établissement avec chambres ou bungalows. Éventail de prix assez large en fonction du niveau d'équipement. Confort minimum. Accueil moyen.
■ ***Driftwood*** : 711 Donak Street. ☎ 472-1852. Pas vraiment un hôtel. Plutôt une maison divisée en plusieurs appartements, avec cuisine et salon. Pas de piscine mais jardinet et verdure. Réservation à la Villa Capri. Bien, surtout pour ceux qui séjournent plusieurs jours.

■ ***Kona Kai Motel :*** 1539 Periwinkle Way. ☎ 472-1001. Bungalows mignonnets tout en bois dans un jardin agréable. Prendre ceux les moins proches de la route. Petite piscine. Trois niveaux de confort : *motel rooms,* chambres avec cuisine et appartement tout confort. Certainement le meilleur rapport qualité-prix et le plus sympa.

Un peu plus chic

■ ***Blue Dolphin :*** 4227 W Gulf Drive. ☎ 472-1600. Une dizaine de cottages peints en blanc et turquoise, donnant directement sur la mer. Structure familiale, sur une route en cul-de-sac, donc calme. Grands lits, salon, A.C., et T.V. Genre années 50. Un petit côté vieillot et sympathique à la fois. Certainement l'établissement le moins cher donnant sur la plage. Bonne adresse.

Très chic

■ ***Shalimar :*** sur W Gulf Drive, sur le front de mer. ☎ 472-1353. Délicieux cottages privés, tout en bois, disposés autour d'une belle piscine entourée de verdure. Cuisine, salon *and so on.* Le luxe, le charme... le prix.
■ ***West Wind Inn :*** 3345 W Gulf Drive. ☎ 472-1541. Superbe hôtel de taille raisonnable. Chambres spacieuses, grand jardin autour de la piscine. La classe. Prix très élevés.

## Où dormir à Fort Myers Beach ?

Si tout est complet à Sanibel, on peut toujours venir dormir à Fort Myers Beach où la plage est belle aussi, mais l'ambiance plutôt du genre Mimile, option Palavas-les-Flots. Quelques adresses pour dépanner. Là aussi, pas d'illusions à se faire, c'est cher.

Prix moyens

■ ***Sanbar Resort Motel :*** 5840 Estero Blvd. ☎ 463-6992. Bien situé, calme et plutôt sympa. Tout en bois clair et devant la plage. Prix du simple au double en fonction de la saison.
■ ***Azure Tides Motel :*** 5350 Estero Blvd. Moins charmant que le précédent, mais toujours côté plage. Un peu moins cher également.
■ ***The Twin Palm Inn :*** 2700 Estero Blvd. ☎ 463-9247. Deux édifices différents, l'un côté plage, l'autre pas. Bon confort. Prix convenables.

Plus chic

■ ***Wild Wave Resort :*** 3650 Estero Blvd. ☎ 463-8900. Jolie maison de bois gris surplombant la plage. On loge dans de vrais petits appartements (cuisine, réfrigérateur, T.V...) directement sur la plage de sable blanc. Pas de piscine.

Camping

■ ***San Carlos R.V. Campgroung :*** 18701 San Carlos Blvd. ☎ 466-3133. Le camping le plus près de la plage. On est un peu les uns sur les autres mais c'est le seul choix dans le coin. Bien moins cher qu'à Sanibel Island. Machine à laver, piscine, « Hot-tub »...

## Où manger à Sanibel Island ?

Pratiquement tous les restos se trouvent sur Periwinkle Way.

Assez bon marché

● ***Isabella's Pizza :*** 1528 Periwinkle Way. ☎ 472-0044. Sorte de pizzeria-deli. Pizza à la part, salades de pâtes, sandwiches variés, le tout à emporter. Bien pour le lunch.
● Magasin d'alimentation *Huxter* sur Periwinkle Way.

Prix moyens

● ***Quarterdeck Restaurant :*** 1625 Periwinkle Way. ☎ 472-1033. Ouvert de 8 h à 21 h. Chouette resto, vraiment sympa, où l'on vous fait griller ou frire une épaisse tranche de thon, de *grouper* ou de « Mahi-Mahi ». Servi avec soupe ou salade. Copieux et délicieux. Service diligent, prix doux. Et pourquoi ne pas commencer pas des *Parmesan Onion Straws ?*

- ***Bangkok House :*** 1547 Periwinkle Way. ☎ 472-4622. Pour changer un peu des hamburgers, une cuisine thaïe populaire dans une grosse maison rappelant vaguement le style du pays.

## A faire

▸ ***Le ramassage des coquillages :*** à marée basse. On se retrouve sur la plage pour récolter ce que la mer a apporté dans sa blanche écume.

▸ ***J.N. « Ding » Darling Wildlife Refuge :*** entrée sur Sanibel-Captiva Road. Un bon tiers de l'île est entièrement préservé et fait partie d'un sanctuaire naturel dans lequel une piste de 5 miles (accessible aux voitures) a été tracée. On traverse une belle végétation tropicale, agrémentée de marais, de marigots, de petits lacs dans lesquels vivent plus de 200 espèces d'oiseaux, qu'on peut observer de près, pratiquement sans sortir de son véhicule. Incroyable Amérique qui s'arrange toujours pour que la voiture passe partout ! Le meilleur moyen de parcourir ce circuit est le vélo. On peut aussi le faire à pied, mais le soleil cogne. Pélicans, aigrettes, hérons et petits patapons sont là, à quelques pas. Sur une portion du chemin, possibilité de voir des alligators. Droit d'entrée selon le type de véhicule.

LA COLLECTION

# MAXIROUTE

INDISPENSABLE DANS LA VOITURE

MAXIROUTE

ATLAS DES ROUTES DES ÉTATS-UNIS
CANADA • MEXIQUE

96 cartes touristiques - 200 plans de ville - 18 cartes des parcs nationaux

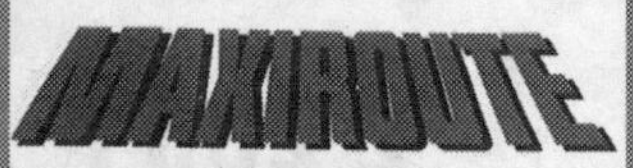

ATLAS ROUTIER

EUROPE

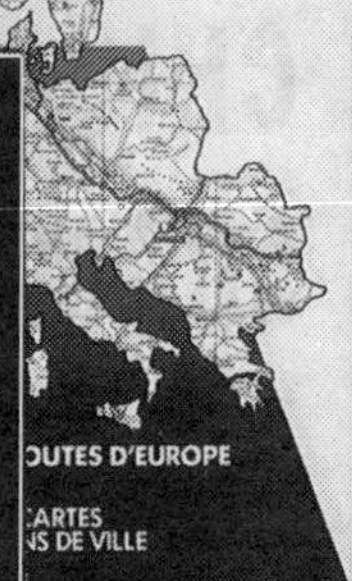


MAXIROUTE

EUROPE 1

ATLAS ROUTIER
FRANCE
BELGIQUE,
LUXEMBOURG

MAXIROUTE

ATLAS DES ROUTES D'ITALIE

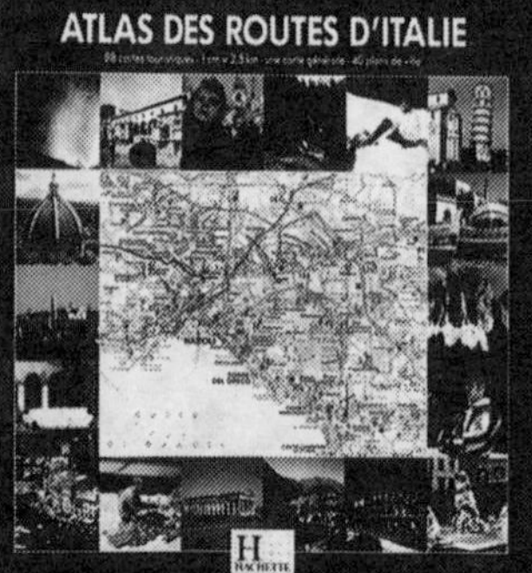

MAXIROUTE

ATLAS DES ROUTES
DE GRANDE-BRETAGNE ET D'IRLANDE

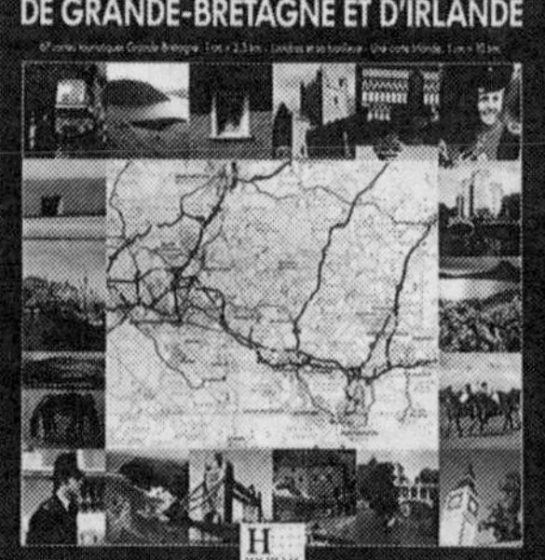

## NOS NOUVEAUTÉS PARUES ET A PARAITRE

ALLEMAGNE-AUTRICHE : deux pays aux personnalités bien différentes. En Allemagne, efficacité, travail, et prospérité. Les performances du système ont bizarrement amené sa contestation : écologie, refus du nucléaire, droits de la femme... L'Allemagne n'est décidément plus ce qu'elle était, mais une nation qui s'interroge devient tout à coup passionnante. L'Autriche, ambivalente, ne l'est pas moins. Ici, musique et romantisme cohabitent. Des hauts lieux historiques pleins de fastes et de mystère. Le tout dans une nature toujours somptueuse.

ITALIE DU NORD et ITALIE DU SUD : un pays si riche mérite bien deux guides. Des vestiges à n'en plus finir et des paysages qui respirent l'éternité. Et aussi le vin de Frascati, les courses en Vespa (sans casque), le cappuccino, la siesta, les gelati, et les musées « chiuso ». Mais n'oubliez surtout pas les Italien(ne)s. Ils ont choisi la folie des passions.

HÔTELS ET RESTOS DE FRANCE : notre best-seller absolu. Pour cette 2e édition : 500 nouvelles adresses, un guide qui sent bon la France.

## LES MINI-ROUTARDS

Mini-prix, mini-format : adresses, conseils, visites et renseignements utiles.

AMSTERDAM : une ville étonnante à guère plus de 500 km de Paris. Son visage change nonchalant au gré des canaux et de la lumière du jour. Perchés sur des milliers de pilotis, les édifices se serrent les uns contre les autres comme de vieux copains. Calme trompeur.

NEW YORK : une ville suffisamment exceptionnelle pour mériter son propre guide.

NOUVEAU : depuis le temps qu'on en rêvait... On a enfin notre disque ! LE DISQUE DU ROUTARD est désormais disponible chez tous les disquaires, sous forme de CD 17 titres (avec livret de 28 pages) ou de K7 (avec trois titres en prime). Nous avons voulu ce disque éclectique (rock, blues, reggae, new wave) pour satisfaire toutes les générations de routards, tout en vous faisant partager nos passions (Marley, Clash, La Mano Negra, Leonard Cohen, etc.). Les titres sélectionnés ont en tout cas un point commun : ils chantent la route et évoquent le voyage, on s'en serait douté !... A vos bacs ! (Sony Music.)

# INDEX

## *les* **Routards** *parlent aux* **Routards**

Faites-nous part de vos expériences, de vos découvertes, de vos tuyaux pour que d'autres routards ne tombent pas dans les mêmes erreurs. Indiquez-nous les renseignements périmés. Aidez-nous à remettre l'ouvrage à jour. Faites profiter les autres de vos adresses nouvelles, combines géniales... On envoie un exemplaire gratuit de la prochaine édition à ceux dont on retient les suggestions. Quelques conseils cependant :

– N'oubliez pas de préciser sur votre lettre l'ouvrage que vous désirez recevoir. On n'est pas Madame Soleil !

– Vérifiez que vos remarques concernent l'édition en cours et notez les pages du guide concernées par vos observations.

– Quand vous indiquez des hôtels ou des restaurants, pensez à signaler leur adresse précise et, pour les grandes villes, les moyens de transport pour y aller. Si vous le pouvez, joignez la carte de visite de l'hôtel ou du resto décrit.

– Bien sûr, on s'arrache moins les yeux sur les lettres dactylographiées ou correctement écrites !

*Le Guide du Routard : 5, rue de l'Arrivée. 92190 Meudon.*

## *la* **Lettre** *du* **Routard**

Bon nombre de renseignements sont trop fragiles ou éphémères pour être mentionnés dans nos guides, dont la périodicité est annuelle. Comment découvrir des tarifs imbattables ? Quels sont les renseignements que seuls connaissent les journalistes et les professionnels du voyage ? Quelles sont les agences qui offrent à nos adhérents des réductions spéciales sur des vols, des séjours ou des locations ?
Tout ceci compose « La Lettre du Routard » qui paraît désormais tous les 2 mois. Cotisation : 90 F par an, payable par chèque à l'ordre de CLAD Conseil - 5, rue de l'Arrivée - 92190 Meudon.

(Bulletin d'inscription à l'intérieur de ce guide. Pas de mandat postal).

## **36 15** *code* **Routard**

Les routards ont enfin leur banque de données sur minitel : 36-15 (code ROUTARD). Vols superdiscount, réduction, nouveautés, fêtes dans le monde entier, dates de parution des G.D.R., rancards insolites et... petites annonces.
Et une nouveauté : le QUIZ du routard ! 30 questions rigolotes pour, éventuellement, tester vos connaissances et, surtout, gagner des cadeaux sympas : des billets d'avion et les indispensables G.D.R. Alors, faites mousser vos petites cellules grises !

## **Routard assistance**

Après des mois d'études et de discussions serrées avec les meilleures sociétés, voici « Routard Assistance », un contrat d'assurance tous risques voyages sans aucune franchise ! Spécialement conçu pour nos lecteurs, les voyageurs indépendants.
Assistance complète avec rapatriement médical illimité. Dépenses de santé, frais d'hôpital, pris en charge directement sans franchise jusqu'à 500 000 F + caution pénale + défense juridique + responsabilité civile + tous risques bagages et photos + assurance personnelle accidents (300 000 F). Très complet ! Et une grande première : vous ne payez que le prix correspondant à la durée réelle de votre voyage. Tableau des garanties et bulletin d'inscription à l'intérieur de ce guide.

Imprimé en France par Hérissey n° 59361
Dépôt légal n° 365-2-1993
Collection n° 13 – Édition n° 01

24/1934/9
I.S.B.N. 2.01.019924.3
I.S.S.N. 0768-2034